L'enseignement Secondaire des Jeunes Filles Sous la Troisième République

une documentation sur les publications de la fondation nationale des sciences politiques sera envoyée sur simple demande adressée aux presses de la fondation nationale des sciences politiques 27, rue saint-guillaume, 75341 paris cédex 07

L'enseignement Secondaire des Jeunes Filles Sous la Troisième République

FRANÇOISE MAYEUR

presses de la fondation nationale
des sciences politiques

TABLE DES MATIÈRES

DEUXIÈME PARTIE

LES STRUCTURES DU NOUVEL ENSEIGNEMENT

TROISIÈME PARTIE

UNE NOUVELLE CATÉGORIE
DE FONCTIONNAIRES

QUATRIÈME PARTIE

VERS L'IDENTIFICATION
A L'ENSEIGNEMENT MASCULIN

INTRODUCTION

L'enseignement secondaire des jeunes filles : ces termes à la résonance quelque peu désuète désignent une réalité qui parut presque révolutionnaire en France voici moins d'un siècle et resta vivante jusqu'au lendemain de la première guerre mondiale. Au début du 19e siècle, l'enseignement secondaire des garçons était déjà l'héritier d'un long passé. Le sentiment qu'un enseignement supérieur à l'enseignement élémentaire était dû aussi aux filles fut, en revanche, lent à se diffuser. Bien avant la distinction entre enseignement primaire et enseignement secondaire, se fait la coupure entre l'enseignement destiné aux filles du peuple et celui qui s'adresse aux jeunes filles de l'aristocratie et de la bourgeoisie. Sur cette division vient se greffer un débat d'une autre portée : à mesure que les intéressés s'avisent du rôle que les femmes tiennent dans la société, de l'influence qu'elles y exercent par l'intermédiaire de leurs époux et des enfants dont elles sont les premières éducatrices, un conflit va naître et s'exaspérer entre les catholiques, désireux de ne pas voir arracher à l'Eglise l'enseignement des filles, et l'Etat soucieux d'étendre son autorité à ce domaine. L'éducation des filles est l'un des points sensibles de l'opposition entre les « cléricaux » et les « hommes de progrès », les libéraux : ainsi s'expliquent les dimensions prises par la campagne épiscopale contre les cours secondaires de Duruy en 1867, ou par l'hostilité aux lycées de jeunes filles fondés par la loi Camille Sée.

Due à un député républicain, Camille Sée, la loi qui fonde, en 1880, de toutes pièces, un enseignement secondaire pour les jeunes filles est sans précédent dans notre législation scolaire. Mais si la Troisième République a fait là œuvre créatrice, elle a essayé de se placer dans une continuité. Principal point de référence des républicains en 1880, la Révolution a voulu faire de l'enseignement en général une affaire publique, sans en excepter l'enseignement des filles, mais elle n'a rien pu accomplir. Au début du 19e siècle, l'éducation des femmes est restée une affaire purement privée. Les couvents de religieuses ont renoué avec leur

1

tradition d'enseignement. De nouveaux venus, tels l'Institut du Sacré-Cœur, lié aux jésuites, ou un peu plus tard l'Assomption, les imitent et se consacrent à l'éducation des jeunes filles aisées. Les pensionnats laïques de jeunes filles, en revanche, ne possèdent pas leur équivalent au 18e siècle ; les cours secondaires, sorte de systèmes de conférences créés sous la Restauration ou la Monarchie de Juillet, encore moins. Ils offrent à leurs élèves une forme pédagogique inédite, souple et sensible aux modes, particulièrement adaptée à l'éducation des jeunes filles du monde, au reste inconcevable sans le complément d'une institutrice particulière.

Que ce soit dans les couvents, dans les pensionnats ou dans les cours, c'est essentiellement la tradition qui décide de ce qu'on doit ou non enseigner. Partout, sauf peut-être à l'Assomption, le contenu semble être resté longtemps des plus modestes. Dans les deux premiers tiers du 19e siècle et parfois bien au-delà, il comprend ordinairement la littérature française, l'apprentissage d'une ou deux langues vivantes, quelques notions d'histoire et de géographie. A cette formation exclusivement littéraire, s'ajoutent, au cours des années 1840, dans les meilleurs établissements, quelques rudiments des sciences : physique, cosmographie et sciences naturelles. Les arts d'agrément — danse, piano et peinture —, que viennent enseigner ordinairement des professeurs au cachet, sont en honneur. Quant aux travaux à l'aiguille, ils apparaissent essentiels et inhérents à toute éducation féminine, quel que soit l'avenir de l'élève dans la société.

L'Etat est en principe étranger à ces diverses institutions éducatives. Mais si désarmé ou indifférent qu'il ait pu paraître durant le premier 19e siècle, il n'en a pas moins exercé une action et contribué à la définition d'un enseignement « secondaire » des filles. Alors que Napoléon s'est contenté d'instituer les maisons de la Légion d'honneur, la Restauration et la Monarchie de Juillet ont essayé d'affirmer leur droit de regard sur les maisons d'enseignement féminines et sur le corps enseignant. Pour diverses raisons, surtout le manque d'argent, la faveur marquée par la Restauration à l'égard des congrégations et le refus que celles-ci opposèrent au contrôle, la plupart des mesures adoptées n'eurent pas d'application durable, quand elles en eurent. Pourtant, l'élaboration progressive d'un système d'examens pour les maîtresses de pension aboutit à l'organisation d'une sorte de hiérarchie des établissements laïques. Ceux-ci étaient encore de taille à faire pièce aux maisons congréganistes : des inspectrices, du moins à Paris, assuraient une garantie officielle à ces établissements. L'engouement du public pour les questions d'éducation féminine, même s'il n'eut pas de résultat direct et profond, donna au moins droit de cité à toute une presse spécialisée et contribua à renforcer l'action de l'Etat en la sollicitant et en la faisant connaître.

Loin d'affirmer une rupture, la révolution de 1848 assume l'héritage et va même plus loin. Voté, le projet de l'ancien saint-simonien Hippolyte Carnot aurait donné à l'enseignement des filles droit de cité à côté de celui des garçons. La victoire des conservateurs ne le permit pas : en ne reconnaissant, avec quelles restrictions, qu'un enseignement primaire des filles, la loi Falloux abolissait toute hiérarchie, elle consacrait l'usage, déjà partiellement reconnu par quelques règlements, de la lettre d'obédience qui dispensait les religieuses enseignantes de faire la preuve de leur compétence. Le résultat montra la fragilité de l'acquis antérieur. La conjoncture économique aidant, beaucoup de maisons laïques disparurent. Le niveau de l'enseignement, que plus rien ne garantissait, baissa sensiblement ou, le plus souvent, resta aussi faible qu'auparavant.

Durant les dix premières années du Second Empire, la question de l'enseignement des filles semble avoir subi une sorte d'éclipse : elle n'est plus vraiment à la mode. Pourtant, des tendances subsistent : les jeunes filles du monde ne perdent pas l'habitude, bien au contraire, de passer les brevets d'institutrices, non pour s'engager dans la carrière d'institutrice mais pour établir qu'elles ont terminé leurs études. Les cours secondaires restent florissants. C'est surtout d'un manque d'intérêt dans le public que souffre l'enseignement des filles. Un changement s'opère après l'arrivée de Victor Duruy au ministère, en 1863. Par une circulaire envoyée aux recteurs le 30 octobre 1867, le ministre se propose de créer, pratiquement sans aucun crédit, mais en faisant appel à l'initiative locale, de préférence municipale, et à la contribution des parents, un enseignement « supérieur » pour les jeunes filles.

Limitée dans son application puisque deux mille jeunes filles seulement suivirent les cours Duruy et que ces cours ne survécurent guère, pour la plupart, à la chute de Victor Duruy en 1869, cette initiative n'en apparaît pas moins fondamentale à plusieurs égards.

Elle fait d'abord éclater au grand jour le conflit entre les catholiques et l'Etat laïque auquel ils voudraient dénier toute initiative en un domaine qu'ils considèrent comme leur. Sous prétexte de convenances et de moralité, les cléricaux menés par Dupanloup déchaînèrent une campagne sans précédent contre le ministre. Les vraies raisons dépassaient singulièrement la question de l'enseignement féminin. Mais le terrain choisi n'est pas indifférent. De son propre aveu, Victor Duruy cherchait à arracher les jeunes filles des classes dirigeantes à l'influence d'hommes qui n'étaient « ni de leur temps, ni de leur pays ». Il se plaçait ainsi dans la filiation de Michelet, comme Jules Ferry et la génération montante des républicains. Dès ce moment, l'enseignement des filles devient un enjeu politique, bien avant d'apparaître comme un « choix de civilisation ».

La forme pédagogique adoptée par Duruy est celle des cours

secondaires si fort en vogue depuis près d'un demi-siècle : elle révèle les ambiguïtés auxquelles n'échappe pas le ministre, non plus que ses successeurs républicains. Les cours secondaires sont alors la seule forme d'enseignement où la fille ne soit pas séparée de sa mère par les barrières de la maison d'éducation ou de l'internat. Ils sont peu contraignants, faciles à organiser, peu coûteux surtout. C'est dans ce dernier trait que réside leur succès. Quand les républicains au pouvoir ont voulu développer l'enseignement secondaire des filles, c'est tout d'abord aux cours Duruy qu'ils ont pensé, c'est à l'image de la circulaire de 1867 qu'ils ont organisé, avec un bonheur inégal, de nouveaux cours. La loi de 1880, qui crée des établissements de jeunes filles avec possibilité d'internat, est d'un ordre bien différent : au sein même des institutions républicaines, perdure la rivalité entre deux formes d'enseignement presque opposées, les cours et le pensionnat, lui-même calqué sur le couvent. Avec la loi Camille Sée, c'est la seconde qui l'a emporté.

Pourquoi cette victoire a-t-elle été acquise ? Comment l'institution née de la loi est-elle venue s'insérer dans l'ensemble de l'édifice scolaire français ? A l'inverse, les innovations dont elle fut l'occasion ont-elles réussi à exercer une influence sur son aîné, l'enseignement secondaire masculin ? A ces questions vient s'en ajouter une autre : le recours à l'histoire des femmes, classiquement conçue comme le répertoire des grandes étapes de la conquête féministe, — les premières journalistes, les premières diplômées d'Université, — se montre-t-il fructueux ? Dans l'esprit des fondateurs comme dans celui des fonctionnaires qui furent chargés de l'exécution et eurent en définitive un rôle créateur, l'enseignement secondaire des jeunes filles ne marque nullement un début d'émancipation. Dans la mesure ou, au contraire, durant plus de trente ans il est resté fidèle à l'intention initiale, il apparaît comme une tentative pour immobiliser un moment de la pensée et de la sensibilité bourgeoises ; ne fut-il que cela ?

Essai de réponse, ce livre s'attache d'abord à retracer les circonstances et le vote de la loi du 21 décembre 1880, la mise en place du système qu'elle a prévu. Il analyse ensuite le fonctionnement de l'institution, en fait en quelque sorte le portrait : organisation des établissements, recrutement des élèves, contenu et esprit des programmes ; après quoi, vient le personnel, son origine, sa formation, le déroulement de sa carrière, les catégories qui le divisent, les comportements et les valeurs qui font son unité. Il évoque enfin la crise et la transformation de l'enseignement secondaire des jeunes filles qui aboutissent au décret de Léon Bérard assimilant cet enseignement à celui des garçons.

Tout au long de ces pages, sur une période à plusieurs égards longue de plus d'un siècle, l'étude des conceptions pédagogiques, des idées sur l'éducation de la femme et sur le rôle de celle-ci dans la société a été privilégiée. Il n'a pas semblé moins essentiel d'examiner comment les structures, une fois créées et engagées dans le système universitaire français d'alors, ont répondu à la demande de l'opinion et se sont modifiées au gré des mœurs. Sans doute d'autres aspects ont-ils été relativement sacrifiés : le détail de la chronique, les études monographiques ou régionales qui attendent nombre de chercheurs sur ce terrain encore neuf. Nous espérons au moins avoir mis en évidence les principaux aspects d'une histoire promise à un bel avenir.

*
* *

Ce travail n'aurait pas été possible sans de nombreux concours. Notre gratitude va tout d'abord aux Sévriennes de l'Association des anciennes élèves, dont la bienveillance nous a permis une approche plus intérieure à ce sujet. Qu'elles soient toutes remerciées en la personne de leur présidente d'honneur, Mlle Madeleine Courtin. L'intervention de M. le doyen Pierre Renouvin, qui avait dirigé nos premiers travaux, de M. Deygout, directeur des personnels du Ministère de l'éducation nationale, la compréhension de M. Guy Duboscq et de M. Pierre Caillet, respectivement directeur général des Archives de France et conservateur en chef de la section moderne, nous ont ouvert l'accès direct aux dossiers personnels des fonctionnaires. Les conseils de Mme Antoine, conservateur chargé de la série F 17, la collaboration de Mme Imbert, commis aux Archives nationales, nous ont rendu le dépouillement des dossiers plus aisé. Nous remercions également les conservateurs des archives départementales consultées, pour l'amabilité de leur accueil. Notre reconnaissance est acquise aussi à M. le professeur Valensi, directeur de la section informatique de l'Université de Paris I, qui a suivi les débuts de l'exploitation par ordinateur des données recueillies. Le CNRS m'a accordé quatre années sans enseignement ; elles ont permis une avance décisive des recherches et de la rédaction, sous le patronage de M. le président René Rémond ; qu'il soit ici remercié. Enfin, nous voulons exprimer l'étendue de notre dette à l'égard de M. le professeur Louis Girard qui n'a pas cessé, tout au long de ce travail, de lui marquer son intérêt et sa confiance.

Première partie

LA LOI CAMILLE SÉE
ET LA NAISSANCE DE L'INSTITUTION

Chapitre I

La loi Camille Sée, 21 décembre 1880

Considérée, à juste titre, comme le point de départ de l'enseignement secondaire féminin, la loi du 21 décembre 1880, appelée ordinairement du nom de son promoteur, fut le fruit d'une initiative toute individuelle. Mais, objet d'une élaboration minutieuse en commission, elle fait déjà figure d'œuvre collective lorsqu'elle est soumise aux discussions de la Chambre. La tradition républicaine dans laquelle elle s'insère, les hésitations, les réticences dont l'enseignement secondaire des filles est l'objet, les discussions qu'il a provoquées au Parlement et dans l'opinion aideront à mieux comprendre la place que prit d'emblée l'institution dans le système scolaire et les préoccupations des Français.

Les républicains et l'instruction des femmes

« La tempête de 1870 emporta les cours Duruy, sauf un ou deux, écrit Henri Marion[1], fit péricliter les meilleures institutions laïques, et remit tout en question, il faut bien le dire, en faisant éclater nos divisions intestines, en faisant apparaître de plus en plus les maisons religieuses d'éducation comme des foyers de réaction politique. Certes, la bonne foi était absolue ; l'Eglise, se jugeant menacée dans ses prérogatives séculaires, s'attachait d'autant plus à ses maisons d'éducation des deux sexes, les orientait vers le passé, y organisait savamment la résistance à l'esprit du siècle, issu de la Révolution. Dans ces conditions, la question pédagogique prit nécessairement un intérêt bien autre, l'intérêt, tragique en quelque sorte, d'une question politique capitale, nœud de toutes les autres, et la clef de l'avenir. »

---

1. *Etudes de psychologie féminine. L'éducation des jeunes filles*, p. 284-285. Les références aux ouvrages cités dans la bibliographie ont été volontairement abrégées. On trouvera en p. 447 la table des abréviations des titres des périodiques.

Dans cette présentation rétrospective, le rôle de la « tempête de 1870 » est sans doute majoré : les prises de position sont déjà acquises sous le Second Empire, tous les termes de la polémique sont en place depuis l'affaire des cours Duruy. D'autre part, l'ensemble de ceux qui se sont intéressés aux pensionnats laïques sous le Second Empire s'entendent à faire remonter leur décadence à une période nettement antérieure à 1870. Enfin, comment prendre cette date comme point de départ à la « résistance à l'esprit du siècle », alors que Marion écrit lui-même : « Les couvents ont un privilège qui se retourne contre eux à l'occasion, c'est qu'il est très difficile de savoir au juste ce qui s'y passe » ? L'action des couvents est progressive. Elle ne peut être appréciée qu'à ses résultats, des années après que les femmes en sont sorties : l'évolution est à longue échéance et les républicains n'ont pas attendu 1870 pour s'en inquiéter. Mais Marion n'en a pas moins le mérite de porter la question sur le terrain politique qui fut le sien :

> « L'intérêt de la loi, le voilà ; et l'honneur de ceux qui l'ont proposée et soutenue a été de porter la question vaillamment sur ce terrain. Ainsi fit M. Camille Sée avec une parfaite franchise et une grande élévation. Là fut le point passionnant. Tout le reste était secondaire. Jamais on n'eut rallié une majorité dans le Parlement avec des considérations purement pédagogiques, si frappantes fussent-elles. Mais deux conceptions politiques irréductibles étaient en présence, celle qui provient de la Révolution... l'autre qui la maudit... »

Ce que Marion sous-entend par « tout le reste », c'est que la loi, qui a trouvé un consentement d'abord politique, a été votée précisément à une ère de trouble pédagogique, au moment même où les lycées de garçons, leur méthode, leur discipline sont mis en cause. Il est donc paradoxal de faire mine d'étendre le régime aux jeunes filles : jamais l'accord ne se serait fait là-dessus. C'est la signification du débat sur l'internat où la majorité un instant s'est complètement dissociée, où il a fallu l'autorité de Jules Ferry pour faire passer de justesse le projet, d'ailleurs amendé. Or, la loi était appelée à avoir de grandes conséquences sociales, en permettant aux femmes, à la longue, l'accès à l'univers masculin. Ce ne fut pas seulement ce qu'avait voulu Camille Sée, un accès aux idées de leurs frères ou de leur mari ; trente ans plus tard, la loi avait créé les conditions favorables pour l'entrée des femmes dans les carrières libérales, jusque-là réservées aux hommes. L'observation de Marion a donc le mérite de rappeler que là, comme souvent en France, l'essentiel et le durable ont été masqués par les questions de principe.

D'autre part, le débat sur l'enseignement secondaire des jeunes filles ne saurait être considéré comme une discussion isolée sur un point que les Chambres n'avaient pas encore abordé. En fait, bien des développements, à droite comme à gauche, ne sont que des rappels des débats relatifs à la liberté de l'enseignement supérieur[2]. Ainsi les brèves allusions à la puissance de la maçonnerie se complètent-elles par la longue dénonciation de Baudry d'Asson un an plus tôt[3]. D'une conspiration, l'exécution des décrets, juste avant le débat sur l'enseignement des jeunes filles, donne, aux yeux des catholiques, une preuve supplémentaire. En revanche, la manière dont fut résolue la question de l'enseignement religieux et de la morale montre que le projet sur l'instruction primaire s'alimente aux mêmes sources.

Les propos de Ferry lors du vote final, la majorité qui a voté la loi, les intentions qui ont inspiré cette majorité, les commentaires de la presse ne laissent pas de doute : la loi qui fonde l'enseignement secondaire des jeunes filles est l'un des éléments de l'œuvre scolaire de Jules Ferry. Pourtant, s'il est vrai que Ferry l'a appuyée « chaleureusement », cette loi ne vient pas de lui ; elle n'aurait probablement pas vu le jour si Camille Sée n'en avait pris l'initiative. Sur le sujet, reconnu par tous « délicat »[4], de l'éducation des filles, la prudence de Ferry aurait hésité à s'aventurer, du moins à cette époque. La fondation des cours municipaux, qui naissaient partout en province[5], semblait alors prometteuse et ne grevait pas sérieusement le budget de l'Etat. La majorité républicaine de la Chambre ne semblait guère se soucier d'enseignement féminin, même si le thème était présent dans les discours au point d'être considéré comme « rebattu »[6]. Vingt-cinq ans plus tard, Camille Sée pouvait dire justement : « La loi a été proposée au milieu de l'indifférence du pays et des Chambres. La proposition de loi n'avait figuré dans aucun programme électoral. La pensée qui l'avait dictée passait à la Chambre pour généreuse mais chimérique »[7].

Plus explicite, particulièrement sensible par son métier aux réactions de l'opinion, le journaliste de province que Camille Sée a chargé de

---

2. Juin et juillet 1879 à la Chambre.

3. Séance du mardi 8 juillet 1879 à la Chambre.

4. C'est, depuis le début du 19e siècle, le mot-clé de tous les développements sur l'enseignement des filles. Il le reste durant les premières années du nouvel enseignement, si l'on en juge par les discours d'inauguration des premiers lycées (*Lycées et collèges de jeunes filles, 25 ans de discours*).

5. Cf. chapitre III, le paragraphe sur les cours secondaires.

6. Selon l'expression de L. Bauzon, rédacteur en chef de *La Gironde*. A vrai dire, les discours électoraux n'en soufflaient mot.

7. Camille Sée, discours prononcé au Trocadéro, le 17 mai 1907, pour le jubilé des lycées et collèges de jeunes filles (*Le jubilé des lycées et collèges de jeunes filles et de l'Ecole normale de Sèvres*, p. 53). Camille Sée insiste sur l'isolement des débuts : « On a dit que la loi qui a créé l'enseignement secondaire des jeunes filles n'avait pas connu les bonnes fées à son berceau. Elles ne sont, en effet, venues que plus tard, alors que la loi allait à la victoire et à l'honneur ». Seule loi scolaire, avec celle de Paul Bert sur les écoles normales, à n'être pas issue de l'initiative gouvernementale, elle est la plus longue à avoir été votée : il s'est écoulé 25 mois entre le dépôt de la proposition et la promulgation de la loi, contre 19 pour la loi Paul Bert, 11, 16 et 18 mois pour les lois Ferry sur le Conseil supérieur, la gratuité et l'obligation (cf. A. Prost, *L'enseignement en France. 1800-1967*, document intitulé : « L'œuvre législative et réglementaire de Jules Ferry (1879-1882) », p. 211).

présenter la loi[8] analyse bien pourquoi le promoteur est resté si longtemps isolé :

> « La loi sur l'enseignement secondaire des jeunes filles n'est pas née d'un de ces grands mouvements d'opinion qui triomphent rapidement de tous les obstacles et qui les suppriment[9]. Elle n'a point eu l'appui passionné des masses du suffrage universel ; la Chambre ne l'a point acceptée d'enthousiasme. Le Sénat l'a accueillie avec froideur ; le gouvernement n'a mis tout d'abord à la soutenir aucune ardeur particulière ; les bureaux du Ministère de l'instruction publique paraissent n'avoir jamais accepté qu'avec une certaine inquiétude cette extension de pouvoirs et ce surcroît de responsabilités ; la presse républicaine elle-même n'a point fait de bien grands efforts pour frayer la voie à une création si utile, à une loi si républicaine ».

Sous sa forme primitive, la proposition allait délibérément à l'encontre de toutes les conventions sociales, puisqu'elle prévoyait pour les jeunes filles des internats à l'image des lycées de garçons, au moment même où ces derniers étaient si fort critiqués. On pourrait évoquer aussi, pour parfaire l'image d'une « loi mal-aimée », les réticences qui se sont marquées pendant la discussion et même après le vote dans les rangs des républicains : ces réticences contribuent à expliquer l'interprétation restrictive que fournit le Conseil supérieur, fidèle interprète d'une majorité de l'Université.

Si seul que ce soit trouvé Camille Sée aux débuts de son entreprise, celle-ci rencontrait au moins un écho dans une grande partie du monde républicain ; c'est, au reste, la seule explication de son succès final, comme l'a bien distingué H. Marion. Mais tout n'est pas dans le vote ultime, emporté par des considérations étroitement politiques. A plus d'un égard, la loi répondait profondément aux idées de Jules Ferry, même si ce dernier a pu juger, au début, que le moment favorable n'était pas encore venu. Elle a rencontré aussi l'adhésion, d'une certaine manière, de Paul Bert, par-delà les divergences sur les modalités d'application. Elle est redevable aussi à tous ceux qui, comme les rapporteurs Carnot, Broca, Henri Martin, comme Maurice Duvaux ou Ferrouillat, en ont avancé l'examen en commission et l'ont appuyée de leur autorité devant les Chambres.

---

8. L. Bauzon, *La loi Camille Sée*.

9. Sénat, session extraordinaire de 1880, séance du 20 novembre 1880, 1re délibération sur la proposition de loi... *M. le comte Desbassayns de Richemont* : « Cette loi n'émane pas du gouvernement, elle est due à l'initiative d'un membre de l'autre Chambre ; elle n'a été ni discutée sérieusement dans la presse, ni élaborée par l'opinion publique ; les conseils généraux ne s'en sont pas occupés ; elle n'a pas été, en un mot, ce que l'on pourrait appeler réfléchie par le pays ». La droite tenait là un argument pour s'opposer à la loi. De fait, absent dans les professions de foi de 1877, l'enseignement des filles, quand la loi est votée mais pas encore appliquée, ne se trouve évoqué que par six professions de foi dans le Barodet de 1881, associé toujours à des programmes radicaux.

Les partisans résolus de l'enseignement secondaire des jeunes filles se référaient à un fonds commun. L'héritage dont Jules Ferry se réclame est en grande partie le même que celui où puise Camille Sée : il n'est pas cependant leur propriété exclusive, et ce serait leur faire injure que de le limiter à l'anticléricalisme. Faire l'inventaire de ce fonds commun permet de mesurer la force et la cohésion d'un courant qui a réussi à imposer ses conceptions à une majorité incertaine sur ce point ou en tout cas plus tiède.

Une première observation peut donner quelque clarté sur la signification des attitudes prises alors par les républicains, encore qu'en ce domaine de l'éducation féminine tout ne relève pas de concepts clairement établis mais plutôt de préjugés, voire de motivations inconscientes. La pensée des républicains, au moment de la loi Camille Sée, est en somme partagée entre deux traditions qui peuvent remonter jusqu'à Talleyrand et Condorcet. Alors que ce dernier prend en considération, avant tout, les droits de l'individu, et de la femme à l'instruction en tant qu'individu, Talleyrand, parti en principe des mêmes prémisses, arrive à de tout autres conclusions parce qu'il subordonne l'éducation des individus au bonheur commun. En fait, l'individualisme révolutionnaire tant critiqué par le « parti catholique » touche ici une de ses limites. En effet, beaucoup de républicains, avant d'assurer les droits de la femme tels que Condorcet a pu les définir, entendent sauvegarder la famille qui leur apparaît comme le fondement de la société et la croient volontiers menacée par une instruction qui tendrait à faire sortir la femme de ses fonctions traditionnelles. Condorcet lui-même juge l'instruction de la femme désirable, non seulement pour elle-même, mais pour son mari et ses enfants. La querelle que leur fait l'opposition, de vouloir l'affaiblissement de la famille, est donc dénuée de fondement. Dans la mise en œuvre de l'instruction secondaire des jeunes filles, Camille Sée montre le constant souci de ménager les droits de la famille, de former des mères et des épouses avant tout. Pour la très grande majorité de ceux qui ont voté la loi, l'accès des femmes à l'instruction n'est pas d'abord destiné à l'épanouissement personnel de celles-ci, mais plutôt à la stabilité et à l'harmonie du ménage. La démarche qui crée l'enseignement secondaire des jeunes filles subordonne finalement la femme à l'homme et à un idéal qui semble les transcender tous deux : la famille.

Dans l'esprit d'un Ferry et d'un Camille Sée, les initiatives en faveur de l'éducation des femmes sont inspirées essentiellement par Condorcet dont le style et la forme de pensée se reconnaissent aisément chez Camille Sée. L'influence d'une autre source, le positivisme, n'est pas moins évidente. Mais l'ensemble du mouvement républicain entretient plutôt une tradition fondée sur l'expérience et le sentiment, qui ne suppose pas nécessairement le recours à une école précise de pensée. Le mouvement libéral, tout au long du 19e siècle, et dans la mesure même où il est irréligieux, prend de plus en plus conscience du divorce qui sépare le mari et la femme dans le domaine des croyances. Il en vient à incriminer la direction donnée à l'éducation féminine : élevées hors de l'Université, les femmes sont aux mains de l'Eglise. Le divorce entre les croyances se double d'un second, entre l'homme instruit et la femme ignorante. La femme est à la fois « loin du cœur et de l'esprit de son mari », comme l'expose Jules Simon au Corps législatif, lors du débat sur la loi d'enseignement de 1867 [10]. La négligence des congrégations à maintenir un niveau supérieur à l'enseignement élémentaire dans la plupart des institutions de jeunes filles rend plus facile la simplification — l'Eglise le fait exprès, pour garder plus facilement les femmes sous sa sujétion [11] — car la « science » ne manquerait pas de les affranchir. D'ailleurs, l'évolution de la sensibilité catholique vers les formes de dévotion populaires, la croyance aux miracles, aux apparitions, semblent inviter les républicains à l'identification qu'ils font de la religion à la superstition.

Au thème du divorce intellectuel, vient s'en ajouter un second. Il naît de ce divorce même et de nombre d'écrits éducatifs du premier 19e siècle : celui du rôle de la mère dans l'éducation des enfants, rôle dont il est convenu d'affirmer, en général, qu'il est en train de croître. Ainsi se vérifie l'observation de Philippe Ariès [12] : la dépendance de la femme, telle que l'établit le Code civil, n'est que l'aspect juridique d'une évolution sociale. Dans la réalité familiale, alors que la famille devient une cellule plus fermée et plus contraignante du corps social, c'est la femme, lorsque du moins elle est mère, qui devient le maître réel. Se préoccuper de la manière d'élever les femmes, c'est avoir pris conscience du rôle essentiel assumé par les femmes au sein de la famille, de la « famille moderne, malthusienne, affective, repliée sur l'enfant, liée à la scolarisation ». L'enjeu, dans un premier temps, n'est pas tant la femme elle-même que l'enfant. L'influence de la mère sur celui-ci s'étend sur le premier âge, naturellement ; mais si la mère est instruite, cette influence peut se prolonger. Dans tous les cas, l'avis de la mère est de plus en plus écouté pour le choix de l'établissement où son fils fera ses études [13]. Elle

---

10. « Nous ne songeons pas, dit-il, à faire des femmes révolutionnaires, nous voulons en faire les compagnes intellectuelles de leurs maris. Il n'est personne qui ne puisse nier que l'instruction qu'on leur donne aujourd'hui ne les prépare pas à ce rôle. Un des plus grands malheurs de la société actuelle, c'est la séparation de plus en plus considérable qui s'établit entre l'homme et la femme, l'homme allant dans les clubs, se livrant aux exercices du sport, se déshabituant de la vie d'intérieur, et la femme réduite à vivre avec d'autres femmes, loin du cœur et de l'esprit de son mari *(très bien !)* » (2 mars 1867).

11. C'est ce que soutient Charles Sauvestre, rédacteur de *L'Opinion nationale*, dont la femme dirige l'une des écoles Elisa Lemonnier, dans son pamphlet *Sur les genoux de l'Eglise*, écrit à l'occasion de la polémique sur les cours Duruy.

12. P. Ariès, « La famille, hier et aujourd'hui », *Contrepoint*, 11, juillet 1973, p. 89-97 (Conférence prononcée à la 59e session des Semaines sociales de France, juillet 1972).

13. Sans doute la crise de l'internat que traverse le dernier quart du 19e siècle est-elle liée aux critiques formulées par Laprade ou Bréal à l'exemple étranger. Mais ces critiques auraient-elles

est d'autant plus proche de l'enfant que le père est plus fréquemment absent, absorbé par ses affaires, par son club, éloigné par la nullité même de sa femme à qui il ne peut rien communiquer de ce qui l'intéresse. Mais si les femmes sont ignorantes et « superstitieuses », elles feront des enfants à leur image et empêcheront par là l'affranchissement de la société.

L'ensemble de ces notions sur la place de la femme, sur le rôle que l'Eglise lui fait jouer, remonte à la Monarchie de Juillet et aux premiers écrits de Michelet. Il est aisé de reconnaître les développements *Du prêtre, de la femme, de la famille* dans les passages les plus anticléricaux du discours de Ferry sur l'égalité d'éducation, ou du rapport de Camille Sée sur sa proposition de loi. Pour la plupart des républicains, la transmission ne fut pas directe : le développement de ces thèmes, leur organisation en une sorte de système sont dus à un livre comme celui de Vacherot, qui fut comme la profession de foi des jeunes républicains sous l'Empire.

La démocratie a été publiée en 1860. Vacherot commence par établir que la démocratie se fait par l'éducation, mais que, d'autre part, elle est incompatible avec la religion. Il en résulte que l'éducation se fait par « la science » seule dans une société véritablement démocratique. Lorsque Vacherot en vient aux « conditions domestiques » de la démocratie, il décrit l'enfant aux mains d'une mère « ne comprenant généralement rien aux choses de la cité ». C'est ainsi que la famille opprime la cité : « Le citoyen n'y rencontre trop souvent qu'in-différence, obstacles, récriminations ou défaillances ». L'incapacité de la femme, qui au reste ne doit surtout p.s devenir citoyenne car sa destination est d'être la « reine du foyer », doit être attribuée non à la faiblesse de sa nature, mais à son éducation. La citation de Michelet est là pour attester la filiation entre les idées libérales professées sur ce point sous la Monarchie de Juillet et la pensée républicaine de 1860. Or, « nulle société n'est aussi intéressée que la démocratie à l'éducation des femmes ». Lorsque l'auteur en vient à décrire l'éducation qu'il réserve à la femme, la position pleine de réserve qu'il adopte le situe plus près de Michelet que de Jules Ferry lui-même. Le mot d'« égalité d'éducation » n'est pas prononcé comme chez ce dernier, encore sait-on qu'il y a loin de l'égalité à l'identité.

Comme Michelet, Vacherot est désireux de mettre l'éducation de la femme en rapport avec sa « nature » : on fuira la spécialité, qui chez la femme serait un « manque de tact » [14]. Parce que l'esprit de la femme

---

rencontré tant d'audience si elles ne s'étaient pas trouvées en accord avec le sentiment des mères, cette sensibilité de plus en plus hostile à l'éloignement de l'enfant et à la dureté de sa condition d'interne ?

14. « Comme (la spécialité) ne répond point aux nécessités de l'œuvre sociale, elle ne peut être qu'un accident heureux pour lequel il serait ridicule d'ouvrir des écoles d'un ordre supérieur » (ch. V, p. 137).

est essentiellement concret et pratique, parce qu'il va plus vite sans doute que celui des hommes, mais moins loin, il faudra lui dispenser un « enseignement essentiellement esthétique et moral, avec les notions indispensables des sciences physiques et naturelles ». En somme, si l'éducation de la femme est un devoir urgent, il sera accompli à bon compte. Le livre de Vacherot n'apporte donc pas de véritable révolution dans le contenu de l'instruction féminine : il veut surtout changer la direction de celle-ci. Cette manière de Vulgate des idées républicaines ne diffuse pas moins les thèmes essentiels et les fixe dans les esprits pour les trente années à venir.

Le constat de carence de l'éducation féminine n'est pas propre aux républicains. Il se trouve, avec la même vigueur parfois, chez les catholiques, comme l'attestent les écrits de Dupanloup ou ceux d'Alfred Nettement, tous deux de 1867 [15] : les conséquences qu'ils en tirent sont tout à l'opposé de celles de leurs adversaires, puisqu'ils voient le remède au divorce des âmes dans une plus forte éducation de la piété comme de l'intelligence féminine. Il n'en est pas moins remarquable de rencontrer chez des hommes aussi irréconciliables que Dupanloup, Duruy, Ferry, Michelet, Sauvestre ou l'abbé Dadolle, une description aussi semblable du mal dont souffre la société par l'insuffisante éducation des femmes. Il n'est pas non plus de divergences sur le milieu social où sévit ce mal : ce sont exclusivement les classes élevées, la bourgeoisie. Encore l'évêque d'Orléans se préoccupe-t-il peut-être plus exclusivement de l'aristocratie ; aussi craint-il que l'ignorance des femmes n'entraîne l'oisiveté du mari [16].

Les républicains ne semblent point redouter autant l'inaction masculine. Le drame leur paraît au contraire être celui du mari actif, présent aux luttes de la cité, qui, rentré chez lui, ne rencontre aucune compréhension, et même est en butte à l'hostilité de tout le parti féminin de sa famille ligué contre lui. Le « divorce intellectuel » unanimement dénoncé prend alors une tonalité particulière : celle-là même que lui donnait Michelet. La jeune fille, selon Camille Sée, quitte le couvent « avec une instruction presque nulle et une éducation qui a mis dans son cœur la haine de tous les principes, de toutes les idées qui régissent et la France de 1789 et nos institutions » :

---

15. « L'union, conclut Dupanloup, ne peut guère se conserver dans un ménage, si la communauté des intelligences ne vient pas compléter celle des cœurs » (*Femmes savantes et femmes studieuses*, Paris, Douniol, 1867, 84 p., p. 39). De même Nettement reconnaît, à propos du discours de Jules Simon en 1867 : « Il y a quelque chose de raisonnable dans le souhait qu'il forme de voir les femmes devenir les compagnes intellectuelles de leurs maris », (*De la seconde éducation des filles*, Paris, Lyon, Lecoffre, 1867, XIII-429 p., p. 396).

16. « Tant que les femmes ne sauront rien, écrit Dupanloup, elles voudront des hommes inoccupés. Et tant que les hommes ne se décideront pas au travail, ils voudront des femmes ignorantes et frivoles » (*ibid.*, p. 32). Une telle observation éclaire d'ailleurs d'un jour particulier l'abstention des légitimistes dans la vie publique française.

« Ignorante, elle va épouser un homme instruit ; élevée à l'école de la superstition, elle va épouser un homme élevé à l'école de la raison ; elle sera du dix-septième ou du milieu du dix-huitième siècle, l'homme sera de la fin du dix-huitième siècle ou du dix-neuvième [17], et alors, Messieurs, voilà deux êtres incapables de s'entendre... et de se comprendre, qui vont commencer par un divorce intellectuel et moral cette vie qu'ils devraient parcourir ensemble unis d'esprit et de cœur *(applaudissements à gauche)*. Incapable de s'intéresser aux travaux de son mari, elle tentera de le détourner de son travail...

Le mari traînera lourdement sa vie : quand, après une journée de labeur, il viendra s'asseoir au foyer conjugal, il y trouvera, au lieu de repos, de consolation, le trouble et la récrimination » [18].

Ecrit dix années avant ce discours de Camille Sée, un texte essentiel regroupe les thèmes qui servent d'arguments, dans le parti républicain du moins, pour montrer la nécessité d'une solide instruction des femmes : il s'agit du célèbre discours sur l'égalité d'éducation, prononcé par Jules Ferry, le 10 avril 1870, à la Salle Molière. Tout entière consacrée à la femme, la péroraison de ce discours montre avec une particulière vigueur la portée d'une réforme de l'instruction féminine. Dès l'abord, Ferry rejoint Vacherot : « Ce problème de l'éducation de la femme, selon l'orateur, se rattache au problème même de l'existence de la société actuelle ». Il y va de l'unité à la fois de la société dans son ensemble et de la famille :

« L'égalité d'éducation, c'est l'unité reconstituée dans la famille...

Il y a aujourd'hui une barrière entre la femme et l'homme, entre l'épouse et le mari, ce qui fait que beaucoup de mariages, harmonieux en apparence, recouvrent les plus profondes différences d'opinions, de goûts, de sentiments, mais alors ce n'est plus un vrai mariage, car le vrai mariage, Messieurs, c'est le mariage des âmes. Eh bien, dites-moi s'il est fréquent, ce mariage des âmes ?

Aujourd'hui, il y a une lutte sourde, mais persistante, entre la société d'autrefois, l'Ancien Régime avec son édifice de regrets, de croyances et d'institutions qui n'accepte pas la démocratie moderne, et la société qui procède de la Révolution française ; il y a parmi nous un ancien régime toujours persistant, et dans cette lutte, qui est le fond même de l'anarchie moderne, quand cette lutte intime sera finie, la lutte politique sera terminée du même coup. Or, dans ce combat, la femme ne peut pas être neutre ; les optimistes, qui ne veulent pas voir le fond des choses, peuvent

---

17. On reconnaît ici une réflexion de Jules Simon dans *L'école :* « La femme est du dix-septième siècle, et l'homme de la fin du dix-huitième ».

18. Débats à la Chambre, 2ᵉ délibération, 19 janvier 1880. Le thème est de Michelet. Camille Sée voit un prolongement dans la question : que pensera l'enfant ? Après sa naissance, le drame se prolonge et se complique, car la mère, plus que jamais au pouvoir du clergé, essaiera d'inculquer à son fils non seulement les mystères de la foi, « mais les superstitions, les miracles ». Déchiré entre son père et sa mère, l'enfant finit par ne plus savoir lequel croire : il est ainsi voué, même si le lycée redresse en partie l'œuvre maternelle, au scepticisme et à l'indifférence. Ainsi, pour Camille Sée et ses amis, l'ignorance des femmes n'est pas seulement une carence à laquelle il faut remédier. Elle fait délibérément partie d'une sorte de système qui maintient l'empire du clergé sur l'ensemble de la société.

se figurer que le rôle de la femme est nul, qu'elle ne prend pas part à la bataille, mais ils ne s'aperçoivent pas du secret et persistant appui qu'elle apporte à cette société qui s'en va et que nous voulons chasser sans retour... Les évêques le savent bien : celui qui tient la femme, celui-là tient tout, d'abord parce qu'il tient l'enfant, ensuite parce qu'il tient le mari ; non point peut-être le mari jeune, emporté par l'orage des passions, mais le mari fatigué ou déçu par la vie *(nombreux applaudissements)*.

C'est pour cela que l'Eglise veut retenir la femme, et c'est aussi pour cela qu'il faut que la démocratie la lui enlève ; il faut que la démocratie choisisse, sous peine de mort ; il faut choisir, citoyens : il faut que la femme appartienne à la science ou qu'elle appartienne à l'Eglise *(applaudissements répétés)* ».

Dans ce texte tant de fois cité, se mêlent en fait plusieurs éléments d'origine diverse. Sans doute l'idée du divorce intellectuel qu'il faut faire disparaître est-elle dès 1870 en passe de devenir un lieu commun. Mais des termes tels que « l'unité reconstituée dans la famille », ou « l'anarchie moderne » amènent à remonter à une source précise, corps de doctrine où J. Ferry a puisé très tôt [19] : la doctrine positiviste [20]. C'est incontestablement à Comte que J. Ferry emprunte le thème de l'unité nationale et familiale à accomplir par l'éducation.

Beaucoup d'esprits en étant restés à l'âge métaphysique, la croissance de l'esprit positif a détruit l'unité intellectuelle : c'est l'idée qu'on retrouve dans J. Ferry. Si le père du positivisme reste muet sur la participation des femmes à l'éducation universelle, il voit celles-ci bénéficier du système en commun avec les prolétaires. Il est remarquable qu'en matière d'éducation la scission entre les disciples d'Auguste Comte ne soit pas perceptible, même lorsqu'il s'agit d'éducation féminine. En 1879 encore, Pierre Laffitte donne une expression fidèle de la pensée comtiste :

« Au lieu de réclamer l'égalité des sexes, ce qui serait nous ramener bientôt à la promiscuité primitive, il importe d'observer que la civilisation tend à faire de la femme non l'égale, mais la compagne de l'homme, en la dispensant du travail extérieur auquel elle est impropre. Pour qu'elle puisse se vouer à sa fonction moralisatrice, elle doit être émancipée, non seulement dans son corps, mais principalement dans son esprit. Il faut l'arracher à une direction rétrograde, l'imprégner de nos connaissances ; car elle doit être l'éducatrice de nos enfants ; et d'ailleurs, comment terminer la révolution, si nous laissons en dehors du mouvement social la moitié de l'espèce humaine ? » [21].

---

19. J. Ferry a fait la connaissance du positivisme en 1857, par l'intermédiaire du futur maire de Versailles, Philémon Deroisin.

20. Cf. Louis Legrand, *L'influence du positivisme dans l'œuvre scolaire de Jules Ferry*.

21. *Revue occidentale*, t. I, 1879, p. 224. E. de Pompéry, dans sa critique de *L'assujettissement des femmes* (La Philosophie positive, t. VI, 1870, p. 314-319) ne pense pas très différemment.

Dans la revue de Littré comme dans la *Revue occidentale,* la question, à vrai dire, n'est pas abordée très fréquemment. Il arrive même qu'un plan général d'éducation omette les filles[22]. Les réticences ne se marquent pas sur le principe même, mais sur les modalités d'application. G. Lafargue est à peu près le seul à rêver d'une communauté d'instruction, à l'exemple des Etats-Unis révélés par le livre d'Hippeau[23] : « Par là, écrit-il, se refera peu à peu l'union des âmes ». Les positivistes adoptent d'ailleurs en la matière une attitude pragmatique : « On a beaucoup disserté, écrit Paul Robin, tantôt sur l'infériorité de la femme à l'homme, tantôt sur les différences essentielles entre les aptitudes intellectuelles de l'un et de l'autre », mais « seuls les résultats de la coéducation permettront de constituer une loi générale »[24]. Personne ne semble prêt à brusquer le mouvement : ce qu'il est convenu d'appeler la « prudence » de Ferry, dans son œuvre d'éducation, s'enracine bien dans la méthode positiviste qui tient le plus grand compte de l'état des esprits et subordonne les réalisations à leurs chances de réussite. Le souci n'en demeure pas moins d'une unité à rétablir par l'éducation, et en particulier par celle de la femme.

Jusqu'à une date très tardive[25], les polémistes catholiques ont rendu la franc-maçonnerie responsable de la loi. L'origine de Camille Sée aidant, la loi de 1880 devint, dans les années 1890-1900, le fruit d'un complot judéo-maçonnique[26]. C'est ce qu'a soutenu, notamment dans le *Bulletin de la Société générale d'éducation et d'enseignement,* le P. Lescœur, alias Le Bressan. Mais l'examen attentif des références données à l'appui par le P. Lescœur, comme celles d'A. d'Herbelot ou de Fénelon Gibon qui recopient le premier, laisse une impression de légèreté : ainsi, tous font de Camille Sée un radical, ce qu'il n'était certainement pas en 1877, lors de sa première élection, et à plus forte raison ensuite. En dépit des apparences, les références aux travaux maçonniques sont pour la plupart indirectes ; presque toutes les citations sont puisées dans la compilation du P. Deschamps : *Les sociétés secrètes et la société.* Rien de catégorique ne peut en être tiré, qui prouverait l'appartenance maçonnique, si haut affirmée, du promoteur de la loi, et plus généralement l'origine proprement maçonnique du projet. La

---

22. Ainsi, en 1871, la présentation par Littré d'un projet de réorganisation de l'Instruction publique dû au Dr Picot évoque brièvement une instruction primaire réduite à l'usage des femmes mais « oublie » celles-ci dans la description des enseignements secondaire et supérieur. (*La Philosophie positive,* t. VII, p. 441-448).

23. « L'instruction publique aux Etats-Unis et dans les principaux Etats européens », *La Philosophie positive,* t. XV, 1875, p. 333-368.

24. Paul Robin, « Sur l'enseignement intégral », *La Philosophie positive,* t. IX, 1872, p. 123-138.

25. Publié en 1920 précédé d'une lettre d'approbation du cardinal de Cabrières, *L'enseignement secondaire féminin* de Fénelon Gibon affirme encore : « La Juiverie a imposé cette réforme aux Loges, les Loges aux Chambres, et les Chambres au pays ».

26. Ce complot n'était, dans la pensée des polémistes catholiques, qu'un aspect de l'immense conjuration qui voulait faire de l'enseignement l'instrument de l'irréligion.

citation indéfiniment reproduite de Cousin, qui reçut Jules Ferry en 1875 à la loge Clémente amitié : « Avant tout, réformons et développons l'instruction et l'éducation des femmes. Tout le reste nous viendra par surcroît », pourrait se trouver dans la bouche de presque tous les républicains, pour peu qu'ils aient pensé aux problèmes de l'instruction publique et de la division des esprits : le discours de la Salle Molière, antérieur de cinq ans à l'affiliation de Ferry, est là pour le prouver.

Dans la mesure où une partie du personnel républicain appartient à la franc-maçonnerie, il est évident cependant qu'un certain nombre de thèmes communs ont été l'objet des travaux des loges. Peut-on dire pour autant que l'éducation féminine y fut un sujet privilégié d'étude ? Les indications contenues dans *La Chaîne d'union* ou *Le Monde maçonnique,* deux périodiques qui entendent donner un reflet de l'activité maçonnique, n'en donnent pas le sentiment. Au reste, jusqu'à 1877 compris, d'autres préoccupations requièrent l'attention des maçons : essentiellement l'abandon, dans les Constitutions, de la référence obligatoire au Grand Architecte de l'Univers, abandon qui ne va pas sans remous et sans crise, du moins dans la fraction spiritualiste. Enfin, de tous les textes consacrés aux femmes par la franc-maçonnerie à cette époque, il ressort que les francs-maçons en tant que tels n'ont pas une manière qui leur soit propre d'aborder la question. Au contraire, ils donnent l'image de la division[27].

Il serait pourtant inexact de conclure d'une réserve à peu près générale que la franc-maçonnerie se désintéresse de l'instruction féminine. Ce serait oublier que certains francs-maçons, à commencer par Ferry, appartiennent à l'école positiviste, si attentive aux problèmes d'éducation. La loge Clémente amitié, où se regroupaient les positivistes parisiens, ne semble pas avoir joué un rôle éminent dans l'élaboration de quelconques directives. Si les francs-maçons ont combattu pour ce qu'ils considéraient comme l'affranchissement de la femme, ce fut en ordre dispersé. Des traces de ce combat n'en demeurent pas moins, tout d'abord dans ce qui, à défaut d'initiation féminine, était un effort pour faire participer les femmes à la vie et aux œuvres maçonniques : l'usage tend à se répandre, au moment de la victoire politique des républicains, des tenues blanches où les familles sont conviées. Il s'agit tantôt d'une

---

27. La division est patente sur le problème de l'initiation maçonnique des femmes. Si intangible que soit le postulat de l'égalité de tous les humains, seuls les hommes sont admis. L'initiation, en 1882, de Maria Deraismes et la constitution d'une loge sous ses auspices sont considérées comme irrégulières jusqu'à la constitution de la loge Le droit humain. Léon Richer, vénérable de la loge Mars et les arts, partisan de l'initiation féminine, fondateur du journal *Le Droit des femmes,* reste relativement isolé. Dans un rapport de 1884, Thirifocq, vénérable de la loge Libre examen, énumère toutes les difficultés qui s'opposent à l'admission des femmes (*Monde maçonnique,* t. XXVI, mai 1884-avril 1885, p. 175-184). Outre le souci de ne pas heurter les maçons du rite écossais, il évoque la crainte des dissensions attirées par les femmes, la perspective d'un danger moral. Mais ce qu'on redoute surtout, c'est la désertion du foyer.

conférence, tantôt d'une fête de charité, tantôt d'un banquet ou d'une manifestation de ce genre ; les fêtes d'adoption en sont souvent l'occasion. Les orateurs sont alors tout naturellement amenés à s'adresser aux femmes présentes dans la double intention de les convertir à la maçonnerie, mais aussi de les rassurer sur celle-ci :

> « On ne cherche pas ici à vous séparer de la famille, dit aux dames le Frère Thulié lors d'une fête maçonnique rue Cadet, à vous isoler de l'époux et du fils, on ne vous entretiendra que de vos devoirs de mère et d'épouse, on ne vous prêchera que l'union la plus absolue non seulement dans vos intérêts mais aussi dans vos pensées. On vous parlera aussi de vos droits, car, ne l'oubliez pas, si vous avez toujours été placées au rang inférieur par toutes les civilisations et toutes les religions, la franc-maçonnerie seule prend votre parti et travaille pour vous élever à votre juste rang » [28].

Les discours de circonstances ne sont pas les seuls à prouver la sollicitude maçonnique pour les femmes : certaines loges, à la date significative de 1877-1878, c'est-à-dire au moment du dépôt du projet de loi, mais sans que celui-ci, apparemment, soit évoqué [29], prennent pour thème d'étude l'éducation des femmes ; ou plus généralement « la femme » : ainsi la loge L'Homme libre. Eugène Pelletan, auteur de *La charte du foyer,* parue en 1864, où il développait des idées très semblables à celles de Jules Simon [30], joue le rôle d'un conférencier itinérant qui, d'une fête à l'autre, répand l'idée qu'une forte instruction des femmes leur est nécessaire pour remplir leur rôle, à l'exemple, insiste-t-il, des Américaines. En mars 1877, il participe à la fête maçonnique des quatre loges, Les Trinosophes de Bercy, Les Amis bienfaisants, La France maçonnique et L'Ecole : « Le rôle de la femme, précise-t-il, c'est d'être maîtresse d'école dans la maison, institutrice ensuite, inspiratrice toujours ». Suit la critique habituelle de l'instruction futile donnée aux jeunes filles, du Code civil qui prescrit l'obéissance de la femme à son mari : « Non, le mariage n'est pas cela, c'est l'accord de deux volontés l'une avec l'autre, dans l'affection, dans la confiance mutuelle ». Il faut donc enlever la femme aux futilités : « Il faut faire la femme moderne, la femme américaine, la femme en un mot ... La

---

28. Cf. Germain Casse, 26 mai 1878. Devant la foule qui remplit la salle du Château d'Eau, « il a démontré que la femme occupait sous la direction de l'Eglise une place inférieure, amoindrie, tandis que dans la maçonnerie, au contraire, tout tendait à la relever en considération et en dignité » (*ibid.,* t. XX, juin 1878, p. 55).

29. *La Chaîne d'union,* en 1880, ne contient aucune allusion à la loi Camille Sée.

30. Cet opuscule était probablement, à l'origine, une conférence. Selon Pelletan, l'égalité de l'homme et de la femme est une question mal posée. Ils sont différents. Ainsi : « Chez l'homme la judiciaire domine et, chez la femme, la sensitive. L'homme raisonne, la femme sent ». Le mariage doit être fondé sur la communion des âmes ; pour en resserrer l'intimité, il faut « donner à la jeune fille une instruction qui la rapproche de son mari et la mette avec lui en communauté d'intelligence » (*La charte du foyer,* Paris, Pagnerre, 1864, 30 p.).

République a à créer, dès aujourd'hui et le plus tôt possible, l'éducation de la femme ... déjà on a fait beaucoup ... on instruit la femme autrement qu'il y a cinquante ans. Il faut que la femme reçoive une instruction secondaire, qu'elle étudie ce que l'homme étudie, qu'elle étudie les sciences dont elle a besoin » [31]. L'année suivante, c'est un auditoire de plus de deux mille personnes qui vient l'écouter sur le même sujet, au cours de la fête organisée par la loge La Lumière, de Neuilly. De même, dans L'école, Jules Simon, qui examine l'éducation des filles, développe l'affirmation que les filles ont précisément les mêmes droits que les garçons à recevoir une bonne éducation. De plus, cette éducation, au point de vue économique, n'est pas moins importante que celle des garçons. Les femmes peuvent être obligées d'exercer, comme les hommes, un métier ou une industrie. Enfin il remarque l'influence des femmes et de l'éducation qu'elles reçoivent sur les mœurs.

De telles citations attestent une véritable et sérieuse préoccupation ; isolées, elles risqueraient cependant d'amener une erreur d'appréciation en faisant croire à un mouvement d'ensemble de la franc-maçonnerie. En fait, à part Pelletan, peu de noms connus figurent au premier plan du combat pour l'enseignement féminin, l'instruction féminine reste un thème seulement parmi d'autres. Sans doute est-ce le domaine où s'aperçoit le mieux le fossé qui sépare l'affirmation des principes qui inspirent la franc-maçonnerie et les timides analyses de la situation telle qu'elle se présente dans les premières années de la victoire républicaine. L'enthousiasme manque dans l'œuvre d'éducation à entreprendre ; du moins à ce niveau. C'est sans doute ce qui explique la discrétion de la Ligue de l'enseignement : à part l'école secondaire d'Alger et celle de Rochefort, elle laissa faire l'Etat pour l'enseignement secondaire des filles.

Il est plusieurs raisons d'une telle abstention : nombre de francs-maçons ont certainement eu une foi très vive dans les vertus d'une instruction générale, obligatoire et identique pour tous. C'est en somme la position que soutenaient les municipalités les plus avancées lorsqu'elles regardaient d'un œil malveillant les établissements d'instruction secondaires des jeunes filles sous le prétexte qu'ils étaient destinés aux seules bourgeoises [32]. A cet égard, l'enseignement primaire supérieur répondait beaucoup mieux à leurs vœux : il était le prolongement, pour les plus douées, de l'enseignement primaire dispensé à toutes. Autre motif à réticences peut-être, l'enseignement secondaire des filles était appelé à poser de nouveau la question du droit, indéniable

---

31. *La Chaîne d'union*, 5, 1877, p. 245-248. Ici aussi la référence presque obligée est celle des Etats-Unis ; le discours de la Salle Molière, lui aussi, renvoie à Hippeau. Plus que la coéducation, ce que les auteurs espèrent voir imiter des Etats-Unis, c'est l'instruction féminine de niveau supérieur.

32. Cf. le chapitre III sur les cours secondaires.

en principe, des femmes à l'initiation maçonnique. Evidemment, les francs-maçons jugeaient que les temps n'étaient pas mûrs : au mieux, ils voyaient dans le nouveau lycée de filles « une pépinière de futures citoyennes, peut-être de futures franc-maçonnes »[33], mais, pour le présent, ils affichaient plus de confiance dans les œuvres laïques qui admettaient l'égalité des sexes, telles que bibliothèques populaires, ouvroirs laïques, groupes de la Ligue de l'enseignement. Au moment de la loi Camille Sée, la franc-maçonnerie, avec l'ensemble du parti républicain, semble avoir rêvé beaucoup plus de la femme affranchie des préjugés religieux que de la femme instruite, danger nouveau pour une prépondérance masculine qu'on n'entendait pas remettre en cause.

Il est ainsi permis de distinguer pourquoi la loi n'a pas rencontré plus de sympathies dès le départ, malgré tant d'ardeur chez son promoteur, malgré tant d'orthodoxie républicaine dans son propos. Tout d'abord, l'indépendance de Camille Sée, qui semble avoir été le contraire d'un homme de la foule[34], l'empêchait de rechercher des concours qui n'auraient existé qu'au prix d'un compromis. Plus encore, la proposition de loi n'était pas de nature à provoquer un vaste rassemblement : plus soucieux de leur réélection et de la paix dans le ménage que du droit des femmes à la haute instruction, la plupart des parlementaires ne tenaient pas à afficher sur les femmes des opinions jugées souvent hasardeuses même par de très fermes républicains. Ici se mesure la puissance de préjugés pas toujours avoués, des arrière-pensées, des réminiscences.

L'enseignement des filles souffre d'avoir été un sujet trop abordé auparavant par toutes les écoles de pensée. Il ne fait pas de doute que l'idéal de la femme médiatrice entre l'homme et les choses remonte, par-delà Michelet, par-delà Auguste Comte, à Saint-Simon. Hippolyte Carnot, malgré l'extrême modération dont Daniel Stern lui fait honneur déjà[35] lors de son passage au ministère, a-t-il tout oublié des ferveurs de sa jeunesse ? En lui, par le nom qu'il porte, s'incarne la continuité républicaine ; n'apporte-t-il pas aussi, aux législateurs de 1880, au moins un reflet symbolique des grandes espérances du saint-simonisme ? Mais le saint-simonisme a laissé aussi dans le grand public le souvenir de ses extravagances, de son « immoralité ». La doctrine de Fourier n'a pas eu un meilleur sort du moins en ce qui concerne l'émancipation des femmes[36]. Il est vrai que 1848, avec ses clubs de femmes, ses outrances,

---

33. Goron : « De l'Education de la femme au point de vue maçonnique », *Le Monde maçonnique*, 1884-1885, p. 208. La question a été discutée par deux loges nantaises qui y ont consacré plusieurs séances. La loge de Cognac, La liberté, appelle les autres loges de l'Ouest à en délibérer. Le lycée dont parle Goron est celui de Nantes, ouvert dix-huit mois plus tôt.

34. Cf. M. Aron in *Le cinquantenaire de l'Ecole de Sèvres, 1881-1931.*

35. *Histoire de la révolution de 1848*, p. 132.

36. Malgré les efforts des disciples pour dissimuler non le caractère libertaire, mais amoral de la pensée de Fourier. « Le système de Fourier, écrit Z. Gatti de Gamond, efface la misère ; il donne

ses Vésuviennes, a paru comme une illustration ridicule des doctrines socialistes. Au moment où est déposée la loi, l'épisode n'est vieux que de trente ans ; beaucoup sont là qui en furent les témoins. La croyance complaisamment entretenue dans la déformation que provoquerait l'instruction sur l'esprit féminin, produisant nécessairement une « femme savante », fait le reste. L'éducation de la femme ne peut pas, d'autre part, être entièrement dissociée des résultats que pourrait avoir cette éducation dans la vie publique. L'instruction secondaire est appelée à former les classes dirigeantes de la nation : si on l'étend à la femme, celle-ci ne sera-t-elle pas amenée à revendiquer une place nouvelle ? L'éducation secondaire pourrait être un pas vers l'égalité des droits civils, pourquoi pas vers l'accès des femmes au suffrage universel [37] ? On rejoindrait ainsi, par la voie de l'instruction secondaire des femmes, les vieilles aspirations féministes constamment refoulées depuis la Révolution, ridiculisées, mais toujours latentes.

Enfin, ce qui reste la plupart du temps inavoué mais a été dénoncé par les féministes d'alors, joue la crainte de se voir supplanté ou dominé par les femmes :

> « Plus les femmes seront éclairées, écrit Emile Deschanel sur l'album de Camille Sée [38], plus les hommes seront heureux. Mais la plupart de ceux-ci, sans se l'avouer, désirent secrètement maintenir les femmes dans un état intellectuel inférieur, espérant les dominer. Egoïsme mal entendu, car l'instruction insuffisante ne leur prépare que des compagnes insipides. Et ces hommes, qui se croient très forts, font preuve ici d'une excessive quoique très inconsciente modestie : car en souhaitant les femmes non instruites, c'est-à-dire désarmées, ils laissent voir qu'à armes égales ils se croiraient battus d'avance ».

Sans cette préoccupation que vient secourir la crainte du parti clérical de voir les femmes devenir libres penseuses, l'âpreté de certains débats à la Chambre, de certains articles dans la presse, s'expliquerait mal.

Le système existant satisfaisait en somme la plus grande partie de l'opinion en 1878. Puisque les filles n'avaient pas besoin d'une

---

l'indépendance et ouvre une carrière à toutes les femmes ; il concilie pour elles les soins du ménage et les devoirs de la maternité avec le développement intellectuel et l'aptitude à d'autres travaux. Le système de Fourier fait plus ; il rend à la femme sa pureté et sa dignité, il la régénère, et la société avec elle » (*Fourier et son système*, Paris, Librairie sociale, 1839, 384 p., p. 249-250). L'auteur pense en effet que, dans sa pleine liberté, la femme ne saurait avoir qu'une conduite irréprochable.

37. Le vote des femmes, en dehors d'une poignée de féministes et du cercle qui entoure Maria Deraismes, n'a aucun partisan. Les objections sont en général les mêmes qui s'opposent à l'initiation maçonnique des femmes. Faites pour rétablir l'harmonie dans la société, les femmes ne doivent point participer aux luttes de la cité. Surtout, comme elles sont restées « cléricales », leur vote donnerait le pouvoir au clergé.

38. *Pensées inédites sur l'instruction de la femme et les lycées et collèges de jeunes filles.* Cette pensée de Deschanel est très proche de Juliette Adam : « Je crois que les hommes, en ridiculisant l'éducation forte qu'on donne aujourd'hui aux femmes, font acte de stratégie bien naturelle. Ils comprennent qu'en perfectionnant son système de défense pour la bataille de la vie, la grande vaincue résistera plus aisément à la conquête » (*ibid.*, p. 6).

instruction poussée, puisque cette instruction présentait même, pensait-on, de sérieux inconvénients, le couvent ou le pensionnat suffisaient bien[39]. La pensée républicaine officiellement affichée n'était pas toujours en accord avec la pratique : ce fut un facile sujet d'ironie pour les adversaires de la loi[40]. Résolument opposés à l'immixtion du clergé dans la vie publique, détachés au moins pour une partie d'entre eux de la croyance et en tout cas de la pratique, les parlementaires républicains n'avaient pas toujours de répugnance à penser que leurs femmes et leurs filles étaient élevées dans la piété. La religion était la meilleure garantie de la moralité des femmes. Qui se fût avisé, à la Chambre ou dans la presse, de souhaiter la femme libre selon Fourier ou Enfantin ? Les dogmes abolis, les prêtres renfermés dans leurs sacristies, l'Eglise eût affirmé encore sa présence par la morale que, peu à peu, elle avait imposée, et que les républicains reprenaient à leur compte sous le nom de morale indépendante.

Peut-on conclure pour autant que les raisons d'envoyer sa fille au couvent étaient uniquement morales ? Ce serait sans doute insuffisant au regard d'un état d'esprit qui fut sans doute plus complexe. Pour un homme déterminé comme Jules Ferry qui, libre penseur, avait réalisé le « mariage des âmes » en épousant une libre penseuse, combien vivaient dans le « divorce intellectuel » et s'en accommodaient fort bien ? Il n'est pas vraisemblable que la plupart des républicains, élevés dans la tradition chrétienne, aient eu la volonté ou la lucidité philosophique nécessaires pour parcourir le même itinéraire que Ferry. Le « divorce » serait alors plutôt un partage : le maintien délibéré des femmes dans l'univers religieux pourrait être un aspect détourné de la religiosité des hommes. Confusément, les hommes, qu'ils fassent profession d'agnosticisme ou se contentent de ne pas pratiquer, gardent par la piété de leurs femmes un lien sinon avec l'Eglise, du moins avec Dieu : le Dieu peut-être de Voltaire plutôt que le Dieu d'Abraham. Rejetée la médiation de l'Eglise et des prêtres, reste celle des femmes : ainsi demeurent possibles les réconciliations tardives que déplore le discours de la Salle Molière[41]. C'est en somme un postulat des laïques militants

---

39. Du point de vue religieux, la différence était mince entre le pensionnat laïque et le couvent, puisque les pratiques religieuses y étaient de rigueur (cf. les souvenirs sur une petite institution de province rapportés par J. Crouzet-Benaben dans les *Souvenirs d'une jeune fille bête*). A l'école Sévigné fondée dans les intentions les plus laïques, on faisait la prière quotidienne en commun, conçue de telle sorte qu'elle convenait à toutes les confessions. A Fontenay même, les réunions quotidiennes de Pécaut constituaient une sorte de culte. La morale n'avait pas gardé seulement son contenu, mais une sorte de vêtement religieux.

40. Chambre des Députés, séance du 19 janvier 1880. *M. Bourgeois* (député légitimiste) : « Ces messieurs qui parlent contre l'enseignement donné dans les couvents vont y chercher leurs femmes et y mettre leurs filles (*dénégations sur quelques bancs à gauche*) ». Plus tard encore, on ironisait sur la première communion de la fille de Jaurès.

41. Les réconciliations in extremis ou même post mortem, grâce à l'imprécision des volontés dernières — mais pourquoi sont-elles imprécises ? — ne sont pas rares. Elles constituent un autre problème qui n'est pas toujours aisément résolu, comme l'atteste la controverse sur les derniers moments de Littré (cf. J.-F. Six, *Littré devant Dieu*, Paris, Editions du Seuil, 1962, 220 p.).

que d'avoir attribué toujours au désir d'avoir la paix dans le ménage les faiblesses ou les inconséquences des républicains dans le domaine religieux. Ainsi pourrait s'expliquer l'audience qu'a pu avoir le courant spiritualiste, représenté par un Jules Simon ou un Eugène Manuel [42], dans l'installation du nouvel enseignement.

La majorité qui a voté la loi Camille Sée était donc plus ferme sur les principes qu'unie dans la pratique. Sans doute, la masse des républicains, indifférents à une instruction plus élevée des femmes, ont-ils été mus par l'assurance que leur fournissait l'instruction laïque des jeunes filles d'une victoire sur le parti clérical : c'est ce qu'observe H. Marion. Il s'agissait avant tout de s'arracher une clientèle, de se disputer une influence. Mais il est des hommes qui, avec Ferry, ont médité sur la nature supérieure du mariage. L'aspiration à un mariage qui unirait l'homme à une compagne intellectuelle, capable non seulement de le comprendre, mais de partager ses idées, de le soutenir, de l'inspirer, n'est pas uniquement une pétition de principe. Un positiviste en arrive à écrire : « La Madeleine non repentante est mieux préparée intellectuellement à vivre avec un homme que la jeune fille qui a reçu tous les trésors de notre éducation actuelle » [43]. L'abîme entre les éducations masculine et féminine est devenu tel que les amours faciles apparaissent parfois préférables. Aussi la restauration du mariage, qu'on prétend obtenir en réformant et élevant l'instruction des jeunes bourgeoises, a-t-elle à la fois une résonance affective et puritaine, très nette chez Ferry comme chez Camille Sée. Ce double aspect ne saurait être oublié : il donne sa date et ses traits propres à un débat qui présente, outre l'opposition classique entre les conservateurs et les républicains, tant d'aspects contradictoires.

La proposition de Camille Sée et son élaboration en commission

La loi porte le nom du député qui l'a proposée et n'a pas cessé, ensuite, de veiller à sa genèse, à son interprétation, à son application. Elle a pu apparaître comme l'œuvre d'un parti ; elle est avant tout celle d'un homme.

---

42. « Si l'athéisme, chez l'homme, écrit Eugène Manuel, inspire déjà à certaines âmes tant de tristesse et d'effroi, l'athéisme de la femme ne laisse-t-il pas une impression plus étrange encore, et plus répulsive ? Il semble que, si l'idée de Dieu devait jamais être arrachée de nos cœurs, c'est dans celui d'une mère, d'une épouse, d'une fille, qu'elle plongerait ses dernières racines ». (*Pensées inédites...* p. 13). L'idée d'une fonction religieuse nécessaire, mais confiée à un seul sexe, est bien là.

43. Louis André, *La Philosophie positive*, t. IV et V, 1868, p. 130-139 et 265-286 : « De l'Education des femmes », p. 279.

Né le 10 mars 1847 à Colmar, Camille Sée était le fils d'un riche propriétaire de vignes, et à la fois le gendre et le neveu d'un célèbre médecin parisien, le professeur Germain Sée [1]. Etudiant à la Faculté de Strasbourg, le jeune Camille Sée reçut une formation juridique [2] ; au reste, c'est au Conseil d'Etat qu'il fit toute sa carrière, de son retrait volontaire aux élections de 1881 jusqu'à sa mort [3]. Venu très tôt à Paris, il est un républicain de la première heure : ce jeune homme de 23 ans devient, le 10 septembre 1870, secrétaire général du Ministère de l'intérieur [4], puis sous-préfet de Saint-Denis [5]. Elu en 1876 [6] par la circonscription où il avait été sous-préfet, il reste député cinq ans, dans les rangs de la Gauche républicaine [7]. S'il fut un membre actif de son groupe parlementaire, son œuvre législative est très étroitement limitée à la loi du 21 décembre 1880 qui porte son nom, et à la loi créant l'Ecole normale secondaire de jeunes filles qui en est la conséquence logique. Une proposition de loi sur la capacité civile de la femme, déposée en mai 1880, atteste de la permanence et de la cohérence des préoccupations de son auteur. Elle ne vint jamais en délibération. Rendu à la vie privée, Camille Sée ne tarda pas à fonder une revue, *L'enseignement secondaire des jeunes filles,* destinée à informer, à guider les maîtresses du nouvel enseignement et, à l'occasion, à faire connaître la pensée du fondateur [8] ; dans l'usage, elle prit le nom de

---

1. Membre de l'Académie de médecine, il fut appelé aux Tuileries en consultation auprès de Napoléon III, au printemps de 1870. Il rédigea le diagnostic officiel de la maladie de l'empereur.

2. En 1869, il est secrétaire de Mᵉ Groualle, avocat au Conseil d'Etat et à la Cour de cassation (Vapereau, *Dictionnaire universel des contemporains*, p. 1428-1429). « Un angle original de son esprit, note Marguerite Aron (dans *Le cinquantenaire de l'Ecole de Sèvres, 1881-1931*, p. 327), lui faisait sentir, en effet, volontiers, les choses sous leur aspect juridique. Toutes ses pensées les plus habituelles étaient tournées vers la chose publique. S'il rédigeait, c'était tout naturellement et sans le faire exprès, en se modelant sur *L'esprit des lois* ». Cependant, cet esprit de juriste grand lecteur de Montesquieu, mais aussi de Sénèque et de Tacite dans le texte, pouvait connaître la passion : certaines pages polémiques dirigées vraisemblablement contre Gréard et le Conseil supérieur, dans *L'Université et Madame de Maintenon*, en portent le témoignage.

3. Camille Sée est mort le 20 janvier 1919.

4. Lors de la journée du 31 octobre, il reçoit les pleins pouvoirs d'Ernest Picard pour assurer la défense du ministère, de l'Imprimerie nationale et du *Journal officiel*. Sa détermination et son sang-froid lui valent une lettre officielle de félicitations (Lettres d'Ernest Picard, Bibliothèque nationale, mss NAF 24369).

5. Le 15 juin 1872. Il démissionne lors de la chute de Thiers.

6. Non aux élections générales comme l'indique Vapereau, mais à la faveur d'une élection partielle, le 23 avril, à la suite des options résultant de nominations multiples. Il se présente contre un conservateur, le général de Wimpffen, et un radical intransigeant, Bonnet-Duverdier. Au second tour, il l'emporte sur Bonnet-Duverdier par 6 308 voix contre 5 997. Au 16 mai, il est l'un des 363 ; il est réélu sans concurrent, le 14 octobre, avec 13 431 voix. « Je crois que je ne fus pas inutile à son succès dans un arrondissement que j'avais moi-même représenté sous l'Empire », écrit Jules Simon (*La femme du XXᵉ siècle*, p. 243-244). Camille Sée, ajoute-t-il, avait acquis dans la « gauche modérée » une « considération sérieuse ».

7. Il fit constamment partie du bureau de ce groupe, puis fut l'un des secrétaires de la Chambre. Il excuse le caractère hâtif de certaines parties de son rapport sur l'enseignement secondaire des jeunes filles par le fait qu'il l'a rédigé durant les heures de son secrétariat, d'après des documents qu'on lui fournissait sans qu'il pût en vérifier tous les détails.

8. « Il a fondé une revue de l'enseignement des filles ; il a fait plusieurs livres. Il est à présent conseiller d'Etat. On l'a mis dans le conseil d'administration des lycées de filles de Paris. Il n'est ni

Revue Camille Sée. Editée par Cerf à Versailles, elle était financée par Camille Sée et vécut après la mort de celui-ci grâce à son fils, le docteur Pierre Sée, qui en assura l'existence matérielle jusqu'en 1927 [9]. Au reste Camille Sée ne semble pas avoir publié sur un autre sujet que l'enseignement des jeunes filles [10]. Les quelques témoignages biographiques montrent le prestige que cet homme du monde exerçait sur ceux [11] qui l'ont approché, par son élégance, sa beauté même, sa fortune, le faste de ses réceptions, mais aussi par son indépendance, par la solidité de ses amitiés [12], la constance et la fermeté de ses convictions.

C'est le 28 octobre 1878 que Camille Sée déposa la proposition de loi sur l'enseignement secondaire des jeunes filles, sous le ministère Dufaure, « avec l'appui empressé du ministre de l'Instruction publique d'alors, M. Bardoux » [13]. Le 8 décembre, la proposition était prise en considération. Après avoir posé le principe de l'enseignement secondaire des jeunes filles, Camille Sée prévoit la création immédiate d'établissements destinés aux jeunes filles internes et externes. Le texte règle ensuite « tout ce qui a trait à la dépense de construction, d'aménagements, d'entretien des établissements et tout ce qui touche aux bourses à créer par l'Etat, les départements, les villes, ou les particuliers » [14]. Les bourses seront données au concours. L'enseignement est partie obligatoire, partie facultatif : la proposition trace les grandes lignes de l'enseignement obligatoire seulement. Un cours spécial de pédagogie est prévu pour les élèves maîtresses : on ne précise pas pour quel ordre d'enseignement. La proposition « laisse au ministre la faculté d'ouvrir, sur la demande des conseils généraux ou des conseils municipaux, un cours spécial d'enseignement technique ». L'enseignement sera donné par des professeurs hommes et par des professeurs femmes, mais ce sont des femmes qui exerceront tous les emplois de surveillance intérieure.

---

inspecteur général, ni membre du Conseil supérieur, ni professeur. Il est comme le tuteur de l'enseignement des jeunes filles... Il tire toute son autorité des services qu'il ne cesse de rendre, et de son titre de fondateur » (Jules Simon, *La femme du XXe siècle*, p. 245).

9. Reprise par Delalain, la revue essaya de voler de ses propres ailes, mais finit par disparaître, victime autant de l'identification à l'enseignement masculin que des difficultés économiques.

10. A l'exception de ses adresses à ses électeurs et d'un discours en 1886 sur le projet de loi relatif aux nationalités.

11. Celles plutôt, car les papiers de Camille Sée ayant été détruits par les Allemands en mars 1944, nous n'avons pu recueillir que le témoignage oral de sa belle-fille, Madame Pierre Sée, en 1970. D'autre part, toutes les Sévriennes qui l'ont rencontré semblent avoir été sous le charme (Marguerite Aron, *Le cinquantenaire de l'Ecole de Sèvres, 1881-1931*, p. 323-329).

12. L'anecdote de l'élection de Jules Simon à l'Académie française, que rapporte celui-ci, est significative. L'élection menaçait de ne pas se faire, faute de la participation de Victor Hugo. Ce fut Camille Sée qui se dévoua : il partit en coup de vent et fut assez heureux pour convaincre et ramener Hugo qui rêvait sur le Pont des Arts *(Le soir de ma journée*, p. 284).

13. E. Zévort, *Histoire de la Troisième République*, t. III, p. 114. Cela n'empêcha point Bardoux d'intervenir contre l'internat, dans la discussion à la Chambre.

14. Rapport Camille Sée.

La commission [15] chargée d'examiner la proposition fut saisie d'un contreprojet, cette fois rédigé par Paul Bert [16]. Le tableau comparatif entre les deux propositions, déjà significativement publié par Gréard dans son mémoire [17], montre que les différences portent non seulement sur le style des auteurs respectifs, mais aussi sur la nature même des établissements que Paul Bert continue à appeler des cours, sur l'organisation des études, divisées en cycles chez Bert, sur l'internat, enfin sur la manière de dispenser l'enseignement religieux : Paul Bert stipule expressément qu'il doit être donné à l'extérieur de l'établissement alors que Camille Sée s'est prononcé pour l'intérieur.

L'examen, bureau par bureau, de la proposition de Camille Sée, conjointement ou non avec celle de Paul Bert, ne révèle guère d'opposition : tout au plus des critiques. Elles portent essentiellement sur l'internat et les programmes. Jules Simon, à l'Académie des sciences morales, y a vu matière à objections : l'internat convient-il aux jeunes filles, et, d'autre part, est-il conforme à la séparation des pouvoirs que les programmes soient inscrits dans la loi ? Dans cette interrogation un peu étrange est perceptible la méfiance qu'inspirent à l'Université établie les tentatives d'empiètement des républicains sur son domaine. Le promoteur répond que les internats ne sont demandés que pour douze établissements modèles prévus à l'article 2 : les départements et les villes qui créeront des établissements dans les conditions prévues à l'article 3 seront libres de n'ouvrir que des externats. D'autre part, les programmes inscrits dans la loi ôteront au Conseil supérieur la tentation d'en fausser l'esprit [18].

La proposition arriva donc en commission. Restait une question de procédure : examinerait-on conjointement la proposition de Paul Bert, comme c'était le vœu d'Emile Deschanel ? On objecta que la commission avait été créée pour examiner la proposition Sée et devait s'en tenir à ce seul examen : preuve que les règlements de la Chambre n'étaient pas encore très formels en ce début de l'année 1879. La discussion menaçait de s'éterniser sur ce point, lorsque Paul Bert déclara, lors de la séance suivante, que la commission était libre de procéder comme elle le jugerait bon. La discussion s'engagea sur

---

15. Présidée par Logerotte, avec pour secrétaire Chalamet qui fut l'un des plus décidés partisans de Camille Sée, elle comprenait Paul Bert, Brisson, Bousquet, Camille Sée, le futur ministre de l'Instruction publique Duvaux, Duchasseint, Deschanel, de Tillancourt et Francisque Reymond.

16. Il ne semble pas que Paul Bert ait songé à une proposition de loi avant que Camille Sée ne déposât la sienne. Cependant, les événements l'ont montré, il avait ses idées personnelles sur l'enseignement féminin qu'il a dû sans doute mûrir lors de son expérience aux cours de l'Association de la Sorbonne. C'est Paul Bert qui, en 1878, avait fait voter un crédit pour les cours de jeunes filles.

17. Dans l'annexe de celui-ci, Gréard portait évidemment ses sympathies vers le projet de Paul Bert.

18. Cet argument permet de saisir le peu de confiance que Camille Sée avait d'emblée dans le Conseil supérieur, pour l'application de la loi : l'expérience montra que ses appréhensions étaient justifiées.

l'ensemble de la proposition Sée : au passage, Paul Bert proposait en guise d'amendements des éléments de son propre texte.

C'est ainsi qu'aux deux premiers articles de la proposition de Camille Sée, Paul Bert opposa son premier article. Il convint cependant que le mot de « collèges » valait mieux que celui de « cours » qu'il avait d'abord adopté : c'était « une création nouvelle, plus complète et mieux organisée que les cours institués sous le ministère Duruy ». S'il avait cru devoir, disait-il, fixer un minimum pour Paris, c'était pour mieux marquer l'obligation. Au reste, il fallait fonder un collège par département au moins, dont les villes feraient les frais avec une éventuelle subvention de l'Etat ; l'externat serait obligatoire, l'internat facultatif. Duvaux trouva « excessif et dangereux de créer à la fois 86 collèges de jeunes filles » : selon lui, on devait rencontrer des résistances dans deux tiers des départements. Il abondait ainsi dans le sens de Camille Sée qui arguait des « frais énormes » et de l'insuccès probable pour limiter les premières fondations à douze villes. La désignation de ces douze villes paraissait arbitraire à Duvaux : on supprima le nom des villes où seraient fondés les premiers collèges.

Dès le début des travaux de la commission, apparut ce qui fut la grande difficulté de la loi. Les nouveaux établissements seraient-ils des internats ? Le promoteur voyait dans les douze villes choisies des internats obligatoires : si des fondations avaient lieu ailleurs, on pourrait s'y contenter d'externats. Paul Bert, au contraire, voulait commencer par des externats, un par département, les internats étant fondés ensuite, au fur et à mesure des besoins. Cette formule présentait l'avantage d'être la moins chère. L'externat répondait à l'un des vœux les plus constants du député d'Auxerre : n'aurait-il pas voulu qu'on supprimât l'internat du collège Jacques-Amyot où il avait fait ses études [19] ? Duvaux alléguait la nécessité de l'internat pour les jeunes filles de la campagne : sinon, les villes étaient injustement privilégiées. Ailleurs, il fallait, selon lui, se contenter de cours sur le modèle des cours Duruy. Si Paul Bert reconnaissait la nécessité de l'internat dans certains cas, il estimait que les externats suffiraient bien dans les villes où existaient déjà des institutions laïques ; là où elles faisaient défaut, elles se créeraient. Ici est perceptible l'origine des internats privés tels qu'ils furent fondés à côté des externats officiels : ce fut l'idée de Paul Bert qui prévalut. Celui-ci ne soupçonnait pas, et ses interlocuteurs, semble-t-il, pas plus que lui, de quelles difficultés administratives et d'une certaine manière humaines la double nature des établissements serait la source. Plus précisément, si l'on prévoyait des embarras, ce n'étaient pas ceux qui se produisirent : ainsi Duvaux craignait que l'Etat, en donnant

_____

19. L. Dubreuil, *Paul Bert*, p. 41.

sa subvention à un établissement privé, ne décourageât les municipalités désireuses de fonder un internat. D'autre part, ne risquait-on pas de voir les maisons religieuses y envoyer leurs élèves ? Au reste, Duvaux pensait, contrairement à Chalamet, qu'un externat n'était pas de taille à lutter contre l'influence des maisons religieuses. On peut se demander si la querelle entre internat et externat ne revêt pas aussi une valeur symbolique. L'internat, à cette époque, va de soi pour les garçons. Le refuser aux filles, c'est établir une distinction supplémentaire entre les deux éducations. Camille Sée maintenait ce qu'il considérait comme une pièce maîtresse de sa proposition : « Dans la loi, on ne doit viser que l'internat. On pourrait dire dans le rapport, ajoutait-il, que le ministre favorisera l'organisation des externats ». Ce fut lui qui l'emporta, du moins au stade de la commission.

La commission ne semble pas avoir eu d'emblée une idée très précise des externats qu'il s'agissait de fonder. Duvaux se montrait adversaire de l'innovation en ce domaine : les cours Duruy lui paraissaient suffire, avec la subvention que déjà Paul Bert avait fait voter par amendement au budget de 1879. Mais Paul Bert lui-même voulait aller plus loin : le grand défaut des cours de 1867-1868, c'est qu'ils ne formaient pas un ensemble. Il fallait plus et mieux, créer « une agitation salutaire », un enseignement complet avec un programme et une sanction, « analogue » au baccalauréat : personne bien entendu n'imaginait que la sanction pût être le baccalauréat lui-même.

On en vint à l'examen du programme [20]. Le promoteur voulait un programme obligatoire pour toute la France auquel serait ajouté un programme facultatif indéterminé. Le programme, pour Bert, devait être uniforme, très large : la loi se contenterait d'indiquer d'une façon générale l'esprit et les matières de l'enseignement, pour permettre les variations nécessaires d'un pays à l'autre, d'une époque à une autre. En définitive, l'article 11 fut rejeté.

L'enseignement secondaire des garçons était à la même époque sujet à de nombreuses critiques : l'opinion réclamait des réformes [21]. Bien que, dans l'esprit de personne, l'enseignement secondaire des jeunes filles n'ait pu être assimilé alors à l'enseignement des garçons, l'exemple de celui-ci pèse sur toutes les décisions qui regardent celui-là. Duvaux souhaite organiser le nouvel enseignement « dans un sens plus moderne, plus pratique » que celui des garçons, en combinant l'enseignement classique, l'enseignement spécial et l'enseignement primaire supérieur. Sur ce dernier point, Duvaux est plus redevable à la tradition déjà

---

20. Séance du 19 février 1879.
21. Le livre de Michel Bréal était présent à tous les esprits. On citait également *L'éducation homicide* de V. de Laprade. Cf. les travaux, entre autres, de la Société pour l'étude des questions d'enseignement secondaire, fondée en 1879.

établie qu'il ne paraît de prime abord. Les brevets d'institutrices, que les jeunes filles ont pris l'habitude de passer dès le Second Empire, sont des examens primaires, et la loi de 1880 ne déracinera pas cette habitude. Dès avant la fondation de l'enseignement secondaire des jeunes filles, existe une pesanteur [22] qui, par les examens, tend à faire se confondre la formation secondaire des jeunes filles avec une instruction de niveau et surtout d'esprit primaire supérieur. Brisson, dans la commission, est conscient de la déviation possible. Les humanités, selon lui, doivent faire le fond de l'enseignement des jeunes filles, comme pour les garçons : « Nous n'atteindrions pas notre but, dit-il, qui est de changer la direction d'esprit chez les jeunes filles appartenant à des familles riches ou aisées ». Il semble avoir été le seul à souhaiter que les humanités forment l'essentiel de la formation féminine.

Si l'on en croit, non les débats parlementaires qui ont en général cherché un niveau supérieur, mais toutes les références aux *Femmes savantes* qui émaillent les discours d'inauguration ou de cérémonies diverses [23], la crainte encore à cette date semble avoir été de donner à croire qu'on voulait gâter la soupe de Chrysale, en formant des bas-bleus qui haïraient le ménage. Là aussi la tradition a son rôle : tout ce qu'au cours du 19e siècle on a pu appeler enseignement secondaire féminin était certes à dominante littéraire, mais, sauf exception, ne comprenait pas l'étude des langues mortes, pour des raisons plus pratiques que théoriques. L'exemple des pays étrangers où existe déjà officiellement un enseignement secondaire, les Etats-Unis, l'Angleterre, l'Allemagne, comme la pratique française dans les pensionnats vont dans le même sens.

L'énumération des matières doit commencer, selon Paul Bert, par « l'instruction morale » [24]. « En supprimant le mot *religieuse,* poursuit-il, nous indiquons dès le début quel est l'esprit de ce nouvel enseignement ». Camille Sée, et c'est là qu'il se révèle être bien le seul dans la commission avec Brisson à souhaiter vraiment un enseignement secondaire pour les jeunes filles, voudrait maintenir la philosophie. Mais, fait observer Duvaux, on ne peut enseigner la morale dogmatiquement ; elle s'enseigne à propos de tout. Deschanel, qui lui aussi appartient à l'Université et connaît les tendances de la philosophie qu'on y enseigne, craint que la philosophie ainsi conçue ne confine à la

---

22. Dans son article sur « les principales différences entre les écoles de garçons et les écoles de filles », le professeur Nöldecke, directeur de l'Ecole supérieure de filles de Leipzig, dégage bien à la fois le caractère empirique de l'enseignement des jeunes filles et les raisons de cet empirisme (*RIE*, juillet-décembre 1884, p. 495-515).

23. *Lycées et collèges de jeunes filles. 25 ans de discours.*

24. Strictement laïque, le projet de Camille Sée ne souffle mot de l'instruction religieuse. Il ne parle pas davantage de l'enseignement moral.

théologie catholique[25] : il faut donc préciser que cette morale est d'autant plus nécessaire que sa suppression serait un aveu d'impuissance. La commission aboutit au rejet de la philosophie[26], « attendu que toutes les connaissances comprises dans ce mot qu'il est utile d'enseigner aux jeunes filles sont déjà implicitement renfermées dans l'instruction morale, dans l'histoire ou dans l'histoire littéraire ».

Ainsi se profile, dès avant que le projet ne soit soumis à la Chambre, ce qui sera la clef du travail réglementaire fait par le Conseil supérieur : parce qu'on s'adresse à des jeunes filles, la notion d'éducation libérale, dans son acception ordinaire, disparaît. Est pris seulement en considération ce qui, mot révélateur, est « utile » à enseigner, en vertu de postulats non exprimés. Sans doute l'enseignement secondaire masculin présente-t-il des défauts en 1879, à commencer par la surcharge des programmes. Sans doute veut-on éviter ces défauts à la création que l'on prépare, mais la modernité des membres de la Commission aurait eu plus de force convaincante si elle avait abouti aussi à une mise en cause de la philosophie telle qu'on l'enseignait dans les lycées de garçons ; ce qui n'est pas le cas. On n'enseignera donc aux jeunes filles ni la logique ni la métaphysique, si propres à lutter contre la force du sentiment et celle de la croyance. L'accusation de vouloir des femmes irréligieuses n'est donc guère fondée. Au reste, le mot de philosophie, fort employé dans *Les femmes savantes* si souvent citées, a-t-il peut-être plus effrayé que la chose.

Si les jeunes filles n'étaient pas admises aux spéculations de la philosophie, la tradition qui voulait leur donner un enseignement surtout littéraire semble s'être naturellement imposée : elles devaient étudier la langue française et une langue vivante au moins, la littérature française, les littératures classiques d'après des traductions et les « littératures modernes », entendons par là les littératures étrangères. Le programme initial comprenait en outre l'histoire naturelle, un aperçu de l'histoire générale et la géographie. Paul Bert fit préciser et augmenter le programme scientifique — « sciences naturelles, physiques et mathématiques avec leurs applications les plus usuelles » —, restriction qui voulait prévenir toute accusation de vouloir lester les jeunes filles de connaissances trop élevées. Rien là qui n'ait été couramment pratiqué depuis l'époque de la monarchie censitaire. Duvaux, avec Camille Sée, voulurent mettre dans la loi l'hygiène et l'économie domestique « afin

---

25. Cf., dans *La Revue internationale de l'enseignement*, janvier-juin 1882, p. 59-65, la controverse entre Blanchet et Beaussire : « Le nouveau programme, répond Beaussire, est ... très loin d'avoir infusé un esprit nouveau à la philosophie universitaire ». Le rédacteur principal, il le rappelle, est « M. Paul Janet, ancien secrétaire de M. Cousin, très attaché aux traditions de l'école spiritualiste, quoi qu'il y apporte, je me hâte de le dire, un esprit largement ouvert à toutes les idées nouvelles ».

26. Séance du 19 février 1879. Elle adopte ainsi les vues de Duruy qui ne jugeait pas opportun de faire enseigner la philosophie aux jeunes filles.

de bien indiquer, disaient-ils, que nous ne voulons pas former des savantes mais des mères de famille et des femmes de ménage ». C'est par cette addition sans prestige [27] que se révèle l'un des aspects majeurs de la pensée de Camille Sée : l'institution nouvelle fait partie de l'œuvre de relèvement de la France ; les jeunes filles de 1880 seront les mères des soldats de demain. Alsacien, Camille Sée veut faire œuvre patriotique. Ainsi prend tout son sens la devise gravée sur la médaille que Camille Sée fait frapper pour commémorer le vote de la loi : *Virgines futuras virorum matres respublica docet* [28].

La commission s'était également occupée de l'enseignement religieux [29] et des bourses dont l'octroi devait définir une politique démocratique, à l'encontre du Second Empire sous lequel elles constituaient une récompense donnée à la clientèle [30]. Les bourses devaient-elles être délivrées à la suite d'un examen ou d'un concours ? Là encore s'opposent Duvaux et Paul Bert : celui-ci désire un examen, l'autre, plus radical, voudrait un concours, après élimination des jeunes filles riches. On opta pour l'examen, mais avec la constitution d'une commission qui déciderait de l'octroi des bourses [31].

Une idée, qui semble avoir été particulière à Camille Sée et se

27. Le rapport de Broca au Sénat, qui est un des derniers textes du grand anthropologiste puisqu'il mourut brusquement avant le débat, contient un développement sur l'hygiène « car c'est la femme, bien plus que l'homme, qui préside à l'hygiène des familles ». Broca insiste sur l'hygiène de la première enfance dont les éléments « n'ont pas trouvé place dans le programme des aspirantes au brevet de capacité : on les dédaignait comme trop vulgaires... » Les statistiques de la mortalité infantile, dont il donne le détail, résultent de l'ignorance, non de la fatalité, comme l'attestent les curieux écarts entre les moyennes départementales (de 11,2 % à 29,4 %), la moyenne étant de 16,7 % dans la période 1875-1876. De tels chiffres justifient l'insertion de l'hygiène de la première enfance dans les programmes féminins.

Dans *Prime éducation et morale de classe*, Paris-La Haye, Mouton, 1969, 152 p., Luc Boltanski se montre victime d'une information insuffisante lorsqu'il écrit, en évoquant la loi Camille Sée : « Pour faire place à l'enseignement ménager, à l'hygiène, à la puériculture, on essaie de condenser les programmes masculins de culture générale. On remplace l'étude des langues anciennes par la lecture de traductions des auteurs anciens ... ». Le contenu répondait, nous l'avons vu, aux exigences d'une tradition établie de l'enseignement féminin, et non de l'enseignement ménager, ajouté comme après coup pour montrer la pureté d'intentions des républicains sur la famille. Enfin, la présence de l'hygiène dans les programmes de l'enseignement secondaire est surtout une réplique donnée d'avance aux adversaires d'un enseignement féminin de type supérieur : il répond plus à une nécessité polémique du moment qu'à une entreprise de « rationalisation des conduites privées ». Quant à la couture, elle remonte à un fonds prérévolutionnaire. D'une façon formelle, elle existe dans les programmes scolaires, non depuis les législateurs de 1880, qui, selon Boltanski, seraient à l'aube des temps rationnels, mais depuis Guizot.

28. Œuvre de L.O. Roty, le père de la « Semeuse », cette médaille fut commandée par le directeur des Beaux-Arts et exposée au Salon de 1884.

29. 7 mars 1879. Camille Sée, comme Duvaux, pense que mieux vaut « un prêtre qui vient, contrôlé par l'administration universitaire ». Paul Bert craint la tendance à l'envahissement, comme dans les collèges de garçons. Bousquet voudrait que la loi n'en fît même pas mention. La commission finit par adopter la rédaction de Duvaux.

30. « Votre commission, dit Camille Sée dans son Rapport à la Chambre, revient à la pensée de Condorcet qui voyait dans l'institution des bourses un moyen de remédier à l'inégalité sociale résultant de l'inégalité des fortunes ». Il renvoie au décret J. Simon destiné à supprimer l'arbitraire. « Nous vous proposons d'établir en principe que les bourses de toute origine dans les écoles secondaires de jeunes filles seront à la fois données au mérite et destinées à remédier à l'inégalité sociale résultant de l'inégalité des fortunes ».

31. La loi évoque la fondation des bourses mais laisse sous silence les modalités d'attribution.

retrouve à l'article 6 du texte définitif, est d'annexer aux nouveaux établissements des cours pour les élèves maîtresses. Le promoteur désirait, disait-il, éviter les abus de déplacement si préjudiciables aux professeurs hommes. Donc, ces cours étaient, dans son esprit, destinés à l'enseignement secondaire. D'autre part, il rêvait pour les femmes d'un système d'avancement sur place. Mieux, « il ne serait pas mauvais, observe le rapport, que le personnel d'un établissement pût, en partie, se recruter parmi ses propres élèves » : Bert, qui sans doute craignait la concurrence faite ainsi aux écoles normales d'institutrices, voulait laisser l'article au ministre. Aussi bien celui-ci, présent à la séance suivante, insista-t-il sur les différences à établir avec l'enseignement primaire et l'enseignement primaire supérieur qu'il fallait également créer. Selon Jules Ferry, il convenait d'insérer dans la loi que les jeunes filles ne pourraient être admises qu'à l'âge de treize ans avec une bonne instruction primaire et, de plus, exclure tout ce qui était technique ou professionnel, notamment l'article sur les notions de pédagogie.

Mais surtout Jules Ferry reprit la question de l'internat : il voulait que celui-ci fût l'exception. Sensible à une opinion très critique sur les internats des lycées de garçons, il prévoit de grandes difficultés financières parce que les internats coûteraient cher, et des inconvénients encore plus grands que dans les internats masculins. Moins adversaire que Paul Bert du principe même de l'internat, il veut en éviter les responsabilités : il faut « agir avec une extrême prudence ». Au reste, la question de l'enseignement religieux se greffe sur celle de l'internat. Comme Sée et Duvaux, il penche pour l'instruction religieuse à l'intérieur, mais il prévoit que les évêques choisiront des aumôniers « qui seront des ennemis ». Pour pallier cet obstacle supplémentaire, il n'est que de « créer le plus grand nombre possible d'externats » : le problème de l'enseignement religieux ne s'y posera donc pas. Les observations de Jules Ferry partagent la commission, comme le constate Chalamet qui, avec Tillancourt, épouse le parti du ministre. Camille Sée s'essaie à démontrer que les internats ne sont pas si coûteux que le prétendent les évaluations ministérielles : quand même le seraient-ils, les municipalités assumeront une partie des charges et l'internat est « indispensable dans un pays comme le nôtre ». Duvaux va beaucoup plus loin. Pour lui, les modifications suggérées par le ministre seraient la « suppression même de la loi », car les externats ne répondront pas au besoin de soustraire les femmes à l'influence cléricale : « Nous trouvons de l'argent pour les chemins de fer, pour les chemins vicinaux, pour la guerre ; il faut en trouver aussi pour travailler à l'émancipation de la femme qui sera l'émancipation même du pays ». En définitive, la participation de Jules Ferry aux travaux de la commission se traduit par une nouvelle victoire de l'externat. Quant à l'enseignement des notions pédagogiques, il est maintenu à titre facultatif.

La commission avait chargé Camille Sée du rapport devant la Chambre. Œuvre de grande ampleur, le rapport est en volume l'un des plus considérables ouvrages qui aient jamais été consacrés à la question. Il justifie son objet par une investigation à la fois dans l'espace et dans le temps. La France, en matière d'enseignement féminin, s'est, selon le rapport, laissé devancer par les pays étrangers. Aussi Camille Sée décrit-il, en s'aidant des documents réunis pour l'exposition de 1878, les institutions scolaires destinées aux jeunes filles en commençant par les Etats-Unis où Vassar et Wellesley emportent son admiration. Il étudie ensuite la Suisse. L'ordre adopté n'est pas quelconque. Il analyse les systèmes d'éducation par ordre de perfection décroissante : « La République suisse, comme la République américaine, a proclamé égaux devant l'instruction l'homme et la femme ... donnant ainsi satisfaction à la loi morale et à l'intérêt bien entendu de la famille et de la nation »[32]. Une place très grande est faite à l'Allemagne ; l'enseignement y est exceptionnellement régi par une loi. Une association des Höheren Töchterschulen s'est fondée en 1872 pour faire régler par les lois l'enseignement qu'on y dispense. Camille Sée étudie systèmes, écoles et programmes, Etat par Etat. L'Italie a compris *« che l'educazione vuol essere una preparazione alla vita e il mundo non è un convento »*[33]. Comme en Allemagne, on adjoint à l'enseignement proprement dit des « cours normaux » pour ouvrir aux femmes la carrière de l'enseignement. La hiérarchie russe des instituts, gymnases et progymnases est évoquée plus brièvement[34]. Viennent ensuite la Hollande, l'Angleterre, l'Autriche, la Suède, la Norvège et la Grèce. La description des législations étrangères en matière d'enseignement féminin avait pour objet essentiel d'aiguillonner l'amour-propre national[35] en montrant le retard français ; elle a de plus le mérite de dégager le fonds commun d'instruction qu'il apparaissait raisonnable de dispenser aux jeunes filles en Europe occidentale et aux Etats-Unis. Tout ce qu'on sait sur l'enseignement secondaire privé en France, en 1880, en ressort. Tout au plus peut-on affirmer que certains pays étrangers l'ont enrichi et approfondi. La loi de 1880 n'est donc pas une création *ex nihilo*, encore moins une rupture avec une tradition de pédagogie féminine qui existait nettement avant elle.

---

32. Dans les écoles secondaires suisses, on enseigne la religion, les langues et littératures vivantes, l'histoire et la géographie, les mathématiques, la physique, les sciences naturelles, l'hygiène, les soins aux malades, l'économie domestique, la calligraphie, les ouvrages de femmes, le dessin, la musique et la gymnastique : programme, on le voit, très proche de celui des futurs lycées de jeunes filles en France.

33. Le programme des écoles ouvertes dans l'Italie du Nord et à Rome comprend un minimum très proche de celui de la Suisse, à cela près que la religion est remplacée par la morale et que la part des sciences semble être réduite. Mais on y ajoute un programme facultatif, variable selon les écoles.

34. Le terrain est moins sûr, comme le prouvent les interventions de la droite à la Chambre, qui affectent de considérer les gymnases russes comme autant de réservoirs de nihilistes.

35. A. Amieux, *Le cinquantenaire de l'Ecole de Sèvres, 1881-1931*, p. 116.

Camille Sée, sans peut-être le concevoir clairement, a senti combien il devait s'aider de l'histoire pour faire admettre son innovation. L'usage pédagogique, en France, est enraciné dans la recherche des classiques, c'est-à-dire d'auteurs du passé qui ont défini des normes d'éducation. L'enseignement féminin n'a pas échappé à cette particularité : le rapport lui-même de la loi Camille Sée consacre un développement à l'historique de l'enseignement secondaire féminin en France. Il faut rassurer l'opinion autant que la stimuler, en lui donnant des exemples auxquels elle prenne plaisir à se référer : on ne dira jamais assez l'utilité à cet égard de la tentative de Victor Duruy, et des hostilités qu'il a soulevées. L'hommage à Duruy, à son courage qui ne pouvait être que malheureux, étant donné le régime sous lequel il avait œuvré, battait le rappel des énergies républicaines plus efficacement que le sentiment de collaborer à une entreprise entièrement nouvelle dont la valeur ne fût pas encore assurée.

L'histoire de l'enseignement féminin présentée par Camille Sée tendait à renforcer la version officielle selon laquelle rien de secondaire n'avait existé avant lui pour les filles. Sous l'Ancien Régime, seul Saint-Cyr, « création isolée », méritait un hommage. La Révolution était excusée de n'avoir rien organisé dans ce domaine, cependant l'une des raisons pour lesquelles les filles ne reçurent pas alors d'enseignement est la « pruderie hors de saison » dont Talleyrand donna le signal, en décidant qu'il n'y aurait pas d'écoles mixtes. Au contraire, honneur était rendu à Lakanal qui, sans se défaire du préjugé hostile aux écoles mixtes, avait « compris toute l'importance de l'éducation des filles et surtout avait l'avantage d'avoir passé de la théorie à l'action », et d'avoir placé « l'éducation pratique et matérielle à côté de l'instruction théorique »[36]. Encore faut-il reconnaître que Lakanal n'a donné l'instruction secondaire ni aux filles ni aux garçons. Quant à Napoléon, il n'a rien fait si ce n'est une sorte de prolongement de la dotation de la Légion d'honneur pour les seules filles de légionnaires, les maisons d'Ecouen puis de Saint-Denis[37]. Il a fallu à Guizot « beaucoup d'énergie » pour arracher une « maigre dotation » pour les instituteurs à la parcimonie de la Chambre, mais ce n'était pas pour les filles tant la dépense paraissait exorbitante. Après l'hommage rituel au projet mort-né de Carnot en 1848, le rapport décrit les améliorations apportées à l'enseignement primaire sous le Second Empire, améliorations qui « paraissaient considérables pour le temps ». Enfin, vient l'évocation des

---

36. « Pour les garçons, des exercices militaires, des visites dans les manufactures, l'apprentissage d'un métier ; pour les filles, les travaux de couture ». Si Guizot a rendu obligatoire la couture pour les filles, le rapporteur regrette que les exercices militaires ne soient encore « qu'à l'état d'exception » dans les écoles de garçons.

37. Le rapporteur donne en note le détail de l'organisation selon le décret de 1857 et les derniers programmes des trois maisons d'éducation.

cours secondaires fondés par Duruy : « On avait donc ouvert, conclut l'orateur, pour quelques centaines de jeunes filles, quelques cours d'enseignement secondaire. Effort louable et généreux, mais effort insuffisant ».

C'est seulement après avoir évoqué l'histoire de l'enseignement féminin en France et les exemples étrangers que Camille Sée procédait à la présentation des articles de la proposition telle qu'elle était sortie des débats de la commission. Il fallait justifier tout d'abord l'institution nouvelle, devant une opinion qui pensait sans doute que les cours, tels qu'ils existaient, devaient suffire : « La France n'est pas un couvent, la femme n'est pas dans ce monde pour être religieuse. Elle est née pour être épouse, elle est née pour être mère ». Ce serait en effet se méprendre sur les intentions de Camille Sée que de voir en lui l'un des « libérateurs » de la femme moderne. Si la logique de son œuvre a pu amener les élèves des lycées de jeunes filles, peu à peu, à réclamer l'identité de formation et même une identité de destinée avec les garçons, le promoteur de la loi de 1880 ne l'a pas voulu et même n'en a pas pris conscience. L'accès à la pleine lumière qu'il désirait « de toute son âme » pour les femmes dans la société contribuait sans doute à leur enrichissement personnel mais devait seulement leur permettre de mieux tenir la place qui avait toujours été la leur. Comme en d'autres domaines, l'ordre républicain est tout à l'opposé d'aspirations libertaires ou égalitaires.

Les arguments mis en avant pour montrer l'insuffisance des cours sont d'ordre pédagogique : les élèves n'ont pas de rapports directs avec leurs professeurs qui restent des conférenciers, la plupart du temps, et les cours n'ont pas un caractère progressif : on est toujours resté en deçà des vœux de Duruy qui voulait une véritable scolarité. En fait, les jeunes filles prennent les cours là où ils en sont, et les suivent tant qu'ils ne recommencent pas un autre cycle : le niveau de l'assistance, resté hétérogène, interdit de parler d'une classe. Mais surtout, et il est caractéristique de la France de 1880 que l'argument majeur ait été de cet ordre, le « besoin social » d'un nouvel ordre d'enseignement se fait sentir, selon Camille Sée, à travers le besoin d'examens : les filles se font recevoir institutrices, entendons qu'elles passent les brevets — ou même passent le baccalauréat. Ni les uns ni l'autre ne sauraient répondre à l'attente de futures mères de famille, compagnes intellectuelles de leur mari : les brevets ont un caractère professionnel, inutile à des jeunes filles qui ne se proposent pas d'enseigner. L'idéal est de les débarrasser de toute préoccupation utilitaire dans leur instruction. Le baccalauréat ne saurait mieux convenir ; il demande aux jeunes filles des efforts que l'on juge alors disproportionnés aux fins poursuivies. Le baccalauréat étant censé constituer la voie d'accès aux carrières libérales et ces carrières étant fermées aux femmes, à l'exception de la médecine, il ne peut être sanction des études féminines. Ainsi se dégage, d'une manière négative en quelque sorte, le caractère du diplôme de fin d'études secondaires, seul aboutissement logique des études secondaires féminines. Couronnement gratuit d'études désintéressées, il devait être dépourvu de tout débouché pratique.

Le vote de la loi. Les discussions sur l'internat

Les deux délibérations de la Chambre, le 15 décembre 1879 et les 19 et 20 janvier 1880, et les deux délibérations du Sénat, les 20 et 22 novembre et les 9 et 10 décembre 1880, montrent dans quel sens la proposition déjà transformée par la commission fut encore modifiée, moins pour atténuer l'hostilité irréductible de la droite au principe même de la loi que pour rallier les hésitants de la majorité : l'extrême justesse de certains scrutins de détail montre que la précaution n'était pas inutile. Les débats furent assez longs et, pour l'essentiel, d'une remarquable tenue. S'il est vrai, comme le fait observer *La Revue internationale de l'enseignement,* qu'ils n'ont pas présenté un grand intérêt, c'est que la revue considère la question du point de vue pédagogique. Certes, la pédagogie masculine ou féminine n'est pas sortie bouleversée ni même enrichie des discussions ; mais n'est-il pas précisément significatif que les discussions sur la création d'un ordre nouveau d'enseignement n'aient pas porté sur la nature propre de cet enseignement et la manière de le dispenser ? Hors de ces sujets qui furent à peine effleurés, les thèmes ne pouvaient que reprendre le débat implicitement engagé pour d'autres lois.

L'opposition attaqua les républicains sur la suppression de l'enseignement religieux et sur l'enseignement de la morale. Elle trouva, dans la majorité même, des alliés contre le principe de l'internat. Sous des dehors parfois pédagogiques, la question de l'internat renvoyait à tout autre chose : l'hostilité de la droite cherchait à rendre la loi inefficace en la privant du secours de l'internat. Les raisons des autres adversaires de ce régime étaient à la fois pratiques et sentimentales : à cet égard, les débats, tant à la Chambre qu'au Sénat, furent révélateurs des nombreuses arrière-pensées politiques, religieuses, sociales, que nourrissaient les partisans de la loi comme ses opposants. Le contenu du texte s'efface donc en partie devant l'examen de conscience involontaire dont il fut l'occasion.

L'étude de la loi qui fonde l'enseignement secondaire des jeunes filles aura donc un double objet : il faut rechercher comment s'est élaborée la rédaction définitive de la loi, mais aussi dégager, au-delà parfois des prises de position apparente, ce qui exprime le sentiment profond du personnel parlementaire. Les discussions perdraient une grande partie de leur signification si on oubliait la place qu'elles occupent dans l'ensemble des débats sur les lois scolaires, de 1879 à 1882. Ainsi les débats au Sénat, surtout en décembre 1880, sont contemporains de l'examen à la Chambre des lois sur la gratuité et l'obligation : il est naturel que les passions de la Chambre aient eu leur écho dans l'autre Assemblée, et élargi les controverses au-delà de ce qui faisait leur objet immédiat.

Les scrutins à la Chambre montrent que l'affaire n'est pas, au départ, uniquement considérée sous son aspect politique. Au premier vote pour savoir s'il convient de procéder à une deuxième lecture, les positions ne sont pas totalement durcies. Plus du quart des bonapartistes s'abstiennent alors que, sur 317 députés républicains, une trentaine observent la même attitude. La presque totalité des monarchistes a cependant voté contre, et le reste des républicains pour la seconde lecture. Il est vrai que le scrutin a eu lieu pratiquement sans débats. Ceux que suscite, en revanche, l'internat sont à l'origine d'un vote où l'opinion personnelle l'emporte parfois nettement sur l'appartenance politique. Plus de quinze républicains votent contre, parmi lesquels Bardoux, Beaussire, Etienne Lamy, Ribot. C'est près du double qui s'abstient : entre autres des républicains aussi affirmés que Spuller ou Madier de Montjau. Même si l'on fait la part des cas individuels, cette abstention ou cette hostilité à la proposition d'une cinquantaine de parlementaires ne suffit pas à mettre le projet en péril, mais témoigne que l'on vote aussi en conscience sur ce point particulier. L'enseignement des jeunes filles, il est vrai, n'est en cause que de manière indirecte. En fait, les députés sont appelés à se prononcer sur le principe de l'Etat éducateur, à un moment de lutte ouverte contre les congrégations puisqu'il n'est bruit, alors, que de l'article 7. Aussi la défection sur l'internat de ces députés qui peuvent être situés au centre gauche montre-t-elle les divergences sur l'étendue que doit prendre le domaine de l'Etat éducateur.

Au contraire, le vote final est surtout un acte d'appartenance à une tendance politique. Aucun républicain ne vote contre. Mais s'abstiennent encore vingt-trois députés. Parmi eux, ceux qui ont voté contre l'internat ou se sont déjà abstenus. C'est bien le centre gauche qui prend le plus de distance sans que son abstention empêche la loi de recueillir une confortable majorité. Les droites votent contre, à part une vingtaine d'abstentions dont on ne saurait tirer de signification particulière. Minoritaires à la Chambre, les droites espéraient sans doute dans le Sénat pour repousser la loi.

Au fil des scrutins qui furent parfois très serrés, puisque le sort de deux amendements jugés capitaux s'est joué à six voix, on aura l'occasion de constater un léger renfort donné à la droite par le centre gauche et le vieux monde universitaire, sans que l'équilibre des forces et le sort de la loi s'en soient trouvés modifiés. La nature de l'institution qui se créait, les circonstances qui ont entouré surtout les derniers épisodes du vote permettent de bien déterminer les bornes que les républicains ne devaient pas franchir.

Il serait tentant de relever, dans les interventions des adversaires de la loi, ce qui apparaît le plus redevable à l'état des esprits en 1880 relativement au statut des femmes dans la société. C'est ce que n'ont pas manqué de faire les universitaires chargés bien plus tard de commémorer les débuts héroïques de l'institution. Pour récréatifs qu'ils soient, les extraits ainsi évoqués ne donnent pas une idée exacte des arguments le plus souvent avancés. Si l'on tient compte de l'ordre chronologique dans lequel ont paru les thèmes, mais aussi du degré de développement qui leur a été donné par la durée des discours, par le nombre et surtout la qualité des orateurs, la hiérarchie des préoccupations est tout autre.

Pour l'opposition « cléricale », pour Perrochel[1], puis Keller à la Chambre, Desbassayns de Richemont et Ravignan au Sénat, la proposition de Camille Sée n'est que « la suite des entreprises faites contre Dieu et la religion » ; elle permet de distinguer un « plan d'ensemble dans les lois d'enseignement », plan tourné vers un but qui est en réalité religieux. Rien là qui ne rappelle les attaques de Dupanloup et de l'épiscopat contre l'entreprise de Duruy. Dès le début de la discussion, la droite refuse donc de considérer la mesure en elle-même, mais l'insère dans un faisceau d'interprétations telles que la modération des programmes, les accommodements divers imaginés par les hommes de centre, par Ferry lui-même, sur le régime des établissements et sur l'enseignement religieux, n'apportent aucun apaisement. Sur quoi les orateurs se fondent-ils pour considérer la loi comme une arme nouvelle de la persécution ? Tout d'abord sur ce que Keller appelle la « suppression complète de l'enseignement religieux », ce que d'autres regardent comme des « mesures de méfiance » qui entourent cet enseignement : les Chambres reviendront sur ce point où déjà s'était arrêtée la commission. Mais, au fil du débat, est brièvement évoquée ce qui sans doute est la raison principale des craintes catholiques : la loi crée « l'aile féminine de l'Université »[2]. Les luttes de 1867 avaient déjà porté là-dessus. A partir du moment où le monde scolaire était considéré comme le champ clos des luttes d'influence entre l'Eglise et le monde

---

1. Chambre des députés, 1re lecture, 15 décembre 1879.

2. Sénat, 20 novembre 1880, *Desbassayns de Richemont* : « Ce qu'on veut faire ... c'est une grande œuvre de centralisation intellectuelle s'exerçant sur les intelligences qui, à quelque sphère sociale qu'elles appartiennent, ont échappé le plus jusqu'ici au joug de l'Etat. Ce qu'on veut, en un mot, c'est la fondation d'une université de femmes, dirigée par des hommes, ou, si vous le préférez, la création de l'aile féminine de l'Université, avec cette gravité particulière qu'elle aura pour base des principes tout différents de ceux sur lesquels on a élevé l'Université elle-même, il y a soixante-dix ans ».

moderne, tout empiètement de l'Université dans le domaine de l'éducation des femmes, où l'Eglise régnait jusque-là sans partage, apparaissait évidemment intolérable.

Les catholiques affirmaient d'autant plus la nécessité de la liberté dans le domaine particulier de l'enseignement féminin qu'ils sentaient le manque de cohésion de leurs adversaires. C'est pourquoi tous les arguments avancés ou presque semblent être la conséquence logique de l'opposition à une « Université féminine ». L'Etat n'a pas à prendre d'initiative dans cette branche de l'enseignement : la preuve en est que les femmes sont fort bien instruites dans quantité de couvents et de pensionnats. On reconnaît l'argumentation développée treize ans plus tôt par Dupanloup ; le promoteur de la loi, à la Chambre, l'a déjà évoquée pour aussitôt la réfuter par des textes empruntés à ce même Dupanloup, mais les sénateurs ne semblent pas en avoir cure. Au reste, la situation officielle de l'enseignement féminin privé, qui, depuis la loi de 1850, est réputé primaire, rend subjective toute appréciation sur son niveau réel. Plus subjective encore est l'idée, plusieurs fois exprimée à droite, d'une supériorité morale et spirituelle des femmes sur les hommes, supériorité que l'exécution du projet réduirait elle-même à néant. De là l'évocation de diverses héroïnes de l'histoire de France, archétypes de la chrétienne française, qui ne sortaient pas des collèges, et pour cause. L'image de la religieuse, modèle, comme en 1867, de ce que l'éducation traditionnelle de la femme française peut donner de plus pur dans le dévouement et l'abnégation, revient à plusieurs reprises[3]. La sœur de charité tend à devenir un poncif auquel s'oppose la rapide caricature, par Camille Sée, des « béates fort en état de faire la lessive et les confitures »[4], qui se chargeaient de l'éducation des jeunes filles avant 1789.

La loi est inutile, ajoutent les catholiques, non seulement à cause de l'existence d'excellents établissements qui dispensent l'instruction que l'on prétend fonder, mais aussi grâce à l'extension rapide et toute récente des cours secondaires. On sait quel tollé avait soulevé leur apparition sous Duruy. Il ne semble pas que leur résurrection ait suscité une telle émotion. Elle apparaissait en tout cas préférable à la mainmise de l'Etat, et pouvait servir d'argument auprès des parlementaires soucieux d'une instruction réellement secondaire pour les jeunes filles, mais inquiets des dépenses jugées exagérées[5] de la politique scolaire. Au reste, l'organisation variable des cours, la place qu'y prenaient les

---

3. Notamment dans le discours de Keller qui n'hésite pas à donner l'exemple de sa propre fille, sœur de charité. Une sorte d'exploitation du sacré est très sensible dans les interventions de la droite : dans l'univers féminin qu'ils évoquent, la figure de la mère idéalisée vient prendre place à côté de Jeanne d'Arc et des religieuses.

4. Chambre des députés, 19 janvier 1880.

5. La notion même d'« exagération » des dépenses est souvent une couverture : elle exprime l'opposition à une éducation féminine relevée, donc plus coûteuse qu'auparavant. Ce qu'on juge inutile est toujours trop cher.

municipalités, le chiffre peu élevé de la clientèle ne portaient guère ombrage aux partisans catholiques de la « liberté » scolaire. Chemin faisant, dans la discussion, ils avaient l'assurance de recruter, grâce au mot de « liberté », quelques républicains du centre gauche, qui croyaient dans tous les domaines à la vertu de celle-ci[6]. L'expérience des cours, il est vrai, n'était pas encore terminée, loin de là, en 1880 ; on pouvait d'autant plus être tenté d'y voir une solution d'avenir qu'ils représentaient une formule d'enseignement apparemment élégante et peu coûteuse pour l'Etat. Pour prouver l'inutilité, un argument est tiré de l'origine même de la loi : si la constitution légale de l'enseignement secondaire féminin était utile, nécessaire, le gouvernement en aurait pris l'initiative ; qu'il ne l'ait pas fait montre que la loi ne répond pas à un besoin réel. Non contente d'être superflue, la loi est ridicule : le thème à peine esquissé[7] renvoie largement aux sarcasmes épiscopaux du temps des cours Duruy. Mais au ridicule social, mondain en quelque sorte, qu'on attachait à l'éducation publique des filles, voudrait s'en substituer un autre, plus politique : ce serait la prétention même de l'Etat à vouloir enseigner les jeunes filles qui prêterait à rire[8].

La loi proposée présentait également un danger moral : ce thème fut développé à la fois devant la Chambre et devant le Sénat, avec des prolongements parfois inattendus. Le danger résidait d'abord, comme le fit observer Richemont, en ce qu'on voulait subordonner l'éducation à l'instruction, contrairement à ce qui était le but avoué des établissements religieux d'instruction. Ce n'est certainement pas lors des débats que cette idée a pris sa forme la plus éloquente. Elle était appelée au plus bel avenir, puisqu'elle a survécu pratiquement jusqu'à nos jours dans l'état d'esprit de la bourgeoisie d'origine catholique. Les autres éléments du « danger moral », repris de Dupanloup, étaient là pour faire nombre : ainsi l'évocation du personnel d'administration et d'enseignement à la fois masculin et féminin, surtout à l'internat, de la promiscuité des élèves de diverses origines sociales, l'Etat ne pouvant opérer la même sélection que les supérieures de couvents. Ainsi se dessinait la controverse sur l'internat qui allait être l'un des temps forts du débat. Si les orateurs se déclaraient tranquilles sur le fait que les collèges de jeunes

---

6. « J'aurais voulu, écrit Beaussire, je l'avoue et je l'ai dit dès le début, une œuvre plus large encore, la consécration légale de l'enseignement secondaire des jeunes filles comme de l'enseignement des garçons, sous la double forme d'institutions privées et d'établissements publics ... J'ai toujours eu foi en la liberté en matière d'enseignement comme en matière de commerce et d'industrie ... » *(Pensées inédites..., p. 4).* Il est vrai que Beaussire ajoute pour sa part : « Mais je n'ai pas moins foi pour tous les objets qui intéressent la culture de l'esprit, dans l'initiative intelligente de l'Etat ».

7. Keller cite le garde des sceaux d'Angleterre à la Chambre des lords, qui, dans son évocation des projets français, est interrompu plusieurs fois par les rires de l'Assemblée.

8. A cet égard, la référence, dans le discours de Keller, au traditionnel libéralisme anglais n'est pas significative des sympathies de Keller, mais de celles d'une partie de l'auditoire qu'il entend convaincre. Keller ne précise pas que l'absence d'un système d'Etat pour l'éducation secondaire des filles en Angleterre est largement due aux rivalités religieuses.

filles ne débaucheraient pas la clientèle des couvents, celle que le promoteur et ses amis avaient escomptée, ils exprimaient une autre inquiétude : faute de la clientèle espérée, les nouveaux établissements recruteraient dans les « nouvelles couches de la société ». On éveillerait ainsi des espérances qu'on ne serait pas en mesure de satisfaire, et il se formerait « une immense catégorie de déclassées ». L'institution des bourses n'aurait pas d'autre résultat. C'est pourquoi la référence aux gymnases russes, qui produisent « le prolétariat lettré et frisé », fait apparaître au Parlement le spectre du nihilisme.

La droite ne veut pas pour autant priver les femmes d'instruction, mais, suivie en cela par beaucoup d'hommes du centre — n'était-ce pas naguère l'idée de Thiers lui-même, Jules Simon ne continue-t-il pas à le penser ? —, elle estime qu'il faut exactement adapter l'instruction de l'élève à sa destination probable dans la société : dans ces conditions, ce qui convient à la jeune fille du peuple, celle que prétendraient recruter les bourses, c'est un enseignement professionnel. L'image de la société est donc, selon les sexes, dissymétrique. Alors que les garçons, du moins en théorie, ont le moyen de s'élever dans la hiérarchie sociale par l'accès aux grandes écoles, s'ils en sont capables, aidés par les bourses dont la majorité admet facilement le principe, les filles restent vouées à la condition que leur a faite leur naissance : à la relative mobilité masculine d'une société qui se veut démocratique répond la fixité féminine. La justification la plus claire de cette situation est donnée par Jules Simon : « Proportionnez l'éducation de chaque enfant à sa destinée probable. Les filles déclassées sont plus à plaindre et plus à craindre que les garçons déclassés. L'homme a moins (sic) de facilité pour se perfectionner quand il monte ; il souffre moins et court moins de risques quand il est forcé de descendre »[9].

La condition inférieure des femmes est ainsi ancrée dans une série de constatations d'ordre psychologique ; par les femmes se trouve assurée la stabilité sociale que l'ascension de quelques hommes ne suffirait pas à compromettre. La formule selon laquelle « les femmes font les mœurs » reçoit de la sorte une consécration inattendue. La conservation sociale prend, chez certains parlementaires siégeant au centre, le relais de la conservation religieuse.

Le point sur lequel les députés et les sénateurs de l'opposition espéraient faire échouer la loi ou à tout le moins la rendre inefficace était l'internat. Camille Sée y attachait une importance primordiale. D'autre part, l'entente ne régnait pas là-dessus entre les républicains. Les débats autour de l'internat, de ce fait, ont pris une telle ampleur et

---

9. *Pensées inédites...*, p. 3. Ce texte est d'autant plus révélateur de la pensée de Jules Simon qu'il a très probablement été sollicité par Camille Sée de donner là son sentiment sur l'enseignement secondaire des jeunes filles.

une telle signification que les transformations de la loi sur ce point demandent une étude particulière qui suive la progression des adversaires de Camille Sée et explique la rédaction définitive.

Le discours de Keller ne toucha à l'internat que pour en faire un élément du plan antireligieux qu'il dénonçait : on l'organise, dit-il, de peur que les élèves ne soient soumis à quelque influence religieuse. L'organisation même proposée pour l'enseignement religieux — l'aumônier vient dans la maison — lui paraît une preuve de plus de l'intention hostile, car c'est pour accroître la surveillance exercée sur l'aumônier. Mais l'internat tel qu'il avait été prévu au départ succomba sous les coups des républicains, en l'occurrence les efforts conjugués de Jules Ferry et de Paul Bert. Ferry, à la Chambre [10], résuma son argumentation devant la commission : il fit observer que la formule était beaucoup trop chère et que la possibilité de l'initiative privée, au contraire, déchargerait la responsabilité « si grave » de l'Université et de l'Etat. La loi, il en était sûr, répondait aux mœurs. Une circulaire avait suffi pour établir, dans 48 villes, 300 cours de jeunes filles. C'était une raison de plus pour ne pas hâter « la marche naturelle des choses ». Le ministre demandait que l'on constituât fortement des externats « avant de tenter la grande expérience des internats ». Sa pensée se trouvait dans l'article 3 [11] qu'il jugeait en légère contradiction avec l'article 2 ; il ne dissimulait pas que la suppression de ce dernier lui paraissait très souhaitable. Les objections de Camille Sée — « C'est dans l'article 2 que se trouve le germe de vitalité de notre loi », la loi doit être pratique et donner la ressource de l'enseignement secondaire aussi aux jeunes filles des campagnes [12] — mettent au jour un désaccord avec le ministre, désaccord que n'a pas réglé la rédaction de la commission. Les articles 2 et 3 sont alors renvoyés en commission.

Lors de la séance du lendemain, la commission avait adopté, en accord avec le ministre, une nouvelle rédaction des articles : les établissements seraient des externats, avec possibilité d'y adjoindre des internats « sur la demande des conseils municipaux et après entente entre eux et l'Etat » [13]. L'initiative de l'internat devait donc partir des municipalités et non plus du pouvoir central ; en outre, il n'était plus question des conseils généraux.

---

10. Chambre des députés, séance du 19 janvier 1880, discours de M. Jules Ferry (demande d'explication sur la portée de l'article 2 : « Le ministre de l'Instruction publique, après entente avec les conseils généraux et les conseils municipaux, déterminera les départements et les villes où seront fondés les établissements qui recevront des élèves internes et des élèves externes »).

11. « Le ministre ouvrira dans les autres départements des établissements d'externes. Il pourra, après entente avec les conseils généraux et les conseils municipaux, y adjoindre des internats ».

12. Or l'internat leur est nécessaire parce que les jeunes Françaises n'ont pas la liberté d'allures des jeunes protestantes de Berne ou de Genève qui font de longs trajets seules pour se rendre aux externats.

13. C'est la thèse de Paul Bert qui triompha, mais pas, comme on a pu l'écrire, sous la forme d'un amendement qu'il n'eut pas le loisir de déposer.

Abandonné en plein débat, Camille Sée conservait la faculté, dont il usa aussitôt, de défendre, sous forme d'amendement, l'ancienne rédaction. Ce que veut Paul Bert, explique Camille Sée à la Chambre, c'est faire bénéficier les jeunes filles de l'industrie des « marchands de soupe ». Ces établissements, qui n'offrent pas les garanties de l'excellent et peu coûteux système tutorial pratiqué en Angleterre, présenteraient tous les inconvénients de l'internat sans en avoir les avantages. La création éventuelle d'un internat ne serait pas alors à prévoir, car « peu de mères consentiraient à y placer leurs filles ». En fait, l'internat serait créé, mais par les congrégations. Longuement, statistiques à l'appui, le promoteur de la loi s'attache à démontrer que « c'est grâce à l'internat que les établissements ecclésiastiques ont dépeuplé les établissements privés laïques ». D'autre part, l'expérience des cours, par laquelle on voudrait commencer, a déjà été faite par Victor Duruy ; on sait combien ces cours furent éphémères. La conclusion paraît claire à Camille Sée : « Vous verrez les évêques eux-mêmes fonder des écoles secondaires de jeunes filles ». Aussi s'étonne-t-il que l'auteur de l'article 7 défende le système des externats. Les devis sont au reste moins astronomiques que ne le prétend Jules Ferry [14]. L'internat, quoi qu'on en pense, est dans nos mœurs : « C'est au législateur, a dit Montesquieu, à suivre l'esprit de la nation » : ainsi ont fait les Italiens en établissant l'internat.

Le discours d'Agénor Bardoux sur l'article 2 a d'autant plus de signification que l'orateur a été ministre de l'Instruction publique au moment du dépôt de la proposition de loi. Sans être hostile à l'enseignement secondaire des jeunes filles [15], il s'oppose franchement à l'internat. Partant de la distinction classique entre instruction et éducation, il dénie à l'Etat le droit de dispenser l'éducation aux jeunes filles en même temps qu'il les instruira : « Les systèmes qui ont été proposés par les libéraux, constate-t-il en prenant l'exemple de l'étranger, ont toujours — jusqu'à cette heure — dégagé la responsabilité de l'Etat ». C'est un rêve que d'espérer la fondation de « couvents laïques », « c'est donc l'Etat seul qui est en cause dans cette discussion ». L'internat dans les lycées est une institution qui n'a pas plus de cent ans, mais enfin elle existe, elle est nécessaire, on ne peut y toucher. Au contraire, il s'élève contre l'internat des femmes des

---

14. A cet égard, un menu incident révèle peut-être l'une des raisons du manque de chaleur, au début du moins, de Jules Ferry. Camille Sée produit en séance une lettre du maire de Grenoble, datée du 7 mai 1879, qui manifeste le désir d'un internat laïque de jeunes filles. Il donne le montant des devis pour plusieurs autres villes et contredit ainsi les devis beaucoup plus élevés de Jules Ferry (séance du 20 janvier 1880). *M. le ministre,* « Vous êtes bien heureux d'avoir toutes ces communications. Vous êtes plus heureux que moi qui ne les ai pas ». Il se peut que Camille Sée, tout à la préparation de sa loi, n'ait pas ménagé suffisamment les susceptibilités de ses propres amis (séance du 20 janvier 1880).

15. Nous ignorons les raisons de son abstention lors du vote général. Dans le discours contre l'internat, il déclare : « Tout esprit éclairé, délivré de préventions et de préjugés, doit s'associer à tous les efforts qui ont pour but de réformer et de répandre l'enseignement secondaire donné aux jeunes filles ».

arguments pratiques, les mêmes que ceux de Jules Ferry, et des « arguments théoriques » : comment déterminer le droit et le devoir de l'Etat lorsqu'il s'agit d'admettre telle ou telle jeune fille sortie de tel ou tel milieu, « lorsque seront commises des fautes qui sont irréparables et que ces fautes viendront à être connues » ? Comment l'Etat s'y prendra-t-il pour créer le « personnel si difficile de l'administration » ? La femme n'est pas destinée à la vie pratique et active comme les hommes, elle a « une chose plus haute et plus grande à faire dans le monde... : un enfant et un homme »[16]. Ce ne sont pas les internats de l'Etat qui pourront la préparer à cette mission. Le seul argument qui subsiste est celui de l'instruction des jeunes filles de la campagne. La solution est facile : les élèves des couvents n'iront pas dans les lycées de filles, quant aux autres, elles iront dans les externats et seront accueillies par des pensionnats privés, la responsabilité de l'Etat étant ainsi dégagée.

L'intervention de Bardoux avait été si catégorique que Paul Bert lui-même se vit dans la nécessité de défendre l'internat, au nom de la commission. Certes, l'Etat a épuisé son « devoir strict » quand il a donné l'instruction aux jeunes filles comme à leurs frères ; il est pourtant des nécessités de fait. Les pensionnats laïques sont possibles dans certaines villes et valent mieux que ce qu'on en a dit. Mais dans certains cas il peut arriver que le pensionnat laïque ne puisse pas se fonder, ce qui rend nécessaire l'intervention de l'Etat, « afin que l'internat puisse conduire à l'externat ». Seuls les conseils municipaux sont à même de connaître la situation qui doit conduire à faire intervenir l'Etat, d'où l'article 2 tel que le présente la commission. Paul Bert saisit l'occasion qui lui est donnée de faire connaître le fond de sa pensée sur les nouveaux établissements : il veut plus et mieux que les cours, avec des études plus étendues et un personnel particulier. Au reste, si la municipalité est satisfaite de l'externat, il est inutile de lui demander d'autres sacrifices : les jeunes filles du département qui n'habitent pas dans la ville du collège ne font pas difficulté s'il se crée plusieurs établissements par département avec l'aide éventuelle du conseil général. Quant au danger de faire le jeu des congrégations, Paul Bert n'y croit pas. Celles-ci n'enverront pas leurs élèves aux cours laïques, et les internats laïques de l'avenir ne ressembleront pas à ceux du passé : déchargés du souci de l'instruction, ils n'en auront que plus d'autorité et d'indépendance.

Les vues de la commission et celles du ministre étant devenues identiques, l'ancienne rédaction, transformée en amendement soutenu par le rapporteur, avait peu de chances de passer. Certains députés souhaitaient même que le scrutin n'eût pas lieu. Ce fut une « déroute »

---

16. On reconnaît ici l'influence de Joseph de Maistre.

pour Camille Sée, puisqu'il fut suivi seulement par 11 députés contre 453.

« Expérience faite, écrivait Edgar Zévort à la fin du siècle [17], il faut reconnaître que les 12 avaient raison contre les 453. L'absence d'internats est sans inconvénients dans les très grandes villes où l'on trouvera toujours des établissements libres laïques pour recevoir comme internes les jeunes filles qui voudront suivre comme externes les cours du lycée ou du collège. Dans les villes moyennes et à plus forte raison dans les petites, les familles éloignées du centre urbain seront bien obligées de mettre leurs enfants dans les maisons religieuses ».

Condamnés à ne recevoir que la clientèle urbaine, les lycées et collèges ne pouvaient avoir, selon Zévort, que de faibles effectifs. En outre, l'historien attribue aux critiques portées contre les internats de filles une « influence sur l'internat des garçons ». Ce serait l'une des causes de la diminution de 50 % subie par les internats de garçons en moins de quinze ans.

Se rallier à la position d'Edgar Zévort serait sans doute prendre l'effet pour la cause : l'ampleur du déclin de l'internat dans les lycées masculins est, comme le vote défavorable à l'internat des filles émis à la Chambre en janvier 1880, un signe de l'action des congrégations et, plus profondément peut-être, l'annonce d'une mutation dans les mœurs. Les familles, qui, avec la multiplication des établissements, ont une possibilité accrue de garder les enfants chez elles, tiennent moins à l'internat. N'est-ce pas aussi parce que le dernier 19e siècle commence à abandonner la conception somme toute militaire de Napoléon pour les lycées que l'internat perd sa clientèle, la tendresse familiale augmentant en proportion du malthusianisme ? Ce qui paraît trop dur pour les garçons ne peut a fortiori convenir aux filles. De plus, ce qu'on trouve déjà coûteux pour les garçons paraît hors de prix s'il s'agit des filles. Le malheur pour les internats de Camille Sée serait donc d'avoir été proposés au moment de cette mutation de l'état d'esprit.

La division de l'article 2 avait été demandée par la droite qui espérait voir échouer le second paragraphe créant, on s'en souvient, la possibilité d'internats. L'article fut voté cependant sans discussion. Sur l'ensemble de la proposition de loi, la majorité pour l'adoption fut de 347 voix contre 123.

Le combat s'engagea à nouveau au Sénat dix mois plus tard. La partie était plus rude, puisque le détail des scrutins révèle qu'il aurait suffi de déplacer six voix pour empêcher totalement la création des internats. C'est sur les instances de Camille Sée qu'Hippolyte Carnot

17. E. Zévort, *Histoire de la Troisième République*, t. III, p. 115. Le recteur E. Zévort est le fils de Charles Zévort, directeur de l'enseignement secondaire de 1879 à 1887.

consentit à présider la commission [18], que l'historien Henri Martin voulut bien remplacer Broca. Camille Sée imagina de « parler au Sénat ou plutôt pour le Sénat », le 26 avril 1880, à Saint-Denis, par le moyen d'une conférence [19]. Carnot accepta de la présider. Il en sortit au reste convaincu de l'utilité de l'internat ; il communiqua par la suite sa conviction à ses amis de la commission. C'est lui qui tenait Camille Sée au courant des travaux de celle-ci [20]. Mais l'intervention de Camille Sée ne s'est pas bornée là : « Il y avait hier, écrit *La Presse* du 22 novembre 1880, un jeune député qui se promenait avec inquiétude, allant d'un sénateur à l'autre. Il ressemblait assez à un justiciable qui réconforte ses juges, les entretient dans de bonnes dispositions. Ce plaideur, si nous pouvons nous exprimer ainsi, c'est M. Camille Sée ». D'autres quotidiens attestent de ce travail de couloirs poursuivi par le promoteur jusqu'à la fin de la discussion.

La commission sénatoriale, partagée, avait pris parti, beaucoup plus énergiquement que celle de la Chambre, pour l'externat. Il en résulta encore des remaniements du projet, expliqués par le rapport de Paul Broca. L'article 2 stipulait que les internats étaient créés non seulement sur la demande, mais « sous la responsabilité des conseils municipaux ». Le discours du premier orateur de la droite, le comte Desbassayns de Richemont [21], faisait une critique générale de la loi : un développement particulier était consacré à l'internat qui se créerait « plus souvent peut-être qu'on ne croit » si la loi passait telle qu'elle était. Appuyé encore sur Michel Bréal, il montrait les dangers qu'on devait redouter. L'internat, répondait Ferrouillat sur ce point, est une nécessité, même si le « roman d'une éducation de jeune fille » demeure l'éducation maternelle : il croyait à la fondation d'externats laïques qui assureraient l'éducation ; quant aux congréganistes, ils « n'ont guère l'habitude de conduire leurs brebis dans les sentiers hantés par l'esprit moderne *(hilarité à gauche... rumeurs à droite)* ». Si les internats ne se créaient pas, ce serait du devoir de l'Etat de le faire. L'orateur reprenait donc exactement les mêmes arguments que Paul Bert devant la Chambre. Comme à la Chambre, la droite demanda la division pour le vote de l'article 2. Elle présenta un amendement pour demander la suppression du second paragraphe. La manœuvre avait plus de chances d'aboutir qu'à la Chambre : la majorité était moins importante et moins sûre au Sénat, la droite fondait peut-être encore des espérances sur les réserves

18. Elle était composée de Carnot, de Rozière, Jules Simon, Barthélémy Saint-Hilaire, Gaston Bazille, du colonel Meinadier, de Gayot, Desbassayns de Richemont, Paul Broca, puis Henri Martin.

19. *La Paix* du 27 avril 1880 fut le seul journal à en rendre compte.

20. *Le jubilé...,* p. 23-33. L'article anonyme intitulé « La Fête du Trocadéro » est visiblement inspiré des souvenirs personnels de Camille Sée sur le vote de la loi. Il publie en fac-similé les billets qu'envoyait Carnot au sujet de la commission.

21. Séance du 20 novembre 1880.

émises par Jules Ferry. En fait, c'est la loi elle-même qui paraissait en cause, tant Camille Sée avait mis de force à répéter, devant la Chambre, que l'article 2 contenait « le germe de vitalité » de la loi.

Invité à s'expliquer, Jules Ferry rappela clairement sa position antérieure. L'Université reconnaissait les défauts des internats, mais leur nécessité dans certains cas : pour des raisons matérielles, mais aussi parce que c'était une grave responsabilité, une « tâche énorme », elle préférait laisser aux municipalités le soin de constituer les internats ; les villes assumeraient la responsabilité financière et la responsabilité du personnel dirigeant, sous l'agrément du gouvernement. Le paragraphe passa à une très faible majorité [22]. L'internat l'avait échappé belle ; encore est-ce sous une forme édulcorée et amoindrie qu'il avait été présenté aux sénateurs. Bien que le principe en fût acquis, il allait encore en être question, la commission ayant annoncé une nouvelle rédaction qu'elle présenterait en seconde délibération.

Les travaux de la commission entre la première et la seconde lecture donnèrent lieu à un second rapport. Le premier rapporteur, Paul Broca, étant mort subitement, ce fut l'historien Henri Martin qui, sur les instances de Camille Sée, se chargea de rédiger le rapport supplémentaire et de défendre la loi devant le Sénat. Il s'agissait avant tout d'écarter deux amendements qui visaient, le premier à donner un caractère « trop éventuel et trop peu affirmatif » à la loi [23], le second à exclure la possibilité même de l'internat [24]. « Votre commission, indique-t-il, n'a point pensé qu'il convînt d'interdire la fondation d'internats là où les conseils municipaux réclameraient cette fondation au nom des nécessités locales et où l'Etat en apprécierait l'utilité. » Cependant, la commission s'était engagée à présenter une nouvelle rédaction de l'article 2 : la « responsabilité » des conseils municipaux n'y était plus inscrite. En revanche, on précisait que les internats seraient soumis au même régime que les collèges communaux, « régime connu et éprouvé », commentait le rapporteur [25].

La discussion est marquée par une nette évolution de Jules Ferry : sa position se durcit face à la droite et il se trouve amené à prendre la défense de cet internat qu'il critiquait naguère. Pour la première fois,

22. La majorité absolue étant de 133 voix, le second paragraphe de l'article 2 passa par 137 contre 127 voix. Mais l'ensemble de l'article, voté ensuite, fut adopté par 143 voix contre 117. Séance du 22 novembre 1880.

23. Paulmier, sénateur monarchiste auteur du premier amendement, voulait commencer l'article 1 sous la forme : « Il pourra être fondé par l'Etat... ».

24. Voisins-Lavernière voulait substituer à l'article 2 un article stipulant que les établissements ne pourraient être que des externats.

25. « On sait, ajoute-t-il, que si, dans les collèges communaux, l'Etat conserve et la nomination des professeurs, et le droit et le devoir de surveillance, les corps municipaux ont là, au point de vue pécuniaire et au point de vue administratif, des attributions considérables que l'Etat se réserve dans les lycées. »

clairement, le gouvernement refuse de simples externats[26] : « Je soutiens, dit le ministre, qu'il y a tel ensemble de circonstances où l'internat est une nécessité ». Il reconnaît la lourdeur du fardeau, mais revendique pour le gouvernement l'exercice de cette responsabilité. La rédaction de la commission est, à ses yeux, « une transaction très juste entre des besoins que personne ne peut nier et des nécessités, des théories d'éducation auxquelles nous tenons ». Les internats de filles ne connaîtront pas le développement de l'internat des garçons, mais le ministre demande « de les établir honorablement, modérément ».

Après une déclaration si précise, celle de Wallon pouvait apparaître comme une défection du centre gauche. L'eût-elle été que l'internat au moins ne passait pas, puisqu'en 1880 encore les opportunistes devaient, au Sénat, s'assurer le concours du centre gauche pour le succès de leurs projets. En fait, l'analyse du scrutin montre que Wallon s'est comporté en cette affaire comme un membre de la droite[27] et n'a pas été suivi par le groupe auquel il se rattachait. Certes, il était, par rapport aux autres orateurs hostiles, modéré dans son appréciation générale du projet. La chute de son bref discours n'en fit que plus de sensation : « Vous supprimerez des maisons de famille et pour y substituer quoi ? Des casernes... *(très bien ! très bien ! à droite)... des casernes de jeunes filles !* » L'orateur tire une partie de son autorité sur le sujet du fait qu'il est universitaire : il rappelle la sollicitude de l'Université pour les cours de jeunes filles, pour les cours de la Sorbonne. « Il est regrettable que cette institution n'ait pas été éprouvée davantage et qu'on la délaisse avant qu'elle ait porté ses fruits. » L'un des avantages principaux des cours, selon lui, c'est que les mères peuvent y accompagner leurs filles. Rien de tel dans les futurs collèges, dotés presque nécessairement d'externats surveillés, où les mères ne pourront pas surveiller les fréquentations de leurs enfants. L'opposition aux internats, selon Wallon, ne provient pas, comme le croit le ministre, de la sollicitude inspirée par les couvents. Les couvents ne seront pas atteints. En revanche, les collèges feront la ruine des pensionnats laïques : les institutrices se verront privées de ce qui était le couronnement de leur carrière, les familles n'auront plus la ressource de ces maisons qui leur offraient entière sécurité.

---

26. Jules Ferry n'avait pas dissimulé son irritation lors de l'amendement Paulmier : « Permettez-moi de vous dire que le changement (de rédaction) emprunterait son importance à l'insistance ... qu'y mettent les adversaires du principe de la loi ». De même il refuse l'argumentation de Lavernière et de Richemont qu'il croit lui-même « très partisan des internats ecclésiastiques ». « Nous avons trouvé que la responsabilité était un peu lourde, mais cela ne va pas jusqu'à dire que l'Université soit incapable d'organiser ... avec mesure ... des internats créés dans des conditions qui donnent à la vertu de nos filles des garanties suffisantes » (séance du 9 décembre 1880).

27. Eugène Blum évoque la seconde délibération du Sénat comme un moment capital où rien ne fut épargné à droite pour « jeter le doute dans l'esprit du Sénat », alors qu'il suffisait de déplacer six voix pour faire échouer les « casernes de jeunes filles » : l'intervention de Wallon, comme celle du duc de Broglie et celle de Buffet, entre selon lui dans cette « œuvre complexe et insidieuse » (*Le jubilé...*).

Quelque peu contradictoire avec les critiques de l'internat faites aussi bien à gauche qu'à droite, la position de Wallon paraît surtout déterminée par son âge, par son appartenance à l'aile la plus modérée de l'Université. De là vient qu'il ne reprend pas à son compte toutes les affirmations à demi injurieuses de ses collègues de la droite, mais aussi qu'il rejette ce qu'il trouve trop audacieux dans la proposition. Il semble que les universitaires de sa génération ont eu souvent les mêmes sentiments que lui, si l'on en juge par Mourier ou même Beaussire[28]. Et pourquoi imputer aux seules circonstances les propos que tenait Duruy en 1867 sur l'éducation maternelle ? Duruy, Mourier, Wallon, Beaussire même, autant d'universitaires qui furent jeunes sous la Monarchie de Juillet, qui ont trouvé certes nécessaire, mais peut-être suffisante l'expérience des cours de jeunes filles, et dont le libéralisme a sans doute été effarouché par ce qu'ils voyaient dans la loi d'intervention à tout prix de l'Etat, et surtout d'intervention au-delà même de l'instruction, domaine de l'Université.

Wallon n'ayant pas été suivi, sauf par la droite, l'amendement fut rejeté. Une dernière manœuvre eut lieu sur l'internat : le curieux amendement de Fresneau qui demandait, à l'exemple, disait-il, de Robespierre, la consultation de tous les chefs de famille de la commune avant l'ouverture d'un internat. L'amendement fut rejeté à trente et une voix de majorité[29] et l'article 2 adopté immédiatement après. Les Chambres ne devaient plus discuter sur ce thème. Leurs débats avaient amené une modification importante dans l'économie du projet de Camille Sée : d'obligatoire, l'internat était devenu facultatif. Confié d'abord à l'initiative de l'Etat, il était passé sous la responsabilité des communes. Une question importante resta en suspens : qui assurerait financièrement la fondation de ces internats ? La loi n'imposait aucune proportion dans la part contributive des villes. Il est pourtant évident que, si la responsabilité de gestion incombait à peu près entièrement aux municipalités, l'Etat, selon sa participation aux frais de premier établissement, pouvait avoir une responsabilité parfois très grande dans la fondation.

---

28. E. Beaussire, *La liberté de l'enseignement et l'Université*. Président de la Société pour l'étude des questions d'enseignement secondaire, dont une section s'est activement occupée de l'enseignement secondaire féminin, Beaussire ne saurait être suspecté de vouloir l'ignorance des filles ou seulement l'abstention de l'Etat dans ce domaine. Il juge cependant l'internat inutile et même néfaste. Selon lui, l'Etat, en s'en chargeant, « alarmerait les consciences religieuses sans remplir les vœux des libres penseurs ». Quant à Mourier, il regrette les cours qui lui paraissaient, comme à Wallon, la meilleure formule. Non content d'abonder avec Charles Jourdain qui semble avoir été fort critique sur la loi Camille Sée, il se révèle proche de Dupanloup lui-même en la matière *(Notes et souvenirs)*. On peut rapprocher de leur attitude le vote négatif de Dufaure, l'abstention de Laboulaye et Waddington.

29. 134 contre 103. Séance du 9 décembre 1880.

Les discussions sur l'enseignement religieux et la morale

Avec l'adoption de l'internat, la loi avait franchi une étape importante. Mais elle suscita un autre débat, de nature quelque peu différente et qui prend toute sa signification au-delà du texte lui-même, dans l'ensemble des discussions nées de l'œuvre scolaire de Jules Ferry et des républicains. La proposition prévoyait en effet que l'on dispenserait l'enseignement religieux, « au gré des parents », aux seules internes. D'autre part, si la philosophie était absente de l'enseignement secondaire féminin, l'enseignement moral figurait en tête du programme fixé par la loi. « Respectueuse de la liberté de conscience, disait le rapport de Camille Sée, votre commission est d'avis que l'enseignement religieux ne doit pas trouver place dans les classes. C'est là un enseignement qui doit être donné à domicile par les soins des parents. La question ne pouvait donc se présenter pour les jeunes filles externes ». On se souvient que, pour les internes, à la formule de Paul Bert avait été préférée la solution qui consistait à faire venir les aumôniers dans l'établissement : mesure de conciliation, comme le prétendirent certains députés républicains en séance, ou au contraire signe de méfiance, comme l'interpréta la droite, sans que Camille Sée voulût s'en défendre ? Le fer fut déjà engagé par Keller à la Chambre : « En dehors du christianisme, chaque religion et chaque philosophie a sa morale, fait observer l'orateur, et l'embarras sera bien grand pour les institutrices que vous allez constituer, lorsqu'elles seront obligées d'enseigner la morale républicaine à leurs élèves ». Keller ne s'attarde pas sur le sujet dont il ne fait pas l'essentiel de son argumentation. Camille Sée ne lui répond pas sur ce point, mais Chalamet fait observer que « quand il n'y a plus de religion d'Etat, l'Etat n'a pas le droit de donner l'enseignement religieux ». Il s'étonne même que les catholiques ne demandent pas que l'enseignement religieux, dans l'instruction primaire, soit donné aussi par les ministres des cultes. La morale chrétienne, au reste, est pour Chalamet « la morale universelle » : « Est-ce que vous croyez qu'il n'est pas possible de faire comprendre à des jeunes filles ce que c'est que la conscience, la responsabilité morale, le devoir et tant d'autres questions qui sont le fondement de la morale, sans avoir recours à la métaphysique et à la religion ? Les questions morales nous unissent, tandis que les questions religieuses et métaphysiques nous divisent »[1]. Au reste, l'article 4, qui fixait les matières à enseigner, donc l'enseignement moral, passa à la Chambre

---

1. Séance du 19 janvier 1880. La citation du livre de Paul Janet sur la famille donne une idée précise de la morale telle que les républicains entendent l'enseigner. La thèse de la morale indépendante était héritée des Encyclopédistes (cf. G. Snyders, *La pédagogie en France aux XVIIe et XVIIIe siècles*, p. 385-387).

sans discussion, tout comme l'article 5 où il était traité de l'enseignement religieux. Comme pour l'internat, plus encore, c'est au Sénat que devait être porté le débat essentiel.

Le rapport de Broca, en qui L. Capéran[2] voit le Paul Bert du Sénat, justifiait l'article 4 par la nécessité d'« établir les limites du programme » et de « montrer les analogies et les différences de l'enseignement secondaire des filles et de celui des garçons ». Ainsi abordé par la comparaison avec les garçons, le cours de morale était simplement ce qui restait du cours de philosophie des garçons. Broca révélait ensuite les discussions sur le paragraphe premier (l'enseignement moral) au sein de la commission. Richemont, membre de la commission, adversaire de la loi, avait proposé une addition qui rétablissait, à côté de l'enseignement moral, donc dans les matières obligatoires, l'enseignement religieux. C'était impossible, fait observer Broca, en raison de la « multiplicité des cultes reconnus par l'Etat » et du principe de la liberté de conscience inscrit dans les lois. D'autre part, c'était faire donner l'enseignement religieux par un professeur laïque, « et un laïc n'a ni compétence ni autorité pour enseigner sa propre religion ». Broca rappelait que la morale qu'il s'agissait d'enseigner était la même que celle de l'enseignement secondaire des garçons. « C'est le devoir strict de l'Etat d'enseigner cette morale », observe-t-il, alors que rendre l'enseignement religieux obligatoire « serait méconnaître le droit des familles ». L'idée d'organiser l'enseignement religieux dans l'intérieur des externats a été émise par la minorité de la commission : il en résulterait des complications et un surcroît de dépense, aussi la commission y renonce-t-elle. Cependant, elle reconnaît la « nécessité » d'organiser cet enseignement là où sont reçues des internes et des demi-pensionnaires ; dans ce cas, les élèves externes « doivent être autorisées » à suivre cet enseignement. L'attitude de la commission est donc, dès le départ, d'une assez grande souplesse.

Aux critiques attendues de Richemont devant le Sénat, un autre membre de la commission, Ferrouillat, réplique en prenant la défense de la « morale des bonnes gens », son « caractère de neutralité et d'universalité ». Au reste, « est-ce que l'enseignement religieux figure dans les programmes des lycées de garçons ? ». Il ne s'agit pas de supprimer l'enseignement religieux, ajoute le rapporteur Henri Martin, il s'agit de savoir qui le donnera. La préoccupation n'a pas de place dans un externat, les familles ayant tout loisir de le faire donner en dehors des heures de cours. Au contraire, il rappelle la position de la commission pour les établissements autres que de purs externats. Les préoccupations des sénateurs, à son sens, s'expliquent mieux « sur cette

---

2. L. Capéran, *La Révolution scolaire*, t. II, *De l'histoire contemporaine de la laïcité française*, Paris, Marcel Rivière, 1960, 290 p., p. 52.

délicate et grave question de l'enseignement de la morale ». Pour expliquer quel sera le caractère de cette morale, le rapporteur se réfère à l'enseignement de la philosophie tel que le dispense l'Etat. Descartes et Leibniz sont en tête du programme ; ils doivent inspirer confiance. Mais l'esprit pourrait changer. Henri Martin ne le croit pas : « Un homme, un groupe d'hommes peuvent tout nier, jusqu'à la personnalité humaine, jusqu'au libre arbitre de l'homme, mais une société, une nation en corps, je n'en crois rien ! ». Le nom de Dieu est en tête des constitutions révolutionnaires. La lutte n'est pas « entre la religion et la négation pure », elle est entre « deux Etats : l'Etat ecclésiastique et l'Etat laïque ». Dès que le débat traite de la morale, on le voit, ce n'est plus seulement l'enseignement féminin qui est en cause, mais tout ce qui sépare les « laïques » des cléricaux. Les amis de Jules Ferry, comme ses adversaires, contribuent à placer la loi dans un ensemble beaucoup plus vaste. Plus que la question malgré tout pratique de l'internat, celle de l'enseignement religieux et de la morale, subordonnée à une interprétation globale de la société politique, était de nature à faire intervenir les plus grands orateurs de la droite.

L'article 4 suscita, en effet, dans le premier débat au Sénat, un plaidoyer de Chesnelong pour l'amendement déjà défendu en commission par Richemont[3]. C'est au nom de la liberté de conscience que Chesnelong veut combattre le système du projet de loi : « Vous ne devez pas, je l'admets, imposer aux enfants non catholiques un enseignement dogmatique contraire à leurs croyances, mais vous ne devez pas davantage refuser aux enfants catholiques un enseignement conforme à leur foi ». Les croyants sont une immense majorité. L'Etat n'a « qu'à choisir entre ces deux partis : ou bien ne pas se mêler de l'enseignement, ou bien, s'il s'en mêle, concilier la liberté qui est due à la conscience des dissidents (le mot est révélateur) avec l'obligation qu'il ne peut décliner de faire à la religion de l'immense majorité des Français la part qui lui appartient ». Mais on veut en réalité « que l'Etat se serve du budget pour organiser des écoles d'où la religion sera bannie ». Nous voici loin de l'enseignement des jeunes filles, dans un débat précurseur de ceux qui auront lieu, un mois plus tard, à la Chambre. Déjà Chesnelong fait usage de l'argument fiscal promis à un si bel avenir. Surtout il sous-entend, par toute son argumentation, ce que Freppel exprimera si clairement lors de la discussion des lois Ferry[4] : le silence sur Dieu et la religion « équivaut à la négation ». Ce silence existe dans les lycées de garçons : « Je ne crois pas, commente Chesnelong qui cite Lamartine, que vous ayez à vous en féliciter beaucoup ». Au reste, l'enseignement

---

3. Séance du 22 novembre 1880. L'amendement consistait à ajouter au paragraphe premier l'enseignement religieux à l'enseignement moral.

4. Chambre des députés, 21 décembre 1880.

passé de l'Université n'excluait pas « la religion », « il n'en sera plus ainsi ». Le réquisitoire qui suit contre la laïcité de l'école veut prouver la solitude des hommes qui veulent l'instaurer ; solitude dans le temps — « Depuis Platon jusqu'à Bossuet, depuis Charlemagne jusqu'à Napoléon » — et solitude dans le monde contemporain : aucun pays étranger n'a procédé de la sorte. Condamnée « par le droit public, par l'expérience générale », la thèse de l'enseignement laïque l'est aussi par les plus hautes autorités : outre Guizot et Cousin, Chesnelong se fait un plaisir de citer ce qu'ont écrit en d'autres temps Hugo et Barthélemy Saint-Hilaire qui sont là pour l'entendre. Au reste, la thèse ne vaut rien en elle-même : « La neutralité religieuse que vous proclamez n'est qu'une chimère, et votre éducation sans Dieu deviendrait, par la force des choses, une éducation contre Dieu ». Et par quoi remplacera-t-on la morale du catéchisme ? La morale chrétienne vaut mieux que celle de la religion naturelle, et même cette dernière sera menacée par les libres-penseurs. Si l'on supprime Dieu et la vie future, « le devoir est sans fondement ... l'obligation morale est sans racines ». L'orateur voit poindre la menace de la décadence et de la barbarie. La situation lui paraît d'autant plus grave que l'on s'attaque à « la femme française et chrétienne », restée fidèle à sa foi. Il y va de la vie et de l'avenir de la France : aussi espère-t-il dans le « réveil de la France chrétienne ».

La réponse de Jules Ferry cherche à rendre de plus justes proportions à un projet de loi « modeste » : l'enseignement religieux sera donné « par le seul fonctionnaire de l'Etat qui ait mission de l'enseigner » et même qui ait compétence pour le faire. Il faut respecter la liberté de conscience des élèves, mais aussi celle des maîtres, première condition de leur dignité. Argumenter comme le fait Chesnelong en citant Lamartine, c'est raisonner comme lui en partisan de la séparation de l'Eglise et de l'Etat. Tant que l'une et l'autre ne sont pas séparés, s'impose un souverain respect des trois cultes reconnus : Jules Ferry défie ses contradicteurs de trouver l'« irréligion d'Etat » dans l'enseignement de l'Université. L'autorité de Ferry et mieux, celle du Conseil supérieur, s'y opposeraient : la seule condition, c'est que la science et la religion soient indépendantes l'une de l'autre. « Et c'est ici, Monsieur Chesnelong, qu'apparaissent entre nous la profonde divergence et le fossé qu'on ne comblera pas, car ce que vous voulez, vous, ce que veut le parti théocratique auquel vous appartenez, c'est la science asservie. »

Si la péroraison de Jules Ferry semble clore le débat proprement idéologique, Richemont prolonge la discussion en faisant observer que l'enseignement religieux n'est prévu que pour les internats, alors que ceux-ci, étant donné les modifications de la loi, seront l'exception. Les externats seront donc privés de tout enseignement religieux : répondre que cet enseignement sera donné dans les familles ne le satisfait pas. Selon lui, les jeunes filles n'auront pas le temps : « Dans ces externats, si l'amendement ne passe pas, on fera le premier essai pratique en France de la morale indépendante ».

Muet jusque-là, Jules Simon tient à expliquer sa « situation d'esprit personnelle ». Membre de la commission, philosophe spiritualiste, représentant de la vieille Université, il est « très opposé » à l'idée d'une classe d'enseignement religieux, mais très favorable à cet enseignement par l'aumônier ; le « cours spécial et théorique » de morale lui inspire aussi de l'inquiétude. Le désir exprimé par Richemont d'étendre aux externats le système prévu pour les internats lui paraît légitime, comme un arrangement utile aux enfants. Jamais l'Université, selon Jules Simon, qui parle au nom de ses quarante-trois ans d'appartenance à ce corps, ne laissera pénétrer les tendances irréligieuses, car elle représente la France et ses doctrines sont immuables. Les craintes de la droite sont donc « exagérées » : personne ne tombe sous les anathèmes qu'a portés celle-ci. A 16 voix de majorité, l'amendement Chesnelong fut repoussé. L'enseignement religieux ne figurerait pas dans le programme de l'enseignement secondaire des jeunes filles.

Restait l'enseignement moral. Que serait-il ? Adversaire, comme il l'a annoncé, d'un cours spécial de morale, Jules Simon juge inutile tout amendement ; il suffit de voter contre. Loin de lui la pensée de supprimer l'enseignement moral : « Il y a un enseignement de la morale dans l'enseignement de l'écriture, dans le modèle que le professeur donne à copier. C'est tout l'enseignement qui sera un enseignement moral ». La commission refuse de suivre son argumentation : l'enseignement de la morale est tout ce qui reste du cours de philosophie, on ne peut y renoncer [5]. Le reste de la loi fut adopté en première lecture sans discussion ; l'enseignement religieux notamment, pour les seuls internats. Visiblement, le Sénat se réservait là-dessus pour la seconde délibération.

En commission, le sénateur Bérenger proposa, appuyé par « plusieurs collègues », une nouvelle rédaction de l'article 5 : « L'enseignement religieux sera donné, sur la demande des parents, par les ministres des différents cultes ». Aucune différence n'était établie entre externat et internat. La commission adopta le principe : « Il ne s'agit, explique le rapporteur, ni de rien ajouter au programme des études, ni d'introduire dans les établissements de nouveaux professeurs nommés par l'Etat, mais seulement d'accorder une facilité de plus aux familles ». L'intervention de Jules Simon dans le premier débat n'avait donc pas été inutile : la nouvelle rédaction est bien une concession accordée au centre. Cette question réglée, il fallait définir l'enseignement moral. De nouveau, la droite s'inquiète : il est tant de morales, observe Poriquet,

---

5. Elle est suivie par le Sénat qui repousse la suppression, donc adopte le paragraphe sous la forme : « 1° L'enseignement moral », à une faible majorité : 138 voix contre 127. On retrouve le même faible écart de voix que pour l'internat.

d'autre part, le gouvernement ne cache pas, selon l'orateur, son intention de s'emparer des esprits de la jeunesse, ce qui tend à fonder « des foyers de propagande pour élever la femme à la hauteur des plus hardis sceptiques ». C'est l'atmosphère même de la tradition religieuse que l'on veut supprimer, s'écrie Fresneau. On accoutumera la jeunesse à lire l'histoire de France, non pas sous l'inspiration de cette vieille formule, *Gesta Dei per Francos,* mais en traduisant *Gesta Franciae sine Deo,* le maître de religion « pourra se dispenser de venir, parce qu'il n'aura plus rien à faire ». Mais, en fait, tout en s'attaquant ainsi au principe même de la loi qu'il considérait comme nuisible à la liberté religieuse, Fresneau espérait la priver d'efficacité par la consultation des familles.

Le fond de la question posée par la morale, au contraire, fut traité dans un ample discours du duc de Broglie[6]. Selon lui, qui déclare modestement ne faire que reprendre les arguments de Jules Simon et de Batbie, l'enseignement moral prévu sera donné dans des conditions « tout à fait nouvelles ». Puisqu'on a retranché l'instruction religieuse, le cours de morale sera indépendant de toute doctrine religieuse. Il sera également indépendant de toute doctrine puisqu'on a décidé de ne pas enseigner la philosophie aux jeunes filles. Jusqu'ici, l'instruction morale était confondue à l'école primaire avec l'instruction religieuse, et au lycée la morale faisait partie du cours de philosophie astreint à la doctrine bien définie du spiritualisme. Or, aucun « ouvrage de morale considérable » ne prétend relever d'aucune doctrine philosophique, à commencer par les livres de Jules Simon imprégnés de la doctrine spiritualiste. C'est donc une expérience toute nouvelle qu'on se propose d'entreprendre : « Peut-être aurait-il mieux valu, pour faire une expérience, ne pas commencer par la faire sur quelque chose d'aussi délicat que l'âme et l'esprit des jeunes filles ! » Sans doute n'y a-t-il qu'une seule morale, « si on prend le mot dans la plus superficielle, la plus vulgaire ... de ses acceptions ». En ce sens, il n'est qu'un seul code pénal. Mais un cours élevé de morale rencontre toujours les questions religieuses : ou bien on les évitera et le cours de morale sera « insignifiant, pâle et vide », ou bien on aura recours à un artifice : les questions religieuses et morales rentreront dans le programme « par une porte détournée ». Pour en donner la preuve, Broglie s'appuie sur le cours de morale tel qu'il est déjà enseigné par l'Université dans les classes de philosophie, quelques réserves qu'il fasse sur le « pied d'égalité » où l'on entend mettre l'enseignement des filles avec celui des garçons[7].

---

6. Lors de la reprise de la seconde délibération, le 10 décembre 1880.

7. « Donner aux jeunes filles une éducation qui se rapproche de l'éducation des garçons, mettre les deux sexes sur un pied d'égalité au point de vue de l'enseignement, nous ne sommes pas frappés,

Le programme du baccalauréat des garçons « est tout plein, fourmille en quelque sorte de questions qui ne peuvent être résolues que par la religion ou par la philosophie », à commencer par le premier point qui cherche à définir le fondement de la morale. Parlera-t-on des trois systèmes mentionnés dans le programme des lycées ? L'un de ces systèmes, la morale utilitaire, vient de retrouver une nouvelle vogue sous le nom de morale de l'évolution. Un cours de morale ne peut être indifférent au problème qu'elle pose, « agité tous les jours dans les écoles et dans les livres ». Seconde question, celle de la liberté morale ; elle présente d'autant plus d'intérêt que le déterminisme est en vogue. Enfin, il n'est pas de loi morale sans sanction : « Entre ceux qui ne voudront jamais parler de la vie future, et ceux qui ne voudront jamais s'en taire, votre cours de morale aura de la peine à maintenir sa neutralité ». L'orateur n'a pas manqué d'évoquer, au passage, l'« accolade au positivisme » qu'a donnée Jules Ferry lors de sa réception dans la franc-maçonnerie [8]. Mais « le comble », c'est que dans l'un des derniers articles du programme se rencontre le nom de Dieu, lorsque « le programme énumère, parmi les devoirs, les devoirs envers Dieu ». Eviterait-on la difficulté par des « prétéritions prudentes » ? « Non, répond l'orateur, vous le savez, il y a des omissions qui équivalent à des négations positives ». On aboutirait ainsi à un cours de « morale athée ». Il n'est donc que de reprendre la « vieille morale, celle du catéchisme », sinon « n'essayez pas de dogmatiser ... Vous risqueriez d'ouvrir l'accès des jeunes intelligences à des négations détestables et à d'inextricables controverses ». Le duc de Broglie conclut donc à la suppression du premier paragraphe, comme l'avait demandé Jules Simon.

Ministre de l'instruction publique, Jules Ferry tient, en raison des allusions *ad hominem* faites par son prédécesseur à la tribune, à faire le partage entre sa personne et sa charge : il est là pour rendre compte des doctrines de l'Université dont il est le chef. L'enseignement de la morale doit être détaché de tout enseignement confessionnel, mais non philosophique. Ce n'est pas lui-même, c'est Duruy qui a constitué un cours de morale « séparé de la métaphysique », pour le programme de l'enseignement spécial de la troisième et de la quatrième année. Les explications de Duruy, placées en tête de ce programme, parlent des obligations morales des élèves « envers eux-mêmes, envers la société et

---

nous, de ce côté (l'orateur désigne la droite), de cette nécessité. Nous avons eu le bonheur de rencontrer des mères, des femmes, des sœurs qui n'étaient inférieures à nous sur aucun point, et qui nous étaient même supérieures sur beaucoup ». C'est la même argumentation que celle de Dupanloup, mais, pour le duc de Broglie comme pour Dupanloup, elle perd beaucoup de sa force du fait qu'elle repose sur l'expérience d'un milieu très défini et très restreint, celui du grand monde catholique.

8. Jules Ferry fut reçu en 1875 à la loge Clémente amitié, en même temps que Littré et Chavée.

envers Dieu » [9]. Le programme ainsi défini, que Jules Ferry se propose d'étendre aux établissements féminins, se développe sous des rubriques qui comprennent la « morale religieuse », à la grande satisfaction de la droite qui voudrait les voir dans le programme en discussion : « Tout y est », réplique Jules Ferry, mais il renvoie le détail du programme au Conseil supérieur dont c'est la mission. Le duc de Broglie a donc placé l'Assemblée en face de « chimères ». Le rapport de Broca n'a-t-il pas compris le cours de morale comme une partie du cours de philosophie des lycées ? Ce cours se termine par : « La morale religieuse. Devoirs envers Dieu ». Jules Ferry se donne une réplique facile en citant un long extrait du livre de morale [10] d'Henri Marion, « jeune professeur de Henri IV », appelé à siéger au Conseil supérieur et chargé d'enseigner la morale aux jeunes filles de l'Ecole de Fontenay. Et le ministre de conclure par un vibrant acte de foi dans la morale : « Tant que l'humanité subsistera, il y aura une morale, une morale marchant avec elle et progressant avec elle, parce qu'elle a une base qui est fondée sur la conscience humaine et non sur les rêveries du cerveau des hommes ».

Le duc de Broglie a beau jeu de faire observer que cet enseignement de la morale ainsi défini est un « programme purement, exclusivement spiritualiste », car un matérialiste ne pourrait exprimer les réflexions de Marion.

> « Dites-vous, conclut le duc, que le cours de morale que vous allez faire sera conforme à celui de l'Université d'aujourd'hui ?
> *M. le Président du Conseil.* C'est l'Université qui réglera cet enseignement *(assentiment à gauche).*
> *M. le duc de Broglie.* Dites-vous qu'il aura pour base les devoirs envers Dieu, l'immortalité de l'âme et sa spiritualité ? Viendrez-vous le dire ici et êtes-vous prêt à l'aller redire à la Chambre des députés ? *(applaudissements à droite).*
> Irez-vous le dire à l'honorable M. Paul Bert ? »

Le ministre garda le silence. Le président Léon Say fit immédiatement procéder au scrutin sur le paragraphe 1er. La suppression proposée par le duc de Broglie fut repoussée [11]. Le Sénat adopta le reste sans difficultés, l'article 5 notamment, avec l'amendement de Bérenger qui prévoyait l'enseignement religieux pour les externes comme pour les internes. L'ensemble du projet recueillit 44 voix de majorité [12]. Au total,

---

9. *MM. le duc de Broglie et plusieurs autres sénateurs à droite :* « Ah ! Ah ! ». *M. Chesnelong :* « Il y est ! ».

10. *Devoirs et droits de l'homme,* Paris, Librairie centrale des publications populaires, 1880, 144 p. Marion, dans le passage cité, développe l'idée d'une nécessaire rétribution dans la vie future : « Voilà pourquoi, conclut-il, depuis qu'il y a des hommes qui pensent, l'humanité croit à une Justice cachée et s'incline devant une Bonté divine. Le sentiment religieux n'est autre que la disposition de notre cœur à adorer ce Dieu bon et juste ... » (p. 141).

11. Par 158 voix contre 139.

12. Par 161 voix contre 117.

surtout à la fin de la discussion, avec le discours du duc de Broglie et la réplique de Jules Ferry, les sénateurs se sont beaucoup moins souciés de l'enseignement des filles en lui-même que de la question politique et religieuse que posait l'intervention de l'Etat dans un domaine nouveau de l'enseignement.

Partant, le vote de la loi au Sénat dépassait son objet précis. La droite n'avait rien épargné pour élargir le débat. Sa défaite, bien qu'obtenue de justesse, n'en était politiquement que plus significative.

Le « droit des femmes » et la loi Camille Sée

Il arrive qu'à un confluent les eaux des deux rivières ne se mélangent pas et, loin vers l'aval, continuent à se distinguer nettement. Il en est de même pour la question du « droit des femmes » — l'expression est contemporaine des années 1880 — et pour l'institution de l'enseignement secondaire féminin. On pourrait croire le second préparé et obtenu par de longues campagnes féministes. Il n'en est rien, et même celles-ci, quand elles ont eu lieu, ont nui à la cause de l'enseignement des femmes plutôt qu'elles ne lui ont servi. Cette situation est spéciale à la France. En Angleterre, où le mouvement pour l'émancipation des femmes fut moins précoce que les premières manifestations du féminisme français, il fut plus aisé de faire triompher la cause de l'enseignement féminin, et les femmes furent moins étrangères à ce succès qu'en France[1]. Il faut donc rechercher des raisons spécifiquement françaises du retard relatif que prit l'institution d'un enseignement secondaire d'Etat pour les jeunes filles, et de l'accueil défavorable qui lui fut réservé, tout d'abord, par une si large partie de l'opinion.

Dans la défaveur française pour le « droit des femmes », le rôle de l'histoire révolutionnaire et de l'épisode saint-simonien apparaît très grand. C'est, déjà, sans doute à cause de la Révolution que les partisans d'une instruction étendue des femmes se sont étroitement limités à un domaine pédagogique, se sont défendus de vouloir mettre en cause de quelque manière l'état social existant. Une telle modération, après les excès d'une Olympe de Gouges, est la seule manière d'être écouté et pris au sérieux, d'autant qu'à la revendication politique des femmes de la Révolution, succèdent l'explosion saint-simonienne et la vague romantique, avec George Sand, Daniel Stern, et ces « bas-bleus » qui ont demandé avec moins de talent et surtout moins de bonheur les droits civils, l'affranchissement du mariage[2]. Les extravagances de la doctrine

---

1. Joséphine Kamm, *Hope Defferred*.

2. La plus connue de ces « bas-bleus » est Hortense Allart de Méritens, que L. Abensour peint comme le chef de file du premier féminisme ou « féminisme bourgeois », ploutocratique. Elle réclamait pour les femmes l'accès au suffrage censitaire.

d'Enfantin, en 1832, son évolution au moment du voyage en Orient, ont durablement discrédité toute idée d'affranchissement de la femme ; certains disciples de Saint-Simon, à commencer par Carnot, n'en ont-ils pas dénoncé eux-mêmes l'immoralité ? De même les théories de Fourier, dans la mesure où elles ne sont pas édulcorées par ses disciples, suscitent l'effroi : on évoque à peine les « orgies du phalanstère ».

Cependant, aux yeux de ses adversaires, toute revendication par ou pour les femmes garde un relent de saint-simonisme ; il se trouve encore, en 1867, un évêque pour se souvenir des « amis saint-simoniens de M. Duruy », dont il imagine la joie lors de l'institution des cours secondaires. Bien qu'elle ait une fin pratique et, par là, moins d'ambition lointaine que les cours Duruy, l'œuvre d'Elisa Lemonnier [3] se rattache aussi, par la personnalité de sa fondatrice, au saint-simonisme. L'évolution de l'œuvre elle-même fait des écoles Elisa Lemonnier, ouvertes en 1862 et 1864, des établissements destinés non seulement aux jeunes filles pauvres, mais même à celles de la classe moyenne, contraintes d'aller chercher hors du foyer l'instruction professionnelle. L'éducation religieuse des jeunes filles étant entièrement laissée au soin des familles, c'est le premier type d'établissement laïque pour des jeunes filles, puisque les pensionnats dispensent l'instruction religieuse [4]. Ce trait ne manqua pas d'être relevé par les cléricaux. Le but des écoles Lemonnier n'apparaît pas aussi simple qu'au départ. Sans doute les cours sont-ils de trois ordres — cours généraux, cours spéciaux (commerce, dessin industriel) et travail pratique à l'atelier —, mais la fondatrice en arrive à rêver d'un professeur de commerce dans toutes les institutions de jeunes filles. Il ne s'agit pas alors de former celles que la nécessité contraindra au travail, mais de faire de « bonnes mères de famille », avec des habitudes de dignité personnelle, d'estime et de respect de soi. L'idéal d'Elisa Lemonnier se rapproche de celui des futurs lycées de jeunes filles, et la personne même de la directrice de la première école, Mlle Marchef-Girard, relie cette entreprise des écoles professionnelles à l'enseignement secondaire féminin, puisque Mlle Marchef-Girard devint la première directrice de l'école Sévigné.

Chez les théoriciens « communistes » ou libertaires issus de Fourier, à commencer par Enfantin, l'idée de l'émancipation féminine portait atteinte à la vision traditionnelle de la famille, mais leur pensée a eu somme toute moins d'effet de scandale dans le monde bourgeois que

---

3. C. Lemonnier (*Elisa Lemonnier, fondatrice de la Société pour l'enseignement professionnel des femmes*, Saint-Germain, Imprimerie L. Toinon, 1866, 46 p.) raconte comment la première pensée vint à sa femme de fonder un enseignement professionnel pour les jeunes filles pauvres, au spectacle de la misère et de l'inhabileté des femmes du peuple en 1848.

4. La directrice de la seconde école ouverte à Paris fut Clarisse Sauvestre, épouse du farouche anticlérical Charles Sauvestre ; elle-même agnostique. Elisa Lemonnier était protestante, apparentée à la famille de Barrau.

Lelia, Indiana, et leur postérité. La raison paraît en être qu'avec George Sand la revendication quitte le terrain des généralités et de la théorie pour être formulée par des femmes. George Sand prêche d'exemple. Mais la célébrité, la naissance, le talent aussi la mettent hors du commun. A mesure qu'elle s'affirme par ses œuvres, la réprobation provoquée par sa vie orageuse s'atténue. On accorde, dit-on, à son « génie » ce qu'on refuserait à un plaidoyer appuyé sur une argumentation rationnelle mais dépourvue de talent. Elle entre dans cette catégorie exceptionnelle et finalement bien tolérée des femmes du monde écrivains. Fait-elle mine de rentrer au bercail, on l'y accueille à bras ouverts, elle retrouve sa respectabilité, et la « bonne dame de Nohant » va rejoindre la marquise de Sévigné au panthéon des grands auteurs français.

Dans les sentiments du public, tout au long du 19e siècle, la femme du monde, en effet, reste nantie de droits exceptionnels[5]. L'éducation aidant, le génie ne semble visiter que les femmes de haute naissance. Puisqu'elles sont une infime minorité, leur comportement, pense-t-on, ne peut faire école, il ne peut remettre en cause l'équilibre social. Il est remarquable d'observer à quel point, aux réclamations des premières féministes[6], il est habituel d'opposer l'exception. Thérèse d'Avila, George Sand ou Catherine de Russie confirment la règle que les femmes n'ont pas de génie. Dans l'esprit du 19e siècle, cette notion qui ne souffre pas de contestation est appuyée de manière au moins implicite sur une croyance de type anthropologique : la femme joue un rôle purement passif dans l'acte créateur, qu'il soit intellectuel ou physique[7]. Une autre croyance, pseudo-positive et qui laissa peut-être plus de traces que ne pourrait le faire penser l'éphémère vogue de la phrénologie, trouverait la preuve de l'infériorité de la femme dans les plus faibles dimensions de son cerveau : la constance avec laquelle les ouvrages favorables au droit des femmes s'insurgent contre cette « preuve », vers 1880[8], montre qu'elle a trouvé large créance.

---

5. La duchesse a droit au maquillage, comme Jézabel, comme les actrices et les courtisanes. Ce serait inconcevable chez une femme de la bourgeoisie. Les écarts de conduite sont dans l'ensemble mieux tolérés dans le grand monde : l'argent et les usages y rendent l'assujettissement souvent moins pesant.

6. Le mot est sans doute excessif ou anachronique, à moins que l'on englobe dans cette appellation toutes les femmes qui ont émis une protestation sur le sort qui leur était fait au triple point de vue juridique, politique et moral.

7. Cette croyance commence à être ébranlée par un ouvrage comme celui de Naquet, *Religion, propriété, famille,* où est démontré, d'après des expériences récentes, le rôle de l'ovule lors de la conception. Dans *La femme libre* (1877), Léon Richer se contente de citer Condorcet pour affirmer l'égalité intellectuelle des deux sexes.

8. Cf. le développement de Bebel dans *La femme et le socialisme dans le passé, le présent et l'avenir,* Stuttgart, 1883, traduit en 1891. Il cite le Dr Büchner : « Die Frau, ihre natürliche Stellung und gesellschaftliche Bestimmung », dans *Neue Gesellschaft,* 1879 et 1880. Dans *La Revue d'anthropologie* de 1873, Broca s'était déjà élevé contre la théorie de l'infériorité des femmes fondée sur l'infériorité de leur capacité crânienne. Sa démonstration est reprise en 1882 par son disciple P. Topinaud.

Dans l'état d'esprit de l'époque, les simples bourgeoises qui se piquent de littérature ne sont donc que des « bas-bleus »[9]. L'origine du mot, incontestablement anglaise, peut être obscure, le sens ne l'est pas[10] : « Ne pourrait-on pas dire, commente le grand dictionnaire Larousse, qu'on a nommé *bas-bleu* les femmes auteurs, parce qu'elles semblent vouloir usurper une fonction qui n'est ordinairement remplie que par les hommes ? ». Les femmes portent d'habitude, continue le Larousse, des bas blancs parce qu'ils font valoir la jambe.

> « Mais quand une femme affiche la prétention de paraître savante, elle renonce en quelque sorte aux goûts et peut-être aux charmes de son sexe[11], elle devient un homme et il n'y a pas de raison pour qu'elle ne porte pas des bas bleus. Cette explication scandalisera peut-être quelques-uns de nos réformateurs modernes qui veulent émanciper la femme, comme ils disent, qui la poussent à cultiver toutes les carrières, à se faire recevoir bachelière et doctoresse, qui voudraient la voir professer dans les chaires publiques, pratiquer la médecine et la chirurgie, plaider devant les tribunaux, monter peut-être sur le siège des juges ; nous le regretterions bien sincèrement, mais nous devons faire observer que c'est le peuple, c'est-à-dire tout le monde, qui crée les locutions nouvelles, et *tout le monde* n'est pas encore convaincu que la femme doit renoncer à charmer l'homme par sa douceur, par sa grâce, par sa beauté, pour se faire admirer de lui par l'éclat seul du génie ... »

La plupart des thèmes de la pensée traditionnelle sur la femme se trouvent réunis là : il est évident pour ses tenants que l'équilibre de la société repose sur le partage entre le « charme », dévolu aux femmes, et les métiers intellectuels réservés aux hommes. Pensée éminemment bourgeoise, car les carrières évoquées là sont des professions libérales ; il est sans doute réservé à quelques économistes ou philanthropes comme Jules Simon ou Paul Leroy-Beaulieu de se demander si les ouvrières gardent tout leur « charme » sous la contrainte d'un métier mécanique[12]. Il est d'autres auteurs qui ont encore précisé l'origine,

---

9. La distinction à cet égard entre bourgeoise et aristocrate tend à s'atténuer au cours du siècle, si l'on en juge par Barbey d'Aurevilly qui, dans ses *Bas-bleus*, range des femmes qui n'auraient pas été qualifiées ainsi à l'époque de leur jeunesse : comme Daniel Stern ou la princesse Belgiojoso.

10. Il est incontestablement péjoratif. Ainsi, dans Littré : « Nom que l'on donne par dénigrement aux femmes qui, s'occupant de littérature, y portent quelque pédantisme », et surtout dans l'important article du *Grand dictionnaire Larousse*, t. II, p. 296-297 : « Par dénigrement : Femme auteur, bel esprit, pédante. *Beaucoup de femmes se font bas-bleus quand nul ne se soucie de voir la couleur de leurs jarretières* (E. Guinot). *Le bas-bleu est l'héritière en droite ligne des femmes savantes de Molière* (Boitard). *En France, excepté les bas-bleus, toutes les femmes ont de l'esprit* (Madame Emile de Girardin). Par extension, Etat de bas-bleu, de femme auteur : *La femme incomprise est une aspirante au bas-bleu* (Boitard) ».

11. André Léo confirme son interprétation, qui écrit dans *La femme et les mœurs* (1869) que cette « appellation bizarre ... contient pourtant un sens vrai : c'est que la femme s'éloigne d'autant plus de la coquetterie qu'elle cultive davantage son intelligence ». (Paris, Le droit des femmes, 174 p., p. 8.)

12. Bebel (*La femme et le socialisme dans le passé, le présent et l'avenir*), remarque bien que les hommes des classes dirigeantes ne voient pas d'objection à ce que les femmes occupent les petits métiers.

selon eux, du « bas-bleu ». Les femmes bourgeoises, plus économes que celles de l'aristocratie, préféreraient les bas bleus, moins salissants que les bas blancs [13] ; ici se précise bien l'apparition d'une nouvelle catégorie de femmes de lettres : celles qui appartiennent à la bourgeoisie. C'est leur appartenance même à cette classe [14] qui apporte le trouble.

Pourtant l'action des femmes auteurs ne s'est pas d'abord exercée en faveur de l'instruction féminine, thème de revendication modéré et mieux reçu que les autres par l'opinion. Les premières publications que l'on pourrait qualifier de féministes, comme les romans qui ont valu la célébrité à George Sand, étaient autant de protestations contre la sujétion où les mœurs, sanctionnées par le Code civil, mettaient la femme mariée. Elles n'étaient pas éloignées du manifeste de la saint-simonienne Claire Démar que son désaccord avec les usages de son époque conduisit au suicide [15]. Elles n'étaient que le début de cette longue plainte des mal-mariées qui, tout au long du siècle, protestent contre leur esclavage. Le procès de Madame Lafarge [16], celui de Flora Tristan [17] contre Chazal, son mari qui a tenté de l'assassiner pour se venger du refus de Flora de reprendre la vie commune, en sont les épisodes les plus éclatants. Mais l'opinion retient surtout de cette revendication son caractère dangereux pour la sainte institution du mariage : Madame Lafarge est une victime, mais c'est surtout une meurtrière. Flora Tristan a abandonné son mari : elle est donc aussi, d'une certaine manière, coupable. Les protestataires apparaissent donc surtout comme des révoltées, des femmes qui ne veulent pas remplir leurs devoirs les plus évidents, sous le prétexte qu'ils sont pénibles. Elles mettent par conséquent en péril la morale publique : c'est ce qu'on oppose aux esprits passionnés, romantiques, qui ne manquent pas de prendre leur défense [18].

---

13. G. d'Azambuja (*La jeune fille et l'évolution moderne*), écrit encore à la date tardive de 1905 : « Le terme ... de « bas-bleu » atteste que c'est bien la petite bourgeoisie qui a été dans ce domaine l'instigatrice du mouvement. Les bas-bleus, moins salissants que les autres, et par conséquent plus économiques, étaient portés dans un monde relativement besogneux » (p. 42).

14. Définie comme tout ce qui, n'appartenant pas au peuple proprement dit, se trouve placé en dessous de l'aristocratie. Au fil du siècle, elle en arrive à comprendre les « nouvelles couches » dont Gambetta a prédit l'avènement : en 1880, l'annexion est presque faite dans l'opinion. De là tous les discours sur le « déclassement » prononcés à propos de la loi.

15. Claire Démar, auteur de *Ma loi d'avenir*, suivi de l'*Appel d'une femme au peuple sur l'affranchissement de la femme*, Paris, La Tribune des femmes, 1834, 75 p., est évoquée notamment dans L. Devance, *La question de la famille — origines, évolution, devenir — dans la pensée socialiste en France...*, thèse pour le doctorat de IIIe cycle, Dijon, 1973, dactyl.

16. Mariée à un rustre, malheureuse, elle fut accusée d'avoir empoisonné son mari et condamnée, en 1841, à la prison à perpétuité, à la suite d'un procès retentissant qui divisa l'opinion en partisans et adversaires de la culpabilité. Elle proclama son innocence dans ses Mémoires qui furent un succès de librairie.

17. L. Devance, *La question de la famille...*, et surtout Jules L. Puech, *La vie et l'œuvre de Flora Tristan*, Paris, Rivière, 1925, III-515 p.

18. Comme lors de la bataille d'*Hernani*, le tragique (de la condition des femmes) est éclipsé parfois par le ridicule. Le ton de persiflage devient dès cette époque l'apanage des conservateurs.

Une autre question a été soulevée conjointement à celle de la liberté du mariage, dans la première moitié du 19ᵉ siècle : c'est celle de l'accès des femmes aux droits politiques. Il peut sembler singulier que cette revendication soit née avant même celle d'une réforme de l'instruction féminine qui aurait semblé, logiquement, la précéder. Peut-être est-ce l'effet d'un certain individualisme qui n'était pas rare dans ces premières générations de féministes : riches et instruites, elles réclamaient le vote pour elles-mêmes et leurs semblables, sans prendre garde à ce que l'ensemble de leur sexe ne suivait pas leur allure [19]. C'est ce qui dépouille leur action d'une grande partie de sa signification [20]. A cet égard, 1848 marque à la fois une désillusion [21] et une évolution. Si modeste qu'ait été l'action des clubs féminins, tournés en dérision alors que, sans doute, observe A. Léo, ils n'étaient « pas plus ridicules que les autres », elle élargit l'idée du « droit des femmes ». Mais, dans le même temps, elle la jette dans le discrédit, comme l'ont fait les disciples d'Enfantin seize ans plus tôt [22]. Le Second Empire ne peut alors être qu'une période de silence.

Mais, pour être relativement silencieuse, cette période de 1850 à 1868 n'en est pas moins des plus importantes pour le destin des femmes. La presse féminine reste modeste, les personnalités ne sont pas toujours de premier plan. Pourtant, c'est le Second Empire qui voit la première femme bachelière, la première femme étudiante en médecine, une initiative de l'Etat pour les cours secondaires des jeunes filles, les écoles Elisa Lemonnier. Initiatives limitées, exploits individuels sans doute, mais qu'ils soient devenus seulement possibles indique une évolution de l'esprit public sur la question des femmes [23]. C'est sous le Second Empire que paraît un livre aussi fondamental que *La femme pauvre* de Julie Daubié. Le livre de Stuart Mill sur *L'assujettissement des femmes,* publié en Angleterre en 1866, est traduit en 1869 et abondamment commenté en France. Le doute au moins s'est emparé de certains esprits sur le maintien des femmes dans l'ignorance et la frivolité. Les mœurs,

---

19. Tel n'est pas le cas, évidemment, de Flora Tristan. Aussi bien est-elle seule, avec les saint-simoniennes d'origine ouvrière, à avoir lié la cause des femmes à celle du prolétariat, autre catégorie opprimée.

20. Bebel observe que « ce défaut de clarté, cette insuffisance dans la définition des buts à atteindre proviennent de ce que jusqu'ici la « question des femmes » a été presque exclusivement prise en main par les femmes des classes dirigeantes ».

21. Les féministes de 1848, avec J. Deroin, se sont étonnées de l'attitude de George Sand qui, loin de les soutenir, ne dissimula pas son incompréhension, voire son mépris, à celles qui voulaient le droit de vote et l'éligibilité. Cette position était pourtant logique, George Sand n'ayant jamais protesté que contre le mariage.

22. Dans le souvenir des conservateurs, les clubs féminins de 1848, comme de 1868 et des « années suivantes », « ressuscitaient les souvenirs des clubs de femmes de 1793 » (H. Baudrillart).

23. Cette évolution n'est pas nécessairement liée à l'appartenance politique. Bien après le Second Empire, des républicains avancés sont les résolus adversaires de l'émancipation féminine ; en revanche c'est l'impératrice elle-même, dont on sait le rôle dans l'entreprise des cours Duruy, qui a fait décider de l'entrée des femmes dans les Facultés de médecine.

l'usage du fumoir, le règne de la courtisane ne peuvent qu'inviter à méditer sur la situation de la femme : « On en a fait un objet », écrit André Léo en 1869, elle est contrainte à rester « intellectuellement inférieure ».

Lorsque, à la fin du Second Empire, et au lendemain du 4 septembre, le mouvement reprend avec une ampleur inconnue depuis 1848, il s'attache surtout à la revendication de l'« égalité » et surtout de l'égalité des droits politiques : Maria Deraismes commence ses conférences en 1866, Julie Daubié, en 1871, publie une sorte de périodique [24] où elle réclame conjointement le suffrage des femmes et l'égalité des hommes et des femmes devant l'instruction [25]. A partir de 1870, les femmes qui s'agitent pour leurs droits en sont donc venues à réclamer la priorité pour les droits politiques, persuadées que ceux-ci leur donneront un accès plus facile aux autres. Mais moins encore que la protestation contre l'assujettissement provoqué par la loi civile [26], la revendication politique n'était assurée d'une audience. Les conservateurs cléricaux n'étaient pas les seuls à lui être opposés ; la plupart des républicains, autorisés par une part au moins de la tradition révolutionnaire, ont le même sentiment. Les socialistes eux-mêmes sont violemment divisés : que pouvait peser une Flora Tristan, morte isolée trente ans plus tôt, devant le souvenir vivace de Proudhon ? Si la postérité de Fourier a été fidèle au maître, ce n'est certainement pas sur la question des femmes.

Enfin, la réaction moraliste qui suivit le Second Empire était des plus défavorables à un tel mouvement. Chez les républicains comme chez les conservateurs, la préoccupation est la même de reconstituer la France, après les désastres, par une restauration des mœurs opposée à la fête impériale, par une glorification de la famille : pratiquement personne n'aurait idée de l'imaginer autrement que dans sa structure traditionnelle. Les droits politiques de la femme étaient donc particulièrement mal venus, l'intrusion directe de la femme dans le domaine politique étant communément considérée comme un possible facteur de division de la famille. Le caractère puritain du féminisme, après 1848, ne suffit pas à rassurer. Et il est difficile de dire si c'est le socialisme ou le féminisme qui sortent le plus discrédités de ces congrès socialistes où parlent les Paule Minck et les Hubertine Auclert [27].

---

24. *L'émancipation de la femme, en dix livraisons*, Paris, Thorin, 1871, 159 p. Julie Daubié est morte en 1874.

25. « L'interdiction pour la femme de puiser l'instruction aux mêmes sources que l'homme est en outre une négation de nos théories d'égalité civile qui établit un antagonisme déplorable entre nos principes et nos mœurs ».

26. *L'étude sur la condition privée de la femme dans le droit ancien et moderne*, de Paul Gide (Paris, Durand et Pédone-Lauriel, 1867, VIII-563 p.), constate le contraste entre l'incapacité de la femme mariée et la capacité de la femme libre et conclut à de nécessaires réformes du code civil, tout en se prononçant contre les droits politiques.

27. Ainsi au congrès ouvrier du Havre en novembre 1880.

Un tel ensemble de raisons explique pourquoi, à la différence de l'étranger, les femmes n'ont eu pratiquement aucune part à la création de l'enseignement secondaire féminin. Ce sont des hommes qui ont assuré cette création, et ce n'est pas un hasard si ces hommes, Duruy, Paul Bert, Camille Sée, Jules Ferry, n'ont pas songé un instant à faire leurs les théories émises par les premières féministes. Sans doute pourrait-on invoquer des raisons d'opportunité à cette action en ordre dispersé : si l'on était persuadé de l'importance, pour l'avenir des femmes, de l'accès à l'enseignement secondaire, il importait de ne pas faire cause commune avec les féministes qui risquaient, comme à tant d'autres occasions, de faire échouer le projet par leur appui trop affirmé. Mais la personnalité même des hommes qui ont créé l'enseignement secondaire indique une divergence beaucoup plus profonde, qui ne porte pas seulement sur la tactique à suivre ; qui réside dans le but même que les uns et les autres se proposent d'atteindre. Camille Sée et ceux qui l'ont imité ne se proposaient nullement, même dans un avenir lointain, de faire accéder la femme aux droits politiques. Ils en restaient à la formule de « l'égalité dans la différence » qui aboutit à la séparation des domaines d'influence. C'est parce qu'ils reconnaissaient et désiraient la royauté de la femme dans la famille qu'ils ont institué un ordre d'enseignement propre à lui mieux faire remplir sa mission dans les classes dirigeantes. Le « droit des femmes », comme individus abstraits et identiques aux hommes, leur resta étranger [28].

Aussi bien la presse féministe, si elle fut favorable à la loi Sée, parce qu'elle y voyait tout de même un progrès, n'a-t-elle pas préparé la loi par une campagne particulière. Tout au plus a-t-elle emboîté le pas aux journaux républicains, si tard venus, pour la plupart, au secours de la victoire. Eût-elle adopté une attitude plus combattive, le résultat n'en aurait guère été modifié, tant le féminisme était un courant négligeable dans l'opinion et dans la presse.

Il est plus remarquable d'observer que la création des nouveaux établissements pour les jeunes filles n'a pas modifié la situation du féminisme ; bien au contraire, les professeurs femmes semblent avoir eu de l'éloignement pour cette forme d'action [29]. Les causes en sont diverses ; il conviendra d'ailleurs d'y revenir. La plus communément

---

28. Dans son rapport, Camille Sée reconnaît l'utilité de la femme médecin, mais il affirme ne pas vouloir de futures avocates. La femme, selon lui, n'est pas faite pour la vie publique. Elle ne doit donc pas avoir accès aux carrières libérales. Le partage des fonctions dans la société repose sur des a priori psychologiques communément admis. L'homme est plus doué dans le domaine du raisonnement, la femme dans celui du sentiment. A la vigueur masculine de la pensée, s'oppose la finesse féminine de l'intuition. Cf. Henri Marion, *Psychologie de la femme*.

29. *La Revue féministe* du 15 juillet 1896 : « La grande, nous pouvons dire l'immense majorité du personnel des lycées, n'est pas féministe ». Dans la flambée féministe des années 1895-1900, les professeurs des lycées féminins n'ont, on le verra, aucun rôle.

invoquée est l'ensemble de difficultés particulières que l'enseignement secondaire féminin a rencontrées en France pour s'établir et s'imposer : il est rare de voir énumérer ces « difficultés ». La plus grave semble bien être le caractère même d'une institution fondée pour des femmes : il ne fallait pas prêter à confusion entre l'activité personnelle et l'action éducative des professeurs. Ceux-ci devaient donc se limiter étroitement à leur tâche d'instruction et de formation s'ils ne voulaient pas faire tomber le discrédit sur eux-mêmes comme sur les établissements. Les lycées de jeunes filles étaient destinés à former de bonnes mères et de bonnes épouses : les professeurs se sont donnés à cette tâche tout en essayant de faire, dans leurs élèves, l'éducation de la personne. L'atmosphère de critique et de suspicion qui entourait les établissements à leur début contribuait sans nul doute à écarter le personnel des activités extra-scolaires, à l'exception des œuvres d'entraide et de charité qui ne pouvaient prêter le flanc à la critique. L'opinion n'aurait pas compris que les professeurs femmes fissent un partage, à l'exemple de leurs collègues des établissements masculins, entre leur vie au lycée, où elles étaient tenues à une stricte neutralité, et leurs activités privées. Les lycées de filles furent l'instrument d'une pensée libérale, mais résolument opposée, en théorie et en pratique, à l'intervention de la femme dans la cité. L'essor de la pensée libre chez les femmes, puisque tel était le but des fondateurs, se fit donc dans un assujettissement rigoureux des fonctionnaires à leur tâche certes, mais aussi aux mœurs et aux usages du temps. De là, chez les meilleurs, l'impression d'absolu, d'intériorité et de très grande discrétion qui se dégage de leur vie.

La loi vue par la presse et par la littérature

Les catholiques ont d'emblée rangé la loi Camille Sée parmi les « lois de persécution ». Mais, fait révélateur, alors que la circulaire de Duruy avait suscité, outre une campagne de presse des plus longues et des plus violentes, des opuscules signés d'un grand nom — Dupanloup —, et largement répandus, le vote de la loi n'a pas eu les mêmes conséquences. Sans doute les dernières phases du vote sont-elles accompagnées de commentaires indignés, de prophéties sinistres, mais seulement dans la presse. Il ne semble pas qu'un évêque ait eu seulement la velléité d'imiter les polémiques d'Orléans. La situation, bien sûr, n'est plus la même : bien loin d'espérer être écouté, l'épiscopat est dans la crainte. L'agitation relative à l'article 7 a requis d'autre part les énergies. Enfin, il faut bien s'incliner devant la majorité de la Chambre et ses décisions. Cette acceptation fondamentale du jeu parlementaire est sans doute teintée d'espérance : ce qu'une majorité a fait, une autre peut le défaire, les Français finiront bien par se désabuser.

Fondée au moment de la lutte pour l'enseignement supérieur, sous le ministère de Victor Duruy, la Société générale d'éducation et d'enseignement n'a joué au moment du vote aucun rôle apparent. Avant 1883, son *Bulletin* n'a pas publié un seul article sur l'enseignement féminin. Il est vrai que l'existence même de cette publication était aléatoire. L'exiguïté des ressources, l'obligation du cautionnement qui augmentait les charges rendaient, jusqu'en 1881, la publication irrégulière [1]. La Société elle-même semblait s'être réduite à son comité du contentieux, à la vérité actif en ces années où les conflits entre les établissements libres et les autorités académiques devenaient plus nombreux. En 1881, le *Bulletin* devient un supplément du *Contemporain* [2] ; les deux comités de l'enseignement primaire et de l'enseignement secondaire se reconstituent. La Société étend donc son activité au moment même de l'adoption des lois laïques. Il ne semble pas qu'un intérêt particulier ait poussé la Société à consacrer une partie de ses activités à l'éducation féminine, en dépit du vote de la loi Sée. Il faut attendre 1883 pour voir paraître dans le *Bulletin* trois articles sur le sujet [3], encore sont-ils d'un oratorien, le P. Lescœur, qui semble s'être fait une spécialité des questions féminines dans le monde catholique. De même, *Le Correspondant* ne contient guère, dans les mêmes années, que les articles — nourris et documentés de près — de Fénelon Gibon. Ce sont les deux mêmes noms que l'on retrouvera jusqu'au lendemain de la première guerre mondiale. Si réel qu'ait été, à la veille de celle-ci, chez les catholiques, l'engouement pour l'enseignement libre des jeunes filles, il ne plonge pas des racines bien profondes dans la période précédente.

Ce manque de véritable intérêt pour la question semble avoir été partagé par nombre de conservateurs. Sans doute ne regarderait-on pas d'un œil froid les jeunes filles échapper à l'influence de l'Eglise, mais on ne croit pas vraiment que la loi Camille Sée constitue un danger à cet égard. C'est le sentiment qu'exprime *Paris-Journal* : « Quand une ville aura envoyé les filles du maire républicain, celles de l'adjoint, les boursières de la déportation et les filles issues de ce qu'en province on nomme les " mauvais mariages ", le recrutement sera fait » [4].

Cette confiance dans le respect humain et le sens du ridicule [5] pour

1. Trois numéros parurent en 1879, quatre en 1880.

2. A partir de ce moment paraissent cinq numéros par an. Le conseil de la Société est alors présidé par l'un des meilleurs orateurs monarchistes, Chesnelong.

3. Trois en 1883, quatre en 1884, deux en 1885, un ou deux dans les années suivantes. De 1888 à 1896, ne paraissent en tout que trois articles. Il faut attendre 1901 pour constater un réel regain d'intérêt. Les années 1911 à 1914 sont les plus riches à cet égard : six articles en 1911, huit en 1912, dix en 1913, cinq en 1914. C'est que l'opinion catholique est acquise à l'instruction secondaire des filles et que la fondation de l'Ecole normale catholique donne l'espoir de reconquérir cette partie de l'instruction.

4. 2 décembre 1880, « Molière et la République », par Jean Dobrée.

5. *Paris-Journal* : « Plaisante idée ! Plaisant projet ! Une grave commission s'est réunie pour accoucher de cette loi ridicule ... M. Camille Sée est un tout jeune homme célibataire ... La raillerie seule convient en présence de semblables élucubrations ! » (21 janvier 1880.)

tuer dans l'œuf la nouvelle institution était déjà celle des évêques de 1868. Elle ne prend pas garde que les maires républicains ont des électeurs. Qui sous-estime l'adversaire risque d'être pris au dépourvu : telle semble avoir été l'aventure des conservateurs. Ce sont les journaux les plus religieux, *Le Monde* et *L'Univers,* qui sont le plus conscients de l'enjeu. *L'Univers* même convient du malaise :

> « Il fut un temps où les hommes ne croyaient pas que la vie intellectuelle dût s'absorber pour eux dans les travaux des professions libérales, des études scientifiques ou littéraires, dans les labeurs de l'administration ou du négoce, au point de mettre de côté la science qui fait connaître à l'homme sa destinée, ses devoirs ... Les femmes, les mères de famille instruites de leur religion ... se trouvaient d'accord avec les hommes. Le christianisme faisait entre le père et la mère de famille cette égalité, cet accord qui a disparu ... »[6].

Mais le grand journal catholique n'en tire pas toutes les conséquences logiques. La presse conservatrice et cléricale se contente de développer les arguments exposés déjà à la Chambre et au Sénat : les lycées de jeunes filles seront une étape fondamentale dans la déchristianisation ; mais du moins, si les parlementaires sont insensibles à cet aspect du projet, qu'ils prennent garde au prix que cela coûtera, aux conséquences économiques et sociales de leur vote, aux « jolies générations de pécores qui sortiront des établissements de M. Ferry ».

> « Elevées sans religion, bourrées de cette " science " frelatée qui est le desideratum de M. Paul Bert, les pauvres jeunes filles ne seront pas aussi " à l'unisson " que le croyait M. Broca. Ignorantes du devoir, mais très fortes sur ce qu'elles appelleront leurs droits, les futures doctoresses et les avocates de l'avenir verront leurs rêves dissipés bien vite par les réalités de la vie ... La haine de ces bas-rouges sera d'autant plus féroce que leurs appétits seront plus vastes »[7].

C'est en définitive le spectre du déclassement qui paraît le plus propre à effrayer les sénateurs, peut-être encore à emporter leur vote contre la loi. En tout cas, c'est lui qui, pense-t-on, détournera les familles de donner la nouvelle éducation :

> « L'homme, écrit *Le Monde,* est souvent moins mauvais que ses idées ; la femme, plus logique, va jusqu'aux dernières conséquences des siennes ; elle se montre supérieure dans la vertu et plus dégradée dans le vice. Quand les écoles que l'on projette d'établir nous auront fourni plusieurs générations de femmes athées et révolutionnaires, la République

---

6. 23 novembre 1880.

7. 24 novembre, *ibid.* C'est en pensant à de telles femmes que *Paris-Journal* commente : « Les républicains prendront peut-être dans le nombre des maîtresses, mais des femmes, jamais ».

n'en sera pas plus solide, mais en revanche l'ordre social en sera terriblement ébranlé »[8].

Il serait vain d'essayer de déterminer avec exactitude quelles parts respectives occupent tels et tels thèmes dans la presse conservatrice, d'autant que certains journaux se contentent d'en recopier d'autres[9]. Mais l'ensemble indique nettement que, par rapport à l'épisode seulement vieux de douze ans des cours Duruy, le centre d'intérêt s'est déplacé. Sans doute le débat fondamental est-il de savoir à qui, de l'Eglise ou de ses adversaires, appartiendra la direction des jeunes filles. Mais dans les journaux conservateurs, la préoccupation principale apparaît bien « l'ordre social » et non point la religion de la jeune fille. Les deux aspects, certes, sont confondus ; celle-ci étant le garant de celui-là. Pourtant, et déjà Dupanloup y avait pris garde, de quelle solidité est la religion d'une jeune fille maintenue dans l'ignorance de la théologie, comme des « mystères des choses » ? Ignorance qui permet cette image charmante et naïve de la jeune fille, de la jeune femme telle que la décrivent les esquisses intimistes de *Monsieur, madame et bébé*[10], avec ses petites dévotions, ses petits scrupules enfantins, ses « niaiseries ».

En fait, l'éducation de la jeune fille dans l'intimité de la famille est associée dans les esprits avec la conservation de sa virginité. La sécularisation de son instruction apparaît donc comme une atteinte à ses sentiments religieux, mais aussi à son intégrité virginale[11]. Ainsi peut s'interpréter l'attitude de la jeunesse dorée dans certaines villes du Midi qui, en 1868, s'en va lorgner les jeunes filles à la sortie des cours : n'est-ce pas une version édulcorée des vexations que la communauté villageoise réserve aux femmes convaincues d'inconduite ? « A part quelques bachelières, quelques doctoresses et quelques sages-femmes, la jeune fille française, élevée dans la protection vigilante de la famille, avait été avec soin préservée de l'éducation garçonnière et des brutalités de la science ... Elle grandissait dans une poétique ignorance des mystères des choses[12]. » Cette image de la jeune fille, loin d'être un simple poncif, atteint au contraire à l'insistance d'un fantasme érotique : « On leur apprendra l'anatomie, la philosophie, les sciences naturelles et

---

8. 22 novembre 1880.

9. Ainsi *La Civilisation* du 23 novembre 1880 se contente-t-elle de reproduire un passage du *Paris-Journal* de la veille ; comme lui, elle reproduit une citation erronée du rapport de Broca.

10. Sorte de *Toi et moi* du 19ᵉ siècle, *Monsieur, madame et bébé* de Gustave Droz, Paris, Hetzel, 1866, 392 p., en était, en 1884, à sa 121ᵉ édition. Il fut réimprimé 35 fois.

11. Un sermon de l'abbé Bougaud (en 1868, il est vicaire général d'Orléans) l'exprime sans détours : « Malheureuses mères, irez-vous flétrir cette fleur de virginité qui est le plus bel ornement de vos filles ? Ne les éloignerez-vous pas de ces chaires d'où descendent l'erreur et l'impiété ? » (cité par le proviseur du lycée de Tours, lettre du 7 mars 1868, F 17 8756, Académie de Poitiers).

12. Octave Mirbeau, *Le Gaulois*, 25 novembre 1880.

l'amour de M. Jules Ferry, puis, comme il faut qu'elles soient armées contre l'erreur pour les luttes de la vie, on leur dira, non comment on élève les enfants, mais comment ils se font et comment ils naissent ; et, au besoin, les jeunes professeurs se chargeront galamment de le leur démontrer par la méthode expérimentale ».

Dans la mythologie des adversaires de l'instruction féminine, en 1880, l'« étudiante » a remplacé le bas-bleu. Sous le Second Empire encore, comme le démontrent certains textes épiscopaux s'en prenant à Duruy, le terme d'« étudiante » a une signification fâcheuse : il désigne les femmes légères, les grisettes qui vivent avec les étudiants au Quartier Latin. C'est la définition qu'en donne encore Littré [13]. L'« étudiante », c'est Mimi Pinson. Sans doute, l'acception a-t-elle changé dans les années 1880, sous la pression des circonstances, c'est-à-dire devant l'impossibilité, pour désigner les jeunes filles qui étudient en faculté, d'employer un autre mot qu'« étudiante ». Mais comment déterminer si le terme, en prenant une autre signification et plus logique, est entièrement dépouillé, dans l'esprit de ceux qui l'emploient, d'une signification encore si récente ? Il est évident que, l'état d'esprit « gaulois » aidant, les femmes qui s'adonnent à l'instruction éveillent des idées grivoises. Un journal satirique de droite comme *Triboulet,* le très catholique *Univers,* les feuilles royalistes de province ont en commun des sous-entendus, des plaisanteries douteuses : en 1868, on parlait de la « cour » sans « s » que feraient les professeurs des cours de jeunes filles [14] ; en 1880, la presse conservatrice évoque les « gynéSées », et insinue le pire.

Le Gaulois et *Le Figaro* n'oublient pas, dans ce grave débat, qu'ils sont aussi des journaux « légers ». Mais l'esprit du temps n'est-il pas de tourner en plaisanterie tout ce qui, de près ou de loin, se rattache à la femme [15] ? Il est une seule manière d'échapper à cet esprit gaulois, qu'on le déplore ou qu'on l'évoque avec indulgence : c'est de parler de la femme devenue mère. C'est le sens du vers devenu trop célèbre de Legouvé :

    « Tombe aux pieds de ce sexe à qui tu dois ta mère ».

Les appels à la modestie, à la réserve, à la pudeur, apparaissent alors, à l'étonnement peut-être du lecteur du 20e siècle, l'apanage de la

---

13. « Au féminin, étudiante, dans une espèce d'argot, grisette du quartier latin. Commis et grisettes, étudiants et étudiantes affluent à ce bal ». Dans *Le Messager du Midi,* du 14 novembre 1868, un notable montpelliérain partisan des cours trouve « inconvenant » que l'évêque, pour parler des jeunes filles qui suivent les cours, ait employé le mot d'« étudiantes ». Mais l'évêque, justement, ne l'a-t-il pas fait en connaissance de cause ?

14. Dans *Le Courrier de l'Ouest.* Cette même feuille ironise sur les « pères des bas-bleus ».

15. La lecture de la longue préface de *L'ami des femmes,* pièce qui, en son temps (1869), fit scandale, d'Alexandre Dumas fils, est riche à cet égard de considérations et de précisions.

presse la plus avancée. C'est qu'aux yeux des conservateurs, adversaires de la forte instruction féminine, ou plutôt de ses applications surtout professionnelles, les jeunes filles qui se proposent d'embrasser des carrières libérales (c'est alors, pour l'essentiel, la médecine) qui ne soient pas subalternes, n'appartiennent plus à leur sexe et n'ont par conséquent plus droit aux égards qu'on lui témoigne ordinairement. Elles n'ont plus droit à la galanterie masculine comme les femmes restées femmes. Celle qui dépouille l'homme de son prestige viril en forçant la porte d'une profession « noble » comme la médecine se trouve en même temps privée de sa féminité [16]. L'étudiante n'est donc pas jolie. Ou si, par hasard, elle l'est, c'est sans y prendre garde, en dehors de sa conscience et à plus forte raison de sa volonté [17], parce qu'elle ne cherche pas à plaire. Le travail desséchant, l'ambition lui rendent sa beauté étrangère, indésirable même.

D'autre part, personne ne semble prévoir que les activités professionnelles et intellectuelles puissent être compatibles en quelque manière avec les tâches du foyer. Aussi les républicains apportent-ils beaucoup de soin à affirmer et à montrer qu'ils veulent faire avant tout de « bonnes mères de famille et de bonnes épouses ». Sans doute est-ce leur désir, mais en même temps ils se disculpent de vouloir la femme affranchie. De celle-ci, les évêques de 1868 faisaient une peinture en quelque sorte romantique : c'était la délaissée, l'incomprise, la révoltée contre le mariage, mais la révoltée individuelle, au mieux George Sand, au pire Madame Lafarge. En 1880, la femme affranchie par la science est représentée par deux individualités jugées redoutables parce qu'elles constituent le type de la femme nouvelle, appelée à se multiplier après la loi : ce sont Hubertine Auclert [18] et Louise Michel [19].

La « vierge rouge » et la militante du *Droit des femmes,* si isolées

---

16. Une description de l'« Etudiante en médecine » par un obscur poète lyonnais, Antoine Monnier, qui se place — dit-il — dans la postérité de Baudelaire, ne laisse pas de doute à cet égard :
« Elle est laide, et le sait, son front haut et luisant
Est bombé comme un dôme à forme asiatique ».
De même le « Bas-bleu » :
« Est-ce une fille d'Eve ? En est-on bien certain
Car elle a de Littré la docte ressemblance ? »
Cependant ce monstre a un enfant. Mais comme les travaux de l'esprit lui font oublier le ménage :
« Baby crie oublié dans le fond d'un pupitre ».
(*Eve et ses incarnations. Sonnets...,* Paris, L. Willem, 1878, 79 p.).

17. Dans la *Revue des deux mondes* (1er juin 1897, p. 633), M. Talmeyr se plaît à décrire les Sévriennes mal fagotées, mal coiffées, « grandes écolières, que la préoccupation de leurs études empêche de penser à être jolies ».

18. Institutrice, née en 1848, d'abord alliée à Maria Deraismes et Léon Richer pour réclamer les droits de la femme, elle ne tarde pas à se séparer d'eux pour réclamer, avant même l'égalité des droits civils, l'égalité des droits politiques. Elle fonde, en 1876, *Le droit des femmes ;* en 1878, elle expose ses idées au Congrès socialiste de Marseille ; en 1880, elle fait scandale en refusant l'impôt. C'est une sorte de suffragette à l'anglaise avant la lettre.

19. Ainsi dans *La France* du 22 novembre 1880, *La Civilisation* du 23, *Le Gaulois* du 24 janvier 1881. Il est remarquable qu'on ne cite ni Maria Deraismes ni Juliette Lamber, malgré leurs activités politiques.

soient-elles, sont un double symbole de subversion : subversion sociale puisque Louise Michel est le souvenir vivant de la Commune — on l'associe aux légendaires « pétroleuses » — souvenir que les débats autour de l'amnistie, en 1880, rendent encore plus présent. Subversion aussi dans la famille, puisque Hubertine Auclert refuse le destin traditionnel de la femme et réclame les prérogatives, à la fois civiles et politiques, réservées jusque-là à l'homme. Au reste, comme le rappelle férocement *Le Gaulois*[20], ce sont des vieilles filles. Les voici en dehors des usages qui rendent respectables les mères et les épouses, désirables autant qu'intouchables les jeunes filles. L'existence de la vieille fille est bien la faiblesse du système ; le triomphe de celui-ci exige l'effacement total de celle-là. S'il ne l'obtient pas, c'est que cette femme non mariée n'est qu'une déclassée : devenue « doctoresse » ou « avocate », « bas-rouge » en tout cas, on la peint insatisfaite, insatiable, courant les réunions publiques, les meetings. Elle n'est pas une laissée pour compte, on insinue qu'elle n'a pas voulu du mariage médiocre auquel, sans l'instruction, elle se serait résignée. C'est donc elle-même qui s'est mise en dehors des normes sociales. Ce sombre tableau de l'intellectuelle qui refuse le mariage aura une influence sur les débuts de l'institution, car il aura montré aux partisans de la loi, aux universitaires chargés de l'appliquer, les risques à éviter à tout prix. En effet, si ces femmes affranchies refusent le mariage, elles ne refusent pas nécessairement, pense-t-on, l'amour : une loi « ridicule » prépare aux Français « une génération féminine pédante, sans charme et sans vertu », écrit *Paris-Journal*[21]. La libre pensée qu'entraîne fatalement la nouvelle éducation mène à l'inconduite, voire au crime, les femmes ainsi dépourvues de principes.

Chez les catholiques, la campagne d'opinion sur l'enseignement secondaire des jeunes filles ne peut être dissociée de tout le débat relatif à l'article 7. Certains aspects de la tactique des députés ou sénateurs de droite, dans la discussion de la loi Camille Sée, s'inspiraient de celle qui a été adoptée dans les débats sur l'article 7 : les orateurs de la droite s'effacent en partie derrière les libéraux[22]. Comme lors des débats sur l'article 7, on avait laissé les deux mêmes républicains, Voisins-Lavernière et Jules Simon, parler pour la liberté, dans le premier cas, et respectivement contre l'internat et pour la morale religieuse dans le second. Quelle que soit la part des républicains « libéraux », l'interprétation que l'opinion catholique donne de la loi et du vote demeure simple : « Le projet Sée, devenu aujourd'hui une loi appliquée,

---

20. *Le Gaulois,* 24 janvier 1881.
21. 2 décembre 1880.
22. Cf. Lecanuet, *Les premières années du pontificat de Léon XIII*, Paris, Alcan, 1931, 630 p., p. 41.

est sorti de toutes pièces des loges franc-maçonnes, comme Minerve est sortie tout armée du cerveau de Jupiter », écrit le P. Lescœur [23], repris fidèlement par le P. Lecanuet [24]. Et de citer le F∴ Cousin, ancien vénérable de la loge Clémente amitié dont fit partie Jules Ferry : « Avant tout, réformons et développons l'instruction et l'éducation des femmes. Tout le reste nous viendra par surcroît. C'est le mot de la fin, M∴ F∴ » [25]. Au congrès catholique de 1883, le père Lescœur a déjà accrédité la thèse d'un complot maçonnique : « En joignant aux noms des FF∴ J. Ferry et Camille Sée, celui du F∴ Gréard, on se rend compte que les trois hommes qui ont exercé pratiquement une influence considérable sur l'enseignement public durant ces dernières années sont les hommes liges de la franc-maçonnerie ». Dans *Le Correspondant*, Fénelon Gibon, qui consacre au nouvel enseignement deux articles remplis de fiel et d'anecdotes parfois scabreuses, écrit en 1887 [26] : « La filiation de la loi se résume en une ligne : la juiverie a imposé cette réforme aux loges, les loges aux Chambres et les Chambres au pays ».

Le grief principal demeure la manière dont l'enseignement religieux est « banni » du programme, dont on fait ressortir par opposition le caractère ridiculement encyclopédique, ce qui renvoie au chapitre du déclassement [27]. Celui-ci est promis au plus bel avenir, d'autant que Jules Simon dans *Dieu, patrie, liberté,* dans sa nouvelle préface à *L'école*, lui fournit de nouveaux développements.

Un nouveau sujet de crainte vient s'ajouter à tous les précédents : il est relatif aux examens qui prennent d'autant plus de place dans les préoccupations qu'il sont à la mode depuis quelques années, même dans « les familles les plus aisées ». Les doléances proviennent à la fois du caractère démesuré des programmes et de l'esprit antireligieux des jurys ; il est, selon Lescœur dans son rapport de 1884 à l'Assemblée des catholiques, des jeunes filles « à qui on fait acheter un diplôme au prix d'une véritable apostasie » [28]. Selon Salembier [29], les interrogations

---

23. Au Congrès catholique de 1883, rapport reproduit dans le BSGEE.

24. *Op. cit.* « L'auteur du projet, M. Camille Sée, député radical (*sic*) de Saint-Denis, est juif et franc-maçon ». Après le P. Deschamps, Claudio Jannet fait la même observation dans *Les sociétés secrètes,* mais en confondant le neveu avec l'oncle : il renvoie sur ce dernier aux développements de Gougenot-Desmousseaux.

25. *Le Monde maçonnique*, décembre 1885. Cet extrait, cité à la fois par Lecanuet et par Fénelon Gibon, fait partie d'une sorte de testament spirituel du Grand Maître.

26. 10 juillet 1887.

27. « Il sera fait (aux ministres du culte) une situation incompatible avec leur mission et leur dignité, écrit *L'Association catholique* au moment de la loi ; il leur sera défendu de résider ... dans l'établissement, et puis une commission ministérielle sera toujours (*sic*) ... D'ailleurs quelle place est laissée à l'enseignement religieux, au milieu de cet immense programme, composé *de omni re scibili et quibusdam aliis* ... ». Et d'opposer « la gymnastique *obligatoire* et l'enseignement religieux *facultatif* » (Chronique du mouvement catholique, février 1880, p. 273-277).

28. BSGEE, 1884, p. 514-526.

29. *Les examens de jeunes filles dans le Nord de la France,* par M.L.S. (le chanoine Salembier), Lille, Desclée, 1883.

recèlent des périls pour les jeunes filles à cause des auteurs qui sont mis au programme : ainsi Rousseau, dont l'*Emile* est à l'index depuis cent ans. L'examen de gymnastique est imposé, « au mépris de toutes les convenances, à des aspirantes parmi lesquelles peuvent se rencontrer des religieuses, des dames mariées ou veuves ». Cette attitude des catholiques sur les examens est un point capital : elle montre à quel point le monde clérical a été pris au dépourvu par la vague laïcisatrice. Il n'imagine aucune parade. Les examens sont nécessaires, ils sont une habitude prise, et l'on ne sait comment réparer le désastre qui provient de la perte, par l'Eglise, du contrôle de l'enseignement. Aussi l'ironie comme les lamentations catholiques devant l'évolution des institutions restent-elles stériles et apparaissent-elles comme la marque d'une impuissance à agir sur la sphère politique [30]. La force des républicains semble irrésistible.

La presse républicaine, au moment de la loi, n'offre guère de surprises. On sait qu'elle fut, dans les débuts, réservée ou indifférente : l'enseignement secondaire des jeunes filles n'était évidemment pas entré dans ses préoccupations avant la prise en considération de la proposition Camille Sée. Dans la majorité des journaux républicains, il faut même attendre la venue de la loi devant le Sénat pour déceler un commencement d'intérêt [31]. Sitôt le vote acquis, cette sollicitude disparaît, ce qui en montre bien les limites : la manière d'enseigner les jeunes filles importe moins que la satisfaction de remporter une victoire sur les cléricaux. Le contenu de la loi n'est analysé, parfois sans commentaires précis, qu'au moment des derniers débats. Dans la presse parisienne, le *Charivari* constitue donc une exception. Aux derniers jours de janvier 1880, cette leste publication accorde beaucoup de place au projet [32] qu'elle aborde d'un ton sérieux, au rebours du *Gaulois* ou du *Figaro* : « La raison remplaçant l'oraison, voilà en deux mots le progrès décisif dont la nouvelle loi sera l'initiative » [33].

Le 24 janvier, la grande caricature du *Charivari* représente Camille Sée, truelle en main, en train de maçonner le mur d'un « lycée de femmes », avec une légende anticléricale :

---

30. Quitte à se consoler en constatant l'impuissance du voisin. Ainsi, dans le compte rendu par Lescœur du livre de Beaussire (BSGEE, 1884, p. 394-402) : « Ce qui frappe d'abord, c'est l'impuissance législative du groupe auquel M. Beaussire appartient ».

31. Cependant, le dépôt du projet de loi a suscité l'intérêt des journaux de province qui y voient la fin du « couvent obligatoire » (L. Bauzon, *La loi Camille Sée*). « Chacun sait, écrit P. Lafargue, dans *Le XIXe siècle,* que l'enseignement secondaire n'existe pas en province pour les jeunes filles » (21 janvier 1880). *La Dépêche de Toulouse* est l'une des seules publications à avoir donné l'analyse détaillée du contenu, en décembre 1879, noyée à vrai dire dans le compte rendu des débats à la Chambre.

32. Une telle sollicitude ne peut s'expliquer que par l'amitié qui unissait le directeur, Pierre Véron, à Camille Sée. Le *Charivari* fut sans doute la seule publication a avoir analysé la proposition de loi de Camille Sée sur l'émancipation judiciaire de la femme non mariée, le 12 mai 1880.

33. 21 janvier.

« En chœur, contre sa loi, clame la bande noire,
Haro sur le damné, le païen, le maudit !
Mais ces injures-là sont un titre de gloire
Quand vous sifflez, serpents, le pays applaudit ».

Les ennemis de la loi ne sont du reste pas tous du parti clérical, comme l'indique l'article du 27 janvier intitulé : « Crétinisez-vous, Mesdames ». On y cite Molière, la tirade de Chrysale. « Ce que ce pourpoint et ce haut-de-chausses ont servi, depuis *Les femmes savantes* ! ». Si, comme il y paraît, Chrysale est l'incarnation du bourgeois, en 1880 il « aurait passé par le lycée » et ne professerait donc plus les opinions qu'il avait au 17ᵉ siècle. Ce même Molière a démontré, dans son Agnès, qu'ignorance n'est pas, pour la femme, synonyme de vertu. Au terme d'une argumentation passionnée contre un système qui aboutit à faire des femmes « des agentes secrètes ou involontaires du Gesù », le *Charivari* conclut : « Elles ont une âme comme nous. C'est vous qui l'assurez. Eh bien ! cette âme ne doit pas être ni étouffée entre deux torchons, ni noyée dans un bénitier ».

Tous les journaux républicains n'ont pas eu le même enthousiasme pour défendre la loi Camille Sée. Certes, personne dans le parti ne varie sur le principe qu'il faut arracher les femmes à l'asservissement où la tient l'Eglise. Mais ce qui fit le plus de difficulté à la Chambre, l'internat, suscita aussi des réticences dans la presse, à la fois chez les conservateurs du parti et chez les radicaux : l'internat pour les filles, pris en charge par l'Etat, est vraiment contraire à la sensibilité de l'époque. Que *Le XIXᵉ siècle* se montre adversaire de l'internat, tout comme les *Débats*, est cependant moins surprenant que l'hostilité de *L'Intransigeant*. E. Bazire plaisante d'abord : il est tellement adversaire de l'internat qu'il voudrait le voir supprimer dans les couvents [34]. Gramont, le lendemain, est plus franc que tous ses confrères de droite et de gauche, en donnant les raisons de son aversion : il craint de voir se propager par l'internat « un vice abominable, antiphysique », décrit dans « le livre célèbre de Tissot » [35]. Sans doute faut-il toute l'audace d'un radical pour oser préciser à ce point des craintes qui sont nées dans beaucoup d'esprits à propos de l'internat pour les jeunes filles.

Malgré les assertions du journaliste Bauzon, la presse de province ne semble guère avoir montré plus d'enthousiasme pour cette forme de

---

34. 22 janvier 1880.

35. Ce livre discrètement cité, sans son titre, à plusieurs reprises dans les ouvrages d'« éducation physique » (ainsi dans J.-B. Fonssagrives, *L'éducation physique des jeunes filles ou avis aux mères sur l'art de diriger leur santé et leur développement*, Paris, Hachette, 1869, XI-327 p.), est dû à un médecin du nom de Samuel Tissot et intitulé *L'onanisme*. Traduit du latin pour la première fois en 1760, il fut constamment réédité jusqu'en 1886. La dernière édition semble être de 1905. Quant à l'homosexualité, on semble ne pas oser y faire allusion, même à mots couverts.

scolarité. Encore peu développée, elle consacre peu de place au vote du projet, encore moins à des articles originaux sur la question [36].

La question de l'enseignement de la morale retient l'attention du *Journal des débats*. On y regrette l'attitude de Ferry [37] : il « a négligé une belle occasion de prendre, comme on dit, le taureau par les cornes et de le terrasser » [38]. Il aurait fallu affirmer que la morale est une loi immuable et par conséquent indépendante des doctrines que peut professer l'Université : tous les professeurs n'étant pas, d'ailleurs, spiritualistes. Mais si les *Débats* se sont arrêtés sur cette question, ils ne se sont pas pour autant intéressés à l'économie de la loi. Avec tous les journaux, ils se sont attachés à la signification politique de l'adoption, telle que la dégageait *Le Siècle* [39] : « Le tout est de savoir si l'Etat a le droit et s'il a un intérêt évident à organiser pour les jeunes filles un système d'éducation nationale comme il en a organisé un pour les garçons. Qui oserait soutenir le contraire de cette proposition ? ». Ce que les *Débats* présentent plutôt comme un « devoir » de l'Etat [40] devient dans *Le Siècle* un « droit ». D'autre part, la distinction entre l'intérêt de l'Etat et celui de la République, œuvre d'un parti, est-elle toujours claire ? « Lorsque l'Eglise attaque systématiquement la société civile, écrit *La France* le 21 janvier 1880, pourquoi donc la société civile ne se défendrait-elle pas ? »

Il faut un certain temps pour trouver une justification plus raisonnée sous la plume de Paul Janet dans *La Revue des deux mondes* [41]. A la lumière apportée par les ouvrages de Trasenster et de Gréard, l'auteur essaie de trancher le débat entre l'Etat et la liberté. L'école de Bastiat, rappelle-t-il, suspecte même le baccalauréat de communisme. Empêcher l'Etat d'intervenir dans l'organisation de l'enseignement serait le réduire à un rôle purement matériel. Même dans les nations les plus libres [42], le

---

36. Un article d'Abel Peyrouton, « Nos femmes », dans *Le Progrès de Lyon,* 23 novembre 1880, décrit le bouleversement clérical : « Toutes les cervelles cléricales sont en l'air » car l'enseignement des filles, « c'est la dernière citadelle du papisme ». Mais la description de la femme cléricale, ignorante et faible, n'a pas d'originalité.

37. Dans *L'Intransigeant* aussi : « Le radical de 1869 est aujourd'hui un concessionniste déterminé » (11 décembre 1880).

38. *La Paix* et *La Gironde* marquent également leur faveur à la morale indépendante : la disposition de la loi relative à l'enseignement de la morale, écrit cette dernière le 12 décembre 1880, « sera bien accueillie de tous les libéraux qui désirent la pacification des esprits sur le terrain de la morale pratique révélée par la seule conscience, reconnue d'un commun accord par tous les honnêtes gens ». « C'est à bon droit, écrit *Le Monde* du 12 décembre, que *Le Journal des débats* exprime le regret que le ministre de l'Instruction publique ne se soit point déclaré franchement pour *la morale indépendante* qui est la sienne... »

39. 23 novembre 1880.

40. 21 janvier 1880, *loc. cit.,* « Nous ne pouvions qu'approuver en principe un projet qui tend à combler une lacune regrettable, et le gouvernement, comme la Chambre, nous ont paru faire preuve d'une sollicitude vraiment opportune en l'acceptant dans son ensemble ».

41. *Loc. cit.*

42. La liberté, disent beaucoup de journaux républicains, est un alibi : la liberté de l'enseignement, pour les cléricaux, c'est la mainmise du cléricalisme, « originale façon » de concevoir la liberté.

rôle de l'Etat dans les questions d'enseignement ne fait que croître[43] : tout se fait de plus en plus par masses, étant donné les facteurs qui, tels les chemins de fer, propagent l'instruction. Or la femme, par le rôle qu'elle joue dans la famille, joue un rôle essentiel dans l'Etat. Au reste, où prendre le principe que l'Eglise seule a le droit d'instruire les filles ? Toutes les pensions laïques devraient alors être considérées comme hérétiques. L'Etat a donc de bonnes raisons de se croire responsable de l'instruction des filles. Jusqu'à présent, il n'en connaissait rien puisque cette instruction se faisait dans les couvents : « Soutenir que les hommes doivent être préparés au milieu social de leur temps et que les femmes doivent rester étrangères à ce milieu (sous prétexte de les protéger...), c'est établir une différence d'espèce entre les deux sexes ». La loi applique aux filles des principes appliqués depuis longtemps aux garçons. D'autre part, la morale naturelle est aussi défendable que la théologie naturelle. En fait, l'Université a une doctrine : elle est animée par un esprit spiritualiste et idéaliste. Une totale indifférence condamnerait à ne plus rien enseigner du tout. Si l'Etat enseigne, « c'est pour inspirer à la nation une âme et un esprit, ce qui est impossible sans une certaine doctrine ».

C'est précisément contre cette doctrine de l'Etat enseignant que s'élèvent les catholiques du *Bulletin de la Société générale d'éducation et d'enseignement,* par la voix du père Lescœur[44], au lendemain de la loi. Il rappelle l'article d'Albert Duruy sur ce sujet[45] et cite le discours de Gailleton lors de la distribution des prix du lycée de jeunes filles de Lyon : « C'était une faute lourde, pour une démocratie, dit le maire de Lyon, que de laisser au couvent seul le monopole de l'enseignement des jeunes filles ... c'était une imprudence coupable pour elle d'abandonner cet enseignement à des institutions dans lesquelles sont enseignés des principes incompatibles avec les idées libérales et républicaines »[46].

Lescœur tire la moralité de ce texte : « C'est toujours un maire, un préfet, un député qui, d'une part, s'efforce plus ou moins adroitement de rassurer les parents, en s'élevant contre les " calomnies cléricales " et qui, d'autre part, contraint par l'évidence, fait honneur à la loi Sée des choses mêmes dont l'accusent les cléricaux ».

Dans une étude sur *L'enseignement secondaire des filles,* lue dans la

---

43. Les contemporains de la loi, dans leur ensemble, ont eu des vues comparatistes, comme l'atteste le rôle du rapport de Camille Sée, le nombre d'articles consacrés à l'enseignement féminin à l'étranger, aux Etats-Unis surtout, les références aux gymnases russes et à la liberté anglaise, lors des débats parlementaires.

44. Le père Lescœur dirige le groupe de l'enseignement secondaire de la SGEE qui « a pour but de travailler à la propagation et au développement de l'instruction fondée sur l'éducation religieuse ».

45. *RDM,* 15 mai et 1er juin 1879.

46. Le texte du discours est publié intégralement dans *Lycées et collèges de jeunes filles. 25 ans de discours,* p. 18-23.

séance de l'Assemblée des catholiques du 11 mai 1883, le même auteur rappelle l'esprit dans lequel fut votée la loi :

> « Du progrès des études, de l'extension à donner aux matières de l'enseignement, il fut souvent question sans doute, mais cette préoccupation n'était rien auprès de celle qu'inspirait la nécessité, présentée comme une chose de salut public, de soustraire les femmes à l'influence de l'Eglise. La loi elle-même (art. 4) désignait les matières nécessaires de l'enseignement ; la religion en était bannie ; elle devenait facultative ; en revanche, la gymnastique en faisait, non moins que la chimie, partie obligatoire. Quant au principe de l'enseignement par l'Etat, il n'était pas même mis en question ... Nous sommes en France sous l'empire des principes de 1789, ou plutôt, en cette matière, de la Convention nationale ; l'éducation par l'Etat est devenue une sorte d'axiome indiscutable ».

Ce qui lui apparaît comme un mal serait supportable si la « prétention singulière des défenseurs de la loi d'en faire une loi de liberté et une loi respectueuse de la religion » était fondée. Il n'en est rien, et la suite du développement s'attache à démontrer que la loi est le fruit des entreprises de l'« école révolutionnaire et de la franc-maçonnerie » : elle révèle non seulement l'appartenance bien connue de Jules Ferry à la franc-maçonnerie, mais aussi celle de Gréard. L'analyse des textes de Lescœur, qui répète inlassablement les mêmes thèmes, montre qu'en fait l'enseignement des filles est parfois moins directement en cause que l'enseignement primaire et sa laïcisation. C'est l'ensemble de la politique scolaire républicaine qui crée ce climat de passion, qui fonde une opposition absolue.

La pensée d'une grande partie de l'opinion conservatrice se retrouve, au moment de la loi, dans une œuvre littéraire qui puise en partie son inspiration dans la création des lycées de jeunes filles. Publié en 1886, le roman d'Octave Feuillet, intitulé *La morte*, est significatif de la crainte entretenue dans les milieux à la fois conservateurs et cléricaux devant l'émancipation intellectuelle féminine : la science est rapidement assimilée au darwinisme, et celui-ci considéré non seulement incompatible avec la foi, mais aussi avec la morale. Dans *La morte,* le sceptique, ironique et agnostique vicomte de Vaudricourt épouse la dévote Aliette de Courteheuse. Elle meurt bientôt, empoisonnée lentement par une rivale cachée, Sabine. Celle-ci a été élevée et instruite par les soins du Dr Tallevaut [47]. Le docteur est le seul témoin du crime :

---

47. Dans la mythologie du second 19e siècle, le personnage du médecin occupe une grande place. Il a une double face : il est à la fois sauveur et philanthrope, mais il est aussi l'homme de science, affranchi ou négateur selon le parti où s'est rangé l'observateur. Sa place dans la société lui confère un rôle symbolique : n'appartient-il pas aux classes montantes ?

« Vous ai-je donc jamais enseigné d'autres principes, dit-il atterré à Sabine, que ceux que je pratiquais moi-même ... d'autres leçons que des leçons de droiture, de justice, d'humanité, d'honneur ?

— L'arbre de la science ... lui réplique Sabine, ne produit pas les mêmes fruits sur tous les terrains ... ces prétendues vertus sont en réalité facultatives ... puisqu'elles ne sont que des instincts ... de véritables préjugés que la nature nous impose ... parce qu'elle en a besoin pour la conservation et le progrès de son œuvre ».

Dépourvue de remords, elle conseille à son tuteur de relire « son » Darwin. Le docteur meurt foudroyé par une congestion ; le crime reste donc insoupçonné. Sabine réussit à se faire épouser par Vaudricourt. Mais, après les premiers moments de passion, le vicomte ne tarde pas à découvrir la vraie nature de sa femme : « Elle sait infiniment de choses, mais j'ai peur qu'elle ne les ait insuffisamment digérées ... Elle a toujours un argument scientifique à l'appui de ses actions ». C'est ainsi qu'elle refuse à la fois la maternité et la fidélité conjugale. Ils cessent rapidement de s'aimer. Vaudricourt finit par connaître la vérité sur la mort d'Aliette. Il renonce au scandale, mais ne vit plus que dans le souvenir de la « morte ». Malade, il s'éteint en revenant à la foi de celle-ci.

Le nom des lycées de jeunes filles n'est pas prononcé une seule fois dans le roman ; l'éducation de Sabine est présentée comme une éducation privée. Cependant, l'allusion à La morte employée comme un argument n'est pas absente chez les adversaires de la loi Sée. Le thème du roman n'est qu'une mise en œuvre du discours du duc de Broglie, au cours du débat parlementaire, sur la morale. Il montre combien les efforts du législateur, de l'administration, pour persuader l'opinion que les jeunes filles reçoivent une solide formation morale, n'entament pas la conviction des conservateurs qu'il n'est pas de morale sans Dieu.

Avec plus de succès, une œuvre littéraire beaucoup plus légère a été associée, dans l'esprit de l'opinion, aux lycées de jeunes filles. Là non plus, ils ne sont pas mis, apparemment, en cause [48]. *Le monde où l'on s'ennuie* [49], pièce qui a fait la célébrité d'Edouard Pailleron, se veut « une comédie satirique comme *Les femmes savantes* » [50]. En marge de

---

48. Il est inutile de retenir le vaudeville-opérette en trois actes d'Alexandre Bisson (musique de Louis Gregh), monté au théâtre Cluny en 1881 (Paris, L. Gregh, 1895, 89 p.) et repris au théâtre de la Renaissance en 1890, intitulé *Un lycée de jeunes filles*. Ce « lycée » est un établissement de préparation au théâtre destiné aux filles de cocottes...

49. E. Pailleron, *Le monde où l'on s'ennuie*, Paris, Calmann-Lévy, 1881, VIII-178 p. En 1884, l'ouvrage en est à sa 28ᵉ édition. La pièce fut créée au Français, le 25 avril 1881.

50. « ... Ou plutôt, pour être tout à fait exact, c'est l'idée même des *Femmes savantes* ajustée à notre temps, avec toutes les différences qui distinguent le XVIIᵉ siècle du XIXᵉ, et l'Hôtel de Rambouillet des lycées de filles. La science est utile, elle est digne d'estime ... à condition toutefois qu'elle n'envahisse pas tout, surtout les cerveaux féminins » (Camille Rousset, Discours prononcé dans la séance publique tenue par l'Académie française pour la réception de M. Pailleron, le 17 janvier 1884, Paris, Imprimerie Firmin-Didot, 1884, 45 p.).

l'intrigue, la maîtresse de maison, sorte de Philaminte, projette de marier son fils, élevé comme un fort en thème, à une Anglaise à lunettes, pédante et philosophe [51]. Cette Lucy pourrait bien être une charge des professeurs de lycée féminins tels qu'on les pressent, puisqu'en 1881 aucun lycée n'est ouvert. L'étalage d'érudition, l'hypocrisie sont finalement ridiculisés et le fort en thème envoie au diable son archéologie et ses « tumuli » pour épouser l'ingénue. Cette dernière est l'incarnation de la jeune fille française telle que la littérature à succès ne cessera de la présenter jusqu'après la guerre : primesautière, un peu enfant, sensible, vive et franche, instruite peut-être, mais le cachant soigneusement. Pailleron et ses contemporains témoignent en la peignant du désir de ressusciter le modèle que propose Gréard : l'Henriette du 19e siècle. Elle représente déjà une évolution par rapport au charmant colibri d'Octave Mirbeau, et annonce le ralliement aux lycées féminins de ceux qu'on pourrait appeler les conservateurs modérés, les libéraux, dont la pensée est exprimée notamment dans La Revue des deux mondes par G. Valbert [52]. Celui-ci s'appuie sur Tocqueville qui, au spectacle de l'Amérique, un demi-siècle plus tôt, relevait l'inconséquence de l'éducation claustrale, de type aristocratique, donnée aux jeunes filles destinées à être plongées ensuite dans les désordres de la société démocratique. Il redoute les atteintes possibles à la religion des jeunes filles, dans le nouvel enseignement, mais pas les effets de la science : « Nous disons que des grâces qui sont à la merci d'un peu de physique ne valent pas qu'on les regrette ; une foi qui ne peut résister à un peu de chimie ou de géologie ne mérite pas qu'on en mène grand deuil ».

Et même, où serait le mal, continue-t-il, si la science apprise les rendait moins confiantes dans « d'absurdes miracles de récente invention » ? Bref, l'auteur applaudirait à une forte instruction des femmes, si du moins celles-ci ne s'en autorisent pas pour s'ingérer directement dans les affaires publiques : qu'elles se contentent de gouverner les hommes en régnant sur le foyer [53]. Cette position modérée est au fond très voisine de celle des promoteurs de la loi qui trouvent plusieurs justifications pratiques à leur œuvre — n'est-elle pas entre autres une loi de combat ? — mais voient aussi une fin plus désintéressée à l'instruction des femmes : « Il n'y a d'indépendance, de

---

51. Donc laide. La femme très instruite court le risque d'être pédante. Une pédante ne peut être que laide.

52. Pseudonyme de V. Cherbuliez, L'Emancipation des femmes, 1er novembre 1880.

53. Cette position relativement libérale n'est pas celle de tous les collaborateurs de la revue, comme en témoigne, le mois suivant, la chronique de C. de Mazade qui voit surtout dans l'entreprise une « politique de secte » et reprend l'antienne des journaux cléricaux : « Croit-on qu'on aurait bien servi la France et sa grandeur morale et son influence dans le monde, si l'on réussissait à créer une génération de femmes « scientifiques » et raisonneuses, allant pérorer dans les conférences, en province comme à Paris, sur l'émancipation de leur sexe ? ».

dignité, écrit Charles Bigot, de moralité souvent pour la femme, que si elle est capable ou de se suffire à elle-même ou d'apporter dans le ménage sa part des recettes, à défaut d'une grosse dot. Ce que l'instruction sérieuse apporte à la jeune fille, c'est le moyen de vivre de son travail, d'exercer une profession autre que celle de servante ou d'ouvrière »[54].

Même si la plupart des femmes ne sont pas appelées à travailler, il leur faut, selon Bigot, être des compagnes à la hauteur de leur mari. Il leur faut pouvoir se rendre, en mourant, « ce témoignage qu'elles ont eu leur part de dignité humaine ». La même note est donnée par Paul Janet dans son apologie de l'éducation des femmes par l'Etat[55]. « C'est aujourd'hui le libre arbitre et non l'ignorance qui, pour la femme aussi bien que pour l'homme, est le fondement de la dignité et de la personnalité morale. » Cette pensée humaniste et libérale ne songe pas à bouleverser l'état de la société dans l'immédiat, mais elle ne ferme pas entièrement la porte, pour un avenir dont on ne se soucie pas de préciser la date, à une évolution qui donnera aux femmes de la bourgeoisie l'accès des carrières importantes. Ainsi peut-on placer Bigot et Janet, bons représentants de l'Université de leur époque, dans la postérité des maîtresses de pension ou institutrices, J. Bachellery ou J. Daubié, qui réclamaient pour les femmes le droit d'exercer les professions libérales. C'est ce « juste milieu » universitaire, entre le refus des conservateurs et la revendication féministe, qui se trouve chargé, par fonction, à l'administration centrale du ministère ou au Conseil supérieur, du soin de former et de gouverner l'institution. « Les passions parlementaires passent, la loi subsiste », comme l'observait Janet. C'est en effet loin des passions qui l'avaient suscitée que la loi fut appliquée. Ainsi s'explique, au bout de peu d'années, le silence relatif des deux partis.

---

54. ESJF, juillet-décembre 1882, p. 148 : « Le but de l'instruction ». « Le temps n'est pas loin, ajoute-t-il en se référant à l'Amérique où elle sera, aussi bien que (le jeune homme) fonctionnaire dans beaucoup de services publics, avocat, médecin, professeur ... ».

55. RDM, loc. cit.

Chapitre II

Les décrets d'application et l'Ecole de Sèvres

Le texte de la loi Camille Sée n'était guère plus qu'un cadre proposé au Conseil supérieur pour instituer un enseignement nouveau. Le vote, inspiré par des considérations surtout politiques, avait coïncidé avec l'apogée du grand mouvement de recherche pédagogique, de refonte des programmes, que connaissaient alors l'Université et des cercles proches d'elle. L'enseignement secondaire des jeunes filles devait nécessairement à ses débuts se ressentir de ce climat : deux éléments surtout, le collège Sévigné et la Société pour l'étude des questions d'enseignement secondaire, ont exercé une influence visible sur les travaux du Conseil supérieur. La plupart des textes réglementaires ont été rédigés à la lumière de l'expérience du premier et des travaux de la seconde, plusieurs membres du Conseil supérieur appartenant du reste à la Société. C'est ainsi que peut s'établir le lien entre la loi, fruit d'une initiative à peu près isolée, et le reste de l'œuvre pédagogique des années 1880.

Les ambiguïtés, voire les contradictions de la loi, votée sous une forme atténuée par rapport à la proposition initiale et pour des raisons parfois divergentes, rendent d'autant plus importante l'œuvre du Conseil supérieur et de l'administration universitaire. Du décret du 28 juillet 1881 à l'arrêté du 28 juillet 1884, se définit l'enseignement secondaire des jeunes filles tel qu'il a vécu pendant quarante ans. Une seconde loi de Camille Sée, en 1881, est à l'origine de l'Ecole de Sèvres qui s'ouvre la même année. L'histoire de la naissance de l'institution s'achève avec le rappel de la création, par le Conseil supérieur, de concours de recrutements spéciaux. Le certificat et les agrégations féminines complètent l'image d'un enseignement d'une véritable originalité.

En marge de la loi : le collège Sévigné et les travaux de la Société pour l'étude des questions d'enseignement secondaire

En marge du travail législatif qui aboutit à la loi Camille Sée, deux initiatives parallèles montrent l'intérêt de certains milieux universitaires pour l'enseignement secondaire féminin : ce sont un établissement privé, le collège Sévigné, et la création, au sein de la toute nouvelle Société pour l'étude des questions d'enseignement secondaire, d'un groupe de l'enseignement secondaire des jeunes filles.

LE COLLÈGE SÉVIGNÉ

Dès avant le vote de la loi Camille Sée, qui ne constituait au reste qu'un enseignement d'Etat, était fondée une école secondaire privée et laïque dont l'histoire est liée par plus d'un trait à celle de l'enseignement officiel : c'est le collège Sévigné [1]. Une Société pour la propagation de l'instruction parmi les femmes s'était créée pour la circonstance : le grand philologue Michel Bréal, déjà fondateur de l'Ecole alsacienne, en était l'âme [2]. L'établissement ouvrit le 3 novembre 1880, 10, rue de Condé à Paris, dans un hôtel du 18e siècle. Un mois après l'ouverture, il comptait 79 élèves réparties en huit classes. La Société avait convaincu Mlle Marchef-Girard, directrice de l'Ecole normale de Neuilly, de quitter celle-ci quelques années pour assurer les débuts du collège. Le corps enseignant était constitué par des professeurs de lycée ou des professeurs libres [3]. « On y fera des bachelières, des licencières (*sic*) et des doctoresses, tout comme en Amérique », écrivait *La Presse* du 4 novembre. C'était inexact : on ne se proposait même pas de faire passer aux élèves les brevets primaires déjà entrés dans la coutume. Quant aux grades universitaires, il n'en était pas question puisque l'enseignement du collège ne comprenait pas le latin. Au reste, le but de la Société était de faire des femmes éclairées et non de constituer une pépinière de diplômées ; le caractère encyclopédique prêté aux programmes semble avoir été bien au-delà de la réalité.

---

1. AN, F 17 14186 : un dossier fort mince lui est consacré. Le collège Sévigné n'est pas une initiative isolée. En 1883, s'ouvre un homologue sur la rive droite, l'école Monceau, « sœur de l'école Monge ». Le directeur de cette dernière fait partie du conseil d'administration, comme Levasseur. Les professeurs sont des agrégés. Le même Levasseur, fidèle conférencier à l'Association de la Sorbonne, fait partie du comité directeur des études de l'école Liénard (autrefois Savoye-Harel), fondée en 1869. Le président du comité est H. Martin, président de l'Association libre pour l'enseignement supérieur des femmes. L'école reçoit une subvention, mais on considère, en 1882, que son but est surtout primaire (AN, F 17 8780).

2. La Société comprenait Paul Bert, Michel Bréal, Berthelot, Koechlin, Schwartz, maire du 8e arrondissement, E. Trélat, Frédéric Passy et Levasseur. On reconnaît au passage des membres du Conseil supérieur et des membres de la SEQES.

3. L'histoire du collège est retracée dans ses grandes lignes par M. Lévêque, *Mathilde Salomon, directrice du collège Sévigné*. L'ouvrage est de peu postérieur à la mort de M. Salomon, en 1909.

A ses débuts, le collège Sévigné, comme toutes les entreprises similaires qui donnaient aux filles un enseignement jugé réellement secondaire, obtint une subvention de l'Etat. L'action du collège pouvait paraître alors d'autant plus nécessaire que la loi n'était pas encore entrée en application ; et même à Paris, étant donné les prétentions du conseil municipal, on pouvait craindre qu'elle ne le serait pas de sitôt.

L'année 1883 vit à la fois la naissance du lycée Fénelon et la fin des subventions accordées à Sévigné, comme à tous les cours secondaires de province qui ne répondaient pas strictement aux exigences du ministère. L'institution commençante n'avait pas eu un très grand succès : les frais de scolarité étaient coûteux, l'opinion n'était pas encore acquise, tandis que de futures femmes professeurs étaient admises gratuitement au collège. Autant de facteurs qui rendaient presque nécessaire la subvention. Fort des 6 000 francs d'encouragement versés en 1881 et 1882, Michel Bréal, qui apparaît bien comme le principal garant universitaire du collège, fit valoir les raisons de continuer cet encouragement :

> « Les professeurs appartiennent à l'Université ; plusieurs nous ont été empruntés par les Ecoles normales de Sèvres et de Fontenay-aux-Roses. L'Etat a pris aussi de nos sous-maîtresses pour les placer dans les écoles normales de province. Dans son récent rapport sur l'instruction secondaire des filles, M. le vice-recteur de la Seine (*sic*) a fait au collège Sévigné l'honneur de citer in extenso ses programmes. Enfin plusieurs filles de fonctionnaires de l'Université reçoivent gratuitement l'instruction au collège » [4].

Michel Bréal concevait donc la possibilité d'une collaboration entre l'enseignement privé, pour peu qu'il fût sympathique à l'Université, et l'enseignement d'Etat. Un tel échange de bons procédés n'était pas dans l'esprit de la loi et moins encore dans son application. Le même Michel Bréal eut l'occasion de le vérifier lorsqu'il posa au Conseil supérieur la question des grades [5] : « L'article 8, observe-t-il, ne vise que les lycées et collèges de l'Etat ; s'il avait pour objet de réserver exclusivement aux élèves de ces établissements la faculté d'obtenir le diplôme, il

---

4. AN, dossier cité, lettre du 23 janvier 1883 : la subvention ne fut pas renouvelée en 1884. A Frédéric Passy, qui revenait à la charge en 1887, le directeur répondit qu'il ne disposait « d'aucun fonds d'encouragement aux établissements privés ». Si l'école avait pu être subventionnée, c'était exceptionnellement, lorsqu'il n'existait pas encore de lycées et de collèges de jeunes filles. De fait, le collège ne couvrit pas ses frais. Jusqu'en 1903, il y eut un déficit. Il fut comblé d'abord par le comité d'administration qui ne tarda pas à se lasser. M. Salomon reprit l'établissement à son compte, en 1887, et vécut de façon précaire, grâce à des avances sur ses économies, à des donateurs, comme la baronne de Hirsch-Gereuth, enfin à l'octroi de subventions municipales et même ministérielles, dans les dernières années du siècle.

5. AN, F 17 12981, section permanente du Conseil supérieur de l'instruction publique, séance du 17 juillet 1885.

constituerait une dérogation unique à la législation qui régit les examens universitaires ».

Bien sûr, croit-il nécessaire d'ajouter, en s'appuyant sur des considérations bien peu juridiques, il n'a pas en vue les couvents, mais les établissements qui suivent les mêmes programmes que ceux de l'Etat, « dont le personnel se recrute aux mêmes sources et est imbu des mêmes idées ». Zévort aussitôt lui oppose la loi elle-même, les récentes déclarations de Camille Sée. Liard rappelle que l'enseignement libre est « dépourvu de toute existence légale » : il est donc impossible d'instituer des examens pour lui. Enfin, selon le ministre, alors René Goblet, « la loi du 21 décembre a été une loi de guerre contre l'enseignement religieux, contre les couvents, il est bien certain que le gouvernement se mettrait en opposition avec les Chambres s'il instituait un examen en faveur des élèves libres ». On voit ici l'une des conséquences imprévues de la laïcité militante qui, par une législation exclusive, en arrive à entraver les œuvres libres laïques.

Au moment même où s'ouvrit le lycée Fénelon, tout voisin, le collège Sévigné changea de directrice. Ce fut Mathilde Salomon qui prit la succession de Mlle Marchef-Girard, et devait rester jusqu'à sa mort, en 1909, à la tête du collège. Née à Phalsbourg en 1837, elle avait derrière elle déjà une longue carrière d'institutrice, de maîtresse de pension, puis, après 1870, de directrice de cours à Paris. Par son action, sa pensée, ses relations aussi, cette femme de faible santé et d'apparence contrefaite, mais d'une exceptionnelle énergie, exerçait du dehors une grande influence sur l'enseignement secondaire des jeunes filles. Son étroite amitié avec Raoul Frary, qui lui avait valu la direction du collège, la classait parmi les plus hardis novateurs pédagogiques : Raoul Frary n'était-il pas l'auteur de *La question du latin*[6] ? L'instruction donnée au collège Sévigné semblait en vérifier les thèses, puisque Mathilde Salomon entendait faire des femmes véritablement cultivées à partir des humanités modernes.

De fait, le collège servit de pépinière pour l'enseignement officiel puisque, dès 1885, y furent donnés des cours de préparation à l'agrégation et au certificat. Une grande lacune était comblée puisque cette préparation n'était assurée nulle part ailleurs qu'à l'Ecole de Sèvres : une partie des candidates ne tenait pas à se lier pour dix ans, ou à s'enfermer pour trois ans dans la vie austère de l'Ecole ; certaines au reste étaient déjà tenues de gagner leur vie en enseignant. Les cours eurent donc lieu le soir, et ne manquèrent jamais de public. On

---

6. Normalien, né en 1842, mort en 1892, Frary avait embrassé la carrière du journalisme et devint rédacteur en chef de *La France*. Dans *La question du latin* (1885), il mettait en cause la place du latin dans les études secondaires. Il recommandait de le remplacer par les langues vivantes et la géographie, s'opposant à ceux qui voulaient fonder le nouvel enseignement secondaire sur les disciplines scientifiques.

commença modestement par huit heures hebdomadaires pour les deux agrégations ; le nombre des heures augmenta bientôt, et surtout on y ajouta des cours destinés à compléter la préparation des agrégations d'anglais et d'allemand, jusque-là assurée par la seule Sorbonne.

L'influence du collège ne résidait pas uniquement dans cette fonction d'enseignement supérieur à l'usage des femmes, dans ce complément apporté à la formation du personnel de l'enseignement féminin. On y enseignait, d'après M. Bréal, selon les « mêmes programmes et dans le même esprit » que les lycées de jeunes filles, mais l'imitation n'y était point servile. Comment les lycées ont-ils donc été redevables au collège Sévigné ? En 1892, Mathilde Salomon entre, grâce au prestige de son autorité personnelle, au Conseil supérieur [7]. Elle y siège jusqu'à sa mort. Par un curieux détour du droit, elle se trouve être la seule représentante de l'enseignement secondaire féminin. En effet, la loi sur la constitution du Conseil supérieur étant antérieure à la loi Camille Sée n'a pu prévoir l'ordre d'enseignement qu'instituait cette dernière. Personne ne s'est ensuite soucié d'entreprendre la rectification nécessaire, si bien que les lycées et collèges de jeunes filles continuent, jusqu'après le premier conflit mondial, à n'être pas représentés au Conseil. C'est donc la représentante des établissements privés qui se trouve être la plus proche des préoccupations du personnel des lycées et collèges féminins. Sans doute, M. Salomon a-t-elle peu parlé au Conseil : mais, selon sa biographe, elle y était « extrêmement écoutée ». Elle a donc exercé une sorte de patronage indirect sur l'enseignement des filles ; elle parla surtout, et fut suivie, dans le sens d'un allégement. De là le remaniement des programmes de 1897 : les matières en furent adaptées aux besoins des jeunes filles d'alors, l'emploi du temps fut modifié de telle manière que les cours jugés essentiels étaient donnés le matin. Les programmes des lycées et collèges s'inspirent alors visiblement de ceux de Sévigné.

Cependant, il fut deux points où Sévigné demeura original : la place des hommes dans l'enseignement et la plus grande place des langues vivantes enseignées dans les classes élémentaires. Non que Mathilde Salomon fût un partisan de la méthode directe. Fidèle à l'idéal des humanités modernes, elle considérait que les langues devaient être étudiées en premier lieu comme instrument de culture. L'usage pratique n'était qu'un objectif secondaire. Le collège restait dans la logique de son refus du latin, du moins tant que les élèves ne furent pas préparées au baccalauréat. Quant à la place des hommes, elle était la même au départ, et par nécessité, que dans les lycées de filles dont le personnel féminin n'était pas encore formé. Mais, alors que les établissements officiels ne tardaient pas à compter un nombre prépondérant de

---

7. La loi de 1880 prévoyait la présence de quatre chefs d'établissements libres au Conseil.

professeurs femmes, Sévigné garda, au moins dans ses grandes classes, un corps enseignant exclusivement masculin. M. Salomon, en effet, persuadée, comme la plupart des maîtresses de pension qui furent ses aînées, de la supériorité masculine dans les enseignements élevés, n'aurait voulu d'agrégées qu'excellentes. Pour elle, l'expérience pédagogique acquise par les hommes et leur discipline d'esprit n'étaient pas remplaçables de sitôt. Aussi la différence ne fit-elle que croître entre le corps enseignant du collège et celui des lycées de jeunes filles.

L'atmosphère même qui régnait dans le collège, telle que la voulut M. Salomon, était celle de la liberté. Les élèves de la rue de Condé n'avaient pour cour de récréation que les jardins du Luxembourg. La morale, enseignée par la directrice tant que la pauvre stoïcienne accablée d'infirmités en eut la force, était « une extraordinaire leçon d'énergie »[8].

Tel qu'il était, le collège Sévigné a joué un grand rôle dans l'histoire de l'enseignement secondaire féminin. Tout d'abord, en lui fournissant une partie de son personnel : mais la généralisation des « sixièmes » dans les lycées de province réduisit bientôt cette fonction. Plus durablement, le collège a servi de modèle : il avait pour lui la souplesse et l'esprit d'innovation qui faisaient nécessairement défaut à des établissements officiels entravés par des règlements de caractère général. Il définissait un niveau d'études au-dessous duquel l'enseignement des jeunes filles ne pouvait descendre sans déchoir : la présence des élèves de Sévigné aux concours de recrutement, aux examens même du brevet, rendait la concurrence bien réelle. Enfin, par ses anciennes élèves, le collège transmettait un peu de son esprit à l'enseignement d'Etat. En somme, Sévigné a rempli de son mieux la fonction de l'établissement privé à caractère expérimental à côté du système officiel.

LA SOCIÉTÉ POUR L'ÉTUDE DES QUESTIONS D'ENSEIGNEMENT SECONDAIRE

Le travail réglementaire auquel a donné lieu la loi du 21 décembre 1880 ne saurait être vraiment apprécié si l'on ignore les travaux de la Société pour l'étude des questions d'enseignement secondaire, fondée en novembre 1879[9]. Cette Société constitue l'une des initiatives les plus remarquables du réveil pédagogique des années 1878-1880. Présidée par Michel Bréal, plus tard, Beaussire, elle compte, en 1880, plus de 400 membres parmi lesquels des universitaires : le proviseur du lycée Fontanes, le physicien Gernez, l'historien Pigeonneau, mais aussi Lavisse, Foncin, Darlu, Compayré, des publicistes comme Dreyfus-

---

8. L'amitié de ses dernières années pour l'un des professeurs du collège, F. Rauh, l'avait tournée vers une philosophie de l'action.

9. P. Gerbod, *La condition universitaire en France au XIXᵉ siècle*, évoque ses débuts, p. 614-617.

Brisac, directeur de la *Revue internationale de l'enseignement*, l'économiste Frédéric Passy, le fondateur de l'Ecole libre des sciences politiques, Emile Boutmy [10]. Bref, elle est l'une des principales illustrations du grand mouvement pédagogique qui, en France, coïncide avec l'arrivée des républicains au pouvoir.

Elle se divise en cinq groupes d'études : le premier se consacre à l'organisation générale de l'enseignement secondaire ; trois autres examinent chacun une partie de cet enseignement, respectivement l'enseignement littéraire, l'enseignement scientifique, l'enseignement secondaire spécial ; le dernier enfin, présidé par Chalamet déjà commissaire pour la loi, examine l'enseignement secondaire des jeunes filles [11]. En 1880 et 1881, la société publie le compte rendu de ses travaux sous la forme d'un bulletin qui perd significativement son autonomie en 1882, quand l'œuvre de fondation est terminée.

Le rapport général de la société pour l'étude des questions d'enseignement secondaire sur les travaux du groupe de l'enseignement des jeunes filles [12] présente au moins un double intérêt, en premier lieu, sa date de publication. Adopté en 1881, il prend place entre la loi, déjà votée, et les décrets d'application qui s'inspirent largement de lui. Il a d'ailleurs été élaboré avec l'aide de membres de la Société qui siègent au Conseil supérieur. D'autre part, de tous les objets qui s'offrent alors à la réflexion pédagogique, l'enseignement fondé par Camille Sée est bien le plus neuf. En dépit des expériences variées au cours du siècle, d'une littérature abondante, l'enseignement féminin reste du domaine de la théorie ; surtout l'Université ne lui a pas donné son empreinte. Si le contenu de cet enseignement est brièvement indiqué dans la loi, sa durée, son esprit même, ses modalités restent à préciser. La Société a donc fait véritablement œuvre créatrice.

La lecture du rapport de Maurice Vernes révèle à la fois le souci d'être pratique et le désir d'affirmer la philosophie pédagogique de la Société. Du moins dans ses principes, le programme qu'il présente est presque entièrement asexué : c'est une première nouveauté. M. Vernes a plus souvent recours aux termes d'« enfant » ou d'« élève » qu'à celui de « jeune fille » ou de « petite fille ». Au reste, le paragraphe sur

---

10. Sur plus de 400 noms, six adhésions féminines seulement : Mme de Barral, institutrice libre, Mlle Chalamet, Mme Coignet, Mme Ernst, professeur d'allemand à l'Ecole normale d'institutrices des Batignolles, Mme de Friedberg et une institutrice libre, Mlle Gicquel.

11. La vice-présidence est confiée à Mme de Friedberg, directrice de l'Ecole de Fontenay. Le bureau du groupe comprend l'ancien pasteur Maurice Vernes, un professeur au lycée Charlemagne, Rebière, une institutrice libre, Mlle Chalamet. Parmi les membres, Bondois, Bréal, Clarisse Coignet, Mme de Barral, Compayré, Mmes Ernst et Gicquel, Gréard, Lemonnier, Frédéric Passy.

12. Dû à Maurice Vernes, président. Maurice Vernes (1845-1923), docteur de la Faculté de théologie protestante de Strasbourg, enseigna à la Faculté de théologie protestante de Paris, puis à l'Ecole des hautes études. Spécialiste d'histoire des religions, il s'intéressa vivement aux questions de pédagogie à l'époque des lois Ferry, comme l'atteste sa participation active aux travaux de la SEQES. Il consacra plusieurs articles à ce sujet dans diverses revues.

« l'esprit du nouvel enseignement » se veut l'expression de la pensée générale de la Société en pédagogie, ce qui dépasse de beaucoup un seul degré d'enseignement. C'est aux garçons comme aux filles que pourraient s'appliquer les deux principes énoncés par M. Vernes :

> « 1. L'éducation ne doit jamais être séparée de l'instruction : elle doit être conçue d'une façon libérale, le maître faisant appel avant tout aux sentiments de la solidarité, de la dignité et de la responsabilité personnelles.
> 2. A la méthode qui donne le principal rôle à la mémoire dans l'acquisition des connaissances, doivent être préférées, dans toutes les branches de l'enseignement, les méthodes qui font appel à l'intelligence et à la réflexion ».

Les maîtresses de pension disciples de Jacotot ne parlaient pas autrement. Nous voici bien sur le chemin de cette « éducation de la conscience » qui fut la marque d'un Pécaut à Fontenay et constitue le meilleur de la pédagogie républicaine.

Soucieuse, d'autre part, de suivre le développement de l'élève, la Société prévoit deux périodes d'un enseignement qui gardera les élèves de 9 à 18 ans, des rudiments au couronnement de leur formation secondaire.

C'est bien entendu d'abord à l'enseignement de la morale que sont consacrés de longs développements. A vrai dire, leur conception n'est pas originale, et M. Vernes se réclame ouvertement de Clarisse Coignet qui, dans un livre dont le titre dit bien les ambitions [13], puis dans un article paru en 1880 [14], pose les fondements d'une « morale indépendante », destinée non pas à s'opposer aux « doctrines métaphysiques et religieuses », mais à sauver la morale de leur naufrage éventuel. Aussi bien, comme le législateur, la Société met-elle l'enseignement moral à la première place : « La nouvelle école doit se proposer, comme son but à la fois premier et suprême, la formation du caractère ». Cette vision particulière d'un enseignement qui est, beaucoup plus qu'un enseignement de la morale, un « enseignement de la moralité », suppose une manière d'enseigner particulière, car « la formation du caractère est avant tout individuelle ». Aussi faut-il connaître les jeunes filles une à une, les suivre non seulement d'une discipline à l'autre, mais de classe en classe. Ainsi la morale gouverne-t-

---

13. *La morale indépendante dans son principe et dans son objet*, 1869. Elle y établit que l'indépendance de la morale est constituée par la liberté.

14. « De l'enseignement de la morale. Plan, méthode et esprit de cet enseignement », *Revue politique et littéraire*, 24 juillet 1880. Son ouvrage, non cité par M. Vernes, *La morale dans l'éducation*, est en réalité un cours de morale à l'usage des écoles laïques. Selon cet auteur, la morale ne s'enseigne pas, elle se communique.

elle non seulement l'esprit dans lequel l'enseignement est dispensé, mais les structures dans lesquelles on le donne.

Par ce détour, les projets de la Société pour l'étude des questions d'enseignement secondaire prennent une figure curieusement moderne, étrangère en tout cas à la tradition de l'enseignement secondaire en France. Les vues sur les « maîtres » en sont renouvelées : pour la majorité, ce seront des femmes. Les professeurs ne devront pas être nombreux dans une même classe : « Deux suffiront dans la division inférieure et trois dans la division supérieure. A ce point de vue, il est désirable, ajoute le rapport, que le professeur de langues étrangères puisse enseigner simultanément quelque autre branche ». C'est la conception qui a présidé effectivement à l'établissement des concours de recrutement à l'usage de l'enseignement féminin. Le désir de l'« unité d'enseignement » est même si vif que la Société imagine « une directrice de classe » dans laquelle on peut saluer l'homologue du « professeur principal ». Non contente de coordonner l'effort scolaire d'une année, cette « directrice » pourrait assurer également l'unité d'éducation en suivant les mêmes élèves pendant les trois premières années de leur scolarité : l'anticipation frôle ici l'utopie...

Comme les cadres de l'enseignement, la discipline elle aussi est en rupture avec les modèles traditionnels, pour les mêmes raisons : pour qui aura reçu la formation morale projetée, la discipline ne peut être fondée que sur la confiance et le gouvernement de soi-même : « La discipline, au premier âge, écrit Clarisse Coignet, est nécessairement imposée du dehors, mais, en commençant à s'y soumettre par nécessité, on s'exerce à la possession de ses pensées et de ses actes, et à mesure que la conscience et la raison s'éclairent, l'obéissance se transforme en gouvernement de soi ». « Tout vient de l'opinion. Y rendre la jeunesse très sensible, c'est développer en elle le sentiment de l'honneur, qui fait aussi partie de la conscience. » La morale indépendante ne refuse donc pas le renfort du respect humain. La discipline qui découle de tels principes ne peut être mécanique ; « large et austère », elle repose sur un très petit nombre de règles d'une « application rigoureuse », les punitions seront « sobres et impersonnelles ». Aussi les pensums et retenues n'ont-ils plus leur place : ils sont remplacés par les mauvaises notes qui comptent dans le classement, les blâmes, les exclusions temporaires, voire définitives. Ce système fut en effet adopté dans les lycées de jeunes filles avec un indéniable succès.

L'enseignement reçoit de l'impulsion morale qui est comme sa « philosophie » un caractère nouveau. La Société tient à cœur d'appliquer le principe énoncé par C. Coignet : « Que les méthodes intelligentes et bien appropriées à l'âge et aux facultés de l'élève l'associent à l'œuvre du maître et fassent de l'enseignement une véritable collaboration ». Ainsi, pour apprendre le français, répudie-t-on la

« méthode dogmatique », malgré « une longue tradition et des résultats importants ». « Il sera fait constamment appel, écrit M. Vernes, à la réflexion et à la comparaison, l'effort pour comprendre étant partout préféré à l'acquisition purement mnémonique ». Au début du moins, les élèves seront invitées à aller « du connu à l'inconnu, du concret à l'abstrait ». Il en sera de même pour les langues étrangères, pour l'histoire aussi. Dans toutes ces disciplines, les maîtres sont invités à suivre le développement naturel de l'enfant. En histoire et géographie, « l'enseignement doit s'adresser aux yeux comme à l'esprit ». Mais le souci moral est toujours mêlé à l'exercice d'un enseignement vivant. Ainsi, dans les premières années, le professeur d'histoire s'adressera-t-il « à la mémoire et à l'imagination ... parce que ce sont les deux facultés qui dominent chez l'enfant ... mais l'histoire avec l'enchaînement inexorable des causes et des conséquences, des fautes et de l'expiation, est en même temps une des études les plus propres à développer le jugement et le sens moral » [15]. Ce dernier texte permet de percevoir avec netteté les deux directions de l'enseignement à fonder : M. Vernes et ses amis sont soucieux d'une pédagogie adaptée à la personnalité de l'élève, mais en même temps de la direction morale de celui-ci ; rien ne peut mieux convenir à ces deux fins qu'une histoire à la Plutarque.

Jusque-là, rien qui soit spécialement destiné aux jeunes filles : les plans pour l'enseignement féminin ne paraissent qu'une application parmi d'autres des principes alors en honneur chez les pédagogues républicains. La spécificité féminine se retrouve lorsqu'il s'agit des sciences exactes [16] et du latin. La Société croit devoir expliquer longuement pourquoi. Tout en adoptant pour les mathématiques une succession des matières qui rappelle celle de l'enseignement classique, elle adopte un programme « essentiellement distinct » de celui-ci pour les quatre dernières années de la scolarité. Maîtrot, rapporteur pour cette discipline, avance deux raisons : il serait inutile et même fâcheux de développer chez les jeunes filles l'esprit d'abstraction [17], et d'autre part elles n'auraient que faire de mathématiques appliquées puisqu'elles ne deviendront pas ingénieurs. A quoi donc leur serviront les mathématiques ? Elles « doivent être, avant tout, pour les jeunes filles, un instrument, une introduction obligée à l'étude des sciences physiques et naturelles qu'une esprit cultivé ne peut ignorer ».

---

15. Cette « moralisation » n'est pas particulière à la « première période » définie par la Société. Pour la seconde période, le professeur est invité à donner des notions « sur les institutions, sur la vie sociale, politique, intellectuelle des peuples anciens et modernes », mais ce sera à des esprits « plus capables de s'intéresser au grandes leçons de l'histoire ».

16. Et non point des sciences tout court. Pour les sciences naturelles, le groupe se contente de recommander le programme des lycées, pour la physique et la chimie, on propose un programme allégé.

17. « Les jeunes filles qui, sauf de très rares exceptions, n'iront jamais bien loin dans les études de ce genre, n'auraient que faire de cette logique inflexible qui y est nécessaire, et qui serait plutôt nuisible dans la pratique de la vie, où l'on ne parle presque jamais d'idées abstraites et de principes absolus ».

Quant au latin, si on en donne une teinture aux filles dans les dernières années, c'est parce que ce n'est pas une langue morte : « Cette langue est encore vivante dans notre société, soit comme mère de la nôtre, soit comme langue de l'Eglise et des inscriptions, soit comme principal objet de l'étude de la jeunesse masculine ». On leur apprendra même à lire le grec, « non pour elles, mais pour leurs enfants ». C'est moins, dans le dernier cas surtout, une femme cultivée qu'on essaie de former qu'une mère institutrice. Si l'introduction du latin est une innovation, les raisons qu'on en donne ne sont pas nouvelles : à dire vrai, les universitaires qui, à la Société, se sont préoccupés des programmes de français, n'ont pas cru pouvoir se passer de l'étude du latin pour une étude scientifique du français. Ils ont donc été amenés à une sorte de demi-mesure : les filles feront du latin, mais le moins possible, pour qu'on ne puisse pas penser qu'on les mène au baccalauréat et qu'on surcharge leur emploi du temps. La méfiance à l'égard des langues mortes, jugées « de nature envahissante », a certainement joué aussi un rôle. Le goût de faire du neuf, on le voit, reste prudent et atténué : le latin acquiert tout juste droit de cité. Malgré tant de précautions, le Conseil supérieur ne suivit pas la Société dans ce qui était l'une de ses suggestions les plus hardies.

« L'étude des langues étrangères, écrivait M. Vernes, a toujours tenu une grande place dans l'éducation des jeunes filles ». Aussi bien le législateur prévoyait « au moins une langue étrangère ». La mode universitaire aidant, le groupe faillit adopter l'allemand comme langue obligatoire, sous le prétexte que c'était une « langue pédagogique » qui tiendrait la place du latin chez les jeunes gens [18]. Le groupe y renonça, eu égard aux diversités régionales, aux vœux des parents qui, pour beaucoup, trouvaient l'anglais plus utile pour leurs filles [19]. C'est la tradition, là encore, qui l'emportait sur la théorie pédagogique.

Au total, le programme de la Société pour l'étude des questions d'enseignement secondaire, dans ce qu'il a de neuf et de spécial aux jeunes filles, n'est pas dépourvu d'ambiguïtés. Il porte la trace très nette de l'effort de réflexion qui caractérise les années 1880, et en cela il peut apparaître comme un modèle de réforme de l'enseignement secondaire classique : ainsi les recommandations relatives à l'absence de devoirs à la maison, à la suppression d'exercices mécaniques peu formateurs sont-

---

18. La première langue étudiée au collège Sévigné fut l'allemand, enseigné dès les classes élémentaires.

19. Un linguiste, L. Morel, s'employa à montrer que les vertus de l'allemand étaient peut-être exagérées et qu'il ne fallait pas méconnaître les vertus des langues néo-latines, sources de fructueuses comparaisons avec le français, établi comme base de l'enseignement. L'anglais, fit-il observer, renferme lui-même un tiers de mots français importés. La littérature anglaise pouvait faire valoir des mérites éminents dans l'enseignement des jeunes filles. Enfin l'Angleterre était « l'initiatrice de la liberté politique ». « Dans toutes les pages de sa littérature, concluait-il, nos jeunes Françaises trouveront de grandes pensées et de grandes leçons ».

elles très redevables à toutes les critiques déjà formulées sur le surmenage scolaire dans l'enseignement secondaire masculin tel qu'il est alors pratiqué. Mais la suppression, ou du moins l'allégement, des tâches scolaires répond aussi au souci de ne pas enlever les filles à la vie et aux obligations de la famille, parce que les filles, estime-t-on, sont destinées à la famille, à la maison.

Il est une autre raison : on cherche à ne pas brusquer les mœurs, ce qui nuirait à la réussite de l'institution. C'est donc bien à la formation morale qu'est subordonné tout le reste. Pourvu qu'elle demeure et s'impose dans l'opinion, le contenu de l'instruction dispensée aux filles, son degré d'approfondissement demeurent secondaires. Le but essentiel n'est pas d'instruire les jeunes filles, encore moins de les mener à une carrière, il est de s'emparer de leur direction. Aussi le programme de M. Vernes doit-il apparaître autant comme un fruit de l'opportunisme que comme le véritable précurseur des humanités modernes.

Cependant le travail de la Société, élaboré parallèlement aux instances officielles, n'avait qu'une valeur indicative. Il est utile de relever, dans l'œuvre du Conseil supérieur, à la fois ce qui est redevable aux travaux de la Société et ce qui s'en écarte. Le Conseil s'est déterminé, évidemment, avec moins de liberté, et a dû tenir compte de préoccupations budgétaires ou politiques qui étaient plus étrangères à la Société. Une comparaison entre les travaux de la Société et ceux du Conseil permet de mesurer l'ampleur de ces préoccupations.

Le Conseil supérieur et les premiers textes réglementaires

Le texte de loi du 21 décembre 1880, tel qu'il avait été voté et malgré l'affaiblissement de l'internat auquel l'auteur de la loi était si attaché, était susceptible de plusieurs interprétations. La durée de l'enseignement qu'il définissait n'était pas précisée, l'ampleur du contenu pas davantage. Ce contenu même, en dehors des grands thèmes énumérés dans la loi, demeurait flou. Aussi l'œuvre du Conseil supérieur n'en eut-elle que plus d'importance. Elle put même paraître à Camille Sée, dans certains de ses aspects, contraire aux vœux du législateur. Il est vrai que parmi ceux qui votèrent la proposition de Camille Sée, beaucoup n'accordaient pas aux formules générales où celui-ci avait enfermé sa pensée, quitte à l'expliquer dans le rapport, la même signification. Pour ceux qui siégeaient le plus à gauche, la préoccupation de faire accéder la femme pour elle-même à « la pleine lumière », selon l'expression de Camille Sée, était moins importante que le souci de combattre les « cléricaux ». De fin en elle-même, la loi devenait pour la majorité un instrument de plus pour combattre l'influence de l'Eglise. Il est significatif de cet état d'esprit qu'aucun grand orateur de la gauche, en dehors de Jules Ferry[1], n'ait pris la parole tout au long des débats parlementaires, sur le fond même de la question. Aussi l'adoption de la loi n'est-elle pas exempte d'ambiguïtés et de contradictions chez ceux-là même qui l'ont votée.

C'est donc sans grande contrainte que les bureaux du ministère et le Conseil supérieur se mirent au travail pour élaborer les décrets d'application. Le Conseil mis en place par la loi du 27 février 1880 était uniquement composé d'universitaires, avec une majorité d'élus. Parmi les membres du Conseil qui eurent à connaître de la loi[2], figurent Paul Bert, Michel Bréal[3], Beaussire, le même Victor Duruy qui, ministre de l'Empire, avait fait figure d'initiateur dans le domaine de l'enseignement féminin, les philosophes Henri Marion et Paul Janet, les administrateurs Gréard, Zévort, Buisson, Liard. Ce sont ces derniers surtout, avec Bert et Bréal, qui prennent la parole le plus souvent sur l'enseignement des jeunes filles.

Deux décrets principaux, assortis de nombreux arrêtés et circulaires, jalonnent un considérable travail administratif : le « décret relatif au règlement d'administration publique pour l'application de la loi sur l'enseignement secondaire des jeunes filles », du 28 juillet 1881, le décret du 14 janvier 1882, relatif aux programmes et à la scolarité, pris sous le ministère de Paul Bert, repris et développé par les arrêtés du 28 juillet 1882 qui fixent les programmes du nouvel enseignement. A cet ensemble, il convient d'ajouter la série de décrets de janvier 1884 qui organisent les concours de recrutement du personnel, et le très long arrêté du 28 juillet 1884 « portant règlement pour les lycées de jeunes filles » : c'est ce dernier texte notamment qui fixe les attributions des directrices, règle quelques points sur les personnels d'enseignement et de surveillance, donne les détails de la discipline intérieure et des examens. Quarante ans durant, sauf modifications mineures et précisions ou améliorations apportées au statut du personnel enseignant, c'est le travail réglementaire fait de 1881 à 1884 qui a assuré la mise en place et le fonctionnement de l'institution. L'analyse des textes montrera en quoi et pourquoi l'enseignement secondaire des jeunes filles ne s'est confondu avec aucun autre type d'enseignement, qu'il s'agisse de l'enseignement

---

1. Obligé au reste de le faire par sa fonction de ministre de l'Instruction publique. En dehors de lui et de Sée, ont parlé brièvement, pour la gauche, Chalamet à la Chambre et Ferrouillat au Sénat.

2. A la fois parce qu'ils siégeaient au Conseil, à la section permanente et aux commissions chargées de préparer les textes réglementaires.

3. Le nom de Michel Bréal (1832-1915) est associé à plusieurs titres au mouvement pédagogique, depuis le Second Empire. Après l'Ecole normale, il poursuit une carrière de philologue qui l'a mené au Collège de France (1864), à l'Ecole des hautes études et à l'Institut (1875). Son livre de réflexions inspiré par son expérience de l'Allemagne, *Quelques mots sur l'instruction publique en France*, en fait une autorité reconnue en matière d'instruction et d'éducation, tout comme ses initiatives : il fonde l'Ecole alsacienne, le collège Sévigné, il participe à la fondation de la Société pour l'enseignement supérieur, préside trois fois la Société pour l'étude des questions d'enseignement secondaire. Ferry le désigne, en 1880, comme membre du Conseil supérieur. Il le reste jusqu'en 1896 où ses critiques constantes de l'enseignement secondaire finissent par importuner : le ministre l'écarte du Conseil.

primaire supérieur avec lequel il présentait des analogies ou de l'enseignement secondaire des garçons. Dans le même temps s'éclaire, par ce qui fut l'une des œuvres les plus originales de l'Université, la pensée du Conseil supérieur issu de la réforme de Jules Ferry en 1880.

Mais par la pédagogie, par les programmes, par les idées de ceux qui les ont mis en œuvre, se dégage l'image de la femme telle que la souhaitent la bourgeoisie républicaine et l'Université, les deux aspirations étant très voisines l'une de l'autre. Les silences qui subsistent d'ailleurs dans les textes présentent beaucoup d'intérêt : si rien ou presque rien n'a été laissé au hasard en ce qui regarde les élèves, les matières à leur enseigner, la pédagogie dont on se servirait, large part est octroyée à l'improvisation pour le reste. Ce que l'usage et le règlement n'ont pas prévu, les directrices y pourvoient, malgré l'exiguïté des moyens et des crédits dont elles disposent. De là, dès les débuts de l'institution, une puissance de la directrice à l'intérieur de son établissement que n'égala jamais celle des proviseurs dans le leur, et la réputation bien méritée de frugalité financière et d'abnégation que se fit l'enseignement secondaire des jeunes filles.

Pour la mise en œuvre de la loi, le gouvernement, comme il l'avait annoncé à la Chambre, faisait pleine confiance au Conseil supérieur. Le nom d'Henri Marion avait été prononcé par Jules Ferry comme l'exemple même d'un philosophe universitaire attaché au spiritualisme : des extraits de son ouvrage avaient même eu les honneurs de la tribune et avaient été applaudis par l'ensemble du Sénat. Investi en quelque sorte de la confiance officielle, Marion fut choisi par la commission du Conseil supérieur comme rapporteur du premier décret d'application. Au nom de la commission, le rapporteur affirma hautement l'intention de ne pas abuser de la latitude qui était laissée au Conseil par un texte législatif volontairement peu détaillé. On n'innova pas pour le plaisir. Le projet, écrivait Marion, « n'est presque fait que d'emprunts à des textes déjà en vigueur ». Le meilleur exemple du travail de la commission est donné par l'article 1er du projet, inspiré par l'article 1er de la loi. Celle-ci ne précise pas quelle sera la nature des « établissements destinés à l'enseignement secondaire des jeunes filles ». Le projet, qui devient le décret organique du 28 juillet 1881, définit ces établissements et les divise, selon le modèle masculin, en deux catégories :
— les établissements d'Etat, les lycées nationaux ;
— les établissements communaux, les collèges.

Comme les établissements masculins, lycées et collèges de jeunes filles ne peuvent être créés que par décrets ; cependant un arrêté peut décider de l'ouverture provisoire [4]. Pour obtenir la fondation d'un lycée,

---

4. C'est la procédure employée par Paul Bert durant son court ministère pour accélérer une installation trop lente à son gré.

les villes doivent se conformer à l'article 73 de la loi de 1850, reproduit dans le décret organique[5]. Il en est de même pour la création d'un collège[6].

L'esprit de la loi était respecté par cette précision qui faisait des établissements féminins les homologues des lycées et collèges masculins. Mais il est déjà un point où le respect laisse place à l'interprétation : la commission, et partant le projet qui en émane sont hostiles à l'internat[7]. Ainsi la commission, d'après Marion, était « d'avis que l'Etat n'intervînt en rien pour fixer le prix de la pension »[8]. En revanche, la nomination du personnel dirigeant et enseignant était confiée au ministre, car on ne pouvait pas « se dissimuler que, en fait, l'opinion publique inclinera toujours à faire l'Etat responsable, non sans raison, puisqu'il s'agit d'établissements publics bénéficiant comme tels du crédit de l'Etat et de la confiance qu'il inspire ».

Il est vrai que, pour les directrices du moins, la nomination était faite « sur la proposition des recteurs, après entente avec l'administration locale ». Là aussi le Conseil supérieur ajoutait un élément nouveau à la loi : « Le but de cette addition », que reconnaît le rapporteur, « est d'empêcher, s'il se peut, que le personnel des lycées et collèges de jeunes filles ne devienne ce qu'est le personnel masculin, une armée de fonctionnaires errants, le plus souvent sans attaches solides à aucune région déterminée, déplacés sans cesse du Nord au Midi, et plus d'une fois contre leur gré, attendant leur sort d'un bureau du ministère ». Sans doute le législateur, conscient de ce mal, avait-il eu lui aussi le souci de l'éviter ; mais c'est du cours de pédagogie pour les anciennes élèves, qui était censé former sur place le personnel de l'établissement, qu'il espérait le remède[9]. Le Conseil préférait s'en remettre à la municipalité pour obtenir l'enracinement du personnel. L'expérience, surtout dans les premières années, montra que l'« entente avec l'administration locale » était grosse de périls pour l'autorité ministérielle. Cette disposition rendait en quelque sorte légal le

---

5. « Les villes devront faire les dépenses de construction et d'appropriation requises à cet effet (fondation du lycée), fournir le mobilier et les collections nécessaires à l'enseignement, assurer l'entretien et la réparation des bâtiments ».

6. Article 74 de la loi de 1850. Les villes fournissent le local et le mobilier, pourvoient à leur entretien. En outre, elles doivent garantir, pour une période de dix ans au moins, les traitements fixes du personnel chargé soit de l'administration, soit de l'enseignement.

7. Article 1er : « La commission a cru devoir maintenir ainsi, contre les tendances et les habitudes fâcheuses qui nous portent de plus en plus vers l'internat, toutes les restrictions contenues explicitement ou implicitement dans la loi ». Cet « implicitement » donne bien des latitudes.

8. Article 2 de la loi : « Ils (les internats) seront soumis au même régime que les collèges communaux ». « Il est entendu, écrit Marion, que l'établissement principal sera partout l'externat, que l'internat lui sera subordonné ... qu'il sera soumis au régime des collèges communaux, même quand il sera annexé à un lycée d'externes ... L'Etat doit le moins possible assumer la responsabilité de l'internat ».

9. Le décret ne repousse pas l'éventualité de ces cours, sans préciser leur nature ni leur destination (article 13).

favoritisme politique qui peut seul expliquer certaines situations locales. D'autre part, le rôle de la municipalité ne donnait pas beaucoup plus de sûreté au personnel. Telle créature d'un maire pouvait déplaire à son remplaçant ou simplement cesser de plaire : elle était alors à la discrétion de l'administration qui n'usa pas toujours de mansuétude en pareil cas.

Le décret se préoccupait également des bourses qui pouvaient être de trois ordres : fondées par l'Etat, le département ou les communes. Elles étaient soumises au même régime que celui des lycées et collèges de garçons : le Conseil devait arrêter le programme des examens à subir par les « candidats »[10] à ces trois sortes de bourses qui pouvaient être fractionnées. D'autre part, l'article 14 prévoyait la possibilité d'annexer aux lycées et collèges de jeunes filles des classes primaires, sans en fixer le nombre ni à plus forte raison le programme : la loi avait passé ce point sous silence. Le décret introduisait également les examens de passage d'une classe à l'autre, alors que la loi établissait seulement un examen d'entrée et un diplôme de fin d'études. Déjà se dessinait un système scolaire fondé sur les examens, qui devait être complété par l'instauration, en 1882, du certificat de fin d'études à la fin des trois premières années.

Tel qu'il était, silencieux sur la durée des études, leur régime, les programmes, l'organisation des établissements, le décret du 28 juillet 1881 fut le principal instrument dans les négociations entre l'Etat et les municipalités désireuses d'ouvrir un établissement. L'article 10 servit de modèle aux traités auxquels aboutirent ces négociations : ces traités devaient fixer le taux des rétributions à exiger pour les frais d'études de l'externat[11] ; déterminer la composition du personnel et le taux minimum des traitements, le nombre minimum des bourses à entretenir par chacune des parties, le montant des subventions de première installation[12] comme pour la participation aux dépenses annuelles. Enfin, étaient prévus deux types de gestion : l'établissement pouvait être en régie, ou au compte de la directrice[13].

---

10. L'emploi du masculin, dans l'article 8, pour désigner les candidats, indique bien un parallélisme absolu.

11. « L'enseignement secondaire, celui des jeunes filles comme celui des garçons, n'est point gratuit. Constituant un degré d'instruction qui dépasse ce que la société doit nécessairement à tous ses enfants, il est équitable qu'il reste à la charge des parents fortunés ou aisés qui le recherchent pour leurs fils ou leurs filles » (G. Compayré, *L'enseignement secondaire des jeunes filles*, p. 29).

12. Article 4 : « L'Etat et les départements pourront concourir par une subvention fixe aux frais de première installation ». Les règles de participation financière de l'Etat à la première installation ont été modifiées en 1885 et 1893. Les bâtiments construits avec le concours de l'Etat ou du département restent propriété des villes, sous réserve de leur affectation permanente au service de l'instruction publique.

13. Si l'établissement était un collège, la municipalité était responsable dans tous les cas du paiement des traitements des professeurs et des autres fonctionnaires. Dans le cas d'un collège en régie, la municipalité, de plus, était responsable de tout déficit de gestion.

Par la loi du 2 août 1881, avaient été ajoutés 20 millions à la caisse des lycées et collèges. Cette somme, commentait Jules Ferry, « nous permettra de venir largement en aide aux villes ». Mais il précisait que la part de l'Etat ne devait pas dépasser la moitié des dépenses prévues. De plus, les allocations ou avances ne pouvaient être accordées qu'à partir de 1882. Les délais d'application aboutissaient donc à un retard pratique de deux ans par rapport au vote de la loi.

Si le « grand ministère » de Gambetta avait duré, l'installation de l'enseignement secondaire féminin en aurait été hâtée. Ministre de l'instruction publique et des cultes, Paul Bert avait déjà montré son intérêt actif pour cette création. Il mit à profit son passage au ministère pour infléchir encore la loi, comme il l'avait déjà fait à la commission de la Chambre, comme il avait contribué à le faire avec le Conseil supérieur, dans le sens qu'il estimait désirable. C'est ainsi que, pour la première fois, apparaît, dans le décret du 14 janvier 1882 qui constitue comme une sorte d'ébauche de la réglementation de juillet 1882 [14], la réduction de l'enseignement secondaire féminin à cinq années d'études, et non plus sept ou huit, comme l'avaient prévu la Société pour l'étude des questions d'enseignement secondaire [15] et Camille Sée lui-même. De plus, c'est ce décret qui, le premier, établit une division en deux périodes, la seconde étant réservée non plus à des classes, mais à des cours dont certains seront facultatifs. Au diplôme déjà prévu par la loi, aux examens de passage d'une classe à l'autre prescrits par le décret de 1881, Paul Bert ajoute un « certificat d'études secondaires » conféré avec l'examen de fin de troisième année. Il donne ainsi aux trois premières années l'allure d'un cycle d'études qui se suffit apparemment. Enfin, dans l'arrêté du même jour, figurent des programmes détaillés et un bref emploi du temps qui prévoit deux classes d'une heure le matin, deux le soir, sauf le jeudi et le dimanche. A ces classes succéderont le matin, trois fois par semaine, les travaux à l'aiguille et la gymnastique.

Une longue circulaire annexée développe les intentions du ministre. Il revient d'une manière atténuée à ses projets primitifs en affirmant « l'intention en principe » de créer un lycée par département, avec, toutefois, des exceptions. Sur les crédits d'établissement, le ministre se contente de rappeler ce qui est prévu par les règlements déjà parus, tandis qu'il annonce son intention de demander prochainement aux

---

14. L'action personnelle de Paul Bert est visible lors de la réunion de la section permanente, le 20 décembre 1881 (AN, F 17* 3212). Le Conseil supérieur délibéra assez brièvement sur un rapport d'Henri Marion, le 30 décembre 1881 et sur les « questions de principe » que lui posa Paul Bert (AN, F 17* 3201).

15. La Société s'élevait contre « l'idée, préconisée par plusieurs ces derniers temps, de cycles d'études conçus de telle façon que l'élève qui ne pourrait, pour des raisons de position ou autres, arriver à la fin d'une éducation complète, remportât pourtant de ses classes un certain nombre de notions précises formant, à quelque égard, un ensemble ... il faudrait se garder, ajoute la Société, d'encourager des admissions qui seraient séduites par l'idée d'une demi-instruction ».

Chambres « les crédits nécessaires pour le fonctionnement », les engagements pris avec les villes demeurant « subordonnés au vote de ces crédits ». Les collèges seront prévus dans les centres moins importants : la construction et l'aménagement incombent aux villes, mais le ministre pourra « contribuer aux dépenses par une allocation », et même aux frais de l'enseignement « par des subventions variables suivant les cas et distribuées, en général, comme dans les collèges de garçons, sous forme de créations de chaires ».

Paul Bert consacre des développements aux internats dont il n'est pas, dit-il, l'adversaire résolu quand les nécessités locales seront « bien démontrées », aux bourses, au choix des directrices. Enfin, conclut-il, il faut « organiser, sans délai, l'enseignement secondaire des jeunes filles partout où il y a quelque chance de succès. Il serait regrettable de perdre une année pour attendre l'aménagement d'un local définitif. Il faut courir au plus pressé et le plus pressé est d'instruire ». Aussi est-il disposé à passer des traités conditionnels avec les villes qui s'engageraient à fournir ensuite une installation définitive. De même, il n'est pas nécessaire d'ouvrir d'emblée toutes les classes. Deux ou trois années suffisent, on complètera ensuite[16]. La date des ouvertures provisoires montre que l'impulsion donnée par Paul Bert survit à son bref ministère. De même, on peut conclure qu'il a agi dans un réel accord avec le Conseil supérieur dont il était au reste membre. Les textes réglementaires qui suivent le répètent ou le complètent sans le contredire. Mais il porte une responsabilité dans les installations héroïques et inadéquates : le provisoire a eu parfois une fâcheuse tendance à s'éterniser.

L'organisation définitive fut préparée par le Conseil supérieur dans la première moitié de l'année 1882. Le rapport de Marion donne comme source principale des textes réglementaires « un projet préparé par la direction de l'enseignement secondaire et amendé par la section de permanence » du Conseil. Soucieuse « de satisfaire à tous les besoins... sans justifier, s'il se pouvait, aucun des reproches que d'avance on lui adresse », la commission « n'a négligé aucun moyen d'information ». Un hommage particulier est rendu au « travail préparatoire très solide » de la Société pour l'étude des questions d'enseignement secondaire[17]. Les arrêtés du 28 juillet 1882 apparaissent dans leurs points principaux comme des documents destinés à compléter le hâtif décret du 14

---

16. C'est donc bien Paul Bert qui est au départ des ouvertures provisoires du collège de Louhans (5 août 1882, création définitive le 14 décembre), du lycée de Nantes (18 septembre 1882, création définitive 28 juillet 1883), du lycée de Bordeaux (22 septembre 1883, ouverture définitive le 10 novembre), du collège de Vitry-le-François (23 octobre 1883, décret de création du 12 janvier 1884).

17. H. Marion le réaffirme dans le compte rendu de la session du Conseil supérieur qu'il donne à la *RIE*, janvier-juin 1882, p. 88-94. La Société avait envoyé le programme établi par son groupe de l'Enseignement secondaire des jeunes filles au ministère, à tous les recteurs et à différents membres du corps enseignant (M. Vernes, 8 novembre 1881, SEQES, 1881, p. 722).

janvier [18]. Le rapport Marion, diffusé alors, fait figure de plaidoyer rétrospectif autant que de présentation des nouveaux textes.

« D'un commun accord », la commission fixe la durée du nouvel enseignement à cinq années : il commencerait vers 12 ans pour se prolonger jusqu'à 17. De même, « dans une première période de trois années, seraient donnés les enseignements strictement obligatoires, afin que les jeunes filles, nombreuses on peut le craindre, que leurs familles reprendront vers l'âge de 15 ans, ne quittent pas le collège sans avoir reçu le bénéfice réel de l'instruction secondaire ». De là le certificat de troisième année. Durant les deux dernières années, « les jeunes filles qui auraient du temps et du zèle recevraient une culture plus relevée ». Enfin, les *classes* proprement dites de la première période s'opposent aux *cours* de la seconde « dont une partie seulement sera obligatoire et commune, le reste sera facultatif pour permettre à chaque élève de chercher sa voie, de choisir selon ses aptitudes et ses besoins ». Cette « interprétation » de la loi s'éloigne fort des intentions du promoteur pour qui le nouvel enseignement devait être non identique mais sans conteste équivalent à celui des garçons.

Dès 1882, Camille Sée [19] ne cachait pas son mécontentement : les dispositions de l'arrêté du 28 juillet 1882 lui apparaissaient comme « autant d'infractions aux dispositions législatives » : le Conseil, selon lui, avait changé le « caractère » de la loi, puisque celle-ci prévoyait en toutes lettres un « enseignement secondaire ». En fixant les grandes lignes du programme, les Chambres n'avaient pas évoqué la possibilité d'un enseignement facultatif, le rapport l'avait repoussée. « Est-ce à dire, ajoutait Camille Sée, que le Conseil supérieur n'a pas organisé l'enseignement secondaire ? Nous n'allons pas jusque-là. Il a organisé cet enseignement ; mais, en restreignant à trois ou même à cinq ans la durée des études, il s'est en quelque sorte condamné lui-même à rendre cet enseignement incomplet et insuffisant » [20].

Dès l'origine de l'institution, on peut donc distinguer l'animosité entre l'initiateur de la loi, étranger à l'Université, et une partie au moins des universitaires qui sont chargés de l'appliquer. Comme l'écrit Camille Sée quelques années plus tard [21] :

---

18. La précipitation de Paul Bert avait devancé, en décembre 1881, l'administration dont les projets n'étaient pas prêts dans tous leurs détails.

19. *ESJF*, n° 2 : « Ce qu'a voulu le législateur ». Cf. également *Les lycées et collèges de jeunes filles*, préface.

20. La Société pour l'étude des questions d'enseignement secondaire avait prévu un minimum de huit années d'études : « Toute élève, disait son rapport, qui entre dans la série des études d'enseignement secondaire, est présumée avoir l'intention et les moyens d'aller jusqu'au bout ». Il est vrai que « la division inférieure », de neuf à treize ans, n'était pas véritablement secondaire puisqu'elle devait être surtout consacrée à l'enseignement de « notions pratiques ».

21. *L'Université et Madame de Maintenon*, p. 4. Le livre réunit plusieurs de ses articles de *La Revue de l'enseignement secondaire des jeunes filles*.

« Ce furent les fonctionnaires de l'ancienne Université, chargés de l'instruction publique depuis quarante ans, qui reçurent mandat d'appliquer la loi du 21 décembre 1880. Or l'événement a montré que ces fonctionnaires, dont l'honorabilité pas plus que le savoir ne sauraient être contestés, étaient les moins qualifiés pour organiser les lycées de jeunes filles et assurer leur développement à cause de leur timidité et de leur peur du neuf ».

Si Camille Sée égratigne ainsi au passage Charles Zévort, au zèle de qui il a toujours voulu rendre hommage, sa cible principale semble bien être le vice-recteur de Paris, Octave Gréard qui, pendant si longtemps, fut chargé de l'instruction primaire dans la Seine, et donc de l'enseignement féminin, avant de présider aux destinées de l'Ecole de Sèvres dans ses premières années. Il est probable qu'avec Gréard, Camille Sée a eu dans l'esprit le rôle des membres les plus éminents du Conseil supérieur, Michel Bréal, Paul Bert lui-même, pour qui il ne semble avoir eu aucune sympathie, et qui a eu une action déterminante par son décret du 14 janvier 1882. Son éphémère directeur de l'enseignement secondaire, Foncin [22], s'était montré un tenant de l'instruction secondaire des jeunes filles, mais sous la forme ancienne des cours.

La durée de la scolarité et la forme qu'elle prend, si elles constituent l'essentiel des griefs du promoteur, ne sont pas seules en cause. En effet, toujours sous l'influence des critiques adressées aux lycées de garçons, les membres du Conseil supérieur se sont déclarés « résolus à subordonner les matières de l'enseignement au temps disponible ». De ce fait, l'écart avec l'enseignement masculin s'accroît encore. Alors que le législateur n'avait pas prévu un tel ostracisme, « le grec a été écarté sans débat ; le latin n'a été défendu que comme utile pour la connaissance du français » [23]. Il est vrai que dans le programme fixé par la loi ne figurent ni le grec ni le latin [24]. La rédaction première du paragraphe consacré aux sciences — « Les sciences mathématiques, physiques et naturelles » —, a paru trop ambitieuse au Sénat qui l'a remplacée par la formule : « L'arithmétique, les éléments de la géométrie, de la chimie, de la physique et de l'histoire naturelle ». Le Conseil peut donc répliquer qu'en se limitant aux rudiments il suit la lettre de la loi, même

22. Dès l'arrivée de Paul Bert au ministère, Zévort fut écarté au bénéfice de Pierre Foncin, alors recteur de l'Académie de Douai ; mais le retour de Ferry amena celui de Zévort. Foncin fut alors nommé inspecteur général. Il le resta jusqu'à sa retraite en 1911. Il avait été un pionnier des cours Duruy à Mont-de-Marsan, puis plus durablement à Bordeaux où il était professeur de géographie à la Faculté (F 17 22163).

23. C'est la position même de la Société pour l'étude des questions d'enseignement secondaire (SEQES, 1881, p. 554-660). Le rapport de M. Vernes note, au chapitre des études de français et de littérature : « Nous avons cru devoir faire quelque place dans les dernières années à l'étude du latin ... l'auxiliaire indispensable de l'étude historique du français ».

24. Le rapport de Camille Sée disait : « Nous n'irons pas jusqu'à bannir le latin et le grec ».

si cette lettre trahit les intentions primitives de l'auteur principal. De même, le programme de la loi ne parle nulle part de psychologie : elle a été jointe au chapitre de la morale. Le respect de la lettre est donc plus un prétexte qu'une réalité : il ne fait pas de doute que, pour les matières de l'enseignement, le Conseil supérieur a infléchi la loi au gré des idées alors en vogue dans l'Université.

Le rapport de Marion pour la session de 1882 contenait une autre innovation absolue par rapport à la loi qui n'avait prévu qu'un seul programme pour toutes les jeunes filles entrées dans l'enseignement secondaire. Non contente d'instaurer une seconde période consistant en cours, la commission jugea bon « d'introduire un certain ordre dans ces cours facultatifs », en indiquant, par exemple, à l'élève deux directions dominantes : l'une littéraire, l'autre scientifique. Rien là, affirmait Marion, qui dût ressembler à la « bifurcation si justement décriée » : c'était, par l'agencement des cours obligatoires jusqu'au bout et des cours facultatifs « disposés de telle sorte qu'une jeune fille puisse à la rigueur les suivre tous », un « essai de liberté », rendu possible par la constitution d'un enseignement nouveau.

Ainsi l'enseignement des filles tel que l'avait rêvé Camille Sée se trouvait-il doublement modifié : la durée en était écourtée, le contenu allégé à l'extrême était réduit autant que possible à l'élémentaire et diversifié. Nul doute que l'exemple de l'enseignement des garçons n'ait inspiré ces changements. Les intentions du Conseil supérieur auraient paru cependant plus claires et plus dépourvues d'arrière-pensées si les modifications, avant d'être essayées sur les filles, avaient été appliquées à l'enseignement même qui avait fait l'objet de tant de critiques. Mais, dans sa révision des programmes de 1880, le Conseil supérieur ne bouleversa nullement l'organisation des lycées de garçons.

L'emploi du temps des établissements de jeunes filles, qui reprend ce qu'avait décidé le décret du 14 janvier, est redevable à la fois aux critiques portées contre l'enseignement des garçons et aux suggestions de la Société pour l'étude des questions d'enseignement secondaire [25]. Les classes ne dureront pas plus d'une heure. La commission en prévoit deux le matin, séparées par une récréation d'un quart d'heure. De même l'après-midi, du moins pour les externes. Les externes surveillées auront étude en attendant le repas, mais après un nouveau quart d'heure de récréation. Trois fois par semaine, les externes resteront pour l'enseignement des travaux à l'aiguille et de la gymnastique. A ce dernier égard, le Conseil supérieur se montre beaucoup plus généreux que la Société pour l'étude des questions d'enseignement secondaire qui

---

25. Le 12 avril 1881. Pigeonneau propose, pour l'externat surveillé, deux heures de classe le matin, une heure d'étude, deux heures de classe l'après-midi suivies de deux heures d'étude. Il ne semble pas avoir songé à de longues récréations. La Société, de plus, prévoit une scolarité plus longue.

prévoyait une heure par semaine, la première année, et seulement une demi-heure ensuite[26]. L'enseignement proprement dit occupe donc en réalité moins de vingt heures par semaine puisque la commission entend que le dessin et la musique, « qui supposent une certaine contention d'esprit », soient pris sur le temps des classes. Compte tenu des observations de la Société et de celles du corps médical qui, à l'époque, considérait que la période de puberté féminine réclamait beaucoup plus de ménagements que la période correspondante chez les garçons, l'emploi du temps est strictement tracé par l'arrêté réglementaire du 28 juillet 1884[27].

L'unanimité, écrit H. Marion dans son rapport, s'est faite sur les classes et les cours d'une heure seulement : « Jamais plus large part faite au repos : le jeudi rigoureusement réservé à la famille et au travail libre ; les temps de l'enseignement proprement dit réduits le plus possible au profit des exercices jusqu'ici réputés accessoires ». Tout a été conçu pour « éviter coûte que coûte cette surcharge des programmes, cet accablement des élèves, trop justement reproché à nos lycées de garçons ».

La fondation et les débuts de l'Ecole normale de Sèvres

La création par l'Etat d'un enseignement secondaire des jeunes filles supposait la formation d'un corps enseignant féminin qui n'existait pas encore. L'opinion commune était qu'il convenait de remplacer les professeurs hommes, seuls capables en 1880 de dispenser un enseignement secondaire, par des professeurs femmes, à mesure que ceux-ci seraient prêts. C'est ce que suggérait Camille Sée dans son rapport à la Chambre de 1880 : « A mesure qu'il se présentera des femmes capables de donner l'enseignement, on devra les préférer et cela pour deux raisons : toutes les carrières sont fermées à la femme ; nous avons l'occasion de lui ouvrir celle de l'enseignement. Nous devons le faire et ... nous trouvons chez elle des qualités que nous chercherions en vain chez l'homme ». Rien n'avait été indiqué sur la façon dont ces professeurs seraient recrutés, si même l'Etat se chargerait de leur formation avant ce recrutement.

---

26. (Rapport général du groupe, le 16 juin 1881). Et encore la gymnastique, jugée très utile « à condition qu'elle ne consiste qu'en exercices d'assouplissement des membres, de marche et de tenue et non en voltige », disparaît-elle au bout de quatre ans.

27. Titre II. Discipline intérieure et Emploi du temps. (Article 35) : De 8 heures à 9 heures, classe. De 9 h à 9 h 15, récréation. De 9 h 15 à 10 h 15, classe. De 10 h 15 à 10 h 30, récréation. De 10 h 30 à midi, étude, exercices, travaux à l'aiguille. De midi à 1 h 30, dîner, récréation. De 1 h 30 à 2 h, étude. De 2 h à 3 h, classe. De 3 h à 3 h 15, récréation. De 3 h 15 à 4 h 15, classe. De 4 h 15 à 5 h, récréation et goûter. De 5 h à 6 h, étude. Soit 20 heures au plus de cours par semaine.

Pour l'enseignement primaire, Jules Ferry avait résolu la difficulté en procédant par voie réglementaire. C'est ainsi que l'Ecole normale de Fontenay, sous prétexte d'urgence après la loi du 9 mai 1879 qui exigeait une école normale d'institutrices dans chaque département, fut fondée le 13 juillet par un décret [1]. Mieux, l'Ecole normale de Saint-Cloud ne dut sa création, le 22 décembre 1882, qu'à un arrêté de Duvaux, successeur de Jules Ferry à l'Instruction publique.

Pour l'enseignement secondaire des filles, peut-être pour éviter tout retour en arrière, Camille Sée ressentit le besoin de donner la « majesté de la loi », et son caractère définitif à l'Ecole normale nécessaire : le jeudi 3 mars 1881, quelques semaines donc après la promulgation de la loi sur l'enseignement féminin, son promoteur déposa sur le bureau de la Chambre une proposition de loi « ayant pour objet la création, par l'Etat, d'une école normale destinée à préparer des professeurs femmes pour les écoles secondaires de jeunes filles ». Parmi les palais nationaux sans affectation, Compiègne paraissait se prêter « admirablement » à l'œuvre nouvelle : Camille Sée voyait déjà l'internat dans les ailes, l'école dans le rez-de-chaussée du château. « Les jeunes filles seraient internes, les places gratuites et données au concours ». Mais si Camille Sée indiquait ces dispositions, il ne demandait pas aux députés de les inscrire dans la loi. Ainsi la démarche du législateur de 1880 est-elle exactement à l'inverse de celle des théoriciens de l'enseignement sous la Monarchie de Juillet. Malgré l'existence de l'Université napoléonienne ou peut-être à cause d'elle, ceux qui se sont attachés à réclamer l'amélioration de l'enseignement féminin avant 1848 ne pensaient pas que l'Etat dût entièrement assumer cette entreprise. Dans leur esprit, l'enseignement secondaire féminin devait se fortifier dans la liberté. L'Etat avait cependant la tâche de stimuler cette liberté, de la guider, tout comme il avait déjà mission de la contrôler en fondant une ou plusieurs écoles normales. C'est donc l'Ecole normale qui, alors, serait venue en tête des créations, constituant un personnel d'enseignement [2]. Au contraire, Camille Sée, dans une tradition toute républicaine, a voulu ne tenir aucun compte de ce qui pouvait exister auparavant, et a légiféré d'abord sur l'enseignement lui-même. L'Ecole normale, dans ces conditions, n'apparaît plus que comme une conséquence d'un principe affirmé dans la loi.

L'urgence déclarée, Camille Sée devint le rapporteur [3] de sa proposition. L'unanimité s'était faite à la commission de la Chambre sur

---

1. Un second décret, le 31 juillet, prévoyait son installation dans l'Allier, à Izeure. Mais le 15 octobre, un troisième décret lui affectait « provisoirement » le domaine de Fontenay-aux-Roses.

2. De même en Angleterre : Queen's College est fondé dès 1848, bien avant les premières high schools féminines ; il en a été l'une des conditions de départ.

3. La commission était composée de Logerotte, président, Bastid, Bousquet, Hippolyte Maze, Hippolyte Faure, Duvaux, Antonin Dubost, Couturier, Franck Chauveau, Bamberger et Camille Sée.

le principe de la création, sur le concours d'entrée et l'entretien gratuit des jeunes filles à l'école. « Il ne s'est produit de divergence que sur l'internat », constatait le rapport. « Quelques-uns » avaient proposé d'admettre des jeunes filles externes ; la majorité des membres de la commission s'y opposa : elle considérait que l'internat était d'autant plus nécessaire qu'il s'agissait d'une école normale. Il fallait instruire solidement les futurs professeurs, mais aussi « former leur caractère et ... les habituer à une vie sévère et recueillie ». En effet, sorties de l'Ecole, les élèves auraient « charge d'âmes à leur tour ». Un régime « mixte » n'était pas souhaitable : « Les unes pourraient envier la liberté des autres ; les autres pourraient apporter dans l'école des habitudes, des idées, des distractions qui ne seraient pas conformes à la haute direction morale que nous avons dessein de lui donner ». Ainsi étaient définis les principes de l'article 1, tandis que l'article 2 se contentait de confier aux bons soins du Conseil supérieur toutes les modalités d'application. La proposition, aussi cantonnée que possible dans les généralités, présentée comme une conséquence logique de la loi du 21 décembre 1880, n'appelait pas de longs commentaires. C'est sans débat que fut voté le texte en première lecture, le 14 mai 1881, à la Chambre.

La commission sénatoriale[4] elle-même fut le lieu d'« un échange d'observations » plutôt que d'un débat, au reste sur un seul point. Fallait-il ou non admettre des externes dans un établissement dont la base devait être l'internat ? Le rapport de Ferrouillat permet de préciser l'idée que l'on se fait alors d'une école normale, même secondaire : « Une école normale ne vaut que par la discipline qui y règne et qui peut seule préparer les élèves maîtresses à la vie austère du professorat qui doit être la leur. Il importe donc d'en écarter avec soin tout ce qui pourrait altérer le caractère de recueillement indispensable à ce noviciat laïque »[5]. Il n'est pas jusqu'à l'enseignement qui, selon Ferrouillat, risquerait de souffrir de la présence d'externes, car « peut-être les professeurs ne résisteraient-ils pas à la tentation de briller aux yeux de cet auditoire un peu mondain ». Au reste, la commission croit devoir préciser que l'école normale, comme c'est le cas pour les garçons, n'aura pas le monopole de l'enseignement : « d'autres voies », qu'on ne définit pas, pourront y mener, créant ainsi une concurrence « désirable ».

Fondée après les écoles normales d'institutrices, après l'Ecole normale primaire de Fontenay, l'Ecole normale secondaire des jeunes filles doit donc plus s'inspirer du modèle primaire tout récent que de la rue d'Ulm. Deux caractères l'emportent : la sacralisation de la pédagogie

---

4. Composée de Carnot, président, de Fourtou, Ferrouillat, rapporteur, Edmond de Lafayette, Pelletan, Ribière, Merlin, La Sicotière, et du colonel Meinadier.

5. « L'introduction d'élèves externes, poursuit le rapporteur, aurait évidemment cet inconvénient, en apportant dans cette vie de retraite et d'étude l'image et les échos du monde, et en jetant peut-être dans ces jeunes âmes, encore mal affermies, le germe de ces vagues regrets qui énervent les caractères ».

et, en second lieu, le traitement spécial réservé à la pédagogie féminine. Ici, le parallèle avec l'Ecole normale masculine ne saurait avoir aucune réalité. Le vocabulaire et l'idéal conventuels laïcisés sont réservés aux jeunes filles. Sans que le mot soit jamais prononcé, il semble que le célibat soit considéré comme le destin obligé de celles qui sont appelées à préparer les jeunes Françaises à leur vie de mères et d'épouses, pour reprendre les termes de Camille Sée. Le modèle du couvent va donc bien au-delà du vocabulaire : il inspire toute la vie à venir.

A cet égard, la conception qu'avaient eue des écoles normales les maîtresses d'institution du temps de Louis-Philippe n'avait rien de si rigoureux et ne supposait pas le célibat perpétuel : l'avenir rêvé pour une institutrice était de se marier et de devenir maîtresse de pension, ou mieux d'institution, au sommet de la profession. Pourquoi, dans ces conditions, les législateurs de 1881 ont-ils opté, entre le modèle laïque et le modèle clérical, pour le dernier ? Plusieurs raisons peuvent être avancées. D'abord, ce que Gréard remarque dans son rapport sur l'enseignement des filles : une cléricalisation de cet enseignement depuis la loi Falloux. L'image de la religieuse s'est avantageusement substituée à celle de la maîtresse laïque, restée peu considérée tant qu'elle n'était pas à la tête d'une pension importante. Quelle que fût l'attitude religieuse des parents, ils ne pouvaient trouver que des avantages d'ordre moral à cette substitution. Mais les républicains ne veulent pas seulement séduire la clientèle des parents d'élèves en leur offrant un modèle familier. Ce modèle de la religieuse est respecté : à une date où le régime n'est pas encore sûr de sa survie, les républicains ne sauraient prêter le flanc à la médisance dans le domaine de l'éducation des filles surtout. Sur le terrain parlementaire même, une extrême prudence est recommandée, si l'on veut réunir là-dessus une majorité. Une sorte de surenchère les amène donc à un idéal héroïque du professeur de jeunes filles : celui-ci, tout en vivant dans le monde, pratique les vertus et le détachement des religieuses. Au reste, seul l'héroïsme est à la mesure de la tâche qui attend les professeurs, tâche d'instruction certes, mais aussi et surtout tâche d'éducation morale qui doit servir, comme le législateur l'a répété, à reconstituer l'unité nationale.

Que ces exigences très hautes ne se soient appliquées qu'aux jeunes filles ne doit pas surprendre : le système du temps, comme s'en plaignent alors les féministes, est celui des deux morales, l'une pour les hommes l'autre pour les femmes. La pureté des mœurs, comme la religion semblent être l'apanage des femmes : la non-observation des règles morales par les hommes, leur incroyance ont peu de signification dans la société. Enfin et surtout, si le législateur avait toute liberté pour régler l'enseignement secondaire féminin, il n'en était pas de même pour son homologue masculin. Une longue expérience, depuis Napoléon, avait fait des lycées de garçons et de l'Ecole normale supérieure ce qu'ils étaient. Il fallait s'insérer dans des traditions, composer avec des situations acquises : tout au plus pouvait-on parler de réformer l'enseignement secondaire. Sur ce dernier point, il semble qu'on se soit plutôt préoccupé du régime des études et du genre de vie des lycéens que de l'éducation morale des normaliens : l'Ecole normale avait une histoire, voire, parfois, un rôle politique.

La discussion au Sénat[6], très courte, fut le fait d'un unique sénateur de la droite, Gavardie. Il essaya de retarder, peut-être compromettre le vote de la loi en demandant le renvoi du projet : « Un séminaire laïque de jeunes filles, qu'on appelle des professeurs femmes, je ne connais pas ce monstre *(rires)* ». L'Ecole était inutile, puisqu'il existait en France des institutrices de valeur, et par milliers ; d'autre part, la création coûterait cher. Surtout, aucune discussion de fond n'était possible dans la hâte de la fin de session, et en l'absence du ministre retenu à la Chambre. L'ajournement fut rejeté[7]. Mais les sénateurs étaient trop peu nombreux pour un scrutin définitif. A la séance suivante, sans discussion, sauf une série de rappels à l'ordre par le président Léon Say à Gavardie qui essaie de bouffonner, la loi est adoptée par 170 voix contre 107.

Ainsi la création de l'Ecole normale pour l'enseignement secondaire féminin laisse-t-elle l'impression d'une œuvre hâtive, bâclée en fin de session parlementaire. La « suite logique » de la loi du 21 décembre 1880 est loin d'apparaître, dans les faits, comme un couronnement : le Parlement se contente d'affirmer la nécessité de cette école et donne toute latitude au ministre et à ses bureaux pour appliquer le principe. A vrai dire, Camille Sée avait été sensible, sans aucun doute, au risque d'effritement d'une majorité déjà ténue sur ce sujet particulier. Tout approfondissement du texte, tout règlement de détail pouvaient servir de prétexte à des manœuvres retardatrices de la part de la droite : la défection d'une partie du centre gauche sur la question de l'internat, dans la discussion de la loi du 21 décembre, invitait à la prudence. Le laconisme de la loi résulte sans doute, au moins en partie, de la crainte d'un échec, dans une trop longue discussion : à loisir, les ennemis de l'enseignement public des jeunes filles auraient pu s'aviser que l'absence d'une école normale privait la loi du 21 décembre 1880 d'un facteur essentiel de succès. Au contraire, le vote une fois acquis, le ministère avait tout pouvoir. Mais par-delà cet avantage immédiat que supputait le législateur, il en est un autre qui se révéla à plus longue échéance : d'une très grande plasticité, le texte qui fondait l'Ecole normale féminine lui permit de s'adapter, avec le temps, à des exigences diverses, à des fins

---

6. Les 19 et 23 juillet 1881.

7. Par 157 voix contre 116. La suite du débat montrait clairement que Gavardie n'avait pas compris la proposition : il croyait qu'il s'agissait d'une école pour former les professeurs d'écoles normales.

différentes. Secondaire d'abord, placée sous l'autorité du vice-recteur de Paris, puis du directeur de l'enseignement secondaire, l'Ecole fut rattachée à l'enseignement supérieur sans que la loi qui la fondait eût à en être modifiée. Elle ne se trouvait donc pas, en pratique, dans une situation très différente des écoles normales primaires fondées sans loi spéciale.

Avant l'ouverture de l'Ecole de Sèvres, l'administration semble avoir craint de ne pas arriver à remplir celle-ci. De là, une sorte d'opération publicitaire : avec le texte sur les conditions d'admission [8], fut envoyée une circulaire qui priait les recteurs d'assurer « toute la publicité possible » à l'arrêté et précisait qu'aucun costume ne serait imposé [9]. Surtout, les traitements minimaux des professeurs qui auraient été formés dans cette école étaient indiqués pour attirer les éventuelles candidates. Bien que nettement inférieurs à ceux des professeurs de lycées masculins, ces émoluments ne manqueraient pas de paraître très élevés à des brevetées fort mal payées dans l'enseignement primaire [10].

Cependant, le concours de Fontenay avait déjà été ouvert ; faute d'information, faute de temps aussi, les intéressées n'étaient pas nombreuses et devaient se trouver dans une situation analogue à celle de M. Trézaune qui, en 1881, était pourvue du brevet supérieur et institutrice depuis neuf ans dans la Marne : « En 1880, écrit-elle [11], j'eus pour la première fois la visite d'un inspecteur général ... Il me parla de l'Ecole normale de Fontenay-aux-Roses qui allait s'ouvrir, et finalement m'engagea à concourir pour entrer à cette Ecole. Ne me sentant pas prête, je me récusai ». L'inspecteur insista, lui fit ouvrir la bibliothèque du lycée de Reims. « Mais j'étais seule pour diriger une classe de 96 élèves de tous âges ... Je renonçai à Fontenay. Fin octobre 1881, l'inspecteur primaire de ma circonscription m'informe qu'un concours devait s'ouvrir le 2 novembre suivant pour la première admission à l'Ecole de Sèvres et m'engagea à lui envoyer ma demande trois jours après, un dimanche, dernier jour de l'inscription ».

En proie aux mêmes difficultés qui l'avaient fait renoncer à Fontenay, et notamment le manque d'argent, M. Trézaune hésite, essaie de se renseigner, commence à désespérer, lorsque le maire de son village, à qui elle se confie, lui avance la somme nécessaire. Elle sera l'une des quarante Sévriennes de la première promotion.

---

8. 14 octobre 1881.

9. Les vêtements et le linge devaient rester à la charge des aspirantes. Cependant, à force de récriminations, une institutrice du Loir-et-Cher, une fois admise, finit par obtenir une indemnité de trousseau.

10. Lucie Bérillon, qui fut stagiaire dans l'Yonne durant un mois, rappelle (*Le cinquantenaire de l'Ecole de Sèvres, 1881-1931*, p. 372) qu'elle était payée 56 francs par mois, soit 672 francs par an. Cependant le traitement des institutrices ne continuait pas à leur être versé durant leur séjour à l'Ecole. Aucun pécule n'était prévu.

11. Lettre à Anna Amieux citée par elle (*ibid.*, p. 129-130).

Les souvenirs d'une autre élève de la première promotion, L. Bérillon [12], montrent le rôle d'une directrice d'école normale particulièrement active :

> « A Auxerre, Mlle Léonie Ferrand, l'éminente directrice de l'Ecole normale (pour l'Yonne et la Seine-et-Marne) fit appel à toutes les premières élèves des promotions successives, qui fournissaient chaque année seulement deux ou trois brevets supérieurs. Elle me fit travailler à part, au cours de la troisième année, me préparant à tout hasard pour la littérature et la composition française [13]. Six élèves d'Auxerre furent admissibles, cinq reçues, une d'un établissement libre, une se maria et resta institutrice [14].

Au total, les candidates ne furent pas très nombreuses ; malgré les exhortations des recteurs et inspecteurs, elles ne furent que soixante-quinze pour quarante postes à pouvoir. Parmi les quarante-six admissibles, la majorité provenaient des académies de Paris, du Nord et de l'Est. Mises à part les trois originaires de la région lyonnaise, neuf d'entre elles seulement provenaient du Sud de la Loire [15]. Autre caractéristique : vingt d'entre elles étaient déjà institutrices, dont quatorze dans l'enseignement public. C'était la conséquence à la fois de l'absence de limite d'âge et du diplôme exigé : le brevet supérieur, que possédaient seulement les meilleures institutrices. Cinq admissibles seulement étaient munies du baccalauréat : les études féminines d'alors n'y conduisaient pas et le premier baccalauréat passé par une femme était encore récent.

L'âge moyen était moins élevé qu'on n'aurait pu le penser : l'obligation de l'internat, le manque à gagner durant la scolarité ont dû écarter un bon nombre de celles qui auraient voulu risquer, comme M. Trézaune le fit à 28 ans, une nouvelle orientation de leur vie. Plus de la moitié des candidates, quarante-cinq, avaient moins de 20 ans ; vingt et une d'entre elles en avaient de 20 à 23, neuf seulement étaient plus âgées. La majorité provenaient de l'enseignement primaire public, deux seulement semblent avoir fait leurs études exclusivement au couvent : A. Millet à Toulouse et Mlle Lehmann à Belfort. Quelques-

---

12. *Loc. cit.* p. 371 et suivantes.

13. La directrice, étant donné la date — 1880-1881 —, devait avoir moins en vue un concours qui n'existait pas encore que le concours de Fontenay. L. Bérillon est excusable de l'avoir oublié dans ses souvenirs écrits cinquante ans plus tard.

14. En fait, sur sept présentées, cinq admissibles reçues toutes les cinq, Habert, Savery, Bérillon et Ramon, étaient institutrices publiques, Gonzalès était institutrice dans le pensionnat où elle venait de terminer ses études.

15. Les 75 candidates provenaient de 33 départements seulement, en tête desquels venaient la Seine (11), l'Yonne (7), le Gard (5), le Rhône (5) ; le Doubs et la Meurthe-et-Moselle présentaient chacun 4 candidates, la Côte-d'Or et la Marne respectivement 3 (AN, F 17 8808). Huit départements envoient chacun 2 candidates, ce sont : le Territoire de Belfort, la Savoie, le Puy-de-Dôme, le Pas-de-Calais, la Drôme, la Vienne, l'Ille-et-Vilaine, le Tarn.

unes semblent être là pour attester la continuité de l'œuvre de Duruy : ce sont celles qui sortent des cours secondaires fondés par le ministre de Napoléon III. Plusieurs ont suivi les cours de la Sorbonne, les deux sœurs Ménassier viennent de ceux de Dijon. Une autre a été l'élève des cours de Boulogne. Mais, à côté de cet enseignement, le rôle paraît important des grands pensionnats « laïques », en fait protestants, de Nîmes ou de Nancy qui, dans les toutes premières années, fournissent à Sèvres des candidates sérieuses.

La lecture des copies des deux premiers concours [16] laisse dans l'ensemble l'impression d'une extrême faiblesse. Certes, personne n'avait eu le temps de se préparer : le jury, pas plus que les candidates, ne savait au juste quelles seraient les conditions de l'examen. La formation primaire qui était de rigueur pour les jeunes filles laissait augurer que les épreuves présenteraient de l'analogie avec le brevet supérieur [17].

Les sujets furent choisis très généraux : en littérature française, il fallait, à partir d'une citation de La Bruyère, démontrer l'excellence du *Cid* ; en histoire, on devait méditer sur l'unité française [18], en géographie, faire un exposé sur les colonies françaises. Les règles d'accord du participe passé dans les verbes pronominaux, la pression atmosphérique, une question des plus faciles en arithmétique achevaient l'image d'une sorte de brevet supérieur. Cependant, à part Darboux qui estimait que les candidates savaient bien l'arithmétique, les examinateurs se montrèrent dans l'ensemble déçus par l'écrit. « Sauf les premières copies, écrit Gidel, l'ensemble était médiocre et même commun », il témoignait de beaucoup de mémoire mais d'un sens critique nul. Gidel déplore même « bien des fautes de langue, de grammaire et même des fautes d'orthographe grossières ». Darmesteter confirme son sentiment, tout comme Rambaud : le sujet d'histoire, qui semble maintenant si conforme à l'esprit de l'époque, « paraît avoir surpris ». Rambaud ne décèle ni plan ni idées générales. « Aucune n'avait eu entre les mains un écrivain original. » La géographie, matière alors essentiellement descriptive, était meilleure : tous rendent hommage à la mémoire des candidates. En physique, les bonnes copies provenaient des bachelières ès sciences ; la plupart des autres, observe Serré-Guino, n'avaient jamais

---

16. AN, F 17 8808.

17. L'arrêté du 14 octobre, qui prévoyait le concours pour le 2 novembre, stipulait que l'examen se composerait d'épreuves écrites et d'épreuves orales. Il ajoutait (article 5) : « Les épreuves écrites porteront : 1) sur la langue française, 2) sur la littérature française, 3) sur l'histoire de France et la géographie générale, 4) sur l'arithmétique et les sciences physiques ». L'oral devait porter sur les mêmes matières et comporter en outre « quelques notions élémentaires sur les principes de la morale ». Aux termes de l'article 6, les élèves recrutées par ce concours commun devaient être réparties dans le courant de janvier en deux séries, « suivant les aptitudes spéciales » dont elles auraient fait preuve « pour les études littéraires et les études scientifiques ».

18. « Formation territoriale du royaume de France : exposer comment les diverses provinces sont venues s'ajouter au domaine primitif des rois capétiens. Indiquer de quels éléments ethniques se compose le peuple français et quelles causes ont rendu si puissante son unité morale ». Les sujets et les commentaires des examinateurs sont conservés en AN, F 17 8808.

vu d'expériences. Dans de telles conditions, les examinateurs ne cherchèrent pas, à l'oral, autre chose que des preuves d'intelligence et d'ouverture d'esprit. Le résultat fut un peu meilleur, bien qu'il dénotât aussi les habitudes de passivité prises par la plupart. La scolarité à Sèvres devait donc être une éducation à refaire.

Sur les quarante-six admissibles, quarante et une furent définitivement admises. L'une d'entre elles s'étant récusée, l'Ecole de Sèvres ouvrit le 14 décembre, avec quarante élèves qui aussitôt furent réparties également entre une section littéraire et une section scientifique. Les élèves avaient été convoquées pour le 12 décembre.

> « Elles arrivèrent, écrit A. Amieux [19], entre le 1er et le 12 décembre, isolément ou par petits groupes, par le chemin de fer ou le tramway à chevaux qui mettait plus d'une heure pour aller du Louvre à la rue Brancas.
> La maison, encore étayée, encombrée de matériaux de toutes sortes, avec ses longs couloirs, ses murs blanchis à la chaux, ses pièces carrelées en rouge, leur parut, non sans raison, froide et triste ».

Si Camille Sée avait rêvé un moment du château de Compiègne, il s'était rallié à l'idée qu'il fallait une banlieue assez proche de Paris pour que puissent y venir facilement les meilleurs professeurs parisiens. On parla de Saint-Denis dont Sée avait été sous-préfet, de Fontenay où les deux Ecoles normales de filles auraient été réunies sous le même toit. Enfin, Jules Ferry se décida pour les bâtiments abandonnés de la manufacture de Sèvres qui venaient d'être occupés provisoirement par les élèves de la nouvelle Ecole normale supérieure primaire de jeunes gens. Ces derniers venaient d'être transférés à Saint-Cloud. Ainsi s'explique le délabrement de ce qui devait devenir l'Ecole de Sèvres. Les premières promotions semblent avoir gardé très vivant le souvenir de leur installation rustique, du dortoir réservé aux plus jeunes [20], du parc retourné à l'état sauvage, des gravats et surtout du froid et de l'humidité [21] : ce milieu hostile, joint à l'isolement et aux incertitudes de la situation, semble avoir contribué à établir très vite les liens d'une amitié très forte entre la plupart des Sévriennes.

Au mois d'octobre, Jules Ferry, secondé par Gréard, le vice-recteur de Paris, et par le directeur de l'enseignement secondaire [22], Charles

---

19. *Le cinquantenaire de l'Ecole de Sèvres, 1881-1931.*

20. Grâce à la diligence de l'architecte Le Cœur, il disparut dès la rentrée de 1882 au bénéfice de chambres individuelles.

21. Les salles de cours, le réfectoire et la bibliothèque étaient chauffés, non les chambres. Les trois bûches par jour attribuées à chaque élève pour se faire une flambée le matin ou le soir sont restées légendaires, tout comme la chaufferette de Madame Jules Favre, et les immenses châles dont toutes s'enveloppaient.

22. Aucun règlement ne précisait alors de quelle autorité au juste relèverait l'Ecole ; elle se trouva soumise en fait à la direction de l'enseignement secondaire.

Zévort, avait procédé à la nomination du personnel de l'Ecole. Ernest Legouvé reçut, à sa propre stupéfaction, le titre d'inspecteur général, directeur des études : il avait alors soixante-quatorze ans[23]. L'idée de le nommer était-elle de Ferry ou de Zévort ? Tous les deux sans doute se sont retrouvés sur un nom qui parlait à la tradition républicaine : Legouvé restait pour elle l'homme qui, chargé de parler des femmes au Collège de France, avait souhaité dans une de ses leçons la création de lycées de jeunes filles. Son nom était associé à un ouvrage qui semble avoir été très populaire au 19e siècle : *Histoire morale des femmes*. Mais, en même temps, ce personnage aimable, cultivé, académicien de surcroît, était de nature à rassurer les ennemis de l'innovation. S'il avait plaidé pour l'instruction des femmes, il n'avait cessé de se proclamer partisan de l'« égalité dans la différence ». De son propre aveu, Zévort n'attendait pas de lui grand'chose, sinon la caution de son nom et de sa présence : « On ne vous oblige à rien, lui aurait dit le directeur ; on ne vous demande rien. Vous irez à Sèvres quand vous voudrez ; vous y direz ce qui vous plaira ; de temps en temps, un mot d'encouragement et de conseil aux jeunes filles, un mot d'entente avec les professeurs... ». Aussi ne faut-il pas voir en Legouvé, malgré la similitude des titres, un autre Pécaut. Il s'attacha cependant à sa mission avec conscience. Tant que son âge le lui permit, il se rendit régulièrement à l'Ecole :

> « Inspecteur, écrit-il, je lisais ou annotais les devoirs écrits, j'assistais à tel ou tel cours, j'écoutais la leçon, j'écoutais les élèves, et je mêlais mes observations à celles du maître.
> Professeur, je les réunissais pour moi seul, non dans leurs grandes salles de cours, mais dans leur petite salle d'études. Pas de chaire, je tenais à rester en communication directe et intime avec mes auditrices. Je m'asseyais en face d'elles, avec une petite table devant moi, et là, librement, familièrement, je tâchais de leur dire, d'accord avec leurs maîtres, autre chose que ce que leurs maîtres leur disaient »[24].

Faite de souvenirs dont certains remontaient à la Restauration, d'anecdotes sur le monde des lettres et surtout du théâtre, la conversation de Legouvé était peut-être teintée d'académisme, elle n'était jamais ennuyeuse : « Tout sujet, note J. Crouzet-Benaben, prenait avec lui une forme vivante et mouvementée ». Elle était une remarquable

---

23. Dans *Dernier travail, derniers souvenirs,* il rappelle en termes piquants sa surprise : « Mais je ne suis même pas licencié ès lettres. Je n'ai aucun rang dans l'Université ! », mais n'est guère explicite sur les raisons qui ont pu le faire nommer.

24. *Ibid.,* p. 6. Mais sa « mésentente pédagogique » (M. Aron, *Le cinquantenaire de l'Ecole de Sèvres, 1881-1931,* p. 359) avec Mme Jules Favre l'empêcha d'exercer une réelle influence sur les études des Sévriennes. Il était partisan de l'allègement, de l'adaptation de la science aux esprits féminins. « Beaucoup moins d'histoire littéraire, écrit-il à Gréard en 1895 (*ibid.* p. 210), et beaucoup plus de littérature ». A cet égard, l'esprit de la réforme des programmes de l'enseignement secondaire féminin en 1897 lui est redevable.

ouverture pour des filles très jeunes et obnubilées par leurs examens. Aussi, le grand âge venant — il mourut presque centenaire — laissa-t-il aux Sévriennes, sinon une profonde empreinte intellectuelle, du moins un souvenir vivace et attendri.

Si Legouvé n'eut de rôle déterminant ni dans la fondation, ni dans la naissance de l'esprit de Sèvres, il n'en est pas de même de celle qui fut placée à la tête de l'école en qualité de directrice : Mme Jules Favre, née Julie Charlotte Velten[25]. Au reste, la forte personnalité de celle-ci aurait difficilement consenti au partage de l'autorité et de l'influence. Née à Wissembourg en 1834, elle était la fille d'un pasteur, inspecteur ecclésiastique dans l'Eglise luthérienne, et appartenait à une famille de six enfants. Elle avait fait ses études dans un pensionnat de Wissembourg jusqu'au brevet supérieur. C'est là qu'elle apprit l'allemand « et sans doute l'anglais »[26], auxquels elle joignit plus tard l'italien et le latin.

Arrivée très jeune à Paris, elle était devenue sous-maîtresse dans le pensionnat de Mme Frèrejean. Si la pension se trouvait à l'écart du monde — dans un quartier très retiré puis à Versailles — elle n'était pas un cloître. Dès 1852, y régnait une discipline « libérale » fondée non sur la coercition mais sur le sentiment qu'avaient les élèves de leur responsabilité personnelle. Les méthodes éducatives de Mme Frèrejean étaient celles de Jacotot, au point qu'en 1856 encore le seul texte étudié était le *Télémaque*. C'est la volonté des élèves qu'on cherchait à développer, on faisait appel à l'observation directe et personnelle.

Après la mort de Mme Frèrejean en 1860, la jeune fille, qui était devenue son associée et lui était liée par une amitié admirative, resta seule à la tête de la pension. Ses sœurs vinrent l'aider : la famille s'était regroupée autour d'elle. Les années passèrent, consacrées à l'enseignement, à de longues promenades dans le parc de Versailles et au culte de la musique, surtout Beethoven. C'est, semble-t-il, pendant la guerre qu'elle fit la connaissance de Jules Favre. Républicaine de toujours, elle avait suivi passionnément les débats de l'Assemblée et conçu de l'admiration pour le grand orateur. Dès 1871, elle faisait pour lui des traductions de l'allemand. Le 6 août 1874, eut lieu leur mariage à la fois civil et religieux, devant un pasteur[27] : « Nous allons respirer, écrivait Jules Favre, penser, essayer de nous fortifier le corps et l'âme

---

25. Son dossier personnel, AN, F 17 22861, ne renferme guère de renseignements.

26. L. Belugou, notice sur Mme Jules Favre dans *La morale de Plutarque*. L'essentiel de la biographie de Mme Favre est emprunté à cette notice.

27. Jules Favre était catholique d'origine. Depuis 1871, sa vie privée était éclaboussée par le scandale. Une campagne de Millière dans *Le Vengeur* avait révélé le caractère irrégulier de sa première union. Il avait perdu sa compagne en juin 1870. Cf. Maurice Reclus, *Jules Favre, 1809-1880. Essai de biographie historique et morale*, et Geneviève Favre, Note dans la correspondance de Jules Favre, BN, mss NAF 24108.

pour donner jusqu'au bout notre intelligence et notre cœur à l'amitié, à la patrie, au culte de la vérité » [28].

Julie Velten allait partager la vieillesse, hantée par le souvenir de Ferrières, de ce « Titan foudroyé » (M. Reclus) : tous deux portaient le deuil des provinces perdues. Les témoins qui les ont rencontrés au hasard de leurs nombreux voyages à l'étranger, notamment en Suisse [29], les dépeignent « timides et silencieux » en public. Les rares amis qu'avait gardés Jules Favre semblent avoir peu apprécié l'influence intellectuelle et morale très grande qu'exerçait sa femme sur lui. Bien que Jules Favre lui-même s'en défendît [30], on parla vers 1878 de sa conversion au protestantisme. Cependant, c'est sans doute grâce à l'action morale de sa femme que cette âme tourmentée termina sa vie dans la sérénité, le 19 janvier 1880.

Toute stoïcienne qu'elle fût — son livre de chevet était Epictète — Mme Jules Favre demeura inconsolable [31]. Mais elle ne perdit jamais le sentiment de son devoir : « Je ne veux pas, écrit-elle dans une lettre, me désintéresser de la vie, ni des humains. Je veux porter mon fardeau jusqu'à ce que Dieu me permette de le déposer et tâcher que cette vie désolée ne soit pas tout à fait inutile à moi et aux autres » [32].

C'est alors qu'à l'automne de 1881, elle est choisie pour devenir la directrice de Sèvres. Jules Ferry semble avoir pris l'initiative de cette nomination sur laquelle très peu de documents permettent de donner des précisions. Elle avait toujours vécu retirée et n'avait sans doute pas de relations suivies avec le monde républicain. Un ami commun, Hippolyte Maze, député de Seine-et-Oise, servit d'intermédiaire entre elle et Jules Ferry. Ce dernier s'est sans doute déterminé en faveur du grand nom qu'elle portait, peut-être aussi à cause de la discrétion même dont elle ne s'était jamais départie : d'une telle directrice — dont la compétence pédagogique, au reste, était réelle — des initiatives tapageuses et

---

28. Lettre à Ernest Picard, 12 août 1874, BN, Mss NAF 24370.

29. Ils aimaient revenir à Brunnen, sur le lac des Quatre-Cantons. La Suisse plaisait à ces fervents d'air pur et de montagne, mais surtout elle était à leurs yeux le pays de la liberté : Mme Jules Favre traduisit *L'histoire du peuple suisse* de Daendliker.

30. Dans une lettre de Jules Favre datée de 1878 que cite M. Reclus, s'exprime la pensée qui anima jusqu'au bout Mme Jules Favre : « La vérité reste la même, et cette vérité, c'est la nécessité, c'est aussi le devoir de chercher dans la plus haute culture intellectuelle, et aussi dans la plus libre, le levier qui doit soulever les générations ... Nous devons travailler avec une infatigable ardeur à donner à la force morale le fondement indestructible qui la rend victorieuse. Ce fondement, c'est la conscience d'abord, ensuite la science dégagée de toute entrave ... L'enseignement laïque est l'émancipation de la nation. Il lui apprendra le patriotisme, l'horreur de toute persécution, le respect du droit d'autrui et la volonté inflexible de défendre quand même, au prix des plus grands sacrifices, celui de la conscience ».

31. « A l'idée seule de me déplacer ou de voir un beau paysage, écrivait-elle dans les premiers temps de son veuvage, tout mon être se trouble et je perds tout empire sur moi-même. Je ne sais si je serai toujours ainsi, mais je ne trouve quelque apaisement que dans le travail, et aussitôt que mon ardeur se ralentit, le désespoir m'envahit » (L. Belugou, notice sur Mme Jules Favre dans *La morale de Plutarque*). Elle avait préparé elle-même le verset de la Bible qu'on mit sur la lettre de faire-part de son décès, en 1896 : « L'Eternel sera pour toi une lumière perpétuelle et les jours de ton deuil seront finis ».

32. 6 juillet 1881.

désastreuses pour l'œuvre commençante n'étaient pas à redouter. La surprise en somme fut, pour reprendre les termes de Darboux, qu'elle se montra « non pas une excellente directrice, mais la directrice même qu'il fallait pour assurer à l'Ecole cette orientation morale qui avait été voulue par le Parlement »[33]. « C'est au Ministère de l'instruction publique, à une réunion des professeurs de l'Ecole, que je vis Mme Jules Favre pour la première fois, raconte Darboux. Elle nous apparut dans ses longs vêtements de deuil qu'elle portait en mémoire de son illustre mari, avec sa bonne grâce souriante de grande dame, avec sa réserve empreinte de quelque timidité ».

Telle est bien l'image légendaire et un peu théâtrale qui se dégage de tous les souvenirs sur la première directrice de l'Ecole. Mais au-delà du deuil perpétuel, de l'accueil réservé, élèves et professeurs découvrirent en elle une force. Comme dans son pensionnat de Versailles, elle exerçait une extraordinaire autorité morale. L'usage quotidien du « bonsoir » en est l'un des plus remarquables témoignages : « Tous les soirs, à 8 heures 1/2, dans son appartement privé, la porte de son cabinet s'ouvrait aux élèves qui le désiraient (et c'était presque toute l'Ecole), pour un bonsoir intime et respectueux où, défilant une à une, chaque élève recevait, avec une poignée de main, un petit mot et un sourire qui étaient comme le bilan de sa journée »[34].

La directrice resta fidèle à cette coutume jusqu'au jour même qui précéda sa mort. Tous les mercredis, elle faisait une lecture chez elle qui servait d'introduction à la conversation avec les élèves. Tous les quinze jours, elle les invitait à prendre le thé et leur jouait de la musique. Elle avait su inspirer, en même temps que le respect, la plus totale confiance à celles qu'elle appelait « ses filles ». Chargée d'appliquer une discipline qu'elle aurait d'ailleurs voulu moins stricte, elle laissait à la conscience de chacune le soin de la respecter : « Le sentiment du devoir et un souci très vif de la dignité personnelle étaient comme l'air que l'on respirait à Sèvres, note J. Crouzet-Benaben »[35].

Mais l'action de Mme Jules Favre sur les élèves ne se borna pas au séjour de celles-ci à Sèvres : dès leur dispersion, elle entretient avec elles une importante correspondance. Sans doute se défiait-elle de la direction de conscience : « La direction spirituelle est chose délicate, écrivait-elle peu avant sa mort à une directrice, qui peut encourager la vanité, ou quelque chose de pire ; plus je vais, plus je me convainc de l'efficacité de l'influence indirecte ».

---

33. *Le jubilé...*, discours de Gaston Darboux, p. 90.

34. *Le cinquantenaire de l'Ecole de Sèvres, 1881-1931*, Louise Belugou, p. 337. La version — quelque peu malveillante — du roman *Les Sévriennes* n'est pas très différente. J. Crouzet et M. Aron ont laissé des descriptions analogues.

35. « Souvenirs de Sèvres », *Grande revue*, 25 mai 1907. « Nous rêvions une Ecole où la discipline puiserait surtout sa force dans les exigences de notre conscience — et quelle conscience que celle de notre directrice », écrit de son côté H. Lemonnier (*Le jubilé...*, p. 84).

Au reste, il ne s'agissait pas seulement de direction, mais de l'aide morale à apporter à celles qui, éloignées du monde familier de Sèvres, se trouvaient dans un milieu hostile : « Il arriva à certaine directrice de recevoir un message de Sèvres tous les jours, jusqu'à ce qu'elle se sentît hors de peine » [36]. Telle lettre, écrite le 13 septembre 1883, « au moment de l'attente des premières nominations », peut faire figure de testament spirituel adressé à toutes les Sévriennes :

> « Ne dites pas que votre séjour à Sèvres n'a été qu'un épisode dans votre vie : je lui attribue beaucoup plus d'importance que cela, et je vais jusqu'à dire que toute votre carrière doit s'en ressentir. Si vous n'y avez pas trouvé une direction morale, c'est à moi que je dois m'en prendre. Oui, il faut une grande pensée dans la vie, mais tout être doué d'intelligence et d'activité doit avoir le sentiment de sa responsabilité, de l'obligation de faire en ce monde le plus de bien possible. Vous êtes privilégiées entre les femmes, vous, élèves de Sèvres, car plus que d'autres, vous avez le moyen de remplir la belle mission de la femme qui est d'éclairer, d'élever. Alors même que vous ne trouveriez pas cette profonde affection qui est plus ou moins le rêve de toutes les jeunes filles, vous n'en pourriez pas moins atteindre le noble but qui est de nature à exalter une âme telle que la vôtre ».

Par la correspondance, par leurs visites à Mme Jules Favre, les anciennes venaient ainsi se retremper aux sources : « Non qu'elle intervînt personnellement auprès des chefs, ou donnât directions ou conseils sur la conduite à suivre, mais, remise par son entretien et par son exemple en face de soi-même, on y voyait mieux et de plus haut, et l'on partait plus convaincue de la nécessité de se donner et de la foi dans la mission confiée » [37].

De cette action si pleine de dignité, de discrétion, de réserve, une rapide observation pourrait ne retenir que le caractère austère. Cependant, la première directrice de Sèvres a laissé trop de vrais regrets, parmi ceux qui l'ont bien connue, pour ne pas inviter à aller au-delà des apparences : elle savait rire, elle avait la jeunesse du cœur et, comme l'a pu dire H. Lemonnier sur sa tombe : « Son âme, qui semblait froide, révélait des trésors de dévouement, d'affection, de tendresse ». Ainsi peut s'expliquer que Sèvres, cette « école d'âmes » [38], n'a rien eu sous sa direction « ni de la caserne ni du couvent » [39].

Mme Jules Favre n'était pas qu'une directrice des consciences. Elle était placée à la tête d'un école où tout était à créer : il fallait réunir un

---

36. *Le cinquantenaire de l'Ecole de Sèvres, 1881-1931*, L. Belugou, p. 338.
37. *Ibid.*, p. 341.
38. H. Michel, *Le Temps*, 31 janvier 1896.
39. Allocution de Joseph Fabre lors de ses obsèques, février 1896.

corps de professeurs, orienter leur travail[40], définir les concours auxquels ils prépareraient les élèves, et, par ce biais, déterminer ce que serait l'enseignement secondaire féminin. Mais Sèvres n'était pas seule à décider : de là des conflits avec l'administration, qui furent assez vifs pour que, par deux fois, la directrice ait jugé bon d'offrir sa démission. Le désaccord et le manque de sympathie avec Legouvé étaient totaux : avec de la discrétion de part et d'autre, cela n'entraîna pas de conséquence. Il n'en était pas de même avec le recteur sous l'autorité de qui l'Ecole avait été placée : Mme Jules Favre connut « une vie administrative souvent douloureuse ». Par deux fois, en 1885 au sujet, semble-t-il, de la discipline intérieure de l'Ecole, en 1891 à la suite d'un grave dissentiment avec le jury d'agrégation, elle offrit sa démission. Gréard, cependant, tenait assez à sa présence à la tête de l'Ecole pour avoir refusé d'abord, en juillet 1885, de transmettre sa démission au ministre. Elle la rapportait d'ailleurs, à la fin du mois d'août, « assurée de votre bienveillance, écrivait-elle au ministre, et de la sympathie de nos professeurs et de nos élèves ». Sa démission de 1891 n'a pas laissé d'autre trace que le témoignage de sa confidente, L. Belugou ; elle ne dut pas amoindrir sa position puisque la spécialisation des agrégations, en 1894, est en partie son œuvre.

En quoi profondément résidait son dissentiment avec le recteur ? Les litotes des témoins, malgré tout ce qu'elles laissent de flou et d'informulé, permettent de le deviner. Universitaire, Gréard était à la fois attaché à une pédagogie et à une discipline qui rappelaient celles des établissements de garçons, et à une conception méfiante des études qu'il convenait de faire faire à des jeunes filles, son désaccord sur ce point avec Camille Sée était patent. « Plus indépendants, nous étions plus hardis », disait Lemonnier en 1907[41]. La forte personnalité de Mme Jules Favre, sa totale indépendance d'esprit s'accommodaient mal de directives qui durent lui paraître parfois tatillonnes ou tracassières. L'administrateur en Gréard répugnait à affronter l'opinion publique : pour rassurer, il était prêt à retrancher et à interdire. « C'est le propre de cette belle chose exprimée par le vilain mot de pédagogie de rendre quelque peu intransigeants ceux ou celles qui s'en occupent[42]. » Ainsi l'attitude de Gréard et celle de Mme Jules Favre étaient-elles irréductibles.

La hauteur de vues de Mme Jules Favre ne regardait pas que la

---

40. Darboux rappelle comment la directrice lui dit « nettement », après sa leçon inaugurale, qu'il avait manqué son but. Elle assistait souvent aux cours, prenait part aux discussions en philosophie. Elle exerçait donc une véritable action sur l'enseignement. Sur le choix des professeurs aussi. Elle « s'inquiétait de savoir qui convenait le mieux pour chaque enseignement, elle écoutait et sollicitait nos avis, faisait des propositions qui reçurent presque toujours un accueil favorable » (Darboux, *Le cinquantenaire de l'Ecole de Sèvres, 1881-1931*).

41. Lemonnier, *Le cinquantenaire de l'Ecole de Sèvres, 1881-1931*, p. 84.

42. Darboux, *ibid.* p. 92

discipline extérieure. Comme le rappelle L. Belugou, « elle ne voyait de limites à imposer au développement intellectuel de la femme que celles que ses devoirs l'amènent à s'imposer à elle-même »[43]. C'est dire qu'elle ne se laissait pas enfermer dans les formules qui connaissaient alors la faveur du monde officiel : l'« égalité dans la différence » ou bien « des clartés de tout ». A aucun moment elle ne semble avoir rêvé, comme le fit en somme le Conseil supérieur, d'études conçues spécialement à l'usage des jeunes filles. Une logique sans faille, les discussions avec les professeurs de l'Ecole l'amenèrent à tenir toujours le parti des fortes études. La voie restait donc ouverte à ce qui fut, en effet, l'évolution de l'avenir. Pourtant, à l'audace fondamentale de la pensée s'alliait une sorte de timidité qui était peut-être une forme de dédain : le détachement de toute consécration officielle[44], au point que l'Ecole n'était représentée à aucune cérémonie ou manifestation, fut peut-être un élément de succès dans les débuts.

Il n'aurait pas été question, pour les Sévriennes installées à Compiègne — à supposer que le projet primitif eût été suivi —, d'autre enseignement que celui des professeurs du collège de la ville. Si honorable et réputé que fût le niveau de cet établissement, Jules Ferry et ses collaborateurs jugèrent qu'il fallait plus et mieux pour l'institution nouvelle. L'installation à Sèvres, on l'a vu, en fut la conséquence. Cependant, le choix des professeurs ne pouvait être tout d'abord que le fruit de l'improvisation. Ce n'est pas avant octobre 1881, pour une rentrée qui était d'abord fixée à novembre, que fut réunie l'équipe initiale[45]. Elle n'avait au départ aucune cohésion. Rambaud sortait du

---

43. L. Belugou cite à l'appui un fragment emprunté à la préface de Jean-Paul Richter dont Mme Jules Favre avait édité des textes : « Il ne me paraît pas juste de conclure à l'infériorité morale de la femme quant au pouvoir créateur, avant de l'avoir placée dans des conditions égales à celles de l'homme. Car, de tous temps, on a fourni à l'homme le moyen de cultiver ses aptitudes naturelles tandis que ces moyens ont toujours plus ou moins été refusés à la femme, à qui, d'ailleurs, sa vocation d'épouse et de mère permet rarement une autre profession » (ibid., p. 335).

44. Elle refusa les palmes académiques en 1886. Elle ne désirait pas d'autre récompense, disait-elle, que l'accomplissement de son devoir.

45. Aux termes de l'arrêté du 31 octobre, elle comprenait : M. Darboux, docteur ès sciences, professeur à la Faculté des sciences de Paris, chargé des conférences de mathématiques ; M. Serré-Guino, agrégé des sciences, examinateur pour l'admission à l'Ecole spéciale de Saint-Cyr, chargé des conférences de physique et de chimie ; M. Alfred Rambaud, docteur ès lettres, professeur à la Faculté des lettres de Nancy, chargé des conférences d'histoire et de géographie ; M. Joseph Fabre, professeur de philosophie en congé, chargé des cours de morale ; M. Charles Gidel, docteur ès lettres, proviseur du Lycée Louis-le-Grand, chargé de la conférence de littérature française ; M. Darmesteter, docteur ès lettres, chargé de cours à la Faculté des lettres de Paris, chargé des conférences de grammaire ; M. Edmond Perrier, professeur de zoologie au Muséum d'histoire naturelle, chargé des conférences de sciences naturelles ; Mme Lenoël (Alix), pourvue du brevet supérieur de l'enseignement primaire, chargée des cours de lecture et de diction ; Mlle Williams, pourvue du brevet supérieur pour l'enseignement primaire, chargée des cours d'anglais ; M. Koell, professeur d'allemand au lycée Louis-le-Grand, chargé des cours d'allemand. Lors du passage de Paul Bert au ministère, Gidel fut remplacé par Terrier, professeur au collège Rollin, qui devint en même temps « sous-directeur des études » : il ne semble pas que ce titre ait eu une signification quelconque, sauf le traitement de 8 000 francs qui y était attaché. La fonction ne dura d'ailleurs qu'un an. Lorsque Rambaud, qui n'avait pas encore enseigné à Sèvres, fut devenu professeur à la Sorbonne, Lemonnier pour l'histoire et Brissaud pour la géographie vinrent le remplacer.

cabinet ministériel de Jules Ferry : il « était déjà presque un homme politique », tout comme le philosophe Joseph Fabre qui devait être longtemps sénateur [46]. Brissaud était un « professeur de l'ancien régime », de l'Université du Second Empire. La présence de Madame Lenoël s'expliquait du fait qu'elle était la fille de Zévort. Miss Williams était professeur d'anglais au collège Sévigné. Pour la plupart, en sciences du moins, les maîtres de conférences de Sèvres étaient considérés comme des sommités dans leur discipline, ainsi Darboux, futur secrétaire perpétuel de l'Académie des sciences, futur doyen de la Faculté des sciences, Perrier qui devait finir directeur du Muséum et membre également de l'Académie des sciences. En lettres, avaient été placés des « hommes de confiance », mais aussi un savant, le grammairien Arsène Darmesteter : « Un esprit d'élite, un savant, un philologue et un philosophe, une intelligence puissante, ingénieuse, un peu rêveuse peut-être » [47]. Ferry et Zévort avaient donc cherché plus que la compétence : une illustration qui devait rejaillir sur l'Ecole naissante. Cependant, les professeurs de l'Ecole avaient pour la plupart en commun la jeunesse. Comme l'expérience le montra, ils étaient tout prêts à s'adapter aux conditions particulières de leur enseignement et ils avaient foi dans l'œuvre : « Nous étions unis par l'amour de nos nouvelles fonctions, rappelle Lemonnier, par la pensée que nous contribuions à une œuvre féconde, par des sentiments qui valaient peut-être des théories ».

Ceux qui vinrent peu à peu s'adjoindre au noyau primitif ne pouvaient être dans un sentiment différent : ils avaient été choisis souvent sur la suggestion des professeurs déjà en exercice et de la directrice. C'est ainsi que vinrent enseigner à Sèvres, Lecène, Petit de Julleville, H. Chantavoine, J. Tannery, Paul Appell, P. Van Tieghem, Emile Picard, Marie Curie, C. Matignon, G. Lanson, A. Darlu. Recruté jeune encore, ce même personnel assura, en grande partie, de longues années d'enseignement dans l'établissement. Terrier, qui faisait figure de doyen, enseigna dix-neuf ans, Chantavoine, trente-cinq ans, de 1882 à 1917, le géographe M. Dubois, vingt-cinq ans, Lemonnier, trente-sept ans, de 1882 à 1919, Darboux, trente-six ans, Tannery, vingt-huit ans, P. Appell, trente-six ans, comme Perrier et Van Tieghem : certains des premiers maîtres de conférences, et non des moindres, sont restés en place jusqu'au lendemain de la première guerre mondiale. Ils

46. Le nom de J. Fabre, agrégé de philosophie protestant, qui fut inquiété, sous l'Ordre moral, pour ses opinions ardemment républicaines et anticléricales encore que spiritualistes, est resté lié à celui de Jeanne d'Arc. Il consacra ses efforts de parlementaire et d'homme de lettres à l'institution d'une fête nationale de Jeanne d'Arc, mais mourut, en 1916, sans avoir vu le succès qu'obtint Maurice Barrès. (Cf. « La Fête nationale de Jeanne d'Arc et son promoteur Joseph Fabre », L'Educateur protestant, 10 mai 1929, p. 129-135).

47. Lemonnier, Le cinquantenaire de l'Ecole de Sèvres, 1881-1931. Mort prématurément en 1888, Darmesteter fut remplacé par Petit de Julleville, déjà maître de conférences à l'école Sévigné.

auront presque autant duré que l'enseignement secondaire féminin qu'ils ont contribué à fonder. A cet égard, aussi, l'Ecole des premières années du siècle faisait figure d'institution installée.

Les premières maîtresses adjointes n'eurent pas cette longévité, à deux ou trois exceptions près [48]. Leur travail était proche de celui des agrégés répétiteurs d'aujourd'hui. Très modestement rémunéré, le poste était d'abord considéré comme une situation d'attente [49]. Certaines ont pu le convoiter car il permettait d'éviter l'exil en province qui effrayait à juste titre. Mais l'exil était alors remplacé par la contrainte : les maîtresses internes n'avaient pratiquement pas de vie personnelle et devaient fournir un travail considérable.

D'autre part, certaines des maîtresses qui avaient été recrutées au début de l'Ecole ne pouvaient pas convenir : il était impossible de confier une partie de la préparation aux concours de recrutement à des femmes dont certaines étaient restées de bonnes institutrices, bien que titulaires de l'une des premières agrégations. Quant aux plus méritantes, entre autres C. Provost, elles furent requises par la direction des nouveaux établissements. Aussi, les préoccupations de carrière et d'avenir aidant, ne restait-on pas maîtresse adjointe, d'ordinaire, plus de trois ou quatre ans [50].

Gréard avait nanti l'école d'un règlement aussi précis dans les horaires que sévère dans l'esprit général [51]. Dès avant la mise en œuvre de ses prescriptions, une maîtresse surveillante avait été nommée : ce fut Emma Roth, vieille amie et collaboratrice de Mme Jules Favre au pensionnat Frèrejean. L'année suivante, fut créé un second poste de surveillante, confié à H. Stoude, future directrice du lycée Molière. Ni

---

48. Notamment C. Duparc, répétitrice de lettres, qui mourut au bout de quinze ans de fonctions et J. Michotte qui, trente-huit ans durant, fut répétitrice de sciences.

49. Le traitement des déléguées n'était pas soumis à retenues pour la retraite. Seules furent titularisées celles qui restèrent longtemps. Nourries et logées, les maîtresses touchaient un traitement de 1 800 francs.

50. Il n'en fut pas de même par la suite, comme en témoignent des carrières telles que celles de Mme Cotton et Mlle Streicher, nommées respectivement en 1905 et 1908, et de tant d'autres.

51. Octobre 1883. *Article 1er*. Le lever a lieu : du 1er octobre au 1er avril, à six heures et demie, du 1er avril au 1er août, à cinq heures et demie. Les élèves descendent en étude : du 1er octobre au 1er avril, à sept heures, du 1er avril au 1er août, à six heures. L'heure du coucher est uniformément fixée à dix heures. *Article 2*. Les heures de repas sont fixées ainsi qu'il suit : Premier déjeuner, sept heures et demie ; second déjeuner, midi ; dîner, sept heures.

Article 3. Le travail est interrompu : de midi à 1 heure et demie ; de 3 heures à 3 heures et demie ; de 7 heures et demie à 8 heures et demie.

Article 4. Les élèves sont astreintes de travailler dans les salles d'études, en dehors des heures de conférences. Elles ne peuvent se retirer dans leurs chambres qu'à dix heures. A dix heures et demie, le gaz est éteint. Deux heures leur sont accordées, le jeudi et le dimanche, pour faire dans leurs chambres leur correspondance particulière et se livrer à des travaux privés.

Article 5. Il est interdit de se rendre, sans l'autorisation de la maîtresse surveillante, dans la salle d'étude d'une autre promotion ou d'une autre section.

Article 6. Les élèves qui ont des parents ou des correspondants à Paris ou à proximité sortent le dimanche matin à 8 heures et rentrent avant la nuit. C'est ce règlement, à peine adouci, qui régit la vie de l'Ecole pendant près de quarante ans. Cependant les élèves — à en croire un esprit aussi peu intéressé à le dire que la romancière G. Réval — retiraient de leur vie à l'Ecole une extraordinaire impression de liberté.

l'une ni l'autre ne restèrent : les fonctions qui, semble-t-il, demandaient de la capacité [52] étaient encore plus mal rémunérées et dépourvues d'avenir que celles des maîtresses adjointes [53]. Cependant, deux surveillantes, devenues en 1910 des surveillantes générales, restèrent fort longtemps en place : A. Turbion, nommée en 1884, prit sa retraite en 1912, et J. Lochert, Sévrienne de 1882, nommée en 1888, s'en alla pour raisons de santé en 1915. Dans une école peu nombreuse, dominée par la personnalité exceptionnelle de la directrice, le rôle de la surveillante ne pouvait se borner à vérifier l'application du règlement, à présider à la retraite des élèves dans leur chambre le soir, à faire des tournées d'inspection dans l'établissement : comme les maîtresses adjointes, les surveillantes avaient mission de veiller à la formation morale des élèves : elles étaient en quelque sorte la contrepartie de l'extrême discrétion de Mme Jules Favre. Dans les débuts de l'Ecole, il n'est pas douteux que ces fonctionnaires ont été choisies avec un bonheur inégal : si J. Lochert représente bien l'« esprit de Sèvres » tel qu'il était défini dans l'entourage de la directrice, il n'en est pas de même de sa collègue, excellente personne que rien ne semblait désigner pour cette tâche et que les élèves semblent avoir considérée avec une affection quelque peu teintée de condescendance.

Attachée aux principes de Mme Jules Favre, nantie d'un personnel qui pour l'essentiel était remarquablement stable, l'Ecole vécut, avec son esprit propre, loin des regards. Oubliée en quelque sorte, l'œuvre ne s'en développait que mieux. Il n'est pas sûr que sa tradition de discrétion, longtemps conservée sous la direction de la disciple et confidente de la « fondatrice », L. Belugou [54], l'ait également servie par la suite.

Les concours de recrutement : le certificat et l'agrégation

Dans l'esprit du législateur, l'enseignement des jeunes filles, d'abord confié par nécessité à des hommes, devait passer à des professeurs femmes. La direction revenait d'emblée à des femmes : il était communément admis que, dans l'état des mœurs en France, l'opinion ne

---

52. Dès 1883, E. Roth fut écartée parce que Gréard la jugeait « tout à fait insuffisante » dans ses fonctions.

53. A la fondation, le traitement, outre la table et le logement, était de 1 200 francs. Au bout de dix-huit ans au service de l'Etat, en 1899, A. Turbion obtint 1 400 francs. En 1903, les surveillantes de Sèvres obtinrent un reclassement qui les mettait de pair avec les maîtresses répétitrices de lycée, avec avancement rapide. Enfin, en 1910, les surveillantes de Sèvres furent rangées dans la catégorie des surveillantes générales de lycée : A. Turbion, pourvue seulement du brevet supérieur, obtint la première classe des surveillantes générales de deuxième ordre, son traitement s'éleva alors à 3 500 francs. A sa retraite, il était de 3 700 francs (1912).

54. Mme Marion devint directrice en 1896, à la mort de Mme Jules Favre. Elle le resta jusqu'en 1906, date à laquelle elle fut démise de ses fonctions. Louise Belugou fut alors appelée à la tête de l'établissement et y demeura jusqu'en 1919.

supporterait pas de voir des établissements féminins dirigés par des hommes. Mais, d'autre part, la loi laissait entière la question du recrutement des professeurs. Sans doute, Camille Sée, dès l'été 1881, avait-il fait passer une loi créant l'Ecole normale des professeurs femmes. Mais cette école n'avait aucunement reçu le monopole de l'enseignement nouveau ; lui réserver l'accès aux futurs titres de recrutement aurait été « déroger aux principes libéraux qui sont l'honneur de l'Université »[1].

En dehors du baccalauréat et de la licence, il n'existait aucun titre qui fût considéré comme donnant qualité pour enseigner dans l'enseignement secondaire. La loi de 1850, Beaussire le rappelle encore à la Société pour l'étude des questions d'enseignement secondaire, a assimilé l'enseignement des jeunes filles à l'enseignement primaire : « Elle a retiré aux femmes tous les diplômes spéciaux qui pouvaient se rapporter à un autre enseignement que l'enseignement primaire. La loi de 1880 n'a rien innové sous ce rapport ». Elle a prévu, pour couronner l'enseignement secondaire féminin, une sanction unique : un diplôme qui atteste que la jeune fille a fait des études satisfaisantes et complètes dans un établissement régulier de l'Etat.

Le caractère restrictif de cette disposition passa tout d'abord inaperçu. Cependant, au Conseil supérieur, Michel Bréal et les amis du collège Sévigné se plaignirent de l'absence de toute sanction pour les élèves de l'enseignement secondaire privé, fût-il laïque. Le caractère interne du diplôme était, certes, une machine de guerre contre les couvents : les ennemis des congrégations pouvaient se féliciter d'avoir créé le diplôme de fin d'études, qui demeurait inaccessible aux élèves des couvents, au détriment de tout l'enseignement libre, fût-il sympathique aux idées républicaines[2]. Mais parce que les législateurs avaient décidé que l'enseignement nouveau ne pouvait être que désintéressé, ils privèrent le diplôme d'une grande partie de son efficacité en ne lui donnant aucune équivalence avec les brevets ou examens existants : les parents soucieux pour leurs filles d'une assurance contre la mauvaise chance avaient tendance à le considérer comme moins important que le brevet qui ouvrait la carrière d'institutrice. D'autre part, placé à la fin d'une scolarité moins longue que l'enseignement secondaire masculin, au reste dépourvue d'humanités, le diplôme ne pouvait même pas être comparé au baccalauréat, et ne permettait donc pas l'accès à l'enseignement supérieur.

---

1. SEQES, Assemblée générale du 24 mars 1883. Allocution du président Beaussire, *RIE*, janvier-juin 1883, p. 430.

2. « Seules, écrit la circulaire du 27 juillet 1883, qui se réfère à l'arrêté du 28 juillet 1882, les élèves qui suivent les cours des établissements publics peuvent être admises aux examens ... ». « Le législateur, et après lui le Conseil supérieur de l'instruction publique, ont voulu conférer aux lycées et collèges universitaires un privilège exclusif ».

Sans doute le diplôme rétablissait-il, du moins pour les élèves de l'enseignement public, ce qui avait été supprimé en 1850, mais il ne devait avoir d'existence qu'après plusieurs années, lorsque les premières et rares élèves de l'enseignement nouveau auraient accompli une scolarité complète : pas avant 1888 en principe, puisque les premiers établissements réguliers s'étaient ouverts, à quelques exceptions près, en 1883. « Le brevet supérieur pour l'instruction primaire reste donc la plus forte garantie que l'on puisse demander aux aspirantes libres qui ne se sont pas élevées jusqu'au baccalauréat ou à la licence ... Ainsi, c'est un titre appartenant exclusivement à l'enseignement primaire qui ouvre l'entrée du professorat de l'enseignement secondaire. » La suggestion de Beaussire devant cette anomalie est de créer ou plutôt de rétablir les diplômes spéciaux de l'enseignement secondaire féminin, tels que les avaient définis les règlements de la Monarchie de Juillet.

Entre les trois solutions qui lui étaient apparemment ouvertes — revenir à la situation d'avant 1850, faire accéder les futurs professeurs femmes aux mêmes grades que les hommes, ou se contenter de la situation existante —, l'administration opta pour la troisième, le brevet supérieur. C'était en fait la seule issue. Instituer ou rétablir des diplômes spéciaux à l'enseignement secondaire eût été priver de toute signification le diplôme de fin d'études, expressément voulu par le législateur. Reconnaître le baccalauréat, a fortiori la licence, comme moyen d'accès normal au nouveau professorat, n'était guère possible. Les études des lycées féminins n'y conduisaient pas ; on ne voulait pas qu'elles y conduisent. Au reste, faire du baccalauréat une étape possible vers le professorat des filles eût été priver le diplôme de fin d'études, encore plus efficacement que dans le cas précédent, de ses principaux attraits. On aurait ainsi organisé la désertion vers les établissements libres qui auraient assuré la préparation au baccalauréat exclue par la loi[3].

Il était alors facile d'objecter que la préparation au brevet supérieur, en devenant l'un des objets des nouveaux établissements, les transformait en fait en écoles primaires supérieures. Cet argument que la ressemblance des programmes rendait plausible fut très souvent repris, notamment par Camille Sée, hostile aux dispositions du Conseil supérieur relatives à un programme et à une scolarité rétrécis. Mais Camille Sée ne semble avoir jamais pris en considération l'obstacle constitué par le diplôme tel qu'il avait été conçu. Faute de sanctions propres au diplôme, faute aussi de dispositions qui auraient précisé l'analogie de l'enseignement secondaire féminin avec l'enseignement secondaire spécial, au reste le plus mal aimé des enseignements, à défaut

---

3. C'est ce qui se produisit à Paris, lorsque le collège Sévigné, bientôt imité par les congrégations, organisa la préparation au baccalauréat. Qu'il ne l'ait pas fait plus tôt est l'indice de l'état de l'opinion qui, vingt ans auparavant, considérait le baccalauréat comme inaccessible à la grande majorité des filles.

d'analogie avec l'enseignement secondaire classique, l'usage allait consacrer le mouvement déjà ancien qui conduisait les éventuelles candidates à l'enseignement vers le brevet supérieur.

Cependant, pour le recrutement des nouveaux professeurs femmes, l'administration fit régner une longue période d'incertitude. Le Conseil supérieur ne fut saisi de la question qu'à la session de décembre 1883, trois ans après le vote de la loi. Il fut d'abord procédé à des mesures provisoires qui engageaient toutefois l'avenir puisque le schéma qu'elles esquissaient fut adopté, de même que les noms par lesquels on désigna les différents examens. Le 2 juin 1882, un arrêté ouvrit un concours appelé certificat d'aptitude à l'enseignement secondaire dans les lycées et collèges de jeunes filles ; il eut lieu le 8 août. Certes, on ne pouvait pas orienter ainsi les études des Sévriennes dont la première promotion était entrée à l'Ecole en décembre. Elles ne passèrent pas ce premier examen. C'est pourtant en partie leur présence qui a contraint l'administration à se décider. Ne pas ouvrir un examen aurait été créer un monopole au moins provisoire de l'Ecole de Sèvres pour l'entrée dans le nouvel enseignement. D'autre part, il fallait pourvoir en personnel les établissements réguliers qui allaient s'ouvrir avant même que les Sévriennes ne fussent prêtes.

Le programme était le même que celui de l'entrée à l'Ecole : au reste, le délai de préparation était si court qu'il ne pouvait pas en être autrement. Sans prononcer le mot, l'arrêté sous-entendait une future agrégation : en effet, celles qui allaient obtenir le certificat n'auraient droit qu'au titre de « chargées de cours dans les lycées ». Elles ne seraient professeurs que dans les collèges[4]. « Leur situation, écrivait le premier numéro de la revue de *L'enseignement secondaire des jeunes filles*[5], sera la même que celle des licenciés dans les lycées et collèges de garçons. L'agrégation seule donne droit au titre de professeur dans un lycée. Or, cette agrégation n'existe pas encore pour l'enseignement secondaire des jeunes filles ». La revue préjugeait donc de l'avenir : on voit le rôle de modèle que l'enseignement masculin a joué, du moins dans la question du recrutement. L'administration n'avait pas qualité pour innover, puisque le Conseil supérieur n'avait pas été consulté ; d'autre part, les nouveaux établissements s'ouvraient, l'opinion n'aurait pas compris une attente supplémentaire pour les pourvoir en professeurs qualifiés. On opta donc pour la formule du certificat d'aptitude qui existait déjà dans le professorat des écoles normales et dans le professorat des langues : elle permettait les consultations ultérieures au

---

4. Aux titulaires du certificat, on assimilait les titulaires du certificat de langue vivante et les licenciées. Dans la langue courante, le certificat fut souvent appelé « licence féminine » ou encore « licence de Sèvres ». Comme la licence, le certificat est réputé être un examen, et non un concours.

5. N° 1, juillet 1882, p. 41-45.

sujet de l'agrégation dont il fallait ne pas galvauder le prestige[6]. En même temps, malgré l'apparence d'analogie, était mise en lumière la différence entre l'enseignement masculin et l'enseignement féminin. Les licenciés étaient formés en faculté, non les futures certifiées ; comment en aurait-il pu être autrement puisque l'accès au baccalauréat leur était pratiquement fermé ?

Ainsi se dégageait, pensait-on, la nécessité d'un échelon intermédiaire entre le titre, qui attestait la possession d'une formation secondaire, et l'agrégation. Le diplôme de fin d'études n'apparaissait pas suffisant pour enseigner dans les établissements secondaires. Au reste, il n'existait pas encore, puisqu'il supposait une scolarité complète. La réalité, dans les années qui suivirent, fut plus nuancée. D'autre part, l'agrégation, avant même que son nom fût prononcé dans les textes officiels, était placée si haut que le professorat, auquel seule elle donnerait droit, ne pouvait être que l'apanage de la minorité. Parce que c'était ainsi dans les lycées et collèges de garçons, on choisissait délibérément de créer deux catégories dans le corps enseignant, distinctes par la qualification et par le traitement, mais non par les services qu'on leur demandait. L'administration, sur une question qui engageait si largement l'avenir, faisait donc prévaloir des vues qui lui étaient propres.

Lorsqu'en décembre 1883, le Conseil supérieur se pencha sur le projet de décret relatif à l'agrégation, Zévort et Gréard donnèrent leurs raisons. Michel Bréal et Perrot n'étaient pas convaincus en effet de la nécessité de ce nouveau titre. Sans doute y avait-il dans leur attitude le souci de ne pas assimiler par trop ce nouvel enseignement sans latin à son homologue masculin : la dénomination apparaît « prétentieuse » à Bréal. Mais surtout Perrot « serait d'avis que l'on supprimât l'un des deux examens (c'est-à-dire le certificat ou l'agrégation), sauf à réserver au ministre le soin de conférer aux professeurs qui se seraient distingués par leurs aptitudes et leur savoir les mêmes avantages qu'aux agrégés »[7]. L'idée d'une souhaitable promotion interne était déjà présente. Pourquoi n'est-ce pas à elle que s'est ralliée l'administration ?

La réponse de Zévort est un élément d'explication : il « fait observer que l'administration se trouverait dans un très grand embarras et serait insuffisamment éclairée, tandis que le concours est le moyen le plus sûr de se rendre compte de la valeur des personnes ».

Rien là que de très classique : pourtant, le passage très fréquent alors

---

6. « Quelque pressante que soit la nécessité de former le personnel féminin ... on ne pouvait créer (l'agrégation) cette année : la période de préparation écoulée depuis l'établissement de l'enseignement secondaire des jeunes filles est véritablement trop courte pour qu'elle ait pu former des aspirantes sérieuses. Ouvrir le concours, c'eût été s'exposer à ne recevoir personne ou à avilir le titre ».

7. F 17 12980. Section permanente du Conseil supérieur, séance du 20 décembre 1883. Bréal aussi trouve des inconvénients à l'existence de deux catégories de professeurs. Perrot trouve un argument supplémentaire : « La nature délicate de la femme ne se prête pas à de pareilles épreuves ». Cf. F 17* 3203, Conseil supérieur, procès-verbaux, séance du 26 décembre 1883, rapport d' Eugène Manuel.

des inspecteurs généraux, l'inspection régulière par les inspecteurs d'académie et les recteurs rendent l'argument quelque peu spécieux. Reste la confiance mise dans le concours : elle tire sans doute une partie de sa force de l'honnêteté attribuée à ce procédé de recrutement. L'administrateur est mieux placé que les autres membres du Conseil pour connaître la puissance et l'efficacité des pressions, politiques ou amicales, qui s'exercent pour tant de nominations et de promotions. Le principal mérite du concours, puisque dans le cas de l'enseignement féminin le recrutement est de toute manière relativement démocratique, réside dans l'indépendance qu'il assure vis-à-vis de la recommandation et de la faveur.

Le prix de cette indépendance demeure : le corps enseignant se trouve structuré en hiérarchie, en catégories closes, une fois les concours passés. Enfin, une dernière observation de Zévort emporte l'adhésion du Conseil. A l'accusation de vouloir multiplier les examens, il répond qu'il n'en existe que deux avant l'agrégation : le diplôme et le certificat ; et il « ajoute que des titres d'enseignement secondaire sont d'autant plus nécessaires que l'on a eu l'occasion de constater le peu de confiance que les familles témoignent pour les maîtresses primaires qui ont été envoyées dans certains établissements secondaires »[8]. L'opinion demande des diplômes, on lui en donne. Le système adopté en 1883 est bien à la fois le résultat d'une tradition créée par l'enseignement masculin, le fruit de l'expérience administrative et le reflet d'un état d'esprit répandu dans le public.

Bien que l'Ecole de Sèvres ne fût pas représentée au Conseil supérieur, elle était la principale intéressée dans le régime d'examens qu'il fallait adopter pour les futurs professeurs femmes. Le certificat existait : était-il destiné aussi aux Sévriennes ? L'agrégation était prévue : de quel délai les Sévriennes disposeraient-elles pour la préparer et dans quelles conditions ? Avant même le travail réglementaire de l'administration et du Conseil supérieur, c'est à Sèvres qu'allait être débattue la question des examens, au cours d'une réunion des maîtres de conférences, le 21 décembre 1882, puis de deux autres réunions du personnel de l'Ecole, cette fois sous la présidence et à l'initiative de Gréard, les 17 et 27 janvier 1883. Il est hors de doute que ces séances furent déterminantes pour l'avenir des concours féminins puisque les deux arrêtés ouvrant le premier concours d'agrégation parurent quatre jours après la dernière réunion. Le principe de l'agrégation elle-même ne fut pas mis en cause, mais la manière de la concevoir était variée. Il est

8. Le propos de Zévort est en même temps une flèche à l'adresse de son collègue directeur de l'enseignement primaire, Ferdinand Buisson. Celui-ci n'a-t-il pas, appuyé en cela par Bréal, proposé l'identification du certificat récemment créé avec le certificat d'aptitude au professorat des écoles normales ? « M. Gréard, note le procès-verbal, reproche à l'enseignement primaire de vouloir s'élever trop haut en envahissant l'enseignement secondaire des jeunes filles » (F 17 12980, *ibid.*).

remarquable que l'avenir et l'usage aient donné raison à des idées qui furent soulevées et ne furent pas alors retenues, ainsi pour la division des agrégations littéraire et scientifique.

Les professeurs se montrèrent partagés sur le certificat. Sans doute était-il nécessaire aux non-Sévriennes, mais pour certains le concours d'entrée à Sèvres pouvait fort bien tenir lieu de certificat ; les élèves n'auraient à passer avant l'agrégation qu'un examen intérieur à l'Ecole. L'agrégation apparaissait à tous comme l'« épreuve normale » pour les Sévriennes. Encore fallait-il pourvoir au sort de celles qui ne seraient pas reçues. Le niveau des études, à cette date de 1883, est encore si mal défini que selon les uns, qui assimilent l'entrée à Sèvres au certificat, il suffirait d'avoir été Sévrienne pour devenir chargée de cours ; tandis que, pour d'autres, il faudrait avoir été admissible à l'agrégation. Un troisième parti, qui ne semble pas avoir été le plus nombreux[9], voulait faire passer à toutes le certificat : ce fut lui qui l'emporta parce qu'il représentait l'opinion de Gréard :

> « L'agrégation est le seul but que doit viser l'enseignement à l'Ecole de Sèvres ; mais il ne faut pas oublier que l'on est en présence d'une création récente, qu'on est forcé de faire du provisoire en même temps que du définitif. Il serait donc bon d'établir, à côté de l'agrégation, à laquelle toutes les élèves, après dix-huit mois d'études, ne seront pas évidemment reçues, un examen spécial pour celles qui auront échoué. On ne peut leur confier une chaire qu'après une épreuve qui réponde de leur capacité, et cette épreuve doit être commune et ouverte à toutes. Il faut donc, à côté de l'agrégation, un examen particulier ... »

Ce n'est donc pas, pour Gréard, une question de principe que le maintien du certificat. Soit par conviction réelle, soit plutôt dans le désir d'amener à ses vues une assemblée de professeurs soucieux pour leurs élèves d'une véritable culture et réticents devant l'encombrement que représentera un examen supplémentaire, il présente le certificat non peut-être comme un expédient, en tout cas comme une mesure qui pourrait être provisoire. En fait, l'existence du certificat ne fut, par la suite, jamais remise en cause, tant du moins que vécut l'enseignement secondaire féminin.

Si Gréard insiste quelque peu pour obtenir le ralliement de l'assemblée à l'institution du certificat, il va au-devant des vœux de celle-ci pour l'octroi d'une troisième année à quelques élèves qui seraient « reconnues susceptibles d'être reçues à l'agrégation ». C'est le premier pas vers la scolarité de trois ans à Sèvres. Cependant, le vœu des spécialistes, quand on en vient à l'organisation de l'agrégation proprement dite, ne sera pas respecté. Les littéraires souhaitent la

---

9. Seuls Brissaud et Chantavoine partagent l'avis de Gréard.

création de deux agrégations distinctes, l'une de littérature et de grammaire, l'autre d'histoire et géographie. Les scientifiques demandent trois agrégations : mathématiques, sciences physiques et sciences naturelles. Onze ans durant, il n'y eut qu'une agrégation pour les lettres et une pour les sciences : l'analogie était plus grande alors avec l'examen du certificat, aussi peu différencié.

Le 31 janvier, un arrêté venait confirmer ces dispositions : il fixait au 9 juillet l'ouverture de la première agrégation féminine. Aucune condition d'âge n'était posée et l'accès en était large. Etaient admises à concourir « les élèves de l'Ecole normale de Sèvres arrivées au terme de leur seconde année d'études ; les aspirantes pourvues soit du certificat d'aptitude aux fonctions de chargées de cours, soit du diplôme de licence ou du baccalauréat avec la mention *Bien* » [10].

On prévoyait même des dispenses pour celles « qui ne pourraient justifier de ces brevets ». Il est vrai que, pour se présenter au certificat, il suffisait d'être au terme de la seconde année de Sèvres ou de posséder le brevet supérieur, sans condition d'âge non plus : ce large accueil était bien du domaine du provisoire.

En fait, les Sévriennes furent obligées de passer le certificat avant l'agrégation : seules celles qui réussirent eurent le droit de se présenter à l'agrégation. L'usage imposé par Gréard était donc plus restrictif que l'arrêté du 31 janvier : il fallait, pour concourir, être certifiée, même si on était Sévrienne ; une porte de plus était fermée à l'équivalence possible entre le concours d'entrée à Sèvres et le certificat [11].

Tels qu'ils furent créés en 1882 et 1883, les deux concours se ressemblaient beaucoup. D'abord par leur polyvalence, puisqu'il en existait seulement un pour l'ordre des lettres et un pour l'ordre des sciences. La formule même de l'examen, un écrit suivi d'un oral, était des plus classiques. Dans l'ordre des sciences comme dans celui des lettres, et au certificat comme à l'agrégation, l'écrit comprenait trois épreuves [12]. Les matières sur lesquelles portaient les épreuves scientifiques étaient les mêmes : mathématiques, physique et chimie, sciences naturelles. En lettres, le certificat ressemblait au brevet supérieur : les compositions portaient respectivement sur un sujet de grammaire, un sujet de littérature ou de morale, enfin sur un sujet d'histoire de France, tandis qu'à l'agrégation on prévoyait des sujets de littérature, de langue

---

10. L'analogie entre la licence et le baccalauréat avec mention s'explique par le régime de la licence d'alors, qui ne demandait pas plus d'une année d'études après le baccalauréat. Le Conseil supérieur, en décembre 1883, décida d'exiger la licence ou le certificat.

11. On y revint plus tard, en 1909, sous une forme atténuée : lorsque le certificat fut divisé en deux parties, le concours de Sèvres servit de première partie ; les premières reçues seulement entraient à Sèvres.

12. La durée faisait une différence : cinq heures pour chaque épreuve d'agrégation, quatre au certificat.

française et d'histoire. La dénomination même des épreuves indiquait un champ plus vaste : c'est dans le domaine des lettres surtout, à cette époque, que les créateurs de l'enseignement secondaire féminin entendaient marquer la singularité de celui-ci, accentuer ce qui le faisait différer de l'enseignement primaire. C'est bien par l'existence de l'agrégation que commence à se différencier cette nébuleuse d'examens et d'enseignements où se confondent, peu après 1880, types d'enseignement et niveaux des études. En 1882, le certificat et le concours de Sèvres sont si proches qu'une même candidate peut les passer à la même session et y être reçue [13] ; au reste, le brevet supérieur reste le modèle immédiat. L'année suivante, la préparation des certifiées de l'année précédente, la présence des Sévriennes font monter le niveau. Le certificat et l'agrégation sont cependant assez proches pour qu'on puisse y réussir à un mois d'intervalle : le succès à l'agrégation fut cette année-là affaire de résistance physique et nerveuse plutôt que d'envergure intellectuelle et de maturité [14]. Dès 1884, pareil doublé n'est plus possible. La période provisoire est close. C'est alors qu'il est fait appel au Conseil supérieur. Mais, en ce cas comme dans d'autres, l'expérience montre que, sous couleur d'organiser le provisoire, l'administration a durablement orienté l'avenir.

Un cas particulier semble avoir presque complètement échappé à la juridiction du Conseil supérieur et n'avoir pas, de toute manière, provoqué beaucoup de sollicitude : c'est celui des langues. Les langues, en principe, occupaient une place d'importance dans le nouvel enseignement, puisqu'elles tenaient au moins une partie de la place occupée chez les garçons par les humanités classiques. Il existait, depuis une vingtaine d'années [15], un certificat d'aptitude à l'enseignement des langues vivantes dans les établissements secondaires. Un simple arrêté, le 8 novembre 1881, stipulait : « Des cours de langues vivantes dans les lycées et collèges de jeunes filles pourront être confiés à des dames qui justifieront du certificat d'aptitude à cet enseignement ».

Les conditions d'accès étaient la possession du brevet supérieur, ou du brevet de l'enseignement secondaire spécial, ou encore d'un diplôme d'Université étrangère reconnu équivalent à l'un de ces brevets [16]. Cette dernière notion était si large que les lycées de jeunes filles connurent, à

---

13. H. Bayard, qui fut agrégée en 1884 et qui, durant toute sa carrière, fut la « gloire » du lycée de Bordeaux.

14. Mieux préparées incontestablement que les autres candidates, les Sévriennes essuyèrent un échec relatif : en 1883, sur 39 qu'elles étaient, deux n'obtinrent pas le certificat, mais sept seulement sortirent agrégées de l'Ecole, alors que douze places avaient été mises au concours.

15. Arrêté du 27 juillet 1860.

16. L'arrêté fut modifié le 31 juillet 1883. Alors que, pour les hommes, on acceptait, à côté du baccalauréat ou du titre étranger équivalent, le certificat d'aptitude au professorat dans les écoles normales, on ajoutait pour les femmes le brevet supérieur ou le diplôme de l'enseignement secondaire féminin.

leurs débuts, quelques professeurs étrangers qui avaient été entièrement formés dans leur pays d'origine et lui étaient restés parfois si attachés qu'ils avaient négligé de se faire naturaliser [17]. Le certificat de langues vivantes resta à part du nouveau système. Il ne donna lieu, dans les lycées de jeunes filles, à aucune préparation semblable à celle du certificat de lettres ou de sciences. A Sèvres, aucune section ne fut prévue pour les linguistes. Aussi ces dernières furent-elles pratiquement les seuls professeurs des établissements féminins à être passés par les Facultés [18].

La disposition des esprits était telle et la foi dans la vertu des nouveaux diplômes fut rapidement si grande que les certifiées et agrégées de langues n'eurent aucun prestige particulier par suite de leur passage dans l'enseignement supérieur et de la possession du même titre que les hommes. Bien au contraire, une municipalité alla même jusqu'à s'opposer à la nomination d'une directrice de collège sous le prétexte qu'elle n'était qu'une certifiée d'anglais et non de lettres ou sciences. Au reste, fort rares sont les directrices linguistes : plusieurs raisons peuvent être invoquées pour l'expliquer. La carrière de directrice pour une linguiste ne peut être que médiocre puisqu'elle ne peut accéder à la direction d'un lycée, en vertu du règlement de 1884 [19] ; les linguistes ne sont pas du sérail, elles n'appartiennent au système qu'à titre de spécialistes, comme les professeurs de dessin ou de musique. D'autre part, en ces débuts qui se doivent d'être extrêmement prudents, le séjour à l'étranger que beaucoup ont fait et qui est d'ailleurs le gage de leur compétence les rend moins propres à une tâche de direction. Elles ont pris, dans des pays comme l'Allemagne et surtout l'Angleterre, traditionnellement plus libéraux en matière d'éducation féminine que la France, des habitudes et des allures qui leur font méconnaître les ménagements infimes, les habiletés feutrées, l'austérité aussi qui font réussir à la tête d'un collège de province.

Les concours nouveaux furent donc organisés comme si les langues n'existaient pas, et les décrets des 5 et 7 janvier 1884 donnèrent une forme définitive à la hiérarchie nouvelle qu'avait élaborée Gréard, uniquement pour les lettres et les sciences. La direction de l'en-

---

17. Ainsi Miss Williams. Elle était déjà régulièrement nommée maître de conférences à l'Ecole de Sèvres quand on s'aperçut qu'elle était restée anglaise (AN F 17 22259). Trop soucieuse alors de s'attacher des compétences, l'administration jugea qu'il était trop tard et prit le parti de fermer les yeux. De son côté, Miss Scott, certifiée en 1886, agrégée d'anglais en 1888, et pourvue alors d'un poste, ne fut naturalisée que l'année suivante.

18. Nanties du certificat, les linguistes eurent la faculté de se présenter à la même agrégation que les hommes. Elles obtinrent, dans plusieurs cas, des bourses d'agrégation.

19. Titre 1er, article 2 : « Peuvent être nommées directrices d'un lycée les personnes pourvues de l'un des titres suivants : agrégation de l'enseignement secondaire des jeunes filles, certificat d'aptitude au même enseignement, licence ès lettres ou ès sciences, certificat d'aptitude à la direction des écoles normales, diplôme de fin d'études de l'enseignement secondaire des jeunes filles, brevet primaire supérieur ... ».

seignement secondaire l'a emporté sur Bréal et Perrot. Non seulement l'existence de l'agrégation est confirmée, mais elle est renforcée par les nouveaux textes : l'arrêté qui suit décide qu'il faudra avoir le certificat depuis au moins un an, ou bien la licence. On sous-entend ainsi que le certificat est à peu près du niveau de la licence. L'opinion d'ailleurs ne tarda pas à appeler licence le certificat. Les craintes s'avérèrent vaines de ceux qui, au Conseil supérieur ou dans l'enseignement supérieur, s'inquiétaient du niveau de la nouvelle agrégation. La solution proposée et finalement adoptée des deux examens « n'était pas du goût de tout le monde ; et la nouvelle agrégation, ajoute la *Revue internationale de l'enseignement* dans une formule un peu obscure, n'existe guère que par suite de l'impossibilité où ceux qui en combattaient l'institution se sont trouvés de faire agréer au Conseil une dénomination plus modeste ... ». La Revue se consolait cependant : « Tout est bien, si les jurys chargés de conférer cette agrégation se souviennent que les agrégées, dans la hiérarchie du personnel féminin, ayant le pas sur les licenciées ès sciences ou ès lettres, les épreuves de l'agrégation nouvelle doivent être d'une force au moins égale à celle de nos licences universitaires » [20].

Enfin, l'arrêté du 5 janvier exigeait, pour être candidate à l'agrégation, le certificat ou la licence [21] ; il fixait le nombre et la durée des épreuves. Deux jours après les textes relatifs à l'agrégation, paraissent le décret et l'arrêté sur le certificat. Tel qu'il est alors constitué, cet examen est lourd. Les sujets, pour l'une comme pour l'autre section, sont tirés du programme de l'enseignement secondaire des jeunes filles. Voici installé le système de concours qui restera en vigueur jusqu'en 1894, date à laquelle le corps enseignant de l'Ecole de Sèvres obtient la division en deux sections de chacune des deux agrégations.

Les premiers concours passés sans grande préparation, dans la période transitoire, avec des conditions d'accès plus larges pour les candidates, ont-ils porté préjudice, par leur faible niveau, au nouvel enseignement ? Des quatorze certifiées de 1882, trois ne sont pas entrées dans les cadres de l'enseignement secondaire féminin : la première était directrice de cours libre à Paris, les deux autres appartenaient à l'enseignement primaire et y restèrent. Cette fonction attribuée au certificat de donner un diplôme supplémentaire aux professeurs de

---

20. « La session d'hiver du Conseil supérieur », *RIE,* janvier-juin 1884. Le doyen Collet, de Grenoble, n'était pas si optimiste, qui assimilait à peu près le certificat au baccalauréat (« A propos de l'agrégation de l'enseignement secondaire des jeunes filles », *L'Université,* 25 janvier 1884, p. 18-20).

21. Bréal a demandé la suppression de la licence, « quitte à dispense ministérielle ». Beudant ayant observé que le ministre n'a pas le droit de dispenser d'un grade en vue d'un concours, la suggestion n'est pas retenue. Quant à Buisson, fidèle à sa politique, il propose le certificat d'aptitude au professorat des écoles normales. Il échoue devant l'hostilité de Zévort et Gréard, gardiens de l'intégrité de l'enseignement secondaire. (AN, F 17 12980, 20 décembre 1883).

l'enseignement libre et même de l'enseignement primaire, s'affirmait dès les premiers concours. Des onze autres, huit furent agrégées par la suite ; trois d'entre elles firent carrière brillamment dans le professorat sans qu'au long de leur carrière les diverses inspections aient décelé, comme souvent, des fléchissements ou des insuffisances ; trois autres entrèrent très vite dans l'administration : première à l'agrégation de lettres en 1883, A. Vennin, d'abord professeur au lycée Fénelon, devint directrice du lycée du Havre en 1886, de Rouen l'année suivante, et mourut, en 1917, directrice du lycée Victor-Hugo[22]. Seconde à la même agrégation, Cécile Provost, qui avait déjà derrière elle quelques années d'enseignement à l'Ecole normale de la Seine, à la Légion d'honneur et à l'Ecole de Sèvres, devint immédiatement la première directrice du lycée Fénelon ; elle le resta trente ans, à la satisfaction générale[23]. Enfin H. Lempereur, agrégée en 1884, fit toute sa carrière à Lille dont elle était originaire, comme professeur, directrice du collège en 1893, puis du lycée, lors de sa transformation en 1905 : elle s'y acquit une « considérable autorité morale »[24]. Elle prit sa retraite en 1919. Des trois certifiées qui n'obtinrent pas l'agrégation, l'une exerça quelque temps au lycée de Montpellier[25], les deux autres devinrent directrices, B. Rochas, du lycée de Montpellier[26], H. Rousseau (après quatre ans de professorat au collège de Lille), du collège d'Armentières dont elle assura la prospérité[27].

Pourtant, la lecture des rapports sur ce premier certificat ne laisserait pas soupçonner des résultats si honorables[28]. Darmesteter s'afflige de la « faiblesse générale des compositions écrites » ; toutes les réponses en langue française, sauf cinq (il y eut sept reçues), sont « des plus faibles ... Elles en sont restées au degré le plus élevé sans doute, mais trop inférieur encore de l'enseignement primaire ». Quant à la littérature, « l'insuffisance de la méthode qui a présidé jusqu'ici à l'instruction des jeunes filles a paru dans ces épreuves d'une manière évidente ... elles n'ont lu que des fragments d'auteurs », et dans l'appréciation de la composition des morceaux à expliquer, elles font preuve d'une « inexpérience absolue ». Les épreuves de morale ne sont pas

---

22. AN, F 17 23662. On obtint en 1913 la Légion d'honneur pour cette « directrice accomplie ».

23. AN, F 17 23948 et 22241.

24. AN, F 17 22494.

25. Son dossier étant égaré, on perd sa trace après 1887.

26. Prise de court par la nomination de Mme Desparmet au lycée de Lyon, l'administration la nomma dès la rentrée de 1882 à la tête du lycée de Montpellier. Elle n'eut donc même pas le loisir de se préparer à l'agrégation. S'étant mariée en 1901, elle prit un congé illimité, puis redemanda du service en 1909. Elle devint alors directrice des cours secondaires de Sens jusqu'à sa retraite en 1920, sans jamais obtenir la direction de lycée qu'elle demandait : les temps avaient changé (AN, F 17 22542).

27. On la jugeait cependant impropre à une direction plus importante. Elle prit sa retraite en 1909 (AN, F 17 22094).

28. AN, F 17 8789.

meilleures : la plupart donnent les réponses du sens commun ; seules la géographie et l'histoire donnent une moins mauvaise impression. Selon l'inspecteur d'académie Aubin, les candidates en sciences, comme les littéraires, « ne se sont pas assez pénétrées de la différence essentielle qui doit exister entre l'enseignement des sciences dans l'école primaire et cet enseignement dans les lycées et collèges de jeunes filles »[29]. Rien d'inattendu dans ces remarques : comment, au début d'un enseignement dont presque personne, dans le monde féminin, n'avait fait l'expérience, en aurait-il pu être autrement ?

Les résultats à longue échéance de cette première sélection n'en sont que plus remarquables : à quoi peut-on les attribuer ? Tout d'abord, cet examen presque improvisé est en réalité un concours : en lettres, sur 63 aspirantes, 18 seulement ont été déclarées admissibles et 7 reçues ; en sciences, 7 sont reçues sur 36 candidates. En revanche, le concours de Sèvres ne semble pas avoir fait concurrence au premier certificat : les servitudes de la scolarité à Sèvres avaient fait reculer la plupart de celles qui avaient déjà une situation. La simple lecture de la liste des candidates les montre déjà engagées dans l'enseignement et pourvues, à défaut d'une formation adéquate qui n'existe pas encore, d'une maturité en moyenne plus grande que celle des premières Sévriennes. Enfin, faute de programme précis, la sélection de l'examen n'a pu se faire sur les connaissances : privés de cette référence, les jurys, sans se le dire, se sont peut-être plus attachés que par la suite aux qualités d'intelligence et de finesse personnelle des candidates.

Dès l'année suivante, le président du jury des lettres, Eugène Manuel, se déclare satisfait : sur 60 candidates, 25 sont déclarées admissibles, dont 12 Sévriennes et deux maîtresses surveillantes à l'Ecole. Vingt sont reçues, mais 10 Sévriennes littéraires arrivent au bout de leur seconde année d'école sans être certifiées. Neuf d'entre elles quittent l'Ecole pour occuper des postes en province, elles obtiendront du reste le certificat et, pour la plupart, l'agrégation, dans les années suivantes. Sur les 4 scientifiques qui n'obtiennent pas leur certificat en 1883, 2 seront reçues par la suite. Le président pour les sciences, Vieille, est plus sévère qu'Eugène Manuel : sans doute, sur 44 aspirantes, a-t-on fait 22 admissibles, mais « plusieurs aspirantes paraissent n'avoir fait que des études extrêmement superficielles »[30]. Vingt sont définitivement

---

29. La composition de mathématiques est pourtant simple : 1. Extraire à 1/7ᵉ près la racine carrée du nombre 345, 5246. 2. Etant donnés les trois côtés d'un triangle, calculer les trois médianes ; étant données les trois médianes, calculer les trois côtés. 3. Deux courriers partent en même temps de deux villes A et B, séparées par une distance de 354 km et se rencontrent à 200 km de A. Si le courrier venu de A était parti une heure après l'autre, la rencontre aurait eu lieu à 190 km de A. On demande les vitesses des deux courriers.

30. « L'insuffisance de leur préparation, ajoute-t-il entre parenthèses, a d'autant plus frappé le jury que la plupart de ces jeunes filles appartiennent à l'Ecole normale de Sèvres. » Une note de la direction, en marge, indique : « Supprimer » (AN, F 17 8789).

reçues, ce qui rend le concours théoriquement plus aisé qu'en lettres : aussi bien une phrase du rapport de l'année suivante tend-elle à indiquer qu'en mathématiques au moins le concours serait encore inférieur au niveau moyen du baccalauréat ès sciences[31]. C'est en 1885 que le jury enregistre une supériorité nette sur les concours précédents ; le système a enfin trouvé un rythme de croisière, avec, en sciences, 29 reçues, dont 16 Sévriennes, pour 33 admissibles.

Passée après le certificat, l'agrégation ne peut être d'une certaine manière que le reflet de celui-ci. L'agrégation de 1883, dont le jury était présidé par Legouvé, révèle l'« excellente tenue » des aspirantes, leur ardeur au travail[32]. Que les épreuves de sciences soient jugées notablement supérieures à celles de lettres peut surprendre : l'expérience du certificat montrait qu'il fallait s'attendre au pire ; d'autre part, la préoccupation de Legouvé, qui représentait le personnel de Sèvres, était de faire valoir la nécessité d'une troisième année de préparation à Sèvres. Cette troisième année serait « comme l'enseignement supérieur de l'enseignement secondaire » : Legouvé n'est donc pas enclin à estimer que la préparation des Sévriennes en deux ans est suffisante. La majorité des candidates, en 1884, ont déjà pris part au concours[33]. Les copies de littérature[34] révèlent les platitudes déjà dénoncées dans les rapports des deux années précédentes pour le certificat sauf chez la première et la troisième[35] qui témoignent dans leurs développements sur la poésie lyrique d'un sens littéraire certain et d'une véritable culture. Parmi les onze reçues dans la section littéraire, se trouvent la future directrice de Fontenay, Mme Dejean de La Bâtie, les futures directrices des lycées Lamartine et Molière, des lycées de Besançon, de Bordeaux et de Lille[36]. Pour recruter un remarquable personnel d'encadrement, il n'a donc pas été nécessaire d'attendre des promotions plus récentes qui aient passé un concours de niveau plus élevé.

En 1885, le rapport d'Eugène Manuel est signalé favorablement à la fois par *Le Siècle* et *Le Temps*[37] qui estime que l'agrégation féminine

---

31. Là encore, les Sévriennes sont trouvées très faibles en mathématiques et en histoire naturelle.

32. F 17 14195. En lettres, sur 19 candidates, 16 viennent de Paris dont 9 Sévriennes, 2 institutrices libres, 2 maîtresses adjointes, 2 institutrices publiques ou professeurs d'école normale. En sciences, 15 sur 16 candidates sont sévriennes. Sur 11 admissibles dans chaque section, 5 sont reçues en lettres et 6 en sciences.

33. 16 en lettres, dont 6 Sévriennes, contre 4 nouvelles ; en sciences, 9 anciennes contre 9 nouvelles. A l'exception des 18 Sévriennes encore présentes à l'Ecole et de 3 institutrices libres, ce sont des membres de l'enseignement public.

34. AN, F 17 8787.

35. N. Bourotte et M. Bosq dont la copie est d'un patriotisme si enflammé qu'il ferait pâlir Déroulède : est-ce sous l'influence de Joseph Fabre ? Nommée maîtresse primaire au lycée Fénelon, N. Bourotte refusa le poste et n'entra pas dans les cadres de l'enseignement public.

36. Leur réussite prend d'autant plus de signification que l'une de celles qui ont été agrégées en même temps qu'elles a tenté durant quelques années une carrière de directrice et y a échoué (le succès au concours n'était donc pas la garantie d'une carrière brillante dans l'administration).

37. 22 novembre 1885 et 8 décembre 1885.

« s'est arrêtée à temps sur la pente du prestige et de l'érudition », malgré des programmes que ce dernier journal juge surchargés. Cette fois, ce sont de nouvelles candidates surtout qui affrontent le concours : 22 sur 28 se présentent pour la première fois en lettres, 15 sur 26 en sciences. Parmi les candidates, les Sévriennes présentes à l'Ecole ou déjà sorties forment toujours un ensemble massif : elles sont 17 en lettres, 11 en sciences. Toutes les candidates, en dehors d'elles, enseignent à des titres divers : elles sont chargées de cours dans les lycées, institutrices publiques, dames de la Légion d'honneur, quatre sont professeurs libres. La catégorie des élèves libres ou des élèves des lycées de jeunes filles, déjà bien timidement présente au certificat de la même année (5 sur 119 candidates en lettres, aucune en sciences), est absente.

Ainsi se dégage ce qui sera l'un des traits de la nouvelle agrégation : l'énorme difficulté qu'il y aura à la préparer en dehors de l'Ecole de Sèvres. La Sorbonne n'est pas accessible, non plus que les facultés de province, à celles qui n'ont que le brevet supérieur. Les villes de province offrent en général peu de ressources à celles qui veulent continuer leurs études. Mais à mesure que celles-ci s'allongent et s'alourdissent, elles deviennent plus coûteuses ; or celles qui se destinent à l'enseignement, dans la très grande majorité des cas, sont dans la nécessité de travailler le plus vite possible. Cet ensemble de raisons explique pourquoi, dès le certificat, avant parfois, les candidates aux concours prennent un poste dans l'enseignement. Les Sévriennes qui avaient échoué au certificat ou à l'agrégation se trouvaient d'ailleurs dans le même cas : dans la lointaine province où elles étaient envoyées, elles se trouvaient privées soudain des livres, des conseils, des cours nécessaires. Plusieurs traits du nouvel enseignement en résultent : la hâte qu'ont eue les directrices de lycée à instituer une sixième année dans leur établissement, la correspondance abondante entre l'Ecole de Sèvres et les élèves récemment sorties sans être diplômées, l'acharnement de toutes les exilées à demander leur changement pour un grand centre [38], de toutes celles qui sont menacées d'exil à demeurer à Paris dans quelque poste que ce soit. C'est une faveur bientôt d'être nommée maîtresse-répétitrice à Paris ou à défaut dans quelque grand lycée de province doté d'une bonne sixième année. Assez rare dans les premières années [39], ce procédé devient habituel dans les années 1890, quand le rythme des créations de postes et d'établissements n'est plus en harmonie avec celui du recrutement.

---

38. Ainsi M. Tritsch, Sévrienne de la première promotion, est tombée malade lors du certificat et n'a pas pu le passer. Nommée en province, elle n'arrive toujours pas à l'obtenir. En 1893, elle est maîtresse répétitrice au lycée de Guéret : « C'est avec des larmes désolées, écrit l'inspecteur général Eugène Manuel dans son rapport, en présence de la directrice qui rend d'elle le meilleur témoignage, qu'elle m'a demandé de la faire attacher à un lycée où elle trouverait des ressources, des conseils, une direction pour son travail » (AN, F 17 23804).

39. Cinq élèves de la première promotion de Sèvres, toutefois, en furent bénéficiaires.

Si le niveau atteint par l'agrégation en 1885 donne satisfaction, c'est non parce qu'il est le plus élevé possible, mais parce que les examinateurs estiment qu'il a atteint un point d'équilibre. On le juge suffisant, sans qu'il puisse être comparé à celui des agrégations masculines. « Il y a quelque trente ans, écrit le mathématicien H. Lebesgue en 1928 [40], un très bon élève de mathématiques élémentaires pouvait traiter à peu près tous les problèmes proposés à l'agrégation féminine. » Il est difficile de définir aussi précisément quelle est la forme du concours en lettres : il est sûr qu'elle s'est élevée très vite, par l'esprit qui l'animait, bien au-dessus de ses débuts. Mais ce qui est véritablement caractéristique de ce nouveau concours, ce sont les efforts de ses organisateurs : président du jury, professeurs de Sèvres qui sont parfois membres du jury et inspecteurs, pour lui donner une spécificité féminine. Sans doute évite-t-on par la suite la naïveté du sujet d'histoire donné au certificat de 1883 [41], mais on s'emploie à donner un sexe aux activités intellectuelles : cette idée est particulièrement chère à E. Manuel. « Elles enseigneront en femmes les doctrines les plus nobles, écrit-il des agrégées de 1885, ... elles donneront un sexe aux analyses morales, plus fines et plus ingénieuses ». Lemonnier, de manière plus nuancée peut-être, ne pense pas différemment : « On a affaire à des tempéraments et à des esprits féminins, qu'on ne l'oublie pas trop ... Qu'on ne demande pas à des jeunes filles d'être professeurs absolument à la façon de nos agrégés ; qu'on fasse pour elles un examen où leur originalité personnelle puisse rester intacte, où il leur soit possible de développer des aptitudes qui ne sont pas les nôtres » [42].

On insiste sur cet aspect de la formation que recevront les futurs professeurs femmes dans la mesure où l'opinion est réticente, craint les femmes pédantes : il faut se justifier de leur donner une instruction solide. Dans son rapport de 1885, E. Manuel rappelle la distinction à opérer entre celles qui reçoivent l'enseignement et celles qui le donnent. Ceux-là seuls savent enseigner exactement ce qu'il faut, écrit Gréard de son côté, « qui possèdent de grandes ressources de savoir et de méthode ».

Cependant, on ne dispose au mieux que de trois ans ou quatre, après l'enseignement secondaire qu'on a voulu alléger le plus possible, pour acquérir ces « grandes ressources » : celles qui n'ont pas le bénéfice de l'Ecole de Sèvres ne disposent pas d'autre chose que de la sixième année des lycées. Aussi toutes les considérations en présence aboutissent-elles à ce que Gréard définit, selon sa formule demeurée classique, « un

40. *ESJF*, 15 novembre 1928, « Contre la fusion des agrégations de mathématiques masculine et féminine ».

41. « Les reines de France au XVIIᵉ siècle : leur influence politique et littéraire ».

42. *RESES*, mai-juin 1884.

enseignement de résultats et de conclusions » : les maîtres appelés à former les professeurs du nouvel enseignement s'attacheront à leur apprendre « moins un vaste savoir qu'une méthode pour apprendre davantage ».

> « Certes, écrit A. Amieux [43], les Sévriennes ne quitteront pas l'Ecole avec un bagage de connaissance qui leur suffira pendant toute leur carrière. Ce bagage, elles auront à l'enrichir à mesure que s'élèveront les programmes des Grandes Ecoles auxquelles elles prépareront quelques-unes de leurs propres élèves. Mais elles travailleront avec intérêt, avec joie et avec succès, en conservant une jeunesse et une vigueur d'esprit qui parfois étonnera ».

Sans doute faudrait-il nuancer cette image des premiers professeurs femmes. Recrutées à l'aide de concours d'un niveau encore modeste, certaines n'ont pas fait tout au long de leur carrière l'effort de garder un esprit en éveil. Telle finira professeur au lycée Fénelon, que les inspecteurs, vers 1910, jugent seulement « bonne institutrice ». Que dire des certifiées qu'on a laissé s'endormir dans une petite ville de province ? Il n'en est pas moins vrai que passées les toutes premières promotions de Sèvres, la grande majorité de celles qui ont été élèves de l'Ecole, mais aussi des agrégées dans leur ensemble, donnent satisfaction jusqu'à la fin de leur carrière, alors que les exigences sont devenues nettement plus hautes.

---

43. *Le cinquantenaire de l'Ecole de Sèvres, 1881-1931, loc. cit.,* p. 146.

Deuxième partie

LES STRUCTURES
DU NOUVEL ENSEIGNEMENT

Chapitre III

La croissance de l'institution

Avant même la publication des textes qui en assuraient la réglementation, quelques établissements de jeunes filles furent fondés. Ils témoignaient de l'ardeur à la fois des municipalités et de l'administration à appliquer la loi. Durant plusieurs années, le rythme des créations ne se ralentit guère. Cependant elles n'arrivèrent pas à supplanter une institution : les cours secondaires, dont le principe remontait à Victor Duruy mais qui, dans la réalité, avait été relancé en 1878 par Paul Bert, dans la fièvre pédagogique qui accompagna la victoire politique des républicains. La longue durée de certains de ces cours, la date tardive de fondation, pour d'autres, interdisent de parler d'une simple survivance. Créés « en attente » d'établissements définitifs, ils sont assez différents de ces derniers pour mériter une étude à part, ils posent des problèmes spécifiques. La structure et le fonctionnement des lycées et collèges mis en place par la loi Camille Sée n'en apparaissent ensuite que plus clairement.

Il n'est pas moins indispensable d'étudier, dans la mesure où des documents lacunaires le permettent, celles qui, les premières, ont fréquenté ces établissements : quelle était leur origine sociale, quel fut alors le rôle du système des bourses ? Une évolution est perceptible dans le recrutement, à la fois en nombre et en qualité : des distinctions s'imposent entre les années de fondation et la maturité, aux alentours de 1900. Elles s'imposent aussi entre la clientèle des grands lycées et celle des collèges des petites villes, d'autant plus que l'origine et la destination des élèves en arrivent à infléchir le caractère de l'établissement. Enfin, l'appartenance religieuse, dans une création où les préoccupations anticléricales ont eu tant de part, constitue un élément de connaissance qui, pour être fragmentaire, n'en est pas moins digne de considération.

Des établissements de fortune : les cours secondaires

Durant plusieurs décennies, l'enseignement secondaire féminin s'est partagé entre deux institutions d'origines différentes mais soumises à des règlements de plus en plus voisins : les cours secondaires et les établissements réguliers, lycées et collèges de jeunes filles. Peu à peu, les seconds ont pris la place des premiers. Les cours secondaires n'étaient pas prévus dans la loi de 1880 ; les décrets et arrêtés d'application ne les prévoyaient pas davantage[1]. Il n'était donc pas nécessaire que des cours secondaires eussent précédé un collège ou un lycée : force est de constater, cependant, que ce fut le cas le plus fréquent et de beaucoup. Tout au plus peut-on citer, dans les premières années, une dizaine de lycées et de collèges qui ont été créés directement sans avoir fait leurs preuves auparavant par la voie des cours secondaires[2]. Aussi bien l'administration n'avait-elle pas tardé à indiquer leur place dans les nouvelles institutions, une fois adoptée la loi Camille Sée : les cours secondaires, disait-elle, étaient « la pierre d'attente » posée pour préparer les futurs lycées et collèges. En 1904, G. Compayré écrit : « Le cours secondaire est comme l'avant-coureur d'un collège ou d'un lycée. C'est un collège ou un lycée en voie de formation. C'est un essai, une expérience d'ailleurs peu coûteuse, qui permet de juger s'il y a, dans telle ou telle ville, des chances sérieuses de succès pour une organisation définitive »[3]. La réalité, souvent, vint démentir cette théorie : les cours secondaires étaient d'origine si précaire, si variable dans certains cas, ils dépendaient à ce point du pouvoir local qu'un certain nombre disparurent au bout de quelques années. D'autres, au contraire, gardèrent leur forme primitive bien au-delà d'une période d'« attente » : peut-on parler d'un provisoire qui dure plus de trente ans ?

Cette évolution que n'avait pas prévue l'administration universitaire a plusieurs causes. Tout d'abord, puisque la loi de 1880 est muette sur les cours secondaires, leur institution prend sa source dans la circulaire du 30 octobre 1867. Presque tous les cours nés sous Duruy avaient disparu, sauf à Paris, Oran, Bordeaux, Saint-Etienne, Dijon et Montpellier. Le niveau, l'organisation en étaient variables ; mais ils avaient tous au moins un point commun, la prise en charge par la municipalité vue avec une bienveillance quelque peu indifférente par

---

1. Cf. Gabriel Compayré, *L'enseignement secondaire des jeunes filles...*

2. Le collège de Marseille, celui d'Auxerre, ceux de Louhans et de Saumur, les lycées de Guéret, du Havre, de Lyon, de Reims et de Rouen. Le lycée Fénelon fut créé par décret, cependant que survivaient les cours de l'Association de la Sorbonne.

3. « Il existe de plus 65 cours, constate Camille Sée encore en 1907. Ces cours ne sont pas des " établissements " ; et ils ne sauraient, sans léser la loi qui a créé l'enseignement secondaire des jeunes filles, être confondus avec eux. Les cours sont provisoires. Ils sont, et c'est leur seule raison d'être, la pierre d'attente de l'établissement dont ils doivent peu à peu adopter les programmes et auquel ils doivent, le plus tôt possible, céder la place ». (Discours du Trocadéro, 17 mai 1907, in *Le jubilé...*).

l'administration. « C'était sans doute une illusion généreuse, écrit Ferdinand Buisson[4], de penser qu'une organisation aussi complexe pouvait se soutenir sans dotation au budget, sans personnel spécial, sans locaux appropriés, sans plan d'ensemble, sans sanction législative. Ajoutons que l'esprit public n'était pas préparé ». Et de comparer avec la situation telle qu'elle se présente en 1879, lorsque Paul Bert fait inscrire au budget de l'Instruction publique un crédit de 100 000 francs destiné à l'encouragement de l'enseignement secondaire des jeunes filles. A cette date, on sait que le projet de Camille Sée a été déposé, et qu'il est en bonne voie.

Dès le 27 janvier 1879, une circulaire du ministre de l'Instruction publique, Agénor Bardoux, avise les recteurs de l'octroi du crédit Paul Bert, mais fait référence explicite à l'expérience de Victor Duruy. Les recteurs devront donner tous renseignements sur les cours éventuellement ouverts en 1867, 1868, 1869 et les années suivantes, indiquer les causes de leur disparition. L'organisation actuelle des cours qui ont survécu, ajoute la circulaire, doit servir à un « travail d'ensemble très important ». Cette circulaire, les recherches qu'elle prescrit, précisent bien une filiation des cours de 1879-1880 à l'égard de ceux de 1867-1869.

Au début de 1879, les républicains songent donc sérieusement à l'enseignement féminin et espèrent peut-être une sorte de greffe de la future loi sur les entreprises déjà existantes. Effectivement, les cours connaissent un nouveau départ beaucoup plus concluant que le premier[5]. Sans doute les dispositions des municipalités ont-elles changé : alors que Duruy avait eu à affronter la mauvaise volonté de municipalités souvent réactionnaires, en 1879 c'est une trop grande ardeur que l'administration, parfois, cherche à contenir, et qui explique de fréquents échecs. Dès 1878, avant même l'octroi des crédits de l'Etat, les conseils municipaux de Salins, Philippeville, Poitiers, ont voté l'ouverture de cours secondaires : dans ces trois cas, cette initiative prématurée aboutit à la fermeture au bout de peu d'années. En règle générale, les inaugurations nombreuses et hâtives n'ont pas conduit au succès, surtout dans les académies de Dijon et Besançon, dans celles de Rennes ou même de Paris : l'audace qui consistait à créer des cours dans des centres modestes n'a généralement pas été récompensée.

L'insuccès, partout où il a lieu, est aisément explicable et montre bien que l'instauration de l'enseignement secondaire des filles n'est pas seulement la réponse à un besoin de l'opinion publique enfin désireuse d'instruire les filles. Les municipalités, dépourvues d'expérience, ont vu souvent là, d'abord, un acte politique et ne se sont pas toujours rendu

---

4. *Dictionnaire de pédagogie*, article « Enseignement des filles ».

5. Durant l'année scolaire 1879-1880, il existait 64 cours qui regroupaient 2 868 élèves. En 1880-1881, le nombre de cours s'éleva à 82, l'année suivante à 101 (Compayré, *L'enseignement secondaire des jeunes filles...*).

compte des charges financières impliquées par leurs décisions. L'enseignement secondaire des jeunes filles appartenait à un ensemble. Dans le même temps, les collectivités locales étaient invitées à un vaste et urgent effort scolaire pour l'enseignement primaire. C'est l'époque où plus d'une municipalité, pour des raisons de prestige autant que de nécessité, entreprend la construction d'un nouveau lycée de garçons. Dernier venu, au reste considéré toujours comme moins important, l'enseignement des filles est tout naturellement le dernier servi. Dans plusieurs petites villes, le collège de jeunes filles attend la construction ou la reconstruction de l'établissement masculin. C'est qu'on destine aux filles — *sexus sequior* — les bâtiments abandonnés par les garçons ou bien qu'on ne peut affronter en même temps les deux dépenses. Ainsi à Brive : le maire et les adjoints, en 1883, seraient assez disposés à demander un collège de filles, mais seulement après la construction du collège des garçons et la réparation des bâtiments de l'ancien collège [6]. Sans que l'enseignement des garçons en soit toujours responsable, les finances de la ville sont souvent obérées au point que les maires ne peuvent pas mener à bien leurs projets d'établissement [7]. La ville de Béthune avoue des ressources insuffisantes pour la construction d'un collège. A Boulogne, ce sont les efforts de la ville pour l'enseignement primaire qui entravent toute entreprise dans le secondaire.

Dans toutes ces situations, les cours offrent une solution peu onéreuse et apparemment satisfaisante. Il est vrai que parfois les municipalités s'ingénient à réduire la dépense, se figurent même que l'institution peut survivre pratiquement sans crédits, comme l'avait imprudemment affirmé Victor Duruy. L'administration des cours consiste en négociations avec les mairies pour obtenir de meilleures conditions d'hébergement, mais alors se pose la question du loyer à payer, la création des enseignements qui paraissent s'imposer si l'on veut parler d'une instruction secondaire, la création de postes de directrice ou de surveillante. Les municipalités ont tendance à en faire l'économie, bien que la discipline en souffre parfois [8]. Tous les reproches qui ont été faits aux cours Duruy, sur leur mauvaise organisation matérielle, peuvent être repris pour les mêmes raisons : la ville de Béziers a fondé des cours dès 1879, mais c'est dans le collège de garçons qu'ils ont lieu ;

---

6. AN, F 17 8762, rapport de l'inspecteur d'Académie au recteur, 29 juillet 1883. La situation est analogue à Chartres, à Laon et à Soissons : « Dans tous les cas, écrit le recteur, la transformation en collège ne pourrait être utilement négociée avant que les travaux d'agrandissement du collège de garçons ne soient complètement terminés (*ibid.* 8764).

7. La ville de Fontenay-le-Comte, qui a essayé des cours, est écrasée de dettes par la construction de casernes et d'écoles primaires. De même à Charleville.

8. Ainsi à Armentières. Faute d'encadrement, faute également de séparation bien nette avec l'école primaire à laquelle les cours sont adjoints, les élèves sont « fort dissipées ». La directrice du collège qui succède aux cours décrit les élèves de ceux-ci jetant des peaux d'orange sur leurs professeurs (Dossier Dengler-Renauld, F 17 23058).

puisque les locaux et le personnel enseignant sont occupés dans la journée, les cours se font ensuite, tous les jours de cinq à sept heures. Il faut attendre deux ans l'installation dans de nouveaux locaux, suivie d'un transfert encore l'année d'après. La plupart du temps, les cours n'ont pas de quoi se loger : les inspecteurs décrivent les appartements exigus, les maisons mal situées, les salles diverses de mairie, les entrées communes avec la poste, qui servent de décor hasardeux à l'enseignement nouveau.

Mais la question fondamentale que pose l'existence des cours, c'est leur destination, ou plutôt la destination des jeunes filles qui sont appelées à les suivre. Les parents, les autorités locales, les recteurs et inspecteurs même semblent avoir entretenu là-dessus des confusions de taille. Tel maire, à la veille de fonder des cours, parle de « collège » de filles. Les habitants de Montauban parlent du « lycée de filles » pour désigner les cours créés en 1881. Le recteur de Douai, le maire de Charleville parlent indifféremment de collège ou de cours, en 1880. Les cours de Grenoble sont appelés « lycée » par la municipalité. Une expression revient fréquemment : celle d'« école supérieure » de jeunes filles, plus que d'« école secondaire ». Il est alors aisé d'assimiler ce qui veut être un début d'enseignement secondaire et l'enseignement primaire supérieur, mal délimité et lui aussi à ses débuts. De là l'incompréhension qui, en beaucoup d'endroits, accueille l'institution de la rétribution. Que la rétribution, jugée nécessaire pour délimiter le caractère de l'enseignement nouveau, ait été l'un des points les plus épineux, la lenteur avec laquelle l'administration a pu l'imposer en est la preuve.

Il est d'ailleurs remarquable que les quelques cours fondés au temps de Victor Duruy à avoir survécu, nécessairement payants puisqu'ils n'avaient pas d'autre financement, en principe, soient devenus gratuits lorsqu'ils sont passés sous l'unique protection de la municipalité. L'intention de Duruy n'était pas seulement de rendre les cours viables en instituant une rétribution : elle était sociale, car, assez élevée, la rétribution écartait les jeunes filles issues de milieux populaires ou de la petite bourgeoisie pauvre. L'instauration de la gratuité avait un effet tout contraire : les cours attiraient alors précisément ces catégories que le ministre avait voulu maintenir en dehors. A son tour, la présence des jeunes filles pauvres dissuadait la bourgeoisie aisée, a fortiori l'aristocratie, d'y envoyer leurs filles. Il est donc possible de conclure que la gratuité ou la rétribution décidaient à elles seules de la portée sociale de l'œuvre ; passer de l'une à l'autre changeait du tout au tout cette portée. Aussi est-il un peu abusif d'appeler encore « cours Duruy » ceux qui ont survécu à la chute du ministre et à la guerre de 1870. A Saint-Etienne, à Oran, à Nantes en 1873, à Dijon, ce sont des cours gratuits pour jeunes filles sans fortune qui se destinent à l'enseignement : il conviendrait de parler plutôt d'enseignement primaire supérieur si les professeurs ne venaient pas des établissements du second degré masculin et ne transmettaient pas avec leur enseignement quelque peu de la portée d'un véritable enseignement secondaire.

La distinction est alors malaisée, parfois arbitraire : lorsqu'en 1879-1880 l'administration académique cherche à mettre de l'ordre dans ce qui existe et à encourager un nouveau type d'enseignement, elle hésite. Faut-il accorder une subvention provenant de l'enseignement secondaire à ces cours gratuits ? La réponse n'est pas toujours immédiate. A Dijon, on accorde la subvention uniquement pour les cours de langue vivante ; ailleurs, on passe accord avec la municipalité en maintenant la gratuité à titre provisoire. Dans telle ville, l'administration estime l'installation de la rétribution nécessaire pour assurer un recrutement convenable en qualité ; dans telle autre, elle assure que la gratuité est la seule garantie d'un recrutement suffisant. Les années 1878-1884 apparaissent ainsi comme une période de décantation où l'administration, du moins au plan local, ne s'est pas encore fixé une ligne de conduite très précise, où elle ne cherche pas à brusquer les municipalités, mais au contraire à encourager les bonnes volontés. Au reste, la distinction entre les divers ordres d'enseignement n'est pas si claire dans les esprits même les mieux informés : les discussions au Conseil supérieur en sont la preuve.

Ainsi croît une première génération de cours qui n'ont parfois de secondaires que le nom et qui servent à la fois d'écoles primaires supérieures et d'écoles normales, car l'une de leurs fonctions est de préparer aux brevets. Cette coutume de faire passer les brevets aux jeunes filles leur est antérieure. Elle provient d'un engouement, d'une mode, on l'a vu, mais aussi de la disparition de tout autre examen. Victor Duruy avait prévu de faire passer aux jeunes filles le diplôme de l'enseignement secondaire spécial, mais cet examen ne semble pas s'être imposé ; le sommet de l'instruction féminine reste fixé, semble-t-il, par le brevet supérieur. Les cours secondaires recueilleront cet héritage d'autant plus volontiers qu'une fois la loi Camille Sée entrée en application, les cours se trouvent privés, comme les autres établissements libres auxquels ils sont assimilés, de la sanction normale du nouvel enseignement : le diplôme de fin d'études. Aussi les cours secondaires, tout au long de leur existence, souffriront-ils d'une contradiction entre les exigences de la direction de l'enseignement secondaire et le vœu des parents. La première subordonnera l'octroi des subventions à l'observation d'un programme d'études véritablement secondaire. Les parents souhaiteront avant tout le succès de leurs filles aux brevets élémentaire ou supérieur [9]. La direction et les professeurs vivront donc

9. « Il a fallu encore, écrit en 1885 l'inspecteur d'académie d'Orléans, et il faudra toujours, sinon l'on n'aurait pas une seule élève, suivre les programmes des deux brevets. Ce que jeunes filles et parents nous demandent, ce n'est pas une forte instruction ni une féconde culture d'intelligence, c'est un diplôme ». Les professeurs, remarque-t-il, sont obligés de préparer au brevet élémentaire, tâche « au-

sur un compromis ; lorsque les cours recevront des professeurs femmes comme les établissements réguliers, ce compromis sera plus facile. Les lycées et collèges, en effet, bien qu'à un moindre degré, connaissent le même problème et le résolvent à l'amiable : les élèves, souvent, passent à la fois le diplôme et les brevets.

La question des examens dura autant que l'enseignement féminin lui-même. Celle de la rétribution dans les cours fut tranchée dès 1883-1884. A vrai dire, le ministère s'en était préoccupé auparavant ; peu après la rentrée de 1881 [10], une circulaire prescrivait la rétribution. Mais les municipalités radicales ne l'entendaient pas de cette oreille. A Toulouse, en 1882, le conseil municipal met la condition de la gratuité pour accorder sa subvention [11]. Une délibération du conseil municipal de Limoges, le 6 octobre 1882 [12], tend au maintien de la gratuité :

> « Lors de l'installation de ces cours qui a eu lieu avant la réception de la circulaire de M. le ministre, le principe de la gratuité fut admis par le conseil municipal, absolument comme pour les cours primaires supérieurs des garçons. La population ouvrière qui est habituée à la gratuité de ces cours ... trouverait peut-être étrange de voir établir une rétribution scolaire ... La commune de Limoges est disposée à tous les sacrifices pour l'enseignement des filles » [13].

A vrai dire, les radicaux ne sont pas les seuls à pencher pour la gratuité, encore que la gratuité de l'enseignement secondaire ne figure que dans quelques rares programmes électoraux de députés radicaux, en 1881 [14]. Le maire de Saint-Dié, Albert Ferry, patronne les cours gratuits qui ouvrent en 1882. Il refuse la rétribution, ce qui entraîne la suppression de la subvention de l'Etat ; les cours restent sans directrice, faute d'argent pour l'entretenir. *La Gazette vosgienne,* contre les « casuistes » et « obscurantistes », reproduit l'argumentation d'Albert Ferry :

---

dessous d'eux » et qui fait concurrence aux pensionnats laïques alors que l'on a besoin d'eux pour envoyer des élèves aux cours (AN, F 17 8776).

10. 26 octobre 1881. Comme les cours sont en dehors de la loi de 1880, leur règlement est uniquement le fait de circulaires : les 13 février et 29 octobre 1880, le 26 octobre 1881, le 15 novembre 1882. La circulaire du 12 août 1885 précise qu'ils ne sont pas des établissements publics.

11. *Ibid.,* 8778. *Le Réveil*, journal radical, fait en même temps campagne pour la gratuité. Le maire hostile, se retire alors de l'entreprise, et les cours ouvrent sans subvention municipale.

12. *Ibid,* 8768.

13. La municipalité s'affirme même prête à faire de nouveaux sacrifices, persuadée, dit-elle, « que l'Etat de son côté n'hésiterait pas à en faire de même ». De même le conseil municipal de Foix entend « favoriser une institution démocratique en fournissant aux jeunes filles pauvres un moyen de compléter leur instruction » (AN, F 17 8770, octobre 1884).

14. Barodet, 1882. Le député de Joigny, Dethou, précise que « l'instruction doit être gratuite, laïque et obligatoire à tous les degrés ... L'instruction doit être donnée à la femme dans les mêmes conditions ».

« Puisqu'il est vrai, puisqu'il est incontestable que tout le monde peut aspirer aux plus hautes positions sociales, puisqu'il est admis que les pauvres comme les riches ont le droit de conquérir des situations enviables et enviées ... n'est-il pas rationnel que l'on doive s'appliquer à rendre accessible à toutes les voies par lesquelles on arrive à se créer ces situations ? Seule la gratuité met toutes les jeunes filles ″ sur un pied d'égalité absolue ″ » [15].

La plupart du temps, les municipalités, et celle de Toulouse en est un exemple, s'accommodent de la « gratuité relative » et non plus absolue, entendons de la rétribution, à condition qu'elle soit assortie d'un certain nombre d'exemptions, grâce aux bourses accordées par l'Etat, les conseils généraux ou les municipalités elles-mêmes. La nature de la clientèle, la générosité des conseils municipaux eux-mêmes font aboutir alors à une semi-gratuité : à Chambéry, sur 123 élèves, 69 font une demande d'exonération ; le maire les juge toutes recevables, mais se déclare insatisfait du système, car la demande est « pénible à faire pour celui même qui est dans le besoin, et contraire aux principes démocratiques » [16].

Une telle crainte semble avoir été excessive. A Toulouse, lors de la rentrée de 1883, la municipalité radoucie ayant accepté un compromis, les cours rouvrent avec 65 élèves dont 42 boursières de la ville. Les bourses entrent rapidement dans les mœurs et, à en juger par l'absence de polémique sérieuse du côté des républicains, comme par les sarcasmes du monde conservateur, elles semblent avoir suffi pour assurer le fonctionnement du système à la satisfaction des intéressés. La rétribution, comme le régime des cours, est loin d'être uniforme. Ainsi, dans une même académie, celle de Douai en 1882, le chiffre de la rétribution varie de 30 à 150 francs par an. Partant, les cours sont payés aux professeurs hommes de manière très différente selon les localités : les professeurs reçoivent 300 francs à Douai, 250 à Amiens, 200 à Abbeville et 150 dans huit autres villes [17].

Une autre exigence que la rétribution, il est vrai, est venue délimiter plus précisément le champ d'action des cours secondaires. Comme les hésitations dans l'appellation pouvaient le faire augurer, l'opinion fut parfois longue à les distinguer de l'enseignement primaire supérieur. Il est au reste significatif que nombre de cours, au lieu de donner naissance à un établissement secondaire, aient été transformés en écoles

15. 5 juin 1884. La subvention de l'Etat aux cours fondés en novembre 1882 est interrompue en 1884.

16. AN, F 17 8761. Délibération du conseil municipal du 28 décembre 1882. L'inspecteur d'académie du Cantal rejoint ce sentiment : « La gratuité des cours a établi une sorte d'égalité entre nos élèves et, si elle n'était pas de règle, un certain nombre d'entre elles qui ne peuvent payer de rétribution scolaire ne voudraient pas s'humilier à la réclamer comme une faveur » (ibid., 8771).

17. Conseil académique du Nord, 1882. AN, F 17 6827.

primaires supérieures. Partant, l'opinion demandait aux cours ce que ces dernières avaient pour fonction de lui apporter, et ne concevait par conséquent pas de barrière bien nette entre l'école communale et les cours. Les conditions de fondation de ceux-ci étaient variables : c'est parfois à une école communale qu'on a demandé de les héberger. L'initiative locale a même été plus loin et a confié à une directrice d'école la surveillance des cours [18]. Les cours ne se soutenaient alors que par la présence des élèves de l'école communale, faute d'éléments venus des pensions ou de jeunes filles précédemment élevées dans leur famille [19]. La situation encourage quelques ouvriers du Mans à présenter une pétition où ils s'indignent que les filles sortant de l'école communale sans leur certificat d'études ne soient pas admises aux cours, pourtant « fondés pour les classes ouvrières ». Là aussi, l'administration avait à rompre l'illusion entretenue à l'extrême gauche.

Selon les endroits, des conditions d'âge — il fallait avoir en général douze ans pour être admise — ou d'examen — le certificat d'études pour celles qui ne venaient pas des pensions — furent imposées. Elles ne se montrèrent pas suffisantes, puisque l'administration s'est empressée de faire créer plusieurs divisions là où l'opération était possible. Les élèves y étaient réparties selon leur force, ce qui préfigurait les classes. Enfin, ce qui avait le double mérite d'assurer un niveau minimum de connaissances aux futures élèves des cours et un recrutement moins aléatoire, des cours préparatoires, autrement dit des classes primaires, furent adjoints aux cours secondaires proprement dits.

Ainsi, instruit par l'expérience, le ministère est-il arrivé à préciser ses exigences en matière de cours secondaires : essentiellement la rétribution scolaire, considérée non plus comme un moyen mais comme une fin, l'installation d'un personnel féminin de direction pour assurer l'encadrement des élèves, enfin la division en cours de différents niveaux, précédés de cours préparatoires. Bien que les circulaires ministérielles indiquent les dates auxquelles ces transformations devaient être exigées, la réalisation fut très inégale d'une ville à l'autre. Il est certain que la date la plus importante ne fut pas telle ou telle fixée par les circulaires, mais celle des élections municipales : la grande époque des cours fut la période qui s'étendit de 1881, au lendemain de la loi Camille Sée et des municipales, à 1884-1885. On temporisa parfois jusqu'aux élections générales ou partielles pour imposer aux

---

18. Ce fut le cas, par exemple, à Lure où, en 1880 comme en 1868, Mme Pinot-Monnin, directrice d'école, fut chargée de la direction des cours de jeunes filles. Lorsque les cours s'articulaient ainsi sur l'école communale, la gratuité apparaissait presque de règle à l'ensemble de l'opinion.

19. Lorsque les cours de Joigny sont fermés, à la rentrée de 1884, il ne s'y est inscrit que cinq élèves payantes. Sur les 39 élèves de l'année 1883-1884, presque toutes appartenaient à l'école communale (AN, F 17 8775).

municipalités le choix entre la rétribution ou la disparition des cours[20], on fit durer le provisoire en attendant de meilleures dispositions du nouveau conseil.

Une telle souplesse attire l'attention sur le rôle des municipalités dans les débuts de l'enseignement secondaire des filles. Le gouvernement de la République n'a pas voulu laisser large initiative aux autorités locales seulement dans le domaine de l'enseignement primaire. Il semble que l'enseignement secondaire des filles, dégagé, parce qu'il était nouveau, de la tutelle et des traditions de l'Université, se prêtait lui aussi, à ses débuts, à une réelle collaboration entre les villes et l'autorité académique. La place déterminante revenait alors aux municipalités. L'initiative, sans doute, appartenait au ministère qui, par l'intermédiaire des recteurs et des inspecteurs d'académie, faisait entamer des négociations pour les établissements de filles. L'examen des vœux des conseils généraux, dans la même période, en révèle très peu qui soient relatifs à l'enseignement des filles. L'image s'impose alors d'une institution introduite essentiellement par l'autorité centrale.

Mais la participation financière demandée aux municipalités était si large et si durable à la fois que, dans l'exécution, les particularités locales ou régionales ont eu beaucoup de poids. L'administration était là, certes, pour tenter non d'uniformiser l'enseignement donné, mais d'en définir les exigences minimales, pour montrer à des municipalités inexpérimentées ce qui était possible et ce qui ne l'était pas. Dans cet étroit domaine même, elle n'a pas eu le pouvoir ou le désir d'empêcher des expériences malheureuses. Son seul moyen d'action était en somme la subvention. A partir du moment où le rapport de l'inspecteur d'académie concluait au caractère non secondaire des cours institués, la subvention était supprimée, parfois relayée par celle du primaire : on parlait alors, officiellement, d'école primaire supérieure.

Mais il arriva dans plusieurs villes que la municipalité, attachée à ses propres idées pédagogiques, ou simplement à l'étendue du pouvoir sur l'enseignement féminin que lui donnait la structure des cours, a passé outre au retrait de la subvention et pris ou repris l'œuvre uniquement à son compte : c'est l'histoire que connurent les cours de Dijon. Hérités de l'époque de Duruy, ils étaient devenus purement municipaux ; ils obtinrent, vers 1879, une subvention uniquement pour le cours d'allemand, le reste étant censé relever du primaire. Des négociations s'ouvrirent pour les faire reconnaître comme de véritables cours secondaires ; le conseil municipal décida en effet, en novembre 1881, qu'ils étaient secondaires[21]. L'administration entra dans ses vues, mais

---

20. A Millau, par exemple (AN, F 17 8775), la nouvelle municipalité étant « absolument *réactionnaire* » selon le recteur Perroud, les cours disparurent.

21. Le succès en était indéniable puisqu'ils réunissaient alors une centaine d'élèves. Mais l'assistance était très variable selon les cours ; il n'existait pas d'obligation d'assiduité.

précisa, au long des années suivantes, ce qu'il fallait entendre par là. En 1885, la ville n'avait pas encore consenti à instaurer la rétribution, ni à procéder à la réorganisation ; celle-ci aurait abouti à une identification progressive des programmes avec ceux de l'enseignement secondaire prévus par la loi Camille Sée ; on aurait également obtenu un meilleur encadrement par une directrice et des surveillantes, et imposé l'obligation d'assiduité. La municipalité de Dijon avait bien voté le principe d'un lycée de filles, mais le projet était resté en suspens, et la ville ne faisait rien pour que les cours ressemblent de plus en plus à un établissement régulier. La direction de l'enseignement secondaire décida donc, en 1885, de supprimer toute subvention. Les cours, réputés de nouveau d'enseignement primaire, restèrent à la charge exclusive de la ville jusqu'en 1891 [22].

Particulièrement net, car il s'agit de cours qui ont un réel succès, quel qu'en soit le mode de financement, le cas de Dijon n'est pas unique ; on pourrait notamment en rapprocher l'expérience de Saint-Etienne, « œuvre purement municipale ». Les cours sont absolument gratuits. Ils réunissent plus de trois cents élèves des meilleures familles. La municipalité ne songe pas un instant à en partager la charge avec l'Etat. Par plusieurs traits, ils sont d'ailleurs très différents des cours secondaires tels que cherche à les instaurer l'administration universitaire. Les élèves ne sont pas astreintes à l'assiduité, il n'existe pas de surveillante. « Ce ne sont pas à proprement parler des cours secondaires, écrit le recteur Charles [23] ; ils ont pour but de donner des connaissances nécessaires au commerce, à certains emplois et à la préparation des brevets primaires. » Les leçons, qui durent une heure et demie, sont données cependant par des professeurs du lycée : c'est donc la finalité plus que le contenu qui est considérée comme différente des cours secondaires. L'allure de ces cours leur est tellement propre que le recteur croit pouvoir affirmer en 1883 : « Je ne crois pas qu'on puisse les considérer comme le noyau du futur lycée : ils subsisteront probablement encore après l'ouverture de cet établissement » [24]. Mais ce sont parfois des municipalités sans ressources qui ont voulu prendre leur totale indépendance, sans grand souci de ce qui était viable, eu égard aux moyens et à l'état d'esprit local ; ainsi s'explique la disparition de nombreux cours après le retrait de la subvention [25].

---

22. A cette date, les cours reçurent une directrice déléguée par le rectorat et arrivèrent rapidement à la transformation en collège, puisque ce dernier ouvrit en 1893. Quatre années plus tard, le collège devint lycée.

23. En 1882. AN, F 17 8765.

24. *Ibid.*, 3 septembre 1883. Le lycée de Saint-Etienne ouvrit en 1894 et les cours ne lui survécurent pas.

25. Ce fut le cas, sauf exception, dans les petites villes républicaines de Bourgogne ou de Franche-Comté, de la ville d'Alençon aussi qui avait voté un lycée avec internat alors que les cours vivaient à peine.

Si les municipalités avaient tant de pouvoir d'initiative, leur orientation politique était donc de la première importance. En effet, les villes les plus résolument républicaines eurent à cœur d'ouvrir des cours secondaires, même si, dans la pratique, leur geste, faute d'argent, était dépourvu d'avenir. Les élections de 1884, qui ramenèrent parfois aux mairies des majorités réactionnaires, firent en certains endroits l'effet d'un coup de balai : elles éliminèrent nombre de cours qui n'étaient que des manifestations de parti et ne correspondaient pas aux aspirations d'une fraction notable de l'opinion. Elles marquèrent ainsi le terme des illusions en mettant les républicains devant la responsabilité de faire vivre leurs créations. L'administration de l'Instruction publique se trouva alors, dans quelques cas, placée dans une position d'arbitre [26] : à titre individuel, des fonctionnaires locaux ou des personnalités prirent parfois le relais. Comme au temps de Duruy, des associations de professeurs ou d'« amis de l'enseignement secondaire des jeunes filles » se constituèrent. Mais alors qu'elles étaient presque la règle en 1867-1868, en 1879-1880, elles furent plutôt l'exception : ce sont des associations, pourtant, qui assurèrent le départ des cours de Nîmes, de Morlaix, Rennes, Lorient, Ajaccio, Bastia, de Libourne, de Bar-le-Duc, de Coutances, Beaune, Fontenay-le-Comte, de Bagnères-de-Bigorre [27]. C'est une association qui, en 1884, prit la charge des cours de Castres. Dans certaines villes, les cours furent l'œuvre conjuguée d'une association et de la municipalité : ainsi à Angers ou à Bayonne ; ces deux exemples montrent que l'union des efforts n'était pas un indice suffisant de succès, puisque dans les deux cas les cours disparurent rapidement [28].

Quelle que fût l'instance qui avait pris l'initiative de la fondation des cours, il fallait ensuite leur assurer une clientèle stable. Les mêmes obstacles se dressèrent qu'au temps de Duruy. Sans doute, l'état d'esprit général n'était-il pas le même, mais il serait exagéré de prétendre avec Buisson que « tout avait changé » depuis cette époque. Les menaces du clergé aux parents, aux maîtresses de pension, les visites à domicile des ecclésiastiques ont souvent contribué non sans doute à empêcher

---

26. Ainsi à Castres. Les cours vécurent de 1882 à 1884 avec une cinquantaine d'élèves et une organisation embryonnaire. « Au moment de leur fondation, écrit le recteur Perroud, il avait fallu compter avec les vues particulières d'une municipalité républicaine, mais protestante, qui voulait ... ménager les pensions libres. » Les élections de 1885 amenèrent une municipalité réactionnaire, résolue à la disparition des cours. Le parti républicain, de son côté, faisait pression pour que l'Etat continuât sa subvention. « Mieux vaut, concluait le recteur, que les cours secondaires disparaissent d'un seul coup, du fait de la municipalité réactionnaire. Cela fera mieux sentir aux libéraux, pour le jour où ils reviendront aux affaires, la nécessité de créer un établissement définitif, un collège » (16 août 1886). Une « association civile pour l'enseignement secondaire des jeunes filles » s'étant constituée par souscription, les cours ne moururent pas.

27. Il semble que le procédé de l'association ait été le fait de petites villes où la majorité du conseil municipal n'était pas très favorable à l'enseignement secondaire des jeunes filles, mais où en revanche il existait un parti républicain très résolu.

28. Remiremont et Cambrai, au contraire, une réussite.

l'ouverture des cours, mais à en réduire la clientèle potentielle. Il y eut, comme en 1868, des échanges de libelles, des polémiques de presse au plan local [29].

D'autre part, la concurrence avec les pensionnats n'avait pas disparu. Etouffés déjà par l'expansion des congrégations, les pensionnats de jeunes filles voyaient d'un mauvais œil les nouveaux venus : certains firent aux cours une guerre des tarifs en baissant encore leurs rétributions. Il arriva que des congrégations, ainsi les dames de Nevers à Sens, mieux avisées qu'en 1867, instituèrent des sortes de cours secondaires, à des prix défiant toute concurrence [30]. Aussi les municipalités et les inspecteurs recherchèrent-ils des concours qui leur assureraient une clientèle en quelque sorte toute faite : tout naturellement on songea aux maîtresses de pension [31]. La participation de celles-ci a, en définitive, donné leurs traits particuliers à un très grand nombre de cours secondaires. Elle explique en même temps que tant de cours aient duré sans se transformer en établissements réguliers : dans le cas où l'existence des cours secondaires résultait d'un accord passé avec une maîtresse de pension, les cours restaient essentiellement des établissements privés. La loi ne prévoyait pas, pour les filles, d'internat public [32]. En laissant cette forme de scolarisation à l'initiative locale ou privée, la loi donnait une sorte de prime aux maîtresses de pension à qui il ne restait plus, une fois en accord avec la municipalité, qu'à harmoniser leurs cours avec les exigences assez légères de l'Instruction publique pour se trouver à la tête de cours secondaires. La formule était peu coûteuse pour le budget des villes et de l'Etat, l'intérêt privé y trouvait, semble-t-il, son compte et l'opinion libérale s'en satisfaisait.

Parmi les cours qui furent créés à partir d'institutions privées, figurent ceux d'Amiens, de Béthune, d'Ajaccio, d'Arras, de Bourg, de Boulogne, de Blois, de Tours, de Pamiers. Le contrat passé entre la directrice de ces derniers, Mlle Record, et l'administration donne une

---

29. A Saint-Omer, la création de cours dans le pensionnat de Mlle Steven a été l'occasion d'une « longue et vive polémique dans la presse locale ». « Le clergé l'a combattue. Mlle Steven, qui s'est vue quittée par deux de ses sous-maîtresses, a été sur le point de rompre toutes les négociations ... ».

30. En 1883, AN, F 17 8778.

31. Il arrivait qu'on n'eût pas le choix. Laisser les maîtresses de pension en dehors d'une fondation était souvent s'en faire des ennemies mortelles. Leur puissance et leur position étaient parfois telles que leur hostilité aurait rendu toute fondation irréalisable. Des cours municipaux, selon le recteur, eussent échoué à Saint-Omer car les deux grandes pensions n'y auraient pas envoyé leurs élèves. Certaines, au contraire, étaient victimes de la concurrence des établissements religieux au point de ne pouvoir subsister sans subvention. Ainsi les demoiselles Théry à Douai qui sollicitent l'annexion, en 1880, de cours secondaires (F 17 8763).

32. Ce qui avait paru à Duruy une condition du succès : la mère accompagnatrice, apparaissait à la longue comme un obstacle. « S'il était dans nos mœurs, écrit l'inspecteur d'académie de la Meuse, de laisser les jeunes filles se rendre seules à l'école, comme on le fait pour les garçons, ce mode d'instruction pourrait peut-être conquérir une clientèle régulière et assidue ... Les mères de famille ... sont obligées d'accompagner elles-mêmes leurs filles aux cours secondaires, aussi bien l'hiver que l'été, par les mauvais temps comme par les beaux jours ... On se fatigue à la fin de ces courses quotidiennes ... et l'on finit par mettre ses enfants en pension » (AN, F 17 6827).

idée du fonctionnement de cette sorte un peu particulière de cours secondaires. A partir du 3 janvier 1883 et pour une durée de dix ans, Mlle Record fournira le local, le mobilier, le logement et la nourriture de quatre maîtresses. Grâce aux subventions de la ville et de l'Etat [33], elle paiera les traitements du corps enseignant. Elle s'engage personnellement à donner deux heures de cours, à se charger de la gestion financière. Pour le choix du personnel et des programmes, elle se soumettra à l'autorité universitaire. En contrepartie, elle aura le titre de directrice des cours secondaires, touchera les subventions et la rétribution scolaire, aura autorité sur les maîtresses et les professeurs. Le régime intérieur de l'établissement échappe donc en grande partie à l'administration et, plus d'une fois, les inspecteurs chargés de visiter des établissements de ce type insistent sur le caractère privé qu'ils ont gardé.

Sous le nom qui leur est commun de « cours secondaires », sont donc regroupés en fait deux genres d'institutions, les cours entièrement privés comme ceux de Pamiers ou de Châlons qui ont passé convention avec la ville et l'Etat, et ceux qui, fondés par une ville ou par une association ou par les deux à la fois, ont un caractère plus officiel du fait que l'Etat en partage l'initiative. Cette distinction est juridiquement peu fondée : dans les deux cas, l'Etat parlera d'établissements privés. C'est l'usage, en fait, qui l'impose et qui crée des nuances, parfois des contradictions où l'administration universitaire elle-même ne se retrouvera pas toujours : la preuve en est fournie par les nombreuses controverses qui naîtront sur la nature des services fournis dans les cours et non validés pour la retraite. Le statut des cours secondaires souffrira durablement de n'avoir jamais été inscrit dans la loi [34].

A l'inverse des cours presque entièrement privés qui se créèrent par entente avec une maîtresse de pension, figurent les cours fondés par les villes qui désiraient être dotées le plus vite possible d'un lycée et d'un collège et qui s'étaient donné un conseil municipal assez stable pour mener l'entreprise à bien. C'est le cas de Lille, de Nantes, de Bordeaux, de Versailles, ou encore de Cambrai. A Lille, l'enseignement des filles est organisé depuis 1870 en une école gratuite, municipale, fréquentée par cinquante élèves, qui rend à peu près les mêmes services qu'une école primaire supérieure. Mais la gratuité, tant prisée ailleurs par plusieurs municipalités, fait craindre à certaines mères la promiscuité. Pour cette unique raison, selon l'inspecteur d'académie, la ville de Lille

33. Quel que soit le type de cours, la règle est la même : la ville et l'Etat versent chacun la même somme, en l'occurrence 2 400 francs et 2 500 francs dans les années suivantes.

34. Voici le paragraphe que G. Compayré consacre en 1907 aux cours secondaires (*L'enseignement secondaire des jeunes filles...*) : « Les cours secondaires n'ont de caractère légal qu'à raison du crédit qui, depuis 1879, leur est alloué chaque année sur le budget de l'Etat. Pour 1902, ce crédit s'élève à 173 350 francs. Les cours secondaires ne sont pourtant pas des établissements publics, la loi de 1880 ne reconnaissait ce titre qu'aux lycées et aux collèges. Ce ne sont pas non plus des établissements libres. On pourrait les définir des « établissements municipaux subventionnés par l'Etat ».

fonde une seconde école en 1877, dotée de la même organisation — elle a une centaine d'élèves — mais cette fois payante. Les deux écoles sont de « véritables établissements d'enseignement secondaire pour les filles »[35]. La plupart des élèves de cette seconde école, appelée institut Fénelon, prennent le brevet, mais n'entrent pas dans l'enseignement. La transformation est presque insensible lorsque, en 1882, l'institut Fénelon est érigé en collège municipal, d'autant qu'il garde la plupart de ses maîtresses et jusqu'à son nom. Il remplissait d'emblée toutes les conditions qui permettaient à un cours de se dire secondaire.

A Bordeaux[36], les cours secondaires ont un caractère moins scolaire. Donnés par une association de professeurs à la Faculté et au lycée, parmi lesquels figurait naguère Foncin, ils ont gardé toute la souplesse du temps de Duruy, d'autant que le recteur Zévort n'avait pas jugé opportun d'appliquer toutes les injonctions de celui-ci. Cependant, les beaux jours des cours qui ont réuni près d'une centaine d'élèves en 1879, dont 75 payantes, semblent révolus, malgré l'appui bienveillant de la municipalité. L'administration négocie pour ouvrir un lycée. Les cours n'ont que cinquante élèves en 1881-1882, et il suffit de mettre leur programme « en harmonie » avec celui du brevet supérieur pour éloigner encore quelques élèves qui venaient chercher là des éléments de véritable culture. Le temps est venu de les fermer : ils laissent la place au lycée, en 1883. L'exemple de Bordeaux montre bien deux générations successives dans l'enseignement secondaire féminin : la première, volontairement libérale dans la forme de l'enseignement comme dans son contenu, complément d'une éducation donnée à la maison ou au pensionnat plutôt que se suffisant à elle-même ; la seconde qui prétend à l'éducation complète et adopte la forme scolaire avec sa lourdeur mais son efficacité.

Plus précoce à Lille, plus tardive à Bordeaux, la mutation s'est faite en peu d'années. Il n'a pas fallu quinze ans pour que le système rêvé par Duruy soit entièrement remplacé par un autre, beaucoup plus semblable à celui des établissements masculins. Cependant, un examen attentif des cours secondaires, tels qu'ils se sont multipliés à partir de 1878, montre qu'ils ne tendaient pas tous vers un unique modèle et que leur variété permettait d'instruire les filles tout en respectant telle ou telle particularité locale. Quelles qu'aient été les faiblesses ou les insuffisances de l'exécution, les initiatives prises, la bienveillance et la discrétion de l'administration semblaient indiquer que même en dehors de la loi un enseignement secondaire des jeunes filles était concevable. Il aurait été excessif d'assimiler les cours secondaires des années 1880 à ceux qu'avait fondés Duruy : il existait une cohésion entre les cours de 1880 du fait de

---

35. Rapport du 5 août 1879. AN, F 17 8775.
36. *Ibid.*, F 17 8772.

l'administration qui les orientait et apportait dans la plupart des cas la sanction de la subvention ; par la création de divisions, l'un des principaux défauts des anciens cours disparaissait, les élèves suivaient une progression. L'expérience aurait alors été faite d'une instruction secondaire des filles, semi-publique, semi-privée, largement décentralisée en tout cas et variable pour la discipline, l'emploi du temps, le régime général des études, le type même des établissements.

Quelques universitaires, peu suspects par leur appartenance de faire le jeu des municipalités toujours jalouses de leurs prérogatives, semblent avoir cru voir là l'avenir de l'enseignement secondaire féminin. Lors de l'ouverture solennelle des cours d'Abbeville, le 15 décembre 1880 [37], donc à la veille du vote définitif de la loi Camille Sée, Foncin, alors recteur de Douai, souhaite la survie de plusieurs types d'établissements féminins. Ancien professeur des cours Duruy, très fugitivement à Mont-de-Marsan, plus durablement à Bordeaux où il enseignait à la Faculté, et l'une des chevilles ouvrières de l'Association universitaire, P. Foncin a mesuré à la fois le caractère novateur de l'institution et ses limites ; cependant, telle qu'elle a été « reprise et améliorée » en 1879, avec de « véritables classes », elle lui paraît viable. Il espère la multiplication de cours de ce genre qui coexisteraient avec des externats surveillés, des « instituts secondaires » du type de l'institut Fénelon à Lille ou de l'institut Sévigné à Roubaix. L'internat lui apparaît également nécessaire pour les jeunes filles de la campagne, mais il en voit l'installation parfois très différente de ce qu'elle est chez les garçons : ce seraient, comme en Angleterre, des « maisons tutoriales » ; on peut aussi collaborer avec les pensions laïques, comme le montrent plusieurs cours de son ressort [38]. Enfin, dit-il, on pourrait adapter aux jeunes filles le système des collèges de garçons. Les établissements féminins revêtiraient donc quatre formes différentes. Ce qu'il souhaite, c'est que les quatre systèmes soient respectés par les règlements administratifs : « Pourquoi ne pas faire en toutes choses une large part au développement spontané ? » [39]. La position de Foncin est caractéristique d'un mouvement libéral soucieux de ne pas entraîner l'enseignement féminin en voie de constitution dans l'ornière napoléonienne. Dix ans plus tard, dans un article consacré à la crise de l'enseignement secondaire [40], Marcelin Berthelot défend une position voisine lorsqu'il estime que les

---

37. Foncin envoya son discours à la direction de l'enseignement secondaire avec prière de le publier, ce qui fut fait dans le *Bulletin administratif*. Entre temps Foncin était devenu l'éphémère directeur de l'enseignement secondaire de Paul Bert.

38. Hirson, La Fère, Boulogne, Amiens, Béthune, Saint-Omer. La collaboration avec les pensions laïques ne se borne d'ailleurs pas, on l'a vu, à leur confier l'internat.

39. Il faut certes prévoir le cas de la défaillance des villes : « Dans certains cas exceptionnels, l'Etat aura le devoir strict d'instituer des lycées de jeunes filles ». Le lycée ne lui apparaît donc pas comme la règle générale, mais comme le remède à la carence des villes.

40. *RDM,* 15 mars 1891, p. 337-374.

cadres de l'enseignement des filles « ont été ... trop exactement calqués sur ceux de l'enseignement secondaire des garçons ». Sans doute le mot de « cadres » est-il susceptible de plusieurs interprétations : l'idée répond trop aux réflexions universitaires — que l'on pense à Bréal, à la *Revue internationale de l'enseignement* — sur la trop grande uniformité de l'enseignement secondaire, sur l'absence de novation venue d'une centralisation trop forte, pour ne pas rencontrer le sentiment de Foncin. Dès 1880, Foncin redoutait l'évolution prévisible et tentait de dégager les avantages d'une attitude plus souple. Les cours secondaires auraient eu alors une véritable part dans l'Instruction publique. Dans la réalité, ils furent au mieux l'éphémère « pierre d'attente » des établissements définitifs, et, au pire, un provisoire qui durait [41].

Les « règlements administratifs », dont parle Foncin et ceux qui les ont mis au point, sont-ils les seuls responsables de cette situation de parents pauvres qui, la plupart du temps, fut celle des cours secondaires ? Il serait sans doute injuste de le prétendre : souvent seule l'absence de règlements suffisants a rendu précaire une existence qui n'inspirait pas confiance aux parents. Considéré comme privé, le personnel des cours, longtemps, n'eut pas les prérogatives de la fonction publique : tant que dura cette situation, les municipalités accordant de chiches traitements, il était bien difficile aux cours de recruter un personnel de qualité. La question des diplômes restait également sans solution. Cet ensemble de facteurs n'en faisait pas des établissements capables de rivaliser avec les lycées et collèges de jeunes filles. Au reste, leur existence provenait plus d'un calcul d'économie de la part des municipalités que d'un souci de variété éducative. A l'époque enfin de Jules Ferry, où le progrès scolaire s'identifiait à une intensification de la scolarisation, ils étaient un legs du passé : ils n'apparaissaient pas comme une formule suffisante. Ainsi s'explique, malgré quelques créations tardives, leur progressive disparition, sans trop de regrets de la part même de ceux qui avaient souhaité leur survie.

Il est cependant une institution qui a connu une organisation à part, dont le corps enseignant ne s'est pas progressivement féminisé, comme celui des cours secondaires ordinaires, et qui s'est longtemps perpétuée sous la forme même où l'avait connue Duruy : ce sont les cours dits de la Sorbonne.

Fondés en 1867 par une association de professeurs, les cours de la Sorbonne étaient, en 1883, une institution solide. Loin de suivre l'exemple des cours de Bordeaux, bien que leur effectif ait diminué aussi, ils ne disparurent pas lors de l'ouverture du premier lycée

---

41. C'est pourquoi Compayré leur attribue « une certaine vitalité » encore au début du siècle. Le nombre en a diminué. Mais, observe-t-il, « les 64 cours de 1902 réunissent presque autant d'élèves que les 105 cours de 1883, 5 349 élèves en 1883, 4 850 en 1902 ». En 1906, les cours secondaires ont 6 899 élèves.

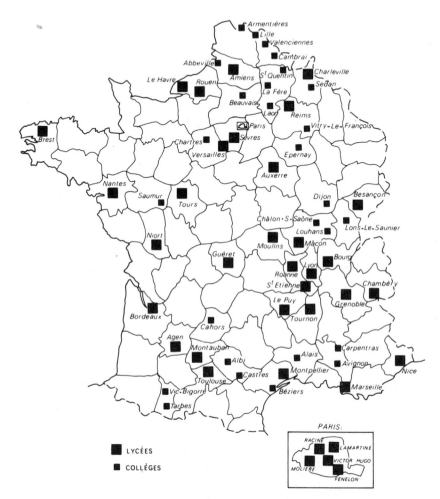

RÉPARTITION DES ÉTABLISSEMENTS DE L'ENSEIGNEMENT SECONDAIRE
DES JEUNES FILLES EN 1896.

(d'après C.Sée: Lycées et collèges de jeunes filles)

parisien. « Au milieu de ces institutions nouvelles, disait Levasseur, président de l'Association [42], l'Association pour l'enseignement secondaire des jeunes filles reste ce qu'elle a été jusqu'ici ... une sorte d'école supérieure dont les leçons, venant à la suite de l'enseignement que vous avez déjà reçu dans votre famille ou dans un établissement primaire ou secondaire, vous procurent les moyens de compléter votre éducation intellectuelle. [43] »

Ce qui se perpétue ainsi est donc une tradition bien différente de celle qu'a voulu instituer la loi Camille Sée. De fait, les cours de la Sorbonne coexistèrent longtemps avec l'enseignement des lycées, parce qu'ils ne répondaient pas au même besoin. Ils attestent du goût persistant pour une éducation libérale, sous forme de conférences, sans obligation d'assiduité. Aussi, bien que les statuts de l'Association restent identiques, ses fins ne sont-elles plus exactement les mêmes qu'au temps de Duruy. Les filles ne sont plus comme alors privées de presque tout autre moyen d'instruction. Elles peuvent acquérir si elles le veulent une instruction secondaire complète au lycée, au collège Sévigné, voire dans les couvents ou cours privés qui, à la longue, imitent ces établissements. L'Association leur donne le reste [44], avec cette liberté d'allure que ne connaît pas le lycée. La survie des cours de la Sorbonne montre aussi que l'éducation domestique, à laquelle ils servent de complément, n'est pas morte. Ce qui est le plus scolaire dans les cours de l'Association — devoirs hebdomadaires, travail final qui permet d'obtenir des récompenses — connaît une progressive désaffection [45]. Les cours finissent donc à Paris comme ils avaient trop souvent commencé en province. Ce sont des séries de conférences, guère plus, sans autre lien que l'entente entre les professeurs pour organiser leur enseignement en une sorte de cycle de trois ans, qu'on peut suivre d'ailleurs dans n'importe quel ordre. Un tel type d'enseignement ne pouvait pas résister à la tendance générale de faire préparer le baccalauréat aux filles.

Les créations de lycées et collèges

« L'opinion générale, écrit Villemot en 1887, était que la création des lycées et collèges s'opérerait avec lenteur. » Les adversaires « déclaraient

---

42. Il a succédé à Egger en 1881.

43. Allocution prononcée le 16 novembre 1883, lors de l'ouverture annuelle des cours dans le grand amphithéâtre de la Sorbonne.

44. Ainsi, en 1904, le professeur de littérature est Paul Albert, Chantavoine enseigne en littérature ancienne, Lacour-Gayet en histoire. La pléiade des professeurs de l'Association ne serait pas déplacée à l'Ecole de Sèvres, Chantavoine enseigne d'ailleurs aux deux à la fois ; son cas n'est pas isolé. Les cours de la Sorbonne constituent une sorte d'enseignement supérieur de l'enseignement féminin.

45. L'allocution de Levasseur, le 15 novembre 1904, le laisse entendre. En sciences, le nombre des devoirs rendus est presque nul, alors que les Beaux-Arts connaissent un remarquable succès.

que la loi était mort-née, parce qu'il était impossible à de simples externats de faire concurrence aux internats ecclésiastiques ». Même « les organes de publicité favorables au nouvel enseignement croyaient les familles hésitantes, redoutaient une prédilection trop marquée des municipalités pour les internats, et exprimaient la crainte que l'administration universitaire apportât de la tiédeur ou peu d'esprit de suite dans l'exécution de la loi » [1]. Or, « un an après sa promulgation, la loi était déjà appliquée dans plus de trente villes », écrit G. Compayré en 1907 [2]. Cependant, même si les décrets étaient pris, il fallait attendre les moyens financiers qui permettaient les constructions ou les appropriations nécessaires. C'est pourquoi le véritable point de départ de l'enseignement secondaire des jeunes filles, à de minces exceptions près, date de l'année 1882.

Le rythme des créations fut, dans les premières années, très rapide : 41 lycées furent ouverts en vingt ans [3], et 29 collèges [4]. On est pourtant, vers 1900, encore loin des espoirs affichés par Paul Bert, en 1882, d'ouvrir un lycée par département. La carte des créations effectives, en 1900 [5], révèle de plus une sensible inégalité entre les régions. Les fondations ont été plus rapides et plus aisées au Nord de la Seine et dans la moitié Est de la France, à l'exception de la Lorraine qui reste entièrement réfractaire. Certains départements « républicains », les Ardennes, la Marne, la Saône-et-Loire, le Vaucluse, les Bouches-du-Rhône, l'Hérault, se distinguent par deux ou trois fondations pour chacun. L'Ouest, au contraire, la Bretagne, les Bocages, apparaissent dépourvus de créations, avec quelques bastions isolés, à l'exception des deux lycées de la Seine-Inférieure. La partie Ouest de la France du

---

1. A. Villemot, *Etude sur l'organisation, le fonctionnement et les progrès de l'enseignement secondaire des jeunes filles en France, de 1879 à 1887*, p. 7.

2. Gabriel Compayré, *L'enseignement secondaire des jeunes filles...*

3. La liste des premiers établissements que donne l'ouvrage ci-dessus est inexacte, dans la mesure où elle est dressée d'après la date des décrets de création. Voici, d'après l'ordre réel des ouvertures, les premières créations de lycées : en 1881, lycée de Montpellier ; en 1882, Rouen, Besançon, Nantes et Lyon ; en 1883, Amiens, Bordeaux, Moulins, lycée Fénelon ; en 1884, Toulouse ; en 1885, Reims, Le Havre, Roanne, Tournon ; en 1886, Niort et Montauban (transformation du collège ouvert en 1881) ; en 1887, lycée Racine, Guéret, Nice, Tours ; en 1888, Charleville, Bourg, lycée Molière. Plusieurs années parfois se sont écoulées entre le décret de création et l'ouverture effective de ces établissements. Entre 1889 et 1900 furent créés les lycées de : Chambéry, Brest, Grenoble (transformation), Marseille (transformation), lycée Lamartine, Agen (transformation), Auxerre (transformation), lycée Victor-Hugo, Le Puy, Mâcon, Versailles, Saint-Etienne, Saint-Quentin, Lons-le-Saunier (transformation), Annecy, Dijon (transformation), Clermont-Ferrand, Nancy.

4. Le premier collège fut celui d'Auxerre. Ouvert provisoirement en 1881, il fut transformé en lycée en 1893. Aussitôt après fut ouvert Montauban (transformé en 1896). En 1882, Saumur, Louhans, Grenoble (transformé en 1891), La Fère, Lille (transformé en 1896) ; en 1883, Abbeville, Armentières, Cambrai, Vitry-le-François ; en 1884, Agen (transformé en 1893), Tarbes, Vic-de-Bigorre (devenu une EPS en 1900), Béziers ; en 1885, Chalon-sur-Saône ; en 1886, Chartres (transformé en 1920), Albi, Marseille-Montgrand (transformé en 1891) ; en 1887, Saint-Quentin (transformé en 1896), Avignon (transformé en 1920), Carpentras (devenu EPS en 1900), Alais, Oran ; en 1889, Cahors (transformé en 1920). De 1892 à 1900, furent ouverts les collèges de Beauvais, Laon, Castres, Epernay, Sedan, Aix (transformé en 1906), Constantine (transformé en 1913), Caen (transformé en 1914), Morlaix, Montargis, Dijon, (transformé en 1897).

5. Cf. p. 160.

Centre, du Massif central jusqu'à la côte océanique, constitue aussi une tache blanche où se distinguent, seuls, les lycées de Guéret et de Niort, au Nord de la gouttière aquitaine où les fondations se trouvent plus rapprochées et se prolongent par les créations relativement nombreuses du Midi méditerranéen [6].

Les années 1890-1900 sont marqués par un ralentissement des créations : le tiers des créations de lycées ne sont que des transformations de collèges. Après 1900, la forte poussée numérique de la fréquentation entraîne la reprise des créations avec la transformation de nombreux cours secondaires en établissements réguliers. Marque d'une politique qui cherche à répondre au meilleur prix à la demande, les cours secondaires eux-mêmes connaissent un regain de vitalité. Dans les années qui précèdent 1900, ces derniers établissements semblaient voués, non sans doute à une rapide disparition, du moins à une stagnation de mauvais augure pour eux. Entre 1900 et 1904, l'augmentation en chiffres absolus du nombre de leurs élèves s'accompagne de l'ouverture de nouveaux cours. Désormais, et jusqu'à la veille de la seconde guerre mondiale, s'instaure l'habitude, là où un lycée ou collège ne semble pas, pour quelque raison que ce soit, possible dans l'immédiat, d'installer des cours secondaires. Mais l'effet des créations de cours sur le nombre total d'entre eux est absorbé en grande partie, à partir de 1904, par les transformations en collèges. C'est ainsi que 1905 est l'année où les cours secondaires ont comporté le plus d'élèves : 7 375 contre 8 679 dans les collèges, 14 777 dans les lycées [7].

Amorcé depuis 1900, le nouveau départ de l'institution tout entière est surtout perceptible à partir de la rentrée de 1902 : les effectifs se gonflent alors de manière sensiblement plus rapide, en relation avec la fermeture des maisons congréganistes. Dans les années suivantes, le mouvement se poursuit. Une statistique, que le ministère n'a malheureusement faite que pour l'année 1904, indique la provenance des élèves nouvelles, académie par académie. Partout, la catégorie la plus nombreuse est celle qui provient des établissements privés, la proportion par rapport à l'ensemble des nouvelles oscille entre 30 % et plus de 40 % [8]. On ne constate un ralentissement — tout relatif d'ailleurs — qu'à partir de 1909, et l'accroissement en chiffres absolus se poursuit jusqu'à la guerre. La comparaison entre la courbe de progression du

---

6. Sans doute l'indication des cours secondaires vient-elle apporter des nuances. Mais leur nature, qui prête à des interprétations divergentes comme l'atteste encore le discours de Camille Sée à l'occasion du 25ᵉ anniversaire, et leur vitalité sont si variables qu'il est préférable de ne pas les prendre en compte. Un grand nombre d'établissements définitifs, d'ailleurs, ont été précédés par des cours.

7. Les 105 cours de 1883 (date où le nombre des cours fut le plus élevé) réunissaient seulement 5 349 élèves.

8. AN, F 17 14185. La proportion est de 40 % dans les lycées de filles de l'Académie de Paris. Elle est plus faible parfois dans les collèges et cours secondaires, mieux alimentés par les établissements primaires publics. Mais elle dépasse 50 % pour l'ensemble des établissements de l'Académie de Caen.

nombre des élèves et celle des créations d'établissements montre que s'il existe un décalage entre le premier chiffre et le second, ce décalage n'est pas toujours dans le même sens : dans les années 1880, les créations précèdent l'accroissement du nombre des élèves. Des cadres ont été constitués qui se remplissent peu à peu, régulièrement. En 1907, les créations et transformations sont plutôt la conséquence d'un accroissement, dont l'ampleur n'avait peut-être pas été prévue, qui a fait éclater l'insuffisance matérielle des établissements existants [9].

Au cours des premières années qui suivent la loi Camille Sée, s'est accompli un considérable effort de construction. Pour le financer, aux termes de la loi du 2 août 1881 [10], la caisse des lycées, collèges et écoles primaires vit sa dotation augmentée de 120 millions sur lesquels on devait prélever un crédit de 20 millions pour les établissements secondaires de jeunes filles [11]. Les règles de la participation de l'Etat aux frais de première installation ont varié [12].

Quel que fût le mode de financement, les crédits engagés pour les créations d'établissements furent importants. La loi de 1881 prévoyait 10 millions de « subventions » (part de l'Etat) et 10 millions d'« avances » (part des villes et des départements) [13]. En 1883 et 1884, y furent ajoutés

9. En 1896, pour 10 413 élèves, il existe 32 lycées, 3 lycées provisoires, 27 collèges, 1 collège provisoire, sans compter le lycée de Tunis (moyenne 162 élèves). En 1900, pour environ 12 000 élèves, il existe 40 lycées et 26 collèges, soit 66 établissements, (moyenne 181 élèves). En 1907, pour plus de 26 000 élèves, 46 lycées et 57 collèges, c'est-à-dire 103 établissements (261 élèves en moyenne) le nombre des élèves a doublé, non celui des établissements, malgré un effort soutenu : en 1900, création du lycée de Nancy, des collèges de Montargis et de Nîmes ; en 1902, collège de Limoges ; en 1903, collèges de Coutances, Bourges, Poitiers, Le Mans, Douai, Carcassonne, Saint-Dié, Orléans, Rochefort ; en 1904, lycée de Lille, collèges d'Avranches, Beaune, Troyes, Arras, Lodève, Châteauroux, La Rochelle, La Roche-sur-Yon, Le Luc, Langres, Roubaix, Boulogne-sur-Mer ; en 1905, lycées de Marseille-Longchamp, d'Aix, du Mans, de Rennes, collèges de Périgueux, Aurillac, Valence, Tourcoing, Neufchâteau, Saintes, Laval, Vitré, Villeneuve-sur-Lot.

10. Camille Sée, immédiatement après le vote de la loi, aurait pressenti Jules Ferry pour savoir la part que l'Etat prendrait dans les dépenses de création. Le 15 février 1881, il « put ainsi aviser les maires que l'Etat contribuerait pour moitié à la dépense des externats et, pour les internats, pour une quote-part qui varierait suivant l'utilité plus ou moins grande de les créer, et les sacrifices consentis à cet effet par les autorités locales » (*Le jubilé...*, p. 31). En même temps, Camille Sée adressait aux municipalités les devis modèles de trois établissements types pour les jeunes filles.

11. Dans son avant-propos à l'édition de 1900 de *Lycées et collèges de jeunes filles. 25 ans de discours*, Camille Sée a opéré un relevé minutieux des crédits et de leur emploi, année par année et établissement par établissement (pp. XIV-XLI). Ce travail considérable a servi à G. Compayré, *L'enseignement secondaire des jeunes filles...*

12. Elles ont été déterminées successivement par les lois du 2 août 1881, 20 juin 1885, et par la loi de finances du 26 juillet 1893. Aux termes de la loi de 1881, la participation de l'Etat se faisait à la fois sous forme de *subventions* définitivement concédées et d'*avances* remboursables par les départements (la participation des départements fut faible et ne dépassa pas quelques centaines de milliers de francs) et les communes. Sous le régime de la loi de 1885, ces dernières contractaient directement des emprunts pour la totalité de la somme à dépenser. L'Etat était leur co-débiteur, le ministre pouvait s'engager à leur rembourser « partie des annuités nécessaires au service de l'intérêt et de l'amortissement des emprunts par eux contractés pour la construction, la reconstruction ou l'agrandissement de leurs établissements d'enseignement public » (pour les établissements d'enseignement supérieur et secondaire, le ministre devait soumettre aux Chambres, chaque année, en même temps que le budget de son ministère, ses projets de subvention). Les subventions ne pouvaient dépasser 50 % des annuités nécessaires au service des emprunts contractés. La loi de 1893, enfin, modifia une nouvelle fois les règles qui régissaient la participation de l'Etat ; elle prévoyait que celui-ci ne verserait plus d'annuités, mais une part de capital.

13. La loi de 1885 les amputa de 2 millions.

2 428 000 francs et 1 666 666,66 francs de « subventions ». La loi de 1885 prévoyait un crédit de 14 377 567 francs à supporter, moitié par l'Etat, moitié par les villes, celle de 1893 y adjoignit 4 300 223,29 francs. Enfin, des crédits spéciaux furent prévus pour les lycées de Paris, qui, par suite de l'attitude du conseil municipal, furent créés entièrement à la charge de l'Etat [14]. Les crédits engagés ne furent pas réalisés dans leur totalité. Les 11 666 666,66 francs prévus par les lois de 1881 et de 1884 furent réalisés presque en entier [15], de même que les crédits pour les lycées de Paris. En revanche, près de la moitié des crédits de subventions ne le furent pas [16].

Les créations des toutes premières années donnent une idée de la réalisation des crédits engagés et surtout du rythme inégal de cette réalisation, la loi de 1881 ayant prévu le versement des subventions en six annuités. L'année 1884 est à cet égard une année privilégiée, alors que les ouvertures effectives d'établissements ont été plus échelonnées dans le temps. Jules Ferry apparaît ainsi non seulement comme l'un des

---

14. 5 410 500 francs furent affectés par la loi du 30 juin 1885, qui ouvrait un crédit de 12 millions aux établissements d'enseignement secondaire, dont la construction, la reconstruction, l'agrandissement étaient à la charge exclusive de l'Etat. Sur cette somme, 4 810 500 francs furent destinés aux lycées de jeunes filles de Paris. La loi de 1893 ajouta un crédit de 3 300 000 francs (lois de finances de 1894, 1895, 1896, 1897, 1898).

15. Exactement 11 371 578,57 francs.

16. Sur les 14 377 567,17 francs qui devaient être pour moitié à la charge de l'Etat, n'étaient réalisés que 3 830 813,91 francs par l'Etat, autant par les villes. Il en résulta d'importantes annulations de crédit. Selon Camille Sée, certaines villes n'ont pas réalisé les crédits mis à leur disposition parce qu'elles ont abandonné leur projet, ou parce qu'elles ont préféré le mener à bien sous le régime de la loi du 26 juillet 1893 :

Tableau des crédits annulés comme sans emploi pour l'un de ces deux motifs

Limoges	500 000	Lille	80 000
Marseille	600 000	Cambrai	500 000
Tours	600 000	Brive	225 000
Lyon	1 000 000	Saint-Omer	225 000
Nîmes	100 000	Lons-le-Saunier	200 000
Troyes	400 000	Béziers	500 000
Bordeaux	32 000	Abbeville	150 000

Soit 4 927 000 francs d'annulations.
Il est un autre motif d'annulation propre à dérouter quiconque est habitué à la pratique contemporaine en ce domaine : les crédits n'ont pas été dépensés en totalité parce que le coût réel s'est avéré inférieur aux devis. Les dépenses inférieures aux prévisions ont donné lieu aux annulations ci-après :

Mâcon	96 400,34	Tarbes	17 540
Moulins	56 371,23	Cahors	66 000
Le Puy	27 678,54	Albi	26 400
Tournon	21 211,14	Valenciennes	50 000
Niort	434 700	Alais	95 138
Versailles	148 412,57	Castres	5 000
Le Havre	1 368,28	Laon	100 000
Montauban	2 800	Constantine	65 000
Reims	79 003,80	Sedan	222 300
Toulouse	13 182	Oran	45 600
Amiens	86 000	Nice	3 700

Il est vrai que l'Etat ne pouvait donner plus que la ville pour la création d'un établissement : les difficultés financières ou les revirements de cette dernière retentissaient donc doublement sur l'économie d'un projet trop ambitieux ou dont l'ampleur avait cessé de plaire.

auteurs de la loi du 21 décembre 1880, mais aussi comme le principal artisan de sa mise en œuvre. Il s'agit de créer, en même temps que les établissements d'enseignement, l'Ecole de Sèvres [17].

Des sommes en définitive plus importantes ont été dégagées au cours des premières années du siècle pour les agrandissements ou les nouvelles créations. Mais celles qui furent consacrées à une œuvre encore vacillante ont plus frappé les esprits et ont accrédité dans l'opposition l'idée que l'enseignement nouveau était ruineux pour les finances publiques.

Il est cependant un domaine où l'enseignement secondaire des jeunes filles s'est montré des plus économes des deniers de l'Etat : celui des crédits de fonctionnement. Pour 1900, alors que les lycées et collèges de jeunes filles comptent déjà 11 994 élèves, les crédits des établissements, y compris l'Ecole de Sèvres, ne s'élèvent qu'à 2 663 050 francs [18], y compris les indemnités pour professeurs en congé et les bourses : il est vrai que viennent s'y ajouter les subventions et les bourses des villes, les subventions et les bourses des départements, les rétributions annuelles et les « produits divers » [19]. Le budget de fonctionnement des lycées s'établit ainsi, pour 1898, avec un peu de déficit : 3 015 475,25 francs de recettes contre 3 116 525,64 francs de dépenses, tandis que le budget des collèges enregistre un minime excédent : 748 879,38 francs de recettes contre 742 388,32 francs de dépenses. La rétribution scolaire représente donc le quart des recettes pour les lycées, le tiers pour les collèges. Sinon pour l'installation, du moins pour le fonctionnement — et cette impression sera confirmée par l'examen des sommes consacrées au corps enseignant —, le contribuable n'a guère de motifs de se plaindre.

Les crédits mis en œuvre, le spectacle des constructions nombreuses,

---

17. Pour elle sont inscrits en quatre ans, de 1882 à 1885 compris, 2 404 124,38 francs de crédits : en 1882, les dépenses inscrites pour les lycées (Besançon, Montpellier, Rouen) sont de 582 249,04 francs seulement, pour les collèges de 516 000 francs ; soit 2 724 273,42 francs en tout pour l'année 1882. En 1883, le total s'élève à 2 435 259,29 francs pour l'appropriation du lycée Fénelon, acheté sur d'autres crédits, et pour la création de dix lycées et quatre collèges. En 1884, les crédits engagés atteignent 4 752 864,80 francs (dont 424 494 francs encore pour le lycée Fénelon, 900 000 pour le futur lycée Molière) pour huit lycées sans compter Montpellier et Toulouse, déjà bénéficiaires de crédits l'année précédente, et trois nouveaux collèges. Les 136 507,30 francs de 1885 sont affectés à l'agrandissement du lycée de Rouen. L'année 1886 voit remonter les crédits à 1 157 617,04 francs. Ils sont affectés surtout au lycée de Charleville et aux collèges. Enfin 172 500 francs, en 1887, sont destinés au « lycée » — en fait un collège — de Cambrai. En six ans, le crédit de 11 666 666,66 francs prévu par les lois du 2 août 1881 et du 30 janvier 1884, et représentant la part de l'Etat a été à peu près entièrement engagé, comme il était prévu.

18. Pour 1907 (27 944 élèves), 3 539 975 francs.

19. Pour l'exercice 1898, toujours d'après Camille Sée (*Les lycées et collèges de jeunes filles*), les subventions de l'Etat pour les dépenses fixes, sans compter le crédit de moins de 200 000 francs affectés aux cours secondaires, ont été de 1 484 535,97 francs pour les lycées et de 221 532 francs pour les collèges. L'amélioration du matériel, les frais de suppléance des professeurs en congé de maladie, les indemnités d'agrégation aux fonctionnaires et professeurs pourvus d'une agrégation masculine comptent pour moins de 35 000 francs, les bourses d'essai et de mérite et les dégrèvements pour 120 000 francs. Il faut y ajouter les sommes affectées à l'exemption des frais d'externats surveillé accordée aux enfants de fonctionnaires de l'enseignement primaire : 537 000 francs et une partie du crédit des indemnités aux fonctionnaires qui ne peuvent recevoir un traitement d'inactivité : 21 900 francs.

166

vastes et confortables pour leur époque, que la Troisième République a consacrées à l'enseignement secondaire féminin, risquent de faire oublier que ces constructions ont attendu parfois des années avant de s'édifier, et que les établissements réguliers, tout comme les cours secondaires, ont souvent commencé dans des locaux très imparfaits. Ainsi Montpellier, pressé d'ouvrir, organise un externat d'une cinquantaine d'élèves environ avant de passer le traité avec l'Etat[20]. Le Conseil supérieur ayant rejeté, en décembre 1881, le premier projet de lycée soumis par la ville de Grenoble parce que l'installation est insuffisante, un collège provisoire s'ouvre dans des locaux de la mairie, le 17 avril 1882, fort mal adaptés à leur nouvelle destination[21].

Dès le mois de mai 1881, la municipalité de Montpellier achète, pour le prix de 160 000 francs, un immeuble. Ce sera la politique suivie en beaucoup d'endroits, quitte à consacrer une somme parfois importante à l'appropriation des locaux.

Les effectifs en élèves comme en professeurs sont modestes ; sans doute raisonne-t-on par analogie avec l'enseignement secondaire masculin, ce qui ne fait pas escompter un rapide accroissement. Dans ces conditions, l'achat d'un hôtel particulier paraît suffire. Ainsi à Besançon. A Bordeaux, les jeunes filles sont installées dans un ancien couvent[22]. Huit ans après la transformation des cours secondaires de Tours en lycée, la directrice se dit installée dans une « ruine majestueuse et mal entretenue »[23]. En 1900 encore, l'installation du lycée de jeunes filles de Lyon, qui n'a pourtant que 250 élèves environ, est jugée précaire : l'établissement est logé dans un vieil immeuble du Quai des Brotteaux[24] ; des cours se font au Palais Saint-Pierre, aux Terreaux.

Moins de vingt ans après les premières créations, l'impression qui se dégage donc des rapports aux conseils académiques demeure que l'installation matérielle, malgré une croissance encore modeste des effectifs, est devenue insuffisante. Les mêmes mots reviennent d'un bout à l'autre du territoire. Marseille, très bien installé pourtant, est « trop petit », comme Chartres et Avignon, comme Vitry et Tours sont

---

20. *ESJF*, juillet-décembre 1882 : « Le lycée de jeunes filles de Montpellier ».

21. Ces locaux ne comportent ni cour de récréation, ni salle d'étude, ni cabinets d'aisance, ni petit réfectoire où les externes surveillées pourraient prendre le repas qu'elles ont apporté (AD, Isère, T 698). Mais la situation à Grenoble n'est que transitoire : le traité est signé le 31 mars 1882 et la ville décide une construction. En fait, les jeunes filles seront installées dans l'ancien collège des jésuites.

22. Le cas de Louhans, cependant, est exceptionnel : le couvent des dames de Saint-Maur fermé depuis peu devient un collège de jeunes filles et reçoit comme directrice l'une des religieuses qui s'est sécularisée en même temps que la maison. De l'aveu de l'inspecteur d'académie, toujours méfiant vis-à-vis de l'ancienne congréganiste, elle inspire confiance aux familles (Dossier Lembrez, F 17 22955).

23. F 17 23740, dossier Bonnel.

24. Un ancien cours privé. On avait renoncé à une maison neuve rue du Bât d'argent (dans le centre de la ville) parce qu'on la jugeait trop proche du lycée de garçons (Ampère). Au reste, le confort élémentaire de certaines maisons semble avoir laissé à désirer : au lycée du Puy, ouvert depuis cinq ans en 1897, il existe un seul poste d'eau, dans la cour. L'Ecole de Sèvres elle-même attend l'électricité jusqu'en 1909 (AENS, 2e cahier professeurs).

« insuffisants », comme Bordeaux est « exigu ». Que dire des cours secondaires, parfois plus peuplés que les établissements réguliers, mais qui, faute de traité, sont dépourvus de toute garantie ? La situation est seulement « défectueuse » à Cherbourg, elle est « lamentable » à Ajaccio, « très mauvaise » à Toulon, produit un « effet déplorable » à Digne. Au regard de tant de doléances, les améliorations signalées n'arrivent pas à reconstituer un équilibre : l'effort de création a été considérable mais il a été calculé sur des bases trop étroites. Comme l'administration, les municipalités ont raisonné sur une situation stable, sur une prospérité limitée et régulière des établissements. Au bout de quinze ou vingt ans selon les endroits, la brusque croissance des lycées et collèges, le besoin d'enseignement secondaire féminin dans des villes où jamais on n'y avait pensé, ont surpris. Pourtant le nombre moyen d'élèves par établissement est, en 1902, encore bien modeste : les lycées comptent 259 élèves en moyenne, les collèges 171 et les cours 94 [25].

La seconde vague de créations, après 1900, n'a donc pas les caractéristiques de la première. Elle se produit sous l'afflux des élèves nouvelles et non pas pour attirer des élèves. Il en résulta un embourgeoisement dans la fréquentation : la plupart du temps, délivrés du souci du recrutement, les chefs d'établissement ont pu se montrer plus sourcilleux sur la qualité de leur public. D'autre part, les créations sont moins l'effet des passions politiques : aussi sont-elles plus harmonieusement réparties sur l'étendue du territoire national. Les premières années du siècle voient la conquête progressive des régions les plus réfractaires : Lorraine et Bretagne. A la veille de la guerre, il est peu de départements qui n'aient au moins un établissement de jeunes filles, sis le plus souvent, mais pas toujours, au chef-lieu. Avec ses trente-cinq mille élèves en 1914, l'enseignement secondaire féminin est vraiment entré dans les mœurs.

Mais au cours de la période qui suit immédiatement la loi, le principal souci, pour les municipalités comme pour l'administration, était évidemment de remplir les établissements. La plupart des cours Duruy, moins de quinze ans auparavant, n'avaient-ils pas échoué faute d'auditrices ? La fondation avait été décidée parce qu'on croyait une clientèle prête ; mais dans les villes modestes du moins, les municipalités jugèrent opportun de grossir le nombre des élèves avec des recrues venues de la campagne : « Des dix-huit premiers lycées et des douze premiers collèges qui furent créés en application de la loi, il y eut neuf lycées et neuf collèges pour lesquels les municipalités sollicitèrent tout de suite l'annexion d'un internat » [26].

---

25. AN, F 17 14185.
26. Compayré, *op. cit.* Tous les collèges, en 1896, sont pourvus d'un internat sauf cinq.

Avant même que le vote ne fût acquis au Sénat, des municipalités avaient engagé une correspondance avec Camille Sée pour lui demander des renseignements. Le débat en seconde lecture à la Chambre atteste que déjà s'échangeaient des correspondances pour information [27]. C'est ainsi que purent être ouverts très rapidement les premiers établissements. Le premier lycée avec internat fut celui de Montpellier. Comme le fait remarquer non sans intention la revue Camille Sée : « La municipalité eût mieux aimé s'en remettre complètement à l'Université du soin de la gestion du lycée ». Le mot d'internat « annexé » est d'ailleurs susceptible de bien des interprétations. Dans cette première expérience, les locaux sont matériellement bien séparés par 140 mètres d'un parc ancien planté de grands arbres. Les surveillantes ne sont pas les mêmes à l'externat et à l'internat : ce sera la règle. Dès octobre 1882, le lycée compte 215 élèves dont 83 pensionnaires et 10 demi-pensionnaires. L'installation, au total, aura coûté environ un million [28].

« Il est entendu, écrivait H. Marion dans son rapport de 1881, que l'établissement principal sera partout l'externat, que l'internat lui sera subordonné ... qu'il sera soumis au régime des collèges communaux, même quand il sera annexé à un lycée d'externes. » Les fondations d'internats se conformèrent donc à l'article 73 de la loi de 1850 qui fixait les conditions de l'ouverture d'un pensionnat de garçons, article dont les stipulations étaient reprises par le décret de 1881. Au lendemain du vote de la loi, avant même le décret, seize villes sur dix-huit (Rouen et Le Havre désiraient un externat) se prononcèrent pour un établissement avec internat. Cette attitude, selon Camille Sée, détermina le revirement de Charles Zévort, directeur de l'enseignement secondaire de 1879 à 1887, dont le rôle était évidemment déterminant dans l'application de la loi. Zévort fut convaincu de l'inefficacité de la loi si l'on s'en tenait aux externats : il s'attacha à atténuer dans la pratique ce que la disposition relative à l'internat avait de trop absolu.

« Les barrières dressées entre l'internat et l'externat, constate Camille Sée dans son discours du 25e anniversaire, se sont peu à peu abaissées ... L'externat et l'internat, que l'on avait placés d'abord sous l'autorité de deux directrices distinctes, ont été réunis, en ce qui concerne l'éducation, et confiés à l'autorité unique de la directrice. »

L'usage a en effet montré les inconvénients de la dyarchie, intarissable source de conflits entre la directrice de l'externat d'Etat et la

---

27. Selon *Le jubilé...*, article visiblement inspiré par Camille Sée et signé A. (Adolphe Brisson ou M. Aron ?), certains maires auraient fait dresser immédiatement après le vote de la loi des devis pour leurs villes respectives.

28. Ce fut un sujet de controverse, à la Chambre même, entre Jules Ferry et Camille Sée, que de savoir ce que coûteraient au juste les nouveaux établissements. Tous deux produisirent des devis qui variaient du simple au double. Camille Sée, sans doute pour ne pas effrayer le Parlement, avait fait établir ses devis d'internat au plus juste.

sous-directrice de l'internat municipal[29], les conflits s'étendant parfois à l'ensemble du personnel. Au reste, les craintes qui avaient été nourries sur les internats sont la plupart du temps restées sans objet, l'usage ayant montré que les internats n'étaient pas des foyers de scandales[30]. L'administration voyait moins d'obstacles à la nomination d'une seule et même responsable à la tête de l'établissement[31]. Mais la situation demeurait à peine moins compliquée :

> « L'externat, c'est l'Etat : ce sont les classes, les professeurs, l'enseignement, les fournitures scolaires, l'instruction. Et d'un.
>
> L'internat, c'est la municipalité ; ce sont les études, les dortoirs, les réfectoires, les surveillantes, les adjudications alimentaires, l'éducation. Et de deux.
>
> L'Etat n'a pas voulu d'internat ? La municipalité en veut un. Elle le fonde. Elle fait bien, le chiffre des élèves double. Mais, forte comme de raison de son initiative et de ses sacrifices, elle le fonde comme elle l'entend, envers et contre l'Etat.
>
> La directrice et l'économe, responsables vis-à-vis du ministère et de la ville, tâchent à les faire rencontrer, s'efforcent de faire brûler le charbon de l'Etat dans les poëles de la ville, appliquent d'une main les circulaires du ministre, et cependant commandent de l'autre des chapeaux d'une forme qui ne déplaise pas au conseil municipal.
>
> Les bibliothèques sont de l'externat. L'internat les régit... »[32].

Quelle que fût la complication du système prévu par la loi et le décret du 28 juillet 1881, il ne découragea pas la plupart des

---

29. L'exemple en est le conflit aux multiples aspects : personnel, religieux, politique, économique, qui éclate entre la directrice et la sous-directrice de Lons-le-Saunier après la transformation en lycée (1896) ; la directrice, soutenue par le préfet et un pasteur protestant, s'oppose à la sous-directrice, défendue par le parti républicain modéré qui tient la mairie.
La complexité des règlements qui régissent l'internat joue son rôle. Selon Ferrouillat (lettre du 9 juillet 1897) le fond de cette inimitié « n'est ... qu'une triviale question d'argent. La directrice, avant la transformation du collège en lycée, hébergeait, à son propre compte, les élèves pensionnaires. Elle réalisait, de ce chef, un bénéfice annuel de 4 à 5 000 francs ». L'internat municipal a mis fin à cette situation et la directrice en concevrait de la rancœur. L'administration, informée par le recteur, déplace la sous-directrice, confie la haute direction de l'internat à la directrice et supprime le poste d'économe de l'internat, les fonctions étant confiées à celle de l'externat.

30. L'incident créé à la Chambre par l'un des adversaires de la loi, La Bassetière, à propos du lycée de Montpellier, montre bien à quel point l'opinion est peu sensible aux distinctions administratives entre internat et externat, *ESJF,* juillet-décembre 1882, p. 489-491. Le député évoque une « révolte » des élèves (à l'externat, à propos du départ de la directrice) et lit tout au long la description des costumes imposés à l'internat du pensionnat municipal. « On a développé chez la jeune fille, s'exclame-t-il, tout ce qui s'y trouve trop naturellement déjà, c'est-à-dire la curiosité, le désir immodéré de connaître, et aussi cette coquetterie qui, confinée, n'est pas absolument un crime ; mais à tous ces entraînements qui peuvent produire à la fois le bien et le mal, on a oublié d'apporter le contrepoids des fortes et saines croyances » (Chambre des députés, 4 décembre 1882). Le ministre répondit en affirmant : « Le lycée de Montpellier est aussi tranquille qu'aucun pensionnat du Sacré-Cœur », et en faisant observer que les costumes des internats ne regardaient pas l'Instruction publique.

31. Le plus fervent adversaire de la direction unique de l'internat et de l'externat fut, une fois de plus, Bréal, au Conseil supérieur (AN, F 17* 3203, séance du 24 décembre 1884), au sujet de la création du lycée de Mâcon. Le traité prévoit une directrice unique. Bréal estime que cette disposition n'est pas conforme à l'article 2 de la loi. Zévort argue du contraire. J. Simon même vient à son secours en estimant qu'il faut « tenir compte des circonstances locales ».

32. M. Aron, *Journal d'une Sévrienne,* p. 209. Cette description de la dualité entre internat et externat est à peine caricaturale.

municipalités puisqu'en 1896, sur trente-deux lycées, quinze sont munis d'un internat annexé, en 1900, sur quarante lycées, vingt sont munis d'un internat annexé alors que tous les collèges, à l'exception de Laon, Castres — où l'internat est du reste en construction — et Morlaix, sont pourvus d'un internat. Est-ce à dire que dans la moitié des lycées, la nécessité d'un internat ne se soit pas fait sentir, dans un premier temps pour élargir le recrutement, dans un second pour répondre aux besoins de ces campagnes si souvent évoquées durant le débat d'adoption de la loi ? Les lycées de Paris, notamment, sont les lycées d'externes alors que, de toute la France, viennent des élèves pour préparer à Fénelon ou à Molière le concours de Sèvres ou le certificat. Dans le cas de certains lycées de province sans internat annexé, la formule retenue est celle du pensionnat agréé, c'est-à-dire d'établissements d'éducation privés qui reçoivent des boursières. A Paris, ce système n'existe même pas. G. Réval a laissé une description à la Zola de « La pension de l'Acropole », petit appartement minable où logeaient seulement trois jeunes filles, élèves d'une sixième année de lycée [33]. Il est certain que même les pensionnats agréés laissaient parfois à désirer au moins pour l'installation matérielle sinon pour la tenue et l'éducation :

> « On pourrait songer à un article de la loi de finances, écrit le rapporteur du budget de l'Instruction publique de 1907, Couÿba, qui autoriserait la création d'internats d'Etat. En effet, il y a des villes qui ne veulent pas d'internats. Or l'internat s'est développé d'une façon extraordinaire. Et presque partout, quand il n'existe pas d'internat municipal (Rouen, Amiens, par exemple), il est fondé à côté du lycée des internats privés que l'administration est obligée d'agréer, qu'elle surveille un peu, mais sur lesquels elle n'a aucun droit réel de contrôle ... A Paris, la situation est encore plus grave. Il n'y existe aucun internat » [34].

A défaut d'internat municipal ou de pensionnat agréé, certains membres de l'administration et du Conseil supérieur avaient fondé de grands espoirs sur le système familial : les élèves de la campagne seraient externes de l'établissement mais logeraient dans des familles. De là l'expression de « bourses familiales » qui servait à désigner les bourses octroyées dans ces conditions. Mais il semble que le système d'hébergement dans les familles n'a pas offert toutes les garanties désirables ; il ne réussit pas à s'imposer [35].

---

33. Dans *Lycéennes*. G. Logerot est entrée à Sèvres en 1890. Elle a donc connu la période héroïque des débuts. Le contenu des ouvrages du même auteur publiés juste auparavant autorise à penser qu'elle a mis là aussi quelques traits autobiographiques.

34. A l'objection qu'on pourrait opposer, les municipalités ne voudront plus se charger des internats, il répond que l'Etat n'aura pas à s'en plaindre, tous ces internats faisant leurs frais.

35. Pas plus que le système « tutorial » imité des Anglais : les élèves étaient prises en pension par des professeurs de l'établissement.

La répugnance qu'on a marquée si souvent pour l'internat vient de la manière même dont il était conçu. La fondation des lycées de jeunes filles n'avait rien changé à cet égard : c'étaient comme pour les garçons des sortes de casernes. Il faut attendre le début du siècle pour voir s'imposer rapidement une nouvelle conception de l'internat régulier.

« La cause principale de cet échec, écrit A. Moll-Weiss, c'est l'*agglomération*. Une famille n'est pas une multitude »[36], et c'est justement d'un internat capable de remplacer le foyer familial qu'ont besoin les enfants. Il faut concevoir de nouveaux édifices, « de nombreux pavillons pouvant abriter au plus quinze élèves et la maîtresse qui s'occupe d'elles particulièrement ».

La difficulté serait de trouver les maîtresses compétentes, celles qu'on recrute ne l'étant généralement pas pour cette nouvelle tâche où elles auraient plus d'indépendance. De plus, pour assurer l'équilibre du budget, les maîtresses d'internat devraient parler parfaitement une langue étrangère. On reconnaît là à peu près le modèle qui servit à constituer la maison d'éducation du lycée Molière, celles du futur lycée Victor-Duruy, ouvert en 1913 et surtout du lycée de Versailles où a commencé l'expérience[37]. Le pensionnat du lycée Molière s'attache aux mêmes principes et ne reçoit dans un premier temps que dix élèves — avec une capacité totale de vingt — dans une atmosphère familiale.

Dans la période de fondation, antérieure à 1895 environ, les conseils municipaux, qui avaient annoncé l'intention de créer un établissement avec un internat, n'entraient pas encore dans ces subtilités. Il se construisit des « casernes ». Pourtant, tous n'eurent pas la persévérance et la possibilité de passer à l'action. L'histoire des premiers cours secondaires fait la preuve que la plupart du temps les petites villes n'avaient pas les capitaux de leur politique. En février 1884, le point des négociations avec l'administration montre que s'il y eut de nombreux votes de principe pour un établissement régulier, les municipalités n'ont pas toujours eu l'argent ou la volonté véritable de mener l'affaire à son terme[38]. Sur cinquante-deux villes pressenties, une quinzaine opposent pratiquement une fin de non-recevoir, quatorze seulement mettent leur projet à exécution moins de dix ans après le vote de principe sur un établissement secondaire féminin. Quelques villes, après avoir hésité,

---

36. « Les internats de jeunes filles dans l'avenir », *RU*, t. 2, 1902, p. 232-241, extrait d'un volume à paraître sous le titre : *Les mères de demain*.

37. Le nom de Léonie Allégret, directrice de Versailles de 1895 à 1912, et de Victor-Duruy de 1912 à 1922, reste attaché à cette entreprise : elle créa une Société des maisons d'éducation sous le patronage de l'Etat et de la Ville, au capital divisé en actions. Dans le parc du lycée de Versailles, chaque pavillon recevait 30 à 35 élèves, sous la direction d'une surintendante. Une intendante avait la charge de 8 à 10 élèves. Le personnel d'encadrement était choisi moins pour ses diplômes que pour son honorabilité et l'excellence de son éducation.

38. AN, F 17 1485.

prennent la décision d'ouvrir une école primaire supérieure[39]. C'est, du moins au début du conflit qui l'opposa à l'Etat, l'attitude du conseil municipal de Paris, pour des raisons qu'il estimait démocratiques. Dans un premier temps, les conseillers se prononcèrent pour un type unique d'établissement, les écoles primaires supérieures, opposés qu'ils étaient aux lycées, « institution bourgeoise ». Mais, s'avisant que les EPS ne s'adressaient pas à la population tout entière, ils se ravisèrent et décidèrent de fonder des lycées. Des négociations furent entreprises ; elles achoppèrent sur deux points : l'instruction religieuse que le conseil municipal voulait proscrire et surtout le droit d'avis pour la nomination du personnel enseignant. La question de l'enseignement religieux pouvait être laissée de côté puisqu'il ne s'agissait de fonder que des externats. C'est en fin de compte la nomination du personnel, sur laquelle l'administration ne pouvait transiger, qui fit tout échouer[40].

Pourquoi le Conseil est-il demeuré intraitable, affirmant sa volonté d'avoir la haute main sur les nominations ? « N'est-il pas étrange, écrivait R. Frary[41], qu'une assemblée locale revendique des droits que ni la tradition ni la logique, ni la loi n'accordent aux Chambres nationales ? ». Sans doute n'aurait-il pas déplu au conseil municipal de tenir, toujours selon l'expression de Frary, une « sorte de feuille des bénéfices »[42] propre à récompenser toute une clientèle. Mais il est improbable que le Conseil ait vraiment cru faire céder l'administration sur une question aussi vitale que celle du personnel, à l'encontre de toutes les traditions universitaires. Il est plus vraisemblable que le conseil municipal, resté imbu des idées égalitaires qui l'avaient d'abord fait se prononcer pour les écoles primaires supérieures, n'a pas voulu faire un effort financier pour les lycées de jeunes filles : il savait que, de toute manière, les Parisiens n'en seraient pas toujours privés.

C'est ainsi qu'à la rentrée de 1883 fut fondé le lycée Fénelon, dans un immeuble acquis par l'Etat rue Saint-André-des-Arts[43]. La

---

39. Ainsi à Castelsarrasin. Carpentras et Vic-de-Bigorre, durant une quinzaine d'années, optent pour le collège, mais la réussite ne venant pas, faute de public approprié, décident la transformation en EPS.

40. Après une lettre collective de tous les ministres et députés de la Seine, pour mettre en application à Paris la loi Camille Sée, une dernière réunion du Conseil eut lieu de 29 juin 1883 : un parti, derrière Depasse, s'efforça de rabattre les prétentions du Conseil qui, à l'instigation de Sigismond Lacroix, voulait se réserver les nominations. Ce fut un échec : les conseillers résolurent, par 43 voix contre 14, de rester inébranlables. L'Etat — le Conseil le savait et Sigismond Lacroix se chargea de le lui rappeler — avait parfaitement la possibilité d'agir seul. A une question de Camille Sée, le 9 juillet 1881, à la Chambre, Jules Ferry avait répondu : « J'ai de plus, sur le fonds de subvention, demandé à la Chambre de réserver un 5e à la disposition du ministre, pour que, sur les points qui paraîtront les mieux choisis, le gouvernement puisse fonder des établissements modèles sans avoir besoin d'y être incité par les municipalités ».

41. « Les lycées de jeunes filles à Paris », *ESJF,* 1883, juillet, p. 1-8.

42. C'est une « question de personnes, de places convoitées, peut-être déjà sollicitées et promises », *ibid.*

43. Décret portant création d'un lycée de jeunes filles à Paris, 18 septembre 1883 :
« Le Président de la République ...

composition du personnel, précisait le décret, devait être réglée par le ministre. Placé sous l'autorité du vice-recteur de l'Académie de Paris et sous la surveillance des inspecteurs généraux, le lycée était « géré au nom et pour le compte de l'Etat, suivant les règles adoptées pour les lycées de garçons ». L'ouverture eut lieu le 15 octobre 1883. Peu après, était ouvert dans les mêmes conditions le lycée Racine, rue du Rocher, en 1887 ; en 1888, ce fut le lycée Molière à Passy ; en 1891, le lycée Lamartine au faubourg Poissonnière ; enfin, en 1895, le lycée Victor-Hugo, au Marais. Il fallut attendre les années qui précèdent immédiatement la guerre pour voir deux nouvelles créations : Jules-Ferry et Victor-Duruy.

D'autres municipalités, on l'a vu, ont cru parvenir au même résultat que celles qui fondaient des lycées et collèges par l'organisation de cours secondaires. Leur création, avant la loi et au lendemain de celle-ci, avait été encouragée par Jules Ferry. Elles ne prenaient pas garde que, si les cours étaient moins coûteux, dans les débuts, c'est qu'ils avaient moins de classes, et pas de professeurs attitrés, qu'ils pouvaient se contenter de locaux de fortune. Les possibilités de la loi ne sont pas toujours bien connues, malgré les efforts de Camille Sée pour la propagande de son œuvre ; il en est de même du décret du 28 juillet 1881 [44]. Les créations ne se font pas, en effet, au seul gré des municipalités ; elles sont directement liées aux crédits dont dispose chaque année l'administration. Ainsi s'explique le temps parfois considérable qui sépare le décret de création de la mise en service de l'établissement.

Les délais de construction ne sont pas seuls à expliquer la lenteur de certaines ouvertures. Sous le ministère de Jules Ferry, l'administration s'est pressée de faire promulguer des décrets. Mais, sur quatorze décrets de fondation pris en 1883, quatre seulement correspondent à des ouvertures dans l'année même. C'est environ le rythme annuel qu'impose l'étalement des crédits par annuités : jamais plus de quatre lycées, quatre ou cinq collèges. Le résultat de décisions prises en 1882 ou 1883 au plus tard s'échelonne donc sur une dizaine d'années. Il faut ajouter que les municipalités elles-mêmes, mieux informées comme le temps passait, ont souvent cessé de se presser et se sont contentées, en

---

... Attendu qu'il est urgent d'organiser à Paris l'enseignement secondaire des jeunes filles, qui fonctionne déjà dans un grand nombre de villes des départements ...

Décrète ...

Article 1er. Il est créé à Paris, dans le local précité sous le nom de lycée Fénelon, un lycée national de jeunes filles qui recevra des externes libres, des externes surveillées et des demi-pensionnaires ».

Le reste du décret stipulait que le lycée comprendrait des classes primaires et les cinq années d'études secondaires, les classes les plus élevées n'étant organisées qu'au fur et à mesure des besoins.

44. Lorsqu'en 1882, la ville de Gray (Haute-Saône) vote la création d'un « lycée de jeunes filles », elle ne s'est pas avisée des frais qui lui incomberaient en pareil cas et du caractère improbable d'une acceptation de l'Etat.

attendant, de ce qu'elles avaient déjà : les cours secondaires[45]. En revanche, une fois que les municipalités se sont avancées dans la voie d'une création définitive, elles ont, dans les grandes villes, marqué une préférence pour le lycée, qui engageait davantage l'Etat et ne représentait pas plus de dépenses pour la ville[46].

L'organisation intérieure des établissements

Les conditions de fondation des établissements avaient été réglées par le décret du 28 juillet 1881, l'organisation de l'enseignement avait été prévue par divers textes de 1882, ainsi que le régime des examens. Il fallut pourtant attendre 1884 pour que parût l'arrêté portant règlement pour les lycées et collèges de jeunes filles. Divisé en trois titres, l'arrêté définissait successivement les attributions et les obligations du personnel administratif et enseignant, le règlement de discipline intérieure et l'emploi du temps, enfin donnait des précisions sur les modalités d'admission, les examens de passage, les compositions et les prix.

Aux termes de l'arrêté du 28 juillet 1884, le personnel administratif d'un lycée de jeunes filles se compose d'une directrice et d'une économe. Il n'existe pas de censeur, comme dans les lycées de garçons. Aussi les attributions de la directrice sont-elles étendues. De plus, l'article 4 du règlement prévoit sa participation à l'enseignement. Son contrôle, « régulier et personnel », doit vérifier l'application des règlements, « la conduite et le travail des élèves, la marche et la bonne direction des études ». Elle préside des assemblées mensuelles de professeurs uniquement destinées, selon l'arrêté, à traiter de « questions relatives à la discipline et à l'enseignement ». Rien de tel n'avait pu être mis sur pied durablement dans les établissements masculins : les auteurs de l'arrêté espéraient sans doute que cette assemblée mensuelle aurait une réelle action pédagogique : il semble, d'après les rapports au conseil académique, qu'il n'en fut rien dans la plupart des cas et que les réunions, régulièrement tenues, furent de pure routine, consacrées à la lecture des dernières circulaires. Ces assemblées étaient d'ailleurs chargées de dresser les tableaux d'honneur mensuels et le tableau d'honneur annuel réservé aux boursières.

45. Les villes de Pamiers et de Dijon ont toutes deux voté un collège en 1883. Vingt ans après, les cours secondaires de Pamiers ne sont pas encore transformés. A Dijon, où les cours datent du ministère Duruy, il a fallu attendre 1893 pour voir s'ouvrir le collège, transformé en lycée en 1897.

46. C'est ce qu'exprime l'adjoint Barckhausen, professeur de droit administratif à la Faculté dans son rapport au conseil municipal de Bordeaux (3 novembre 1881) : « L'Etat reste seul chargé des frais qu'entraîne le fonctionnement des lycées, tandis que les communes supportent tous les risques de fonctionnement des collèges ». Il en est de même, observe-t-il, pour l'installation. (AD, Gironde, T 188). Lille reste une exception : c'est que le collège Fénelon, transformé en lycée seulement en 1905, est une création municipale bien antérieure à la loi de 1880.

La directrice est chargée de la correspondance administrative adressée au recteur, par l'intermédiaire de l'inspecteur d'académie[1]. Elle envoie deux fois par mois au recteur un rapport sur « la situation du lycée »[2], sans compter un rapport trimestriel sur la situation morale des boursières. Conservatrice des archives et de la bibliothèque, elle doit tenir un journal des entrées et des sorties des élèves et un registre d'inscription des élèves par catégories[3]. Enfin, elle remplit les fonctions d'administrateur-ordonnateur : l'article 10 du règlement fait référence aux règlements de 1812 et de 1841 qui définissent le rôle du proviseur en matière de gestion économique. Une instruction de 1898 rappelle qu'elle « engage les dépenses et ordonnance les payements dans les limites des crédits ». Chaque année, elle doit rendre un compte d'administration soumis au conseil académique.

Mais le pouvoir de la directrice n'est pas seulement pédagogique et administratif. C'est elle qui présente au recteur « les personnes qui peuvent être proposées au ministre pour l'emploi d'institutrice primaire ou de maîtresse répétitrice », qui choisit les « maîtres d'arts d'agrément ». Ce droit de présentation, peu important au début des établissements, donna à la directrice une autorité considérable quand les principales créations eurent été mises en place et que la compétition se fit très âpre pour les moindres fonctions. Cette autorité se renforçait de l'absence d'un fonctionnaire jouant le rôle de censeur. Sans doute l'article 27 de l'arrêté prévoit-il, dans les lycées qui comptent plus de cent élèves, demi-pensionnaires et externes surveillées, une « surveillante générale ». Mais celle-ci n'est qu'une maîtresse répétitrice déléguée dans cette fonction de « maintien de l'ordre et de la discipline », sur présentation de la directrice. Ce n'était donc qu'un mince personnage en face de cette dernière.

Le recrutement des premiers chefs d'établissements posa un grave problème qui ne fut pas toujours résolu au mieux dans les toutes premières années. L'article 9 de la loi était formel : les nouveaux établissements devaient être dirigés par une directrice. Le gouvernement par les hommes, contrairement à l'exemple allemand, était donc exclu. Mais l'administration fut souvent embarrassée pour savoir sur quels critères se fonder pour la désignation. Le mode de naissance de l'établissement eut son rôle : lorsqu'il s'agissait d'une transformation de cours secondaires, la tendance naturelle était de garder la directrice des cours, si elle avait donné satisfaction[4]. La municipalité aussi avait son

1. Article 7. Mais elle informe directement le ministre en cas d'« incident grave », tout en avisant en même temps le recteur et l'inspecteur d'académie.

2. C'est visiblement à partir de ces rapports que sont rédigés les rapports des inspecteurs d'académie aux conseils académiques. Cette dernière source est malheureusement des plus lacunaires aux Archives nationales (F 17 6828 et 6829).

3. Pensionnaires, demi-pensionnaires, externes surveillées, externes libres.

4. Ainsi à Nice, à Caen.

mot à dire, aux termes du décret de 1881 ; elle en usa parfois avec indiscrétion, quitte à s'en repentir ensuite[5]. Les premières directrices furent donc le plus souvent dépourvues de diplômes élevés. Il aurait été impossible, du reste, de trouver en quantité suffisante des licenciées, voire des bachelières qui eussent en même temps les qualités nombreuses requises d'une directrice, mieux, d'une fondatrice d'établissement, appelée à œuvrer dans un milieu difficile. Aussi la statistique de 1887 indique-t-elle, sur vingt directrices de lycée, sept grades de l'enseignement primaire, contre quatre de l'enseignement secondaire masculin (deux bachelières et deux licenciées) et neuf grades du nouvel enseignement (huit agrégations et un certificat). Sur les vingt-trois directrices de collèges à la même date, dix-sept n'ont qu'un brevet primaire, dont trois n'ont que le brevet élémentaire[6]. On avait donc paré au plus pressé, en nommant les premières agrégées et certifiées à la tête de lycées. Si modeste que fût la qualification réelle de ces premières diplômées de l'enseignement féminin, le titre d'agrégée ne perdit rien de son prestige ; et même celui de certifiée en eut d'emblée, du moins pour les certificats de lettres et de sciences, les seuls qu'on préparât à Sèvres.

Comme les établissements de garçons, les lycées et collèges de filles furent placés dans les attributions et sous l'autorité des inspecteurs généraux, des recteurs et des inspecteurs d'académie. Un personnel féminin ayant été mis à la tête des nouveaux établissements, quelques-unes des premières diplômées caressèrent l'espoir que l'on créerait un corps féminin d'inspection générale. Il ne semble pas qu'une telle idée soit jamais venue sérieusement à la direction de l'enseignement secondaire : on se méfia pourtant, à telle enseigne que la seule femme à avoir rempli le rôle d'une inspectrice générale, Mme Mariage, qui inspecta quinze ans durant les professeurs de travaux à l'aiguille, n'obtint jamais le titre[7]. A cette exception près, les établissements de jeunes filles s'insérèrent sans difficulté dans la tradition des lycées de jeunes gens.

C'est par analogie avec ceux-ci que furent créés les bureaux d'administration. Le décret de 1881, préparé par l'administration qui voyait pour les établissements la nécessité d'un patronage local, instituait

---

5. Ainsi à Versailles où la municipalité exigea, en 1880, lors de la transformation en lycée, le maintien de la directrice des cours secondaires, bien qu'elle ne fût pourvue que du brevet élémentaire. L'année suivante, l'inspecteur d'académie, qui déplorait cette « concession inquiétante » faite à la municipalité, assurait que celle-ci regrettait « amèrement » la nomination qu'elle avait elle-même provoquée (AN, F 17 22720, dossier Arnaud).

6. Les six « titulaires » d'un diplôme de l'enseignement secondaire se partagent en deux agrégées, deux certifiées et deux bachelières.

7. Née en 1847, pourvue du certificat d'aptitude en 1890, maîtresse des travaux à l'aiguille depuis 1893 au lycée Lamartine et à l'Ecole de Sèvres, elle fut chargée chaque année, depuis 1897, d'une mission d'inspection générale des travaux à l'aiguille et de l'enseignement ménager. Vers 1904, elle sollicite sans succès des fonctions d'inspectrice régulièrement créées. Chevalier de la Légion d'honneur en 1911, elle continua sa mission jusqu'à sa mort accidentelle en 1912 (F 17 22980).

auprès de chacun une commission investie des mêmes attributions que les bureaux d'administration des établissements de garçons. Un décret du 22 janvier 1886 donna à cette commission le même nom de bureau d'administration[8]. Ce bureau n'examinait pas les questions d'études, de discipline intérieure et de personnel, mais il surveillait et contrôlait l'administration, la tenue de la maison, la nourriture, les fournitures. Les projets du budget du chef d'établissement lui étaient soumis. Attribution spéciale aux lycées et collèges de filles, il devait surveiller et contrôler les pensionnats agréés pour recevoir des boursières internes. Aux termes du même décret, les bureaux d'administration étaient remplacés pour les lycées de Paris, créés sans le concours du conseil municipal, par une commission unique présidée par le vice-recteur et composée, outre les directrices, membres de droit, de douze membres nommés par le ministre, dont six dames[9].

Une circulaire, datée du 31 mars 1896, institua des comités de patronage. Ces comités n'étaient pas destinés à s'immiscer dans l'administration de l'établissement, mais ils avaient pour mission de seconder les directrices dans la recherche des moyens propres à favoriser le recrutement des établissements, des mesures à prendre pour donner satisfaction aux vœux légitimes des familles. On espère également des comités qu'ils apporteront une aide aux élèves à leur sortie du lycée, en leur facilitant « l'accès à une carrière » en rapport avec leur situation de famille et leurs aptitudes. Cette fois, c'est l'ensemble du comité qui est constitué par des « dames patronnesses, choisies parmi les personnes dont les sympathies sont notoirement acquises à l'enseignement de l'Etat et qui, par leur situation sociale comme par leur caractère, sont en état de rendre de réels services aux établissements placés sous leur patronage ». Dans la plupart des cas, ces comités réunirent les femmes de « hauts fonctionnaires civils et militaires » et celles de notables municipaux. Il est difficile d'affirmer quelle fut la catégorie la plus représentée : au moins dans les premières années, le comité, par sa composition, devait ressembler à celui du lycée de Moulins qui comprenait la femme du préfet, celles du maire, de l'inspecteur

---

8. Titre III, Lycées et collèges de jeunes filles. Le bureau comprend quatre membres de droit : l'inspecteur d'académie, le préfet ou le sous-préfet, le maire et la directrice, auxquels s'adjoignent six membres dont deux sont obligatoirement des dames et deux doivent appartenir au Conseil municipal. Ces six membres sont nommés pour trois ans par le ministre. Le décret du 25 novembre 1891 porte la durée de leur mandat à quatre ans, pour la faire coïncider avec la durée d'un mandat de conseiller municipal et éviter ainsi de trop fréquents remaniements dans la composition du bureau. Tous les bureaux furent renouvelés après les élections municipales de 1892. Le ministre nomme les membres renouvelables sur présentation du recteur, après avis du préfet.

9. En province, la composition de ces comités n'était pas toujours aisée, comme en témoigne cette lettre exaspérée du recteur de Besançon : « Je vous envoie aujourd'hui une affaire déplaisante : la désignation des membres du conseil d'administration du lycée de jeunes filles de Lons-le-Saunier. Désaccord avec le préfet qui a ses Homais à ménager. Quelle misère que cette politicaillerie de bureaux d'octroi et quel mal elle fait au pays ! A quand la séparation de l'Ecole et de la politique ? » (F 17 26403, lettre personnelle au directeur, 26 mai 1917.)

d'académie, du conservateur des Eaux et forêts, du directeur des postes, de l'intendant militaire, de l'ingénieur en chef des Ponts et chaussées, celles d'un propriétaire, conseiller général, et d'un autre notable [10] : bref, disait le recteur, les « éléments essentiels de la portion libérale de la société bourgeoise » dans la ville de Moulins.

Enfin, une circulaire du 31 mars 1896 fit savoir que l'administration attachait de l'importance au développement des associations d'anciennes élèves. Ces associations ne devaient pas être de simples amicales, elles pouvaient concourir à la prospérité de l'établissement en favorisant son recrutement et en entretenant des amitiés autour de lui, en apportant une aide morale et matérielle aux adhérentes, en guidant les jeunes filles au sortir du lycée ou du collège. Des associations se créèrent, mais pas avec la rapidité attendue. La première avait été fondée en 1882 dans le premier lycée à avoir été ouvert : Montpellier. Il fallut attendre dix ans la seconde, à Nice, en 1892. En 1900, il en existait une trentaine [11]. Quelques-unes donnaient des prix et des bourses. A La Fère, à Brest, à Fénelon, on s'occupait du placement des élèves sortantes. Le but principal est la charité : les secours vont aux anciennes élèves malheureuses, ou encore aux pauvres de la ville, ainsi à Grenoble où le produit de la fête de Jeanne d'Arc organisée par les anciennes élèves va aux pauvres, comme celui de la fête de Noël avec kermesse et tombola des anciennes élèves du lycée de Nice.

Mais ces réussites, en 1900, sont encore bien partielles. Attribuant leur relatif échec à leur isolement, les associations d'anciennes élèves se regroupent en une union, le 2 août 1904 : un comité central élu par l'assemblée générale met sur pied un service de renseignements relatifs aux carrières féminines et un service de placement. Un bulletin trimestriel assure la liaison : il fait la chronique des associations, contient des notes ou des articles sur l'enseignement secondaire féminin et, dans une partie spéciale, sur les carrières de femmes ; on y trouve également des études sur des sujets d'assistance ou des œuvres sociales. C'est à coup sûr à partir de cette date de 1904 que les associations d'anciennes élèves ont commencé à exercer une influence, à la fois sur les anciennes élèves et sur les parents, en augmentant leurs effectifs [12].

---

10. C'est le comité tel qu'il était en 1897, d'après le rapport du recteur sur la directrice, alors en conflit avec la municipalité (F 17 22602). L'épouse du directeur des contributions, choquée de n'être pas du comité, menait une cabale avec l'accord du maire.

11. E. Petit, inspecteur général de l'Instruction publique : « Les associations d'anciens élèves des lycées et collèges », *RU*, t. II, 1900, p. 357-360, précise qu'en raison de leur budget trop faible, ces associations ne sont pas encore reconnues d'utilité publique (l'association de Fénelon déclare un actif de 13 275 francs, celle de Racine, 8 000 francs). Camille Sée, dans l'édition de 1900 de *Lycées et collèges de jeunes filles*, en donne la liste.

12. Encore très modestes en 1900 si l'on en juge par le nombre d'adhérentes des plus considérables associations : 317 à Fénelon, 180 à Reims, de 100 à 179 à Racine, Marseille, Montpellier, Molière, Bourg, Auxerre, Bordeaux, Versailles ; moins de 100 partout ailleurs.

Là encore se retrouve l'époque d'une mutation capitale pour l'enseignement secondaire féminin[13].

Il n'est pas question, dans les premières années, d'associations de parents d'élèves et encore moins du rôle qu'elles pourraient jouer dans la vie des établissements. Apparues d'abord en province, les APE attendent la première guerre mondiale pour se constituer à Paris : la première association parisienne fut celle de Jules-Ferry, créée en 1914, un an seulement après l'ouverture du lycée. Mais à cette époque, le recrutement des lycées de jeunes filles n'est plus à assurer. Ce sont les structures mêmes de l'enseignement secondaire féminin qui sont mises en cause, et les associations de parents d'élèves prennent leur place — essentielle — dans le concert d'associations diverses, d'agrégées, de spécialistes qui exercent leur pression pour un changement.

En matière de discipline, les établissements féminins semblent avoir vérifié les règles qu'édictait Clarisse Coignet quelques années auparavant. Ces règles sont peu nombreuses. Les occasions d'application en sont rares. Les lycées de jeunes filles semblent n'avoir guère eu de mal à s'insérer dans la tradition de Mme Campan qui, contrairement aux couvents de l'Ancien Régime, prévoyait peu de sanctions : encore celles qu'on appliquait à la Légion d'honneur étaient-elles théâtrales, caractère qu'elles ont totalement perdu en 1884[14]. La création d'un conseil de discipline n'est pas prévue par le règlement de 1884. Des rapports faits aux conseils académiques sur la situation des établissements entre 1883 et 1900[15], il ressort clairement que cette institution ne s'est jamais acclimatée dans la plupart des établissements féminins. Le lycée de Lyon a gardé un unique registre du conseil de discipline qui a eu à connaître seulement de deux affaires assez minces d'ailleurs. Le mutisme ultérieur des archives semble indiquer que l'institution était tombée en désuétude, sans avoir jamais été vivace. En 1907, pourtant, le Conseil supérieur adopte un projet d'arrêté constituant un conseil de discipline dans les lycées et collèges de jeunes filles[16]. Cette disposition nouvelle ne semble pas être la conséquence

---

13. Cf. l'article de Renée Weill, secrétaire générale de l'Union, qui présente cet organisme dans la *Revue universitaire*, t. 1, 1905, p. 114-119.

14. *Article 32.* Les seules punitions autorisées dans les lycées de jeunes filles sont les suivantes : 1. La mauvaise note ; 2. La tâche extraordinaire, qui ne peut consister que dans la rédaction d'un devoir ou la récitation d'une leçon ; 3. L'exclusion momentanée de la classe ou de la salle d'étude avec renvoi devant la directrice ; 4. La réprimande par la directrice ; 5. L'exclusion temporaire du lycée, la durée de l'exclusion ne devant pas excéder huit jours ; 6. L'exclusion définitive.
Les trois premières peines sont infligées, sous la sanction de la directrice, par les professeurs ou par les maîtresses-répétitrices. L'exclusion définitive est prononcée par le recteur, sur la proposition de la directrice.

15. Commission extra-parlementaire, 31 janvier 1907 (AN, F 17 12748) : « Mlle Küss répond à M. Veber qu'il n'y a pas de conseil de discipline dans les lycées de Paris : il y a des réunions mensuelles auxquelles les répétitrices prennent part. M. Liard explique que les conseils de discipline ne sont pas réglementaires ».

16. Le conseil d'un lycée se compose de la directrice, qui préside, de la surveillante générale, membre de droit, de trois professeurs et d'une ou deux répétitrices, ces cinq fonctionnaires étant élues

d'une altération de la tranquillité déjà traditionnelle des établissements féminins : les conseils de discipline restèrent une institution sans histoires.

La hiérarchie des récompenses s'inspire d'une discrétion semblable. Hors les prix et les accessits dont le règlement établit minutieusement le barème et les conditions d'attribution, il n'est que quatre récompenses possibles [17]. Si ces récompenses stimulent l'amour-propre, c'est dans le cadre étroit de la classe. C'est en classe que la directrice vient lire le résumé des notes de la semaine, c'est dans la classe seulement qu'est affiché le tableau d'honneur. Ainsi croit-on avoir trouvé un juste équilibre entre l'émulation, jugée nécessaire au progrès des élèves, et la réserve qui convient à l'éducation des jeunes filles : on a multiplié les précautions pour s'y maintenir ; le simple soupçon de vouloir en sortir n'avait-il pas ému certaines familles, déclenché en 1867 les foudres épiscopales ?

Le contrôle intérieur n'en est pas pour autant plus lâche : contrairement aux lycées de garçons, le passage d'une classe à l'autre, sans compter l'entrée dans l'établissement, le certificat d'études secondaires et le diplôme de fins d'études, était subordonné à un examen [18].

Cet enseignement qu'on avait voulu désintéressé et autant que possible dépouillé d'une trop vive émulation n'était donc pas pour autant parvenu à une autre conception des progrès et du contrôle scolaires. Victor Duruy avait élevé des doutes sur la nécessité d'un tel système [19], mais ce fut le projet de l'administration qui l'emporta. Il ne semble pas que le travail des établissements de jeunes filles s'en soit trouvé beaucoup plus tendu : les compositions et les prix suffisaient déjà à tenir éveillé l'amour-propre des élèves. Ces examens ne pouvaient être le plus souvent que de pure forme. Ils subsistèrent pourtant durant quarante ans, par la vertu des règlements.

Jugé dangereux par Bréal, le système des compositions et des prix, assorti d'une distribution à la fin de l'année, est défendu par Zévort et Janet [20] : le supprimer serait à leurs yeux une « exagération ». Sans le dire, ils éprouvent visiblement le besoin de se conformer à une coutume

---

par leurs collègues pour trois ans. C'est le recteur qui arrête le cadre qui sert à la désignation dans les collèges. Le conseil doit se réunir tous les trois mois, soit pour avis, soit pour l'examen de cas particuliers de discipline. C'est lui qui adresse ses félicitations aux meilleurs élèves. Enfin, sa convocation est obligatoire lorsque la moitié plus un de ses membres la réclame.

17. *Article 33* : 1. La bonne note ; 2. L'inscription des devoirs au cahier d'honneur de la classe ; 3. L'inscription au tableau d'honneur mensuel ; 4. Le satisfecit délivré au nom de la directrice.

18. En vertu du décret du 14 janvier 1882 repris par le règlement de 1884. Cet examen de passage était uniquement oral ; les élèves le passaient devant les professeurs de la classe, présidés par la directrice. On tenait compte des notes de compositions et du travail de l'année. En cas d'échec au mois de juin, l'élève avait la faculté de se représenter à la rentrée. Un nouvel échec entraînait le redoublement, celui-ci étant subordonné pour les redoublantes à une décision du ministre.

19. AN, F 17* 3201. Conseil supérieur, séance du 30 décembre 1881.

20. AN, F 17* 3203, Conseil supérieur, 23 juillet 1884.

qui, dans les établissements féminins, remonte au moins à leur renaissance après la Terreur et a toujours eu la faveur des familles[21]. En fait, l'administration a été partagée en la matière : les établissements de jeunes filles devaient être aussi discrets et fermés aux yeux du monde « qu'aucun couvent du Sacré-Cœur », mais il ne fallait pas heurter les habitudes des parents, et assurer une publicité nécessaire, pensait-on, au recrutement. Aussi, dans les premières années du moins, les distributions des prix des lycées de jeunes filles furent-elles entourées d'une certaine solennité, rehaussées par la présence d'un député, d'un maire, d'un préfet ou d'un doyen de Faculté[22], par une série d'allocutions qui pouvaient être de véritables discours[23]. Mais passée la période d'inauguration où les nouveaux établissements de l'Etat affirmaient ainsi leur existence, les distributions de prix des lycées de jeunes filles se maintinrent dans une obscurité, dans un effacement qui faisaient contraste avec les fêtes parfois « étourdissantes » données en semblable occasion par les établissements libres. Chez les garçons, dont les établissements aussi servaient, comme sur tant d'autres points, de référence, les distributions de prix, faites avec le plus d'éclat possible, étaient la préfiguration des succès que remporteraient les lauréats dans la vie publique. Au contraire, les établissements féminins de l'Etat affirmaient leur vocation propre par leur discrétion, leur austérité. Bien au-delà du souci pédagogique de ne pas éveiller la « vanité » des jeunes filles, cet effacement volontaire était la preuve que l'on n'entendait pas faire sortir celles-ci du cercle de famille.

Les élèves

La crainte — ou plutôt l'espoir — des adversaires de la loi était que les établissements de jeunes filles ne se remplissent qu'avec peine. Il eût alors été facile d'affirmer que les lycées et les collèges féminins n'étaient qu'une institution artificielle imposée par le régime et à laquelle seules les bourses infusaient la vie. Sans doute certaines fondations connurent-elles, à la suite de l'état local de l'opinion, d'erreurs de manœuvre de la part de la municipalité ou de l'administration, ou bien d'un choix défectueux dans le personnel de direction, des débuts difficiles : ainsi à

---

21. Les détracteurs des pensionnats de jeunes filles sous la Monarchie de Juillet décrivent des maîtresses de pension qui donnent des prix à toutes les élèves pour complaire aux parents.

22. Ainsi à la distribution des prix du lycée de Lyon, en 1883, l'*ESJF* relève la présence du président du conseil général, d'un adjoint au maire, des deux secrétaires généraux de la Préfecture. Sont également présents le recteur, deux doyens, l'inspecteur d'académie, deux architectes, un conseiller général, huit conseillers municipaux, trois professeurs de médecine, deux de la Faculté des sciences, un de celle de droit et un de celle de lettres (t. I, 1884, p. 83).

23. Ces discours des personnalités extérieures ne sauraient être confondus avec le traditionnel discours prononcé par l'un des professeurs ou le chef de l'établissement.

Vitry-le-François [1], à Besançon [2], à Lons-le-Saunier, à Tournon. Mais ces cas restent isolés. Il est certain, cependant, que dans la période de lancement des tout premiers établissements, soit entre 1881 et 1886, à la faveur des arrêtés d'ouverture provisoire, les rétributions furent parfois très basses [3]. Très vite, ce que d'aucuns avaient cru un facteur de succès se révèle un obstacle à la prospérité de l'établissement. Facteur de sélection sociale, la rétribution a pour fonction effective d'attirer précisément la clientèle à laquelle on destine les lycées de jeunes filles. D'autre part, elle n'est pas considérée comme une participation symbolique aux frais de fonctionnement. Elle est un élément essentiel du budget des établissements : de là vient qu'elle est plus élevée dans les lycées de Paris que dans ceux des départements [4], et qu'elle varie [5] d'une

---

1. Né en 1883 de la transformation d'un cours secondaire, le collège de Vitry périclite en 1885 : « La population scolaire, écrit l'inspecteur d'académie au début de mai, n'est qu'une agglomération de jeunes filles de petites gens, domestiques, petits employés ou trafiquants, clientèle de M. le député » (il s'agit du député-maire Guyot). « C'est lui qui maintient la rétribution scolaire à 6 francs par mois seulement » (AN, F 17 22257, dossier Philibert).

2. En mars 1884, le lycée vient de perdre 11 élèves au premier trimestre. Neuf aspirantes seulement se présentent pour 23 bourses à pourvoir. La frivolité de la directrice, pourtant ancienne directrice de l'école normale de Lons, ancienne institutrice des filles de Mme Pape-Carpantier, chaudement recommandée par Buisson, est rendue responsable de la déroute. Seule la nomination de la directrice de l'école normale, aux vacances de Pâques, enraye la décadence d'un établissement ouvert depuis moins de deux ans.

3. Le collège d'Auxerre ouvre le 4 décembre 1881 avec la même rétribution que les cours secondaires de 1867. Ouvert aussi en vertu d'un arrêté provisoire à la rentrée de 1882, le collège de Louhans a fixé des rétributions bien peu élevées, en regard de celles qui furent instituées dans les collèges par les traités définitifs : à Louhans, les externes paient 60 francs par an, les internes 400 francs. Pour prendre un exemple géographiquement voisin, le décret du 26 décembre 1885, qui crée le collège de Chalon-sur-Saône, fixe la rétribution entre 60 et 120 francs pour l'externat simple selon les classes, entre 550 et 650 francs pour l'internat. La rémunération pour la pension n'est nulle part inférieure à 500 francs pour les classes secondaires.

4. Le tarif des rétributions fixées pour le lycée Fénelon à Paris, dans le décret de création du 18 septembre 1883 fut relevé par le décret du 10 septembre 1887 :

Classes	Externat simple		Externat surveillé		Demi-pension	
	1883	1887	1883	1887	1883	1887
Primaires..............	150	200	250	300	550	600
Secondaires						
1re période...........	200	250	300	350	625	700
2e période	250	300	350	400	700	800

Le tarif de 1887 fut adopté pour tous les lycées parisiens.

5. Voici le tarif de deux lycées de province : Mâcon (5 janvier 1886) et Agen (18 décembre 1893) :

Classes	Externat simple		Externat surveillé		Demi-pension		Internat	
	Mâcon	Agen	Mâcon	Agen	Mâcon	Agen	Mâcon	Agen
Enfantine		40		55		255		400
Primaire	60	60	110	90	350	300	550	500
Secondaire								
1re période	90	80	140	110	400	350	600	550
2e période.....	120	110	170	130	450	400	650	600

ville à l'autre selon le coût local de la vie et les clauses du traité passé entre la ville et l'Etat. Ainsi, une interne en classe de diplôme (cinquième année) au collège de Cahors ne paie que 600 francs ; elle en paie 650 à Albi, de même qu'au lycée de Mâcon ; mais si elle était à Paris, il lui en coûterait 800 francs pour la seule demi-pension, sans compter le prix de la pension privée qui l'hébergerait.

Aussi, l'existence de la rétribution aidant, un fonctionnaire du ministère, Villemot, peut-il écrire dans un premier bilan[6] : « Les établissements recrutent facilement dans la classe moyenne. L'usage des remises de frais d'études n'a pas été introduit dans les lycées de filles[7], et le nombre des boursières est proportionnellement faible ».

La moindre place des bourses est, selon lui, ce qui fait l'une des distinctions entre l'enseignement secondaire et l'enseignement primaire supérieur. Mais les bourses ont leur nécessité pourtant, elles sont un gage donné au suffrage universel : « Elles présentent de grands avantages : l'un des principaux est de concilier au nouvel enseignement la sympathie des corps électifs qui tiennent, avec quelque raison, à ce que les dépenses faites pour la construction et l'entretien des établissements d'instruction secondaire ne profitent pas uniquement aux enfants de la bourgeoisie »[8].

La répugnance de certaines municipalités, en effet, à instituer la rétribution dans les cours secondaires témoigne de cet état d'esprit. Cependant, le système de « gratuité relative », qui avait été mis en place, de manière transitoire, dans quelques villes, ne survécut pas dans les traités passés avec l'Etat pour la constitution des établissements définitifs. Le nombre proportionnellement peu élevé des bourses a sans doute deux raisons. Les traités, s'ils ne fixent pas nécessairement le nombre de bourses octroyées par la ville, en imposent le montant, puisqu'ils donnent la liste des rétributions à exiger pour chaque catégorie d'élèves. En second lieu, pour donner l'accès aux brevets que demandent les parents, et surtout les plus pauvres, ceux qui ont des vues professionnelles pour l'avenir de leurs filles, il existe une voie plus économique, l'école primaire supérieure. C'est bien l'existence de l'école primaire supérieure qui explique l'absence d'un très grand nombre de bourses dans l'enseignement secondaire féminin[9]. En 1883, la loi de

---

6. A. Villemot, *Etudes sur l'organisation, le fonctionnement et les progrès de l'enseignement secondaire des jeunes filles en France de 1879 à 1887.*

7. p. 87. Cette affirmation est inexacte, du moins en ce qui concerne les enfants de professeurs et d'instituteurs. D'autre part, dans les établissements — les cours secondaires — qui sont assimilés par l'opinion, bon gré mal gré, aux établissements réguliers, certaines municipalités accordent souvent la gratuité à un grand nombre d'élèves.

8. A. Villemot, *op. cit.,* p. 92.

9. Ainsi le maire de Grenoble refuse-t-il d'instituer des bourses de la ville dans le nouveau collège. Il argue de l'existence de l'école primaire supérieure. Mais son cas reste isolé (AD, Isère, T 139, lettre du 16 février 1882).

finances prévoyait un crédit de 100 000 francs pour l'octroi par l'Etat de bourses d'études dans les nouveaux établissements. Le crédit fut reconduit pour 1884, mais dès 1885 il était abaissé à 62 000 francs, pour croître de nouveau ensuite. Dès le départ, les sommes engagées par l'Etat étaient modestes et les établissements ont dû recourir très vite à un autre type de recrutement [10].

En 1890, les établissements secondaires reçoivent 533 boursières nationales tant internes qu'externes [11], soit 7,5 % de l'effectif total. En 1900, le chiffre absolu a sans doute diminué, mais la proportion plus encore. Les boursières nationales sont 2,7 % de l'effectif des lycées, 3,4 % de celui des collèges, et 2,9 % de l'ensemble de l'effectif des lycées et collèges. Sans doute les collectivités locales, voire les fondations privées, viennent-elles compléter le système des bourses [12]. A cette même date de 1900, les collèges comptent, sur 294 boursières, 108 boursières des communes, 60 des départements, 2 des fondations privées : 8,2 % du total des élèves ont donc le bénéfice d'une bourse. Le pourcentage est un peu inférieur dans les lycées mais s'élève encore à 7,1 %. Mais l'effort des villes ne saurait être comparé en qualité à celui de l'Etat : les villes sont surtout généreuses en bourses d'externat, peu onéreuses, alors que les boursières nationales sont surtout des internes [13]. Au reste, le

10. Les sommes destinées, dans les premières années, à un très petit nombre d'établissements peu peuplés sont proportionnellement plus importantes que par la suite. Ainsi le lycée de Lyon ouvre à la fin de novembre 1882 avec moins de cent élèves (*L'enseignement secondaire des jeunes filles...*, ne précise pas le chiffre trop modeste sans doute à son gré). Sur ce nombre, quarante boursières dont la moitié tiennent leur bourse de l'Etat, les autres de la ville. Les boursières représentent donc au moins un tiers de l'effectif, proportion qu'on ne retrouvera plus.

11. Total calculé d'après les états des boursières nationales dressés pour chaque établissement au 5 novembre 1890 (AN, F 17 14188). Certaines bourses étant fractionnées, le chiffre représente en fait 301 bourses complètes d'internat, 55 bourses de demi-pension et 112 bourses d'externat (362 internes, 59 demi-pensionnaires et 112 externes).

12. En 1899, les boursiers (filles et garçons) représentent 6 % de la population totale des lycées et collèges (F. Buisson, *NDP*, t. II, « Lycées et collèges », p. 1154-1161).

13. La répartition des boursières se présente ainsi :

Boursières des lycées : 599

	Communales	Fondations	Département	Nationales	Total
Externes	217	1	4	66	292
1/2 pensionnaires ...	47	2	33	47	117
Internes...........	11	2	56	121	190
					599

Boursières des collèges : 284

	Communales	Fondations	Département	Nationales	Total
Externes	92	1	6	30	129
1/2 pensionnaires ...	9	0	13	6	28
Internes...........	7	1	41	88	137
					284

nombre effectif de boursières dans les établissements ne correspond pas toujours au nombre de bourses que l'Etat, par le traité constitutif, s'est engagé à fonder : le va-et-vient des élèves qui terminent ou qui commencent leurs études, le souci de laisser des places disponibles à chaque saison, l'insuffisance des candidates à certains examens ont pour conséquence qu'il existe des postes disponibles dans les premières années. Rapidement, la situation change et les bourses deviennent de plus en plus convoitées [14], au point qu'au mérite il faut parfois joindre la recommandation [15].

La comparaison entre les professions des parents de boursières en 1886 [16] et en 1905 [17] montre que les bourses n'ont pas été toujours accordées dans la même proportion aux différentes catégories sociales : en 1886, et l'examen des années voisines le confirmerait, les bourses vont pour moitié environ aux fonctionnaires de tous ordres, y compris les officiers ; mais la part des cultivateurs (12,7 %), des artisans et

Professions des parents de boursières en 1886 et 1905

	1886		1905	
Professions libérales	5		6	
Officiers ministériels	1		2	
Pasteurs et rabbins	0		1	
Officiers	2		8	
Fonctionnaires de l'enseignement supérieur et secondaire	14		25	
Fonctionnaires de l'enseignement primaire	44		52	
Autres fonctionnaires ou employés	14		50	
Commerçants	11	(7,3 %)	14	(6,2 %)
Sous-officiers	7		11	
Employés de chemin de fer	1		9	
Employés de commerce	4	(2,6 %)	24	(10,7 %)
Cultivateurs	19	(12,7 %)	8	(3,5 %)
Artisans et ouvriers	27	(18,1 %)	7	(3,1 %)
	149 bourses		217 bourses	

14. En 1882, M. Duvaux, ministre de l'Instruction publique, institue la commission centrale des bourses, dont l'une des fins est de donner des « garanties d'égalité et d'impartialité plus complètes ». Elle se caractérise notamment par l'absence de publicité donnée au nom de ses membres. Elle choisit les sujets d'examen, exerce un contrôle sur les corrections, examine ensuite le dossier scolaire et le dossier de famille. Mais c'est le ministre qui a le choix en dernier recours.

15. Les archives des bourses conservent un unique dossier daté de 1890 qui établit la liste des admissibles ayant obtenu au moins la note 13, avec les recommandations dont elles disposent (M. le ministre a promis au député X..., le député Y... y tient absolument, ... signalé par M. le chef de cabinet...) (AN, F 17 14188).

16. Relevées sur les décrets de bourses en AN, F 17 7480.

17. Tableau et pourcentages établis par Steeg, article « Lycées et collèges », Ferdinand Buisson, *NDP*, t. II. Les nécessités de la comparaison ont obligé à adopter les mêmes catégories professionnelles que Steeg.

ouvriers (18,1 %) représente plus de 30 % de l'ensemble. Les proportions pour ces dernières catégories ont considérablement diminué en 1905, au bénéfice des fonctionnaires qui passent de 49,6 % à 60 % [18].

Pareille évolution ne correspond évidemment pas à des mutations de grande ampleur de la société française ; ce sont en fait les critères d'attribution des bourses qui se sont modifiés. Dans les premières années de l'institution, large place a été faite à la démocratie des bourgs et des campagnes, la République veut plaire à l'électeur. Peut-être a-t-on voulu à tout prix remplir des établissements qui menaçaient de languir avant d'avoir vécu [19] : visiblement, le niveau social des premières boursières est nettement inférieur à celui de leurs compagnes de 1905. Il est vrai que dans l'intervalle a grandi l'enseignement primaire supérieur qui, dans l'intention constante de tous ceux qui ont eu la responsabilité de l'Instruction publique, répondait mieux aux aspirations des plus humbles. Le succès de l'enseignement secondaire des jeunes filles lui-même est assuré : il a grandi en prestige et peut vivre par ses propres forces. L'institution, sans que le texte des traités ait changé, se dégage un peu de la tutelle municipale. Aussi la part de l'électeur local diminue-t-elle au bénéfice des serviteurs de l'Etat. La progression du nombre des enfants de fonctionnaires exprime à la fois le désir de donner une compensation à des traitements fort maigres, peut-être aussi l'évolution du régime qui s'est installé et montre une sollicitude grandissante pour les petits fonctionnaires. Le fonctionnaire — qui au reste est un électeur — apparaît comme plus digne de considération qu'une clientèle électorale. Dans les tout premiers décrets de nomination, l'humilité du statut professionnel et le grand nombre d'enfants [20], les services militaires rendus avant 1870 contrebalançaient largement les années de service des fonctionnaires. Avec le temps, ce sont ces dernières qui semblent peser le plus lourd.

Dans quelle mesure les bourses, dans les établissements secondaires de jeunes filles, ont-elles joué leur rôle théorique qui était de rendre les chances des élèves plus égales ? La faible proportion des bourses par rapport au total des élèves montre qu'il n'était pas question de rendre les chances égales pour toutes, mais, au plus, de permettre l'accès des plus douées parmi les jeunes filles pauvres. En outre, le spectre du « déclassement », agité avec tant de succès par Jules Simon et ses émules, a eu plus de puissance que les visées démocratiques. En 1905, la

---

18. A vrai dire, selon Steeg, cette proportion n'aurait été que de 16,5 en 1897.

19. La répartition des bourses selon les établissements n'est pas indifférente : c'est dans les plus petits collèges qu'elles sont le plus nombreuses : Auxerre en reçoit 10 en 1886, Saumur 13, Vic-de-Bigorre 8, Louhans 11. Les lycées de Bordeaux et de Toulouse n'en ont que 3 et 5, le lycée Fénelon 11.

20. Aux termes de la loi de Nivôse an XIII, une session spéciale d'examens est réservée aux filles des familles de sept enfants au moins.

proportion des filles de cultivateurs est plus de moitié moindre que celle des garçons (3,5 % contre 7,5 %), celle des filles d'artisans et d'ouvriers surtout est seulement d'un tiers des fils (3,1 % contre 10,48 %) [21]. Ainsi se manifeste le désir de répondre à une clientèle à qui les lycées et collèges de filles sont manifestement destinés et qui ne viendrait pas si ceux-ci étaient trop mal fréquentés :

> « Il paraît, écrit l'inspecteur d'académie de Nice en 1900, que les cours secondaires qui ont précédé le lycée étaient fréquentés par une clientèle plus choisie ; le lycée aurait dès sa première année été envahi par la toute petite bourgeoisie : " N'y mettez pas votre fille, disait une bonne sœur à une dame de ma connaissance : elle n'y rencontrera que des filles de bouchers ". A un libéral bon teint, je faisais un grief de ne pas nous confier ses filles comme il nous confiait son fils : " Cela m'est égal, me répondit-il, qu'un fils de concierge tutoie le mien sur les bancs du lycée, mais je ne voudrais pas savoir ses sœurs tutoyées par des compagnes qui n'auraient pas la même éducation " » [22].

Ce n'est pas seulement la contamination morale que l'on craint pour les jeunes filles mises au contact de compagnes qui n'ont pas reçu la même éducation, c'est une contamination proprement sociale qu'on ne redoute pas au même degré pour les garçons, c'est la possibilité de se trouver sur un pied d'égalité avec des enfants d'un niveau social inférieur. Les relations de camaraderie entre jeunes garçons de milieux différents n'engagent pas grand'chose ; elles ne sont même pas concevables entre filles. Aussi deux questions sont-elles essentielles, en dehors de la présence minoritaire des boursières : quelle fut la composition de la clientèle des lycées et collèges, et, d'autre part, à l'intérieur de quelles marges a-t-elle évolué ? En 1887, Villemot écrit, avec quelque optimisme : « Les élèves qui fréquentent les lycées et collèges appartiennent presque toutes à des parents aisés, chez lesquels elles ont reçu une bonne éducation » [23].

La rétribution, évidemment, joue son rôle : la preuve en est dans les critiques suscitées par les cours secondaires gratuits [24]. La proportion des bourses n'est pas de nature à modifier l'ensemble de la clientèle, les exonérations sont sévèrement limitées. Pourtant, il faut attendre plus de quinze ans pour obtenir des chiffres à la fois précis et détaillés sur la

---

21. Il est malaisé de trouver la raison de la disparité marquée, et contraire, entre filles et garçons observée dans le secteur des « employés du chemin de fer et de commerce » (14,7 % contre 9,48 %). Il est vrai que les chiffres absolus sont faibles et que la catégorie est fort étendue, du lampiste à l'ingénieur en chef.

22. AN, F 17 6829, conseil académique d'Aix.

23. A. Villemot, *Etude sur l'organisation, le fonctionnement et les progrès de l'enseignement secondaire des jeunes filles en France de 1879 à 1887*, p. 87.

24. *Ibid.*, p. 28 : « Dans la plupart des villes où la gratuité était la règle ou dominait ... la classe bourgeoise se tenait à l'écart ».

188

fréquentation des lycées et collèges : quoi qu'en ait dit Villemot, les premières recrues ne répondaient pas toutes à l'attente des législateurs qui avaient voulu attirer les jeunes filles de la classe bourgeoise.

Aussi ne faudrait-il pas assimiler le tassement des effectifs dans les années immédiatement antérieures à 1900 à la relative désaffection enregistrée dans les lycées de garçons. Sans doute, dans les deux cas, joue la redoutable concurrence des maisons religieuses : elle avait plus de chances encore d'être efficace dans le cas des filles que dans celui des garçons [25]. Pourtant, chez les filles, la stagnation des établissements n'est qu'apparente. Elle correspond à une mutation voulue dans la clientèle ; elle est aussi la rançon de la croissance, puisque la dimension des établissements a été calculée parfois trop modestement pour accueillir de manière satisfaisante un grand nombre de nouvelles élèves. L'essentiel semble bien être l'enracinement, la recherche de l'embourgeoisement. La période des effectifs gonflés à tout prix est révolue : après les années 1895-1898, c'est la qualité que l'on recherche. Qualité peut-être intellectuelle — ainsi à Saint-Etienne, en 1897, la directrice prévoit-elle beaucoup de défections qu'elle juge désirables [26] — mais aussi et surtout qualité morale et sociale, sans qu'il soit toujours possible de faire une distinction entre les deux. Les établissements se sentent assez forts pour éliminer ce qu'on juge comme les brebis galeuses. A Bourg, à Saumur, à Brest [27], à Tours [28], à Limoges [29], c'est une sorte de sélection morale qui s'opère, bientôt suivie de sa récompense : un meilleur recrutement.

Très souvent, cette œuvre d'épuration coïncide avec un récent changement de direction. Les directrices des établissements qui viennent d'être évoqués appartiennent à cette génération de directrices qui n'est plus tout à fait celle des premières fondatrices : agrégées pour la

25. Il était toujours flatteur, conforme aux usages, de mettre sa fille dans le couvent à la mode. D'autre part, les maisons religieuses arrivaient à faire des prix de pension inférieurs en général aux tarifs des établissements publics.

26. F 17 6828. Conseil académique de Lyon. « Beaucoup de familles, commente l'inspecteur, ne savent pas encore faire la différence entre le lycée et un pensionnat primaire ou une école primaire supérieure. Elles ne voient guère dans le lycée qu'une école primaire supérieure un peu mieux tenue que les autres, qu'une sorte de couvent laïque. » Aussi beaucoup d'élèves n'ont-elles pas pu suivre (le lycée est ouvert depuis 1894).

27. La directrice Troufleau y poursuit « l'œuvre d'élimination des élèves douteuses. Elle est arrivée à ce résultat que toutes celles qui pouvaient craindre une mesure de rigueur ont spontanément quitté le lycée » qui arrive à attirer de ce fait une « clientèle d'élèves qui jusqu'alors nous avait refusé sa confiance » (AN, F 17 6829, Conseil académique de Rennes, 1900).

28. La directrice, C. Bonnel, « a provoqué, sans bruit, le départ d'une dizaine de mauvaises élèves, dont la présence ne pouvait qu'être nuisible au lycée. Elle a même refusé d'en recevoir d'autres appartenant à des familles peu honorables ... Déjà le lycée est mieux vu de l'opinion publique » (AN, F 17 6828, Conseil académique de Poitiers, 1897).

29. En 1899, les cours secondaires sont plus peuplés que la plupart des lycées, avec 200 élèves. Faute de place, la directrice refuse de nouvelles inscriptions et, sûre du recrutement, elle peut « faire œuvre d'épuration : très discrètement, écrit l'inspecteur d'académie, elle s'est débarrassée d'une vingtaine d'élèves suspectes et a pu se montrer difficile sur les inscriptions nouvelles » (AN, F 17 6829, Conseil académique de Clermont 1899). On peut rester évidemment sceptique sur le caractère discret d'une éviction d'un dixième de l'effectif total.

plupart, elles sont appelées, jeunes encore[30], à la tête d'un établissement, après 1890 et même 1895. Quand leur nomination ne correspond pas à la fondation de l'établissement, c'est souvent qu'il s'agit de changer l'esprit d'une maison jusqu'alors confiée, dans l'urgence de pourvoir tous les postes créés, à des mains moins capables ou trop débonnaires. Le renouvellement du personnel administratif, dans les années 1890, s'exerce toujours, semble-t-il, dans le sens de la compétence et de la fermeté.

Que cette épuration ait abouti à une meilleure « tenue morale » des établissements, il n'en faut pas douter, bien que les documents, en raison même de la discrétion volontaire des procédures employées, soient absents. Les doléances ne manquent pas, cependant, là où, faute de recrutement bien assuré, les établissements continuent d'accueillir le tout venant. Persuadées que leur œuvre n'est pas seulement d'instruction, mais aussi d'éducation, les directrices et les professeurs se plaignent de la tenue de leurs élèves. Les défauts natifs de celles-ci, au premier rang desquels on met la « dissimulation », parfois la rusticité des manières, pourraient peut-être s'amender au bout d'un long séjour au lycée. Mais les parents de celles qui auraient le plus besoin de rester sont ceux qui, précisément, les retirent le plus tôt : à Moulins, Abbeville, Ajaccio, Epernay et tant d'autres établissements, les rapports au conseil académique de 1897 font état de scolarités de deux ou trois ans seulement[31]. Les faits donnent raison à Paul Bert et au Conseil supérieur de 1882 qui avaient répondu à l'éventualité en divisant l'enseignement secondaire féminin en deux périodes distinctes. La première correspondait mieux à la scolarité effective que les ambitions de Camille Sée ou les projets de la Société pour l'étude des questions d'enseignement secondaire. Seules continuent les élèves qui veulent conquérir les brevets à des fins professionnelles. Au reste, les parents ne soutiennent pas toujours les efforts des professeurs, comme le fait observer la directrice de Charleville[32] : ce n'est que pour les « apparences de l'éducation » qu'on approche de la perfection[33].

---

30. L. Troufleau a vingt-neuf ans quand elle est placée à la tête du lycée de Brest, en 1897, après avoir dirigé trois ans le collège de Beauvais. C. Bonnel a trente-trois ans quand elle devient directrice du lycée de Tours. F. Henry en a trente-sept quand elle vient ouvrir le lycée de Saint-Etienne. H. Séry-Leypold est directrice à vingt-six ans du collège de Saumur en 1891. L. Manuel-Thuillat l'est à vingt-cinq des cours secondaires de Limoges.

31. AN, F 17 6828. Conseil académique de Lille : « Nous gardons les élèves trop peu de temps, écrit la directrice d'Abbeville (deux ou trois ans au plus), pour pouvoir espérer transformer leurs mauvais penchants et changer leur caractère ». Pourtant la discipline est facile.

32. *Ibid.* __

33. A Bordeaux, on se débarrasse, peu après la fondation du lycée, d'élèves douteuses : l'administration les a convaincues de « faits d'immoralité ». Les parents nient même l'évidence ou excusent leurs filles : elles ont fait seulement, disent-ils, « ce que la nature commande aux enfants ». Les autres exclusions ont lieu à la suite de menus vols (AD, Gironde, T 188. Fonds du rectorat, lycée de jeunes filles... 1883-1895).

Mais le mot même d'« éducation » n'est pas dépourvu d'ambiguïtés. S'agit-il de l'éducation morale telle que la définit l'idéal le plus haut des lycées de jeunes filles ou tout simplement de l'« éducation » définie comme le respect des convenances dont sont souvent dépourvues les filles de ces tout petits bourgeois, de ces petits artisans, de ces campagnards qui les envoient plus pour acquérir un brevet que tout autre chose ? Les évictions provoquées par les directrices soucieuses de séduire la bourgeoisie locale ont été sans doute inspirées, dans plusieurs cas au moins, par la crainte d'une promiscuité sociale autant que morale : crainte d'autant plus naturelle que la directrice elle-même pouvait être issue de la bourgeoisie [34]. Il est rare que, dans les documents administratifs, l'expression du rejet social soit si claire. La preuve de son existence se trouve cependant au cœur de l'institution, dans son but avoué. Si les lycées et collèges veulent obtenir la clientèle de la classe à laquelle ils sont en principe destinés, ils doivent écarter celle des classes inférieures. Si l'on en juge par les louanges que s'attirent, de la part de leurs supérieurs, les directrices qui arrivent à donner le bon ton à leurs établissements sans recourir à des procédés spectaculaires — on ne tarit pas sur leur tact —, trouver l'équilibre entre la clientèle de fait et celle qu'on désire attirer n'est pas tâche facile. Quel fut le recrutement social effectif, passés les tâtonnements inhérents à toute fondation, les débuts difficiles dans une province au moins réservée, sinon hostile ?

Effectué à la rentrée de 1899, soit dix-huit ans après l'ouverture des tout premiers établissements, le relevé de la situation sociale des parents d'élèves est le seul qui, semble-t-il, ait été conservé [35]. Il n'en est que plus précieux : la date de 1899 met à l'abri des évaluations trop précoces qui auraient encore décelé, dans beaucoup de cas, une clientèle recrutée à la hâte, peu propre à fréquenter un lycée de jeunes filles, des établissements inégalement remplis d'élèves destinées plutôt à l'école primaire supérieure. En 1899, l'enseignement féminin est arrivé à

---

34. En 1908, un inspecteur général est chargé d'une enquête sur des plaintes portées contre la directrice de Saint-Etienne. Il ne pense pas que soient très fondées les dénonciations qui décrivent la directrice jugeant ses élèves inéquitablement selon leur extraction sociale, mais, ajoute-t-il, « par son éducation distinguée et presque raffinée, Mme H. n'est-elle pas exposée à traiter d'un peu haut les enfants qui ne partagent pas avec elle ce privilège des bonnes manières et du bon ton ? Nous sommes à Saint-Etienne, ville industrielle où, pour une femme de préfet, de président, d'inspecteur, on rencontre vingt femmes de petits commerçants ou employés, sans parler des ouvriers » (F 17 22304).

35. AN, F 17 14185. Situation sociale des parents des élèves présents ou élèves présentes le 15 octobre 1899. La date explique les différences avec les totaux d'élèves annoncés pour la rentrée 1899, ces totaux étant calculés d'après les présences au 5 novembre. Il n'existe pas de preuve qu'une autre statistique générale ait été dressée pour l'enseignement secondaire féminin à une autre date. Deux raisons expliquent l'existence d'une enquête générale sur les effectifs et leur qualité à la date de 1899 : l'administration a sans doute accumulé des documents pour l'Exposition de 1900, comme elle l'avait fait en 1887 pour l'Exposition de 1889. Mais surtout l'enquête est le signe de l'inquiétude devant la désaffection à l'égard de l'enseignement secondaire masculin. L'enseignement féminin — bien que non atteint par cette désaffection — a été l'objet d'une enquête semblable parce que l'usage — comme en témoignent les rapports aux conseils académiques — était de l'adjoindre à tout rapport sur l'enseignement masculin. Il fournissait en outre un utile terrain de comparaison.

consolider ses positions, il a dépassé définitivement la période de la fondation et de l'installation. D'autre part, cette date coïncide, non avec une certaine désaffection comme dans l'enseignement secondaire masculin [36], mais avec un ralentissement dans la croissance de l'institution, et il faut attendre encore cinq ans pour qu'elle prenne un nouveau départ. L'année 1899 est donc un moment favorable pour donner une image de l'enseignement secondaire féminin des origines, encore dépourvu de toute inquiétude réformatrice, mais sûr de son recrutement auprès d'un public dont la statistique s'attache à discerner la composition.

Le relevé de la situation professionnelle ou sociale des parents s'est fait par académies et même par établissements. D'autre part, les services du ministère qui furent chargés de ce calcul ont fait emploi de vingt-deux « catégories socio-professionnelles » dont la délimitation peut paraître parfois surprenante, mais qui répondent évidemment à une vision de l'époque. Elles ont le mérite d'une assez grande précision lorsqu'il s'agit des salariés de l'Etat au sens le plus large : neuf catégories sur vingt-deux [37]. Il aurait été heureux que la même minutie présidât à la définition des patrons, commerçants, industriels, entrepreneurs et artisans qui ne disposent en tout que de deux catégories des plus vagues [38]. Le classement des salariés de l'industrie, du commerce et de l'agriculture n'est pas plus rigoureux : ils sont regroupés en trois sections [39] sans séparation bien nette. Pourtant, les propriétaires sont divisés en trois sections [40]. Vient enfin le groupe des professions libérales, auxquelles on peut rattacher la catégorie des professeurs libres [41] : les magistrats et les greffiers sont curieusement réunis aux maires et secrétaires de mairie, mais séparés des autres gens de loi, sans qu'il soit question des notaires [42]. Les professions médicales et les « divers » viennent clore la liste [43]. En somme, une classification qui, sans principe vraiment net, essaie de donner à la fois une image de la répartition par secteurs d'activité et de la place des intéressés dans la hiérarchie sociale.

---

36. Encore qu'une trentaine d'établissements réguliers accusent une stagnation, voire une très légère régression à cette date (F 17 6829). Les lycées parisiens ne sont pas épargnés. Le collège de Lille et le lycée de Grenoble sont les plus atteints (— 13 et — 15 élèves en 1900).

37. Quatre catégories pour l'armée : 1) officiers généraux, 2) officiers supérieurs, 3) officiers, 4) sous-officiers. Deux pour l'Instruction publique : 5) professeurs et membres de l'Université, 6) instituteurs. Deux pour le reste de la fonction publique : 8) fonctionnaires et employés de l'Etat recevant un traitement de plus de 5 000 francs, 9) fonctionnaires et employés de l'Etat recevant un traitement de moins de 5 000 francs. On peut ajouter : 10) fonctionnaires des cultes non catholiques.

38. 11) Chefs de maisons importantes, 12) chefs de maisons moins importantes.

39. 13) Employés supérieurs, 14) employés subalternes, 15) ouvriers de l'agriculture, du commerce et de l'industrie.

40. 16) Propriétaires urbains, 17) propriétaires ruraux, 18) propriétaires rentiers.

41. Mise dans le classement après les fonctionnaires de l'Instruction publique (7).

42. 19) Magistrats, greffiers, secrétaires de mairie, 20) avocats, avoués, huissiers.

43. 21) Médecins, pharmaciens, vétérinaires, 22) divers.

C'est cette dernière préoccupation qui a dû être déterminante puisque l'objet premier d'une telle statistique était sans doute de savoir dans quelle mesure les établissements secondaires de jeunes filles répondaient aux intentions qui les avaient créés.

Situations sociale ou professionnelle des parents d'élèves des établissements féminins, 15 octobre 1899 (en %)

		Lycées	*Collèges*	*Cours*
1.	Officiers généraux			
2.	Armée — Officiers supérieurs...........	0,8	0,8	1
3.	Officiers...................	2,4	1,2	2,5
4.	Sous-officiers...............		1	2,2
5.	Professeurs.........................	10,9	8,9	7,8
6.	Instituteurs.........................	9,6	10,7	8
7.	Professeurs libres			0,3
8.	Fonctionnaires (plus de 5 000 F)........	2,8	2,5	3
9.	Fonctionnaires (moins de 5 000 F)	6,6	8,4	9,5
10.	Fonctionnaires des cultes non catholiques	0,9	0,9	0,9
11.	Chefs de maisons importantes	12,8	8,4	8,5
12.	Chefs de maisons moins importantes	17,1	21,2	18
13.	Employés supérieurs..................	8,6	6	5,6
14.	Employés subalternes.................	5,2	6,9	8,5
15.	Ouvriers	1,3	3,9	4,2
16.	Propriétaires urbains	1,3	3,3	2,2
17.	Propriétaires ruraux..................	3,3	5,7	6,6
18.	Propriétaires rentiers	6,2	4,3	5
19.	Magistrats, maires, secrétaires de mairie .	1,9	1,9	2
20.	Avocats, avoués, huissiers	2	1,9	1
21.	Médecins, pharmaciens, vétérinaires.....	3	2,1	1,6
22.	Divers			

L'une des principales surprises, par rapport à ce que les critiques ou les craintes du début pouvaient faire croire, est que la catégorie de parents d'élèves la mieux représentée n'est pas celle des professeurs, instituteurs ou autres fonctionnaires, mais celle des « chefs de maison », entendons les industriels, commerçants, artisans : dans les lycées, 12,8 % des parents d'élèves sont classés parmi les « chefs de maisons importantes » (1 047 sur 8 149 élèves), 17,1 % (1 394 élèves) parmi les « chefs de maisons moins importantes ». Plus de 30 % des élèves viennent donc de la bourgeoisie et de la petite bourgeoisie actives, indépendamment des professions libérales comme du service de l'Etat. Il convient d'ajouter à ces catégories au moins une partie des « employés supérieurs », ce qu'on appellerait aujourd'hui les « cadres », qui forment 8,6 % de la clientèle. Si, d'autre part, on ajoute aux universitaires et instituteurs [44], qui représentent 20 % du total, les autres fonctionnaires, on obtient un second ensemble sensiblement égal : plus de 33 % ; 34 % même si l'on ajoute les enfants de pasteurs et de rabbins. Il serait en revanche arbitraire de regrouper d'autres catégories ; tout au plus peut-on noter la faible part des professions libérales : médecins et gens de loi ne dépassent guère 5 %.

L'intérêt du relevé de 1899 réside aussi dans le fait que le décompte indique la répartition par types d'établissements, ce qui permet de déceler les différences dans la fréquentation des lycées, collèges et cours secondaires, encore que les disparités de chiffres entre collèges et cours secondaires puissent s'expliquer à la fois par la modestie des chiffres absolus et par l'absence de collèges dans plusieurs académies en 1899. D'autre part, l'analyse par établissement montre la diversité des clientèles, à Paris, selon les quartiers.

Catégories les plus représentées dans les cinq lycées parisiens (en %)

	Fénelon	Lamartine	Molière	Racine	V. Hugo	Total Paris	Total général
Professeurs	15,2	3	13,1	12	8,6	10,6	10,9
Instituteurs	7,7	3	8,1	4,3	18,6	7,2	9,6
Fonctionnaires + de 5 000 F	5,4	3,6	3,8	1,3	0	3,2	2,8
— de 5 000 F	0	0	5	1,3	1,2	1,3	6,6
Patrons importants	18,3	40	15	9,3	22,9	21,4	12,8
Patrons moins importants	11,1	16,3	5	17,3	16,1	13,1	17,1
Employés supérieurs . . .	7,2	14,1	5,7	8,6	8,6	9	8,6
Employés subalternes . .	4,1	3,6	3,8	10	7,4	5,5	5,2
Propriétaires, rentiers . .	9,8	4,6	16,2	9,9	6,2	9,3	6,2
Médecins	5,4	5,8	4,6	9,9	3,7	6	3

Un autre facteur peut expliquer la diversité parisienne : l'existence ou non d'une sixième année réputée. Ainsi à Fénelon, à Molière, viennent les filles d'instituteurs qui se préparent aux carrières de l'enseignement par l'entrée à Sèvres ou à Fontenay. Leur pourcentage particulièrement élevé à Victor-Hugo semble être le résultat de la politique de la directrice qui consistait à préparer les élèves au brevet.

---

44. La circulaire du 26 octobre 1886 étend aux filles des fonctionnaires des lycées de garçons et de filles l'exemption de frais d'études accordée aux fils de ces mêmes fonctionnaires par la circulaire du 1er octobre 1883. Cette faveur est étendue à l'externat surveillé par une circulaire du 3 décembre 1886. Le 24 avril 1893, Poincaré étend l'exemption aux fils et filles de fonctionnaires de l'enseignement primaire.

Des raisons beaucoup moins faciles à saisir, liées aux caractères particuliers de chaque ville [45], rendent compte des disparités dans cinq lycées de province pris au hasard.

	Marseille	Besançon	Clermont	Grenoble	Amiens
Professeurs.............	9,8 %	14,5 %	13,3 %	14,6 %	10,5 %
Instituteurs.............	10,6	9,8	11,8	4,8	8
Fonctionnaires					
+ de 5 000	3,1	1,7	3,4	9,7	3,7
— de 5 000 F.........	3,1	1,7	7,3	3,5	6
Patrons importants.......	16,5	7,5	8,3	6,3	9,9
Patrons moins importants.	15,4	16,8	13,3	26,8	16,7
Employés supérieurs......	22,3	5,2	5,9	5,3	16,7
Employés subalternes.....	0	3,4	5,9	3,4	2,4
Propriétaires, rentiers	6	9,8	0,4	4,8	8
Médecins	2,7	2,3	3,4	4,3	5,5

Cependant, les écarts entre les moyennes parisiennes et les moyennes générales révèlent à la fois les ressemblances et de substantielles différences entre Paris et la province. Les catégories les mieux représentées sont les mêmes. Mais si les filles de professeurs, en général plus nombreuses en province, assurent au moins le dixième de l'effectif partout, il n'en est pas de même des filles d'instituteurs : boursières très souvent, elles sont surtout placées dans les lycées de leur département d'origine.

Peu représentées, les filles de fonctionnaires importants fréquentent les lycées parisiens — on notera l'exception de Grenoble — alors que celles des petits fonctionnaires sont plus nombreuses en province [46]. La

45. Seules des monographies qui établiraient les conditions de fondation de l'établissement, renseigneraient sur l'activité économique dans la ville, l'existence de grandes maisons congréganistes, l'attitude du clergé local, les tendances politiques de la municipalité, les vicissitudes de sa politique scolaire pourraient éclairer la physionomie de chaque établissement.

46. « On pourrait citer nombre de pères de famille dont les opinions sont avancées en politique, et qui font cependant élever leurs filles dans les couvents, écrit l'inspecteur d'académie du Puy, à propos du lycée de jeunes filles ; il ne faut pas même faire exception, ajoute-t-il, pour les conseillers municipaux. L'armée est ouvertement contre l'Université et les fonctionnaires civils, quoique moins démonstratifs, agissent en grand nombre comme les militaires. Les chefs de service surtout, non seulement ne nous aident pas de leur sympathie et de leur influence, mais ils enseignent à leurs subordonnés le chemin des maisons congréganistes ». Certains vont jusqu'au point d'accepter les bourses de l'Etat pour certains de leurs enfants et de mettre les autres chez les pères (F 17 6829, rapport de l'inspecteur d'académie de la Haute-Loire sur la situation de l'enseignement secondaire, juin 1900).

Sans doute est-on au Puy, « petite Rome montagnarde » où l'esprit clérical souffle plus fort qu'ailleurs : la situation de cette ville n'en apporte pas moins des nuances à l'image donnée par les cléricaux d'une persécution exercée à l'égard des fonctionnaires, telle qu'elle les contraindrait à confier leurs enfants aux établissements publics. Dans le même temps, elle montre comment l'idée peut venir à quelques agents de l'administration, exaspérés de l'état d'esprit qu'on leur oppose, de recourir précisément à une telle contrainte, pour assurer la prospérité des établissements dont ils répondent. Cf.

même inversion s'observe chez les patrons : à Paris, la fréquentation des filles de patrons importants est plus grande que celle des filles de petits patrons ; en province, c'est le contraire. En revanche, la fréquentation des filles d'employés est très voisine dans les deux cas, et avec une semblable répartition entre employés « supérieurs » et « subalternes ». Si les « propriétaires rentiers » sont plus nombreux en moyenne à Paris, ils ne sont pas remplacés dans les lycées de province par les propriétaires ruraux qui semblent bouder l'internat dans la grande ville. Quant à la différence de pourcentage des filles de médecins, la modicité des chiffres absolus lui ôte une part de sa signification. Au total, et compte tenu des ressemblances, la fréquentation des lycées parisiens est le fait de catégories plus élevées en général dans la hiérarchie sociale que celles où les lycées de province recrutent leurs élèves.

Le rôle de l'armée est à remarquer : présente avant 1914 dans tant de villes de garnison où elle constitue souvent l'un des principaux éléments de la vie locale, elle est une sorte de modèle « aristocratique » pour la bourgeoisie du lieu, à tel point que la conquérir apparaît à quelques directrices comme un idéal à peu près impossible à atteindre mais qui serait le sommet de la réussite[47]. A Reims, « la haute bourgeoisie, l'armée ... va au couvent de l'Assomption », aussi le développement du lycée se fait-il attendre : l'internat, qui attirera faute de mieux quelques filles de cultivateurs, apparaît comme une solution de fortune[48]. Plus heureux, les cours de Clermont arrivent à recruter « dans une classe plus élevée : les cours sont fréquentés par des filles d'officiers et de professeurs »[49]. Si le lycée de Versailles a progressé d'un tiers de 1896 à 1897, c'est en partie grâce à son succès « dans des milieux qui nous étaient restés fermés jusqu'à présent » : parmi les dernières inscriptions on compte plusieurs filles d'officiers[50]. Il faudrait donc se garder de juger de l'importance de la clientèle militaire par le pourcentage très modeste qu'elle représente dans la fréquentation des établissements : c'est en partie au moins sa participation qui entraîne un progrès dans le niveau social de la clientèle. Au reste, Legouvé marque bien la limite sociale que les lycées de jeunes filles ne dépassèrent pas :

---

les cours secondaires de Rodez en 1897 (Cours secondaires, F 17 6828) : « L'exemple donné par tous les fonctionnaires élevés qui envoient leurs enfants dans les couvents nuit considérablement à la prospérité des cours ». Il en est de même à Saumur, « cette abstention, note l'inspecteur, est habilement exploitée contre nous ». A Beauvais en 1900, on note l'« indifférence des fonctionnaires » à l'égard du collège.

47. Au collège de Saumur, note la directrice en 1897, « il n'est pas de bon ton de venir chez nous » ; il n'est pas question d'attirer l'armée, ajoute-t-elle. E. Manuel s'en console : « Si l'Ecole de Saumur et les militaires n'ont encore fourni aucune élève, la bourgeoisie aisée et les gros propriétaires ont commencé d'en amener au collège » (AN, F 17 6828, conseil académique de Rennes 1897 et AN, F 17 23801, dossier Séry-Leypold, rapport du 31 mars 1897).

48. AN, F 17 6828, conseil académique de Paris, 1897.

49. *Ibid.*, conseil académique de Clermont.

50. *Ibid.*, conseil académique de Paris.

« Toute une partie de la société française, et non la moins notable, fait défaut dans nos lycées. Parcourons les listes des parents ; nous y trouvons des familles de professeurs, de fonctionnaires, de commerçants, d'industriels, de médecins ou de pharmaciens à leur début, c'est-à-dire la petite et la moyenne bourgeoisie, la bourgeoisie travailleuse ; au-dessus des classes populaires, au-dessous des classes élevées ... Pourquoi n'avons-nous pas la classe si nombreuse et si intelligente de la bourgeoisie riche et même aisée ? Pourquoi n'avons-nous aucune des sommités sociales, professionnelles, artistiques ? » [51].

Comme il n'existe pas de collèges à Paris, ce second type d'établissement n'en donne qu'une image plus fidèle de la province. Mais des distinctions, pourtant, s'imposent entre lycées et collèges de province. En règle générale, les collèges, installés dans de petites villes, ont un recrutement moins choisi que les grands lycées. A cet égard, la plupart des cours secondaires sont assimilables à des collèges. A Limoges, à Clermont, au contraire, ils se rapprocheraient plutôt des lycées tant par le nombre d'élèves que par la nature de la fréquentation. En 1899 encore, les collèges sont bien inégalement répartis sur le territoire : ils sont encore la marque des seules régions républicaines [52]. La tonalité est incontestablement plus démocratique que celle des lycées, comme l'indiquent la différence des pourcentages comparés de patrons importants et de petits patrons, d'employés supérieurs et de petits employés, de fonctionnaires supérieurs et subalternes, et la présence plus affirmée des ouvriers : 3,9 % dans les collèges, 4,2 % dans les cours. Collèges et cours recrutent dans le même monde des villes modestes et des bourgs, qui est moins représenté par les élites locales que par les petits fonctionnaires, les petits patrons ou commerçants, les salariés, quelques cultivateurs. A cette toute petite bourgeoisie, augmentée d'une frange populaire, viennent s'ajouter 10 % au moins de propriétaires ruraux, qui ne sont pas nécessairement des inactifs, et de rentiers [53].

---

51. Legouvé, *Dernier travail,* chapitre XII sur le lycée Lamartine, p. 210-230. Le fragment cité est un passage d'une lettre que Legouvé envoya à Gréard lors de la création du lycée Lamartine. Legouvé croyait voir un moyen d'attirer la riche bourgeoisie dans l'allégement et la féminisation des programmes. « Cette lettre, ajoute Legouvé, ne fut pas sans résultats. Envoyée à tous les recteurs d'Académie, sur le conseil et par les soins de M. Gréard, elle a obtenu d'eux un accueil très favorable. Depuis, plusieurs commissions, rassemblées au Ministère de l'instruction publique, ont réclamé et voté la simplification et l'appropriation des programmes ». La révision des programmes de 1897 aurait donc aussi l'une de ses sources dans le souci d'un recrutement plus élevé socialement.

52. Le Bocage commence tout juste à voir les premières créations : les cours secondaires de Caen sont transformés en collège en 1897 ; deux ans plus tard, ils sont encore isolés. Les cours secondaires, il est vrai, sont un peu mieux répartis. Ainsi, le plus fort pourcentage de filles de militaires dans les cours secondaires proviennent de ce que certains cours, à la différence des collèges, étaient installés dans des villes de garnison : Clermont, Belfort, Saint-Dié, villes d'Algérie...

53. « Nous n'avons guère que les enfants de ce qu'on appelle le petit commerce, écrit l'inspecteur du Finistère à propos des cours de Brest en 1886. L'aristocratie et la haute bourgeoisie envoient les leurs aux pensionnats et aux écoles congréganistes où l'on reconnaît pourtant que l'enseignement est moins élevé » (AN, F 17 8769, cours secondaires, rapport pour 1885-1886). Dans la région d'Epernay, l'inspecteur d'académie, Jules Payot, voit « trois classes dans la population », les riches commerçants en champagne avec leurs employés sur lesquels ils font pression en faveur des couvents, les ouvriers qui

Ce monde des collèges et des cours est bien loin de celui qu'imaginaient les législateurs de 1880 : avec une scolarité volontairement écourtée par les parents, assurée parfois à l'aide d'un personnel de hasard, il suggère qu'il est en réalité deux enseignements secondaires féminins. Seul celui des grandes villes, dans les lycées, répond pleinement au but que se proposait la loi. Dans les petits centres, le caractère différent de la clientèle suggère bien plutôt qu'il s'agit en fait d'un enseignement primaire supérieur. En effet, la fréquentation n'est pas sans incidences pédagogiques, puisque, dans la plupart des cas, ce sont les classes primaires et les deux ou trois premières années qui profitent d'une telle clientèle. Les classes de diplôme et la sixième année ne sont pas complètement désertées ; c'est qu'elles sont considérées comme des préparations au brevet supérieur. Cette pression en faveur des brevets, d'autant plus naturelle que, dans les cours secondaires, il n'existe pas d'autre sanction aux études, aboutit à un véritable détournement de l'institution.

Il est un aspect que la statistique des parents d'élèves de 1899 n'a pas pris en compte mais qui n'en est pas moins déterminant : peut-on savoir à quelle confession appartenaient les élèves ? Aucun recensement d'ensemble ne permet de répondre ; cependant, la neutralité n'a pas empêché les administrateurs de rangs divers de noter ici ou là quelques traits relatifs à la religion des élèves, parfois par le biais du problème posé par l'instruction religieuse dans l'établissement. D'autre part, les rapports au Conseil académique de Paris pour 1900 font la répartition des élèves par confessions [54]. Il serait hasardeux de tirer des conclusions générales de ces données fragmentaires ; elles indiquent cependant une tendance dans les collèges de la couronne parisienne : la présence, à côté des catholiques très majoritaires, d'un contingent relativement fort de protestantes ou d'israélites, voire d'incroyantes [55]. Pourtant, sur les 227 élèves du lycée de Versailles, aucune n'est classée comme sans religion ; en revanche, les protestantes constituent 18,5 % de l'ensemble [56].

---

envoient leurs enfants dans les classes primaires. « Restent les fonctionnaires et les petits commerçants où nous recrutons nos élèves. C'est la minorité » (AN, F 17 6829), conseil académique de Paris, rapport pour la Marne, 1900). De même à Vitry-le-François : en 1900, on n'est pas encore arrivé à attirer la clientèle bourgeoise, les internes sont filles de cultivateurs et d'instituteurs de l'Aube ou de la Haute-Marne (ibid.).

54. En Algérie, on fait la distinction entre « Françaises », étrangères, israélites et musulmanes.

55. Au lycée Fénelon, les protestantes et les israélites forment seulement les 2/19e de la population totale. Mais elles représentent un peu moins des 2/7e des élèves de Molière. Victor-Hugo a un quart des élèves protestantes. Racine 1/5e à 1/6e d'élèves israélites, Victor-Hugo 1/5e, et 27 élèves sans culte connu (12 à Molière), sans compter deux orthodoxes (AN, F 17 6829, conseil académique de Paris).

56. Au lycée de Versailles, sur 227 élèves, 80,1 % sont catholiques, 18,5 % protestantes, 1,3 % israélites (aucun culte : 0). Dans le cas de Versailles, comme dans celui des collèges de Vitry-le-François, Chartres, Beauvais, le rôle des internes est sans doute important. Nommée en 1895, la directrice est une fervente protestante : elle a sans doute attiré la confiance des protestants locaux, dans les internats qu'elle a créés, en même temps que des provinciaux qui voulaient faire poursuivre leurs études à leurs filles dans les meilleures conditions. A Beauvais, ce sont « dix pensionnaires dûment autorisées » qui ne pratiquent aucun culte, sur 12 au total. Le fait ne doit pas être courant puisque l'inspecteur juge opportun de le noter.

Dans les établissements de province où la question de la religion des élèves est évoquée, l'appartenance confessionnelle de celles-ci n'est que rarement indiquée. Celle de la directrice ne l'est pas toujours. Le but généralement poursuivi est l'installation d'une aumônerie catholique à l'intérieur de l'établissement, la lettre de la loi n'ayant pas toujours été respectée[57]. Parfois c'est l'aumônerie protestante et israélite que la directrice demande en même temps. Aucune trace de cléricalisme dans cette requête des chefs d'établissement, animés seulement du souci de rassurer l'opinion, de procurer un meilleur recrutement à leur maison en prenant les élèves là où elles se trouvent dans leur très grande majorité : le monde des catholiques[58].

C'est sous la pression des parents d'élèves, à Paris du moins, que se créent les aumôneries. En 1900, l'accroissement du lycée Molière est attribué à des « causes intérieures », au premier rang desquelles l'administration met les « facilités » données aux familles pour l'instruction religieuse des enfants. « Un nombre chaque fois plus grand de familles catholiques et protestantes, ajoute le rapport, désirerait que l'enseignement religieux fût donné au lycée même par des ministres agréés par l'autorité universitaire.[59] » Dans la période combiste, commencent ici et là les accusations de « cléricalisme » : orchestrées par *La Lanterne, La Petite République* ou les feuilles radicales de province, elles forment contraste avec la tendance des familles à l'institutionalisation, légale d'ailleurs, de l'enseignement religieux. Forte d'une tradition qui, en province au moins, a contribué, par les apaisements et les facilités donnés aux familles, à l'acceptation des lycées de jeunes filles, l'administration ne se laisse guère émouvoir par ces attaques, sauf abus caractérisés[60]. Ainsi donc, sous l'action de la clientèle

---

57. A Reims en 1897, les cours d'enseignement religieux ont lieu « dans les temples » des différents cultes (AN, F 17 6828, conseil académique de Paris, 1897). Mais le lycée de Reims ne compte alors aucune élève israélite ou protestante.

58. Un inspecteur général rend ainsi compte des débuts d'une directrice — protestante — à Roanne en 1893 (lettre s.d.). « On avait, dans une intention méchante, répandu le bruit qu'elle était protestante — ce qui est vrai, mais ce qui était assez grave dans un pays très avancé en politique mais encore très attaché aux idées religieuses. Elle a paré le coup avec beaucoup d'habileté en conduisant elle-même les élèves aux offices et en s'occupant avec beaucoup de soin de celles qui faisaient leur première communion » (AN, F 17 22660, dossier Chollet-Duret). De même la directrice de Saumur, également protestante, fut une des plus ardentes à demander l'aumônerie catholique qu'elle considérait comme indispensable au recrutement : « Nombre de familles, écrit-elle en 1897, nous taxent encore d'irréligion ; ceci nous fait du tort surtout dans les campagnes. Ce reproche n'aurait plus depuis longtemps aucun crédit si, dès l'origine du collège, on y avait nommé un aumônier. La loi sur l'enseignement secondaire des jeunes filles est formelle à cet égard » (AN, F 17 6828, conseil académique de Rennes 1897). Cet enseignement religieux a été fondé à des dates très diverses selon les endroits : en 1892 à Bordeaux (AD, Gironde, T 188), en 1896 à Lons-le-Saunier (AN, F 17 6828, conseil académique de Bordeaux, 1897), plus tard encore à Paris.

59. AN, F 17 6829, conseil académique de Paris, 1900. Le rapport montre la même tendance à Victor-Hugo : « C'est des familles mêmes qu'est partie sur tous les points l'initiative », écrit Gréard le 10 octobre 1899 (AN, F 17 22515, dossier Stoude).

60. Un exemple caractéristique de l'attitude adoptée par l'administration en matière religieuse peut être donné par le recteur Perroud, de Toulouse. La directrice de Montauban, Mme Corone, est l'objet de plaintes en 1898 : elle s'est aliéné la bourgeoisie protestante de la ville, « la seule qui ait jamais

des lycées, cette loi de combat, qu'était à l'origine la loi du 21 décembre 1880, fut appliquée, la plupart du temps, dans un esprit de sérénité et d'apaisement.

---

envoyé ses filles au lycée ». Chiffres en mains, le recteur prouve que les protestantes ne représentent qu'un cinquième de l'effectif total du lycée : « Il ne faut donc pas dire : la maison est à nous ». Or, la directrice voulait organiser le culte (catholique et protestant) à l'intérieur des bâtiments de l'internat : « Le désir de la directrice était naturel, je le partageais ... Le maire (Marty) désirait aussi la chose. Mais *La Dépêche* faisait campagne contre et dans tout le Midi, on compte avec *La Dépêche* ». Certains, d'autre part, voudraient une directrice protestante. « Non, écrit le recteur, — ni protestante, ni catholique (j'entends de tendances) — mais ayant l'esprit universitaire, ce qui est le cas de la directrice actuelle ». (AN, F 17 22190, lettres s.d. Dossier Corone-Comte).

Chapitre IV

Un enseignement de résultats et de conclusions

Selon l'expression de Gréard, l'enseignement secondaire des jeunes filles, beaucoup plus que celui des garçons dont la fin était de préparer aux carrières libérales, devait être « un enseignement de résultats et de conclusions ». Le vice-recteur de Paris se plaçait ainsi, volontairement, dans une tradition. Suggérer comment la « haute Université » a sollicité celle-ci pour faire d'une loi votée comme une loi de combat contre les cléricaux un instrument d'apaisement, au moins autant qu'un moyen de fortifier la République, donne peut-être l'une des clefs de notre histoire pédagogique au temps de Jules Ferry et de ses successeurs.

Indiqué dans la loi, précisé par le Conseil supérieur, le contenu de l'enseignement secondaire des jeunes filles n'a trouvé sa forme définitive et son équilibre qu'en 1897, lors de la révision qu'imposèrent à la fois les leçons de l'expérience et les critiques de l'auteur de la loi. De ce contenu se détachent des enseignements originaux, soit par leur nature même, comme le droit usuel, soit par l'esprit qui les anime : ainsi et surtout l'enseignement de la morale. C'est l'enseignement moral qui constitue le trait le plus spécifique de l'enseignement féminin, même si l'exécution ne fut pas toujours à la hauteur des ambitions. Les classes élémentaires annexées à la presque totalité des établissements, leur recrutement élevé et leurs finalités multiples donnent une originalité de plus aux lycées de jeunes filles où ces classes occupent une place plus grande que dans les lycées de garçons.

Enfin, l'évocation de l'enseignement secondaire féminin ne serait pas complète si l'on ne parlait de son aboutissement. Le diplôme de fin d'études, examen pédagogiquement irréprochable qui met un terme à la scolarité féminine, est de propos délibéré dénué de toute sanction utile. Ce qui n'aurait pas de conséquence si les lycées de jeunes filles avaient recruté leur clientèle exclusivement dans les classes aisées, devient un problème pour les élèves d'origine plus modeste. Celles-ci passent alors le brevet supérieur. Soucieux de préserver son caractère propre, l'enseignement secondaire des jeunes filles n'a jamais accepté ce qu'il considérait comme un expédient. Il prépare encore moins sa clientèle au baccalauréat. Attachés à la finalité qui lui a été assignée en 1880, mais conscients du péril, les fonctionnaires chargés de l'enseignement féminin vivent de demi-mesures, espérant toujours que le diplôme finira par s'imposer, sans soupçonner que c'est finalement de cette plaie des examens que mourra l'enseignement secondaire des jeunes filles.

Traditions et principes

En matière de pédagogie la pente naturelle des administrateurs et de la majorité du Conseil supérieur était d'insérer l'innovation qui leur était soumise dans une longue tradition. Le désir de respectabilité n'est pas seul en cause, et la place donnée à l'histoire dans la pédagogie montre le rôle national et unificateur attribué à celle-ci. L'enseignement secondaire des jeunes filles avait été voté pour des raisons de parti : l'Université n'en ressentait que plus impérieusement le besoin de rattacher la création de cet enseignement à une tradition française classique, même si pour le faire il fallait se livrer à une interprétation abusive, voire mythique, des œuvres du passé.

Aussi, par-delà les véritables origines intellectuelles de l'enseignement secondaire féminin, qui ne remontent guère au-delà de Condorcet, les jeunes filles et leurs professeurs se virent-elles proposer comme sujet de réflexion et comme modèle le traité de l'*Education des filles,* de Fénelon, qui, dans sa critique de l'enseignement de son époque et dans ses observations sur la nature féminine, rencontrait dans les années 1880 une approbation unanime[1]. Dès les premières années, trois établissements de jeunes filles se placent sous le vocable de Fénelon : le premier lycée de Paris, le collège de Lille et, bien sûr, le collège de Cambrai[2]. Le même goût pour un classicisme incontestable préside à l'appellation du lycée de Charleville, devenu lycée Sévigné en 1888.

---

1. Publié en l'espace de deux ans par trois éditeurs différents au moins, le traité fut mis, avec tous les grands classiques de la pédagogie, au programme de tous les concours de recrutement de l'enseignement primaire et de l'enseignement secondaire féminin.

2. Ce patronage est d'autant plus remarquable qu'il n'est pas d'usage ordinairement, sauf à Paris, de donner un nom particulier aux établissements de jeunes filles. Certains portent dans la pratique, comme les écoles primaires de la ville de Paris, le nom de la rue où ils sont installés (Marseille-Longchamp, Strasbourg-Pontonniers).

Plus curieuse apparaît la place faite à Mme de Maintenon — encore que nul établissement n'ait porté son nom. La fondatrice de Saint-Cyr ne fait pas l'unanimité comme l'archevêque de Cambrai. Est-ce parce qu'elle a échoué dans sa tentative de séculariser l'éducation féminine[3] ? Ou bien plutôt parce qu'elle souffre du portrait que Saint-Simon puis Michelet ont laissé de cette « douteuse figure » ? Pourtant Gréard et l'Université officielle trouvent le bon sens et l'équilibre dans l'œuvre pédagogique de Mme de Maintenon, ils la présentent comme un exemple à suivre ; la diffusion de morceaux choisis et d'éditions des œuvres dépasse évidemment les modestes besoins de l'enseignement féminin nouveau né, dans les années 1880. Mme de Maintenon fut sans conteste un classique mis dans les mains de toutes les candidates au professorat même primaire. Sa popularité fut durable puisque, à défaut d'un établissement, une mutualité établie entre les professeurs femmes se plaça sous son patronage.

La cause, du point de vue pédagogique, était entendue ; mais l'auteur de la loi, victime sans doute d'une lecture trop passionnée de Michelet et d'une vision d'abord politique de la favorite royale, ne cessa de lutter contre le crédit que l'Université lui accordait[4]. Dans cette faveur, Camille Sée voyait un signe de plus du désir qu'avait l'Université de défigurer son œuvre. Les décrets du Conseil supérieur l'avaient déjà ulcéré, le patronage de Mme de Maintenon lui apparaissait comme une véritable trahison : donner en modèle une femme qui avait été « en contact avec les choses les plus douteuses et les plus malpropres... les plus abominables forfaits »[5] constituait un grand danger pour les jeunes filles. Si les universitaires oubliaient à ce point leur devoir de pédagogues, c'était, pensait Maurice Vernes, parce qu'ils se comportaient étroitement en littérateurs ; l'analyse de Gréard, de Faguet ou de Marion s'inscrit en faux contre cette imputation. Mais Camille Sée et ses amis nourrissaient un autre grief : ils voyaient dans cette vogue pédagogique une concession au parti clérical, un effort, selon eux inopérant, pour amadouer celui-ci. Ils devaient aussi redouter, sans le dire, que trop de concessions de ce genre ne finissent par introduire l'ennemi dans la citadelle et par adultérer irrémédiablement l'œuvre d'émancipation religieuse de la femme[6].

---

3. On ne peut lui pardonner, selon Henri Marion, la réforme qui, après *Athalie*, fit de Saint-Cyr un couvent. (« Mme de Maintenon d'après le livre de M. Gréard », *Revue pédagogique*, décembre 1884, p. 481-510).

4. Il consacra à une véritable polémique plusieurs articles de sa revue qui furent réunis en 1894 dans un volume, *L'Université et Mme de Maintenon*.

5. Maurice Vernes, *ESJF*, novembre 1894, p. 193-213. La revue Camille Sée publie en 1893 et 1894 sept articles sur Mme de Maintenon.

6. La polémique ne s'est pas élevée immédiatement après la publication des ouvrages de Gréard et de Faguet, mais plusieurs années après, en 1893, au temps de l'« esprit nouveau » : « C'est en pensant à vous, Mesdames, s'écrie Spuller lors de l'inauguration du lycée de jeunes filles de Versailles, le 1er avril 1894, qu'après avoir employé cette expression qui devait faire une si grande fortune je me suis appliqué à la développer » (*Lycées et collèges de jeunes filles, 25 ans de discours*, p. 100).

Si Mme de Maintenon divisait les parrains de l'enseignement secondaire des jeunes filles, Jeanne d'Arc, figure d'abord plus patriotique que catholique, finit par les unir [7]. A la différence de Fénelon, Jeanne d'Arc n'apparaît pas avant les années 1890 : en 1882, le discours du ministre Duvaux lors de l'inauguration du lycée de jeunes filles de Rouen ne fait pas mémoire de la Pucelle : il faut attendre quinze ans pour que le lycée prenne la dénomination de lycée Jeanne d'Arc. En 1901, il en est de même pour le lycée nouvellement ouvert de Nancy. Le collège, plus tard lycée d'Orléans, se mettra sous le même vocable, tandis que le collège de Beauvais prend le nom de Jeanne Hachette.

L'attachement aux valeurs nationales, exemplaires dans leur domaine, va en partie à l'encontre d'un autre tendance de la pédagogie française, vers 1880, qu'on pourrait qualifier de comparative. Dès le Second Empire, s'impose le modèle américain. La naissance de la *Revue internationale de l'enseignement,* le rapport même de la loi Camille Sée, fait en grande partie de la description des législations étrangères en matière d'enseignement féminin, témoignent d'un souci d'accueil à l'expérience d'autrui qui disparaît peut-être dix ans plus tard : « Fénelon, Mme de Maintenon, Rousseau lui-même, sans parler d'autres maîtres qui méritent d'être placés à côté de ceux-là, valent mieux que toutes les éducatrices que nous pourrions aller chercher au-delà des mers. Dans la civilisation américaine ... la femme joue un rôle déjà excessif et qui ne devrait pas être le sien » [8].

A l'attrait exercé par la modernité venue d'ailleurs s'oppose la conservation sociale, jointe à un repli sur les valeurs nationales. Celui-ci l'emporte visiblement dans les années 1890. Il rencontre le souci de complaire à ce qu'on croit être le vœu des familles : un enseignement entièrement désintéressé pour des jeunes filles destinées à être les ornements du foyer [9].

La fondation d'un enseignement secondaire pour les jeunes filles pose cependant, avec une nouvelle acuité, la question de l'avenir professionnel — non sans doute de toutes les élèves — du moins de celles qui ne se marieront pas et n'auront pas les moyens de rester oisives : « Cela fait partie du comme-il-faut pour une femme, écrit Henri Marion dans *L'éducation des jeunes filles,* et de la bonne opinion qu'elle a d'elle-même et qu'on a d'elle, d'être portée sur les actes de

---

7. Il n'en est pas de même à la Chambre où les efforts de Joseph Fabre (cf. chapitre IV) pour créer une fête nationale de Jeanne d'Arc suscitent des polémiques. C'est en 1890 cependant que le Conseil supérieur institue une fête scolaire de Jeanne d'Arc.

8. Spuller, *Lycées et collèges de jeunes filles, 25 ans de discours,* p. 98. G. Compayré développe la même idée dans son discours à la distribution des prix du lycée de Niort en 1895 (*ibid.,* p. 148).

9. C'est pourquoi l'attachement à de prétendues traditions françaises en matière de pédagogie féminine s'accompagne d'une tentative pour alléger la scolarité de l'enseignement secondaire féminin, par la substitution de « cours » aux classes et par la suppression des classes de l'après-midi.

l'état civil comme étant " sans profession ". On rougirait d'en avoir une. C'est une vulgarité, une inélégance ». Comment ne pas rapprocher cette observation de la « pensée inédite » inscrite par Hippolyte Carnot sur l'album de Camille Sée ? [10] :

> « Je lis avec regret ces mots : *sans profession* à la suite de presque tous les noms de femmes qui figurent dans les actes civils. Ce n'est pas seulement un aveu d'incapacité, c'est un renoncement à l'indépendance personnelle. Si j'étais femme, je mettrais mon orgueil à effacer ce stigmate. L'indépendance, quand elle a pour garantie une profession utile, doit inspirer à qui la possède un juste sentiment de sa valeur ».

L'accès de la femme à une profession ne semble pas avoir été le souci de Camille Sée et de ceux qui ont voté la loi, bien au contraire. Il est révélateur pourtant que, sollicité de donner son sentiment sur cet enseignement précis, un ancien saint-simonien comme Carnot ait songé à parler de la profession. Marion lui-même rend hommage au saint-simonisme qui a donné naissance à l'enseignement professionnel [11] : cette « utopie humanitaire en partie bizarre, en partie grandiose... qu'on retrouve à l'origine de presque toutes les œuvres de progrès industriel, économique et social de notre temps ».

Comme Carnot, H. Marion voit les tristes conséquences du mépris où est tenu le travail. Le travail est considéré « comme une tare » parce qu'il est associé inconsciemment à l'idée de pauvreté, ce qui est étrange « dans une religion qui glorifie la pauvreté ... ». « Ce préjugé coûte assez cher, observe-t-il, aux classes sociales dans lesquelles il règne. » Outre la « perversion du sens de la dignité », il entraîne l'« aberration du sentiment de l'honneur qui fait qu'on aime mieux mourir de faim que de diminuer son train de vie, que de laisser son foyer et de se passer d'une bonne ». S'il existe, dans l'esprit de Marion, une nette séparation entre l'enseignement des jeunes filles et l'enseignement professionnel, ce dernier, dans une certaine mesure, doit inclure une initiation professionnelle : « Je voudrais voir augmenter la partie manuelle et, si l'on veut, demi-professionnelle dans nos lycées de filles, où elle est déjà, Dieu merci, bien moins nulle que dans nos lycées de garçons. Moins nulle, mais très insuffisante ... » En fait, dans le cas des lycées des jeunes filles, la partie que Marion qualifie de « manuelle » et de « semi-professionnelle » est constituée uniquement par les travaux à l'aiguille. Ainsi les femmes sont-elles vouées une nouvelle fois à la couture, avec l'ambiguïté de son aspect à la fois domestique et professionnel [12]. Mais si

---

10. *Pensées inédites...*

11. C'est Elisa Lemonnier (1805-1865) qui a fondé les premières écoles professionnelles pour les femmes.

12. Pour les garçons comme pour les filles, H. Marion identifie une formation professionnelle à une formation manuelle. Le « travail », c'est le travail manuel ou en tout cas une occupation qui

Marion et Carnot se retrouvent pour souhaiter la préparation au travail, la préoccupation de la majorité est autre, sous l'influence de l'opinion. Si les jeunes filles font des travaux à l'aiguille, c'est certainement plus pour affirmer leur nature féminine, pour se préparer à leurs fonctions dans la famille que pour se munir d'un métier. La valeur du travail cède le pas à celle de la famille. Dans cette glorification de la famille, unité sociale par excellence, on retrouve plus le disciple que le maître, plus Auguste Comte que Saint-Simon.

Les articles ou livres consacrés aux débuts de l'enseignement secondaire des jeunes filles ne sont pas avares de formules générales sur le caractère souple et désintéressé que doit revêtir cet enseignement, sur l'aspect éducatif qui lui est essentiel. Pourtant la recherche d'instructions précises et officielles aux professeurs, durant les seize premières années du nouvel enseignement, se révèle infructueuse. Jusqu'à la réforme des programmes de 1897, aucune circulaire ministérielle n'est venue donner des détails sur la pédagogie à suivre [13]. C'est donc dans les instructions que leur donnaient leurs directrices ou les inspecteurs que les professeurs, apparemment, puisaient leur doctrine. L'exemple reçu durant leur propre formation et leur « tact » devaient faire le reste.

Dans la mesure où l'institution restait fidèle à elle-même, il était d'ailleurs malaisé d'imposer l'usage de tels procédés plutôt que de tels autres. L'esprit « secondaire » se définissait surtout par ce qu'il proscrivait : les exercices mécaniques, les copies, les nomenclatures, les leçons récitées. Certes, les professeurs femmes ont donné à leurs élèves les exercices communément pratiqués dans l'enseignement secondaire masculin : compositions françaises, thèmes, versions, récitations de textes, ou bien problèmes et opérations. La différence avec un enseignement de type primaire ou avec le « bachotage » tant reproché aux lycées de garçons tenait moins à une méthode particulière qu'aux personnes.

Pour ouvrir les jeunes filles à l'admiration, à la réflexion, pour en faire « des femmes intelligentes et éclairées, à l'esprit ouvert et juste », pour qu'elles « sachent se diriger dans la vie » [14], la personnalité du professeur n'est donc nullement indifférente. Ainsi en partie s'expliquent les rapports d'inspection plus diserts sur le professeur que sur le contenu de son cours. Il n'est pas rare en effet, dans les premières années, que

---

répond à une conception plus restrictive que celle de Carnot quand il écrit : « Ne fût-ce qu'à (ce) titre d'occupation agréable, chacun devrait s'efforcer d'acquérir la pratique d'un métier, soit intellectuel soit manuel, pour conjurer le fléau de l'oisiveté ». On retrouve toutefois la position de Marion chez les dirigeants des associations de parents d'élèves en 1917.

13. Sauf pour la lecture à haute voix qui fait l'objet d'une instruction spéciale annexée aux programmes de 1882, et la gymnastique sur laquelle la circulaire du 20 avril 1886 donne des instructions très précises. Au reste, si les instructions expriment les théories officielles, rien d'autre que les inspections ne permet de savoir si elles sont réellement appliquées.

14. M. Caron, « Des sujets de composition française dans l'enseignement secondaire des jeunes filles », *ESJF*, mars 1895, p. 97-107.

l'inspecteur général fasse grande attention à l'aspect extérieur du professeur, à sa manière de parler, de s'habiller, de se mouvoir. Quant au contenu du cours, il n'est pas apprécié de façon abstraite, mais en relation étroite avec le portrait intellectuel, psychologique et physique [15] du professeur. Une telle attitude peut résulter du caractère nouveau de l'enseignement et des fonctionnaires chargés de le dispenser. En procédant de la sorte, les inspecteurs généraux espèrent peut-être mieux établir ce qu'on peut attendre du professeur, la formation initiale ayant de toute manière été inadéquate ou insuffisante. C'est en somme à une estimation pour l'avenir que se livre l'inspecteur. En même temps, il doit se montrer attentif à des qualités ou des défauts qui ne ressortent pas au premier chef de la pédagogie : le professeur saura-t-il représenter dignement l'enseignement secondaire par son apparence extérieure, par sa conduite, par sa manière d'être autant que par le contenu de son enseignement ?

Le contenu et les méthodes, à leur tour, sont appréciés par référence à ce qui existait auparavant dans l'enseignement des pensionnats de jeunes filles : l'hommage va aux professeurs qui ne ressemblent pas à des institutrices [16], à des « demoiselles de pension » [17]. Il existe aussi un préjugé à l'encontre des professeurs féminins, que l'effort d'adaptation du plus grand nombre d'entre eux aurait pu empêcher de s'enraciner : les femmes, passés les concours de recrutement, ne s'« entretiennent » pas [18].

Au-delà de tels a priori, l'enseignement, pour les disciplines tant littéraires que scientifiques, se définit par son refus de ce qui est dogmatique, livresque, mécanique — tout ce qui pourrait le faire ressembler à un enseignement « primaire » —, mais aussi par l'aversion pour le flou, la confusion, l'à peu-près. En sciences, dès les années 1890, il est conseillé de ne pas dicter les cours, de dicter seulement les énoncés et quelques points délicats. En lettres, c'est la rectitude du jugement qu'il s'agit de former : grande liberté est laissée au professeur dans le

15. Les rapports sont communiqués ordinairement aux fonctionnaires seulement à partir de 1933. Aussi certains « portraits » sont-ils aussi cruels que brillants.

16. En 1898, Niewenglowski constate que tel professeur du lycée Fénelon « est restée une institutrice » et pratique les « vieilles méthodes », c'est-à-dire le cours dicté et l'entraînement de la mémoire (AN, F 17 22294, dossier Seriès).

17. L'hostilité si vive témoignée par le Conseil supérieur à l'appellation, jusque-là en usage dans les pensionnats de jeunes filles, de sous-maîtresses pour désigner les personnes chargées à la fois de la surveillance et d'une partie de l'enseignement est un témoignage de cette volonté de sortir des vieilles ornières.

18. « Comme je l'ai déjà remarqué pour beaucoup de professeurs femmes, écrit un inspecteur général encore en 1907 à propos d'un professeur certifié au collège de Tarbes, son enseignement ne va pas en se perfectionnant, au contraire ; cela vient de ce qu'elles ne s'entretiennent pas assez au point de vue scientifique ; qu'elles vivent sur leur acquis et qu'avec le temps cet acquis s'émousse et se déforme » (AN, 17 23727). Certifiée depuis 1885, le professeur a été trois fois consécutives admissible à l'agrégation. Il conviendrait de se demander si les professeurs hommes pourvus de la licence et enseignant dans un collège de petite ville ont tellement plus de zèle à se tenir au courant : seul un examen parallèle des dossiers masculins pourrait apporter une réponse sûre.

choix des textes et la manière de les aborder. Les professeurs font la preuve de leur esprit « secondaire », sans doute plus que leurs collègues hommes, lorsqu'elles arrivent, par le moyen de devoirs et leçons quotidiens et en définitive bien classiques, à amener leurs élèves à la compréhension critique de ce qu'elles apprennent. Une telle démarche demande du temps : ce temps qui manquait aux autres ordres d'enseignement, tous orientés vers la préparation de quelque examen. C'est là que le diplôme, examen où toute élève est assurée de réussir si elle a accompli une bonne scolarité, montre une supériorité incontestable sur le brevet ou le baccalauréat.

La recherche sur les manuels propres à l'enseignement secondaire féminin s'avère des plus décevantes. Les archives des établissements sont en général presque muettes sur le sujet. On sait au reste que Jules Ferry avait remis aux assemblées de professeurs le choix des manuels employés dans un établissement. Quelques réflexions pourtant s'imposent à la lecture des rapports d'inspection générale, des notices des professeurs et des quelques témoignages qui ont pu être recueillis. Tout d'abord, durant les dix ou quinze premières années de l'enseignement féminin, les manuels propres semblent avoir fait défaut. Le cartable de l'élève contient essentiellement une grammaire française [19], une grammaire de langue vivante, et beaucoup de morceaux choisis [20]. Les programmes de sciences ne correspondant pas à ceux des établissements de garçons, les professeurs sont obligés de se servir simultanément des manuels de plusieurs classes à la fois [21]. Les Sévriennes, surtout littéraires, semblent avoir fait largement usage des notes prises lors de leur séjour à l'Ecole. Aussi, malgré les conseils des inspecteurs, les cours sont-ils largement dictés : les plus grandes élèves prenaient parfois des notes. Une grande partie de leur travail résidait dans la mise au net de ces notes, à l'étude [22]. A l'inverse, lorsque le professeur pouvait disposer d'un manuel, celui-ci pouvait être étroitement suivi : des inspecteurs généraux décrivent le cours fait, le manuel d'histoire sous les yeux, en

---

19. Au dire de l'*ESJF*, les grammaires « foisonnent ». On peut tenter l'expérience de s'en passer, mais l'usage d'un livre qu'on connaît bien gagne du temps (mars 1911, p. 97-101). Il est vrai que la date est tardive.

20. AD Nord, 937³. Liste des fournitures classiques du collège Fénelon à Lille en 1892, en lettres : *Grammaire allemande* de Riquier ; *Exercices* de Pinloche ; *Grammaire anglaise et thèmes* de Elwall ; *Cours de thèmes* de Moret ; *Histoire de la littérature anglaise* de Laing ; *Grammaire française* Brachet et Dussouchet ; *Morceaux choisis de littérature française* édités par divers professeurs (Fallex, Michel, Havet...) ; *Morceaux choisis des auteurs latins* de Lebaigue. Il faut y ajouter la *Grammaire latine* de Bral et Perron, les *Exercices latins* de Pressard, l'*Histoire de la littérature* de Brétignère, les *Eléments de mythologie* de Renard, les *Mots allemands* de Bossert et Beck, la *Géographie de la France* de Marcel Dubois et celle de l'Europe, enfin les *Eléments d'hygiène* du Dr Davy.

21. Liste des manuels scientifiques *(ibid.)* : *Cours de physique* de Fernet ; *Principes de chimie* de Troost ; *Eléments de zoologie* de Perrier ; *Anatomie et physiologie végétales* de Bonnier ; *Eléments de géométrie* de Porchon ; *Eléments d'algèbre et trigonométrie* de Lusson et Courcelles.

22. Jules Payot (*RU*, II, 1898, p. 17-34) évoque une directrice de collège qui « évalue à la moitié du temps des études la durée consacrée aux rédactions ».

développant successivement chaque paragraphe avec la collaboration des élèves. Certains professeurs sont obnubilés par le manuel au point de poser aux élèves uniquement les questions qui sont imprimées dans leur livre. Durant cette même période, l'absence d'intérêt des maisons d'édition pour le marché qui vient de s'ouvrir se mesure à la rareté des comptes rendus de nouveaux manuels dans les différentes revues pédagogiques.

Il est une exception à cette indigence de manuels : c'est la floraison de morceaux choisis de moralistes ou de leçons de morale. En effet, la morale telle qu'elle était enseignée dans les établissements féminins n'avait pas d'équivalent dans les lycées de garçons : quelques directrices donnèrent de leur expérience, ainsi Louise Troufleau en 1906, mais bien auparavant Mme Jules Favre qui, dans ses extraits de moralistes, avait beaucoup livré d'elle-même. C'est par les manuels de morale que les professeurs de lycées de jeunes filles entrèrent dans l'édition scolaire : partout ailleurs, les jeunes filles ont travaillé essentiellement sur des manuels conçus et rédigés principalement par des hommes. Fait paradoxal : c'est au moment où l'enseignement féminin se rapprochait de l'enseignement masculin et où l'on commençait à parler d'une assimilation avec celui-ci que commencèrent à paraître des manuels réservés à l'enseignement des jeunes filles au moins écrits en collaboration par des professeurs femmes [23]. Au reste, les particularités du programme d'histoire et de littérature étrangères firent le succès durable des livres de Seignobos [24] sur l'histoire de la civilisation et de divers manuels de littératures étrangères [25].

Un usage trop fréquent des manuels était à l'opposé de l'enseignement souple et vivant que les inspecteurs généraux voulaient voir triompher dans les établissements de jeunes filles. La longueur des chapitres de certains livres, vice commun à l'époque, détournait les professeurs d'en faire l'instrument habituel des élèves : ainsi, pour vanter les mérites d'un nouveau manuel [26], la revue *L'Enseignement secondaire des jeunes filles* croit bon d'indiquer le nombre restreint de pages « à apprendre » : pas plus de 5 à chaque fois, alors que les autres manuels comptent 19, 28 et même parfois 32 pages par leçon. Comme les garçons, et malgré la vigilance des responsables pédagogiques, les jeunes filles sont menacées par le savoir livresque. Elles lui résistent

---

23. Ainsi au manuel de géographie de Marcel Dubois qui était le maître de cette discipline à Sèvres, succéda le *Cours de géographie à l'usage de l'enseignement des jeunes filles*, de Berthe Landreaux, professeur au lycée Fénelon, J. Fèvre, professeur à l'école normale de Dijon et H. Hauser, professeur à l'Université de Dijon. En 1894, Louise Troufleau publia une *Grammaire française*.

24. Regardé comme « l'un des meilleurs livres récents » par E. Flobert, *ESJF*, juillet 1907, p. 26-30.

25. Par exemple les *Lectures tirées des littératures étrangères* de G. Maguelonne.

26. *Cours d'histoire pour l'enseignement secondaire des jeunes filles*, publié sous la direction de M.G. Monod, par Mlle J. Colani et M. E. Driault, professeur agrégé au lycée de Versailles.

mieux si les professeurs arrivent à appliquer les directives qui leur sont données. Mais la préoccupation « utilitariste » de beaucoup de parents réintroduit dans la plupart des établissements tout ce qu'on voulait bannir ou réformer : l'examen extérieur à l'établissement, que ce soit le brevet ou plus tard le baccalauréat, avec cette circonstance aggravante que les programmes féminins ne sont adaptés ni à l'un ni à l'autre.

Les programmes et leur révision en 1897

Le contenu de l'enseignement avait été en principe fixé par la loi, sans grande discussion d'ailleurs, sauf au chapitre de la morale à laquelle l'opposition voulait faire ajouter l'enseignement religieux. Cependant,les matières enseignées ne furent pas immuables. On pouvait en restreindre ou en augmenter considérablement l'importance selon les horaires attribués et, plus encore, selon l'année qu'on choisissait pour les enseigner. Cette répartition avait provoqué de longues discussions à la Société pour l'étude des questions d'enseignement secondaire. Une autre question, fondamentale, avait été l'objet de travaux approfondis : celle des langues vivantes. En effet, par rapport à l'enseignement masculin, qui servait toujours de référence implicite et au moins de repoussoir, il fallait combler le vide laissé par les humanités classiques [1].

L'ironie de Camille Sée sur « les amis particuliers de Cicéron et de Virgile » [2] semble avoir ignoré le débat où se trouvaient les universitaires tenants des belles-lettres, appelés à créer ce nouvel enseignement secondaire qui en était dépourvu. Aux plus conservateurs, l'entreprise risquait d'apparaître comme une impossible gageure. Leur attitude ne pouvait être entièrement exempte d'une sorte de mépris pour une institution sans doute convenable aux filles mais nullement comparable à l'enseignement masculin. Ou bien, au contraire, on en venait à considérer que l'enseignement mis en place créait véritablement, selon le mot de Marion, une « culture littéraire ». Les tenants de cette culture

---

1. Les horaires de l'enseignement des lycées de garçons en 1880 permettent d'en apprécier l'ampleur :

	6e	5e	4e	3e	2e	1re	Philo
Français	3 h.	3 h.	3 h.	3 h.	4 h.	5 h.	—
Latin.................	10	10	6	5	4	4	1
Grec	0	0	6	5	5	4	1
Langue vivante	3	3	2	3	3	3	3
Histoire, géographie.....	3	3	3	4	4	4	3
Sciences	3	4	3	3	3	3	10
Dessin	2	2	2	2	2	2	2
	—	—	—	—	—	—	8

2. *L'Université et Mme de Maintenon*, p. 28.

étaient amenés, à des degrés divers, à remettre en cause la dictature des « humanités » dans les lycées de garçons : était-ce même défendre les humanités classiques comme telles que les justifier, comme on le faisait souvent, par les futures carrières, médicales ou juridiques, où pourraient s'engager les garçons, à la différence des filles ? Il est remarquable que ce débat, du moins sous une forme ouverte, n'ait pas été mis au jour au Conseil supérieur à propos de l'enseignement des jeunes filles.

Or, l'installation de l'enseignement secondaire féminin, officiellement constitué par un programme qui excluait pratiquement le latin et mettait à la place l'étude du français assortie des langues étrangères, était la porte ouverte aux humanités modernes. Les « gardiens du temple », comme les appelle encore Camille Sée, avaient donc des raisons de s'inquiéter. Au moment où l'enseignement des lycées était mis en cause, la réussite d'un enseignement « équivalent » pouvait être fatale aux « humanités »[3]. De telles préoccupations peuvent expliquer, elles aussi, l'allégement extrême de l'enseignement féminin dans la durée comme dans les programmes. Certes, il s'agit de ne pas effaroucher les parents qui trouvent qu'on en fait toujours trop faire à leurs filles, mais surtout un enseignement plus court, plus léger que celui des garçons ne saurait être regardé comme équivalent ; la comparaison est impossible entre deux termes trop inégaux et, du même coup, la question du latin reste réservée, puisque l'enseignement des filles a été dépouillé de toute valeur exemplaire[4].

Les programmes, dans le détail, avaient été fixés une première fois en 1882. Le Conseil supérieur avait fait de grands efforts pour les rendre le plus légers possible. Ils n'en furent pas moins critiqués par les parents d'élèves et quelques pédagogues qui les trouvaient trop lourds[5]. D'autre part, Camille Sée ne s'était pas élevé avec vigueur seulement contre la limitation à cinq ans des études et la division en deux cycles ; il avait

---

3. C'est bien ainsi que tranche le livre de Raoul Frary, *La question du latin.* Universitaire, Charles Bigot, dans ses *Questions d'enseignement secondaire* (Paris, Hachette, 1886, 315 p.), souhaite le maintien du latin, mais aussi l'institution d'un véritable enseignement secondaire sans latin. Il cite à l'appui l'exemple des jeunes filles (l'attitude est assez rare pour qu'on la relève au passage) : « On n'a pas songé un moment à imposer à nos jeunes filles des lycées l'étude du grec et du latin ». Les « lycées français » dont il recommande la création « devront emprunter beaucoup », selon lui, aux programmes féminins. Duruy lui-même déclare, en 1881, se méfier de l'introduction du latin dans l'enseignement secondaire féminin car elle pourrait être le prélude à son introduction dans l'enseignement spécial qu'il a délibérément créé sans latin.

4. Ainsi Bréal, « partisan déclaré depuis longtemps de l'étude du latin comme base de l'étude de la langue nationale, et comme moyen d'exercer l'intelligence, se contenterait d'une heure », au reste facultative, pour les éléments du latin. De même Boissier, Jules Simon, Duruy, au contraire de Lebaigue qui voudrait rendre obligatoire l'enseignement de ces éléments (AN, F 17 3201, Conseil supérieur, séance du 30 décembre 1881).

5. Legouvé voyait là la raison principale de l'absence des jeunes bourgeoises riches dans la clientèle des lycées. Il citait « un député de simple bourgeoisie » à qui un ministre demandait pourquoi il n'envoyait pas sa fille au lycée et qui répondait : « Parce que vous apprenez à vos élèves des tas de choses dont nos filles n'ont que faire » (p. 215).

condamné lui aussi la surcharge des programmes[6], et leur inadaptation au public particulier auquel ils étaient destinés. Il résulta de toutes ces critiques le vœu présenté au Conseil supérieur par Mathilde Salomon[7], qui donna lieu à la réforme de 1897.

L'une des principales réformes fut de réduire le nombre des cours facultatifs : « Nous ne parlons plus de *cours,* dit le rapporteur de 1897, H. Bernès, mais de *classes,* obligatoires en quatrième et cinquième années ... Il n'y a pas deux *cycles,* deux organisations superposées ; il y a deux *périodes* correspondant aux classes de grammaire et aux classes de lettres des lycées de garçons ».

Le remaniement, accompagné d'une réduction d'horaires, se traduisait par « un allègement sérieux du travail intellectuel ». La meilleure harmonisation des deux « périodes », notamment par une redistribution des matières entre les années, tendait à rendre à l'enseignement féminin une unité dont le privaient les décrets et arrêtés de 1882. Elle aboutissait théoriquement pour les jeunes filles à un allongement, puisque la nouvelle disposition dissuadait les parents, au lieu de les encourager à le faire, de retirer leurs filles du lycée au bout de trois ans[8]. Toutefois, la question des sanctions et l'usage fréquent de considérer l'instruction des filles comme terminée vers l'âge de quinze ans[9] rendaient ces subtilités quelque peu illusoires ; le principe des enseignements facultatifs dans la deuxième période n'avait d'ailleurs pas disparu. Au total, il s'agissait moins d'une refonte que d'une réforme de détail : « Une demi-heure ajoutée par-ci, retranchée par-là ; des enseignements reculés ou avancés d'une année à une autre, des études facultatives devenant obligatoires ou inversement »[10].

Les programmes de 1897 n'avaient pas cependant été préparés à la légère. A la différence de ceux de 1882, ils avaient été longuement élaborés par la commission préparatoire[11]. Dès 1885, Rabier avait été

---

6. *Les lycées et collèges de jeunes filles,* préface de la 1re édition (reproduite sans changement dans les cinq autres) : « Le Conseil avait une bonne occasion de revenir au sens commun ... Mais il paraît que la routine ne le voulait pas ; la dignité de l'Université exigeait de longs programmes, et on nous les a imposés au risque de fausser l'institution ». Camille Sée rêvait d'études plus larges, plus libérales, plus féminines : sa pensée était proche de celle de Legouvé.

7. Vœu déposé par Mlle Salomon et MM. Amigues, H. Bernès, Berthelot, Bichat, Bruston, A. Chalamet, Charpentier, A. Croiset, E. Girard, J. Girard, C. Jullian, E. Lavisse, Mangin, Pécaut (réserve faite de la dernière partie du vœu), G. Perrot, C. Planchon, Ravaisson, Sigwalt. Le vœu porte sur trois points : il réclame un allègement, une orientation plus littéraire et la réunion de tous les cours le matin afin de laisser les après-midi libres.

8. Bernès constate avec satisfaction qu'à la rentrée de 1896, les trois cinquièmes des élèves sorties de troisième en juillet reviennent en octobre continuer leurs études.

9. L'âge minimum était fixé à douze ans. C'est donc à la fin de la troisième année, c'est-à-dire de la première période, que beaucoup de jeunes filles considéraient leurs études comme terminées.

10. Compayré, *L'enseignement secondaire des jeunes filles...,* p. 56. Les cours facultatifs dans la deuxième période, représentaient, en comptant les « enseignements accessoires », plus du tiers de l'emploi du temps ; mais ils représentaient à peine plus d'un cinquième des « enseignements principaux ».

11. Elle comprenait vingt-neuf membres parmi lesquels Gréard, Charles Bayet, Darboux, Darlu, Lemonnier, Lanson, Tannery, six inspecteurs généraux, quatre professeurs femmes, deux directrices de lycées parisiens et Mme Marion.

saisi de plaintes contre la surcharge des programmes, émanant des recteurs, des conseils académiques, des directrices [12]. En 1889, une commission spéciale avait déjà dressé un projet d'horaires et de programmes, publié dans *L'Enseignement secondaire des jeunes filles* et soumis pour avis, par l'administration, aux directrices et aux assemblées de professeurs. Ce projet avait été appliqué dès 1890 dans l'académie de Paris, si bien que la répartition des matières et des heures de 1897 est plutôt la sanction d'un état de fait. Les instructions qui l'accompagnent ont été élaborées au feu de l'expérience. D'autre part, c'est l'usage qui a permis d'introduire dans le rapport au Conseil de 1897 une série d'indications plus proprement pédagogiques qui servent à orienter l'enseignement.

L'enseignement du français, par les horaires [13], par l'importance qui lui est accordée, se trouve au premier rang. Il a pour centre, selon Bernès, l'« étude des textes » ; c'est à elle, à l'explication de textes que doivent se rapporter tous les exercices supposés par les notions de rhétorique abstraite énumérées dans les programmes de 1882. La récitation vient à la suite de l'explication. La « lecture à haute voix » ne peut être une étude à part : elle est « une conclusion naturelle de l'étude des auteurs ». L'étude de la grammaire devient plus simple : le programme est débarrassé de la « grammaire historique » qu'il comportait au départ [14]. Seules subsistent, en quatrième année, quelques notions d'histoire de la langue. Quant aux « exercices de composition », on les souhaite peu fréquents pour éviter le psittacisme. « D'une façon générale, il est désirable, pour le choix des sujets, qu'on s'adresse à l'expérience de l'élève, qu'on s'en tienne aux réalités qui l'entourent, aux observations qu'elle a pu faire sur elle-même ou sur autrui, ou à ces idées, à ces sentiments généraux qui sont le fonds commun de toute pensée. »

La suggestion qui est faite d'une correction en classe à la suite d'un exercice collectif veut sans doute aller à l'encontre d'une tendance de l'enseignement féminin à trop de minutie et d'individualisme dans les corrections, avec le travail écrasant que suppose cette habitude [15].

Les instructions sur l'enseignement du français s'achèvent par un développement sur l'étude des littératures qui relève les inconvénients

---

12. AN, F 17 12987. Conseil supérieur, section permanente, Rabier, 23 juin 1897.

13. Cinq heures en première et deuxième années, trois heures et demie en troisième, trois heures en quatrième, deux heures en cinquième. Ces trois dernières années ont subi une réduction d'horaires. Il est vrai qu'en revanche l'enseignement des littératures anciennes, qui y était englobé, a été disjoint. Cependant l'étude facultative du latin, prévue en quatrième et cinquième années par le décret de 1882, est supprimée : « Ce cours n'a pas paru, dans ces limites, pouvoir donner de résultats utiles ».

14. Le programme avait été rédigé à l'origine par Michel Bréal.

15. « Relever surtout, dans chaque copie, utiliser en classe ce qu'elle peut contenir de bon, montrer à l'élève ce qu'elle aurait dû faire en le faisant devant elle et avec elle, vaut mieux qu'appesantir son attention, soit en classe par des commentaires fastidieux pour ses camarades, soit hors de classe par de longues notes marginales, sur ce qu'elle a fait d'insuffisant ou de mauvais ».

habituels de cet enseignement chez les garçons aussi bien que chez les filles. Pour éviter « les détails oiseux », les « analyses, les formules convenues », l'étude historique de la littérature « devra se faire essentiellement » à l'aide de textes choisis et disposés dans l'ordre chronologique[16]. Le résultat sera de parcourir plus vite le Moyen Age, de faire tenir le 17e siècle en une année, ce qui permettra de donner un peu plus de temps, en cinquième année, aux 18e et 19e siècles. La liste des auteurs ne constitue pas un programme à remplir, mais au contraire un choix plus vaste qu'auparavant, qui permettra au professeur de varier son enseignement. Là aussi l'évolution est conforme à celle des lycées de garçons. Originale aux lycées de filles, l'étude des littératures anciennes, justifiées par l'absence d'étude des langues elles-mêmes, est beaucoup plus étroitement guidée[17], de même que l'étude, nouvellement intro-duite avec un très faible horaire, des littératures modernes. Enfin les professeurs de français sont toujours chargés d'enseigner la « psychologie appliquée à l'éducation » considérée comme une dépendance de la morale indiquée dans la loi[18]. « Ce cours, indique l'arrêté du 27 juillet 1897, n'a pas pour objet la psychologie proprement scientifique, ni la psychologie rationnelle ou métaphysique, mais la

---

16. Une comparaison entre les programmes de quatrième année pris comme exemples donne un aperçu du changement obtenu :

Programme de 1882, deuxième période, première année : Notions générales sur l'histoire de la langue française. Cours de grammaire historique de la langue française ; expliquer par l'histoire de la langue les principales règles de la grammaire moderne ; traduction en français moderne de textes français du Moyen Age et du 16e siècle. Règles de composition ; invention, disposition, élocution ; qualités de style. Exercices oraux : lectures commentées, récitations ; analyse et appréciation de passages d'auteurs ; corrections de devoirs par les élèves. Exercices écrits : compositions littéraires, narrations, lettres, discours, parallèles, analyses littéraires, exposés. Histoire abrégée de la littérature française, de la Renaissance à Corneille. Histoire de la littérature grecque ; lectures à l'appui.

Auteurs : Fragments de *La Chanson de Roland* ; Villehardouin, Joinville ; Fénelon, *Lettre à l'Académie* ; Bossuet, *Oraison funèbre du prince de Condé* ; La Bruyère, *Les caractères* ; Voltaire, *Charles XII* ; Corneille, *Cinna* ; Morceaux choisis d'auteurs français, des origines à nos jours. Morceaux choisis d'auteurs grecs tirés des meilleures traductions.

Programme de 1897, deuxième période quatrième année : 1) *Etude des textes :* lecture et explications de textes ; récitations de textes précédemment expliqués. 2) *Etude de la langue :* notions générales sur l'histoire de la langue française, formation des mots ; traduction orale de quelques textes français du Moyen Age et du 16e siècle. 3) *Etude historique de la littérature :* cette étude portera sur la période qui s'étend des origines jusqu'à la fin du 17e siècle ; elle devra se faire essentiellement à l'aide de textes choisis et disposés dans l'ordre chronologique. 4) *Exercices de composition :* compositions écrites, narrations, lettres, discours, etc. 5) *Liste d'auteurs :* Chrestomathie du Moyen Age ; Chefs-d'œuvre poétiques de Marot, Ronsard, du Bellay, d'Aubigné ; Extraits des prosateurs du 16e siècle ; Corneille, théâtre choisi ; Racine, théâtre choisi ; Molière, théâtre choisi ; La Fontaine, *Fables* ; Boileau, choix de *Satires* et d'*Epîtres, Art poétique,* extraits des œuvres en prose ; Bossuet, *Oraisons funèbres* ; Fénelon, *Education des filles* ; Madame de Sévigné, choix de *Lettres* ; Saint-Simon, extraits *(Mémoires et Parallèle des trois Rois Bourbon)* ; Michelet, anthologie ; Choix des poètes lyriques français du 19e siècle. En 1897, l'obsession de la grammaire historique s'est, on le voit, quelque peu dissipée. L'enseignement du français est moins dogmatique.

17. « L'antiquité toujours dangereuse aux professeurs féminins », écrit un recteur en 1921 (AN, F 17 23564).

18. Cette discipline semble avoir été fort à la mode en 1882 puisque le Conseil supérieur la mit également au programme du brevet supérieur. On voulait alors un programme concret, à telle enseigne que Janet fut chargé par le ministre et la Section permanente de refondre le projet initial, jugé « trop théorique » (AN, F 17 12980, séance du 5 juillet 1882).

psychologie considérée comme étude de la *vie de l'âme,* en vue de la morale et de l'éducation. »

Le législateur avait prévu « au moins une langue vivante » [19]. La Société pour l'étude des questions d'enseignement secondaire avait un moment voulu que cette langue fût l'allemand en raison des exceptionnelles vertus pédagogiques qu'on lui prêtait : une solution plus pratique l'avait emporté, qui donnait le choix aux familles entre l'anglais et l'allemand. Pour Mathilde Salomon [20] et beaucoup de membres du Conseil supérieur, il ne fait pas de doute que les langues vivantes suffisaient pour assurer une culture littéraire complète. Si les « dames » du 16e siècle faisaient du grec et du latin, c'est qu'il n'existait alors rien d'autre. Au contraire, les femmes au 19e siècle voient s'ouvrir devant elles l'« immense trésor » de la littérature moderne [21]. De plus, leur destination dans la vie leur permet d'étudier les langues de façon plus désintéressée que les hommes. Le Conseil supérieur a fait sienne cette argumentation : les programmes qu'il établit « visent à faire de l'étude des langues vivantes une gymnastique intellectuelle, un moyen de culture littéraire, et, par l'importance qui devra être donnée à la version, un auxiliaire sérieux de l'étude du français » [22]. Si l'on rapproche cette dernière notation de la suppression du latin, ce latin qu'on jugeait encore nécessaire à l'étude historique du français, il est aisé de conclure que la notion d'« humanités modernes » s'est renforcée avec le temps.

Dans l'usage, l'anglais et l'allemand ont été enseignés conjointement dans les lycées et collèges. Avec les années et surtout le premier conflit mondial, l'allemand a perdu une grande partie de sa clientèle au bénéfice de l'anglais. Celles des élèves qui, à la suite d'une innovation adoptée en 1897, étudiaient une seconde langue ont eu la faculté de faire de l'espagnol à Bordeaux, Toulouse, puis dans un nombre grandissant d'établissements du Sud-Ouest, alors que l'italien, d'abord inconnu, acquit droit de cité dans les établissements du Sud-Est. Comme pour la littérature française, les listes d'auteurs offrent un choix très large où le professeur devra prendre un petit nombre seulement d'auteurs à étudier chaque année. A l'étude littéraire doivent être joints les exercices de vocabulaire, de grammaire, de thème et de lecture qui doivent assurer le « maniement pratique de la langue ». Enfin, sous forme de

---

19. Le rapport de Camille Sée conseillait pour la langue à adopter de s'inspirer de la situation géographique de l'établissement. Le rapport Marion de 1882 indique : « Une part sera faite à l'enseignement de l'italien et de l'espagnol, mais nous invitons à exiger d'abord l'anglais et l'allemand. »

20. « De la part des femmes dans la propagation des langues vivantes », conférence prononcée le 30 janvier 1894, aux Sociétés savantes.

21. Mais Mathilde Salomon ne croit pas à l'efficacité des traductions, incapables de donner une idée de la grandeur des œuvres littéraires.

22. La valeur accordée aux langues et l'efficacité de leur pédagogie ne peuvent s'apprécier pleinement, comme le rappelle le rapport de 1897, que si l'on prend en considération le début d'apprentissage de la langue effectué dans les classes préparatoires.

« conversations familières et non de cours suivis », l'élève doit recevoir une idée générale de l'histoire, de la littérature, de la géographie, en un mot de la civilisation du pays dont il étudie la langue.

La pédagogie des langues est celle qui, au fil des dossiers, livre le plus de renseignements concrets. Dès avant 1897, un article significativement publié dans l'un des premiers numéros de *La Revue universitaire* par C. Schweitzer[23] s'oppose à la pédagogie « retardataire » en usage dans les lycées du Grand Duché de Bade qu'a été visiter J. Barbezat, un professeur au lycée Racine, pédagogie « obstinément attachée à la méthode analytique et grammaticale, celle-là même dont nous tâchons en ce moment de secouer les entraves » ; cet enseignement trop « dogmatique » s'adresse « presque exclusivement à la mémoire, sans le concours du jugement ». Selon J. Barbezat, la leçon de langues vivantes, en France, a une toute autre allure[24], elle initie déjà les débutantes à la conversation ; alors que la méthode allemande est « technique, savante, dogmatique », celle des lycées français est « avant tout pratique et concrète ». Le modèle offert par le lycée Racine se retrouverait, selon Schweitzer, dans tous les établissements où l'enseignement des langues vivantes est confié à un personnel féminin ; les femmes, avec un mélange de modestie et d'esprit inventif, pratiquent la méthode dite « maternelle », la seule qui soit logique avec des commençants. Au reste, du début à la fin de l'enseignement, s'impose rapidement la « méthode directe »[25] : certains professeurs ont même devancé les instructions et la pratiquent dès le début de l'enseignement nouveau. La présence même d'étrangères, recrutées sans beaucoup d'entraves dans les premières années, la fréquence de longs séjours faits par les professeurs en Angleterre et en Allemagne, donnaient un caractère vivant à l'enseignement des langues. Cependant, les inspecteurs semblent s'être accommodés de professeurs qui ont persisté jusqu'à leur retraite à donner la plus grande partie de leur enseignement en français[26].

Le souci d'éviter les cadres tout faits, l'accumulation inutile du savoir avec l'encombrement de la mémoire, le didactisme, a présidé à la

---

23. « L'enseignement oral des langues vivantes dans les lycées de jeunes filles en France et en Allemagne », *RU*, t. II, 1892, p. 167-173.

24. « Après avoir fait à l'analyse grammaticale la part qui lui revient, nous abordons la conversation ... Toute formule nouvelle est couchée sur le papier, apprise par cœur ... La joie de dire en allemand ce qu'elles pensent, ce qu'elles voient, ce qu'elles font les réconcilie(nt) avec une étude aride à bien des égards. »

25. En 1905, l'inspecteur général Firmery s'indigne de trouver encore un professeur qui « prétend n'avoir jamais entendu parler ni de méthode directe, ni de modification dans les programmes ... Elle suit encore servilement les anciennes méthodes. Les exercices uniques de la classe sont la récitation du vocabulaire et des traductions » (AN, F 17 23609).

26. Au lendemain de la guerre, la méthode directe suscite moins de ferveur ; la directrice de Reims, en 1923, décrit ainsi l'un des professeurs : « Applique férocement la méthode directe, ne dit jamais un mot de français, ce qui est excessif, je trouve, et souvent très long » (F 17 23811).

confection des programmes d'histoire [27] et de géographie, qui gardent en 1897 la même allure que quinze ans plus tôt. Les cinq années d'études sont divisées en deux ensembles : « Trois années d'histoire du Moyen Age et d'histoire moderne, présentée surtout du point de vue des faits, et dont l'histoire nationale forme la substance essentielle ; deux années d'histoire de la civilisation ». Dans le premier cours, « aussi simple que possible », le professeur, « sous une forme concrète et vivante, présentera les grands auteurs de l'histoire, déroulera les grands événements ». Dans le second, « il tracera surtout de larges tableaux de la civilisation [28] à ses diverses époques, abordera les idées, fera comprendre les grands mouvements historiques » ; on lui accorde « une certaine indépendance » vis-à-vis du programme.

Si le texte des programmes de 1897 est plus long que celui de 1882, le contenu, là aussi, en est plus simple. Le professeur a la latitude de développer une partie beaucoup plus qu'une autre, qui sera évoquée alors par « un sommaire très court », afin de respecter le découpage en périodes que les programmes font coïncider avec des trimestres d'étude [29]. Les « troisième année » consacrent tout un trimestre, pendant deux heures par semaine, à la Révolution française ; le second est consacré à l'Empire, le troisième à la France contemporaine et aux grandes puissances européennes depuis 1815. Même auprès de ces élèves encore jeunes — elles ont en principe quatorze ans — l'histoire très contemporaine ne fait pas peur, puisque le libellé : « La Troisième République, la Constitution de 1875 », ne contient pas de date réellement limitative [30].

L'histoire est bien un instrument pour la formation des esprits, en

---

27. La commission a annexé l'histoire de l'art, non plus au dessin, mais à l'histoire. Le Conseil s'est contenté d'exprimer le vœu que là où se trouverait un professeur compétent, une place spéciale soit faite à l'histoire de l'art.

28. Lors de la première discussion sur les programmes, le 30 décembre 1881, Fustel de Coulanges s'était inquiété du mot « civilisation », « attendu, disait-il, qu'il n'a pas encore été exactement défini ». Il suggérait de le remplacer par « histoire de l'art ». Duruy lui répliquant que l'histoire de l'art était une « partie considérable sans doute, mais une partie seulement des événements qui se produisent chez tous les peuples », le mot « civilisation » fut maintenu, avec la promesse d'une circulaire explicative (F 17 3201).

29. Cependant, les horaires d'histoire et géographie, dans les deux premières années, ont été diminués d'une heure : c'est ainsi que les élèves de première année seront censées apprendre en une année, à raison d'une heure par semaine, l'histoire de France, des Gaulois à la mort d'Henri IV, avec quelques aperçus relatifs aux « temps forts » de l'histoire européenne durant la même période. Les programmes primitifs n'allaient en première année que jusqu'à la prise de Constantinople, en seconde année que jusqu'à 1715. Le programme de 1897 adopte le terme de 1789. « La période révolutionnaire et contemporaine, trop souvent mal connue, et à son terme l'intéressant tableau mi-historique, mi-géographique de l'état actuel du monde, pourront dès lors recevoir leur juste développement ».

30. Il est un seul point où cet auditoire féminin a droit à une véritable « histoire-batailles » : les batailles du 19e siècle où la France est engagée. Ainsi défilent Valmy, Marengo, Hohenlinden, « la guerre de 1870-1871 : les grandes batailles, la défense nationale », mais aussi les grandes batailles de l'Empire avec une mention spéciale pour les « grandes batailles de 1813 et de 1814 ». Du Second Empire même sont retenues les « grandes batailles des guerres de Crimée et d'Italie ». Le choix est doublement révélateur : ce sont des batailles victorieuses et elles ont été remportées sur des puissances jugées rétrogrades.

l'occurrence pour édifier *futuras virorum matres.* Quelle autre signification aurait, pour de toutes jeunes filles qui ne seront pas appelées à devenir des citoyennes, l'évocation par exemple des « grands orateurs parlementaires » de la Monarchie de Juillet ? Sans doute aussi les auteurs du programme ont-ils, là comme ailleurs, cédé à la facilité de mettre les programmes des lycées de garçons au féminin. En revanche, le programme de civilisation des deux dernières années, qui constitue un large survol des grands moments et grandes aires historiques, comme une manière d'évoquer les principaux problèmes contemporains, constitue une entreprise attachante dans son désir de se délivrer de la servitude trop étroite des chronologies [31]. C'est à ce moment que le professeur doit aborder « les idées » et faire comprendre les grands mouvements historiques.

Telle qu'elle avait été primitivement prévue, l'étude de la géographie tenait encore de la nomenclature. Les programmes de 1897 réduisaient le nombre de pays à étudier et ramenaient l'examen des autres aux traits essentiels. On voulait à la fois plus simple et plus concret [32]. Prévue en cinquième année par les programmes de 1882, l'étude de la géographie économique fut supprimée en 1897. L'arrêté du 30 juillet 1908 la rétablit sous la forme d'une heure annuelle, en quatrième, consacrée à la revue de la géographie physique et humaine générale. On était encore loin du vœu de Frary qui croyait voir dans la géographie l'un des substituts des langues anciennes. Comme dans les autres disciplines, l'énumération et la nomenclature étaient traquées en histoire naturelle. Surtout descriptif dans les deux premières années [33], l'enseignement devait prendre un caractère plus explicatif dans les trois suivantes, avec l'anatomie simplifiée et la physiologie [34].

Les principaux reproches de Camille Sée sur le contenu des programmes arrêtés par le Conseil en 1882 portaient sur les programmes de mathématiques, qu'il jugeait trop chargés. Sa propre rédaction, dans la proposition de loi, portait cependant « les sciences mathématiques,

---

31. Cette initiation à la civilisation contemporaine, assortie d'une mise au point sur les « Grandes questions actuelles de politique internationale » ne doit pas grand-chose, cependant, au vœu du législateur qui trouvait que l'histoire enseignée aux jeunes filles devait être « féminisée ». Si une tentative de ce genre est perceptible dans les conseils donnés pour dresser les programmes des classes élémentaires, il n'en est pas trace dans le programme des grandes classes.

32. En quatrième année, on ajoutait un cours semestriel consacré aux grandes explorations et à leurs résultats scientifiques. Les grands empires coloniaux étant étudiés en histoire, le contenu de ce cours semestriel risquait de verser dans l'anecdote ou la « prétention scientifique ». La transformation de 1908 visait à écarter ce péril.

33. Ainsi le cours de botanique devait commencer chaque année le 15 avril pour permettre l'étude des plantes vivantes, cela sur deux saisons. Les excursions étaient « conseillées ».

34. « A chaque partie de laquelle ont été rattachées comme applications les notions correspondantes d'hygiène ». En 1897, on supprimera le cours facultatif de cinquième année, et avec lui les notions de morphologie et de biologie comparées, jugées sans doute trop ambitieuses dans un ensemble qu'on voulait simplifier. Pourtant le programme de 1882 était déjà le résultat d'une simplification : le premier projet avait paru si démesuré à la section permanente qu'il avait fallu le refaire entièrement (AN, F 17 3213, séance du 18 juillet 1882).

physiques et naturelles », auxquelles le débat au Sénat avait substitué, plus modestement, « l'arithmétique, les éléments de la géométrie, de la chimie, de la physique et de l'histoire naturelle »[35]. L'addition de la cosmographie n'était qu'une concession à ceux qui auraient voulu l'étude de l'astronomie[36]. Comme le premier programme de sciences naturelles, les programmes de mathématiques et surtout de physique avaient soulevé un tollé dans une partie du Conseil supérieur de 1882[37] : ils étaient pourtant le fruit d'un remaniement déjà obtenu par la section permanente[38]. Bref, comme le faisait observer alors l'un des scientifiques de la commission, Béclard : « La commission a essayé de se tenir dans un juste milieu. Il est malaisé de donner satisfaction à la fois aux membres du Conseil qui trouvent que les programmes sont trop vastes et à ceux qui... trouvent qu'ils sont au contraire exténués et trop maigres »[39]. Le « juste milieu » si malaisé à trouver fut bien modéré pour les disciplines scientifiques : « C'est bien la culture littéraire qui domine largement, écrit un professeur du lycée Saint-Louis[40], puisque les sciences n'occupent que le quart des classes ». Si l'on tient compte, dans le total des horaires, des enseignements dits « accessoires », la couture, le dessin, la musique et la gymnastique, cette proportion n'est même pas atteinte[41]. La réforme de 1897 ne procéda qu'à des

35. Article IV, paragraphe 6. Une telle atténuation est bien dans la tradition qui veut pour les femmes un enseignement surtout littéraire et affiche de la méfiance pour les sciences dont l'étude est propre à leur « dessécher l'esprit ».

36. Encore le cours n'est-il que semestriel, en quatrième année. La présence si fréquente de la cosmographie dans les cours de jeunes filles au 19e siècle, alors que les études scientifiques y sont si élémentaires, d'ailleurs, pose un problème. En 1882, le cours est semestriel, en quatrième année.

37. Frémy s'effraie devant le programme de physique : « C'est un programme de baccalauréat ... Chacun préoccupé des intérêts de la science qu'il enseigne a mis non moins d'égoïsme que d'ardeur à rédiger un programme complet ». Son vœu d'un nouvel allégement en physique est pourtant repoussé par 12 voix contre 10. Mais Jules Simon obtient de Zévort l'assurance d'une circulaire : « Qu'il soit bien entendu que nous ne voulons pas faire des petites savantes, des petites physiciennes ». Le vieux philosophe ne dédaigne pas, même devant cet auditoire, l'argument des lycées de jeunes filles russes qui ont formé les nihilistes : « Il ne faut pas, conclut-il, qu'on puisse dire que cette chose aimable, ravissante, qu'on nomme une jeune fille, est devenue, à l'école et entre nos mains, un sot petit garçon » (AN, F 17 12964, Conseil supérieur, séance du 29 juillet 1882).

38. AN, F 17 12980, Section permanente, séance du 5 juillet 1882.

39. AN, F 17 12964, séance du 29 juillet 1882.

40. Alphonse Rebière, « Les mathématiques des jeunes filles », *ESJF*, juillet-décembre 1882, p. 306-313.

41. Voici les horaires aux termes des arrêtés des 16 juillet 1897 et 31 juillet 1908 :

	Total	Total sans les enseignements annexes	Horaires de sciences
Première année	20 h 1/2	14 h 1/2	3 h
Deuxième année	20 h 1/2	14 h 1/2	3 h
Troisième année	21 h	14 h 1/2	4 h
Quatrième année (y compris les cours facultatifs)	24 h 1/2	18 h	5 h
Cinquième année (y compris les cours facultatifs)...............	25 h 1/2	19 h	5 h 1/2

aménagements de détail : tous, ou presque, tendaient à l'allégement des programmes, des horaires, à des simplifications. Comme le faisait observer Rabier à la section permanente, les réductions portaient principalement sur l'enseignement scientifique[42]. Le temps et l'usage accentuaient, au lieu de l'atténuer, le déséquilibre, traditionnel dans l'éducation féminine, entre les disciplines littéraires et les disciplines scientifiques.

Traits spécifiques

La principale originalité de l'enseignement féminin ne réside pas dans l'adaptation des sciences enseignées aussi dans les lycées de garçons ni dans les retranchements qu'on a jugé bon d'y opérer. Elle repose à la fois sur l'existence d'une série d'enseignements « accessoires » auxquels on donne une importance inusitée dans l'enseignement de l'Etat, et sur l'intention qui anime l'ensemble : c'est œuvre d'éducation et non seulement d'instruction que se proposent les législateurs ; par-delà leurs divergences sur tel et tel point de pédagogie, cette intention fait leur unité profonde. Aussi une place à part doit-elle être réservée à la morale.

Les enseignements qu'on appelait tantôt « féminins », tantôt « accessoires », tout en récusant le caractère péjoratif de ce dernier terme, avaient une place de choix dans les programmes initiaux. Ils ne furent pas tous épargnés par la révision de 1897. Avec une heure et demie par semaine durant toute la scolarité[1], la gymnastique ne subit aucune réforme de fond ; mais elle devint facultative dans la deuxième période, ce qui équivalait, dans beaucoup de cas, à une suppression de fait. A vrai dire, cet enseignement n'avait pas toujours été bien accepté pour les jeunes filles, malgré l'argument de ses partisans qui voulaient assurer, par la santé des jeunes filles, l'« avenir de la race ». On en avait contesté l'utilité[2]. Au Conseil supérieur, Jules Simon et Paul Bert s'en étaient déclarés partisans[3] ; le programme avait été adopté sans discussions ; il était le même que celui des écoles normales de filles. Il ne

---

42. AN, F 17 12987, séance du 23 juin 1897.

---

1. Les programmes de 1882 stipulaient expressément que les exercices auraient lieu trois fois la semaine.

2. Chambre des députés, séance du 15 décembre 1879 (1re lecture). (Le président — Gambetta — donne lecture de l'article 6 où sont énumérées les matières du programme) : « ... 12° — La gymnastique *(rires ironiques à droite)*
M. le Président. Messieurs, si l'innovation vous paraît criticable, vous pouvez la combattre.
M. Louis Le Provost de Launay (Côtes-du-Nord). Elle est simplement ridicule *(rumeurs)* ». (L'article est adopté)

3. AN, F 17 3201, séance du 30 décembre 1881.

semble pas cependant que l'enseignement de la gymnastique se soit imposé partout avec un égal bonheur. Selon l'esprit de l'établissement et selon le professeur, les grandes élèves apportent toutes une dispense médicale : ainsi aux lycées de Lyon, de Roanne et de Saint-Etienne en 1897[4], tandis qu'à Toulouse et Montauban, à la même date, la gymnastique semble assez en faveur. Mais quelle gymnastique ? En 1913 encore, les lamentations du recteur Gérard-Varet, au reste professeur de médecine, sur la gymnastique telle qu'elle est pratiquée au lycée de jeunes filles de Bordeaux, laissent à penser que les conditions n'en sont pas toujours profitables : « La gymnastique de Mme N. est peut-être conforme au manuel, écrit-il ; elle n'en est pas moins absurde. Elle exigerait la chute du corset et le règne du maillot. Mais ce n'est pas la faute de Mme N. si les exercices de mouvements qu'elle dirige font mal à voir : on obtiendra plus vite le suffrage des femmes ... »[5]. En 1918, il ne craint pas d'affirmer : « La gymnastique est en réalité inexistante dans la plupart des établissements de jeunes filles »[6].

« On ne s'occupe pas assez du corps de l'enfant », remarque la Revue Camille Sée en 1909[7], qui évoque les enfants incapables de suivre la troisième classe du matin, refusant de jouer et de se remuer en récréation et devenant la proie de l'ennui. Le seul remède apparaît l'enseignement « réel » de la gymnastique.

C'est seulement plusieurs années après la première guerre mondiale que l'on se préoccupe d'exercices du corps autres que la gymnastique proprement dite, de jeux d'équipe, de compétition enfin : toutes choses inconnues dans les lycées de jeunes filles avant 1914.

Considérés comme absolument nécessaires dans une éducation féminine, les travaux à l'aiguille subirent une réduction d'horaire, en 1897, et devinrent, comme la gymnastique, facultatifs dans la deuxième période[8]. Le dessin et le solfège subissaient le même sort[9]. La tendance était visiblement de laisser aux familles le soin de ces enseignements ; la

---

4. AN, F 17 6828, Conseil académique de Lyon. L'inspecteur estime que c'est faute de cours de récréation séparées pour les grandes et les petites.

5. AN, F 17 24266, dossier Nicolas-Julia.

6. Quatre ans plus tard, un journaliste sportif porte le même jugement : le sport scolaire féminin est à peu près inexistant. (Francis Marton dans *L'Auto,* 5 janvier 1922).

7. *ESJF,* novembre 1909, p. 196-201, « La journée de nos élèves ». L'examen des règlements intérieurs aux établissements révèle beaucoup de lacunes sur l'hygiène corporelle. La plupart des internats de jeunes filles connaissaient le régime du bain de pieds hebdomadaire, comme dans les internats de garçons. A l'Ecole de Sèvres, jusqu'au début du siècle, la douche était considérée comme une prescription thérapeutique.

8. La décadence de cet enseignement préoccupait certaines directrices. A Guéret, en 1910, A. Caron désire une « maîtresse très compétente : il importe beaucoup, écrit-elle, ... de donner à la couture le niveau qu'elle doit avoir non seulement pour les enfants et le profit qu'elles en tirent, mais dans l'intérêt même du lycée et de son recrutement, lequel souffre de notre mauvaise réputation pour ce cours dit " accessoire " ». (AN, F 17 24304, dossier Grenier-Latour). On distingue ici le retard de la petite ville de province sur l'évolution qui se produit dans les grands centres et à Paris.

9. Il est vrai que les rédacteurs des nouveaux programmes spécifiaient que les deux heures hebdomadaires (au lieu de trois) attribuées à ces disciplines n'étaient qu'un minimum.

réduction des horaires, la liberté des après-midi les y aidait. C'est ainsi que la recherche de la « féminisation » de l'enseignement secondaire féminin aboutissait paradoxalement à un abandon partiel des disciplines « féminines ». L'intention qu'eut un moment le Conseil de supprimer tout à fait l'économie domestique des programmes confirme cet abandon. Comme l'observe G. Compayré [10], le Conseil « n'est pas allé pourtant jusqu'à la suppression complète d'un enseignement légal et obligatoire ; mais il l'a singulièrement restreint ».

Inscrit également dans la loi, l'enseignement du droit usuel est réduit lui aussi à la portion congrue. Le programme rédigé en 1882 par le doyen Beudant doit être « simplifié » ; il est enseigné en cinquième année, pour un cours seulement semestriel. Ainsi l'une des principales innovations pédagogiques du programme, dont l'introduction était due essentiellement à la formation personnelle de l'initiateur de la loi, disparaît-elle en fait. Il ne semble pas que cet enseignement ait eu un grand éclat dans les établissements de province où il était souvent, avec celui de la morale, le lot de la directrice. En revanche, il reçut un certain lustre dans les lycées de jeunes filles de Paris à partir de 1893 où il fut confié à la première Française docteur en droit, Jeanne Chauvin [11].

L'examen du programme de morale par le Conseil supérieur en 1882 [12] montre que les débats parlementaires étaient loin d'avoir épuisé la question :

> « Que signifie exactement *Rôle du sentiment religieux en morale* ? Loin de trouver dans ces quelques mots l'expression nette d'un devoir, M. Egger n'y peut voir que le programme d'une étude toute théorique, empruntée à l'histoire de la civilisation : le sentiment religieux qu'on doit regarder comme un élément essentiel de la morale, n'est plus là qu'un fait général sans autre portée que son existence...
> M. Marion ne croit pas qu'il soit possible d'établir que le sentiment religieux est un acteur nécessaire, une condition *sine qua non* de la vie morale ».

Le débat oppose une fois de plus ceux qui ne conçoivent pas la morale sans l'appui du sentiment religieux — leur porte-parole, l'abbé Guinand, appuyé par Egger, propose la rédaction : « Rapports de la morale et du sentiment religieux » — et ceux qui, avec Marion et Janet,

---

10. *L'enseignement secondaire des jeunes filles*, p. 58. Il ne reste plus de cet enseignement que douze conférences d'une heure en troisième année, conférences qui porteront également sur l'hygiène.

11. Née en 1862, bachelière ès sciences, licenciée ès lettres et philosophie en 1890, elle devint docteur en droit en 1892. Elle prépara en vain l'agrégation de philosophie. A force de ténacité, elle parvint à se faire inscrire au barreau de Paris en 1900 : ce fut la première avocate. Dès janvier 1893, appuyée par Léon Bourgeois, elle fut chargée de l'enseignement du droit dans les lycées de jeunes filles de Paris et remplit cette mission, semble-t-il, jusqu'à sa mort en 1927 (AN, F 17 23578, Dossier J. Chauvin). Elle fut l'une des grandes figures du féminisme à l'aube du 20ᵉ siècle. A Sèvres, Mme Jules Favre elle-même avait tenu à se réserver cet enseignement.

12. Séance du 21 juillet 1882 (AN, F 17 12964).

tiennent pour l'indépendance de la première vis-à-vis du second. Le Conseil finit par adopter le « texte du programme qui laisse au professeur la liberté de la solution » [13].

Le quatrième paragraphe du programme de quatrième année (Etude critique des grands systèmes de morale) fut le sujet de la plus vive discussion. Comme tout au long de l'examen des programmes, où Jules Simon s'est montré le porte-parole des plus conservateurs en matière d'enseignement féminin, le vieux philosophe s'indigne, en des termes bien révélateurs : « On en fera des ergoteuses, des discuteuses, des femmes ingouvernables ». Janet tient bon : « La doctrine de Kant sur le devoir est plus simple et plus accessible qu'on ne le croit d'ordinaire. Préparé par les leçons du christianisme, le plus simple enfant entend assez que la vertu est belle de sa beauté propre ... »

Mais reconnaissant qu'il faut se garder des formules du philosophe, que sa morale est trop sèche, on fera appel au sentiment. Les auteurs proposés par le projet à la méditation des professeurs et des élèves, Epictète, Marc-Aurèle, les moralistes français, disparaissent cependant. Là encore, on opte pour la liberté. A la suggestion de Bréal, une indication liminaire précise l'esprit qui devra dépouiller cet enseignement de sa sécheresse : « Le cours de morale ne sera pas fait uniquement sous forme didactique. Le professeur y mêlera de nombreux exemples et récits ».

Le caractère d'« enseignement pratique et familier » que devait revêtir la morale chez les jeunes filles fut accentué par la révision des programmes de 1897 [14]. Marion était mort depuis peu ; ce fut Darlu qui rédigea la note destinée à orienter le travail de la commission préparatoire du Conseil supérieur. Dans le programme de troisième année, les « rubriques abstraites » furent remplacées par des titres plus expressifs [15]. Surtout, en quatrième année, l'exposé critique des grands systèmes de morale fit place à la lecture et au commentaire des « plus belles pages des grands moralistes ». « Cette modification, écrit le rapport, était depuis longtemps demandée. Les meilleures parmi les

---

13. Dernier paragraphe du programme de troisième année : « Devoirs religieux et droits correspondants. Rôle du sentiment religieux en morale. Liberté des cultes. Les sanctions de la morale : rapports de la vertu et du bonheur. La vie future et Dieu ».

14. Vers 1895, peu avant le changement des programmes, le doute s'est insinué. En 1909, une agrégée évoque le premier programme de morale comme une vieillerie, complètement inconnue des jeunes professeurs (« Orientation de l'enseignement moral dans les lycées de jeunes filles », par M. Lévêque, agrégée de lettres, *RU*, t. I, 1909, p. 319-332). L'auteur se fait un plaisir de citer en exergue deux citations de Jules Simon : « Cette morale ne changera pas », 1880, et « Cette morale subira l'influence des modes » *(La femme au XXᵉ siècle)*. Ce vieux programme résultait du « désir d'utiliser au profit de l'Etat laïque et républicain l'influence morale des femmes jusqu'ici dans les mains de l'Eglise ». Mais M. Lévêque dégage bien ce qu'avait de contradictoire ce désir avec la préoccupation de « respecter pourtant leur conscience, de leur assurer le bénéfice des sentiments traditionnels » : il instituait dans les lycées de jeunes filles « le spiritualisme d'Etat ».

15. Ainsi : « Devoirs domestiques, devoirs civiques » font place à « La famille, la société, la patrie ». Au paragraphe des « devoirs religieux », resté sans changement par rapport à 1882, était ajoutée « la tolérance ».

maîtresses chargées de ce cours hésitaient à exposer des systèmes philosophiques dont elles n'ont souvent qu'une connaissance imparfaite, et s'effrayaient de présenter à des enfants tant d'idées d'apparence fausse ou paradoxale, tant de doctrines contradictoires. »

La révision de 1897 est bien dans la logique d'un enseignement que l'on a voulu dépouillé de toute prétention intellectuelle. En revanche, le Conseil manifeste le désir que l'enseignement de la morale soit le plus vivant, le plus incarné possible [16]. De là le vœu que les directrices se chargent elles-mêmes, « autant que possible », du cours de morale pratique [17].

Dans les rapports d'inspection générale, cet enseignement a laissé peu de traces, les inspecteurs — soit par inclination, soit par principe — ayant préféré inspecter les professeurs sur leurs spécialités respectives. Pourtant, certains professeurs ou directrices ont laissé, par leurs « cours de morale », un grand souvenir dans l'esprit de leurs élèves. C'était, comme on l'a souvent observé alors, affaire de rayonnement personnel. L'âge — quinze ans — où commençait le « cours de morale » semble avoir été particulièrement bien choisi, eu égard au degré de maturité auquel parvenaient alors les élèves ; il coïncidait à peu près avec les débuts de leur autonomie personnelle.

Pourtant, les jurys des différents concours émettaient souvent des doléances sur les épreuves de morale [18]. Mathilde Salomon et son entourage crurent y remédier en portant devant le Conseil supérieur, en 1898 [19], un vœu qui tendait à la création d'un cours suivi de philosophie pour les jeunes filles qui se destinaient au professorat de lettres dans les lycées et collèges. Il est remarquable que, tout en reconnaissant l'utilité de cet enseignement, la section permanente n'ait pas cru devoir adopter ce vœu. On invoqua surtout des raisons tactiques : les professeurs de Sèvres, consultés par Rabier, donnèrent un avis défavorable parce qu'on avait remanié l'année précédente les programmes de psychologie et de morale ; c'eût été se déjuger que d'y toucher encore. Les programmes des concours, de l'enseignement secondaire des jeunes filles lui-même,

---

16. « Ce cours, indique la note placée en tête du programme, doit se proposer de provoquer la réflexion, d'éclairer et de fortifier le sentiment, de développer le sens de la vie morale. Méthodique et suivi quant au fond, il sera varié de forme, entremêlé de lectures et de récits et animé par la part directe que les élèves seront invitées à y prendre ».

17. C'est en effet souvent sous la forme de l'enseignement moral que se fit la contribution, prévue par les règlements, de la directrice à l'enseignement de l'établissement.

18. Dans les premières années, le cours de Marion à la Sorbonne faisait autorité ; les candidates parisiennes se croyaient tenues d'indiquer qu'elles le suivaient. Les sujets étaient la plupart du temps des questions de cours, les manuels manquaient ; aussi la plupart des compositions étaient-elles des reproductions stéréotypées de l'unique cours de Marion. Les jurys décidèrent alors d'adopter des sujets qui faisaient plus directement appel à la réflexion personnelle. Mais les candidates, astreintes à la préparation d'un trop vaste programme, privées de toute formation philosophique, se contentèrent de négliger la préparation de l'épreuve : les résultats montrèrent à la fois leur manque de connaissances et de méthode.

19. AN, F 17 12987. Conseil supérieur, section permanente, 24 juin 1898.

avaient été remaniés ; il fallait éviter cette « fureur d'innovation »[20]. Mais le motif principal de leur refus était dans l'« esprit » même qu'ils voulaient voir triompher dans l'enseignement de la morale au lycée : ils souhaitaient que de plus en plus les leçons de morale fussent « des entretiens simples, touchants et pratiques, semblables aux instructions d'une mère à sa fille ». Ils ne se dissimulaient pas la difficulté de cet enseignement qui exigeait « la supériorité de l'âme et de la conscience ».

L'enseignement de la morale, dans les établissements de jeunes filles, continua donc d'être laissé au « cœur » plus qu'à l'esprit des professeurs. Parti pris révélateur de ce que l'Université pensait de l'enseignement féminin, comme de ce qu'elle lui demandait. La vieille distinction psychologique entre l'intelligence masculine, faisant appel à la raison, à cette « méthode » que M. Salomon aurait voulu voir communiquer aux jeunes filles, et l'intelligence féminine, chez laquelle l'intuition et la sensibilité sont censées remplacer la méthode, a joué son rôle. En outre, le modèle maternel est directement invoqué. Mais par-delà ces limitations imposées au *sexus sequior*, se révèle une exigence très élevée à l'égard des professeurs : ils ne leur est pas seulement demandé d'apporter à leur enseignement toutes leurs ressources intellectuelles, mais aussi le meilleur de leur âme. Toute la personne du professeur est impliquée dans l'enseignement secondaire féminin, elle est appelée tout entière à un dévouement presque religieux à l'œuvre d'éducation[21].

Comment cet enseignement considéré comme fondamental est-il dispensé en pratique aux jeunes filles ? Le rapport de Jules Gautier au conseil académique de Paris, en 1900, apporte des éléments de réponse[22].

« On vise à former le jugement, à donner à la femme le besoin de réfléchir avant de parler, de raisonner avant de se décider, on la met en garde contre l'emportement de l'imagination, contre la frivolité de l'esprit ; rien de tout cela ne menace son charme naturel. On lui apprend au contraire tout ce qui peut plus tard la retenir à son foyer, la détourner de l'oisiveté. » Tout l'enseignement féminin est réinterprété à la lumière de cet enseignement moral : « On lui donne le goût des travaux de son sexe : on lui enseigne les langues vivantes de façon à l'affranchir plus tard des gouvernantes allemandes et anglaises ; on lui apprend à goûter le charme réconfortant de notre littérature classique,

---

20. Ils estimaient aussi que l'enseignement à Sèvres ne s'y prêtait pas : la première année était « toute une éducation à refaire », les deux autres étaient consacrées à la préparation des concours.

21. « J'ai constate le dévouement des professeurs des lycées de garçons, écrit l'inspecteur d'académie de la Haute-Garonne, mais celui des dames professeurs a, me semble-t-il, quelque chose de plus délicat, de plus profond et de plus complet » (AN, F 17 6829, conseil académique de Toulouse, 1900).

22. *Ibid.*, conseil académique de Paris, 1900, rapports sur les lycées de jeunes filles.

excellent antidote contre les dangers de la littérature qui ne l'est pas ». Et de donner en exemple le lycée Lamartine : « La directrice s'est astreinte à organiser avec les plus grandes élèves des entretiens moraux sur des sujets très simples ... Avantages moraux de la suppression des places de quinzaine ... De la négligence habituelle ; La véritable obéissance ; Nécessité et beauté de l'ordre ».

Le ton est donné par les Sévriennes. Elles ont reçu, pour la plupart, l'empreinte à la fois stoïcienne et protestante de Mme Jules Favre :

> « L'idéal pédagogique des stoïciens, écrit-elle dans la conclusion de sa *Morale des stoïciens,* nous paraît être l'initiation à l'autonomie morale donnée à de futurs hommes par des maîtres qui sont hommes, c'est-à-dire maîtres d'eux-mêmes. Nous souhaitons que cet idéal soit de plus en plus celui de notre nation libre et démocratique, que le sentiment de la responsabilité morale, base de la vertu stoïque, doit préparer à toutes les autres responsabilités ».

La description de J. Gautier est confirmée par l'exemple d'une directrice d'élite qui fut l'une des premières élèves de Mme Jules Favre à Sèvres : à Versailles, L. Allégret groupait les internes selon leurs différents cultes, mais elle avait, avec une fraction d'entre elles, « des entretiens familiers de quelques instants, mettant à profit une lecture, un incident ». Le soir, les élèves étaient réunies pour « réfléchir en commun pendant quelques instants à ce qui ne peut diviser les honnêtes gens de tous les temps »[23]. C'est elle qui se chargeait des cours réguliers de morale en troisième et quatrième années, qui organisait pour les sixièmes des conférences ou des visites, notamment de Port-Royal. H. Guénot dégage bien l'esprit de son enseignement, donné

> « à propos de simples questions de morale pratique, ou de la lecture commentée de l'*Apologie de Socrate*, d'extraits du *Criton*, du *Phédon*, du *Manuel* d'Epictète, des *Pensées* de Marc-Aurèle ou des *Pensées* de Pascal. ... Sans doute, ajoute-t-elle, des esprits d'adultes auraient-ils découvert la doctrine qui inspirait l'éducatrice, la nature de la foi qui l'animait[24] ; mais celles qui l'écoutaient ... se sentaient gagnées seulement par l'enthousiasme, à ce Bien où se rejoignaient tous les systèmes entrevus ; elle suscitait le désir d'agir droitement, en laissant à chaque conscience le soin de choisir la forme et le but de cette action ; elle n'entraînait pas sur sa route, elle contribuait à en ouvrir d'autres, elle inspirait le besoin d'en tracer »[25].

---

23. H. Wurmser-Degouy, *Trois éducatrices modernes.* On reconnaît ici la définition de la morale donnée par J. Ferry.

24. C'était une protestante fervente.

25. H. Guénot, « Une éducatrice, Mlle Léonie Allégret » (notice nécrologique), *ESJF,* 1er juin 1928, p. 269-271.

Mais il s'agit d'une personnalité d'exception qui prolonge l'esprit des pionniers. A côté de cette conviction entraînante, quelques professeurs, dès la fin du siècle, osent émettre des doutes sur le cours de morale :

> « Mlle C., écrit Adrien Dupuy en 1897, ne fait pas de cours suivi de morale : elle se contente de mettre sous les yeux de ses élèves des extraits de moralistes. Elle prétend qu'il n'y a que des inconvénients à faire un cours régulier ... que lorsqu'elle réfute la morale de l'intérêt ... c'est le système réfuté et non la réfutation qui fait impression sur ces demoiselles
> ...
> Ce n'est d'ailleurs pas un cas isolé. Mlle C. (de Lamartine) vient d'exprimer par écrit les mêmes doutes sur l'efficacité de l'enseignement de la morale dans les lycées de jeunes filles.
> Je crois qu'il faudrait réagir contre cette tendance et mettre les professeurs en demeure de faire régulièrement ce cours indispensable » [26].

En 1909, l'enseignement de Jacob à Sèvres, soucieux d'une ouverture plus directe aux problèmes de la société contemporaine, a porté ses fruits. L'adaptation de la morale enseignée aux modes de penser du jour forme contraste avec le dogmatisme au moins implicite et l'individualisme des premières années :

> « Est-il nécessaire, écrit M. Lévêque, sous prétexte de préparer l'avenir et " l'entière destination de l'humanité " d'imprégner nos enfants — ces petites-bourgeoises — d'un socialisme peu sincère, d'un féminisme déplacé, d'un nietzschéisme de fantaisie ? Est-il avantageux qu'elles croient connaître Maeterlinck ou Emerson [27], et qu'elles parlent à quinze ans " de la vie héroïque " (sujet de devoir donné en quatrième année, 1908, dans un lycée de Paris) comme leurs aînées parlaient, vers 1890, des passions, ou de l'impératif catégorique ? » [28].

D'où la nostalgie d'un retour à la simplicité, et le souhait que les professeurs chargés d'enseigner la morale soient mieux préparés à leur mission, que l'enseignement moral fasse l'objet d'« un choix absolument individuel et motivé ». De tels propos, qui avaient le tort de venir du collège Sévigné au lieu de l'enseignement officiel, avaient peu de chances d'être véritablement reçus : une protestation, suivie d'une réponse, fut publiée dans *la Revue universitaire* [29]. Sans doute ces velléités de

---

26. Rapport du 20 juin 1897, AN, F 17 22661. Il s'agit du programme qui fut justement modifié la même année.

27. Il était l'un des maîtres à penser de Mme Jules Favre et de l'un des professeurs les plus réputés des lycées de Paris, Marie Dugard, qui lui a consacré un livre.

28. M. Lévêque, *loc. cit.*

29. C. Renauld, professeur au lycée de Tournon (*RU*, t. II, 1909, p. 25-35), observe que les rapports d'agrégation parlent surtout des mauvaises copies et que les copies de concours ne donnent pas une juste idée du développement intellectuel et moral d'une jeune fille. L'enseignement moral donné pendant la préparation est irréprochable...

modernisme n'allaient-elles pas bien loin, et ne dépassaient-elles pas un petit monde parisien. Ce qui a marqué durablement les lycées de jeunes filles, c'est bien plutôt cette morale telle que l'entrevoit C. Salomon en 1898 [30], telle que l'enseignaient Léonie Allégret ou Mathilde Salomon [31]. L'une était animée par une foi chrétienne, l'autre ne l'était pas, mais le résultat n'était pas fondamentalement différent : témoignages et écrits concordent pour montrer des éducatrices attachées à amener leurs élèves à l'autonomie de la conscience et à la sincérité envers les autres comme envers elles-mêmes. Quel que fût l'avenir des élèves, leurs professeurs leur avaient enseigné à être maîtresses d'elles-mêmes avant de songer à l'être « de l'univers ». Tout au plus peut-on observer que cette manière d'aborder la morale était particulièrement conforme au destin supposé des jeunes filles, nées pour la vie privée.

La place des classes élémentaires

L'âge minimum d'accès à l'enseignement secondaire féminin avait été fixé à douze ans, dès 1881. La loi était muette sur la formation qui précéderait : c'était une substantielle différence avec les lycées de garçons qui comprenaient des classes préparatoires où l'enseignement était uniforme, et, orienté déjà vers les classes secondaires, ne se confondait pas avec l'enseignement des écoles primaires. Le Conseil supérieur [1] vit s'affronter ceux qui voulaient, selon l'expression de Bréal, « s'emparer de bonne heure des enfants », tant pour des raisons de concurrence avec les établissements privés que pour des raisons plus précisément pédagogiques, et ceux qui, avec Duruy, voulaient voir les filles rester le plus longtemps possible auprès de leurs mères. Dans l'absence de classes préparatoires, Paul Bert voyait l'avantage de ne pas s'embarrasser de l'éducation religieuse : n'était-ce pas l'âge de la première communion ? Il croyait aussi éviter ce qui d'ailleurs se produisit en fait : un encombrement des classes élémentaires sans rapport avec les effectifs des classes secondaires, ce qui aurait pour effet

---

30. Charles Salomon, « A propos de la doctrine morale contenue dans *La Princesse de Clèves* » (*RU*, t. II, 1898, p. 1-12). *La Princesse de Clèves*, ou plutôt des extraits de ce livre, a été mise au programme de l'agrégation des jeunes filles. Selon Charles Salomon, la morale qui se dégage de ces pages montre « l'union possible de la Raison et de la Volonté » : « à côté de la morale stoïcienne, si restrictive ... et de la morale chrétienne, elle aussi volontairement bornée, en voici une purement laïque, issue de Descartes et des Précieuses... Elle ne bride aucune des énergies de l'âme, elle n'en incline aucune devant un principe invisible, mais aussi elle n'en lâche aucune à l'aveugle à travers la vie : la Raison veille et la « gloire » ! ».

31. Dans *A nos jeunes filles, lectures et leçons familières de morale*, 1ʳᵉ année, d'après le programme de l'enseignement supérieur des jeunes filles.

---

1. AN, F 17 3212. Conseil supérieur, section permanente, séance du 20 décembre 1881.

de détourner en partie l'institution de son but, peut-être, comme le craignait Zévort, de « dénaturer le caractère de l'enseignement ». La discussion au sein de la Section permanente eut pour résultat de dégager une majorité en faveur d'une sorte de cycle préparatoire de dix à douze ans [2], et plus généralement pour l'enseignement préparatoire. Le Conseil supérieur s'étant contenté de donner latitude de créer ces classes, ne se préoccupa aucunement des programmes qu'il faudrait y appliquer. L'arrêté du 28 juillet 1882 se contenta de laisser à la directrice et aux professeurs de chaque établissement, sous réserve de l'approbation du recteur, le soin de préparer les programmes des cours primaires éventuellement annexés à l'établissement.

> « La nécessité des classes élémentaires n'a pas besoin d'être démontrée, écrivait Gréard. Compter sur la famille pour y suppléer, c'est se faire illusion sur son impuissance et méconnaître l'objet même de la loi qui a été faite pour lui venir en aide ; serait-il juste et prudent de demander à l'enseignement libre un simple travail de dégrossissement pour des élèves destinées à lui être ultérieurement enlevées ? Quant aux établissements primaires proprement dits... cette organisation, en obligeant l'école à prendre des enfants qui ne seraient pas faites pour elle, lui serait aussi funeste qu'il serait funeste au lycée de recevoir des élèves qu'il n'aurait pas préparées » [3].

La doctrine officielle sur les classes élémentaires de lycée se trouve résumée dans ces quelques lignes. La justification fondamentale de leur existence est encore plus sociale que pédagogique. Ainsi se précise la nature de la différence que Gréard, et avec lui l'essentiel de l'Université, établit entre la nouvelle institution et l'enseignement primaire supérieur dont les programmes peuvent apparaître très voisins [4]. Gréard ne dissimule d'ailleurs pas l'analogie qui existe entre les deux : comment, sans une ressemblance profonde, s'expliquerait la facilité avec laquelle les élèves de l'enseignement secondaire féminin, non contentes de leurs diplômes propres, subissent les examens des brevets [5] ? Mais aussitôt

---

2. Le doyen Beudant, de la Faculté de droit, et avec lui Bréal et Gréard, y voyaient une sorte de compensation à la limitation à cinq années seulement du nouvel enseignement. Pourtant, lors de la séance du Conseil supérieur qui suivit, le ministre (Paul Bert) considéra que la question de l'enseignement préparatoire ne pouvait plus être mise en discussion, ayant été réglée, disait-il, par l'article 14 du décret du 28 juillet 1881. En fait, le libellé évoquait seulement une possibilité (« Des classes primaires ... pourront être annexées ... »).

3. O. Gréard, *L'enseignement secondaire des filles.*

4. Au point que des municipalités, des recteurs même, peu au fait de la doctrine qui est en train de s'élaborer à Paris, ont pu demander l'assimilation des deux enseignements : c'est ce qui s'est produit à Dijon, à Reims, à Saint-Etienne où les cours Duruy, repris à leur compte par les municipalités, s'étaient transformés en cours d'enseignement primaire supérieur sans en avoir le nom. Les cours de Lille, créés peu après, avaient le même caractère.

5. *L'enseignement secondaire des filles*, « Les programmes de l'enseignement primaire supérieur des filles tel qu'on le conçoit aujourd'hui, et ceux de l'enseignement secondaire, tels que les détermine la loi du 21 décembre 1880, ont, au fond, de nombreux rapports ».

après, il fonde la distinction entre les deux programmes et régimes d'études par les procédés qu'il convient d'appliquer dans l'un et l'autre cas, « en raison de la différence de la clientèle à laquelle ils s'adressent ». Etudes « de résultats immédiats et d'applications utiles », les études primaires s'opposent aux études secondaires qui sont « plus ou moins des études de loisir », et, par conséquent, peuvent être « à longue portée ». Il serait alors loisible de s'interroger sur la « longue portée » d'une scolarité restreinte à cinq, voire trois ans. Mais Gréard lève aussitôt toute équivoque : « Il s'agit avant tout, ajoute-t-il, de préparer la jeune fille à la condition sociale dans laquelle elle est appelée à vivre ». L'enseignement qu'elle reçoit ne retire donc pas sa signification principale du contenu qui le constitue, mais des fins sociales qu'on lui assigne.

Les classes élémentaires des lycées de jeunes filles, imitant en cela celles des lycées de garçons, reçoivent donc d'emblée une triple fonction : la première, toute utilitaire, est d'assurer le recrutement de l'établissement. Presque tout le monde s'accorde à en reconnaître la nécessité à cet égard [6]. L'administration trouvait grand avantage à faire figurer dans ses statistiques le nombre total des élèves du lycée, y compris dans les classes primaires : à certaines époques, notamment à Paris, dans les lycées de Rouen et du Havre, et dans quelques collèges, les élèves des classes préparatoires étaient plus nombreuses que les élèves du secondaire proprement dit [7]. La seconde fonction était de préparer pédagogiquement, à la fois par la spécificité de certaines matières enseignées et par la manière dont se faisait l'enseignement, l'accès des élèves au secondaire : on cultivait en somme leur « différence » d'avec les élèves de l'école communale. Ce fut la fonction la moins bien définie et la plus contestée dans l'exécution [8]. Enfin et en dernier lieu, les classes primaires avaient pour rôle d'enlever à l'enseignement primaire des élèves dont on estimait qu'elles n'étaient pas faites pour lui : telle est bien la pensée de Gréard.

Cependant, le rapporteur de 1882 précisait : « Les classes primaires *pourront* être annexées, mais elles ne le seront pas nécessairement ». Le Conseil supérieur jugea inutile d'organiser l'enseignement dans les classes préparatoires. Cette omission fut par la suite jugée sévèrement car les classes primaires s'ouvrirent à peu près partout, mais furent privées de direction générale. Toutefois, comme la loi prévoyait, pour l'entrée dans les établissements secondaires, un examen d'entrée, cet

---

6. « Un lycée sans classes élémentaires, écrit Gréard, serait un édifice sans fondements ».

7. Dans son rapport à la Commission extra-parlementaire de 1907, Mme Armagnat évalue aux deux cinquièmes de la population totale des lycées et collèges le nombre des élèves des classes préparatoires. Ce nombre, à la même date, atteint 49 % à Marseille, 50 % aux lycées Molière et Lamartine, 56 % au Havre (AN, F 17 12748).

8. Cf. dans la IIIe partie, le paragraphe relatif aux maîtresses primaires.

examen supposait un programme. Aux termes de l'arrêté du 28 juillet 1882, l'examen d'entrée en première année secondaire devait porter « sur les matières du cours moyen de l'enseignement primaire obligatoire ». Les cours pouvaient donc être différents de ceux de l'école primaire, l'aboutissement était le même. Il fallait, en effet, sauvegarder les chances de toutes celles — et le Conseil pensait alors qu'elles seraient la majorité — qui faisaient leurs études jusqu'à 12 ans « soit dans leurs familles, soit dans les écoles primaires, soit dans les institutions libres ».

· Pas plus que celle de 1882, la commission du Conseil supérieur de 1897 ne se chargea d'élaborer des programmes pour les classes primaires, tout en constatant que celles-ci avaient eu plus de succès que prévu. La « diversité des milieux », selon Bernès, invitait à la souplesse : là encore, les lycées de garçons avaient donné l'exemple. Cependant, l'administration, annonçait le rapporteur, mettait à l'étude un programme modèle. D'autre part, les précisions apportées sur le point d'où partait, dans chaque matière, le programme des classes proprement secondaires déterminaient le contenu de l'enseignement à donner dans les années précédentes :

> « La méthode que nous recommandons pour les exercices de dictée suppose évidemment qu'une méthode analogue ait été suivie dès le début : c'est affaire d'entente entre les professeurs. Nos programmes de langues vivantes impliquent que, dans les années préparatoires, les élèves aient été exercées au maniement de la langue étrangère et amenées, pour la grammaire, au seuil d'une étude méthodique de la syntaxe. Enfin, en ajournant jusqu'à la quatrième année secondaire la première mention de l'histoire ancienne, grecque et romaine, dont une connaissance sommaire est indispensable pour l'intelligence des littératures, nous supposons qu'un cours rapide portant sur les mythologies, les légendes, l'histoire traditionnelle des grands peuples anciens trouvera place, à l'avenir, dans le programme des classes élémentaires ».

De fait, les programmes modèles[9], établis pour les quatre années primaires — classes enfantines, de huit à neuf ans, première, deuxième et troisième année primaires, de neuf à douze ans — prévoyaient dès la classe enfantine deux heures et demie par semaine de langue vivante[10]. En troisième année, l'heure hebdomadaire d'histoire était consacrée à l'Antiquité. Une telle conception des classes primaires suggérait une extension déguisée d'un enseignement secondaire que l'expérience avait montré trop court. Il semble que, dans les meilleurs établissements — lycées parisiens, lycées des grandes villes de province — il en fut ainsi. Les maîtresses y étaient souvent des certifiées, à égalité de qualification

---

9. Annexés à la circulaire du 30 août 1897.

10. On reconnaît ici l'influence de Mathilde Salomon, adepte de l'enseignement des langues vivantes dès les petites classes.

avec les chargées de cours, avec les professeurs de collège. La césure n'était donc pas nette entre les classes primaires et les classes secondaires. A vrai dire, établir trop de distinctions entre l'enseignement des certifiées et des brevetées, entre l'enseignement primaire des lycées et celui des collèges serait hasardeux. Du moins jusqu'à la guerre, le principal souci n'a pas été de créer des méthodes pédagogiques originales dans les classes préparatoires, mais de donner de « bonnes » maîtresses aux enfants. Dans les rapports d'inspection, la notion d'« enseignement vieilli », « mécanique » ou « routinier », si fréquente à partir de 1920, l'est moins avant cette date[11]. Le critère de la réussite d'une maîtresse primaire, pour l'inspection générale, c'est bien entendu le niveau d'instruction des enfants, mais tout autant la popularité auprès des enfants et des mères. Une appréciation d'Adrien Dupuy, datée de 1901, résume ce qu'on apprécie chez une maîtresse primaire : « Le double mérite de faire très bien sa classe et de contribuer par ses relations étendues au recrutement du collège. Ses fillettes l'adorent et cela dit tout »[12]. La considération du recrutement de l'établissement a donc été primordiale.

Parmi les considérations secondaires, venait l'originalité de la pédagogie. Le fait que les maîtresses, pour la majorité des établissements, soient venues de l'enseignement primaire peut conduire à penser que cette originalité était limitée. En fait, dès qu'elles étaient entrées dans l'enseignement secondaire, elles avaient à enseigner un programme un peu différent, du moins dans son esprit, de celui des écoles primaires. Elles avaient des élèves différentes et, surtout, elles étaient soumises à un contrôle d'un tout autre type que celui de l'enseignement primaire : comme les professeurs de l'enseignement secondaire proprement dit, elles recevaient la visite des inspecteurs généraux, des inspecteurs d'académie, parfois des recteurs ; la directrice venait souvent dans leur classe et les conseillait. Les maîtresses primaires ne pouvaient donc pas avoir le sentiment d'être adjointes artificiellement à l'établissement : elles étaient vraiment intégrées à un autre ensemble éducatif que leur corps d'origine. Il semble que, pour les meilleures du moins, cette situation ait abouti à plus de liberté et plus d'initiative pour les élèves. Moins livresque, l'enseignement cherchait à être actif, à faire

---

11. Sans toutefois être absente. Ainsi, en 1888, la directrice du lycée Racine suggère-t-elle, dans ces termes, la disgrâce d'une institutrice qui ne réussit pas : « L'attitude, les intonations, la parole haute, brève et sèche de Mlle L., la nature de son enseignement, qui s'attache plus à développer la mémoire qu'à former le jugement ne me paraissent pas convenir à un lycée de jeunes filles » (F 17 22958, dossier S. Lequesne).

12. AN, F 17 24394, dossier A. Mahieu, institutrice au collège de Caen. En revanche, voici dans quels termes, en 1898, Ernest Dupuy juge une maîtresse qui n'a pas réussi au lycée de Mâcon : « Les carnets sont peu soignés, les élèves sont peu avancées en grammaire. Elles calculent médiocrement ... Mlle C. n'aime pas assez les enfants pour les stimuler heureusement ; elle garde avec ces fillettes une manière sèche et chagrine ... » (F 17 22798, dossier M. A. Clerc). Elle sera réintégrée dans l'enseignement primaire, après quinze ans passés dans l'enseignement secondaire.

appel à la réflexion des enfants plus qu'à leur mémoire [13]. Il est certain que les lycées de jeunes filles connurent quelques incontestables réussites à cet égard, mais un obstacle au moins, en plus de l'origine des maîtresses, est venu s'opposer à la réussite en profondeur de cet effort éducatif. Ce fut le succès même que remportèrent les classes élémentaires des lycées et collèges : à la veille de la guerre — elles le sont parfois bien avant —, ces classes sont surpeuplées [14].

A partir du moment où les classes élementaires sont ainsi envahies, le souci du recrutement s'estompe. La maîtresse primaire perd alors de son importance aux yeux de l'administration et la pédagogie en regagne. C'est, comme en tant d'autres domaines de l'enseignement secondaire féminin, la dernière décennie avant la guerre qui marque le tournant. La modification dans le rythme du recrutement n'est pas la seule cause : dans les jugements portés sur l'enseignement des maîtresses, peut se percevoir une mutation dans la pédagogie de l'enfant qui annonce les « méthodes concrètes », l'enseignement vivant tant prôné au lendemain de la première guerre mondiale. C'est dans cette période que se produit, dans le monde universitaire officiel, le mouvement en faveur de l'adaptation en France des Kindergarten, de la méthode Froebel, « culture de l'enfant fondée sur sa vraie nature et en conformité avec son vrai milieu » [15]. Sans doute Froebel n'est-il pas auparavant un inconnu dans le monde universitaire, il inspire par exemple le programme des travaux manuels. Mais l'orientation générale restait en quelque sorte « savante ». Le souci de développer la personnalité de l'enfant cédait encore à celui de lui communiquer un certain nombre de connaissances jugées indispensables pour aborder l'enseignement secondaire.

Les classes élémentaires n'ont donc pas de véritable autonomie à l'intérieur de l'enseignement secondaire féminin. Leur dépendance, le fait qu'elles aient été si constamment peuplées, l'âge des plus grandes

---

13. Ce que les inspecteurs généraux critiquent chez les institutrices des lycées, c'est que parfois elles font réciter mot à mot, s'attachent au « par cœur ». Ainsi Morel en 1900, au lycée de Nice (AN, F 17 22082, dossier Perreau-Harrissard). En 1908, Hémon reproche à une institutrice au lycée d'Aix d'être « trop primaire » parce qu'elle fait une dictée du seul point de vue de l'orthographe (AN, F 17 24105, dossier Roure-Baille).

14. La situation s'aggrave avec la grande croissance consécutive à la fermeture des établissements congréganistes. Ainsi la classe enfantine du lycée Racine a-t-elle 38 élèves en 1907 (AN, F 17 24178, dossier Lebeau), celle du lycée d'Agen 40 enfants de quatre à sept ans en 1912 (F 17 24134, dossier Dordé). En 1905, la meilleure institutrice du lycée de Nice doit prendre un congé. Elle est surmenée par la présence dans sa classe de 40 élèves, « la plupart venues des établissements congréganistes » (F 17 23785, dossier Meyrac-Brunet). La classe enfantine du collège de Valenciennes a 37 élèves en 1906. On la dédouble. Mais la classe qui provient de ce dédoublement compte 46 élèves présentes lors d'une inspection en 1908. Quel que soit le zèle de l'institutrice, la classe ne peut être qu'une garderie. (AN, F 17 23746, dossier Caudmont-Willerval).

15. *La Revue universiatire* (t. II, 1910, p. 326-327) reprend un article d'A. Fanta dans *le Bulletin de l'Association des élèves de Sèvres* de juillet 1910, qui recommande, « en particulier dans les établissements de jeunes filles », la création de jardins d'enfants qui se ferait facilement, pense-t-elle, par le dédoublement de la classe enfantine.

élèves et aussi l'avenir qui leur était promis lors de la réforme qui assimila l'enseignement féminin à son homologue masculin, invitent à suggérer que les classes élémentaires des lycées ont rempli une quatrième fonction. Dans un enseignement pour lequel cinq années de scolarité apparaissaient visiblement trop courtes pour qu'il pût donner sa pleine mesure, la dernière au moins des classes préparatoires permettait un subreptice allongement des études secondaires féminines. Au reste, quand il a fallu donner à celles-ci la même durée que dans l'enseignement masculin, la classe élémentaire la plus élevée devint la sixième, l'ancienne première année secondaire prit le nom de cinquième. Ainsi se trouvait reconnu un état de fait qui devait être, dans les lycées de jeunes filles, nettement antérieur.

La place des examens

Quel que fût le contenu de l'enseignement dispensé aux jeunes filles dans les lycées et collèges, le problème le plus redoutable qu'eurent à affronter ces établissements était ailleurs. Il était moins dans la nature du recrutement, qui ne fut pas exactement ce qu'avait rêvé le législateur, que dans les exigences contradictoires qui écartelaient l'enseignement secondaire féminin et nuisaient soit au recrutement, soit au fonctionnement des établissements. Ceux-ci, créés pour les jeunes filles de la bourgeoisie destinées au mariage et à la vie de famille, avaient été dotés d'un système d'examens qui n'avaient aucune sanction : c'est à peine si le diplôme ouvrait la seule carrière de l'enseignement secondaire des jeunes filles. Dans le domaine de la théorie, la cohérence était parfaite entre la clientèle potentielle et la finalité désintéressée des études. Mais dans la réalité, la bourgeoisie aisée n'était pas venue seule remplir les lycées, à plus forte raison les collèges. Il fallait compter de toute manière avec les boursières, venues là dans l'intention d'acquérir les moyens de gagner leur vie, c'est-à-dire les brevets leur permettant de devenir institutrices[1]. Dans certains établissements de province, même, les élèves des couches populaires ou de la toute petite bourgeoisie venaient dans les classes primaires, abandonnaient ensuite, après avoir à peine acquis un vernis d'études et d'esprit réputés secondaires, au bout de deux ou trois années de scolarité[2].

---

1. « Pour la première fois ..., écrit la directrice du lycée de Grenoble en 1892 (l'établissement, devenu lycée en 1891, a été ouvert en avril 1882), nous avons en cinquième année des jeunes filles qui ne se destinent pas à l'enseignement et qui veulent obtenir le diplôme de fin d'études dans un but absolument désintéressé. » Mais elles ne sont que six en tout sur 181 élèves dont 102 dans les classes primaires (AD, Isère, T 631).

2. Ainsi au collège d'Epernay : « Les classes primaires sont bien plus fréquentées que les classes secondaires, à cause du milieu peu fortuné où nous recrutons nos élèves. On ne poursuit pas, et sans la

La tentation peut être alors de deux ordres. Ou bien le chef d'établissement recherche à tout prix une autre clientèle. Son souci de sélection peut le mener à des maladresses, voire des injustices, mais il a le sentiment, fondé sur la nature même des institutions, de travailler dans l'esprit de la loi. Ou alors, et c'est le cas le plus courant, il se résigne à aller dans le sens de son public et il organise la préparation des brevets. L'institution risque alors de perdre son identité. Les administrateurs, vers 1900, ont été très conscients de ce dernier péril, difficilement évitable. Les élèves qui poursuivent les brevets sont souvent des boursières municipales, placées dans l'établissement en vertu du traité passé entre l'Etat et la ville [3]. De toute manière, elles ont des visées professionnelles. Les directrices sont alors partagées entre leurs efforts pour ne pas détourner leur établissement de ses fins premières en se donnant pour fin principale la préparation aux brevets, et la préoccupation de ne pas laisser s'engager les candidates sur la voie trop encombrée de l'enseignement secondaire féminin, si elles s'en tiennent à l'octroi des seuls diplômes prévus par la loi [4].

Comment trancher ? Dans les petits établissements, la nature de la clientèle impose la préparation des brevets. Mais il serait exagéré d'établir trop de distinctions entre les élèves des petits collèges de province et celles des grands lycées : vers 1900 encore, elles peuvent avoir même origine et même destination. Ainsi le lycée Victor-Hugo [5], au Marais, attire une « clientèle de fortune moyenne » qui hésite aux sacrifices. La directrice, L. Küss, montre toute la souplesse dont il faut faire preuve ; elle estime qu'il est possible de concilier toutes les exigences. Les tarifs, pense-t-elle, devraient être modérés pour ne pas décourager les parents. Elle ne se dissimule pas que l'absence de toute sanction aux diplômes de l'enseignement secondaire féminin est une cause d'infériorité. Le chef d'établissement doit s'efforcer de désabuser les familles qui voient dans les brevets un possible gagne-pain ; si la persuasion est trop difficile, le lycée, selon L. Küss, doit assurer la

---

préparation aux brevets nous n'aurions plus d'élèves après la deuxième année ... Bref, nos collèges deviennent, à notre grand regret, des sortes d'écoles primaires supérieures » (AN, F 17 6829, conseil académique de Paris, rapport de l'inspecteur d'académie Payot sur les établissements de la Marne, 1900).

3. Le collège de Morlaix est à peine ouvert depuis deux ans que la directrice se plaint des boursières de la ville. Elles sont « déjà assez âgées et mal préparées à suivre les classes secondaires » (ibid., conseil académique de Rennes, 1900). En 1899, écrit-on au conseil académique de Poitiers, à propos des cours secondaires d'Angoulême, « les municipalités donnent trop facilement la gratuité à des jeunes filles qui considèrent les cours secondaires comme des études primaires et qui n'ont en vue que la préparation des brevets de capacité » (AN, F 17 6828).

4. En 1897, au collège de Vitry, on enregistre la défection de grandes élèves qui préparaient les brevets : « L'enseignement secondaire devenant très difficilement accessible, la direction ne pouvait guère les pousser dans une voie sans issue (ibid.).

5. Ouvert en 1895, il a 173 élèves en 1900 (AN, F 17 6829, conseil académique de Paris, Rapport sur les lycées parisiens).

préparation aux brevets[6]. Mais, ce faisant, l'établissement doit sauvegarder « l'esprit de notre enseignement ».

La question est en définitive affaire d'équilibre et, ce que ne dit pas la directrice de Victor-Hugo, affaire de personnel à la fois qualifié et suffisant en nombre. Car cette tâche qu'elle estime si aisée à mener paraît presque insurmontable dans divers collèges de province. A Epernay, « pour ne pas abdiquer » devant le vœu des familles, on a adopté le principe de ne jamais présenter une élève au brevet supérieur avant qu'elle n'ait réussi d'abord son diplôme de fin d'études, d'où un « surmenage déplorable ». Même attitude au lycée Sévigné, à Charleville, où l'engouement pour le brevet élémentaire « plus ancien, plus connu » que le certificat d'études secondaires et « décerné en public », entraîne beaucoup de complications[7]. Les deux ordres d'enseignement se nuisent visiblement. Aussi le vœu apparaît-il dès le lendemain des premières fondations[8] d'une réforme du diplôme et du certificat. Ils seraient publics comme le baccalauréat ; on souhaite en outre qu'ils soient munis des sanctions qui font tout le prix des brevets primaires. Ce vœu encore timide rejoint celui des cours secondaires qui, eux aussi, ont à se plaindre de la gêne et du trouble apporté par la préparation des brevets. Ils souhaitent que leurs élèves accèdent elles aussi au diplôme, sans prendre garde que le diplôme lui-même subit la concurrence victorieuse du brevet supérieur[9].

---

6. « Il ne me paraît nullement impossible, ajoute-t-elle, de mener à bien, dans un lycée ou dans un collège, la préparation aux brevets primaires quand les familles la désirent ». C'est une « question de mesure et d'organisation ».

7. « Comme le programme de cet examen ne correspond ni à celui de la troisième année, ni à celui de la quatrième, il a fallu user d'accommodements, mêler souvent ces classes, autoriser des élèves inscrites en troisième année, par exemple, à suivre des cours d'arithmétique de la quatrième, puisque la troisième ne fait que de la géométrie, et réciproquement des élèves ayant déjà leur certificat d'études secondaires revoient la géographie de la France avec la troisième, puisqu'en quatrième le cours de géographie est remplacé par un cours de cosmographie ». De plus, les maîtresses répétitrices donnent des leçons spéciales pour les brevets le jeudi et le dimanche (F 17 6828, conseil académique de Lille, 1897).

8. Il est formulé, entre autres, par la directrice du lycée de Brest qui constate que plus de la moitié de ses élèves ont recherché les brevets primaires (ibid., conseil académique de Rennes).

9. « Avant tout, écrit l'inspecteur de la Nièvre à propos des cours de Nevers, ce que les familles désirent et ce que les étudiantes recherchent, c'est un diplôme. Pourquoi maintenir dans les règlements une disposition aussi peu libérale qui ne peut que nuire au développement de l'enseignement secondaire des jeunes filles et ne pas admettre les élèves des cours secondaires à donner à leurs études la même sanction que leurs compagnes des lycées et collèges » (ibid.). Dès novembre 1886, le délégué des collèges au Conseil supérieur, Fournier, avait émis le vœu qu'il fût institué, pour les élèves des cours secondaires, des examens pour leur permettre d'obtenir des certificats d'études et des diplômes identiques à ceux qui étaient délivrés dans les lycées et collèges féminins. Il y voit une question de clientèle à conserver : les jeunes filles voulant des brevets vont aux établissements qui leur en garantissent la préparation, c'est-à-dire les maisons congréganistes. Il en serait tout autrement, pense-t-il, si les cours secondaires avaient le droit de délivrer les diplômes. Zévort rappelle que la loi réserve exclusivement aux lycées et collèges de jeunes filles le droit de donner les diplômes, « disposition qui est certainement contraire au principe de la liberté de l'enseignement ». Au reste, en 1886, les cours ont mauvaise presse, ils sont considérés comme « essentiellement temporaires », il n'est pas question d'en créer d'autres. Le vœu reste donc, malgré les regrets de Bréal, lettre morte (F 17 12982, Conseil supérieur de l'Instruction publique, section permanente).

« La loi, écrit Camille Sée en 1905, a été si bien méconnue que ceux mêmes qui sont chargés de veiller à son exécution ne trouvent pas d'argument meilleur pour vanter le mérite d'un lycée que de citer le nombre de ses élèves reçues aux brevets primaires [10]. » L'enseignement secondaire féminin ne serait-il qu'un avatar méconnu de l'enseignement primaire supérieur ? Pourtant, l'esprit, la finalité, ce qu'on peut savoir des méthodes sont tout autres. Il est même un signe d'une évolution opposée vers une exigence scientifique plus rigoureuse à l'égard des professeurs : c'est la réforme des agrégations en 1894. Réclamée dès l'origine par les professeurs de Sèvres, la division de chacune des deux agrégations, lettres et sciences [11], en deux sections correspond à une élévation du niveau chez les professeurs femmes, comme à un allégement de certains aspects de la préparation. Une circulaire, pourtant, vient limiter la portée de cette réforme en précisant qu'elle ne ne doit pas être préjudiciable au caractère de l'enseignement tel qu'il a été prévu à l'origine dans les établissements de jeunes filles [12] :

> « La commission chargée de préparer le projet d'arrêté, le Comité consultatif de l'enseignement secondaire [13], la Section permanente et le Conseil supérieur, qui en ont délibéré, ont été, pour ainsi dire, unanimes à penser que le morcellement de l'enseignement des jeunes filles dès la première année du cours d'études engagerait cet enseignement dans une fausse voie, en dénaturerait bientôt le caractère et le mettrait gravement en péril ».

---

10. *ESJF*, mars 1905, p. 97. Camille Sée fait même allusion à un projet de fusion entre les écoles de Fontenay et de Sèvres, résultant de la ressemblance exagérée à plaisir entre les deux enseignements.

11. A côté de l'agrégation des lettres proprement dite, était créée une agrégation d'histoire ; l'agrégation des sciences était scindée en agrégation de mathématiques et agrégation de sciences physiques et naturelles. Les aspirantes des deux sections gardent des épreuves communes : une composition sur un sujet de morale et d'éducation (4 h) et une version de langue vivante (2 h). Les épreuves spéciales sont respectivement une composition sur un sujet de littérature (4 h) et une composition sur un sujet d'histoire (4 h). A l'oral, demeure une épreuve commune de langue vivante (20 m) ; en lettres, les candidates doivent faire une lecture expliquée, une leçon de morale et un exposé sur une question de langue ou de grammaire. Les historiennes font une leçon d'histoire préparée en 3 heures, sans autre secours qu'une chronologie, et une leçon de géographie dans les mêmes conditions, sans autre secours qu'un atlas.

12. 17 août 1894. « Il a été entendu, de la manière la plus expresse, que cette division ne devrait pas avoir pour conséquence d'établir une scission complète entre les enseignements correspondant aux sections de chaque agrégation, et de limiter les pouvoirs de l'Administration en ce qui concerne l'attribution des services aux agrégées. Il a été, au contraire, formellement spécifié que les maîtresses pourvues, dans l'ordre des sciences, de l'une ou de l'autre spécialité, ne pourraient pas se refuser à enseigner les sciences mathématiques si elles étaient agrégées des sciences physiques et naturelles, ou réciproquement ; que les agrégées des lettres (section historique) ne seraient pas dispensées, à l'occasion, d'enseigner le français, les agrégées de la section littéraire pouvant également être chargées d'un cours d'histoire et de géographie.

13. Reconstitué par le décret du 11 mai 1880, le comité consultatif de l'enseignement public est divisé en trois sections, correspondant aux trois ordres d'enseignement. La section de l'enseignement secondaire se compose d'inspecteurs généraux de l'enseignement secondaire, d'inspecteurs généraux des langues vivantes, du vice-recteur de l'Académie de Paris, du directeur de l'Ecole normale supérieure, du directeur de l'enseignement secondaire. Peuvent être appelés à siéger les membres de l'Institut, les présidents des jurys d'agrégation, les inspecteurs d'académie ayant rempli durant l'année les fonctions d'inspection générale. « La section délibère, dit le décret, sur toutes les questions relatives au personnel et aux promotions qui lui sont soumises par le ministre. »

L'administration s'engage donc à maintenir « autant que possible, l'unité de direction dans les classes inférieures à la quatrième année secondaire », le professeur de lettres restant chargé de l'enseignement littéraire, quelle que soit sa spécialité ; de même pour les sciences. De fait, dans beaucoup d'établissements de province, lorsqu'il n'existait pas de sixième année et que les classes n'étaient pas dédoublées, il aurait été difficile de trouver un service complet de seize heures pour un professeur qui n'aurait enseigné que l'histoire et la géographie, par exemple. Aussi les prescriptions du ministère semblent-elles avoir été bien suivies pour les lettres, en province du moins, jusqu'à la guerre de 1914 et du moins pour la première « période » de l'enseignement secondaire féminin. La spécialisation, en effet, ne touchait que les agrégées. Le certificat restait une épreuve générale qui couvrait tout l'enseignement littéraire ou scientifique : aucune chargée de cours n'était donc fondée à demander un service conforme à sa spécialisation qui ne pouvait être attestée, au mieux, que par une admissibilité à l'agrégation correspondante.

Il est donc possible de conclure que les organisateurs de l'enseignement féminin, malgré leurs efforts, n'ont pas pu maintenir un système d'examens et de concours qui fût parfaitement en harmonie avec l'esprit de cet enseignement tel qu'ils le voyaient. L'attachement au diplôme, que le législateur avait cru être avant tout une machine de guerre contre l'enseignement congréganiste, s'est révélé en fin de compte la principale faiblesse de l'institution. Privés par la loi de la possibilité de préparer les élèves au baccalauréat, souffrant de la concurrence de l'enseignement primaire dont les brevets présentaient, à la différence du diplôme, une utilité pratique, les lycées de jeunes filles étaient dotés de professeurs qui souffraient de leur inadaptation partielle à leur enseignement. Les mérites de ce dernier sont pourtant incontestables et se mesurent à ses résultats :

> « Les élèves, juge Lavisse en 1895, ne savent pas toutes les dates, ni toutes les sous-préfectures, mais les connaissances prennent une forme concrète dans leur esprit. Elles apprennent l'histoire de l'art, l'histoire de la civilisation ; elles savent caractériser un monument, goûter un tableau, une statue ; elles connaissent l'origine de nos mœurs et de nos institutions. Les lectures littéraires sont choisies avec une grande liberté. Au cours de morale, on apprend à connaître Bouddha et Marc-Aurèle, à discuter l'utilitarisme anglais ou le rationalisme kantien. L'esprit devient critique et tolérant » [14].

---

14. Ernest Lavisse, « Brevets et jeunes filles », *Revue de Paris*, novembre-décembre 1895, p. 192-224.

Troisième partie

UNE NOUVELLE CATÉGORIE DE FONCTIONNAIRES

Le principal objet de la loi Camille Sée était la formation, dans des établissements de l'Etat, des jeunes filles de la bourgeoisie. Cette visée ne fut que partiellement atteinte, mais, dans le même temps, la création d'un enseignement qui se voulait autonome amena le recrutement d'un ensemble de professeurs, surveillantes, chefs d'établissement. En peu d'années, ce personnel, par l'effet des règles communes qui lui étaient appliquées et dont l'élaboration fut parfois lente, voire difficile, constitua un corps de fonctionnaires à l'intérieur de l'Université.

Il convient donc de rechercher quelles étaient ces règles communes, à quelles intentions ou nécessités elles répondaient. Les décrets, arrêtés, circulaires relatifs au personnel de l'enseignement des jeunes filles, à ses obligations, à sa rémunération, au déroulement de sa carrière sont un premier élément de connaissance. Il faut y ajouter l'examen des dossiers personnels des fonctionnaires. Seul il permet d'apprécier de quelle manière étaient appliquées les règles ; en outre et surtout, il introduit à une connaissance concrète du personnel.

Chapitre V

Un corps dans l'Université

Si l'étude des textes réglementaires et de leur évolution ne présente pas de difficulté particulière, il n'en est pas de même pour l'investigation menée à partir des dossiers personnels des fonctionnaires : d'une part, l'accès n'en est pas entièrement libre, d'autre part, la masse de la documentation recueillie a paru justifier un traitement informatique. Il était donc nécessaire d'exposer la démarche suivie et les résultats obtenus pour l'ensemble du personnel recruté durant les vingt premières années de l'institution. L'étude de l'origine sociale et du comportement démographique des fonctionnaires précède l'examen de leur formation intellectuelle et des conditions de leur recrutement. Vient ensuite l'évocation des carrières, leur définition progressive et leur modification jusqu'à la veille de 1914. L'importance des interruptions de carrière, les modalités de la retraite appelaient aussi un développement qui rende compte de la proportion en définitive assez faible des carrières de durée normale. Enfin, rappeler le rôle de l'administration centrale, de la direction de l'enseignement secondaire, aide, autant que la description du déroulement des carrières, à comprendre comment ces femmes en vinrent rapidement à constituer un corps de fonctionnaires.

L'étude des dossiers personnels

Le personnel de l'enseignement secondaire des jeunes filles, peu nombreux [1], constitue, par la volonté des législateurs, un ensemble nettement séparé du reste du monde universitaire. La source privilégiée pour le connaître réside dans les dossiers personnels, conservés aux Archives nationales en F 17. Ils ont été dépouillés et les résultats exploités de manière systématique.

Le dossier d'un fonctionnaire de l'Instruction publique est composé ordinairement de trois liasses. Les *Ampliations* contiennent en principe un exemplaire de chaque arrêté concernant le fonctionnaire [2]. Les *Notes* réunissent, dans l'ordre chronologique où elles sont parvenues, les notices individuelles remplies par le fonctionnaire, qui ont été complétées par les notes du chef d'établissement, de l'inspecteur d'académie et du recteur. Avant 1914 du moins, ces notes semblent résulter le plus souvent d'une inspection effective : les supérieurs sont proches de leurs administrés, les visitent au moins tous les ans, les connaissent personnellement. Année après année, la lecture des notices individuelles donne donc, dans la plupart des cas, une image nuancée du travail et du caractère de la personne étudiée, d'autant qu'entre les notices annuelles s'intercalent les rapports d'inspection générale [3]. Les notices donnent toujours des renseignements précis sur l'état civil du fonctionnaire, le nombre de ses enfants et, après 1919, la profession de son conjoint, les diplômes et les décorations obtenus. Mais elles ne donnent chacune que la date de la dernière nomination. Il faut parfois les compulser toutes pour reconstituer la carrière du fonctionnaire [4].

Enfin, la troisième liasse contient la *Correspondance ;* cette dernière source est d'un intérêt extrêmement variable. Passées les années 1930 [5], il semble qu'elle ait été systématiquement vidée de son contenu. Souvent, elle ne garde que quelques demandes de congé, parfois seulement la dernière en date. En revanche, les dossiers les plus anciens contiennent la totalité de la correspondance échangée à propos du fonctionnaire ou envoyée par celui-ci ; c'est là aussi que se retrouvent les notes de service qui résultent des visites, démarches ou recommandations. Certaines

---

1. En 1907, vingt-cinq ans après la création des premiers établissements, il ne comprenait encore que 1 647 fonctionnaires, tous types d'établissements compris.

2. En dépit des apparences, cette source, qui devrait être la plus fidèle, n'est exempte ni d'erreurs ni de lacunes.

3. Outre l'inspection annuelle de l'inspecteur d'académie, celle, presque aussi fréquente, du recteur, le fonctionnaire reçoit au moins tous les deux ou trois ans, quand il est chargé d'une fonction d'enseignement, la visite de l'inspecteur général. Après la première guerre mondiale, l'inspection générale est plus fréquente. Les professeurs de lycée sont inspectés une fois par an, parfois deux, en raison de leur polyvalence : un professeur de lettres peut être inspecté la même année en français, par exemple, et en histoire.

4. La chemise qui contient le dossier opère la récapitulation, du moins jusqu'à 1920.

5. Date de la retraite.

liasses de correspondance sont des plus volumineuses, leur dépouillement livre des indications précises sur le milieu social d'où est issu le fonctionnaire, plus encore sur ses amitiés, ses appuis administratifs ou politiques, sans parler des banales recommandations qui foisonnent. Tantôt, au fil des certificats médicaux, des commentaires du chef d'établissement qui les accompagnent, peut se dessiner toute une pathologie. Tantôt, à la fois parce que cet enseignement nouveau suscite la réflexion et parce qu'il fait naître toute une pratique administrative, au-delà des règlements et surtout de leurs lacunes, les lettres ou les notes d'administrateurs livrent des observations générales du plus grand intérêt.

Chaque fois qu'a lieu une enquête administrative, le rapport qui résulte de cette enquête figure au dossier. Y figurent aussi les réclamations et critiques à propos du fonctionnaire, y compris les lettres anonymes : pour la plupart, elles sont l'occasion d'une demande d'explication aux supérieurs immédiats du fonctionnaire. C'est également dans la liasse « Correspondance » que figurent les engagements décennaux des Sévriennes. Comme elles sont pour la plupart mineures lorsqu'elles passent le concours, c'est la source la plus commode pour connaître la profession que déclinent alors leurs parents ou tuteurs.

Pourtant, l'impression de « document à l'état brut » que laisse au premier abord la consultation des liasses de correspondance doit être fortement nuancée. En effet, les dossiers les plus pauvres sont ceux précisément de fonctionnaires dont on sait par ailleurs qu'ils ont été l'objet d'une intervention politique [6].

En règle générale, les dossiers les plus parlants sont ceux des chefs d'établissement : il n'est pas rare, du moins avant les années 1930, que les préoccupations d'ordre politique et religieux de l'administration s'y manifestent. Certaines lettres de maires ou de recteurs font des tableaux très précis de l'état d'esprit de l'opinion vis-à-vis du lycée ou de collège local. Au-delà d'une connaissance du personnel, les dossiers donnent au moins des aperçus sur le fonctionnement de l'institution, d'autant moins suspects qu'ils ne sont pas appelés à la publicité comme les rapports aux conseils académiques.

Compte tenu des limites qui avaient été imposées à la consultation des dossiers — la date de la retraite devait être antérieure à 1935 — plus de 2 500 dossiers personnels ont été étudiés. Ils représentent environ

---

6. Tel avancement insolite, telle disgrâce ne reçoivent aucune explication dans la liasse de correspondance. Le dossier de Mme Marion, directrice de Sèvres depuis 1896, brusquement dessaisie de ses fonctions en 1906, ne contient rien d'autre, pour cette date, que la lettre qu'elle envoie en réponse à la mesure qui la frappe. De même le dossier est d'autant plus pauvre que l'intéressé occupe une fonction élevée dans l'Instruction publique. Les dossiers de recteurs et d'inspecteurs généraux sont à peu près muets sur la période qui suit l'accès au rectorat ou à l'inspection générale.

90 % des femmes qui ont été employées dans les vingt premières années de l'enseignement secondaire des jeunes filles : viennent s'y ajouter, pour environ 13 % de l'ensemble, les dossiers, plus récents par la date de naissance, de celles qui ont pris une retraite prématurée ou dont la carrière s'est terminée pour quelque cause que ce soit, avant l'âge de la retraite. Quelque 250 dossiers ont paru contenir des renseignements trop lacunaires pour pouvoir être retenus ; en définitive, ce sont 2 247 dossiers seulement qui ont fait l'objet de calculs.

Cependant, si l'on additionne toutes les catégories de personnel prises successivement comme l'objet d'étude, le total se trouve beaucoup plus élevé que celui de la population prise dans son ensemble. En effet, s'il est des catégories à peu près fermées — les enseignements du chant, du dessin ou de la couture par exemple —, il en est d'autres, et ce sont les plus nombreuses, qui sont des lieux de passage, ainsi la surveillance, ou d'aboutissement, telle la direction d'un établissement. Aussi était-il logique et nécessaire de prendre en compte chaque étape de la carrière en elle-même. Une Sévrienne a donc d'abord été étudiée comme telle, puis comme professeur, enfin, éventuellement, comme directrice.

La prise en considération des renseignements que donne ordinairement un dossier personnel a permis l'établissement d'un bordereau qui a servi de base à tous les calculs[7].

La nécessité d'éviter un émiettement qui viderait les résultats d'une bonne part de leur signification a amené à deux types de regroupements : celui des dates et celui des lieux. Les dates de naissance ont été regroupées en période de dix années, entre 1840 et 1889. On obtient ainsi sept « tranches de naissance » : avant 1840 ; entre 1840 et 1849 ; entre 1850 et 1859 ; entre 1860 et 1869 ; entre 1870 et 1879 ; entre 1880 et 1889 ; après 1889.

Dans les cinq premières tranches, soit environ 85 % de l'ensemble des dossiers examinés, l'intégralité du personnel a été étudiée[8]. Il a paru légitime, du moins pour les calculs qui n'intéressent pas la longueur de la carrière, de prendre en compte les deux dernières tranches d'âge, bien qu'il ne s'agisse plus évidemment que d'une minorité du personnel, de carrières en majorité incomplètes.

Le lieu de naissance est très précisément indiqué par les dossiers. Il a paru à l'usage que la distinction souvent opérée dans les calculs de ce

---

7. Annexe I, p. 445.

8. La part des dossiers non retrouvés est très faible pour cette période. Bien qu'en assez mauvais état, les fichiers alphabétiques des Archives nationales qui permettent de repérer les dossiers ne réservent pas beaucoup de mauvaises surprises. En revanche, les dossiers eux-mêmes, conservés dans l'ordre alphabétique, toutes catégories de personnel de l'Instruction publique réunies, d'après les dates de retraite et de versement aux Archives, sont dans un très mauvais état de conservation. Quelques-uns ont été retenus au Ministère de l'éducation nationale. D'autres « manquent en place », sans raison apparente. Enfin, les dossiers du personnel des cours secondaires, dans la mesure où ce personnel n'est pas entré dans la fonction publique proprement dite, n'existent généralement pas. Les rectorats, qui en étaient chargés, ne semblent pas s'être souciés en général de leur conservation.

genre entre localité de type « rural » et localité de type « urbain » pouvait être artificielle. Compte tenu du nombre restreint de dossiers, le département ne pouvait pas non plus constituer une unité expressive pour désigner les lieux de naissance, les lieux de fin d'études, lieux de premier poste et lieux de fin de carrière. Les circonscriptions académiques d'alors ont aidé à un regroupement en dix grandes régions, avec quelques remaniements inspirés par l'itinéraire le plus fréquent des fonctionnaires :

Le Nord (code 00) : départements du Nord, de l'Aisne, des Ardennes, du Pas-de-Calais et de la Somme.

L'Est (code 01) : les départements de l'Aube, de la Côte-d'Or, du Doubs, de la Haute-Marne, de la Meurthe-et-Moselle, de la Meuse, de la Moselle, de la Haute-Saône, des Vosges, du Bas-Rhin et du Haut-Rhin, du Territoire de Belfort, correspond aux académies de Nancy, Strasbourg, Besançon et partiellement Dijon.

L'Ouest (code 02) : le Calvados, les Côtes-du-Nord, le Finistère, l'Ille-et-Vilaine, la Loire-Atlantique, le Maine-et-Loire, l'Indre-et-Loire, la Manche, la Mayenne, le Morbihan, l'Orne, la Sarthe, la Seine-Inférieure, les Deux-Sèvres, la Vendée, correspond aux académies de Caen, de Rennes, et partiellement de Poitiers.

La Région parisienne (code 03) : le Cher, l'Eure et l'Eure-et-Loir, le Loir-et-Cher, le Loiret, la Marne, l'Oise, la Seine, la Seine-et-Marne, la Seine-et-Oise, correspond à l'académie de Paris. L'Yonne, de l'académie de Dijon, y a été rattachée.

Le Centre (code 04) : l'Allier, le Cantal, la Corrèze, la Creuse, l'Indre, la Haute-Loire, le Puy-de-Dôme, la Vienne et la Haute-Loire, correspond aux académies de Clermont-Ferrand et de Poitiers, pour partie. La Nièvre a été ajoutée.

Le Sud-Ouest (code 05) : les deux Charentes, la Dordogne, la Gironde, les Landes, l'Ariège, l'Aveyron, la Haute-Garonne, le Gers, le Lot et le Lot-et-Garonne, les Hautes et Basses-Pyrénées, le Tarn et le Tarn-et-Garonne, correspond aux académies de Bordeaux, et de Toulouse, avec une partie de celle de Poitiers.

Le Sud-Est (code 06) : les Hautes et Basses-Alpes, les Alpes-Maritimes, l'Aude, les Bouches-du-Rhône, la Corse, le Gard, l'Hérault, la Lozère, les Pyrénées-Orientales, le Var, le Vaucluse, correspond aux académies d'Aix et de Montpellier.

La Région lyonnaise (code 07) : l'Ain, l'Ardèche, la Drôme, l'Isère, la Loire, le Rhône, les Savoies, la Saône-et-Loire, correspond aux académies de Lyon, Grenoble et Chambéry. Le Jura a été ajouté qui appartient à l'académie de Besançon.

Enfin, *les départements d'Algérie et les colonies* ont été regroupés sous le code 10 et *l'étranger* sous le code 11.

Ces regroupements effectués, ont été réunis d'abord tous les renseignements relatifs à la famille du fonctionnaire et à son comportement démographique. En général, l'origine sociale du personnel étudié n'est connue que par l'indication de la profession du père. Encore la découverte en est-elle fort aléatoire : donnée généralement par l'engagement décennal des Sévriennes mineures, elle peut surgir pour les autres, mais pas toujours, au hasard de la correspondance : la profession du père n'est connue que pour une minorité. En revanche, après 1919, la profession du conjoint est donnée par tous les dossiers de femmes mariées.

Compte tenu du caractère fragmentaire des données et du souci de ne pas les éparpiller au point de les rendre insignifiantes, un code socio-professionnel restreint a été élaboré. Il est très redevable, du moins dans sa forme générale, à ses prédécesseurs[9]. Ce code à deux chiffres, qui s'efforce de tenir compte des réalités sociales effectivement rencontrées, souffre de l'imprécision des dossiers en ce domaine : il ne pouvait être que rudimentaire. D'autre part, pour tenter d'harmoniser les professions du père et du conjoint[10], pour que les âges auxquels elles sont données soient comparables, il a fallu prendre systématiquement la dernière en date des indications professionnelles pour le conjoint comme pour le père.

Le premier chiffre du code professionnel indique le secteur d'activité, avec la répartition suivante :

0 • Université
1 • Armée.
2 • Autres fonctionnaires. (Salariés des Cultes, les pasteurs protestants ont été mis sous cette rubrique).
3 • Chemins de fer, commerce, banques.
4 • Professions libérales, journalisme.
5 • Industrie, artisanat.
6 • Agriculture.
7 • Rentiers, oisifs.

Le second chiffre est celui qui posait le plus de questions. Le procédé adopté a consisté à calquer la hiérarchie des autres professions, dans la mesure du possible, sur celle de l'Université. Sans doute peut-il apparaître arbitraire d'assimiler telle catégorie d'artisans ou de commerçants à celle des instituteurs. Mais les critères précis pour évaluer les revenus ou les salaires sont en général absents — les chiffres sont rarissimes — et remplacés par des appréciations de type subjectif : quelle différence entre d'« honnêtes commerçants », d'« humbles commerçants » et d'« honorables négociants », d'autant que ces appellations peuvent désigner les mêmes personnes selon qu'on désire émouvoir ou inspirer de la considération ? Cependant, la part prépondérante des fonctionnaires et de ce que, dans les secteurs de l'industrie et du commerce, il est convenu maintenant d'appeler les

---

9. Les indications données par A. Daumard : « Une référence pour l'étude des sociétés urbaines en France aux XVIIIᵉ et XIXᵉ siècles. Projet de code socio-professionnel », *RHMC*, juillet-septembre 1963, p. 185-210 et les conseils donnés par W. Serman ont été précieux.

10. L'indication de la profession du père est le plus souvent donnée au moment de l'entrée de sa fille dans l'enseignement secondaire. Celle du mari, avant 1920 au moins puisqu'ensuite elle est donnée tous les ans, se trouve ordinairement au moment du mariage. On voit ainsi comment, si l'on n'y prend garde, les filles de colonels se retrouvent définitivement épouses de lieutenants.

cadres moyens, a permis de réduire les risques d'erreur. Les appréciations rencontrées émanent dans leur grande majorité des directrices, des inspecteurs et des recteurs, en somme d'universitaires qui ont raisonné, consciemment ou non, par analogie avec la hiérarchie de l'Université. Attitude d'autant plus concevable que les classes supérieures de la société sont entièrement absentes et que le « peuple », du moins le peuple urbain, ouvriers, domestiques, est à peine représenté. L'essentiel était donc d'opérer une coupe des classes moyennes qui fût le moins infidèle possible. C'est ainsi qu'a été dressé le tableau suivant [11] :

1 • Hauts fonctionnaires (recteurs, officiers généraux, professeurs de Faculté). La haute bourgeoisie n'est pas représentée.
2 • " Bonne bourgeoisie ", officiers supérieurs, professeurs agrégés des lycées.
3 • " Moyenne bourgeoisie ", professeurs non agrégés.
4 • Petite bourgeoisie, instituteurs, employés, boutiquiers.
5 • Ouvriers, domestiques.
6 • Retraités. (Cette catégorie ne fait qu'apparemment double emploi avec le n° 7 de la première colonne. En effet, il a paru nécessaire de distinguer les gens qui vivaient largement de leurs revenus sans avoir toujours exercé une activité professionnelle de ceux qui se sont retirés, et dont on connaît le secteur d'activité antérieur. Pour l'essentiel, il s'agit des personnes d'une condition modeste, correspondant à l'échelon 4).
7 • Orphelines. (La mort du père et le désastre financier qui en a résulté jouent un si grand rôle dans le recrutement de l'enseignement qu'il a semblé utile d'isoler cette dernière catégorie).

Le critère de classement n'est pas uniquement le revenu annuel connu ou supposé. Il a paru plus convenable à la population étudiée de compléter la hiérarchisation par la notion de niveau d'études, essentielle pour des universitaires : ainsi, quelle que soit leur appartenance professionnelle, les diplômés de l'enseignement supérieur ne peuvent descendre au-dessous de la catégorie 3.

Il s'agit donc d'une hiérarchie relativement simple. Cependant, la combinaison des deux chiffres du code donne de la réalité une image plus nuancée. Les catégories les plus représentées sont celles qui appartiennent à l'Université : 02, 03 et surtout 04 ; les salariés des chemins de fer : 33 et 34 ; les boutiquiers : 34 et les fonctionnaires moyens : 23 ; c'est sous cette rubrique que se retrouvent les pasteurs protestants. Une telle fréquence dans une hiérarchie déjà volontairement simplifiée reflète bien l'homogénéité sociale du recrutement.

---

11. Si élémentaire soit-elle, cette classification socio-professionnelle ne pouvait convenir pour les femmes. Pour l'essentiel, il semble que les mères des fonctionnaires étudiées ne travaillaient pas. Il est très probable que les dossiers de candidature ont négligé de signaler un certain nombre de mères qui travaillaient effectivement, soit que le fait ait paru insignifiant, soit plutôt que l'on ressentait de la gêne à l'évoquer sauf dans le cas de l'enseignement. Aussi ne disposons-nous que de rares renseignements. Un code à un seul chiffre et à quatre rubriques était plus que suffisant : 0, enseignement public ; 1, enseignement privé ; 2, commerce ; 3, autres.

Après les notations relatives à l'état civil et à la famille, viennent les renseignements relatifs aux études. Surtout dans les débuts de l'institution, les références des candidates aux concours et aux places abondent en renseignements sur la nature des études qu'elles ont faites, sur leur façon, parfois bien empirique ou au contraire très diversifiée, de préparer les concours : les diverses filières, y compris celles qui, comme l'enseignement supérieur et l'Ecole de Fontenay, ne conduisent pas en principe à l'enseignement secondaire féminin, sont énumérées. De même, le nombre de celles, du moins parmi les plus âgées, qui font mention d'un séjour à l'étranger a amené à en noter le lieu et la durée. Le lieu et la date de fin d'études, intéressants non en eux-mêmes, mais par comparaison avec les autres indications de lieu et de date, viennent compléter les renseignements sur les études, et permettent de savoir dans quelle mesure les espérances qu'avait le législateur de créer un personnel formé à l'intérieur même de l'institution étaient fondées.

Les études proprement dites sont complétées pour un cinquième environ du personnel par le séjour à l'Ecole de Sèvres. Aux Sévriennes vient s'ajouter le contingent de celles qui furent autorisées, étant donné les insurmontables difficultés de préparation des concours dans les lointains établissements de province, à aller passer un an à l'Ecole, qu'elles en soient anciennes élèves ou non, pour préparer l'agrégation.

Après les études, vient la qualification, c'est-à-dire l'énumération des diplômes obtenus par les fonctionnaires et les conditions dans lesquelles ils ont été obtenus. Vient ensuite l'examen de la carrière : les antécédents, les conditions d'entrée dans l'enseignement secondaire et les catégories dans lesquelles le fonctionnaire a effectué sa carrière. Les cinq « catégories » d'emploi — administration, économat, enseignements dits « annexes », enseignement élémentaire et surveillance, enseignement proprement dit [12] — s'efforcent de regrouper les différentes fonctions de l'enseignement secondaire féminin. Tel qu'il a été établi, le bordereau ne permet pas de déterminer, dans une carrière donnée, l'ordre de passage

---

12. Voici les différentes fonctions prises en compte à l'intérieur de chaque catégorie :
Enseignement élémentaire et surveillance : 0, institutrice d'un lycée de Paris ; 1, institutrice d'un lycée de province ; 2, institutrice de collège ou de cours ; 3, maîtresse répétitrice à Paris ; 4, maîtresse répétitrice d'un lycée de province ; 5, maîtresse répétitrice de collège ; 6, surveillante d'externat ; 7, surveillante d'internat.
Ce premier exemple suffit pour montrer que trois catégories ont été artificiellement regroupées pour les nécessités du calcul.
Administration : 0, directrice à Paris ; 1, directrice d'un lycée de province ; 2, directrice certifiée de lycée ; 3, directrice de collège ou de cours ; 4, directrice non certifiée de lycée ; 5, directrice non certifiée de collège ou de cours ; 6, surveillante générale de 1er ordre ; 7, surveillante générale de 2e ordre.
Economat : 0, économe de Paris ; 1, économe de lycée de province ; 2, sous-économe à Paris ; 3, sous-économe en province ; 4, maîtresse répétitrice stagiaire à l'économat.
Enseignements annexes : 0, professeur de dessin à Paris ; 1, professeur de dessin en province ; 2, chargée de cours de dessin ; 3, maîtresse de chant à Paris ; 4, maîtresse de chant en province ; 5, chargée de l'enseignement du chant ; 6, maîtresse de couture ; 7, maîtresse de gymnastique.
Enseignement proprement dit : 0, professeur dans un lycée de Paris ; 1, professeur dans un lycée de province ; 2, professeur de collège ou de cours ; 3, chargée de cours de collège ou de cours.

d'une catégorie dans une autre, en dehors des catégories indiquées comme celles d'entrée et de sortie ; il n'indique pas davantage les fonctions occupées éventuellement entre celles d'entrée et de sortie à l'intérieur d'une même catégorie. Ces inconvénients, inséparables du type de travail entrepris, sont mineurs à l'usage : la mobilité n'est pas telle qu'un grand nombre de changements de catégories puisse laisser dans l'incertitude. D'autre part, les promotions et changements sont étroitement liés à la possession de diplômes précis, indiqués ailleurs, ou à un ordre logique sévèrement respecté, sauf dans le cas, rare, de sanctions disciplinaires.

Après les fonctions occupées, sont répertoriées les distinctions obtenues. Les décorations académiques sont en effet régies par des règles strictes : la durée qu'on met alors à les obtenir revêt donc une signification précise, tout comme le temps d'arrivée à la troisième classe, du moins avant le reclassement de 1903. C'est sur ces deux points, comme par le temps d'arrivée à un poste parisien, que peut s'apprécier l'avancement donné au fonctionnaire.

Les accidents de carrière, qu'ils soient dus à une interruption, à une sanction, à un congé, ont été notés ensuite. Avec quelques renseignements concernant les problèmes disciplinaires, la confession religieuse, la présence ou non d'un appui politique, ils achèvent le profil d'une carrière : il ne reste plus qu'à examiner comment elle se termine et quelle a été la durée des services. A cet égard, n'est pas suivi le procédé de l'administration des pensions qui applique alors, pour le calcul de la durée des carrières, la loi de 1853, sans tenir compte des services effectués dans l'enseignement primaire avant l'âge de dix-huit ans, des services rendus dans les cours secondaires avant 1905 ou de ceux qui ont été accomplis comme surveillante d'internat. C'est la durée réelle des services qui est prise en considération. Cependant, comme pour les dates de naissance et pour la même raison, le nombre exact d'années a été remplacé par un découpage en périodes [13].

Sur les 2 247 dossiers retenus, une centaine environ appartiennent aux économes. La décision de les étudier avec le personnel enseignant, au même titre que lui, peut paraître surprenante. Deux raisons l'ont inspirée : le monde de l'enseignement des jeunes filles, une fois constitué, est un monde clos. Aux yeux de l'opinion, les fonctionnaires du lycée de jeunes filles, quel que soit le poste occupé, forment une petite société à part, et à leur tour c'est bien leur solidarité interne que peuvent ressentir les fonctionnaires dans leur isolement. D'autre part, la ligne de démarcation entre personnel enseignant et personnel de l'économat n'est pas si nette. Contrairement à ce que pourrait faire

---

13. 0, moins de deux ans ; 1, de deux à quatre ans ; 2, de cinq à neuf ans ; 3, de dix à dix-neuf ans ; 4, de vingt à vingt-neuf ans ; 5, de trente à trente-neuf ans ; 6, quarante ans et plus.

croire l'existence de cours commerciaux privés qui prétendent former aussi les jeunes filles qui se destinent à l'économat des lycées, le recrutement de départ est le même : les économes passent toutes par la surveillance, et il semble bien que les fonctions, parfois longtemps briguées et exercées de longues années, de stagiaire à l'économat aient été multiformes.

C'est également le désir d'étudier le monde de l'enseignement féminin dans sa totalité qui a conduit à y inclure les maîtresses de classes élémentaires. En effet, à partir du moment où elles sont titulaires d'un poste dans un lycée ou un collège, elles n'appartiennent plus à l'enseignement primaire, même si elles y étaient précédemment rattachées. Leur avancement, leur traitement, leur retraite sont régis par les règlements de l'enseignement secondaire féminin. En outre, il est impossible, du moins à Paris, d'établir une séparation entre les maîtresses primaires et les certifiées chargées de cours : si les fonctions sont différentes, la qualification est souvent la même. Telle certifiée maîtresse primaire par convenance dans un lycée parisien pourrait à tout moment devenir professeur dans un collège des départements. Au reste, quelle distinction nette établir entre une maîtresse primaire brevetée qui enseigne dans un collège et une chargée de cours de collège titulaire du même brevet supérieur ? Ainsi, la communauté d'origine, l'identité des qualifications, l'originalité d'un statut commun créent-elles un personnel particulier duquel, d'emblée, on ne saurait retrancher telle ou telle catégorie.

L'origine sociale et le comportement démographique

1 830 fonctionnaires étudiés (81,1 %) sont nés entre 1850 et 1879, 73 (3,2 %) entre 1840 et 1849, 1 % avant 1840. La très grande majorité du personnel de l'enseignement secondaire des jeunes filles est donc née après 1860. Or, d'après la statistique de 1887, les lycées et collèges féminins emploient déjà à cette date 633 fonctionnaires femmes. De tels chiffres suggèrent à quel point le personnel recruté au début de l'institution était jeune dans son ensemble : à cette même date de 1887, personne encore, dans le personnel du premier lycée créé, le lycée de Montpellier, n'avait quarante ans. Mais le rythme de création ne s'est pas maintenu après 1890, il s'est même ralenti au point de devenir presque nul dans les années 1895-1900 : même après cette date, le recrutement des professeurs n'a pas suivi la courbe nettement ascendante du nombre des élèves. Il en a résulté un vieillissement sur place d'un personnel qui ne s'évadait pas en majorité vers le mariage.

La répartition des lieux de naissance, suivant les régions précédemment définies, révèle trois origines dominantes : l'Est, le Sud-

Ouest et la région parisienne, prise il est vrai dans une acception très large :

Nord...	216	9,6 %
Est..	295	13,1 %
Ouest..	208	9,2 %
Région parisienne............................	403	17,9 %
Centre.......................................	138	6,1 %
Sud-Ouest....................................	301	13,3 %
Sud-Est......................................	257	11,4 %
Région lyonnaise.............................	265	11,7 %
Colonies.....................................	54	2,4 %
Etranger	66	2,9 %

La comparaison avec la répartition des lieux de fin d'études révèle une nette tendance à faire ses études dans la région de naissance pour les jeunes filles du Nord et de l'Ouest, et surtout de la moitié Sud du pays. La relative désaffection pour le Centre et l'Est n'a pas, dans les deux cas, la même signification : le Centre est une région dotée de peu de moyens pour l'instruction de futures institutrices ou professeurs, tandis que dans l'Est se font sentir les résultats de l'annexion de 1871. Certaines des optantes ont terminé leur études à Nancy, d'autres sont venues à Paris, comme probablement les élèves du Centre et de l'Ouest, pôles d'émigration, qui ne trouvaient pas sur place les ressources nécessaires à un complément d'instruction. De plus, la plupart des étrangères dont les parents se sont fixés en France font aussi leurs études à Paris. La comparaison entre les lieux de naissance et les lieux de fin d'études montre d'ailleurs que le déplacement vers la région parisienne est plus fréquent pour celles qui sont nées dans le Centre et la moitié Nord de la France que pour les autres [1]. Les premiers professeurs femmes sont donc bien, dans la majorité des cas, « de leur province », où elles sont nées et ont achevé leurs études [2].

Sur les 2 247 fonctionnaires, 52, soit 2,3 %, sont d'origine étrangère ou réputées étrangères. Quatorze d'entre elles le sont seulement par mariage : en vertu de la législation alors en vigueur, elles sont déchues de la nationalité française et prennent la nationalité de leur mari. Passée la première guerre mondiale, jusqu'à laquelle l'administration a fermé

---

1. Négligeable, le déplacement d'une région à une autre, à l'exception de la région parisienne, semble un peu plus fréquent entre deux régions limitrophes qu'entre deux régions quelconques.

2. Quand Lemonnier évoque les premières promotions de l'Ecole de Sèvres, il les décrit « assez disparates. On s'en apercevait au premier abord, ne fût-ce qu'aux accents et, pardonnez ce détail intime, aux toilettes. Nos premières élèves venaient de tous les coins de la France » (*Le jubilé...*, p. 83). Les origines étaient aussi diverses par la suite mais l'absence d'une formation commune, au début, devait rendre plus remarquable le « disparate ».

Lieu de naissance et lieu de fin d'études

Naissance / Fin d'études	Nord	Est	Ouest	Paris	Centre	Sud-Ouest	Sud-Est	Lyon
Nord	172	9	2	13	1	2	2	2
Est	1	167	4	10	0	0	2	9
Ouest	4	9	149	18	2	8	3	0
Paris..........	22	41	30	310	16	19	19	12
Centre	1	3	5	11	71	6	3	4
Sud-Ouest	2	7	4	12	11	234	16	6
Sud-Est	0	8	2	3	1	11	184	8
Lyon..........	5	16	6	5	14	2	9	202

les yeux sur la nationalité de certaines fonctionnaires [3], cette règle ne connaît plus d'exception [4].

Les étrangères recrutées sont en majorité anglaises (14) ou allemandes (6) : leur emploi, naturellement, est le professorat des langues. Il manifeste l'empirisme qui a régné d'abord dans cette discipline. De ces étrangères, n'étaient exigés au départ aucun diplôme ni certificat. Miss Sutton resta plusieurs années à Montpellier sans être même titulaire du brevet élémentaire. Camille Selden n'avait aucun diplôme français. Leur origine seule fondait leur compétence ; leur maintien était fonction de leur réussite vis-à-vis des élèves. Une telle anomalie ne pouvait subsister longtemps dans le système universitaire français : les étrangères recrutées plus tard avaient pris soin de se munir de titres français [5], et tous les postes furent réservés aux certifiées et aux agrégées dès les premiers concours.

Les dix-huit autres étrangères, quand elles n'appartiennent pas à l'émigration polonaise, sont suisses ou belges. A une exception près, celle d'une jeune Suissesse qui retourna dans son pays car sa liberté n'avait pu s'accommoder des entraves que lui imposait la directrice de son établissement, ces étrangères n'ont pas offert la même résistance à la naturalisation que les Anglaises : ce sont quelques assimilées qui entrent dans les cadres de l'Université. Etroitement circonscrite au professorat des langues, la présence des étrangères, qui entendaient préserver au moins une partie de leur caractère singulier, ne peut avoir eu grande influence sur l'institution.

---

3. Ainsi dans le cas, cité plus haut, de Miss Williams, de Miss Scott devenue professeur au lycée Molière en 1888 avant sa naturalisation, de Miss Sutton pourvue d'un poste dès 1883, dix ans avant sa naturalisation, ou encore de Camille Selden, la dernière amie de Heine, qui ne semble jamais avoir sollicité de devenir française, mais a trouvé dans l'enseignement des jeunes filles le « refuge » qu'elle désirait pour terminer sa vie.

4. En 1921, l'administration exige la naturalisation du mari italien d'un professeur pourvu d'un poste depuis 1905, marié depuis 1906 (F 17 23602).

5. Miss Sutton passa le certificat en 1894. Sa compatriote, Miss Smart, fut nommée dès 1883 à Rouen avec le certificat d'anglais.

Les orphelines, dont la situation financière initiale a été bouleversée par la disparition de leurs parents, représentent 10,1 % de l'ensemble des 2 247 dossiers [6]. L'importance de cette catégorie est d'autant plus grande que les dossiers établissent souvent un lien de cause à effet entre cette situation et l'entrée dans l'enseignement. A bout de ressources, hantées par la peur du lendemain, les candidates à un poste y voient le salut, une position « indépendante », le mot revient souvent, et « honorable ». Bref, l'entrée dans l'enseignement, à l'époque où la dot, dans les classes bourgeoises les plus humbles, est à peu près la seule garantie du mariage, apparaît comme l'ancre de miséricorde. Aussi l'enseignement est-il facilement abandonné lors du mariage ou même en cas d'héritage. La notion de vocation, en matière d'enseignement féminin, doit donc être maniée avec précaution. Les dures contraintes de l'existence réservée alors aux femmes seules et pauvres ont eu certainement plus de place dans la détermination à devenir professeur que l'élan romantique vers une sorte de mission civilisatrice. Mais Jules Ferry et son entourage ont su faire usage de ces nécessités qu'ils connaissaient bien pour transformer les délaissées en servantes de l'Idée.

Quelle est l'origine sociale des candidates au professorat ? L'analyse par catégories de personnel montre des disparités ; elles ne sont pas telles qu'un examen de l'ensemble soit dénué de signification. Au contraire, car le tableau révèle dès le premier abord une grande homogénéité sociale :

Secteur d'activité et niveau social du père* (en %)

	Universitaires	Armée	Fonction publique	Chemin de fer** commerce	Professions libérales	Industriels	Agriculteurs	Rentiers	Total
1.	0,9	—	—	—	—	—	—	—	1,4
2.	6,3	0,9	—	—	1,4	—	—	—	10,1
3.	9,4	3,9	7	3,3	3	0,9	—	1,7	29,6
4.	15,7	2,2	9	9,7	1,5	4	1,4	1,5	44,2
5.	0,3	—	—	—	—	0,8	—	—	1,9
6.	—	—	—	0,3	1	—	—	—	3,5
7.	2,6	1,4	1,3	1	—	—	—	—	9
Total	35,7	8,8	17,4	15,1	8,3	7,7	2,3	4,4	

* Sur 839 professions connues (hiérarchie et secteur d'activité).
** L'examen des individus montre la prépondérance des employés des compagnies de chemins de fer dans ce secteur.

6. Il existe en effet des dossiers qui ne donnent pas d'autre indication que le caractère d'orpheline. Ils n'ont donc pas pu être pris en compte dans le calcul par rapport aux professions connues (code de deux chiffres). En tout, ce sont 251 jeunes filles qui déclarent être orphelines au moins de père.

Il est des absences massives : les « cadres élevés », la bourgeoisie aisée (numéro 1 de la hiérarchie), comme on devait s'y attendre, ne sont pratiquement pas représentés ; ils le sont dans l'Université par un chiffre des plus modestes. L'échelon immédiatement inférieur accuse une disparité très importante entre l'Université (les agrégés) et les autres secteurs, avec une nette prédominance de la fonction publique, y compris l'armée. A eux seuls, les instituteurs représentent 15,7 % du total : ils sont la seule catégorie professionnelle qui arrive à dépasser 10 %. Ils sont suivis d'assez loin[7] par le monde des employés du commerce, des boutiquiers, des employés des compagnies de chemin de fer. Viennent ensuite, se tenant de près, les professeurs de collège et les petits fonctionnaires d'un rang comparable à celui des instituteurs. A l'échelon des ouvriers, presque personne.

L'addition, secteur par secteur, des échelons 3 et 4 montre la prépondérance parfois écrasante de ces deux échelons dans chaque secteur :

Pour l'Université	211 sur	300,	soit 70,3 %
l'armée	52	74	70,2 %
la fonction publique	125	146	85,6 %
les chemins de fer et le commerce	111	128	86,5 %
les professions libérales	39	70	55,7 %
l'industrie	42	65	64,6 %
l'agriculture	13	20	65 %
les rentiers	28	37	75,6 %

Leur pourcentage moyen n'est donc pas inférieur à 74 % : les classes moyennes, et encore en excepte-t-on la frange supérieure, celle qui, sans connaître la richesse, peut arriver à l'aisance ou à une certaine considération bourgeoise, représentent donc les trois quarts de l'ensemble. La proportion inférieure à la moyenne pour l'Université paraît significative d'un état d'esprit différent. Il est évident que, dans l'Université, les catégories supérieures ne sauraient considérer l'entrée dans l'enseignement comme une déchéance pour leurs filles. Dans l'armée et l'industrie, les pourcentages sont d'une interprétation plus

---

7. Plus de la moitié des dossiers sont silencieux sur l'origine sociale du fonctionnaire. Mais le silence n'est pas égal, probablement, dans toutes les catégories sociales. Il est normal que les candidats à un poste dans l'enseignement n'aient rien laissé ignorer de leur origine universitaire. En revanche, il est possible qu'elles aient préféré taire une humble origine : les réflexions des inspecteurs sur la « méchanceté » de quelques-unes de leurs administrées à l'égard des maîtresses primaires d'origine rurale ou ouvrière expliquent une telle attitude. La discrétion de beaucoup de candidates sur leur origine n'a d'égale que celle de l'administration : passées les premières années où enquête est faite, parfois bien superficiellement, sur les références de postulantes, les inspecteurs ou recteurs observent la plus grande réserve, tant que les conditions élémentaires de tenue et de moralité sont respectées. Cependant, les fonctionnaires qui se réclament d'une origine universitaire représentent 13,3 % de l'ensemble des dossiers examinés.

délicate : les cas particuliers ont tout leur poids. Il est cependant probable que certaines filles d'officiers sans fortune trouvent dans l'enseignement des moyens honorables de subsistance qu'elles répugneraient à chercher dans la carrière des postes ou du commerce. En revanche, les filles des fonctionnaires de rang élevé ont un comportement qui les rapproche des milieux du commerce riche : est-ce l'indice d'un comportement plus démocratique dans l'armée ou de ressources matérielles plus sûres chez les fonctionnaires parvenus au sommet de l'échelle ? Le nombre des orphelines qui entrent dans l'enseignement semble le confirmer. Quant à l'industrie et l'agriculture, les échelons élevés sont absents : le pourcentage faible par rapport à l'ensemble provient de la présence des ouvriers, des petits artisans et de quelques retraités.

Pour l'ensemble de la population considérée, la proportion des ouvriers (23 en chiffres absolus) ne s'élève pas à plus de 1,9 %. Sauf cas particuliers, le recrutement de cet enseignement, créé essentiellement pour les jeunes filles de la bourgeoisie, n'a pas été encouragé en dehors de celle-ci, prise dans son acception la plus vaste. Il serait intéressant de comparer le nombre des filles d'ouvriers entrées dans l'enseignement secondaire avec le nombre de celles qui ont fait carrière dans l'enseignement primaire supérieur, qui, en principe, devrait être plus élevé.

Le secteur d'activité du père vient aussi apporter une tonalité particulière, avec la prépondérance des fonctionnaires sur les médecins de campagne ou les gens de loi. C'est bien dans les « couches nouvelles », dans cette France des instituteurs, des petits fonctionnaires, des employés de commerce et de chemin de fer, des gendarmes, des sous-officiers, des petits commerçants, des petits rentiers dont Gambetta annonçait l'avènement, que l'enseignement secondaire des jeunes filles recrute de préférence son personnel. C'est la France déjà rencontrée lors de l'étude des boursières [8]. A peine créée, l'institution nouvelle s'insère donc dans une tradition de sécurité, de stabilité, de médiocrité du genre de vie sans doute, mais aussi, en deçà de toute idéologie, de probité morale et de rigueur au service de l'Etat.

Dans des cas relativement rares, les dossiers permettent d'indiquer la profession de la mère du fonctionnaire. Sans doute, le nombre réel des mères qui travaillent est-il beaucoup plus élevé : tous les dossiers ne donnent pas d'indications professionnelles, même pour le père, à plus

---

8. Aussi bien le corps enseignant se recrute-t-il de façon privilégiée parmi celles-ci. Faute d'indications dans les dossiers personnels, il n'a pas été possible de noter si les membres du personnel ont été boursières. Mais la lecture des nominations de bourses au lycée Fénelon, par exemple, présente souvent les mêmes noms que les promotions successives de l'Ecole de Sèvres : situation logique, puisque l'enseignement est pratiquement le seul débouché professionnel offert aux jeunes filles pauvres et méritantes.

forte raison pour la mère. A certaines, l'aveu que leur mère travaillait devait coûter. Cependant la profession de la mère est connue dans 119 cas. Soixante-deux fonctionnaires (soit environ la moitié) déclarent que leur mère est membre de l'enseignement public, 15 qu'elle est institutrice ou professeur privé ; 21 mères de fonctionnaires sont commerçantes, en général très modestes, et autant exercent une autre profession : sage-femme, couturière ou fonctionnaire des postes, par exemple. Les professions libérales sont évidemment absentes[9] de même que les carrières artistiques ou littéraires[10]. Il est alors naturel que la profession de la mère non enseignante, au détour de la correspondance qui est seule à renseigner sur ce point, apparaisse le plus souvent comme une épreuve vaillamment supportée, en général imposée par la mort du père ou par des revers de fortune, presque jamais comme un fait allant de soi. A cet égard, la majorité des professeurs du nouvel enseignement ont bien été, dans leur famille, des pionnières.

La structure de la famille où est né le fonctionnaire est connue dans 567 cas : les filles uniques (187, soit environ le tiers) et celles qui n'ont qu'un frère ou une sœur (183) représentent une confortable majorité (65 %). Trente-quatre fonctionnaires (5,9 %) cependant ont au moins sept frères et sœurs[11]. L'entrée d'une jeune fille dans l'enseignement n'est pas toujours un événement isolé dans la famille : 240 fonctionnaires ont au moins une sœur dans l'enseignement primaire ou secondaire ; 57 ont un frère, 20 un grand-père ; 49 se réclament d'un autre membre de la famille déjà entré dans l'Université. Enfin, mais le chiffre réel doit être beaucoup plus considérable car le repérage dans les dossiers est encore plus malaisé, 22 au moins ont un enfant dans l'enseignement. La disparité entre le chiffre des sœurs et des frères membres de l'enseignement illustre le fait que les familles ne dirigent pas les enfants de sexes différents dans les mêmes carrières : au contraire des filles, les garçons peuvent embrasser des carrières plus prestigieuses et plus lucratives que celle de l'enseignement.

Une image tenace est demeurée dans l'opinion, celle de la femme professeur, vieille fille par excellence, au point que se vouer à l'enseignement et se vouer au célibat ne paraissaient qu'un seul et même destin. Qu'en est-il au fait ? Un tableau de l'état civil des fonctionnaires au début, au cours et à la fin de leurs services montre que le mariage, sans être exceptionnel, ne regarde qu'une minorité :

---

9. Bien que la médecine soit accessible aux femmes depuis le Second Empire.

10. Aucun des écrivains féministes dont l'époque fut si féconde ne semble avoir orienté sa fille ou quelque autre femme de sa famille vers l'enseignement secondaire public des jeunes filles. Dans cette absence complète de liens peut s'apercevoir l'un des effets de l'incompréhension mutuelle qui fut si tenace entre les milieux du féminisme littéraire et ceux de l'enseignement secondaire des jeunes filles.

11. 66 ont 2 frères ou sœurs ; 42, 3 ; 23 en ont 4 ; 19, 5 ; 13 en ont 6.

Etat civil de l'ensemble des fonctionnaires

	Début *	Cours de carrière	Fin de carrière (**)
Célibataires............	1 991 (88,6 %)	1 405 (62,5 %)	1 278 (56,8 %)
Mariées	123 (5,4 %)	729 (32,4 %)	680 (30,2 %)
Veuves...............	65 (2,8 %)	98 (4,3 %)	243 (10,8 %)
Divorcées.............	6	8	22

* Les débuts du recrutement se sont accompagnés parfois de quelque affolement : l'incertitude sur l'état civil est telle que 62 fonctionnaires ont dû être classés dans la catégorie « sans renseignements ».

** Quel que soit l'âge au moment de cette fin : la plupart de celles qui se marient après quelques années d'exercice abandonnent l'enseignement. Ont été mis dans la même catégorie les mariages suivis d'abandon de carrière et ceux qui ont lieu dans les dernières années d'activité, passée la cinquantaine. Il est difficile en effet d'établir un pourcentage exact des abandons de carrière provoqués par le mariage. (Cf. paragraphe relatif aux congés). D'autre part, quelques jeunes femmes ont abandonné l'enseignement au bout de quelques années de mariage : la vraie raison est sans doute que la situation du mari était devenue assez solide pour exclure le travail au-dehors de l'épouse.

L'enseignement est une carrière où l'on entre en général célibataire. Pour la plupart des fonctionnaires, le recrutement se fait très jeune, les études n'étant pas longues. Les Sévriennes sont tenues de rester célibataires durant toute leur scolarité. Le mariage a donc lieu après l'entrée en service [12] ; il peut survenir très tard, vers la cinquantaine, et apparaît alors comme l'union de deux retraites bientôt acquises. Le nombre élevé des veuvages s'explique par deux raisons : dans les débuts de l'enseignement secondaire féminin, 65 fonctionnaires au moins entrent dans la carrière précisément parce qu'elles sont veuves et dénuées de ressources ; viennent s'y ajouter des veuves de la première guerre mondiale. Les divorces, en revanche, sont quantité négligeable : les chiffres particulièrement faibles se relèvent en fin de carrière. Ils reflètent l'entrée très lente dans les mœurs d'un usage difficile à admettre ; la catégorie des femmes professeurs n'est-elle pas vouée en quelque sorte de manière professionnelle à la respectabilité [13] ?

En définitive, c'est près du tiers du personnel qui se marie et reste en fonctions après le mariage. Mais cette proportion n'est pas constante selon les diverses catégories de personnel [14] ; elle se modifie aussi selon la

---

12. Le mariage de Sévrienne le plus précoce est célébré à 21 ans. Quatre se marient à 22 et 23 ans ; entre 24 et 30 ans, on en compte 93, à raison d'une douzaine par année d'âge. 16 Sévriennes se sont mariées à 26 ans, 14 à 27, 15 à 29 ans. Passé 30 ans, la quantité des mariages décroît, mais lentement ; elles sont encore dix à se marier à l'âge de 33 ans (étude sur 451 dossiers). Si l'on prend l'ensemble des professeurs (1 005) c'est dans la période entre 23 et 34 ans que le nombre des mariages excède dix par an.

13. Mme Henry, récemment divorcée, est nommée, en 1894, directrice du lycée de Saint-Etienne. Le recteur Charles ne cache pas ses craintes : « Sa nomination à Saint-Etienne m'a donné les plus vives inquiétudes. Le jour où l'on saura qu'elle a un mari et qu'elle est divorcée, le lycée se videra. Ce préjugé vivace partout est invincible dans certaines régions » (1895, AN F 17 22304).

14. Les maîtresses primaires, qui au reste sont plus souvent que leurs collègues mariées en entrant en fonction (7 %), ce qui s'explique par l'existence d'une carrière antérieure parfois longue dans l'enseignement primaire, ne sont que pour 53 % célibataires à la fin de leur carrière. La proportion des femmes mariées en cours de service, donc n'abandonnant pas pour autant l'enseignement, est également plus élevée que la moyenne. Sur 675 institutrices, en début de carrière, 585 (86,6 %) sont célibataires,

date de naissance des fonctionnaires [15]. Enfin, les fonctions de directrice semblent prédisposer au célibat, à moins qu'elles ne soient attribuées de préférence à des célibataires [16]. Au moment de la retraite, l'addition des cas où le fonctionnaire ne s'est pas marié et de ceux où il a perdu son conjoint [17] montre que la solitude est le lot de la majorité.

MARIAGE CHEZ LES SÉVRIENNES ET DÉMISSION

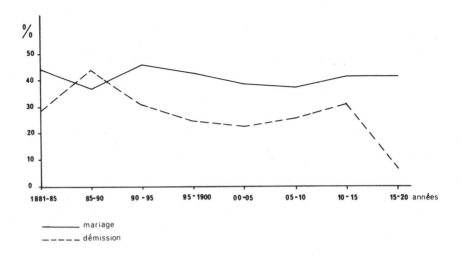

Avec qui les fonctionnaires se mariaient-elles ? La répartition [18] par secteurs des professions n'est pas sans ressemblance avec la répartition des professions paternelles :

---

48 (7 %) sont mariées, 18 veuves ; en cours de carrière, 407 (60,2 %) sont célibataires, 233 (24,4 %) mariées, 30 veuves ; en fin de carrière, 359 (53,1 %) sont célibataires, 240 (35,5 %) mariées, 63 (9,3 %) sont veuves. L'explication de cette légère disparité ne peut être que sociale ; les milieux où se recrutent les institutrices sont ceux où le travail de la femme mariée, loin d'apparaître comme une anomalie, est considéré comme une loi. D'autre part, l'emploi qu'elle occupe ne constitue pas une promotion telle qu'il existe une barrière infranchissable entre elle et son milieu d'origine. A titre de comparaison, le pourcentage des Sévriennes célibataires en fin de carrière s'élève à 56,5 %, celui des professeurs à 70 %. Les professeurs de couture, de gymnastique, de dessin, sont célibataires à plus de 75 %.

15. Cf. le graphique représentant le pourcentage des mariages et des démissions à Sèvres de 1881 à 1914 ci-dessus.

16. 230 sur 304 directrices, soit 75 %, ne sont pas mariées.

17. Le pourcentage des veuvages est très différent pour les fonctionnaires nés avant 1850 et après : il est de 27 % (58 % célibataires, 12 % mariées) pour le personnel né avant 1850, contre 11,2 % (58 % célibataires, 29,6 % mariées) pour le personnel né entre 1850 et 1880. Parmi les premiers professeurs, beaucoup sont entrées dans l'enseignement à la suite d'un veuvage. Le recrutement d'un personnel très jeune a fait disparaître cette particularité par la suite.

18. Ont été ajoutées les professions des seconds maris.

	Mari		Père	
Université	317 soit 41,2 %		300 soit 35 %	
Armée	39	5,2	74	8,8
Autres fonctions	141	19	146	17,5
Chemin de fer, commerce	127	17,1	127	15,1
Professions libérales	76	10,2	70	8,3
Industrie	28	3,7	65	7,7
Agriculture	2		20	2,3
Rentiers	11	1,4	37	4,4
Total	741		839	

Armée et Université comprises, c'est encore la fonction publique qui se taille la part du lion : ses positions sont même renforcées alors que les secteurs agricole et industriel, déjà si faiblement représentés, confinent à l'inexistence, tout comme la catégorie des rentiers. En revanche, les carrières du commerce et de la banque, tout comme les professions libérales, occupent une part appréciable de l'ensemble.

Mais la grande différence entre les professions des pères et des maris réside dans les répartitions respectives du haut en bas de la hiérarchie. Il n'est pas exagéré d'affirmer que les femmes professeurs accèdent, en moyenne, par le mariage à un échelon plus élevé dans la hiérarchie sociale. En effet, la classe numériquement prépondérante est, pour les pères de fonctionnaires, celle qui correspond aux instituteurs ; pour les maris, c'est l'échelon 3, correspondant aux professeurs de collège.

Niveau social comparé du père et du mari

	Mari				Père			
1	22	soit	2,9 %		12	soit	1,5 %	
2	109	»	14,7		85	»	11,1	
3	327	»	44,2	} 81 %	249	»	32,7	} 81,3 %
4	272	»	36,8		371	»	48,6	
5	0				16	»	2	
6	9				30	»	3,9	
Total	739				763 *			

* Les 76 orphelines n'ont pas été prises en compte pour le calcul du pourcentage

L'addition des échelons 3 et 4 donne sensiblement le même résultat dans l'un et dans l'autre cas, révélant une prépondérance des quatre cinquièmes. Mais, outre la substitution de l'échelon 3 à l'échelon 4 comme classe prépondérante, il existe un glissement général vers le haut. Alors que le cinquième restant se trouve, pour une part, chez les pères, au bas de la hiérarchie, il est pratiquement tout entier en haut chez les maris. Les catégories 2 et 3 cumulées, dans le premier cas, n'atteignent pas tout à fait 40 % ; dans le second, elles dépassent 58 %. D'autre part, la répartition par secteurs d'activité accuse certaines dissemblances :

Secteur d'activité et niveau social du mari

	Université	Armée	Fonction publique	Chemin de fer Commerce	Professions libérales	Industrie	Agriculture	Rentiers
0.	—	—	—	—	—	—	—	—
1.	17	—	2	—	2	—	—	—
2.	77	3	10	8	6	2	—	2
3.	141	24	51	48	49	12	—	1
4.	80	9	74	68	19	12	1	4
5.	—	—	—	—	—	—	—	—
6.	1	2	1	—	—	2	1	2

Sans conteste, c'est dans l'Université même que l'ascension sociale est le plus sensible. La fonction publique, le commerce, les professions libérales attestent aussi, non quelques réussites individuelles, mais une ascension générale. Il resterait à chercher si c'est malgré ou à cause de leur situation de professeur de l'enseignement des jeunes filles que les fonctionnaires se marient comme elles le font. Au vrai, une fraction d'entre elles abandonnent l'enseignement lorsqu'elles se marient : elles rentrent dans l'univers bourgeois où le travail de la femme, si honorable soit-il, n'est qu'un pis aller [19]. Mais les dossiers ne permettent pas de répondre sur les motivations qui conduisent à l'abandon des fonctions lors du mariage. La comparaison entre les secteurs d'activité du père et du mari, entre leurs classements respectifs dans la hiérarchie, montre que c'est du niveau social du mariage que dépend surtout cette démission.

Sauf une légère tendance, dans l'université et la fonction publique, à épouser un mari qui exerce la même activité que le père, on ne saurait déceler de préférence nette pour un secteur ou l'autre en fonction de la profession du père. Au contraire, l'homogénéité est incontestable dans la comparaison des niveaux sociaux :

---

19. Les fonctionnaires nées de 1850 à 1859 demandant 9 congés pour mariage, de 1860 à 1869, 63, après 1870, 53. En tout 125 congés pour mariage ; 104 de ces congés sont illimités et se terminent rarement par une démission en bonne et due forme. De ces 125 demandes de congés, 32 émanent de Sévriennes.

Secteurs d'activité du père et secteur du mari

Mari \ Père	Université	Armée	Fonction publique	Chemin de fer Commerce	Professions libérales	Industrie	Agriculture	Rentiers
Université	42	12	15	13	4	4	3	2
Armée	5	1	2	1	1	1	—	1
Fonction publique	21	3	10	7	3	6	1	1
Chemin de fer, commerce	9	1	6	7	4	5	2	2
Professions libérales	8	5	5	4	—	3	1	—
Industrie	4	2	—	1	1	1	—	—
Agriculture	1	—	—	—	—	—	—	—
Rentiers	1	1	—	1	2	—	—	1

Niveau du père et du mari

Mari \ Père	0	1	2	3	4	5	6	7
0	—	—	—	—	—	—	—	—
1	—	2	—	3	4	—	1	—
2	—	2	6	13	18	—	—	12
3	—	1	13	35	46	2	2	30
4	—	—	3	21	47	—	—	16
5	—	—	—	—	—	—	—	—
6	—	—	1	1	—	—	—	1

Homogénéité incontestable, mais pas totale, comme l'indiquait déjà la tendance à monter dans la hiérarchie décelée plus haut. En fait, cette tendance est surtout caractérisée chez les filles de petits bourgeois (échelon 4) : les deux cinquièmes se marient dans une catégorie plus élevée. Dans l'échelon 3, la situation est moins nette : la moitié environ se marient dans l'échelon 3, mais la fraction qui reste est inégalement partagée entre les échelons 4 et 2. De plus, les fonctionnaires nées d'un père classé dans l'échelon 2 se retrouvent mariées, en majorité, dans les catégories 3 et même 4. Ainsi s'explique le sentiment de la plupart des contemporains que les femmes professeurs, quand d'aventure elles se mariaient, se mariaient mal. Inattentifs à l'ascension relative de la majorité, et particulièrement des filles de très petite bourgeoisie, ils étaient plus sensibles au mariage médiocre et mal assorti, tel que le décrit Marguerite Aron qui s'inspire d'ailleurs de l'exemple précis offert par l'une de ses collègues :

« Mais quelques-unes se fatiguent de cette situation équivoque qui n'est ni d'une jeune fille, ni d'une femme ; ni tout à fait indépendante, ni tout à fait cloîtrée ; et l'idée fixe, la monomanie du mariage, d'un mariage quelconque, du mariage pour le mariage, germe dans ces cerveaux pourtant éclairés et souvent supérieurs. Mademoiselle X., à trente-huit ans, épouse un commis voyageur qui en a vingt-sept. Mademoiselle Z. ajoute ses trois mille cinq cents francs d'appointement aux dix-huit cents francs d'un monsieur qui est stagiaire d'économat et seconde clarinette à l'Union musicale. Ils font le marché en sortant du lycée, et vont promener bébé sur le mail, le jeudi et le dimanche, dans sa petite voiture. Bébé trop sage, maman trop pâle » [20].

Ce sont donc les jeunes filles de la bourgeoisie la mieux assise qui se marient, en moyenne, le plus mal, quand elles se marient. La seule explication réside dans le rejet, par leur milieu social, de la femme sans dot. Loin d'être considéré comme une compensation à l'absence de dot, leur travail peut être jugé honorable, mais il demeure incompatible avec le mariage : seul en fait le milieu universitaire, et encore pas dans sa totalité, admet vraiment la femme professeur. Dans la toute petite bourgeoisie, au contraire, encore plus proche des couches populaires, le travail de la femme apparaît non comme une sorte de déchéance, mais comme un élément positif du bien-être du ménage : la démission n'est plus obligée et, quand elle a lieu, est plutôt le fruit des circonstances que le résultat d'une attitude systématique.

L'évolution des mœurs, au début du siècle, vers une relative libération des femmes pourrait faire penser que le taux des démissions par rapport au mariage a eu tendance à diminuer. Il n'en est rien, comme le montre l'exemple des Sévriennes [21]. Cette proportion, pourtant, n'a pas été constante suivant les différentes époques : elle est plus faible pour les promotions entrées après 1895 mais toujours supérieure à 20 % jusqu'aux promotions de la guerre. L'examen des promotions entrées immédiatement après celle-ci suggère un changement d'attitude ; l'absence de chiffres postérieurs à 1931 interdit de le déclarer définitif. Tout au plus les attitudes sont-elles mieux tranchées : celles qui entrent effectivement dans l'enseignement ne le quittent pas au bout de quelques années comme leurs devancières, en cas de mariage. La démission, quand elle a lieu, est donnée en cours de scolarité à l'Ecole ou au plus tard à la fin de celle-ci. Ces deux attitudes résultent en partie de conditions psychologiques et matérielles nouvelles. L'enseignement secondaire féminin est en pleine croissance, de nouveau. Grâce au plus grand nombre d'établissements, il n'est plus impossible à un jeune

---

20. *Journal d'une Sévrienne*, p. 234.

21. La proportion remarquablement forte des démissions : plus de 40 %, pour les promotions entrées de 1886 à 1890, correspond à des démissions qui ont eu lieu après 1890, parfois dans les premières années du siècle.

professeur d'obtenir un poste dans la ville de son choix ou au moins à proximité de celle-ci ; la nécessité de suivre le conjoint ne se heurte donc plus toujours à une incompatibilité avec la poursuite de l'activité professionnelle.

Le nombre d'enfants, indiqué dans les notices individuelles, est connu pour la plupart des fonctionnaires : le nombre des femmes sans enfants (25,7 %) des femmes mariées), la prédominance des familles à enfant unique (28,5 %) ou avec deux enfants (24,9 %) donnent l'image d'un groupe social qui arrive à limiter efficacement les naissances, plus malthusien que la société d'alors :

Sans enfant	....	198	(25,7 %)*
Un »	....	220	(28,5 %)
Deux »	....	192	(24,9 %)
Trois »	....	98	(12,4 %)
Quatre »	....	35	
Cinq »	....	16	
Six »	....	8	
Sept » et plus	....	3	

* Ce chiffre doit être interprété avec précaution. En effet, il comprend les jeunes femmes qui ont pu avoir des enfants après avoir quitté l'enseignement. Pourtant, chez les institutrices qui démissionnent rarement au moment du mariage, le pourcentage est encore de 24 % des mariages.

Quelles sont les causes de ce malthusianisme ? Tout d'abord le fait que les fonctionnaires ne se marient pas très tôt : c'est une minorité qui entre dans les cadres après le mariage. Des mariages célébrés après quarante ans, aucun n'est fécond. D'autre part, la naissance des enfants est une source de difficultés matérielles et économiques. Le congé de maternité n'existe pas en tant que tel. L'enfant une fois né, il n'existe aucune allocation, aucun supplément de traitement pour subvenir à cette dépense nouvelle. Il est vrai que, même si l'on en parle avant 1914, il n'est pas à proprement parler de crise domestique : même avec des revenus modestes, le ménage où la femme travaille peut s'assurer les services d'une bonne. Compte tenu de toutes ces circonstances, il est possible de conclure que le comportement des fonctionnaires est semblable à celui des catégories sociales dont elles sont issues et auxquelles elles continuent d'appartenir ; leur malthusianisme toutefois se trouve accentué par la proportion des mariages tardifs et aggravé par les difficultés que leur opposent des règlements conçus au temps où les femmes n'entraient pas dans la fonction publique.

Les études et les conditions de recrutement

Dans quels établissements et comment les professeurs de l'enseignement féminin ont-ils été formés ? Des 1 458 fonctionnaires pour lesquels le dossier donne une indication précise, 990 ont été formés dans le seul enseignement public, 327 entièrement par l'enseignement privé, 130 ont eu recours successivement aux deux secteurs. Le type d'études suivies est en général mieux connu : 1 002 fonctionnaires, près de la moitié du total, ont reçu une formation seulement primaire, complétée ou non par le passage à l'école normale primaire ; 784 en revanche, c'est-à-dire le tiers, ont été formés exclusivement par l'enseignement secondaire, entendons qu'ils ont fait une scolarité secondaire complète et que souvent ils sont entrés dans l'établissement dès les classes élémentaires. Une part beaucoup plus modeste, 274 seulement, a fait des études en partie primaires, en partie secondaires. Une sorte d'impérialisme de chacun des ordres d'enseignement peut se déceler dans la faiblesse relative de ce chiffre : les filières primaire et secondaire sont parallèles et non complémentaires.

Soixante-deux candidates à un emploi dans le nouvel enseignement font état d'un autre type de formation, les leçons particulières. En fait, ce luxe pédagogique est réservé aux plus anciennes : 17 candidates en font état, qui sont nées entre 1850 et 1859, 32 (la moitié) nées entre 1860 et 1869, 10 seulement dans la décennie suivante. Une telle répartition correspond à l'absence de moyens pour se préparer aux concours de recrutement avant la mise en place de la sixième année dans les principaux établissements. Le détail que les candidates donnent des ressources auxquelles elles ont eu recours laisse l'impression à la fois du disparate et de l'ingéniosité avec laquelle elles ont suppléé à l'absence de formation régulière. Telle prend des leçons d'un agrégé des lycées, complète avec des conférences et les cours de la Société pour l'instruction élémentaire. Telle autre suit les cours du Muséum, ceux de l'Association de la Sorbonne. Toutes les Parisiennes vont écouter les cours de pédagogie de Marion. Ces combinaisons souvent épuisantes pour qui doit gagner sa vie, parfois décevantes ou coûteuses, ne résistent pas à l'installation de la sixième année. La leçon particulière est vraiment un trait des temps héroïques.

La disparité entre les études faites dans le secteur public et dans le secteur privé ne provient pas de l'enseignement primaire, où les chiffres restent à peu près égaux (225 et 238), mais de l'enseignement secondaire : 680 contre 20. Cette disproportion révèle d'abord l'inexistence légale d'un secteur secondaire pour l'enseignement privé des filles, mais aussi l'impossibilité, immédiatement après 1880, d'en créer un qui puisse rivaliser avec les établissements publics. Il convient d'ajouter que les couvents, réputés primaires jusqu'à 1880, ont fourni une part du recrutement des débuts. Après la fondation des lycées, et même si certains couvents commencent à se doter d'un enseignement de niveau secondaire, cette source est définitivement tarie : la loi consacre une cassure. Les 20 fonctionnaires qui proviennent de l'enseignement privé sortent donc d'établissements laïques, essentiellement le collège Sévigné. Il faut ajouter celles qui ont complété dans un établissement « secondaire »[1] privé leurs études primaires : elles sont 63. Certaines d'entre elles proviennent de grandes pensions laïques de province, comme le pensionnat Mercey à Nancy, ou encore de pensionnats protestants — la pension Ahles à Nîmes — sans omettre quelques élèves de l'école juive Bischoffsheim à Paris.

Plus de la moitié des fonctionnaires (1 282) n'ont pas suivi les cours d'une sixième année, ce qui peut résulter du fait qu'elles ont été recrutées avant l'existence de cette sixième année, mais aussi bien qu'elles sont passées par la filière primaire couronnée par le brevet supérieur. Dans les 31 fonctionnaires qui ont suivi les cours d'une sixième année privée, se retrouverait à peu près le contingent des élèves du collège Sévigné. Il est vrai que pour 368 autres, la sixième année est probable sans être certaine : la préparation à Sévigné ayant été diversifiée, puisqu'il existait des cours spéciaux pour le certificat et l'agrégation, le total des « sixième année » de Sévigné doit être en réalité beaucoup plus élevé. L'année supplémentaire à Sèvres pour 85 fonctionnaires, Sévriennes ou non, doit être comptée également.

Il est difficile d'imaginer de manière précise ce que devait être la sixième année. Sorte de classe de « vétérans », divisée en deux sections — scientifique et littéraire —, elle devait suffire à tout, assurer la préparation aux concours de Sèvres et de Fontenay, au certificat, couronner la formation secondaire. Mais les archives des lycées de province indiquent nettement qu'elles étaient fréquentées aussi par les élèves qui, pourvues de diplôme, voulaient obtenir le brevet supérieur afin de devenir institutrices. Les concours étant devenus de plus en plus difficiles, en raison du nombre volontairement restreint des candidates reçues, il était rare qu'une seule année de sixième suffît pour être reçue à Sèvres : une partie de cette classe était constituée par des jeunes filles qui la doublaient, la triplaient, parfois la quadruplaient. Le caractère n'en était donc pas homogène ; les disparités devaient être d'autant plus

---

1. L'existence d'établissements secondaires privés n'étant pas légalement reconnue, c'est généralement par le biais de « cours normaux » que ces pensionnats complètent la formation de leurs meilleures élèves.

ressenties que les effectifs de beaucoup de ces classes se réduisaient à quelques unités [2].

Dans les premières années, il suffit d'une reçue à Sèvres ou à Fontenay, ainsi à Saumur en 1897, pour justifier le maintien de la sixième. A Tours, malgré un effectif total de 89 élèves dans le lycée, y compris les classes primaires, on crée une sixième année en 1897, alors que la même année, la sixième de Lyon tombe à 17 élèves. C'est la section scientifique, semble-t-il, qui pâtit le plus de cette désaffection, au point qu'à Grenoble, en 1900, on conclut à sa suppression : le lien est évident avec le nombre de places restreint à l'extrême, en sciences, pour l'entrée à Sèvres (4 par an). Là où il n'existe pas de sixième, comme à Charleville, il arrive qu'on garde des élèves déjà munies du diplôme. Elles continuent à suivre les cours de cinquième. Au reste, et du moins en province, la participation des professeurs hommes est même à ce niveau presque nulle. La présence ou l'absence d'une sixième peut s'expliquer par les disponibilités horaires des professeurs attachés à l'établissement plus que par les effectifs des élèves.

Cependant, il est intéressant d'observer que, parmi les établissements où les effectifs des sixièmes ont sensiblement diminué, Fénelon, Bordeaux, Grenoble, Lyon, Toulouse et Tournon, se trouvent ceux où la préparation risquait d'être la plus sérieuse. Il faut en conclure que la majorité des élèves qui peuplent les sixièmes n'a pas pour ambition de passer le concours de Sèvres et le certificat, mais bien plutôt le brevet supérieur. La sixième assume alors la fonction de l'Ecole normale d'institutrices sans en subir les servitudes.

Une partie des cours de la sixième, notamment la morale, était commune aux deux sections. Venaient se joindre aux élèves, dans la

---

2. Effectifs comparés des 6e en 1896 et en 1900, d'après Camille Sée, Avant-propos de *Lycées et collèges,* éditions de 1896 et de 1900 :

		1896	1900		1896	1900
Paris	Fénelon	56	42	Guéret	5	—
	Molière	11	15	Lyon	26	16
	Racine	23	27	Marseille	13	16
	Victor-Hugo	—	10	Montauban	23	27
Agen		3	7	Montpellier	10	13
Amiens		11	16	Nantes	9	16
Auxerre		7	7	Niort	2	—
Besançon		17	18	Rouen	6	—
Bordeaux		22	17	Toulouse	43	26
Bourg		20	—	Tournon	16	13
Brest		5	7	Versailles	17	18
Chambéry		9	8	Reims	—	8
Grenoble		19	13	Tours	—	7

Les collèges ne sont pas en reste :

	1896	1900		1896	1900
Alais	2	2	Lons-le-Saunier	7	6
Avignon	6	4	Louhans	3	7
Beauvais	3	2	Saumur	4	4
Cambrai	—	7	Tarbes	10	8
La Fère	3	1	Vitry	1	3
Lille	5	7			

mesure où leur service le leur permettait, les maîtresses répétitrices ou surveillantes de l'établissement qui n'avaient pas encore renoncé à briguer le certificat. C'est dans les cours de sixième, du moins à Paris et dans quelques grands centres, qu'enseignent les derniers professeurs hommes ; ailleurs, la préparation est assurée par les meilleurs professeurs de la maison. Dans un collège, ce sont des certifiées : le niveau des études reste nécessairement modeste.

Les fonctionnaires qui ont étudié en faculté n'atteignent pas le nombre de 200 : lettres, 105 (4,6 %) ; bourses d'agrégation de lettres, 3 ; sciences, 43 (1,9 %) ; bourses d'agrégation de sciences, 1 ; bourse d'agrégation de langues, 24. Encore peut-on constater que, dans cet ensemble, les boursières d'agrégation de langues sont presque seules à faire des études universitaires poussées, puisqu'elles entrent en faculté, munies du seul brevet supérieur, pour la préparation des certificats et agrégations de langues. C'est cette préparation particulière qui explique que le nombre des étudiantes en faculté des lettres, 105, soit deux fois plus élevé que celui des bachelières classiques, à une époque où les études de « lettres modernes » n'existent pas. Des cinquante bachelières classiques, 39 s'en tiennent au baccalauréat, seulement 11 obtiennent la licence ès lettres. Bien que dans l'enseignement secondaire féminin les études en sciences soient sensiblement moins développées que les disciplines littéraires, le nombre de bachelières ès sciences est supérieur à celui des bachelières ès lettres. Les premières ont une tendance plus nette à continuer leurs études que les secondes ; c'est en sciences que sont soutenues les sept thèses de doctorat que compte l'ensemble du personnel étudié. Au vrai, l'accès des facultés des sciences est plus facile que celui des facultés des lettres puisque le baccalauréat n'est pas absolument nécessaire.

D'autre part, les études de lettres sont toujours fondées sur les humanités, ce qui éloigne d'emblée non seulement les jeunes filles qui ont subi la formation ordinaire de l'enseignement secondaire féminin, mais aussi celles qui, hâtivement, ont appris assez de latin pour passer le baccalauréat, mais pas davantage[3]. L'enseignement des filles apparaît donc, par cet aspect, comme rigoureusement étranger à l'enseignement secondaire masculin et à l'enseignement supérieur. C'est en quelque sorte par accident qu'il recrute des personnes qui ont fait leurs études en faculté. Si elles n'ont pas pris soin de se munir des diplômes de l'enseignement secondaire des jeunes filles, leur carrière peut être des plus médiocres[4]. La crainte de nuire aux agrégées, de créer un précédent

3. En dehors de celles qui sont nanties du baccalauréat, les dossiers n'indiquent que dix jeunes filles qui aient une connaissance du latin au point de pouvoir l'enseigner et deux seulement qui aient appris le grec.

4. L'exemple extrême est fourni par C. Deflandre qui est en 1907 « la seule femme de France possédant deux doctorats ». Née en 1871, pourvue du baccalauréat moderne en 1899, elle est licenciée

qui ouvrirait la porte à une concurrence peu désirable, contribue à éloigner des talents et en tout cas les personnages d'exception.

Seul témoignage d'une formation professionnelle en dehors de l'étroite filière scolaire, pratiquement réduite à la sixième année, le séjour à l'étranger répond aussi à des exigences économiques. Le principal objectif est sans doute d'apprendre la langue du pays d'accueil, mais ce n'est pas la seule préoccupation[5]. Le futur fonctionnaire, dans quelques cas, a été employé en qualité de lectrice ou de surveillante dans une institution de jeunes filles. Il semble pourtant que, la plupart du temps, ce soit en qualité d'institutrice dans une famille que le jeune professeur a résidé à l'étranger. Pour les protestantes dénuées de fortune, le séjour est presque un rite : il ne suppose pas nécessairement une entrée dans les cadres de l'enseignement d'Etat ; il est comme une étape nécessaire de la formation d'une jeune fille désireuse de gagner sa vie, la possession d'une langue étrangère étant souhaitée chez une institutrice privée. Aussi n'a-t-il pas été possible de découvrir, chez celles dont il est sûr qu'elles ont séjourné à l'étranger, une orientation particulièrement marquée vers le professorat des langues[6].

Au total, c'est presque un dixième des fonctionnaires qui ont été apprendre sur place une langue étrangère[7]. La longueur de l'exil exclut l'amateurisme : 18 % seulement des voyageuses n'ont pas ou peu dépassé un an de séjour, la moitié sont restées deux ou trois ans à l'étranger, le reste plus de quatre ans consécutifs[8]. Le but le plus ordinaire de ce voyage de jeunesse, qui souvent demeure l'aventure

---

en sciences naturelles et docteur en médecine en 1907. Elle demande avec insistance un emploi depuis 1901 (F 17 24193). L'administration la nomme, alors qu'elle est licenciée, maîtresse répétitrice du lycée de Rouen ; elle est dénoncée pour ses libertés d'allure. Rabier parle de la faire mettre sous surveillance administrative. (C'est le seul cas où, dans les dossiers consultés, un directeur songe à faire surveiller une fonctionnaire par la préfecture). Il la déplace à Toulouse. Le recteur Perroud la juge « supérieure à ses fonctions » ; Adrien Dupuy, en tournée, s'étonne et se réjouit de la voir coudre au milieu des élèves : « Une doctoresse qui sait se servir d'une aiguille et qui aime à s'en servir, voilà qui n'est pas banal » ; aussitôt la voilà proposée pour les palmes. Il est caractéristique que ce soit pour cette preuve apparente de conformisme féminin que l'on songe à lui décerner une distinction. On la nomme en 1906 professeur de sciences aux cours secondaires de Fécamp ; elle enseigne ensuite à Roubaix au collège. Lorsqu'elle quitte l'enseignement à la suite de son mariage en 1921, elle est professeur au collège d'Arras. Sa compétence professionnelle n'a jamais été mise en doute. En 1920 encore, c'est un très bon professeur, l'inspecteur général Lamirand s'émerveille de la voir disséquer un cœur de mouton devant ses élèves, « avec de simples ciseaux ». Cependant, elle est la victime d'une sorte d'ostracisme qui frappe celle qui n'observe pas la réserve des autres, qui n'a pas été nourrie dans le sérail et dont on ne saurait envisager la promotion à l'égal des agrégées.

5. Les seules langues « utiles » étant l'anglais et l'allemand, il se trouve 17 fonctionnaires pour avoir été ailleurs qu'en Angleterre ou en Allemagne.

6. Au reste, la place de l'épreuve de langues n'est pas négligeable dans les premiers concours de recrutement, quelle qu'en soit la section. La connaissance d'une langue étrangère, même sans diplôme la constatant, fut précieuse chez les maîtresses primaires des grands lycées parisiens qui purent ainsi dispenser une initiation à leurs élèves dès les classes élémentaires.

7. Il est probable que le chiffre est plus élevé, les dossiers n'ayant pas consigné de manière systématique l'existence de tels séjours. Ce sont les candidates à un poste sans autres diplômes que le brevet qui avaient évidemment intérêt à en faire état.

8. Une fois entrées en fonctions, les professeurs ne font généralement pas savoir si elles séjournent ou non à l'étranger durant leurs vacances. Les fréquentes lamentations des inspecteurs de langues semblent indiquer que ce n'était pas la coutume même des spécialistes.

d'une vie, est l'Angleterre : 126 fonctionnaires au moins, soit 5,6 % de l'ensemble, s'y sont rendus ; 3,2 % ont été en Allemagne.

Si les fonctionnaires, dans la grande majorité des cas, ne sont pas dotés de diplômes de l'enseignement supérieur, il n'est pas rare de les voir nantis de deux séries de diplômes : ceux qui donnent accès à l'enseignement primaire et, bien sûr, ceux qui sont propres à l'enseignement secondaire féminin. Ces derniers sont seulement au nombre de trois : le diplôme de fin d'études, le certificat et l'agrégation. En revanche, les diplômes primaires sont d'une grande variété, du simple brevet élémentaire au certificat d'aptitude à l'enseignement dans les écoles normales[9]. Le diplôme essentiel, possédé par 1 303 fonctionnaires, reste le brevet supérieur. Référence presque unique dans les premières années, chez les candidates au certificat, il tend à doubler de façon presque automatique le diplôme de fin d'études : la prudence des parents en impose la préparation jusque dans les lycées. Ne donne-t-il pas accès à la carrière d'institutrice, à la différence du diplôme qui n'a de valeur qu'à l'intérieur de l'enseignement secondaire féminin ? N'est-il pas la seule sanction possible pour les élèves des cours ? A la longue, l'usage s'instaure de ne passer que le diplôme, du moins dans les grands lycées ; l'administration l'interprète comme le signe d'une entrée de l'institution dans les mœurs, de la confiance des parents. C'est sans doute vrai pour une partie au moins des élèves qui ne se destinent pas à l'enseignement ; ce l'est moins pour celles qui y entrent, puisque 1 897 ont un diplôme primaire supérieur au certificat d'études. L'inventaire des diplômes autres que primaires montre que plus de la moitié du personnel étudié ne possède pas de diplômes de l'enseignement secondaire féminin.

Diplômes autres que primaires

Autres que esjf	489*	21,7 %
Aucun	659	29,3 %
Esjf + autres	173	7,6 %
Esjf seul	885	39,3 %

* Cette première catégorie englobe à la fois les certifiées de langues, les titulaires d'un certificat spécial (dessin, couture, chant) et celles qui ont conquis un grade de l'enseignement supérieur (baccalauréat ou licence)

Si l'on considère que, dans la dernière catégorie, entrent à la fois diplômées, certifiées, agrégées, sans préjudice de la possession d'un brevet primaire, force est de constater que ce sont les brevets primaires

---

9. Répartition des diplômes primaires : certificat d'études, 1 ; brevet élémentaire, 152 ; brevet supérieur, 1 303 ; certificat d'études primaires supérieures, 6 ; certificat d'aptitude, 282 ; certificat pour le professorat des écoles normales, 102 ; certificat d'aptitude à la direction des écoles maternelles, 48 ; à l'inspection des maternelles, 5.

qui sont prépondérants. L'enseignement secondaire des jeunes filles, du moins pour les grades qui y donnent accès, ne se suffit pas réellement à lui-même.

Partant, l'âge auquel les fonctionnaires ont terminé leurs études, lorsqu'elles sont munies seulement de diplômes primaires [10], est peu élevé : 11 d'entre elles ont terminé à seize ans, 49 à dix-sept ans, 133 à dix-huit, 134 à dix-neuf, 90 à vingt, 130 seulement au-delà de vingt, soit moins du quart contre plus du tiers à dix-huit ou moins de dix-huit ans. Ce personnel, dans la grande majorité des cas, a sollicité et obtenu immédiatement un poste. Même si l'on tient compte des 174 brevetées qui ont passé le certificat d'aptitude, généralement plus tardif, 68 % au moins des jeunes filles sont entrées dans l'enseignement sans formation pédagogique [11] et avant l'âge de vingt ans.

En revanche, l'âge lors du certificat ou de l'agrégation peut être beaucoup plus élevé. Les études, certes, sont courtes en principe : un an après le diplôme, à dix-huit ou dix-neuf ans [12], on peut entrer à Sèvres et en ressortir agrégée trois ans plus tard. Une brevetée de 17 ans peut tenter sa chance beaucoup plus tôt en ne passant pas par l'Ecole ; de fait, 30 agrégées sur 441 l'ont été à 21 ans ou moins. Mais la grande majorité (279 soit 63,2 %) sont devenues agrégées entre 22 et 27 ans, les autres (29,9 %) réussissent après cet âge, parfois même à la quarantaine passée. Aussi l'agrégation apparaît-elle largement comme un moyen de promotion interne : ce sont déjà des fonctionnaires de l'enseignement secondaire des jeunes filles qui se présentent le plus souvent au concours, passées les années faciles de la fondation. Le certificat ouvre une compétition plus large mais qui n'est pas moins acharnée : les 456 fonctionnaires qui ont dû se contenter du titre de certifiées ont dû mettre pour l'obtenir en moyenne plus de temps que les agrégées le leur [13]. En outre, il est beaucoup plus difficile de passer l'agrégation une fois entrée dans l'enseignement que le certificat, examen plus scolaire auquel la pratique de l'enseignement même peut servir de préparation.

Cependant, après les âges de réussite maximale, les courbes de réussite ne s'affaissent que lentement ; si l'on peut rester sceptique sur les conditions dans lesquelles les maîtresses abordent les concours, leur persévérance vient atténuer la notion d'études terminées trop tôt : passée la trentaine, inlassablement, des maîtresses tentent encore leur chance.

---

10. 547 sont dans ce cas, soit près du quart.

11. Sur les 2 247 fonctionnaires, 162 sont passées par une école normale d'institutrices. Mais une part de ces anciennes normaliennes ont continué leurs études jusqu'aux grades de l'enseignement secondaire.

12. Il peut être beaucoup plus précoce chez celles qui ont fait toute leur scolarité dans l'enseignement secondaire et n'ont visiblement pas attendu douze ans pour entrer en première année. Les diplômées de quinze ans donnent des agrégées de dix-neuf ou vingt ans.

13. Cf. graphique ci-contre.

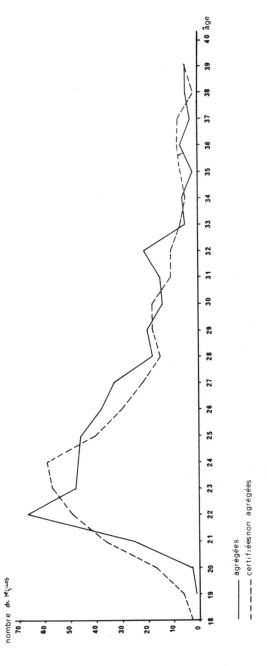

AGE AU DIPLOME LE PLUS ÉLEVÉ, AGRÉGÉES ET CERTIFIÉES NON AGRÉGÉES

nombre de Réjues

agrégées

certifiéesnon agrégées

L'enseignement secondaire n'a été le premier emploi que de 1 340 fonctionnaires, soit 59 %. Deux raisons peuvent expliquer cette proportion relativement faible : il faut compter avec les débuts où l'on s'est attaché à recruter, notamment pour la direction, des personnes qui avaient déjà une expérience de l'enseignement, public ou privé. D'autre part, le recrutement des classes élémentaires n'a cessé de faire appel à l'enseignement primaire. La liste des premiers emplois occupés donne la mesure de cette dépendance :

Institutrices libres	272	12,1 %	
Institutrices publiques	230	14,7 %	Viennent de l'enseignement
Professeurs d'EPS ou d'EN	888	3,9 %	primaire : 580 soit 25,8 %
Légion d'honneur	10		de l'ensemble des fonction-
Elèves d'une ENI	162	7,2 %	naires étudiés.
Autres	34		

L'origine primaire, comme l'atteste la présence des professeurs d'EPS ou d'Ecole normale, ne consiste pas toujours dans un court passage, une sorte de stage en attendant l'admission dans l'enseignement secondaire. Une situation difficile entraîne parfois l'appel à des institutrices chevronnées. Le meilleur exemple, à cet égard, est celui du lycée de Besançon : le succès en est assuré par la directrice de l'Ecole normale de Besançon [14]. Après la période de fondation, le recours à une directrice formée par l'enseignement primaire est beaucoup plus rare : Clara Bonnel, première directrice, en 1895, du lycée de Tours, qui a appartenu à la première promotion de Fontenay, est un cas particulier [15]. A cette date, l'enseignement primaire et l'enseignement secondaire des filles sont constitués en organisations bien distinctes entre lesquelles les échanges sont exceptionnels. Pourtant, l'enseignement secondaire reste redevable, pour son personnel des classes élémentaires, à l'enseignement primaire, au hasard des situations locales. Ainsi s'expliquent de si longues durées de services primaires chez 389 fonctionnaires (17,3 % du total) qui ont accompli plus de deux ans dans le primaire :

---

14. Née en 1834, V. Bonnet compte alors, en 1884, trente et un ans de services dans l'instruction primaire, elle a été douze ans directrice d'école normale. « Elle montre peu d'expérience de l'enseignement secondaire dont elle ignore les méthodes et les pratiques, écrit Eugène Manuel, mais quelques instructions officielles et les conseils de l'inspection générale l'éclaireront vite et sans peine » (F 17 22754).

15. Les raisons qui l'ont déterminée à entrer dans l'enseignement secondaire sont révélatrices : Rabier, son ancien professeur, provoque ce passage : « C'est à grand peine, écrit-il, que M. Buisson nous l'a cédée ». Elle hésite longtemps, puis se décide enfin sur les conseils de Pécaut qui lui dit : « Je vois la France partout » (F 17 23740). Née en 1862, elle est, au sortir de Fontenay, en 1882, professeur dans diverses écoles normales avant de devenir, en 1887, directrice de l'Ecole normale de Châlons. Cependant, et voilà qui explique sa fortune dans l'enseignement secondaire, elle a obtenu après le certificat des écoles normales en 1882, le certificat secondaire en 1884 et l'agrégation en 1885. Après vingt-quatre ans de direction à Tours, elle termine sa carrière comme directrice du lycée Lamartine, en 1925.

Moins de deux ans	168	7,4 %
De deux à quatre ans	184	8,1 %
De cinq à neuf ans	118	5,2 %
De dix à dix-neuf ans	63	2,8 %
De vingt à vingt-neuf ans	19	
De trente à trente-quatre ans	5	

Dans la plupart des cas, les fonctionnaires ainsi passés du primaire au secondaire restent dans ce dernier : le retour au primaire, sauf cas de convenances personnelles, est signe de défaveur [16]. La perméabilité de l'un à l'autre ordre d'enseignement est donc bien limitée.

En dehors de l'enseignement privé, les autres emplois antérieurs à l'entrée dans l'enseignement secondaire sont quantité négligeable : le nombre de dames de la Légion d'honneur qui ont passé les nouveaux concours de recrutement est un peu plus élevé que celui des transfuges, mais sans autre incidence qu'un relèvement des études à l'intérieur de cette institution demeurée indépendante, alors, de l'enseignement secondaire. Dans la trentaine de fonctionnaires qui ont exercé une autre profession, se trouvent surtout des employées des postes et des comptables de maisons de commerce. Ces bases étroites du recrutement montrent la rareté des débouchés offerts, en dehors de l'enseignement, aux jeunes filles désireuses de travailler, mais encore plus le fossé qui sépare les professions manuelles, la couture par exemple, de celles qui sont accessibles par la possession d'un diplôme, si humble soit-il. L'enseignement apparaît bien comme la destination presque obligée des diplômées sans fortune.

Sur le total des entrées en service, 1 230 se sont faites par délégation, soit 54,7 %. 90 % au moins des fonctionnaires sont devenues titulaires [17]. L'attitude de l'administration en ce domaine a évolué : lors des premières créations, soit par inexpérience, soit plutôt par désir d'affirmer la solidité de l'entreprise, les bureaux de Zévort ont procédé souvent à des nominations fermes à des postes importants [18], pour peu que les intéressées fussent pourvues du minimum de diplômes requis. La

---

16. Ainsi cette Mme N., née en 1883. Brevetée en 1900, elle est institutrice publique dans la Vienne. On la choisit comme maîtresse primaire au collège de Poitiers qui s'ouvre à la rentrée de 1904 : « Il est d'usage, écrit le recteur, lorsque s'ouvre un établissement, surtout un collège de filles, de réserver quelques places aux candidatures locales ». Mais, expérience faite, elle « ne sait pas enseigner, n'a pas d'autorité et n'obtient pas de résultats ». On profite d'un congé qu'elle demande, en 1906, pour la replacer dans le primaire ; elle y reste malgré ses demandes de réintégration dans le secondaire (F 17 23451). L'exemple n'est pas isolé.

17. Au sens où elles étaient assurées d'être pourvues d'un poste correspondant à leurs titres. Le nombre des véritables titulaires était beaucoup moins élevé puisque les certifiées nommées dans les lycées étaient seulement « chargées de cours » ; jusqu'en 1925 du moins, les agrégées étant seules « titulaires » dans les lycées.

18. Ainsi Mme Bertrand, qui n'a jamais exercé dans l'enseignement public, est nommée, à la rentrée de 1883, directrice du lycée d'Amiens (F 17 22216) ; ou encore G. Rodier nommée d'emblée directrice du lycée de Bordeaux (F 17 23497).

délégation ne servait pas tant à inaugurer une sorte de période probatoire qu'à attendre le moment où la déléguée serait pourvue des diplômes requis pour régulariser sa situation. A l'usage, cette signification première s'efface devant la nécessité, vite ressentie, d'éprouver la capacité et les mérites du fonctionnaire : cette nécessité est particulièrement contraignante pour les postes de directrice et de maîtresse primaire. Dans l'un ou l'autre cas, l'absence de droits inhérents à la délégation a permis de se défaire à temps, sans révocation tapageuse, sans procédure compliquée, de quelques fonctionnaires jugés incapables ou indésirables.

A la procédure de la délégation s'ajoute bientôt l'usage de plus en plus courant de la nomination à titre provisoire, même lorsque l'intéressée présente tous les titres requis. Bientôt, sans être la règle, la nomination à titre provisoire devient une sorte d'étape entre la délégation et la nomination définitive. D'abord ouvert, d'accès facile, l'enseignement secondaire féminin se ferme après 1895-1896, se fait soupçonneux. L'absence presque totale vers 1898 de postes à pourvoir ne fait que renforcer cette tendance : les délégations comme maîtresse répétitrice servent de poste d'attente pour les agrégées et les certifiées qu'on n'arrive plus à caser. Dans de pareilles conditions, les nominations même à titre provisoire apparaissent comme une sorte de promotion. La rapide croissance qui suit, après 1903-1904, ne supprime d'ailleurs pas l'habitude de la nomination à titre provisoire. Il est malaisé de découvrir à quelles règles au juste obéit cette procédure. Le provisoire peut durer plus d'un an [19], parfois trois et plus. En cas d'absence de diplômes, il peut s'éterniser. C'est seulement après 1910 que disparaît cet usage, sans que la stabilité effective des fonctionnaires, tant souhaitée par le législateur, en paraisse sensiblement améliorée : seule la garantie de pouvoir garder le poste est nouvelle.

Dans quelle mesure les fonctionnaires ont-elles tenu à conserver le poste dont elles étaient pourvues ? La comparaison entre la région de naissance et la région où ont été achevées les études donne un premier élément de réponse : les déplacements sont relativement peu fréquents. En est-il de même pour la région de fin de carrière comparée à la région de fin d'études ?

On le voit, ce sont les mêmes régions qui accusent un bénéfice ou un gain pour la carrière comme pour les études, tout en tenant compte des échanges nombreux d'une région à l'autre. L'analyse des régions de fin de carrière manifeste surtout la distribution géographique des

---

19. Un an est la durée la plus courante. Nommée en 1887 directrice, à titre provisoire, du lycée de Nice, Mlle J. Rosset voit confirmer sa nomination dès l'année suivante. Il est vrai que précédemment elle dirigeait déjà les cours secondaires (F 17 22331). En 1900, Lucie Ravaire devient directrice à titre provisoire du nouveau lycée de Nancy : elle n'exerçait pas de direction auparavant, mais elle était professeur de lycée ; elle ne reçoit sa nomination définitive qu'en 1902 (F 17 23949).

Pourcentages comparés entre région de fin d'études et région de fin de carrière

	Fin d'études		Fin de carrière	
Nord	216	(9 %)	293	(13 %)
Est	295	(13 %)	146	(6,4 %)
Ouest	208	(9 %)	256	(11,3 %)
Paris	403	(18 %)	607	(27 %)
Centre	138	(6 %)	107	(4,7 %)
Sud-Ouest	301	(13 %)	254	(11,3 %)
Sud-Est	257	(11 %)	315	(13,1 %)
Lyon Alpes	265	(11 %)	265	(11,7 %)

établissements dans les premières décennies de l'enseignement secondaire féminin. Le faible pourcentage de celles qui terminent leurs services dans l'Est et dans le Centre, par rapport à celles qui y ont fait leurs études, reflète la fondation plus tardive d'établissements dans ces deux régions. Sans doute, dès l'époque des premières retraites, la situation n'est plus la même et de nombreux lycées et collèges sont fondés en Lorraine ou dans le Centre, sans parler des provinces recouvrées : mais dans leur grande majorité, ce ne sont pas les fonctionnaires les plus anciennes qui ont été peupler les établissements récents ; les premières retraites correspondent donc à une situation antérieure. Il faut en conclure que les nécessités du service et de la carrière ont été plus fortes, dans la plupart des cas, que les attachements locaux nourris par les fonctionnaires. Pour une agrégée libre de toutes charges particulières [20], le terme de la carrière se trouve à Paris, dans le meilleur des cas. Au reste, l'administration ne semble pas s'être souciée outre mesure de nommer les fonctionnaires dans leur province d'origine, comme l'avait souhaité le Conseil supérieur : tant qu'elle le put, elle tint compte des vœux des professeurs, mais le temps de la pénurie étant venu, elle envoya celles-ci, au hasard des vacances, d'un bout à l'autre de la France. L'image classique de la première nomination est bien celle du dépaysement et si les surveillantes, si le personnel des classes primaires sont d'origine locale, la plupart du temps, les membres du personnel administratif et enseignant sont généralement des déracinés.

A l'intérieur du corps de l'enseignement secondaire, l'appartenance à une catégorie est loin d'être immuable. Le tableau des catégories d'entrée et celui des catégories de sortie ne se ressemblent pas :

---

20. Même pour celles qui étaient soutien de famille, la possibilité plus fréquente de donner des leçons particulières, la perspective d'une vie plus agréable et plus variée peuvent avoir joué leur rôle pour les amener, elles aussi, à demander Paris. L'écart établi, puis délibérément agrandi par l'administration, entre les traitements de province et ceux de Paris a contribué à faire de Paris l'aspiration des plus ambitieuses.

	Entrée	Sortie
Administration......................	101 (4,5 %)	328 (14,6 %)
Economat.........................	30 (1,3 %)	100 (4,4 %)
Enseignements annexes...............	217 (9,6 %)	230 (10,2 %)
Enseignement élémentaire et surveillance	1 157 (51,4 %)	793 (35,2 %)
Enseignement......................	740 (32,9 %)	795 (35,3 %)

Seuls les « enseignements annexes » — couture, chant, dessin, gymnastique — présentent des effectifs comparables à l'entrée et à la sortie. En effet, après les improvisations des premières créations, ces enseignements sont confiés à des personnes dûment munies d'un certificat d'aptitude spécial. Pour le reste, la catégorie de beaucoup la plus nombreuse à l'entrée est celle des surveillantes et maîtresses primaires : elle est à la sortie à égalité avec l'enseignement proprement dit [21]. Cette situation semble pour partie résulter de l'importance prise par les classes élémentaires dans le système secondaire.

La moitié des fonctionnaires passent par la surveillance ou par les classes primaires, au moins à leurs débuts. Il est difficile d'entrer d'emblée dans l'enseignement. En effet, les concours de recrutement se font plus ardus, les réussites se font plus aléatoires, même pour les Sévriennes qui ne peuvent pas prolonger leur séjour à l'Ecole [22]. Non diplômées, elles ne peuvent prétendre qu'à des postes de maîtresses répétitrices, au mieux d'institutrices primaires. En fait, tant qu'elles préparent un concours, on leur donne de préférence un poste de maîtresse répétitrice dans un grand lycée. La tâche n'est pas considérée comme incompatible avec la préparation d'un concours, et la présence des maîtresses au lycée où elles sont logées leur donne des moyens pour cette préparation : certains cours au moins de la sixième année, des conseils, des corrections, un encadrement. La surveillance apparaît alors comme une période d'attente, une sorte de refuge. Mais on s'étonne en haut lieu quand, par timidité ou par répugnance à passer les concours, un fonctionnaire fait mine de s'éterniser dans de telles fonctions. Il est deux issues honorables, à défaut de l'accès au professorat : la répétitrice peut devenir institutrice primaire ou, après 1910, surveillante générale. C'est aussi dans le corps des répétitrices que se recrutent les économes, après un stage à l'économat qui peut durer de longues années. La surveillance est donc bien en principe une catégorie de passage.

---

21. Les fonctions de surveillantes sont souvent peu compatibles avec le mariage. La répétitrice qui se marie abandonne donc plus facilement ses fonctions.

22. Pourvues ou non du certificat et de l'agrégation, les élèves sont astreintes à quitter l'école au bout de trois ans ; en vertu de l'engagement décennal, elles sont tenues d'enseigner aussitôt. L'usage de la quatrième année n'existe pas alors.

Il n'en est pas de même de l'enseignement proprement dit. Facile d'accès dans les toutes premières années, il représente ce que l'enseignement féminin peut offrir de mieux à un fonctionnaire après les fonctions de directrice. Il faut pour y parvenir avoir réussi à passer au moins le certificat, la voie royale de Sèvres demeurant facultative [23]. En fait, moins de la moitié des professeurs, 450 sur 1 002, sont passés par l'Ecole ; plus des trois quarts d'entre eux restent professeurs ; la fraction restante (225) entre dans l'administration, appelée à la direction des établissements, et y termine sa carrière [24].

Les économes, présentes seulement dans les lycées, ne sont pas nombreuses (110). Issues de la catégorie des surveillantes, munies à leur entrée des mêmes diplômes, elles n'en sont séparées que par le stage à l'économat [25]. Ce dernier, d'ailleurs, ne se termine pas toujours par l'entrée effective dans les fonctions d'économe : un poste d'institutrice se libère-t-il qu'il est souvent préféré, car s'il est moins rémunéré, et s'il est dépourvu des avantages matériels attachés à l'économat, il impose moins de sujétions. Personnage utile, l'économe, à qui son absence de diplômes élevés ne permet pas de progresser dans la hiérarchie du corps enseignant, fait une carrière comparable à celle du professeur de collège et ajoute fréquemment à ses émoluments, sans compter le logement et les prestations, la rémunération d'agent spécial de l'internat pour le compte des municipalités. En 1904, une catégorie intermédiaire, les sous-économes, vient seconder les économes dans les lycées de 300 élèves au moins. Les sous-économes aussi ont subi le stage à l'économat, et réussi les examens de commis. Elles attendent, dans une position subalterne, la libération d'un poste d'économe. A ce moment, les services économiques des lycées de jeunes filles ont atteint leur plein développement.

Les carrières

Pour désigner les nouvelles maîtresses des tout premiers établissements de jeunes filles, la terminologie était flottante, comme en témoigne, dans les dossiers, la reproduction des arrêtés de nomination. Le décret du 13 septembre 1883 fixant les traitements des directrices,

---

23. Il est vrai que les chargées de cours de collège, qui assurent un enseignement comme les professeurs, ne sont pas certifiées et sont seulement en possession du brevet supérieur.

24. Une petite minorité (32) retourne dans le professorat pour des raisons diverses.

25. Aux termes du décret du 10 novembre 1883, il fallait, pour devenir économe, avoir accompli un stage de deux ans dans les bureaux d'économat des lycées de jeunes filles, puis avoir réussi aux examens de commis d'économat, institués par l'arrêté du 30 mars 1863. Pour être stagiaire à l'économat, il fallait posséder au moins le diplôme de fin d'études ou un brevet primaire. Enfin, le décret spécifiait que les stagiaires seraient « choisies de préférence dans le personnel des maîtresses répétitrices de ces établissements ». C'est ainsi qu'une Sévrienne, qui n'avait pu réussir au certificat, est entrée dans les cadres de l'économat.

professeurs et maîtresses des lycées et collèges de jeunes filles vint préciser les appellations et établir un classement qui devait durer vingt ans. C'est ainsi qu'eurent droit au titre de professeurs de lycée les seules agrégées [1]. Les certifiées et les licenciées n'étaient professeurs que dans les collèges, et devenaient, dans les lycées, sans modification de leur traitement, de simples chargées de cours. A la différence appréciable de rémunération s'ajoutait donc une discrimination dans l'appellation ; ce fut peut-être le point le plus pénible pour les non-agrégées. Toutefois, l'article 5 établissait expressément le même maximum de service : seize heures par semaine, pour les professeurs et les chargées de cours de lycée, avec un tarif unique pour la rémunération des heures supplémentaires dans un même type d'établissement. L'article 2 faisait une place à part aux lycées de Paris : tous les traitements y étaient supérieurs de 500 francs par an aux chiffres indiqués dans le tableau général ; ce supplément était une sorte d'indemnité de cherté de vie.

PREMIERS TRAITEMENTS ATTRIBUES AU PERSONNEL FEMININ

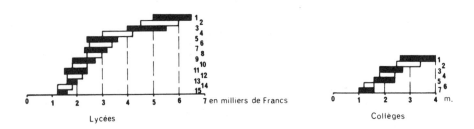

Lycées   Collèges

L'organisation adoptée était, comparée à celle des établissements secondaires masculins, fort simple. On pourrait y voir une intention exemplaire pour une réforme de ceux-ci. La circulaire du lendemain donnait des raisons d'efficacité :

« Vous remarquerez, observe-t-elle, qu'aucune distinction n'est établie entre les lycées des départements et que tous les collèges sont placés sur le même pied ; en outre, les maîtresses chargées de cours des lycées et les professeurs titulaires des collèges, qui devront d'ailleurs être pourvus des mêmes grades, auront droit aux mêmes avantages pécuniaires. On a voulu prévenir ainsi, autant que possible, les demandes de changement de résidence et donner au personnel enseignant des lycées et collèges de jeunes filles une stabilité dont profiteront à la fois les établissements et les fonctionnaires ».

---

1. Il en était de même dans les établissements de garçons.

Le rôle des critiques formulées contre le déracinement des fonctionnaires de l'enseignement masculin est évident : celui-ci sert de repoussoir.

Les établissements n'étaient donc pas divisés en une multiplicité de catégories ; compte tenu du supplément réservé aux lycées de Paris, on ne dénombrait que trois types : lycées de Paris, lycées de province et collèges. Une place à part doit être réservée aux cours secondaires. Dans certains cas, l'enseignement continuait d'y être donné par des professeurs hommes, comme à l'origine : la direction de la plupart était pourtant confiée à une femme, mais celle-ci restait souvent la maîtresse de pension qu'elle avait été auparavant et ne songeait nullement à devenir fonctionnaire, non plus que les collaboratrices dont elle s'était éventuellement entourée. Il existait aussi des cours d'initiative municipale où l'administration, avec le temps, prit l'habitude de détacher des fonctionnaires de l'enseignement secondaire des jeunes filles[2]. Faute de place dans les établissements réguliers, de jeunes maîtresses trouvaient là le moyen de faire leurs débuts. On avait décidé que leur traitement ne serait pas soumis à la retenue pour la retraite. Seules les directrices ou maîtresses qui avaient subi précédemment les retenues pouvaient continuer à opérer les versements, sous réserve d'une autorisation donnée par le ministre. Il restait donc, dans le personnel (du reste peu nombreux) des cours, trois catégories de fait : les maîtresses privées, les anciennes fonctionnaires détachées et les aspirantes virtuelles au statut de fonctionnaire.

Les cours étant réputés municipaux, les traitements étaient versés par les villes, mais le personnel était pourvu de nominations rectorales. Aussi, avant 1905, l'administration centrale ne possède-t-elle pas de dossiers personnels pour la plupart des fonctionnaires des cours secondaires : l'ignorance du ministère au sujet du corps enseignant des cours secondaires explique nombre d'erreurs commises au détriment des intéressées quand il a fallu les classer toutes ensemble.

Chacune des catégories principales du personnel de l'enseignement secondaire féminin était divisée en quatre classes. Cette nouvelle sorte de fonctionnaires était donc traitée selon la coutume : la rémunération, attachée à la fonction, augmentait avec l'ancienneté[3]. La durée minimale du stage dans chaque classe impliquait, à terme, une augmentation du budget de l'enseignement nouveau suffisante pour assurer l'ouverture de nouveaux établissements et accroître le traitement

---

2. « L'élément féminin, écrit Compayré (*L'enseignement secondaire des jeunes filles...*, p. 109) s'est développé sensiblement ces dernières années, et plusieurs élèves sorties de l'Ecole de Sèvres ont été appelées à professer dans les cours secondaires, ou à les diriger ». A l'époque (1903), une politique d'économies empêche les créations d'établissements réguliers et les candidates reçues au concours trouvent difficilement à se placer dans les lycées et les collèges, faute de création de postes.

3. La circulaire prévoyait une durée minimum de cinq ans pour accéder à la classe immédiatement supérieure, de quinze ans pour parvenir de la quatrième à la première.

des fonctionnaires qui, recrutées dans les années de fondation, arriveraient dans la classe supérieure à peu près ensemble. Cette augmentation ne se produisit pas. Il en résulta un piétinement des carrières : la durée minimale de quinze ans fut, et de loin, dépassée pour la majorité[4].

Le décret de 1883 n'avait pas prévu le traitement des autres catégories du personnel de l'enseignement féminin. Des décrets spéciaux à chaque enseignement dit accessoire précisèrent les conditions de recrutement et de rémunération. Aucun souci de cohérence ne présida à ces mesures partielles qui empruntaient tantôt à l'enseignement primaire, tantôt à l'enseignement secondaire masculin[5]. Le profil des carrières montre la disparité des rémunérations selon les diverses disciplines : une maîtresse de travaux à l'aiguille est, en moyenne, deux fois plus payée qu'une maîtresse de chant, elle reçoit trois cents francs de plus, en fin de carrière, qu'une maîtresse de dessin, mille francs de plus que la maîtresse de gymnastique. Le chant et la gymnastique apparaissent comme les parents pauvres d'un enseignement qui innove pourtant en ce domaine[6]. Les travaux à l'aiguille, regardés comme essentiels à la parfaite maîtresse de maison qu'on se propose de former, connaissent donc une faveur relative. Au reste, les professeurs chargés des enseignements dits accessoires sont fort mal payés. Le nombre très faible des professeurs de chaque catégorie, la non-appartenance à une école comme celle de Sèvres, qui serait un lien entre les collègues, expliquent l'absence de protestation au sein de catégories d'ailleurs peu considérées dans l'univers intime des lycées et collèges. Le système des études lui-même contribue à cette situation : la couture, la gymnastique sont obligatoires dans les petites classes mais cessent de l'être en quatrième et en cinquième année.

Le recrutement malaisé au départ des maîtresses de gymnastique nuit à la qualité du personnel : « Il est difficile de trouver pour cet emploi des maîtresses d'une grande distinction », note un inspecteur en 1896[7]. Le peu d'intérêt d'un enseignement pour lequel n'a pas été imaginée une pédagogie propre tend à éloigner de la gymnastique toutes celles qui

---

4. Le temps mis par les premiers professeurs femmes pour parvenir seulement à la troisième classe avant 1903 l'atteste ; sur 645 dossiers en cause (durée de stage minimale, cinq ans) : moins de cinq ans, 12 ; de cinq à neuf ans, 327 ; de 10 à 14 ans, 251 ; de 15 à 20 ans, 55. Le petit nombre de celles qui ont mis moins de cinq ans, en dépit des règlements, pour parvenir à la 3e classe s'explique par les conditions arbitraires des premières nominations, effectuées avant le décret de 1883.

5. Les maîtresses des travaux à l'aiguille et les maîtresses de chant étaient divisées en trois catégories et quatre classes d'avancement tandis que les maîtresses de gymnastique se répartissaient en deux catégories avec trois classes d'avancement, comme les maîtresses munies du certificat de dessin (degré supérieur). Les maîtresses de dessin (certificat du premier degré) étaient les seules à être maintenues dans une classe unique, rémunérée à 1 600 francs quelle que fût l'ancienneté.

6. Il n'existe pas de professeur de musique dans les lycées de garçons et l'enseignement de la gymnastique à des jeunes filles est considéré comme une audace.

7. AN, F 17 23487. Il s'agit d'une maîtresse de gymnastique. De fait, les inconséquences caractérisées de langage et de conduite apparaissent relativement plus fréquentes dans cette catégorie.

peuvent prétendre à un autre emploi. Dans plusieurs cas, il est évident que la maîtresse de gymnastique a sollicité cet emploi pour devenir ensuite maîtresse primaire : espoir généralement déçu. Le déroulement de la carrière apparaît plus resserré, les perspectives plus médiocres que pour les autres catégories.

Tout à l'opposé est le sort fait aux directrices dont le traitement est nettement supérieur à celui des professeurs et dépend moins de la qualification par les diplômes que du type d'établissement dirigé. La carrière de la directrice brevetée de lycée commence à 4 000 francs, là où se termine celle d'une directrice de collège, quel que soit son titre ou son grade[8]. Une directrice de lycée agrégée ou licenciée en fin de carrière peut être payée presque deux fois plus qu'elle ne l'aurait été en restant professeur ou chargée de cours de ·lycée. Un tel privilège illustre l'importance accordée à ces premiers chefs d'établissement dont la réussite entière de l'institution dépendait à tant d'égards, peut-être aussi la difficulté qu'on eut à les trouver et à les convaincre : la perspective d'une si brillante carrière était destinée à les séduire.

La situation privilégiée des agrégées n'était pas dépourvue d'ambiguïtés. Par un décret spécial de 1885, les titulaires d'une agrégation masculine eurent droit, comme les hommes, à une indemnité de 500 francs par an, et les admissibles à une indemnité annuelle de 300 francs pendant deux ans. Sans doute la mesure était-elle théorique, à cette date, pour les disciplines littéraires et scientifiques, puisque aucune femme ne s'avisait de passer les agrégations masculines. Elle eut toutefois pour effet de relever la condition des agrégées de langues, tout en manifestant le caractère illogique de leur statut. En effet, l'administration avait adopté pour principe de ne pas employer dans les établissements de garçons les femmes titulaires d'une agrégation masculine. Celles-ci allaient donc enseigner dans les établissements féminins. Mais, comme professeurs des lycées de jeunes filles, elles étaient nettement moins rémunérées que leurs collègues masculins, eussent-elles été classées avant eux au même concours. L'octroi de l'indemnité d'agrégation venait atténuer la discrimination de fait sans combler l'écart entre les traitements.

Après la guerre de 1914, lorsque les bachelières eurent la latitude de préparer les agrégations masculines, la question des nouvelles agrégées se trouva posée de façon plus aiguë : l'évolution générale pouvait faire craindre, au bout d'un temps, une « invasion » des établissements masculins par les femmes. Mais tout d'abord ce ne fut que le très petit

---

8. Le système des lycées de garçons, où le traitement de base des proviseurs est le même que celui des professeurs titulaires, mais augmenté d'une indemnité de direction, n'a pas été adopté. Il faut attendre 1910 pour voir appliquer aux directrices les mêmes principes de rémunération qu'aux proviseurs : les moins diplômées y perdirent.

nombre qui passa les agrégations masculines[9], et l'on adopta pour ces quelques pionnières la solution qui avait prévalu pour les agrégées de langues : elles enseignèrent dans les lycées de jeunes filles et furent payées comme des agrégées féminines. L'arbitraire était une nouvelle fois consacré et ne cessa qu'avec l'assimilation des traitements en 1926. Il restait cependant à résoudre la question de fond : celle de l'assimilation des agrégations.

Bien que volontairement simplifiée à l'extrême, la division en catégories était plus confuse qu'il n'apparaissait à première lecture. En effet, deux critères de classement se trouvaient employés tour à tour : le niveau de qualification[10], vérifié par les concours de recrutement ou les diplômes, et la fonction occupée. Ainsi, un professeur ou une directrice muni de l'agrégation était mieux payé qu'un professeur ou une directrice pourvu seulement du certificat ou de la licence. Mais s'il est vrai qu'un professeur de collège se trouvait à égalité de qualification et de traitement avec une chargée de cours de lycée, une titulaire du brevet supérieur obtenait un traitement très différent selon qu'elle était institutrice primaire dans un lycée ou dans un collège[11]. En revanche, toutes les directrices de collège, quelle que fût leur qualification, percevaient le même traitement. La rémunération n'était donc pas toujours attachée au titre, non plus qu'à la nature du service rendu, elle dépendait du type d'établissement. De là résultèrent des incohérences, des reculs dans le détail de certaines carrières lorsqu'un même fonctionnaire passait d'une catégorie à une autre : les bureaux tenaient rarement compte des avantages acquis, et tel avancement flatteur pour celle qui en était l'objet pouvait se traduire par une perte financière[12]. C'est en 1903 seulement que la notion d'une indemnité complémentaire,

---

9. En 1930, « on compte une femme à l'agrégation de sciences naturelles, une à l'histoire, trois à la philosophie, deux à la grammaire » (Discours de Mlle Véroux aux Fêtes du Cinquantenaire, *ESJF*, 1931, p. 298).

10. Il ne s'agissait pas d'une qualification purement intellectuelle dans la mesure où les concours de recrutement féminins comportaient une épreuve de caractère pédagogique. Cependant, les rapports des présidents de jurys l'attestent constamment, l'essentiel était la partie intellectuelle du concours.

11. Le tableau des carrières prévoit six carrières de brevetées différentes : deux carrières de directrice, deux de maîtresse primaire auxquelles on peut rattacher celle de chargée de cours de collège qui obtient le même traitement qu'une institutrice de lycée parisien (cette dernière pouvait être certifiée et même agrégée). Vient ensuite la carrière de maîtresse répétitrice. Au bas de l'échelle figure pour mémoire la carrière d'institutrice ou de surveillante d'externat dans les collèges : cette dernière est logée, mais son traitement n'est même pas précisé. Il faut attendre le reclassement de 1903 pour voir classer cette dernière catégorie.

12. Professeur au lycée de Lyon en 4e classe (3 000 francs), L. Allégret devient directrice de collège à Alais en 1889 : elle ne reçoit plus que 2 600 francs avec, il est vrai, le logement et le chauffage. A cette date, une telle perte est considérée comme une anomalie : on la nomme bien vite directrice à Guéret (5 000 francs). Quelques années plus tard, ces diminutions de traitement deviennent la règle, compensées par des promotions rapides en cas de nécessité dans le corps des directrices. Pareille situation n'était pas réservée aux fonctionnaires femmes. Le rapport qui précède le décret du 6 septembre 1913 incrimine le décret du 23 mai 1905 qui comporte encore « des dispositions si défavorables au personnel qu'une mutation par avancement n'a presque jamais pour conséquence une augmentation de traitement et que, très souvent même, le fonctionnaire intéressé subit une diminution momentanée de traitement ».

au cas d'un nouveau classement, commence à se faire jour, et en 1913 que le principe en est définitivement admis [13].

Quelque vingt ans après la loi, les fins de carrières étaient encore bien éloignées. Dès 1895, le chroniqueur de *La Revue universitaire* écrivait :

> « On demande... 20 000 francs pour accorder des promotions à un personnel qui a travaillé sans relâche — et jusqu'ici sans profit — à la prospérité de l'enseignement nouveau. Phénomène inouï dans les fastes du fonctionnarisme, les deux premières classes de professeurs sont absolument vides et 75 % du personnel se trouvent en bloc dans la dernière classe.
> Or, comme ce personnel est relativement jeune, on ne peut compter sur les vides que produisent d'ordinaire sur les tableaux de classe la retraite et la mort. Il n'y a, pour les professeurs des lycées de jeunes filles, d'avancement possible que dans la mesure des crédits votés annuellement par la Chambre » [14].

Celle-ci prit donc l'habitude de voter chaque année des crédits destinés aux promotions, d'un montant du reste insuffisant pour les assurer toutes, car les parlementaires se montrèrent parcimonieux [15]. Le décret du 31 décembre 1903 relatif à l'avancement du personnel de l'enseignement secondaire apporta aux plus jeunes l'espoir d'un avancement moins illusoire puisqu'il divisait le personnel de l'enseignement féminin, comme celui des lycées et collèges de garçons, en six classes au lieu de quatre [16]. Les carrières restaient toutefois les mêmes ; aucun traitement terminal n'était augmenté. Les bureaux du ministère se livrèrent alors au calcul du reclassement de tous les fonctionnaires mais, comme l'observaient les Sévriennes, selon des modalités impossibles à découvrir [17] : il semble que les fonctionnaires les

---

13. Décret du 28 décembre 1903 et décret du 6 septembre 1913. Ce dernier résulte — bien tardivement — des recommandations de la commission extraparlementaire de 1908 ; il prévoit en outre une révision du classement des fonctionnaires qui ont changé auparavant de catégorie sans y trouver avantage. (Il s'agit essentiellement du classement de 1903 qui a soulevé de nombreuses protestations).

14. *RU*, t. I, 1895, p. 74-75. Le rapporteur du budget de 1902, Maurice Faure, décrivait la situation dans des termes analogues : « Le personnel des lycées de jeunes filles est jeune comme les lycées eux-mêmes. L'avancement y est devenu à peu près impossible, puisque les retraites ne peuvent, dans un personnel trop récent, provoquer des vides et amener un mouvement ascensionnel ». Aussi demande-t-il 40 000 frs pour assurer les promotions, en reconnaissant qu'ils ne suffiront pas (Chambre des députés, rapport au nom de la Commission du budget, cité dans l'*ESJF*, janvier 1902, p. 18-30).

15. « Il faudrait, déclarait le rapporteur du budget de 1901, une dépense de 132 300 francs pour accorder au 31 décembre 1900 toutes les promotions auxquelles le personnel pourrait prétendre » (cité par Compayré, *L'enseignement secondaire des jeunes filles...*, p. 87). La Chambre ne votait alors pas plus de 20 000 francs par an.

16. Le stage exigible pour l'admissibilité à promotion dans la classe supérieure est de deux ans dans la 6e classe, trois dans la 5e, quatre dans la 4e, cinq dans la 3e et la 2e (article 5, titre II). Des modalités particulières étaient prévues pour les directrices et économes des lycées de jeunes filles et pour les fonctionnaires les plus âgés. Les crédits étaient distribués au prorata des coefficients de chaque classe.

17. Lettre de L. Belugou à J. Lochert, s.d. (décembre 1904 ?) AEAES. Il fallut attendre les prescriptions du décret du 23 mai 1905 « concernant les mutations par avancement, d'ordre ou de catégorie, des fonctionnaires des lycées et collèges et des changements de classe résultant des mesures générales ».

plus anciens aient subi un préjudice, même après que le tableau de 1904 eut corrigé nombre d'erreurs commises initialement. Au reste, l'administration, qui avait travaillé sans concertation avec les intéressés, reprenait d'une main ce qu'elle avait semblé accorder de l'autre : « La nouvelle organisation qui étend à 19 ans au lieu de 15 le temps de stage minimum nécessaire pour arriver à la première classe aggrave, déclare le Conseil des Sévriennes, la situation pécuniaire déjà inférieure des professeurs femmes » [18].

L'écart avec les hommes, loin d'être atténué par le même système de classement, se trouvait creusé. Mieux payés dès le début, les hommes recevaient des promotions plus substantielles : le cadre de Paris leur permettait de monter beaucoup plus haut [19]. L'aggravation de l'inégalité entre les professeurs hommes et les professeurs femmes survenait à une époque où certains d'entre eux prenaient une nette conscience de la solidarité qui les unissait. Avant 1903, les protestations élevées par le personnel féminin contre la condition qui lui était faite sont bien peu nombreuses et des plus timides. Après cette date, sans revêtir jamais un caractère massif, elles se font plus précises et plus diverses à la fois dans la mesure où elles ne sont plus la seule émanation des Sévriennes, surtout bien représentées parmi les directrices et les professeurs de lycée.

Dans cette première série de mesures qui, malgré leur insuffisance, permettent, par l'octroi plus facile des crédits, de mettre un terme aux injustices les plus marquantes dont souffrait le personnel féminin, figure la loi de finances de 1905. Une de ses dispositions a pour résultat de faire entrer les fonctionnaires des cours secondaires dans le personnel régulier de l'enseignement des jeunes filles [20]. Modeste en apparence, elle consiste à appliquer au personnel des cours secondaires certains articles de la loi et du décret sur les retraites de 1853 : désormais, les retenues pour les retraites sont effectuées dans les mêmes conditions que pour le reste des fonctionnaires.

La nomination dans les cours secondaires ne pose donc plus de problèmes particuliers, les fonctionnaires n'y sont plus vraiment en position de détachement et le va-et-vient avec les autres types d'établissement s'en trouve beaucoup plus aisé. La structure particulière des cours ne s'en trouve pas modifiée pour autant ; mais à terme, du

18. Conseil de l'Association des élèves et anciennes élèves, 7 février 1905, *ibid.*

19. Un professeur agrégé homme, dans la sixième classe du cadre des départements, reçoit 3 200 francs. Une agrégée débutante en reçoit 3 000. La différence est donc peu sensible. Mais alors que celle-ci termine à 4 200 francs, 4 700 francs si elle est professeur à Paris, son collègue, en fin de carrière, reçoit 5 200 francs s'il est en province (5 700 francs en comptant l'indemnité d'agrégation que ne reçoivent pas les femmes, à l'exception des linguistes), 7 500 francs (8 000 avec l'indemnité d'agrégation) à Paris. De 200 francs au début, l'écart à la fin peut donc être de 3 300 francs, il ne peut pas être inférieur à 1 000 francs.

20. Circulaire relative aux traitements des fonctionnaires des cours secondaires de jeunes filles, 25 mai 1905.

point de vue du corps enseignant, il n'existe plus de grande différence entre les cours et les collèges. Dans l'immédiat, la décision qui consistait à rendre valables pour la retraite les services rendus dans les cours secondaires entraîna des situations à la limite de l'absurde. Des femmes qui parfois avaient dépassé la soixantaine se virent contraintes du jour au lendemain de verser pour une retraite qu'elles ne toucheraient jamais ; on n'avait prévu aucun effet rétroactif[21]. Mais si l'administration se révélait attentive à l'accomplissement des règlements, les villes semblaient en faire peu de cas. La déposition devant la commission de 1907[22] de la directrice de Saint-Germain montre que les directrices ne sont toujours pas assurées à cette date de toucher le traitement minimum de la sixième classe des directrices de collèges auxquelles elles étaient en principe assimilées.

Les intentions de la Chambre, dominée par les radicaux, montrent cependant le souci d'améliorer le sort des fonctionnaires. Les professeurs femmes en profitent de manière pour ainsi dire automatique. Lors de la discussion du budget de 1906, grâce à l'intervention du député socialiste Veber et sur la proposition du rapporteur, le radical C. Couÿba, la Chambre décida la constitution d'une commission extraparlementaire « chargée de coordonner les traitements du personnel enseignant et les règlements qui les régissent »[23]. Signe du peu d'habitude qu'avait l'enseignement secondaire féminin d'être consulté, ses représentantes sollicitèrent un délai nécessaire pour la mise au point des desiderata de toutes les catégories. En effet, le corps enseignant féminin s'était jusque-là attaché à poser des questions d'un autre ordre : aux revendications matérielles, il avait préféré l'affirmation de son originalité. Il avait cherché la reconnaissance de celle-ci en réclamant la représentation au Conseil supérieur[24] et une modification du régime du diplôme qui lui permettrait de soutenir la concurrence du brevet supérieur.

Mais cette vue à longue portée, teintée peut-être d'un mépris quelque

---

21. En 1923, lors du vote du budget (Chambre des députés, 26 janvier 1923), les fonctionnaires encore en service (la disposition était donc sans valeur pour les retraitées) furent admis « à faire valoir ... et à valider pour la liquidation par le versement de retenues rétroactives ... les services qu'elles avaient rendus dans les cours secondaires officiels de jeunes filles antérieurement au 1er janvier 1905 ».

22. Cf. ci-dessous.

23. Présidée par Bienvenu-Martin, cette commission comprenait à la fois des parlementaires, le directeur et les chefs de bureau de l'enseignement secondaire, plusieurs inspecteurs généraux, le recteur Liard, les représentants du personnel au Conseil supérieur, le président de la Fédération des professeurs de lycée et deux fonctionnaires de l'enseignement féminin, L. Küss, alors directrice du lycée Victor-Hugo, président de l'Association des Sévriennes, et C. Tollemer, Sévrienne et professeur de lycée parisien. Les procès-verbaux des débats de cette commission, réunie en novembre 1906 (les réunions se sont prolongées jusqu'en février 1907) sont conservés aux AN, F 17 12748.

24. L. Belugou y voyait un préalable. Elle considérait que les améliorations matérielles viendraient beaucoup plus facilement une fois cette représentation assurée. « A mon avis, écrit-elle à J. Lochert, nous devons avoir surtout deux grosses préoccupations en ce moment : celle du diplôme ... et celle du Conseil supérieur, qui est pour nous capitale. Celle du relèvement du taux des promotions, bien que très intéressante, passe, il me semble, au deuxième rang. Mieux représentées nous obtiendrons plus facilement les avantages matériels » (AEAES, 16 février 1905).

TRAITEMENTS DES FONCTIONNAIRES DES COLLÈGES
(en milliers de Francs)

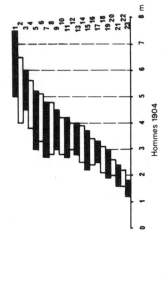

Femmes 1904

7 en milliers de Francs

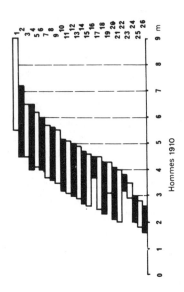

Hommes 1904

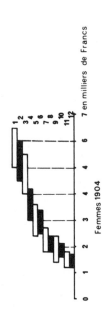

Femmes 1910

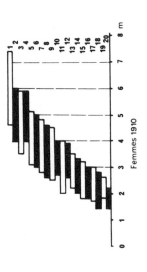

Hommes 1910

TRAITEMENTS DES FONCTIONNAIRES DES COLLÈGES
(en milliers de Francs)

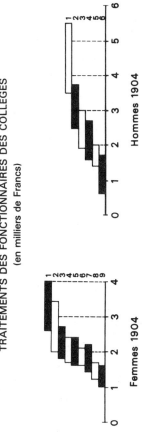

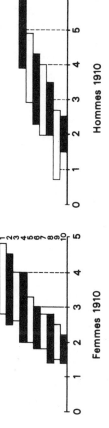

peu aristocratique pour les questions d'argent, ne pouvait être le fait que des privilégiées de l'enseignement féminin : la condition relativement médiocre qui leur était faite était supportable pour la plupart, d'autant que l'écart entre les diverses catégories leur donnait un sentiment de supériorité [25]. La commission extraparlementaire marque donc une étape dans la mesure où elle donne aussi la parole à celles qui ne sont ni agrégées ni sévriennes, et où elle amène les femmes professeurs à sortir de leur monde particulier pour se comparer à d'autres catégories de personnel de l'Instruction publique. Elle révèle un ton nouveau : l'humilité et la timidité font place à plus d'assurance. Fortes des succès d'un enseignement qui recrute beaucoup plus que dans la décennie précédente, les fonctionnaires en arrivent à réclamer ce qu'elles estiment leur être dû. Cependant, leurs vœux restent modestes, à tel point que le rapport Steeg pour le prochain budget, en 1909, propose plus que n'avait demandé le personnel [26].

D'autre part, la question de l'avancement des fonctionnaires de l'enseignement secondaire dans son ensemble se trouve réglée par une loi du 7 avril 1908. L'avancement a lieu partie à l'ancienneté, partie au choix. Une situation comme celle où ont végété les fonctionnaires de l'enseignement féminin au moins jusqu'en 1904 ne peut plus se produire puisque « sont promus de droit tous les fonctionnaires qui ont accompli, dans la classe immédiatement inférieure, le stage minimum [27] augmenté de deux ans ». L'avancement à l'ancienneté peut tout au plus être retardé d'une année dans des conditions très strictes. Enfin, les promotions au choix se font dans une proportion de 15 %.

Né des travaux de la commission qui révèlent le désir d'une simplification et la volonté d'améliorer financièrement les carrières, le décret du 24 juin 1910, du moins en ce qui regarde les femmes, n'arrive que bien imparfaitement à ses fins. Tout d'abord, les principes qui ont présidé au classement de 1883 n'ont pas entièrement disparu, notamment la distinction, qui apparaît alors fondamentale bien que la loi ne l'ait pas prévue, entre fonctionnaires des lycées et fonctionnaires des collèges [28]. D'autre part, le modèle des établissements masculins a fini

---

25. Ce sentiment d'une supériorité relative est essentiel. La déposition de B. Leroux, professeur au lycée Molière, en faveur de l'octroi aux professeurs femmes de l'indemnité d'agrégation, établit un parallèle entre une agrégée professeur de lycée à Paris, qui débute à 3 500 francs et termine en 1re classe à 4 700 francs (après trois années de formation à l'Ecole de Sèvres et la réussite à deux concours), et une femme professeur d'EPS à Paris qui (après trois années passées à Fontenay et un seul concours), débute à Paris à 4 400 francs et peut atteindre 6 400 francs en 1re classe. Les chiffres absolus apparaissent quantité négligeable à côté de cette injustice relative.

26. *RU*, t. II, 1909, BESJF, p. 438-439. Le personnel demandait 652 700 francs. Le rapport propose une première annuité de 214 300 francs et une augmentation totale de 943 047 francs.

27. Ce stage était défini par le décret du 28 décembre 1903.

28. Le Conseil supérieur, en cette matière, avait imité le système des établissements de garçons. Personne, en 1903 et même après cette date, ne semble avoir évoqué sérieusement l'éventualité d'une suppression des collèges, comme le souhaitait Camille Sée fidèle à son intention primitive : une telle mesure aurait soulevé des difficultés psychologiques et financières insurmontables.

par imposer la distinction entre le cadre de Paris et celui des départements que, justement, les auteurs du décret de 1883 avaient voulu éviter. Des catégories nouvelles sont apparues : les surveillantes générales de lycée, divisées en deux ordres selon qu'elles sont certifiées ou non[29], et la section supérieure des chargées de cours des lycées. En revanche, le classement particulier des directrices disparaît : elles sont rangées dans la catégorie qui correspond à leur qualification, tout comme les proviseurs. La carrière particulière des directrices de collège non pourvues du certificat ou de l'agrégation apparaît plutôt comme une survivance. Dès l'année suivante, de nouvelles conditions de recrutement excluent la nomination d'une directrice seulement brevetée[30]. A la fonction de directrice, désormais, correspond, comme pour les proviseurs, une indemnité variable[31]. Ainsi se trouve consacré un système de classement des chefs d'établissement moins fondé sur les responsabilités qu'ils sont appelés à exercer que sur leur degré de qualification par les titres et grades universitaires : l'indemnité de direction tempère sans doute cette hiérarchie née surtout des diplômes, sans l'abolir.

Le décret de 1910 apparaît donc en définitive comme un pas vers l'assimilation, dans l'enseignement secondaire, du corps enseignant féminin à son homologue masculin. Quelles que soient encore les différences de montant entre les traitements, les principes de classement n'ont pas cessé de se rapprocher. Cependant, sans être uniforme, l'augmentation acquise pour chaque catégorie n'est pas non plus vraiment proportionnelle[32]. L'amélioration matérielle des carrières est surtout sensible pour les fonctions les plus élevées dans la hiérarchie. En fait, l'éventail des traitements s'est ouvert et, les catégories de personnel étant plus variées, les carrières peuvent revêtir une diversité beaucoup plus accusée[33]. Loin d'ouvrir la voie à une simplification dans les carrières masculines, comme certains universitaires des années 1880 l'avaient peut-être espéré, l'enseignement secondaire féminin s'est laissé entraîner dans la voie de son aîné. Lui aussi se crée une aristocratie : les

---

29. Créées par le décret du 31 décembre 1904 dans les lycées comportant plus de 250 élèves. Leur fonction était jusque-là assumée par des maîtresses répétitrices déléguées. C'est en 1904 d'autre part que furent créées les sous-économes.

30. Décret du 30 mars 1911.

31. De 500 francs minimum pour les directrices de collège, de 1 500 francs à 2 500 francs pour les directrices de lycée. Ainsi, alors qu'un professeur de collège termine sa carrière à 4 500 francs, la directrice de collège en fin de carrière reçoit au moins 5 000 francs, 5 500 francs si elle est agrégée.

32. Ainsi les surveillantes de collège reçoivent en fin de carrière 300 francs de plus qu'en 1904, les institutrices de lycée 600 francs, les agrégées des départements, il est vrai confondues avec les directrices, 1 200 francs de plus.

33. Notamment les carrières de directrices qui, par le jeu de l'avancement et des indemnités de direction, peuvent être très dissemblables. De fait, une directrice agrégée d'un lycée de Paris, aux termes du décret de 1904, ne pouvait obtenir en fin de carrière plus de 7 000 francs. Toutes indemnités comprises, elle peut atteindre 9 900 francs après 1910. Cf. tableau comparatif des traitements.

professeurs et chefs d'établissement du cadre de Paris. L'équilibre voulu au départ entre Paris et la province est définitivement rompu.

Une originalité demeure : la définition des services d'enseignement. Elle s'écarte de la pratique des établissements masculins sur deux points : la durée et le contenu. Pour les professeurs comme pour les chargées de cours, elle reste uniformément fixée à seize heures par semaine, « tant dans les collèges que dans les lycées, et quel que soit l'ordre d'enseignement »[34]. Ainsi, les professeurs qui enseignent en sixième année pour la préparation aux concours ne bénéficient d'aucun abattement. Aucun règlement non plus ne prend en considération le nombre des élèves par classe. Quant aux institutrices primaires, la durée de leur service est toujours à la discrétion du recteur après entente avec la directrice : en fait, c'est celle-ci qui fixe le service et le contrôle rectoral ne semble pas avoir empêché de véritables abus[35]. Enfin, l'idée du professeur polyvalent, liée au reste à une non-spécialisation des agrégations qui n'est plus aussi absolue depuis 1894, a pour conséquence la définition très restrictive des heures supplémentaires[36] dont la rémunération est des plus modestes.

L'amélioration des carrières parut insuffisante à bien des agrégées qui pourtant étaient des privilégiées du système. En 1914, l'une de celles qui firent le plus pour l'assimilation à l'enseignement masculin, C. Suran-Mabire, indique les raisons de ce mécontentement[37]. Les agrégées ne débutent pas toujours dans un poste correspondant à leur qualification. Elles sentent l'écart se creuser entre elles et les hommes, mais aussi entre les femmes professeurs et d'autres catégories de femmes

---

34. « Cependant, ajoute la circulaire du 14 septembre 1883, il a paru équitable de réduire ce chiffre à 15 heures pour les fonctionnaires chargées d'enseigner les sciences physiques et naturelles en raison du surcroît de travail qu'exigent, dans l'intervalle des classes, la préparation des expériences scientifiques et la surveillance du cabinet de physique. » Le chiffre de 16 heures était la durée moyenne des services dans les établissements de garçons en 1883. Les arrêtés de 1892, puis de 1911, vinrent la réduire sans toucher à celle qui était due par le personnel féminin.

35. Les professeurs des classes élémentaires dans les établissements masculins doivent 20 heures. Les arrêtés du 25 août 1892 « portant règlement du service des professeurs... » servent de référence aux revendications féminines du début du siècle, dans la mesure où ils régissent les établissements masculins au moment où les professeurs féminins commencent à aspirer à l'assimilation des diplômes et du régime des établissements aux diplômes et régime masculins. Or, les arrêtés de 1892 établissent une variété extrême. Selon que le professeur enseigne à Paris ou en province telle ou telle matière, dans une chaire de telle ou telle classe, le maximum dû peut varier de 12 à 20 heures. La qualification du professeur ou du chargé de cours, son âge même ont une influence sur la durée de son service.

36. « Ces rémunérations additionnelles ne pourront être payées qu'aux professeurs et aux maîtresses donnant d'autre part en totalité le nombre d'heures exigibles, et lorsqu'on aura préalablement complété à 16 heures ou à 15 heures, selon les cas, le service des autres dames chargées d'une partie de l'enseignement. Si d'ailleurs une maîtresse ou professeur de lettres, de sciences ou de langues vivantes n'avait pas son maximum d'heures, il n'y aurait aucun inconvénient à lui confier, dans une des classes où elle ferait déjà des cours, une ou plusieurs leçons portant sur des matières qui ne rentreraient pas dans sa spécialité, mais pour l'enseignement desquelles la directrice lui reconnaîtrait les aptitudes nécessaires. On éviterait ainsi des dépenses inutiles et, d'autre part, on obvierait, dans une certaine mesure, à l'inconvénient de confier la direction d'une même année à un trop grand nombre de professeurs. »

37. « L'Enseignement secondaire féminin et la crise du recrutement », *RU*, t. II, 1914, p. 37-49.

au travail [38]. L'infériorité n'est pas seulement financière ; les maxima de services sont plus lourds, les professeurs femmes n'ont pas de chaire comme les hommes, la retraite ne leur est assurée qu'après soixante ans [39]. Mais à tous ces désavantages vient s'ajouter un sentiment diffus d'humiliation. Les professeurs femmes ont l'égalité nominale des grades, non cette égalité de fait que leur assurerait une préparation semblable et des concours de recrutement de même niveau scientifique : à cette inégalité répond l'inégalité des traitements, alors que déjà la commission extraparlementaire de 1907 avait posé le principe d'une rémunération égale à celle des hommes.

La conséquence est grave : tant d'« humiliations imméritées » et d'« injustices gratuites » entraînent la désaffection des agrégées et des certifiées pour l'enseignement public. L'évasion leur est facile vers un enseignement libre en pleine expansion [40]. Pareille analyse est très proche du rapport présenté par N. Mourgues, professeur de sciences au lycée Fénelon, au nom des professeurs agrégés de ce lycée, devant la commission de 1907 ; la situation n'est plus la même, fait-elle observer, que dans les années 1898-1900 : « A toutes les réclamations on répondait alors : " L'argent manque "... Les professeurs anciens souffraient sans rien dire, fortement attachés à leurs devoirs, unis en pensée avec leurs supérieurs, certains qu'ils étaient navrés de les voir souffrir ainsi... ». La patience et la résignation de ce « type ancien » de professeurs ont fait place à un tout autre état d'esprit qui se marque sans doute par une « sorte de grève des aspirantes au professorat », mais aussi par la revendication d'une amélioration matérielle pour celles qui sont engagées dans le professorat. Dix ans à peine se sont écoulés, qui ont suffi à transformer les résignées en aigries ou déçues. Le succès désormais incontestable de l'enseignement secondaire féminin est la cause de cette mutation. Aussi les demandes relatives à des traitements plus élevés se doublent-elles d'une aspiration plus fondamentale. Il ne s'agit pas seulement d'être mieux payées, mais d'être en quelque sorte « reconnues », de recevoir de justes marques de considération à la face de l'opinion.

---

38. Une caissière expérimentée gagne plus dans une grande ville qu'une agrégée du même âge ; une « première » dans une importante maison de couture arrive à 8 ou 10 000 francs, ou davantage, pendant que l'agrégée végète à moins de 300 francs par mois. Ici se manifeste clairement l'idée si répandue dans le corps professoral d'alors que le diplôme importe beaucoup plus pour la rémunération que la capacité et l'expérience techniques.

39. C. Suran compare avec les institutrices qui ont « le droit à la retraite à 55 ans d'âge et après 25 ans de services ».

40. Cf. dernière partie.

Les congés et retraites

L'arrêté de 1812, qui régissait encore en 1914 les conditions d'attribution des congés aux fonctionnaires de l'Université, n'établissait pas de distinction entre les diverses sortes de congés ; il se préoccupait de la seule durée de l'absence.

L'usage, au moment où se fonde l'enseignement secondaire féminin, propose une définition apparemment claire : le fonctionnaire peut solliciter un congé pour raisons de santé ou bien un congé pour convenances personnelles. Le premier n'exclut pas entièrement le versement du traitement à la différence du second. Chez les professeurs de l'enseignement secondaire masculin, le congé avec plein traitement, pour raisons de santé, peut être prolongé jusqu'à une année entière [1].

Chez les professeurs femmes, c'est le décret du 9 novembre 1853 sur les pensions civiles qui définit les conditions dans lesquelles le fonctionnaire peut garder l'intégralité de son traitement [2]. Celles-ci, beaucoup plus draconiennes que l'usage instauré chez les hommes, laissent une certaine latitude d'application. De fait, les congés pris par les professeurs des lycées et collèges de jeunes filles ont été soumis à des règles aussi sévères que variables selon les établissements et les époques. Durant les vingt-cinq premières années, l'interprétation des textes, pour des raisons d'économie, fut des plus restrictives : en règle générale, lors d'un long congé pour raisons de santé, le fonctionnaire recevait un mois de traitement complet, ensuite trois mois de demi-traitement. Si la maladie se prolongeait, le traitement était réduit à la somme symbolique de 100 francs par an, ou 50 francs, qui permettait de continuer les versements pour la retraite. Mais le « traitement complet » du premier mois ne doit pas faire illusion : alors que le règlement de 1853 prévoit que les frais de remplacement sont pris sur la retenue du traitement, le fonctionnaire doit rémunérer son suppléant sur le traitement qu'il perçoit. Les bureaux accordent ou non un traitement durant le congé selon la situation de fortune du fonctionnaire, selon les crédits disponibles et — pourrait-on dire — la nature de la maladie.

Il est deux cas où le traitement intégral est à peu près acquis : le congé de maternité, fixé à un mois à partir de l'accouchement, assimilé

---

1. Cf. le congé obtenu par Elie Rabier en 1882 après une typhoïde. Une si grande différence entre les hommes et les femmes peut s'expliquer en partie au moins par le fait que les femmes ne sont pas, comme les hommes, considérées comme des chefs de famille.

2. Article 16 : un congé de moins de quinze jours, quel qu'en soit le motif, peut être accordé chaque année sans retenue. Pour les congés de moins de trois mois, la retenue est de la moitié au moins et du tiers au plus du traitement. Mais la durée du congé avec traitement intégral peut aller jusqu'à trois mois, en cas de maladie, trois mois à demi-traitement au plus peuvent y succéder. Après trois mois de congé, consécutifs ou non, dans la même année, l'intégralité du traitement est retenue et le temps excédant les trois mois n'est pas compté comme service effectif pour la pension de retraite. Le même article stipule que le remplaçant sera payé sur la retenue exercée sur le traitement.

à un congé de maladie, et le congé d'éviction imposé aux professeurs dont les enfants sont atteints d'une maladie contagieuse. En dehors de ces deux situations bien définies, il faut plaider sa cause. Dans les dossiers personnels, abondent les suppliques pour le maintien du traitement et les arguments personnels : père ou mère à charge, absence de fortune, coût du traitement médical. Rien ne paraît acquis, même pas le premier mois intégral. Bien plus, la reprise du travail n'est pas sans aléas. Un professeur jugé trop souvent absent pour maladie peut subir une sorte de contrainte qui l'amène à prendre un congé d'un an là où parfois deux mois auraient suffi : la directrice, appuyée par la hiérarchie administrative, argue que les absences trop fréquentes désorganisent le service, mécontentent les parents[3], et joue là encore un rôle déterminant.

Dans de telles conditions, celles qui n'ont réellement aucune autre ressource se cramponnent littéralement à leur gagne-pain, quel que soit leur état de santé. Ce n'est sans doute pas uniquement la conscience professionnelle, bien que son rôle ne soit pas négligeable, qui conduit des tuberculeuses ou des cancéreuses à venir assurer leur service jusqu'à la dernière limite. La majorité des directrices, très proches de leur personnel, confidentes de toutes les détresses, savent quel serait leur dénuement si on les forçait au congé, la solidarité des collègues se met de la partie et, dans certains cas particulièrement dramatiques, la fiction du maintien en activité peut durer aussi longtemps[4] que l'intéressée peut se déplacer. Les maîtresses répétitrices, mais non les professeurs dont l'emploi du temps est bien défini et, par suite, mieux contrôlable, font le service à titre bénévole. Il est même arrivé que tout le personnel d'un lycée se cotise pour assurer la subsistance d'une collègue sans ressources.

Passées en effet les premières semaines du congé, la situation de la plupart des fonctionnaires peut devenir dramatique. Sauf exception, elles n'ont pas de fortune personnelle ; l'analyse des cas individuels montre que la famille, quand elle existe, se trouve rarement dans la possibilité d'apporter son aide. Sauf pour les professeurs titulaires déjà avancés dans la carrière, les traitements sont trop modiques pour permettre au fonctionnaire d'accumuler des économies. Dès que le traitement est réduit de moitié, la malade ne peut plus à la fois subvenir à ses besoins et faire face aux frais médicaux ou autres entraînés par son état. De là les fréquentes intercessions des directrices, voire des inspecteurs

---

3. En mars 1887, Mlle Bernard, au lycée de Montauban, prend un congé d'un mois pour un mal de gorge. Le ministère, sur avis du rectorat informé par la directrice qui fait valoir que les cours sont désorganisés par les maladies des professeurs, qu'il apparaît que Mlle Bernard n'est « pas parfaitement guérie », lui impose un congé jusqu'à la fin de l'année scolaire avec le traitement annuel de 300 frs. Protestations, certificats médicaux attestant la guérison n'y font rien (AN, F 17 23518).

4. Atteinte d'une pleurésie sèche, une répétitrice, de Montauban également, prend un congé de maladie pour l'année 1898-1899. La directrice révèle alors qu'elle est suppléée effectivement depuis la fin de 1897 (*ibid.*, 23512, dossier Schlesser).

d'académie[5], pour obtenir le maintien du traitement intégral ou l'octroi d'un indemnité, prélevée sur un autre fonds et indéfiniment renouvelable d'année en année.

Conscientes de la précarité de leur situation, les fonctionnaires les moins élevées dans la hiérarchie de l'enseignement féminin essaient d'épargner à tout prix, sur l'alimentation notamment[6]. Elles ne relâchent pas leur effort, bien au contraire, quand elles se savent atteintes de la tuberculose. Ainsi s'explique — compte tenu de la médecine d'alors — le très faible pourcentage de maîtresses qui parviennent à guérir de cette maladie. Le congé est sans doute pris, dans la plupart des cas, et pour des raisons matérielles, trop tard. Pour les mêmes raisons, le traitement est appliqué, lorsqu'il l'est sérieusement, quand il n'est plus temps. Les chefs d'établissement se trouvent sans le dire devant un véritable dilemme : ou bien le fonctionnaire reste en activité et risque de contaminer les élèves[7], ou bien on le contraint au congé, en sachant qu'on le condamne ainsi à la misère et à une mort plus rapide. La plupart du temps, on ferme les yeux : il n'est pratiquement pas d'exemple, avant 1910 environ, de fonctionnaire contraint à prendre un congé parce que sa présence peut être nuisible à la santé physique des élèves.

Après la guerre, la situation est toute différente. La tuberculose et les affections mentales donnent lieu à des congés spéciaux, dits de longue durée[8] : après passage devant une commission ad hoc, le malade peut conserver trois ans son traitement intégral, sans qu'il soit question de retenues pour rémunérer les suppléants. Il est donc encouragé à se soigner plus tôt, donc avec de plus grandes chances de succès. Les cas disparaissent de fonctionnaires qui, visiblement très atteints, continuent à travailler. La vigilance des associations de parents d'élèves a eu

---

5. Dans le cas, pris parmi des dizaines d'autres, de Mlle Reine, professeur au lycée d'Orléans. Cancéreuse, elle demande un congé en janvier 1909. A partir du 27 mars, on ne lui verse plus qu'un demi-traitement. L'inspecteur d'académie, parce qu'elle est « sans fortune personnelle, sans famille », demande pour elle le traitement intégral ou l'indemnité extraordinaire. Elle meurt le 22 avril (AN, F 17 23489).

6. L'ignorance ou la répugnance à faire la cuisine ont leur rôle. M. Aron évoque les repas de sardines et de chocolat que, jeune professeur, elle prenait sur le pouce.

7. Mais la notion de contagion reste bien floue. La directrice du collège d'Alais, en 1903, juge l'un de ses professeurs « phtisique » : elle a des crachements de sang depuis 1900. Personne dans la hiérarchie administrative ne semble s'en inquiéter. Le professeur meurt en 1908 après des périodes d'activité coupées de longs congés accordés pour « bronchite chronique » (AN, F 17 23465, dossier Perrilliat-Merceroz). En 1907 encore, elle reçoit dans sa classe la visite d'un inspecteur général qui la juge d'ailleurs en « triste état ».

8. En vertu de la loi du 30 avril 1921, instituée « en vue de protéger l'enfance », qui accorde un traitement durant cinq ans pour les cas de « tuberculose ouverte » ou de maladie mentale. Pendant trois années, le malade jouit du traitement intégral, les deux années suivantes du demi-traitement ; il verse les retenues pour pensions civiles. Sans doute, à cette époque, l'amélioration des connaissances médicales et surtout le resserrement du contrôle aboutissent-ils à mieux identifier les affections tuberculeuses. L'étude des dossiers personnels a permis de relever 35 congés de longue maladie dont 18 sûrement pour tuberculose et 12 pour aliénation, les 5 autres n'étant pas exactement précisés. Sur ces 35 congés, 5 n'ont pas duré plus de deux ans, 25 de deux à cinq ans et 5 se sont prolongés en congés illimités.

probablement une influence en ce domaine, sans qu'il soit possible de la mesurer exactement. Au reste, même s'il ne s'agit pas des affections relevant plus tard du congé de longue durée, la période durant laquelle le fonctionnaire reçoit le plein traitement ou un traitement d'inactivité qui ne soit pas purement symbolique tend à s'allonger [9] après 1907-1908, date qui marque une mutation à tant d'égards et coïncide avec la réunion de la commission extraparlementaire chargée de coordonner les traitements des diverses catégories de personnel : au-delà des traitements, il s'agit bien d'harmoniser les conditions diverses faites au personnel des différentes catégories d'enseignement.

Dans les trois catégories d'âge prises en considération pour analyser la nature des congés effectivement sollicités par les professeurs femmes, le congé pour raisons de santé se taille la plus large part. Cependant, il n'a pas la même importance dans les trois groupes, à la différence du congé pour convenances personnelles ou du congé de mariage [10] qui restent relativement stables.

Cessations d'activité de plus d'un an

	Mariage	Convenances	Santé	Limite d'âge	
Sur 257 fonctionnaires nés entre 1850 et 1859 ..	9 (3,5 %)	29 (11,2 %)	74 (28,7 %) Tuberc....... 4 Alién. 3	15	Soit 43,4 % de la classe d'âge.
Sur 827 fonctionnaires nés entre 1860 et 1869 ..	63 (7,6 %)	98 (11,8 %)	193 (23,3 %) Tuberc....... 16 Alién. 17	11	Soit 42,7 % de la classe d'âge.
Sur 746 fonctionnaires nés entre 1870 et 1879 ..	40 (5,3 %)	78 (10,4 %)	106 (14,2 %) Tuberc....... 24 Alién. 8	0	Soit 29,9 % de la classe d'âge.

9. Mais sans qu'il s'agisse d'une mesure uniforme. En 1908, une institutrice de lycée se voit allouer, pour trois mois de « neurasthénie », deux mois et demi de plein traitement et quinze jours de demi-traitement (AN, F 17 23421). Une institutrice de collège, à la même date, obtient pour une affection qui n'est pas précisée, deux mois avec traitement, un troisième avec demi-traitement. Un professeur de Rouen est en congé d'abord aux mêmes conditions, puis, la maladie devenant chronique, reçoit 3 400 frs par an (traitement complet : 3 800 francs) durant trois mois. Dès lors, son traitement d'inactivité oscille entre 1 700 et 2 400 francs ; il est de 2 000 francs en 1912, et dans les années suivantes il dépend du montant des crédits.

10. La distinction entre le congé pour convenances personnelles et le congé pour cause de mariage est souvent malaisée. Beaucoup de fonctionnaires, soit par prudence, soit par réel désir de reprendre l'enseignement plus tard, ce qui arrive rarement, se font mettre en inactivité pour un an en alléguant des « raisons de famille » ou des « convenances personnelles ». Cette formule sauvegarde leurs droits éventuels à la retraite puisqu'elles peuvent continuer de verser les retenues. Dans les premiers temps de l'institution, il semble que certains congés « pour raisons de santé » aient eu pour cause réelle un projet de mariage qu'on désirait celer à l'administration.

Il est remarquable d'observer que les congés pour raisons de santé diminuent considérablement dans le troisième groupe, alors que la part des arrêts dus à la tuberculose augmente visiblement. La diminution des congés ne peut donc pas être entièrement attribuée à une amélioration générale de l'état sanitaire. Elle semblerait plutôt être l'indice d'une évolution dans la manière de considérer l'emploi. A une époque où le mariage semble devenir plus difficile, où l'enseignement secondaire féminin est entré véritablement dans les mœurs, où l'accès aux postes est devenu des plus malaisés, la carrière est sans doute embrassée avec un plus ferme propos de la poursuivre sérieusement : les certificats médicaux que l'usage faisait parfois vagues ou complaisants sont alors devenus plus rares.

Les congés dans les lycées et collèges de jeunes filles souffrent en somme de l'absence d'une réglementation précise ; quand il en existe une, elle est nettement moins favorable que celle qui a été instituée dans les établissements masculins. Un problème non résolu demeure encore en 1904 : les fonctionnaires des cours secondaires, en raison de leur statut bâtard, n'ont pas droit au congé de maladie avec traitement intégral ou partiel. Le ministère s'avise alors qu'en réalité les cours secondaires comprennent deux sortes de professeurs : ceux qui n'ont jamais appartenu à l'Université et ceux qui à l'époque de leur nomination faisaient partie des cadres permanents du personnel. Les fonctionnaires ainsi détachés ont droit, à partir de 1904, à des congés de maladie, payés sur le budget des cours, l'Etat payant les frais de suppléances. Pour les autres fonctionnaires, le ministre n'a pu qu'inviter les recteurs à intervenir en leur faveur auprès des municipalités.

La situation d'inégalité des professeurs de l'enseignement secondaire féminin, par rapport aux autres catégories de personnel, se perpétue donc, mais elle soulève des protestations croissantes dans le monde universitaire, comme l'observe *La Revue universitaire* en 1909 : « Pas un seul numéro du *Bulletin de la Fédération des professeurs* qui n'en parle »[11]. La loi du 15 mars 1910, qui accorde un congé de deux mois avec traitement entier aux institutrices mères de famille, soit un mois avant, un mois après leurs couches, n'est pas étendue au personnel secondaire. En fait, la plupart des professeurs obtiennent aussi les deux mois[12], mais c'est l'effet de la « bienveillance » de l'administration, ce n'est pas le résultat d'un droit. L'absence de réglementation précise amène même une aggravation dans la pratique de la rétribution des

---

11. *RU*, t. II, 1909, p. 233. « C'est assez dire, ajoute la revue, que l'organisation définitive de l'enseignement secondaire féminin ... doit être non pas seulement pédagogique, mais encore administrative ».

12. C'est la réponse qu'on donne à la question n° 2227, posée par Adrien Veber, député, le 15 novembre 1912 (cité par J.-P. Crouzet, *RU*, t. I, 1913, p. 343. La mesure n'est pas encore automatique en 1923, du moins pour les femmes déléguées dans les lycées de garçons.

suppléantes : au lieu de payer celles-ci sur les fonds de l'établissement, on commence en 1911 à obliger les professeurs malades à les rétribuer de leurs propres deniers.

Durant la même période, le nombre des congés féminins s'accroît dans une proportion considérable : « En une année, constate J. Crouzet, en 1910, l'augmentation est de plus de 50 % »[13]. On commence à prononcer le mot de « surmenage » à propos du personnel féminin. Selon la collaboratrice de *La Revue universitaire,* la cause ne s'en trouve pas dans la « décadence universelle du siècle » ou dans la coquetterie des femmes qui compromettaient leur santé en préférant la toilette à une nourriture suffisante. C'est le fonctionnement même de l'institution qui doit être incriminé. Pourtant, objectera-t-on, le maximum de seize heures n'est pas atteint partout, les classes sont en principe dédoublées dès qu'elles atteignent quarante élèves, les élèves ne rendent qu'un paquet de compositions françaises tous les quinze jours. J. Crouzet a tôt fait d'opposer à ces conditions favorables celles où se trouvent les institutrices et les répétitrices, les maxima horaires dépassés, les classes trop nombreuses dans les grands lycées où existent parfois des classes de cinquante élèves et plus qui n'ont pas été dédoublées. L'effort de correction, trop fréquent et trop minutieux[14], prend trop de temps, comme la préparation des cours qui renvoie elle-même à la question controversée de la spécialisation.

Les causes d'une telle situation ne paraissent pas si simples. Selon J. Crouzet, certaines tiennent à l'administration centrale : le personnel est rare et on applique une politique d'économie ; au reste, il faut incriminer « l'absence de réglementation pour tout ce qui concerne l'enseignement secondaire des jeunes filles qui, en la majorité des cas, est quasiment livré à l'arbitraire ». Mais il est aussi des causes toutes « locales » au surmenage du personnel. Selon les établissements, les nombreuses réunions de professeurs après les cours, la préparation des fêtes, les répétitions, la participation à peu près obligée aux réunions d'anciennes élèves apportent un grave surcroît de travail au jeune

---

13. « Le surmenage du personnel féminin », *RU*, t. I, 1910, p. 414-426. Cet article donne lieu à un échange de considérations : dans une sorte de réponse, une directrice d'école normale, Mlle Varlet, voit un remède dans une meilleure hygiène de vie (*ibid.* t. II, p. 192-196). Dans son Bulletin de l'enseignement secondaire des jeunes filles, J.-P. Crouzet reprend les observations de Bernès dans *L'enseignement secondaire des jeunes filles* sur l'article de Mlle Varlet et la réponse que lui apporte Mme Léon Lévy. Tous deux s'accordent à reconnaître que la solitude est un facteur de tension nerveuse et que le congé de deux mois n'est pas suffisant pour une maternité. Il faut des allégements, notamment pour les mères de famille (*ibid.* t. I, 1911, p. 55-56).

14. Dans certains établissements, on impose des compositions françaises toutes les semaines, sans compter les autres devoirs écrits. Une agrégée dans un lycée de province peut avoir dix paquets de compositions trimestrielles. Pour une classe de 30 élèves, il lui faut un jeudi de correction, à raison de 6 ou 7 copies à l'heure. Même s'il ne s'agit pas de compositions, les professeurs femmes ont l'habitude de corriger avec un soin extrême toutes les copies, à la différence des professeurs des lycées de garçons. Les femmes sont « persuadées à tort que plus une copie est raturée et sale, meilleure en est la correction ».

professeur qui « vit dans la crainte de ne pas assez donner d'elle-même » et n'est pas instruite de ses droits. Enfin, le professeur subit toutes les contraintes inhérentes à son sexe, dans la plupart des conditions où le sort le place. Rien ne le dispense des tâches habituelles de la maîtresse de maison, de la mère de famille quand il est marié. Célibataire, il est parfois considéré comme une perpétuelle mineure par des parents abusifs ; une vie triste est le lot de la femme seule. Aussi J. Crouzet ne nie-t-elle pas que la « neurasthénie [15] sévit de façon effrayante sur les professeurs femmes » ; par l'effet d'une sorte de démoralisation, les professeurs femmes en arrivent à bâcler leur travail : « La vie intellectuelle du professeur s'appauvrit donc en même temps que sa vie physique », les plus brillantes des élèves de Sèvres ou des Facultés deviennent des fruits secs.

La guerre, qui vient retarder toutes les mesures d'aménagement et demande au personnel féminin un effort supplémentaire, fourni parfois dans les pires conditions, ne vient pas améliorer la situation. Lorsque les agrégées, au début de 1921, multiplient les démarches pour obtenir l'égalité des traitements masculins et féminins, l'abus des absences et des congés, chez les femmes, est le premier argument que leur oppose le directeur de l'enseignement secondaire, Bellin [16]. S'agit-il surtout d'un manque de conscience professionnelle ou du surmenage déjà dénoncé dix ou quinze ans plus tôt ? Bien que les agrégées ne se prononcent pas à cette date, l'examen des dossiers personnels ne permet pas d'incriminer au premier chef le manque de conscience ; les absences ne sont pas, la plupart du temps, des « abus », sauf dans le cas des déléguées qui, n'étant pas payées durant leur absence, peuvent se sentir libérées de leurs obligations professionnelles. La grande raison des congés répétés réside bien dans les défaillances de santé : comme avant la guerre, les intéressées accusent les services moins bien spécialisés, les maxima d'horaires plus élevés qui rendent le travail plus lourd que celui des hommes. De plus, le personnel est moins nombreux chez les femmes que chez les hommes, dans les établissements d'effectifs semblables [17]. Enfin, les frais d'entretien des lycées de jeunes filles sont nettement moins

15. Il n'est pas de notion plus vague et plus employée dans les certificats médicaux antérieurs à 1914. La « neurasthénie » peut être aussi bien le vulgaire « cafard » que les désordres mentaux les plus caractérisés. Le contexte indique que, dans l'esprit de J. Crouzet, il s'agit surtout des manifestations les plus bénignes du découragement qui atteignent « cette génération moyenne de professeurs, déjà fatigués par plusieurs années d'enseignement, mais éloignés de l'espoir de la retraite ».

16. Entrevues des 9 et 27 janvier, compte rendu au cours de l'assemblée générale réunie le 20 mars au lycée Fénelon, Les Agrégées, avril 1921, p. 2 à 8. Mais, en signalant les abus, il « semble parler, observent les agrégées, plutôt d'après ses impressions que d'après des chiffres ». Au vrai, il n'existe pas au ministère de dossiers qui précisent les absences de chacune assorties de leur motif.

17. Pour des raisons d'économie, dans un enseignement qui connaît un grandissant succès, n'ont pas lieu toutes les créations de postes et toutes les acquisitions de locaux nécessaires, il s'ensuit que les dédoublements réglementaires de classes ne peuvent avoir lieu et que, dans les grands lycées, les classes peuvent dépasser 50 et même 60 élèves.

élevés que ceux des lycées de garçons. On économise sur tout, notamment sur le chauffage, ce qui serait préjudiciable à la santé des professeurs. L'administration ne nie pas le bien-fondé de ces observations ; ses réponses font toutefois apparaître qu'elle est fort peu renseignée sur ces inégalités sans doute jugées secondaires.

En 1923, la situation n'a guère évolué. La Fédération des professeurs et l'Entente universitaire pensent alors trouver la cause de la disproportion entre congés masculins et féminins dans la coutume administrative qui consiste à faire figurer dans les mêmes statistiques et émarger aux mêmes crédits les congés de maladie et les congés de maternité. Le cinquième bureau, qui argue d'ailleurs de l'impossibilité de faire la distinction demandée puisque les crédits budgétaires sont les mêmes, se montre sceptique sur les résultats qu'on obtiendrait de la sorte :

> « Sur nos 3 200 fonctionnaires, explique-t-il, un tiers à peine sont mariées. Parmi celles-ci, peu ont des enfants et, en définitive, le rapport des congés de maternité et des congés de santé est de un à dix environ. Au surplus, il est fréquent que les professeurs qui obtiennent des congés de maternité aient également et pour le même motif, avant et après leur accouchement, des congés de maladie, les uns n'excluant pas les autres. Il ne semble donc pas que les professeurs aient grand avantage à obtenir la discrimination sur le papier qu'elles sollicitent » [18].

D'autant plus importante qu'elle est prise à la veille de l'assimilation de fait de l'enseignement féminin à l'enseignement masculin, qui suppose l'assimilation à terme de deux personnels, cette réponse est moins claire qu'il n'y paraît : en effet, les congés de maladie qui précèdent ou suivent les congés de maternité ne font-ils pas éclater l'insuffisance de ces derniers ? Surtout à une époque où l'allaitement maternel est considéré comme une condition impérative de survie de l'enfant, ne montrent-ils pas qu'un allongement du congé de maternité aurait pour effet de diminuer les congés de maladie ? Cependant, la proportion très forte des congés pour raisons de santé tend à montrer que l'enseignement est plus lourd pour les femmes que pour les hommes. La différence des conditions de service a sans doute son rôle, mais plus profondément la situation particulière qui est faite aux femmes dans la société d'alors comme dans l'enseignement : d'abord supportée avec une abnégation qui confinait parfois à l'héroïsme, cette situation de tension apparaît de moins en moins admissible aux intéressées. Elles aspirent à une libération ; leur comportement physique et mental, les deux apparaissant d'ailleurs liés, est le reflet de cette évolution.

---

18. Cité par le BESJF, *RU*, t. I, 1923, p. 447.

Parmi les efforts d'association qui marquent le nouveau comportement féminin, dans les dix années au moins qui précèdent la guerre, figure l'œuvre des maisons familiales de repos, fondée en 1899 pour le personnel de l'enseignement féminin. Il n'est pas question à cette date de se limiter au seul personnel secondaire, trop restreint : on sait pourtant [19] quelle était encore à cette date la répugnance des professeurs femmes à se mêler à d'autres catégories. Au reste, l'appel qui précède la création de l'œuvre n'est pas signé d'une femme, mais de l'inspecteur général Foncin [20]. L'œuvre, qui commence sur des bases modestes [21], ne peut créer immédiatement des maisons, mais attribue aux sociétaires des bourses qui leur permettent d'aller se reposer ; dix ans plus tard, elle met à leur disposition deux maisons [22]. En revanche, il faut attendre les lendemains de la guerre pour que se constitue une mutualité antituberculeuse. Celle-ci compte 780 sociétaires en 1923 ; elle assure, après six mois d'adhésion, l'assistance médicale pendant un an et une allocation durant trois mois. Mais l'esprit d'indépendance du personnel, sa méfiance pour toute association, l'absence d'information peut-être aussi, rendent le recrutement difficile : le Bulletin de l'enseignement secondaire des jeunes filles rappelle aux professeurs femmes qu'il faut adhérer avant d'être malade.

Le congé pour mariage (125, soit 5,5 % de l'ensemble), qui prend d'abord la forme d'un congé d'un an, se termine rarement par la reprise de l'activité professionnelle. Au bout d'une année, il devient « illimité » et sans traitement. Parfois il se termine par une démission ; en général les fonctionnaires, qui avaient en se mariant la ferme intention de quitter l'enseignement, ont démissionné aussitôt. Quelques épouses de professeurs ou d'inspecteurs d'académie doivent abandonner leurs fonctions pour suivre leur mari dans sa nouvelle résidence. Mais dans nombre de cas, il s'agit d'une décision de principe, rendue plus facile par le fait que les fonctionnaires débutantes ne sont pas toujours titulaires. La maternité n'est donc pas le fait déterminant qui rend le

---

19. Cf. le chapitre VI. A cette même date de 1899, la Société de secours mutuels de l'enseignement secondaire public comprend, pour 2 268 sociétaires, 123 appartenant au personnel féminin.

20. « Ceux qui sont appelés, par leurs fonctions administratives, à voir de près les écoles ou les collèges et les lycées de jeunes filles, savent à quel point l'enseignement est écrasant pour celles qui le donnent ». Le congé est alors nécessaire : « Que faire ? Aller seule à l'hôtel dans quelque station de malades riches ? Ce n'est pas très convenable et c'est trop dispendieux ». Aussi, d'après Foncin, a-t-on la tentation de ne pas prendre de congé et mine-t-on sa santé. (Appel reproduit dans *RU*, t. I, 1899, p. 416-417).

21. Au bout de quelques mois d'existence, elle réunit pour tous les ordres d'enseignement 209 membres actifs et 92 membres fondateurs, donateurs ou honoraires, qui réunissent le capital de 10 500 francs. Le bureau est présidé par Mmes Marion et Dejean de La Bâtie, directrices de Sèvres et de Fontenay. On retrouve au secrétariat Mlle Butiaux, professeur au lycée Fénelon, qui sera l'une des fondatrices de la Société des agrégées.

22. Une maison à Limours, le repos Clamageran, ouverte depuis 1907 d'avril à novembre, une autre à Hendaye ouverte toute l'année. Le prix de pension est de trois francs par jour. Les postulantes doivent fournir un certificat médical attestant qu'elles ne sont atteintes d'aucune maladie contagieuse.

mariage incompatible avec l'enseignement : si draconiennes que soient les conditions du congé de maternité, si difficile que soit la vie d'une mère qui doit travailler en ayant de jeunes enfants, la quasi-totalité des femmes qui ont choisi d'enseigner après leur mariage ne s'arrête pas à ces épreuves [23].

Les convenances sociales apparaissent donc plus contraignantes que les difficultés de la vie. Le cas des Sévriennes qui ont démissionné ou ont pris un congé pour cause de mariage l'illustre bien. Il s'agit d'un corps homogène, et des plus « déterminées » des femmes professeurs puisqu'elles seules ont signé un engagement décennal lors du concours d'entrée à l'Ecole. La proportion des mariages, calculée par tranches de cinq ans, varie entre les chiffres de 37 % et 46 % : plus du tiers, toujours moins de la moitié des Sévriennes se marient. Dans quelle proportion démissionnent-elles ? Le graphique ci-contre montre le parallélisme, jusqu'à la première guerre mondiale, entre le chiffre des mariages et celui des congés ou démissions de femmes mariées : parallélisme d'autant plus significatif qu'il n'en existe pas de semblable entre le chiffre des mariages et celui du recrutement total [24]. Le quart environ des mariages entraîne la démission [25]. Bien que les chiffres n'indiquent pas de véritable accroissement des congés ni des mariages, eu égard au nombre total des Sévriennes au début du siècle, l'administration commence à s'inquiéter : « Nous voyons ces cas se multiplier, écrit Rabier en 1903 en marge d'un dossier, et il va falloir aviser. Ce n'est pas la peine de former à Sèvres des élèves qui nous coûtent au moins 12 000 francs chacune, si aussitôt sorties de l'école elles se perdent sans retour dans les joies du mariage. Dans l'enseignement primaire, la loi y a pourvu » [26].

---

23. Il ne se trouve que trois dossiers où la maternité apparaît comme la cause directe du congé illimité. Il serait intéressant de vérifier si, après 1914, la proportion des congés pris après la maternité augmente ; les limites chronologiques imposées à la consultation des dossiers n'ont pas permis de le faire.

24. Seule la tranche de 1886 à 1890 pose un problème particulier : le nombre relatif des démissions et congés est plus élevé que pour les autres classes d'âges : 43 % au lieu de 31 % maximum. L'examen individuel montre qu'il ne s'agit pas d'une pression sociale accrue, qui ferait regarder la carrière de l'enseignement comme incompatible avec l'état de mariage ; en revanche, il faut faire une large part à la situation de stagnation où se trouve, après un essor rapide, l'enseignement secondaire féminin : le nombre restreint d'établissements secondaires de jeunes filles avant 1914 rend pratiquement impossible le maintien en activité de professeurs qui voudraient suivre leur mari à Paris ou, au contraire, se fixer avec lui dans une très petite ville. C'est le cas de six Sévriennes au moins sur les 18 démissionnaires de la période 1886-1890.

25. Pour les promotions entrées dans l'immédiat avant-guerre et au cours de la guerre, on n'enregistre en 1931 que 7 % de démissions : réaction immédiate aux difficultés nées du conflit. Pourtant, la démission différée par la guerre n'a pas eu lieu ensuite. Cependant, on ne dispose pas de la date des mariages, tout au plus de la date de fin de services. Ce sont les promotions entrées avant la guerre qui souvent ont démissionné pendant le conflit, tandis que les générations postérieures choisissent de travailler. L'incidence de la guerre est sans doute moins forte que le sentiment d'insécurité monétaire qui l'a suivie. Il faut aussi faire la part d'une mutation dans l'état des esprits qui en viennent à considérer le travail féminin comme une nécessité.

26. Dossier Huleux, AN, F 17 23363. A sa sortie de l'Ecole, cette Sévrienne épouse le journaliste du *Figaro*, Jules Huret. De fait, dès l'origine, l'engagement décennal offre à l'Etat une garantie : le

Comme le déclare Berthe Savery devant la commission extraparlementaire de 1907, la retraite est à cette date « la grande, la première des préoccupations du personnel féminin ». En effet, celui-ci est assujetti, comme tous les autres fonctionnaires, à la loi du 9 juin 1853 [27]. L'expérience montre que la limite des soixante ans et des trente-cinq ans de services est estimée trop lointaine pour un grand nombre. Sans doute, si la lassitude se fait par trop sentir, n'est-il pas difficile de faire établir des certificats médicaux attestant que le fonctionnaire est « hors d'état » de remplir son service, mais il reste l'obligation du temps de service. Dans cet ordre d'enseignement nouveau, qui a recruté à ses débuts des professeurs déjà confirmés de l'enseignement libre, des maîtresses de pension, les départs, jusqu'à 1917 environ, ne peuvent donner droit à pension, sauf lorsque les fonctionnaires ont auparavant été employées assez longuement dans l'enseignement primaire [28]. Il en résulte quelques situations douloureuses que l'administration n'est pas entièrement en mesure de maîtriser. On accorde de modiques « traitements d'inactivité », ou des indemnités annuelles dont le montant varie en fonction des crédits, mais est toujours très bas [29].

A vrai dire, la plupart des membres du corps enseignant sont entrés très jeunes dans la fonction publique ; les aînées n'ont pas abandonné leur situation dans l'enseignement privé lorsqu'elle était bien assise : les avantages offerts par l'enseignement secondaire public, sans retraite, étaient par trop minces. Il n'en est pas de même des directrices. Le traitement plus élevé, la pression d'une municipalité, des autorités académiques [30] ont convaincu plusieurs d'entre elles, déjà trop âgées pour espérer faire une carrière dans l'enseignement public, de prendre la

professeur qui n'a pas accompli dix années dans un service d'enseignement doit rembourser les frais de sa scolarité : 3 000 francs, c'est-à-dire une année du traitement d'une agrégée débutante. On est loin, toutefois, des 12 000 francs.

27. Wissemans, *Code de l'enseignement secondaire,* donne les principaux extraits de cette loi, p. 11 à 19. Aux termes de l'article 5, « le droit à la pension de retraite est acquis par ancienneté à soixante ans d'âge et après trente ans de services ». Mais le commentateur prend soin de citer en note un avis du Conseil d'Etat, daté du 17 janvier 1889, d'après lequel l'article 5 ne confère pas un véritable *droit :* « l'administration apprécie *discrétionnairement* et suivant les exigences du service, le moment où elle doit autoriser ou prescrire la cessation de l'activité ». Il existe toutefois une dispense d'âge, mais non de durée des services, pour « le titulaire qui est reconnu par le ministre hors d'état de continuer ses fonctions. « De plus le fonctionnaire qu'un « accident grave, résultant notoirement de l'exercice de ses fonctions », met dans l'impossibilité de les continuer, peut obtenir pension sans condition d'âge ni d'activité » (article 11). Les conditions pour les fonctionnaires de l'enseignement secondaire sont donc plus strictes que pour les fonctionnaires de l'enseignement primaire : « Il suffit, dit toujours l'article 5, de cinquante-cinq ans d'âge et de vingt-cinq ans de services pour les fonctionnaires qui ont passé quinze ans dans la partie active ». Or, pour les fonctionnaires de l'enseignement, la partie active ne comprend que les emplois de l'enseignement primaire.

28. Les congés pour limite d'âge terminent 50 carrières, soit 2,2 % de l'ensemble.

29. Ces indemnités n'ouvrent aucun droit. Elles sont accordées au titre de « secours », elles doivent faire l'objet d'une nouvelle demande chaque année.

30. D'autant que l'institution de cours secondaires était un coup sévère porté aux institutions privées, déjà en proie, la plupart du temps, à la concurrence cléricale. Mieux valait, dans ce cas, accepter la direction des cours. Il semble aussi que les autorités académiques, mises peut-être en confiance dans la période heureuse de Jules Ferry, se soient crues autorisées à faire parfois des promesses que les successeurs, en un temps « d'économies », n'ont pas été en mesure de tenir.

direction des cours nouvellement fondés. Qu'elles soient restées à la tête de l'établissement définitif ne change rien à leur sort, pas plus que le caractère exceptionnel et la longue durée des services qu'elles ont pu rendre [31].

Enfin, la loi de 1853 ne prévoit pas davantage le sort des fonctionnaires frappés d'une invalidité quelconque et définitive avant d'avoir rempli les conditions ouvrant le droit à pension. Aussi, en 1907, l'idée est-elle déjà très vivace d'une retraite proportionnelle qui permettrait de résoudre en partie de tels cas.

L'examen de la durée effective des services montre que celle-ci est très variable : 69 % des fonctionnaires ont exercé au moins vingt ans ; mais une proportion de 17,1 % a exercé moins de dix ans, comme le montre le tableau ci-dessous.

	Services primaires	Services secondaires	Durée totale
Moins de 2 ans	168	38	30
De 2 à 4 ans	184	148	111
De 5 à 9 ans	118	200	182
De 10 à 19 ans	63	281	254
De 20 à 29 ans	19	412	347
De 30 à 34 ans	5	415	386
De 35 à 39 ans		487	538
Plus de 40 ans		237	327

Cette durée des services ne prend son sens que rapprochée du tableau des causes de fins de services :

Mort	250	(11,1 %)
Congé	459	(20,4 %)
Retraite ancienneté	1 049	(46,6 %)
Retraite comme hors d'état	288	(12,8 %)
Retraite d'office	11	
Démission	56	(2,4 %)
Révocation	5	
Fin de la délégation	79	(3,5 %)

31. Née en 1829, bachelière ès lettres, Clara Brulant est directrice d'un cours privé lorsque s'ouvre le lycée de Moulins dont elle prend avec succès la direction en 1883. « Sa parfaite honorabilité reconnue de tous à Moulins, écrivent Foncin et Vacquant en 1894, a puissamment aidé à la fondation et à la réussite du lycée ». Elle reste directrice jusqu'en 1894, et prend à cette date un congé, avec un traitement d'inactivité de 1 200 francs qui n'est pas garanti : il est réduit à 1 000 francs en raison des nécessités budgétaires en 1895 ; elle est obligée d'en demander le renouvellement chaque année (AN, F 17 22769). Le sort de la directrice de Versailles ne fut pas meilleur : elle mourut demoiselle de compagnie. Plusieurs dossiers des anciennes directrices gardent la trace de la surprise éprouvée du sort qui leur est fait lorsqu'elles cessent leurs services, eu égard aux promesses qu'elles ont reçues.

On le voit, ce sont environ 60 % des fonctionnaires seulement qui remplissent ou à peu près les conditions de la retraite, c'est-à-dire les trente années de services et les soixante ans d'âge réclamés par la loi de 1853. Il est plusieurs causes à cette situation : le tableau de la durée des services montre la facilité de l'évasion vers le mariage ou vers l'enseignement privé, après une ou plusieurs années d'exercice [32]. La mort, d'autre part, ne frappe pas de préférence les fonctionnaires les plus proches de leur retraite, mais celles qui ont entre dix ans et trente ans de services : ce trait est sans doute dû à la prédominance à cette époque des affections tuberculeuses.

L'arrivée à la retraite apparaît donc comme une sorte de performance : un cinquième de celles qui obtiennent une liquidation le font comme « hors d'état », c'est-à-dire qu'elles n'ont pas rempli la condition d'âge [33]. De fait, la majorité des dossiers des fonctionnaires âgées font état de leur lassitude physique, voire intellectuelle : celle-ci est en contradiction avec leur désir souvent exprimé de rester en fonctions pour des raisons financières. En règle générale, passée la première guerre mondiale, l'administration n'a rien fait pour maintenir en fonctions les fonctionnaires atteints par la limite d'âge. Quelle que soit la catégorie d'exercice, cette limite semble s'être maintenue un peu au-dessus de la soixantaine, dépassant rarement l'âge de 63 ans. L'idée, couramment avancée avant la guerre, que la retraite est trop tardive pour les femmes semble en partie vérifiée.

32. **Causes de la fin des services et durée des services secondaires** (en chiffres absolus)

	Mort	Congé	Retraite	Retraite comme hors d'état	Démission
Moins de 2 ans	1	24	—	—	4
De 2 à 4 ans...........	16	84	—	—	13
De 5 à 9 ans...........	34	107	5	3	19
De 10 à 19 ans.........	77	127	20	24	9
De 20 à 29 ans.........	62	89	133	112	5
De 30 à 34 ans.........	42	19	256	90	2
De 35 à 39 ans.........	12	8	405	54	—
Plus de 40 ans	5	—	226	—	—

33. Les conditions de durée de services sont assez faciles à remplir pour celles qui ont commencé comme institutrices, souvent très jeunes, à l'âge de 18 ans.

L'administration centrale

L'étude du personnel ne saurait prendre sa pleine dimension si l'on ne rappelait pas le rôle de l'administration centrale, comme l'image que s'en font les administrées. Le lien entre les fonctionnaires et l'administration centrale est assuré doublement : d'une part, par la « voie hiérarchique » — chef d'établissement, inspecteur d'académie, recteur — d'autre part, l'inspection générale. Rien en cela qui diffère de l'enseignement secondaire masculin. Pourtant, le fonctionnaire féminin est plus isolé devant les instances qui disposent de son sort. A la différence des hommes, il ne peut pas voir dans les inspecteurs généraux d'anciens « collègues » : le souci constant marqué par le Ministère de l'instruction publique de ne pas nommer d'inspectrice générale, même pour les travaux à l'aiguille, marque bien la place en retrait que les femmes doivent garder dans l'enseignement secondaire. Si bienveillants, si paternels qu'ils se montrent, les inspecteurs généraux demeurent une autorité supérieure et extérieure à l'enseignement secondaire féminin. Enfin, l'anomalie qui consiste à ne pas avoir de représentantes au Conseil supérieur, sous le prétexte que la loi constitutive de celui-ci est antérieure à la création de l'enseignement secondaire des jeunes filles, est, avec les années de croissance et de prospérité, plus vivement ressentie. En 1914, comme celle des traitements féminins, la question n'est toujours pas résolue et ne semble pas en voie de l'être.

C'est dans les amitiés personnelles ou dans l'Association des anciennes élèves de l'Ecole de Sèvres que réside l'espoir d'une solution aux problèmes qui se posent à titre individuel [1], à moins que le fonctionnaire ne préfère s'en remettre aux recommandations de toute nature. Politiques le plus souvent, amicales parfois ; l'essentiel semble être de rendre chaque cas particulier aux yeux de l'administration, d'assurer à l'individu sa reconnaissance en tant que tel. Dans les toutes premières années du siècle, lorsque la notion de syndicat est encore bien éloignée des esprits, dans les bureaux du ministère, le ton est volontiers paternaliste : « M. Hugot (chef de bureau au ministère), écrit Louise Belugou, nous a parlé à Lucie [2] et à moi, en *ami,* non en *administrateur* » [3]. Peu de temps auparavant, elle avait reçu une lettre de lui dont les termes sont révélateurs :

---

1. Il est caractéristique de cet état d'esprit que les professeurs du collège de Boulogne, qui ne recevaient pas leur traitement parce que la municipalité avait oublié d'inscrire cette dépense au budget de la ville, n'aient pas imaginé d'autre démarche qu'une lettre de l'un des professeurs à l'Association des anciennes de Sèvres (AEAES, Lettre de Louise Belugou à Julie Lochert, 20 novembre 1905).

2. Lucie Küss, alors directrice du lycée Victor-Hugo, entrée à Sèvres en 1882 comme L. Belugou.

3. Lettre du 13 mars (1906) à Julie Lochert, AEAES.

« Je vous en prie, puisque votre titre de présidente de l'Association des anciennes élèves de Sèvres vous met en rapport avec ces dames, dites-leur bien que je n'entends pas être simplement le Monsieur qui préside aux mouvements et a été placé là pour seulement surveiller si chacun accomplit son devoir, mais que je suis un ami auquel toutes peuvent se confier et qui entend qu'on sauvegarde leurs intérêts et qu'on respecte leurs droits »[4].

Le « ministre » auquel écrivent les postulantes, les fonctionnaires désireux d'un avancement ou d'un changement de résidence, ceux qui sollicitent un simple congé par la voie hiérarchique, c'est en fait le directeur, plus souvent encore les chefs de bureau, Roehn, Maurice Charlot, Vigier, Hugot, qui, au fil des remaniements — deuxième bureau, quatrième puis cinquième bureau — sont chargés des destinées de cet ordre particulier d'enseignement. Jusqu'aux années 1904-1905, où peuvent se repérer les premières démarches collectives, les fonctionnaires s'adressent individuellement à eux. Rien de comparable à l'anonymat qui marque l'histoire postérieure. Aux vacances, à chaque mouvement, les bureaux sont assiégés par des files de quémandeuses qui savent en général à qui s'adresser précisément. Pour les provinciales, surtout les directrices, le voyage à Paris s'accompagne d'une visite au ministère : si le directeur reste souvent invisible, ses subordonnés ne le sont pas. Ils doivent à la fois respecter les droits acquis et tâcher de satisfaire les multiples recommandations politiques, devenues comme un rite.

La personnalité de deux directeurs, Charles Zévort qui fut chargé de la mise en place de l'institution, puis Elie Rabier qui resta dix-huit ans à la direction de l'enseignement secondaire, apporte une tonalité propre à l'histoire de l'enseignement secondaire féminin. Victime de la Monarchie de Juillet, puis de l'Ordre moral, Charles Zévort a reçu de ses amis républicains une série de compensations éclatantes avec le retour au rectorat de Bordeaux en 1878, puis, dans les premiers mois de 1879, le poste de vice-directeur de l'Académie de Paris, l'inspection générale, enfin la direction de l'enseignement secondaire[5]. Il est alors âgé de 63 ans et reste en place jusqu'en 1887[6]. Inséparable de la mémoire de Jules Ferry, le nom de Zévort, dans la période de fondation de l'enseignement féminin, ne peut pas à vrai dire être dissocié de celui de Gréard dont le rôle d'« éminence grise »[7] des ministres successifs dépasse de beaucoup

---

4. Lettre du 20 novembre 1905, citant une lettre d'Hugot, *ibid.*

5. AN, F 17 23126.

6. Epuisé, semble-t-il. Selon *Le Temps*, il n'osait plus agir depuis l'échec de sa réforme de l'enseignement secondaire. Sa retraite suit de peu la fin politique de Ferry auquel il était si attaché que Paul Bert, le jugeant « peu sûr », l'avait remplacé par Foncin durant son éphémère ministère.

7. C'est l'expression du chroniqueur de *La Revue universitaire*, André Balz, quand Gréard prend volontairement sa retraite en 1902 : « Pendant vingt ans, M. Gréard a été l'éminence grise de tous les ministres. Par instants même, il s'est trouvé le vrai ministre en fait de l'Instruction publique » (t. II, 1902, p. 260-261). Par la suite, ce rôle semble moins grand à d'autres observateurs : citant A. Croiset dans *La Revue internationale de l'enseignement*, R. Pagès observe que Gréard n'a jamais pu prendre l'initiative, « il ne fut jamais qu'un administrateur » (*ESJF*, novembre 1907, p. 207-217).

le titre de vice-recteur de l'académie de Paris : ses interventions au Conseil supérieur le prouvent assez. De fait, Zévort apparaît pour le personnel féminin un directeur plus lointain que ne le fut Rabier. L'administration de l'enseignement secondaire dans son ensemble, la mise en place de la réforme, l'élaboration des décrets, des textes d'application rendus nécessaires par tant de lois votées presque en même temps, la recherche infructueuse d'une adaptation de la réforme de 1880 expliquent que la sollicitude du directeur n'ait pas été d'abord vers un personnel récemment créé, peu nombreux et assujetti à des règles encore bien flottantes[8]. Pourtant c'est à Zévort et à Gréard, qui ont travaillé en accord avec la majorité du Conseil supérieur, que l'enseignement féminin doit son caractère spécifique, un certain nombre d'usages propres qui le font différent de l'enseignement masculin.

C'est au fugitif successeur de Zévort, Georges Morel[9], et surtout à Elie Rabier qu'il revient d'avoir conduit l'enseignement féminin jusqu'à la maturité du vingt-cinquième anniversaire, célébré avec pompe en 1907. A la différence de Zévort, Rabier apparaît, au moins à ses débuts, comme une personnalité strictement universitaire. Plus prudent que ses camarades lors de son séjour à l'Ecole normale[10], il fait une carrière d'excellent professeur de philosophie[11] et jouit de l'estime de ses collègues qui l'ont élu au Conseil supérieur en 1884, sur une déclaration qui porte la marque à la fois de sa circonspection et de son attachement aux études littéraires, sans remise en cause, toutefois, de la réforme de 1880[12]. Avec l'accès de Rabier à la direction de l'enseignement secondaire, à l'âge de 43 ans, c'est la génération des administrateurs qui prend la relève des vieux lutteurs républicains. Sa qualité de protestant a rendu Rabier sans doute plus favorable à ses coreligionnaires qu'aux

---

8. C'est de la période de Zévort que datent les rapports sur la moralité des candidates à un poste. L'expérience montra que ces rapports ne constituaient pas une véritable garantie et que l'administration avait commis quelques erreurs de jugement en donnant une nomination régulière à des personnes dépourvues des qualités nécessaires. Confiés souvent à l'inspecteur de l'académie de Paris, Perrens, les rapports constituent dans certains dossiers personnels de savoureux morceaux d'anthologie.

9. Il fut directeur de 1887 à 1889.

10. 1866-1869. Il est né en 1846 à Bergerac. « Je le regarde comme un des élèves les plus sensés et les plus raisonnables de l'Ecole. (C'est un protestant) », écrit Bouillier en août 1869, c'est-à-dire à l'issue d'une période d'effervescence normalienne (AN, F 17 23051).

11. Il n'a nullement souffert de l'ordre moral. Chargé de cours de philosophie au lycée de Montauban en 1869, il y est professeur en 1871. En 1872, il est nommé à Tours, mais se voit quelques mois après chargé de la suppléance de la chaire de philosophie à Charlemagne : il obtient la chaire en 1876. Il est chargé d'une conférence de philosophie à l'Ecole normale en 1880, pour un an ; il enseigne également la morale à l'Ecole normale des Batignolles. En 1884, Lachelier, très élogieux, obtient pour lui les palmes d'officier de l'Instruction publique (il est officier d'Académie en 1878). Il devient chevalier de la Légion d'honneur en 1886. Inspecteur de l'académie de Paris en 1888, il est nommé directeur de l'enseignement secondaire en mai 1889, sous le ministère d'A. Fallières.

12. *RESES*, 1884, p. 273-274. Rabier ne se fixe pas de programme, voulant sauvegarder « l'entière liberté de douter, d'étudier et de s'enquérir » ; il revendique la « reconnaissance d'un certain droit d'initiative à chacun des membres » et la publication du procès-verbal des séances. Cependant, il estime que c'est au tour des sciences de subir une réduction dans des programmes trop chargés : « Si l'enseignement classique, écrit-il, a pour fin la culture intellectuelle plus encore que le savoir positif, les sciences, quelle qu'en soit l'utilité, la nécessité, n'y sauraient occuper la première place ».

autres [13]. Mais cette sympathie est née en grande partie des circonstances [14].

Au fil des dossiers personnels, l'action du directeur semble marquée par le souci de gérer au plus près les pauvres crédits dont il disposait pour l'enseignement féminin et d'éviter autant qu'il était possible, dans une période d'âpre concurrence pour le moindre poste, les passe-droits : au long des années 1890, la direction en est arrivée à élaborer des règles de plus en plus complexes et rigides pour l'accès aux postes [15], les concours recevant toujours plus de candidates qu'il n'en était besoin. Cependant, la pression politique n'était pas toujours absente et le directeur était obligé de composer avec elle [16].

En outre, toute modification du profil des carrières, tout avancement prenaient une grande partie de leur importance du fait qu'ils s'opéraient dans un monde replié sur lui-même et particulièrement sensible aux préséances de classe, de poste ou de grade. La correspondance de nombreuses fonctionnaires les montre attentives à l'avancement de leurs collègues : elles protestent dès que l'une d'entre elles, qu'elles jugent égale par l'âge, les diplômes, l'ancienneté, se voit attribuer par exemple la direction de lycée qu'elles-mêmes convoitent sans l'obtenir. Aussi tout retard dans l'avancement apparaît-il comme une grave sanction [17]. L'administration le sait et use dans la mesure du possible des promotions, voire des palmes académiques, pour établir une hiérarchie

---

13. Ainsi en 1894, à Saint-Etienne, délègue-t-il dans un poste de maîtresse primaire la directrice du pensionnat protestant, sur la recommandation du pasteur Comte appuyé par Steeg. Elle est titularisée un an après. (AN, F 17 23298, dossier Durand-Lantz).

14. Par l'effet de leur éducation, les protestantes se trouvent mieux armées que les anciennes élèves des religieuses pour devenir les représentantes de « l'esprit universitaire », avec ce qu'il suppose d'indépendance morale. La forte minorité protestante dans l'enseignement secondaire des jeunes filles vient de là plus que de Rabier. Son refus à Pécaut, en 1888, de venir faire des cours de psychologie à l'Ecole normale de Fontenay n'est assorti officiellement d'aucun motif. Pécaut en fut très mécontent. N'était-ce pas la marque chez Rabier du désir de garder sa liberté d'administrateur ? Au reste, ce n'est pas à une protestante qu'alla, en 1896, la succession enviée de Mme Jules Favre à la tête de l'Ecole de Sèvres. Le renvoi de Mme Marion, en 1906, à laquelle succède la protestante L. Belugou, ne semble pas être son œuvre, mais plutôt celle du directeur de cabinet d'Aristide Briand, Jules Gautier, qui devient directeur de l'enseignement secondaire, d'ailleurs, l'année suivante (il le reste jusqu'en 1910).

15. Note de Rabier pour le ministre, du 5 décembre 1895 : « On place maintenant, lorsque des vacances se produisent dans l'enseignement, les certifiées de 1891 ». A Edgar Combes, qui demande si l'on ne tient compte que de l'ancienneté, Rabier répond : (le ministre) « peut fort bien donner un tour de faveur en raison du rang, par exemple : faire passer la 1re ou 2e certifiée de 1895 avant la 10e de 1894 ou 1893. La situation de famille, absence de ressources, etc. sont aussi des considérations dont il est équitable de tenir compte. Il faut aussi faire entrer en ligne les services déjà rendus à un autre titre » (AN, F 17 24062).

16. Une lettre de Darlu en fait foi, ibid, F 17 23797 : « Mme R., écrit Darlu en 1903, vous a-t-elle été imposée par quelques recommandation politique ? ».

17. « Toutes les personnes du lycée qui ont vu aujourd'hui le tableau de classement m'ont offert des condoléances, écrit en 1904 la directrice de Saint-Quentin. Quel prestige, quelle autorité puis-je garder sur le personnel qui me voit ainsi amoindrie et dédaignée ? ». Il s'agit du tableau de classement de 1904 où M. Huet, directrice du lycée de Saint-Quentin, figure sans avancement (Lettre du 28 février 1904, AN, F 17 22448). De fait, cette directrice qui n'a pas surmonté les difficultés intérieures de son établissement, redevient professeur la même année. D'une sous-économe de 54 ans, la directrice de Limoges écrit en 1920 : « Elle est très malheureuse d'être encore sous-économe à son âge, (c'est pour elle) une humiliation de tous les instants », ibid. 24026.

plus subtile que ne pourraient le faire supposer les grilles relativement simples de 1884.

Jusqu'aux toutes premières années du siècle, Rabier n'a pas eu à se préoccuper d'une réforme véritable de l'enseignement féminin, sauf cet allégement des programmes, en définitive limité, qui fut adopté en 1897. La crise de l'enseignement masculin et la réforme de 1902 faisaient passer au second plan un enseignement encore bien modeste tant pour le budget que pour les effectifs [18].

A partir des années 1903-1904, l'administration sort de sa passivité relative à la faveur d'une conjoncture beaucoup plus favorable au monde de l'enseignement : la Chambre ne répugne pas à voter les augmentations de crédits nécessaires, les effectifs se gonflent, le mouvement des créations d'établissements reprend. De son côté, le personnel commence à agir non plus en ordre dispersé, mais, très timidement, en groupe : c'est à peu près vers cette date que les anciennes Sévriennes commencent à aller voir le directeur en députation. Tout ce qui, dans l'ordre de ce que celui-ci estime possible, peut constituer une amélioration du sort matériel de ses administrées le trouve chaleureux et attentif.

Il n'en est pas de même lorsque, à la lumière de l'expérience, les professeurs femmes s'avisent de demander une revalorisation du diplôme par l'octroi de l'équivalence avec le baccalauréat ou avec le brevet supérieur. L'administrateur, chez Rabier, se révèle hostile aux changements qu'apporterait une telle mesure. Est-ce attachement à une formule qui a obtenu la « confiance des familles » ou crainte d'un empiètement de l'enseignement primaire, d'une assimilation à l'enseignement masculin ? La présence de Rabier à la tête de l'enseignement secondaire joue en tout cas le rôle d'un frein à toute transformation des structures de l'enseignement féminin : elle a sans doute une large responsabilité dans l'état d'incertitude et d'improvisation où les lycées de jeunes filles ont abordé la période de la guerre. En revanche, aucun de ses successeurs jusqu'à Francisque Vial, y compris Thamin, qui fut contraint par Léon Bérard de présenter au Conseil supérieur le décret de 1924 qu'il n'approuvait pas, n'est resté assez longtemps en place pour imprimer une direction à l'enseignement féminin. Ce dernier apparaît bien, face à l'enseignement secondaire masculin toujours en émoi, comme une terre éloignée des orages, mais peut-être aussi une terre oubliée.

---

18. Selon la remarque ironique de *La Revue universitaire* en 1892, à propos du budget rapporté par Charles Dupuy : « Comme dirait Harpagon, on fait ici bonne chère avec peu d'argent » (t. II, p. 71).

Chapitre VI

Division hiérarchique et attitudes communes

Monde restreint, le personnel de l'enseignement secondaire féminin ne constitue pas pour autant une unité monolithique. L'observateur est frappé par la multiplicité des strates, des catégories, plus nombreuses et plus tranchées à mesure que mûrit l'institution. Elles divisent, selon les fonctions et les diplômes, les fonctionnaires étudiés. Les distinctions ne sont pas pour autant faciles à opérer : la nécessité de pourvoir à tout prix aux postes dans les premières années, la force de l'usage ont conduit à une pratique un peu différente de celle qui s'est imposée dans les lycées de garçons. Ce n'est pas le diplôme qui, dans tous les cas, détermine la fonction, et, par conséquent, la place dans la hiérarchie. C'est donc de la fonction qu'il convient de partir pour définir les différentes catégories de personnel. Cependant, le diplôme retrouve en partie ses droits : le passage d'une catégorie à l'autre se fait grâce à lui, lorsqu'il s'agit d'enseignement surtout, le mérite et les capacités retrouvant beaucoup de leur poids pour les fonctions d'administration. Après les directrices, chefs d'établissement plus puissants que ne le fut jamais un proviseur, surtout lorsqu'elles sont directrices de collège, viennent les professeurs et chargées de cours, puis les institutrices, elles-mêmes d'origine très diverse, enfin les maîtresses répétitrices et les surveillantes, sans exclure totalement le personnel de l'économat qu'il faut bien adjoindre pour compléter ce microcosme.

Mais après avoir noté le caractère spécifique de tant de catégories, force est de constater que le personnel de l'enseignement secondaire des jeunes filles, face au monde extérieur, retrouve son unité. Unité qui ne tient pas, cette fois-ci, à quelque règle écrite, mais à la place à part que ce personnel occupe dans la société française. Exposés, surtout en province, aux soupçons, voire aux sarcasmes, de l'opinion, la plupart des professeurs femmes connaissent l'épreuve de la solitude. La préparation qu'ils ont reçue est censée donner les moyens d'y résister : de là sans doute la tonalité stoïcienne d'un certain nombre de vies et surtout cette réserve et cette discrétion qui sont la marque du personnel secondaire féminin dans les domaines de la politique et des croyances.

Les directrices

La sollicitude des organisateurs de l'enseignement secondaire féminin s'est manifestée surtout pour les chefs d'établissement. Déjà un article de la loi prévoyait expressément des directrices, excluant les hommes de cette fonction. Les conditions de la nomination étaient différentes de celles des proviseurs ; elles associaient en principe les municipalités et les recteurs au choix des chefs d'établissement. Il semble que dans les premiers temps cette procédure a été respectée [1]. Mais l'usage dut s'en perdre assez rapidement si l'on en croit Compayré [2] : la disposition réglementaire n'a pas été assez puissante pour venir contrebalancer la toute-puissance de l'administration, en un domaine où les traditions ne pouvaient limiter celle-ci comme dans l'enseignement des garçons.

Si le rôle des municipalités dans les premières nominations et dans les premières mutations peut apparaître contestable, l'absence de consultation locale comportait elle aussi les inconvénients qu'avait espéré éviter le Conseil supérieur. Il arriva, après 1900, que le mouvement des directrices s'affolait et que le même établissement, dans l'espace de trois mois, recevait, sur le papier du moins, trois ou quatre chefs différents. Après la première guerre mondiale, il ne semble pas que l'avis du comité consultatif entraîne une plus grande stabilité des directrices. Le résultat le plus clair de la nouvelle procédure est une augmentation de l'âge moyen des directrices [3] et une plus stricte hiérarchisation des postes ; naturellement l'accès était plus tardif à la direction des grands lycées.

---

1. Ainsi l'expérience de Rouen, où la municipalité avait créé des difficultés à une directrice qui n'avait pas sa faveur, fait incliner le recteur Zévort à proposer une personne qui « possède la confiance de M. le Maire du Havre » (AN, F 17 22809). La désignation de la directrice du lycée de Grenoble s'est faite après une consultation dans les formes de la municipalité. La réponse du maire (8 février 1882) donne un exemple des motifs invoqués par les conseils locaux pour se déterminer : « L'administration municipale a recueilli des renseignements sur les personnes auxquelles vous avez songé pour la direction du lycée de jeunes filles qui va être créé à Grenoble ; elle a constaté avec regret qu'à part l'une d'elles, Mlle Bonous, ces personnes sont animées d'un esprit de cléricalisme compromettant pour le succès de l'institution projetée qui, dans notre pensée, doit fonctionner uniquement du point de vue de l'enseignement sans aucun caractère religieux » (AD Isère, T 139).

2. *L'enseignement secondaire des jeunes filles...*, p. 71. « En fait, écrit-il, il ne semble pas que l'administration supérieure, pour procéder à la nomination, se considère toujours comme obligée à attendre les propositions des recteurs, ni à prendre l'avis des municipalités. »

3. Déjà le personnel s'en inquiétait en 1907 (AN, F 17 12748, commission extra-parlementaire, déposition de Berthe Savery. Le début, remarque-t-elle, « devient assez tardif pour que la directrice nouvellement promue ne puisse plus espérer d'atteindre, avant la retraite, la première classe de son emploi »).

Ainsi s'explique, avec la multiplication des établissements après 1904, que le tiers à peine des directrices, dont les dossiers ont été étudiés ici, ont eu dix-huit ans et plus de fonctions dans l'administration, alors que les premiers postes ont été pourvus souvent par des femmes de moins de trente ans. Un quart des directrices ont exercé cette fonction durant moins de dix ans, un autre quart pendant une période de dix à quinze ans. La mutation a donc été rapide d'un corps d'abord très jeune par nécessité : l'ensemble des directrices a vieilli avec l'institution ; mais les remplacements se sont faits systématiquement dans des classes d'âge plus élevées qu'au début. La majesté et l'expérience y gagnent sans doute ; en même temps, les fonctionnaires de l'enseignement secondaire des jeunes filles rejoignent la norme de tout corps de fonctionnaires régulièrement constitué : le mérite doit composer avec l'ancienneté.

Comme l'enseignement féminin comprend trois types d'établissements, puisque les cours secondaires prennent peu à peu un caractère permanent, une hiérarchie se crée aussitôt à l'intérieur du corps des directrices. Sauf dans le cas où les cours secondaires sont appelés à être rapidement transformés et où la nomination à leur tête est une mission de confiance, assortie de la promesse de rester après la transformation, la direction des cours secondaires n'augure pas obligatoirement une carrière dans l'administration. C'est évident lorsqu'il s'agit d'une maîtresse de pension qui a passé contrat avec l'Etat, mais reste à la tête d'un établissement de caractère privé. La maîtresse primaire recrutée hâtivement pour « surveiller » ou diriger des cours secondaires n'a pas souvent meilleur destin. En revanche, lorsque l'usage s'établit de nommer des fonctionnaires de l'enseignement secondaire, voire des Sévriennes, dans les cours secondaires, la direction de ceux-ci, presque à l'égal de celle des collèges, devient la première étape d'une carrière de chef d'établissement. C'est en effet la plupart du temps dans un collège que le professeur, qui, pour diverses raisons[4], a demandé une direction et dont les qualités ont été remarquées, fait ses débuts d'administrateur. Le mérite et, après le règlement de 1911[5], la qualification par le diplôme déterminent l'avancement et la possibilité

---

4. Les plus fréquentes sont les charges de famille et la fatigue de la voix. Il est très rare de voir alléguer le goût que se sentirait le professeur pour l'administration. Il semble que la plupart du temps, ce sont les chefs hiérarchiques du professeur qui, remarquant ses qualités, l'invitent à poser sa candidature.

5. Décret du 30 mars 1911, art. 2 : « Toute aspirante aux fonctions de directrice de lycée doit être pourvue du titre d'agrégée et exercer ou avoir exercé les fonctions d'enseignement en qualité de professeur titulaire de lycée. Toute aspirante aux fonctions de directrice de collège doit être pourvue soit du titre d'agrégée, soit d'un certificat d'aptitude de l'enseignement secondaire (lettres, sciences, langues vivantes) ou d'une licence, et avoir exercé les fonctions d'enseignement en qualité de professeur titulaire de lycée ou de collège ou de chargée de cours de lycée ». L'article 3, modifié par le décret du 13 février 1912, fixe les dispositions transitoires : les certifiées directrices de collège en fonctions au moment du décret demeurent aptes à la direction d'un lycée, les brevetées directrices de cours à la direction d'un collège. Ces nouvelles exigences donnent aussi à l'administration plus de moyens pour résister aux pressions qui s'exercent sur elle.

d'accéder à un lycée, voire un lycée de Paris, considéré comme le sommet de la carrière.

Dans la période de fondation, les diplômes qui permettent d'accéder à la fonction de directrice sont très nombreux : l'arrêté du 28 juillet 1884, qui en établit la liste, prévoit même le diplôme de fin d'études et le brevet supérieur, à condition que la diplômée ou la brevetée compte dix ans au moins de services « dans l'enseignement »[6]. Comme l'écrit Compayré, qui rappelle la circulaire de Paul Bert du 14 janvier 1882 : « Il est évident qu'on s'est montré fort large »[7]. Aussi bien les tout premiers établissements ne pouvaient-ils ouvrir que sous la direction de diplômées primaires, dans la plupart des cas, puisque les premiers concours de recrutement ont été passés à partir de 1882 seulement et que les diplômées de l'enseignement supérieur, fussent-elles simples bachelières, étaient alors extrêmement rares[8].

Quatre-vingt-treize, soit 30 % des directrices étudiées, ont fait leur entrée dans l'enseignement secondaire officiel déjà en qualité de directrices. Cette proportion élevée s'explique par les conditions de départ des établissements. Ce sont également les circonstances de la fondation et de la croissance de beaucoup d'établissements qui expliquent la forte proportion de directrices dont la promotion a résulté d'une transformation d'établissement : 92, soit 30 %, alors que la proportion des promotions consécutives à la transformation des établissements n'est que de 19 % pour l'ensemble des fonctionnaires. Pareille différence illustre bien l'indépendance plus grande de la fonction de directrice, dans les premières années du moins, par rapport à la qualification par les diplômes.

Une relation semble s'imposer avec la quantité d'appuis politiques repérés. Pour plus de la moitié des fonctionnaires et des directrices, aucun indice véritable d'appui politique n'a pu être relevé dans les dossiers. Mais l'examen de l'autre moitié montre que la proportion des appuis politiques discrets ou plus appuyés passe presque du simple au double selon qu'il s'agit de l'ensemble des fonctionnaires (4,9 % du total) ou des directrices (9,2 % du total)[9]. La tenace légende des emplois

---

6. Il peut s'agir alors de l'enseignement primaire, puisqu'en 1884 les établissements secondaires les plus anciens ont deux ans d'existence, mais aussi de l'enseignement privé, comme le précise d'ailleurs Paul Bert.

7. Adressée aux recteurs, la circulaire est une marque de plus de la volonté de Paul Bert d'aboutir à des résultats rapides : « Lorsque vous trouverez des personnes qui conviendraient parfaitement à la direction d'un établissement, écrit-il, soit par l'autorité acquise dans l'enseignement libre, soit par une grande influence personnelle, l'absence de grades élevés ne sera pas un obstacle absolu à leur nomination. Vous me les proposeriez comme déléguées, et je verrais plus tard à leur donner un titre définitif » (*L'enseignement secondaire des jeunes filles...*, p. 72-73).

8. Toutefois, deux licenciées reçurent chacune la direction d'un lycée, Mme Desparmet-Ruello à Montpellier, puis Lyon, Mme Bertrand à Amiens.

9. Il ne s'agit pas, bien entendu, des banales recommandations de parlementaires ou de personnages influents qui figurent dans plus de 10 % des dossiers de fonctionnaires, plus de 13 % des dossiers de directrices, indépendamment des indices d'appui politique réel.

donnés à la faveur a donc quelques fondements, du moins pour la désignation des fonctionnaires d'autorité. Elle tire d'autre part sa consistance de l'absence, au lendemain de la loi de 1880, de critères précis de nomination.

Dès 1881, une titulaire du seul brevet élémentaire fut nommée à la tête du collège d'Auxerre[10]. L'année suivante, le collège de Louhans ouvrait dans les mêmes conditions, comme le collège de Saumur. En 1885 encore, le collège de Vitry est confié lui aussi à une titulaire du brevet simple qui, l'année suivante, devient directrice du collège de Chartres. Quatre lycées même ont eu une première directrice munie du seul brevet élémentaire : Auxerre créé en 1893 par transformation du collège, Versailles créé en 1889 par la transformation de cours secondaires, Roanne né en 1885 lui aussi de cours secondaires, Nantes, enfin, qui est le seul à n'avoir pas succédé, en 1882, à un autre établissement. La directrice, E. Bordillon, était auparavant à la tête de l'école professionnelle de jeunes filles qu'elle avait fondée en 1863. Il est certain que ce choix était agréable à la municipalité. Dans les trois autres cas, les considérations de politique locale, l'intrigue même avaient eu le plus grand rôle. La situation à Roanne devint rapidement désastreuse, au point de rendre le maintien impossible au bout d'un an[11] ; mais ailleurs on s'accommoda durant plusieurs années des directrices ainsi désignées[12].

Plus fréquente est la présence, d'ailleurs prévue par les textes, à la tête des lycées, de directrices pourvues du brevet supérieur. La faveur

---

10. Elle appartenait à l'entourage de Paul Bert.

11. « Mme la directrice est absolument incapable de se conformer aux instructions qu'on lui donne, écrit le recteur en janvier 1886, ... elle manque de toute distinction, ajoute-t-il en juin, ... les élèves ne la respectent pas, les professeurs se moquent d'elle, elle fraie avec les domestiques et se venge de son personnel en le décriant » (AN, F 17 22442). La directrice du lycée devint alors institutrice de 1re classe au lycée de Tournon, au mépris des règlements ou plutôt grâce aux lacunes de ceux-ci qui ne prévoient pas les modalités de passage d'une catégorie dans une autre. « Si M. Raffin, maire de Roanne, indiquait le recteur, et M. Audiffred, député de la Loire, consentent, après bien des hésitations, à ne pas protester contre le départ ... c'est sous la réserve qu'elle recevra une compensation sérieuse dans un autre département ».

12. Jusqu'en 1895 à Versailles où la directrice prit un congé, avec la fallacieuse promesse de recevoir une autre affectation à la fin de ce congé, jusqu'en 1897 à Auxerre et à Nantes. En 1884, le collège de Saumur reçut une directrice certifiée ; en 1892, la directrice de Louhans mourut et fut remplacée par une Sévrienne agrégée. La dernière directrice titulaire du brevet simple semble avoir été Mlle Espié, directrice des cours secondaires de Digne, dont le dévouement et la dignité furent récompensés par la transformation en collège en 1910 ; elle resta directrice un an, avant de prendre sa retraite. Le cas extrême est présenté par les cours secondaires de Clermont-Ferrand, cours importants dans une ville de Facultés, appelés à la transformation en lycée. Après quelques fausses manœuvres du recteur qui avait recruté une ancienne religieuse, ce qui déclencha des campagnes de presse, se trouva désignée en 1883 une femme d'ancien proviseur, Mme de Sales qui, de l'avis général, faisait merveille dans cet emploi nouveau pour elle. Agée de 62 ans, elle devait non seulement assurer la direction des cours mais donner dix heures d'enseignement. On ne tarda pas à découvrir son absence de brevet d'aucune sorte. Le ministère refusa d'entériner sa désignation. Le recteur fit valoir l'impossibilité de trouver, à Clermont, une personne plus capable et mieux considérée. Elle lui avait été « imposée », disait-il, par l'opinion (18 février 1884). La retirer aurait été s'en faire une ennemie. Le ministère céda, à la condition qu'elle se mît en mesure de passer le brevet. Elle n'en fit rien, mais le succès des cours qu'elle dirigeait avec pertinence fléchit l'administration. Zévort décida de la maintenir et la situation dura ainsi jusqu'en 1898 où, à l'âge de 77 ans, Mme de Sales, restée active et efficace, se retira. Le lycée put alors ouvrir avec une directrice régulièrement diplômée (AN, F 17 8762 et F 17 23079).

politique ou municipale n'explique pas tous ces choix d'ailleurs dictés par la nécessité et justifiés par le succès. Ainsi, Claire Lacroix-Dubut, directrice du lycée de Rouen en 1882 et du lycée Racine en 1887, reste en place jusqu'en 1911. Venant de l'enseignement privé — elle a été directrice de cours libre à Bordeaux — elle est « distinguée », « intelligente », elle « plaît aux familles », ce qui suffit à asseoir sa réputation durant vingt ans. A Grenoble, Chambéry, Montauban, Agen, Nice, Toulouse, Tournon, Tours, les premières directrices sont titulaires seulement du brevet supérieur ; plus nombreuses encore sont les directrices de collèges dépourvues de diplômes secondaires.

La plupart de ces nominations, examinées une à une à la lumière des dossiers, s'expliquent par les circonstances locales, les épisodes de la fondation. Il paraissait souvent à l'administration plus prudent de nommer directrice du collège, voire du lycée quand était décidée la transformation, la directrice des cours déjà en place, afin de ne pas effaroucher les familles ; le souci de la qualification passait en seconde ligne.

> « Je vois, écrivait le recteur Jeanmaire après les débuts malheureux du lycée de Besançon, combien est difficile le choix d'une directrice. Les diplômes ne sont qu'une faible partie des garanties à exiger : on ne peut y attacher de prix qu'en tant qu'ils sont un signe de culture intellectuelle, une condition d'autorité sur les maîtresses subordonnées. Ce qu'il convient de rechercher au-dessus de tout, c'est le jugement, le cœur, la fermeté et l'élévation du caractère, la bonté, le dévouement sans bornes, et cette sollicitude toute maternelle qui s'applique à préserver de toute souillure ce qu'il y a de plus précieux chez une jeune fille » [13].

L'énumération de pareilles qualités mise au-dessus de la qualification par les diplômes est caractéristique de l'état d'esprit qui, dans une administration inquiète et peut-être sceptique sur l'entreprise, a présidé à la plupart des premières nominations. Placés directement en concurrence avec les établissements congréganistes, les lycées et collèges de jeunes filles doivent être aussi inattaquables que ces derniers pour ce qui regarde la moralité. Aussi une vigilance extrême sur ce point est-elle exigée [14] : elle va tellement de soi qu'on en parle peu dans les dossiers de fonctionnaires ou d'établissement. La contrepartie de cette vigilance est parfois un excès de sévérité : des dossiers de directrices laissent

---

13. 22 mars 1884, AN, F 17 22870.

14. « Une maîtresse femme », écrit Adrien Dupuy de la directrice de Millau en 1905. « On fait main basse sur les correspondances suspectes, on réprime sans beaucoup de ménagements les velléités de coquetterie. On remet dans le bon chemin celles qui seraient tentées de s'en écarter » (AN, F 17 22467, dossier Béret). En revanche, les « désordres graves » du collège de Cahors, en 1894, justifient le retour dans le professorat de celle qui dirigeait l'établissement depuis sept ans : « Une surveillante d'internat et deux élèves ont dû être frappées pour cause de moralité, écrit le recteur. Mme Coustau n'a rien vu, rien su, rien prévu » (AN, F 17 22222).

l'impression de femmes nées pour le commandement mais, l'expression revient plusieurs fois sous la plume des inspecteurs, inspirant plus de crainte ou de respect que d'affection [15]. L'idéal, qui n'est pas toujours atteint, c'est « la fermeté sans raideur » [16] qui permet de se passer à peu près de sanctions disciplinaires sans que l'ordre à la fois profond et apparent ait à en souffrir.

Mais si les inspecteurs ou les recteurs se montrent particulièrement sensibles à ces qualités du cœur, s'attardant volontiers au tableau de directrices dévouées au point de dîner en compagnie des internes pour mieux surveiller leur nourriture, de les soigner personnellement en cas de maladie grave, il ne semble pas que les carrières de ces directrices soient plus brillantes que celles de leurs collègues peut-être moins totalement dévouées, mais plus « distinguées » et plus douées pour l'administration. Il ne faut pas seulement asseoir son autorité sur les élèves, il est nécessaire de plaire aux parents. Dans la mesure même où les lycées de jeunes filles veulent soutenir la concurrence avec les établissements congréganistes, la directrice se doit de faire connaître son établissement à l'extérieur, elle doit entretenir des relations « mondaines » et non seulement professionnelles avec les autorités civiles dont elle dépend de manière directe ou indirecte : le maire, les adjoints, le préfet ou le sous-préfet, les chefs des principaux services du département. Elle doit se faire connaître en ville et faire connaître son établissement. Ces obligations ne sont inscrites dans aucun règlement, elles n'en sont pas moins contraignantes. Aussi l'une des principales vertus appréciées chez une directrice est-elle l'affabilité, plus généralement le don de plaire aux parents d'élèves ou à ceux qui peuvent le devenir.

Sans doute le critère le plus incontestable pour juger de la réussite d'un chef d'établissement est-il la croissance des effectifs. Même après la fin du 19e siècle qui a connu une crise du recrutement [17], recteurs et inspecteurs demeurent très attentifs sur ce point. La directrice qui arrive à faire progresser le nombre des élèves peut donc être sûre de son avancement. Mais après la recherche du nombre, vient celle de la qualité. Il faut donc ajouter des qualités plus subtiles à celles d'agent recruteur qui sont si prisées dans les vingt premières années : le tact, gage de réussite durable auprès des parents et des municipalités, le sang-froid et le jugement nécessaires au véritable administrateur, enfin, s'il se

---

15. Ayant à juger, en 1902, d'une « grande » directrice du lycée de Nantes, le recteur Gérard-Varet ajoute : « En fin de compte je préférerais sa compagne de Sèvres, Mme Huteau (alors directrice de Rennes), nature très supérieure par la qualité de sentiments et de cœur. Ses élèves l'aiment, celles de Nantes, non » (AN, F 17 24252).

16. E. Manuel parlant de Léonie Allégret en 1897 (AN, F 17 22599).

17. Beaucoup moins apparente que dans les établissements de garçons, elle n'atteint que certains établissements et se traduit plutôt par une stagnation du nombre des élèves que par une diminution sensible.

peut, la « distinction » qui est l'apanage obligé des « grandes » directrices, celles qui, sauf accident, finissent leur carrière à Paris.

Pas plus que pour les professeurs, la « distinction » d'une directrice ne relève nécessairement d'une origine sociale élevée. On n'est pas mécontent sans doute d'une certaine élégance, à la condition qu'elle soit discrète — les « grands airs » ne sont jamais vus d'un bon œil[18] — et les marques d'une bonne éducation sont toujours bienvenues. La « distinction » recherchée est aussi autre chose, avant tout celle d'un esprit qui pense juste, haut et droit : c'est une qualité intellectuelle qui rejaillit sur la personne tout entière. La première directrice du lycée Victor-Duruy, Léonie Allégret, donne l'exemple d'une distinction qui ne doit rien aux avantages sociaux et physiques : fille d'une « modeste famille d'artisans »[19], elle a dû travailler, dans le commerce, dès l'âge de quinze ans, elle est laide et sans apparence[20], mais « de manières distinguées et affables », elle sait se concilier « toutes les sympathies », on la trouve « pleine de tact dans ses rapports avec les professeurs et les familles, douce et affectueuse envers ses élèves » ; c'est une directrice d'« élite », « hors de ligne »[21]. En fin de carrière, l'inquiétude est plutôt que sa réussite soit trop complète et qu'elle ait donné un ton trop aristocratique à son établissement.

Les éloges adressés à deux directrices parmi les plus grandes — Cécile Provost, la première directrice de Fénelon[22] et Marguerite Caron, qui fut son deuxième successeur après avoir dirigé Lamartine et Jules Ferry[23] — permettent de préciser ce que les autorités académiques

---

18. Le recteur Charles, en 1887, est mécontent de la directrice de Roanne : « Mme Colas est une jeune femme jolie, spirituelle, distinguée. Sa distinction qui lui assurera des succès dans certains salons n'est peut-être pas celle qui convient à une directrice de lycée. Elle dépasse évidemment de beaucoup celle qu'on apprécie dans une ville de province » (AN, F 17 23825). Telle directrice, en 1908, « reste toujours solennelle, hautaine et peu sympathique aux familles » au désespoir de son recteur (AN, F 17 23284). Pareille notation est à rapprocher des remarques plus feutrées de l'inspection générale, à la même date, sur la directrice de Saint-Etienne. Selon l'inspecteur, le maire « laisse entrevoir une crainte ... que cet établissement secondaire sans doute, et qui doit le rester, ne prenne une tournure légèrement aristocratique, que la toilette et l'attitude n'y soient pas toujours assez simples » (AN, F 17 22304).

19. H. Wurmser-Degouy, *Trois éducatrices*, p. 13.

20. « Physionomie assez commune ; traits accentués et médiocrement féminins » (E. Manuel, 1885), « vêtue d'une robe noire d'une extrême simplicité, une femme sans âge, courte, trapue, la démarche lourde, l'air embarrassé » (Anna Amieux, sans doute en 1913, citée par H. Wurmser-Degouy, *op. cit.*).

21. E. Manuel, 1897, AN, F 17 22599.

22. « Mlle Provost, écrit Eugène Manuel en 1890, a tenu tout ce qu'on attendait d'elle : sa parfaite tenue, sa discrétion et sa réserve, sa distinction personnelle, les qualités de son esprit qui sont surtout le jugement, le bon sens, la netteté et la mesure, en font une excellente directrice, d'une autorité incontestée. Elle exerce également sur ses élèves une action morale dont on a reconnu les bons effets. Enfin, les familles n'ont qu'à se louer de son affabilité et de sa bonne grâce ». En 1898, Lachelier voit en elle une « personne des plus distinguées, consommée dans l'art de diriger un établissement de jeune filles ». « Je voudrais, écrit encore le recteur Liard en 1904, avoir beaucoup de proviseurs à son image » (AN, F 17 23048).

23. « Notre meilleure directrice, selon l'inspecteur général D. Roustan, en 1928. Elle a le goût des problèmes pédagogiques, elle exerce une action morale élevée sur les élèves et même sur celles qui viennent de quitter le lycée. Elle a de l'autorité sur son personnel, une autorité fondée sur la compétence et la droiture. Elle a de la décision, voit juste, et dédaigne les petites habiletés qui sont la

aiment à trouver dans une directrice de lycée de jeunes filles. De telles « étoiles » ne sont pas légion. Aussi, la plupart du temps, se contente-t-on de qualités moins éclatantes, pour peu qu'elles soient « solides » : « Elle a du jugement, l'honorabilité de la vie, de la tenue, du langage, le sérieux du caractère, bref les qualités solides, celles qu'apprécient les familles rurales de la région, écrit Vial en 1922 de la directrice de Tournon[24]. Elle manque des qualités brillantes et n'a pas de distinction, mais ce serait inutile à Tournon ».

Et, de fait, ont été placées à la tête des collèges, bien souvent, de « bonnes personnes », dépourvues de prestance, mais dont les manières familières, loin de nuire au recrutement, l'ont rendu plus aisé. Le souci apparaît très grand dans l'administration d'adapter le choix de la directrice à l'humeur locale : une partie des mutations vient de là, plus que du vœu des directrices elles-mêmes. D'une ville à l'autre les milieux sont divers : on sait gré à la directrice d'en tenir compte.

Il ne suffit pas d'être aimée et respectée des élèves et de plaire aux parents. Pour des raisons de recrutement, l'administration, lors des premières nominations, s'est surtout préoccupée des rapports avec les familles. Mais, à l'usage, il apparaît tout aussi nécessaire que la directrice exerce une véritable autorité sur son personnel. Les premiers concours sont à peine passés, les premières Sévriennes à peine sorties de l'Ecole que déjà s'édifie toute une hiérarchie où chacune est jalouse de son rang et regarde de haut les collègues moins qualifiées. Les rivalités sont d'autant plus âpres qu'il s'agit d'un monde numériquement restreint, et que les places se font rares au bout de dix ans. Pour quelques cas de discorde ouverte, comme aux lycées de Charleville et de Lons-le-Saunier, combien y eut-il de lycées et de collèges où la note brève d'un recteur, l'allusion d'un inspecteur, permettent de deviner une atmosphère de désunion feutrée, de mépris subtil de la part des agrégées fières de leur titre mais humiliées de se voir sous la direction et le contrôle d'une personne qui n'avait pas plus de diplômes qu'une maîtresse primaire ? Comment la directrice pouvait-elle exercer ses prérogatives et noter les fonctionnaires de son établissement[25] ? Si elle y renonçait, son sort était scellé, elle n'avait plus qu'à partir. Le règlement de 1911, qui est plus sévère sur les conditions de recrutement des chefs d'établissements, assainit incontestablement la situation, puisqu'il assure, du moins par les diplômes, « l'autorité nécessaire » aux chefs

---

ressource des directrices médiocres » (AN, F 17 24126). A cette date plus tardive, l'amabilité avec les parents, qui avait tant d'importance avant 1914, n'apparaît plus, on le voit, comme un critère essentiel de jugement.

24. AN, F 17 22660.

25. Le malaise s'accroît souvent de ce que les notes du personnel ne sont pas communiquées à celui-ci. Diplômées ou non, certaines directrices y exhalent toute leur aigreur.

d'établissements [26]. La vanité des municipalités ne tarde pas à faire le reste : pour le plus humble poste, les maires croient devoir réclamer des titres secondaires [27].

Dans un enseignement dépourvu par définition de traditions pédagogiques, le contrôle que doit exercer la directrice sur l'enseignement n'est pas de pure forme [28] : l'administration se convainc rapidement que les conseils reçus au cours de diverses inspections ne sauraient suffire pour créer ces traditions. De là une attention grandissante à la manière dont la directrice s'acquitte de ses obligations en ce domaine. L'emploi des brevetées devient alors peu compatible avec de telles exigences. L'époque où la direction de l'enseignement secondaire change vraiment de politique dans la désignation des chefs d'établissement peut être déterminée avec précision : elle commence en 1895, avec le départ, à l'âge de 54 ans, de la directrice de Versailles envers laquelle pourtant l'administration avait des obligations morales [29]. Les départs les plus nécessaires acquis, et bien que les places soient chèrement disputées, il faut attendre les fins de carrière normales, vers 1910, pour que la situation corresponde à peu près aux exigences nouvelles formulées dans le règlement de 1911 [30]. C'est en 1918 que prend sa retraite, à Moulins, la dernière directrice de lycée brevetée.

Dans l'ensemble des directrices étudiées, toutefois, celles qui ne répondent pas aux exigences du règlement ont une part modeste : les non-certifiées ne représentent que 11,6 % des directrices de lycée, 42,5 % des directrices de collèges. Eu égard à la lenteur obligée de toute

---

26. *RU,* t. I, 1911, p. 330.

27. A Auch, pour l'ouverture des cours secondaires, le maire ne veut pas entendre parler d'une institutrice communale comme directrice des cours. « Il tient, écrit le recteur Perroud le 4 octobre 1899, à une personne qui vienne du dehors, qui ait du *monde* et qui soit pourvue de titres universitaires ... Le *hic,* c'est de trouver tout cela pour 1 800 francs (et le logement) » (AN, F 17 23676).

28. Dans certains établissements, les visites de la directrice dans les classes sont quotidiennes. Ainsi à Amiens jusqu'en 1900 au moins (AD, Nord, 2 T 420 3 Lycée d'Amiens) ou à Cambrai au temps de la première directrice (AD, Nord, 2 T 442 4, collège Fénelon).

29. Cf. *supra.* A l'occasion d'une inspection, J. Lachelier exprime en 1894 la situation fausse où s'est mise l'administration vis-à-vis de ce genre de directrices, situation qui provient des complaisances initiales avec les autorités locales et d'un excès de pragmatisme dans les premières nominations : « Personne droite, bonne au fond, sous des formes un peu rudes, d'une intelligence et d'une activité peut-être ordinaires, trop peu répandue, me dit-on, à Versailles, mais qui s'acquitte consciencieusement et honorablement de ses fonctions et que l'administration me semble moralement engagée à maintenir à la tête du lycée, celui-ci ayant pris la place des cours secondaires qui n'étaient eux-mêmes qu'une transformation des cours libres, fondés et longtemps dirigés par Mlle Arnaud ». « Elle fait ce qu'elle peut, écrit de son côté l'inspecteur d'académie en 1895 ... Mais elle n'a ni l'instruction ni l'autorité morale nécessaires pour développer la prospérité de cette maison » (AN, F 17 22720). A l'ouverture du lycée d'Annecy en 1898, la directrice des cours secondaires devient institutrice. En 1897, on met à la retraite les directrices d'Auxerre et de Nantes, respectivement âgées de 65 et de 64 ans. Le recteur pencherait pour le maintien de la seconde, qui n'a d'ailleurs pas droit à pension, eu égard à ses « qualités de zèle, dévouement, dignité, respectabilité ». C'est l'inspection générale qui marque le plus de réticences : selon A. Dupuy et Niewenglowski, elle n'a « pas toute la compétence voulue pour imprimer une direction efficace aux études littéraires et scientifiques qui laissent un peu à désirer dans les hautes classes de son établissement » (AN, F 17 22755).

30. En 1900, sur 40 directrices de lycée, 7 sont brevetées (à Aix, Chambéry, Grenoble, Montauban, Moulins, Nice, Toulouse et au lycée Racine), une est bachelière (à Bordeaux) ; sur 27 directrices de collèges, 7 sont brevetées et 2 bachelières.

mutation dans un corps recruté jeune la plupart du temps, au respect des droits acquis, ces chiffres n'ont rien d'excessif. Toutefois, ils témoignent d'une vigilance beaucoup plus nette à l'endroit des lycées, ce que vient confirmer l'examen d'autres domaines.

Les difficultés que donnait le contrôle pédagogique n'étaient pas toutes levées par la nomination d'agrégées. Bien après 1910, les dossiers personnels montrent des directrices vainement attachées à établir un contrôle pédagogique qui n'a jamais réellement existé avant elles. Il faut lutter avec les habitudes prises, les droits qui à la longue apparaissent comme acquis d'un personnel qui a vieilli dans l'indépendance, voire la routine [31]. La maladresse, peut-être l'arrogance intellectuelle d'une jeune directrice persuadée d'être mieux qualifiée que le personnel ancien peuvent amener des conflits pénibles, ainsi à Grenoble [32]. De fait, à mesure que le niveau de l'enseignement s'élève et que les concours de recrutement deviennent plus spécialisés, le contrôle d'un administrateur non qualifié dans la majorité des cas doit se faire discret et ne peut être qu'extérieur au contenu même de l'enseignement. A supposer qu'elle ait existé, la direction pédagogique ne pouvait survivre à l'idéal défunt du professeur unique.

Les dépositions faites au nom des diverses catégories de personnel devant la commission extra-parlementaire de 1907 donnent une image très précise des divisions qui existent à l'intérieur du personnel des directrices, telles qu'elles résultent à la fois du règlement initial et des lacunes de celui-ci. En même temps se dégagent les aspirations d'un personnel en partie privilégié. Il est ainsi remarquable que les directrices de lycée ne produisent pas de revendications relatives à leur rémunération. Leur porte-parole, B. Savery [33], les déclare seulement désireuses de maintenir les écarts de traitements avec les autres catégories. Ce qui, d'après elle, justifie ces écarts, c'est l'arrêté de 1884 qui donne à la directrice de lycée les fonctions du proviseur et en grande partie celles du censeur. A ses yeux, un défaut de l'arrêté est d'être muet sur les rapports, pourtant nécessaires, que la directrice doit entretenir avec les familles [34].

---

31. Tel celui du lycée d'Amiens. En 1926, l'inspecteur général Fontaine écrit de la directrice qu'elle a un « personnel enseignant vieilli ou quinteux qui paralyse ses efforts » (AN, F 17 24103, dossier Mehl).

32. Selon Francisque Vial, en 1922, L. Baudeuf, directrice agrégée de lettres, « a remis de l'ordre dans une maison où régnait le laisser-aller ». Mais elle est entrée en même temps en conflit avec la principale autorité de la maison, Mme Collet, agrégée de sciences, « professeur d'élite », dont elle critique notamment le cours dicté. Mme Collet répond qu'elle ne tient compte que des observations de ses supérieurs scientifiques du point de vue de la méthode, de la manière d'enseigner et de comprendre ses cours » (AN, F 17 24554, dossier Baudeuf, et F 17 23680, dossier Collet).

33. Directrice du lycée de Reims. Déposition du 31 janvier 1907, AN, F 17 12748, commission extra-parlementaire.

34. De plus, les internats municipaux annexés aux lycées, dans la plupart des cas, « apportent à la directrice un énorme surcroît de travail et de préoccupations », malgré la présence de la sous-directrice,

Ce que la déposition de B. Savery indique au moins discrètement, c'est que le personnel des directrices de lycée critique la très grande inégalité dans le recrutement que rien ne justifie, en fait l'arbitraire avec lequel agit l'administration[35]. Il est, en effet, des carrières bien rapides que le mérite seul ne suffit pas à expliquer. Mais le caractère secret des notes ne rend-il pas plus mystérieuse l'inégalité des directrices devant les postes les plus convoités, c'est-à-dire les lycées des villes de Faculté et surtout les lycées de Paris[36] ?

Il est une différence entre les directrices et les proviseurs sur laquelle B. Savery ne s'attarde pas : la directrice prend part à l'enseignement, « suivant ses aptitudes et pour les matières qu'elle est le plus capable d'enseigner »[37]. L'unité de l'enseignement féminin résidant dans la morale, c'est généralement le cours de morale que les directrices se réservent, dans les établissements de quelque importance[38]. Puisqu'il s'agit du seul programme de quatrième et cinquième année, la contribution n'est pas très lourde, mais elle peut assurer une autorité considérable à celles qui y mettent la marque d'une forte conviction et d'une personnalité affirmée. En général, la foi dans l'« œuvre d'éducation » parmi les chefs d'établissements semble avoir été telle que l'enseignement de la morale, loin d'apparaître comme une corvée supplémentaire, était considéré comme un privilège par des femmes jalouses de leur autorité : il est remarquable qu'aucune, en 1907, n'élève de protestation contre cette obligation d'enseigner, du moins pour les établissements réguliers. La situation est en effet moins enviable pour les directrices de cours secondaires dont les obligations d'enseignement s'étendent à l'infini : certaines, à cette époque, ont jusqu'à dix-huit heures d'enseignement.

---

parce que c'est la directrice qui demeure la seule responsable. Sans doute ne demande-t-elle pas que l'Etat prenne à son compte l'indemnité due pour cette charge supplémentaire, mais elle marque la nécessité d'imposer aux municipalités qui ont annexé un internat le principe de cette indemnité, alors accordée par quelques villes et toujours révocable.

35. B. Savery cite deux exemples opposés : une directrice a été placée à la tête d'un lycée au bout de trente-deux ans de service et après avoir dirigé pendant plus de quatorze ans un collège très prospère, une autre, au bout de douze ans seulement de services et après avoir dirigé deux ans des cours secondaires. Il est vrai que l'administration n'a pas coutume de prendre en compte, sauf pour la liquidation de la retraite, les années de service passées dans l'enseignement primaire. En 1907, l'enseignement secondaire n'a guère plus de 25 ans.

36. « J'estime, écrit un recteur en 1928, que la direction d'un lycée de Paris exige une autorité, une culture, une distinction que Mme F. ne possède pas à un degré suffisant. On a tenu compte de ses vœux légitimes en lui assignant un lycée dans une ville qui est le siège d'une Université. » Mme F. y restera en effet douze ans, jusqu'à sa retraite. L'administration pourrait difficilement lui faire savoir que sa candidature à un lycée parisien ne peut être retenue parce qu'elle n'a, estime-t-on, la distinction « ni du physique, ni des manières, ni du langage » (AN, F 17 24500). Le tableau des catégories de sortie illustre la difficulté d'arriver à Paris : directrices de Paris, 26 (8 %) ; directrices de lycées de province, 70 (23 %) ; directrices certifiées de lycée, 27 (8 %) ; directrices certifiées de collège, 88 (28 %) ; directrices non certifiées de lycée, !6 (5 %) ; de collège, 77 (25 %).

37. Compayré, *L'enseignement secondaire des jeunes filles...*, p. 73.

38. Il n'en est pas de même dans les petits collèges. En 1924, à sa retraite, la directrice d'Auch donne encore 8 heures de calcul et de sciences naturelles en première année (AN, F 17 23676, dossier Brunaud).

Aux termes de la circulaire du 14 septembre 1883, les directrices de lycée recevaient une rémunération plus importante que celles des collèges, « eu égard à la différence d'importance des établissements ». Or, dans la pratique, et pour des raisons diverses qui allaient de la composition de la clientèle locale aux dispositions de la municipalité, nombre de collèges étaient plus importants que certains lycées. De plus, à la différence de la directrice de lycée, la directrice de collège n'était pas déchargée d'une partie de la tâche par l'économe et la surveillante générale. Quel que fût son grade, la directrice de collège recevait un traitement uniforme[39]. Aussi le vœu presque unanime est-il que le traitement varie avec le grade et qu'il soit supérieur à celui des professeurs. A cette date encore, ce sont donc les questions d'amour-propre qui comptent le plus : aucun chiffre n'est avancé pour les traitements. Les efforts portent sur l'élimination des passe-droits et sur l'organisation des carrières, bien hiérarchisées.

La directrice de collège, au reste, exerce une autorité absolue à l'intérieur de son établissement, n'ayant pas à composer avec un conseil d'administration, une économe ou une surveillante générale[40]. Aussi n'est-il pas rare de rencontrer chez les directrices de collège, pour peu qu'elles soient célibataires ou veuves, un attachement farouche à leur établissement : elles ne ménagent ni leur temps ni leur argent, faisant parfois fonctionner l'internat à perte[41] pour assurer le succès du collège qui est toute leur vie. Cette grande autonomie dans leur domaine souvent étroit leur permet de résister à des conditions matérielles parfois désastreuses. Seule une sorte d'identification de leur vie à celle du collège permet d'expliquer le courage de quelques directrices qu'on a laissé vieillir, oubliées comme leurs établissements et sans qu'elles aient nullement démérité, dans les pires conditions[42].

---

39. Ainsi le traitement maximum d'une directrice de collège est-il égal au traitement minimum d'une directrice de lycée brevetée : ce point apparaît comme une anomalie à cette époque où les directrices de collège agrégées deviennent plus nombreuses. Maintenues dans une condition financièrement inférieure, les directrices de collège ne songent qu'à postuler une direction de lycée, d'où une instabilité nuisible au bon fonctionnement des établissements, (Mlle Lafore, directrice du lycée de Cambrai. Déposition du 31 janvier 1907, AN, F 17 12748, commission extra-parlementaire).

40. « Comme la plupart des directrices de collège appelées tardivement à la direction d'un lycée, Mlle Vochelle, écrit un inspecteur général en 1930, a eu de la peine à se plier à un régime nouveau et elle reconnaît qu'il lui en a quelque peu coûté d'abandonner le pouvoir absolu pour la royauté constitutionnelle » (AN, F 17 24426). Directrice certifiée, L. Vochelle a longtemps dirigé un collège avant d'obtenir la direction du lycée de Valenciennes, à l'âge de 55 ans.

41. « L'été dernier, elle louait de ses deniers une maison de campagne pour y conduire ses internes » (Mme Bernis-Bénajan, directrice du collège d'Alais, en 1897, AN, F 17 22096). La directrice d'Auch a dépensé 2 000 francs de ses deniers pendant la guerre pour que les internes n'aient pas à souffrir de l'augmentation du coût de la vie (AN, F 17 23676, dossier Brunaud).

42. Mlle de Pondeau, « directrice d'élite », fait « des merveilles » dans les locaux insalubres du collège de Bayonne (il pleut dans sa chambre, les murs suintent d'humidité) où elle prend sa retraite en 1931 (AN, F 17 24169). En 1921, Parodi voit ainsi le lycée de Cahors : « Le délabrement en est extrême : le réfectoire est sans lumière, les murs sordides, les lattes sont soulevées, et l'on aperçoit la terre au-dessous, et les rats y circulent en toute liberté ... » (AN, F 17 24286, dossier Bénéteau). On conçoit qu'une directrice placée dans de pareilles conditions ne se préoccupe pas outre mesure du recrutement, ce qu'on lui reproche.

Quelle que soit l'importance de leur établissement, presque toutes sont jalouses de leur autorité. Lorsqu'en 1902, il vient à l'idée d'une Sévrienne, Mme Rudler, de créer un réseau de correspondantes de l'enseignement secondaire des jeunes filles qui assureraient l'accueil des jeunes professeurs nouvellement promus dans une ville inconnue, l'initiative rencontre l'hostilité de beaucoup de directrices. Elles voient là une atteinte à leur autorité ; partant, les professeurs qui pourraient servir de correspondantes ne se proposent pas, dans la crainte de déplaire à leur chef d'établissement : « C'est à la directrice de l'établissement, et à elle seule, écrit une " directrice étrangère à l'Ecole ", qu'appartient le soin de recevoir et de renseigner les nouvelles venues : c'est du reste ce que j'ai toujours fait et je ne vois pas la nécessité que quelqu'un me supplée »[43].

Aussi, bien que toutes les directrices ne soient pas aussi bienveillantes que celle de Bourg ou celle de Toulouse, qui héberge au lycée même, parfois pendant plus d'un mois, les nouveaux professeurs, Mme Rudler échoue-t-elle dans sa tentative, du moins au plan officiel.

Directrices de lycées ou de collèges, en dépit de l'inégalité qui demeure entre elles, apparaissent comme des privilégiées au regard des directrices de cours secondaires. Rarement leur personnel répond aux besoins du service : à elles de pallier les carences. L'établissement qu'elles dirigent n'a pas d'existence assurée : trop souvent les traitements sont « subordonnés à l'état du budget municipal ». En effet, l'Etat ne garantit pas le traitement minimum de la sixième classe. De là, parfois, des salaires de misère[44]. Il faut y ajouter le souci du lendemain puisque les plus anciennes directrices n'auront pas droit à la retraite. Souvent mal logées par des municipalités parcimonieuses, les directrices de cours doivent, contrairement aux principaux, payer patente lorsqu'elles prennent des internes. En bref, les directrices de cours apparaissent comme les sacrifiées d'une catégorie privilégiée d'ailleurs.

Chargée des responsabilités, la directrice est également appelée aux honneurs, du moins en principe. Aux réunions d'anciennes élèves, les

---

43. AEAES, rapport s.d. (1902 ou 1903). Une lettre de Mme Rudler montre cette hostilité (*ibid.*, s.d., probablement 1903). « Il faudrait tâcher d'avoir des noms de correspondantes que des directrices vous indiqueraient. Il y en a qui croient que c'est une atteinte à leur autorité ; ne pourrait-on pas leur ôter de la tête cet étrange préjugé ? Je pense en ce moment à des directrices excellentes et maternelles, pleines de bonne volonté et qui ont été arrêtées par cette pensée, exemple celle de Bourg. » La lettre d'un professeur de Bourg à Mme Rudler (*ibid.*, 25 juillet 1902) témoigne de cette bonne volonté ombrageuse : « Mlle Vanel (la directrice) est tellement prête à se dévouer pour son personnel que j'hésitais à lui parler de vos désirs ». N'a-t-elle pas « mis une chambre à la disposition de Mlle Cotton malade, tout l'été, soigné Mlle Valloton, hébergé Mlle Frehse après avoir soigné sa mère, promené Mlle Pichot qui n'a pas encore sa famille » ?

44. « Une directrice ayant dix-neuf ans de services n'a que 1 200 francs d'appointements ; une autre, âgée de 65 ans, ne touche encore que 1 600 francs, une dernière, non inscrite sur le tableau du personnel, ne touche que 1 000 francs. » La loi de finances de 1905, qui admet pour la retraite les services accomplis dans les cours secondaires, vient encore amputer les traitements des versements obligatoires au titre des retenues pour la retraite, même s'il est exclu que la directrice, en raison de son âge et de son peu d'années de service, puisse bénéficier d'une pension de retraite.

jeunes Sévriennes, éblouies ou agacées, voyaient venir ces dames « élégantes et décorées » qui étaient leurs aînées. Les décorations académiques viennent vite, si elles ne sont déjà obtenues. La Légion d'honneur demeure exceptionnelle avant 1914, à part le contingent de croix qui accompagne le vingt-cinquième anniversaire ; il est réservé d'ailleurs à des directrices de « grands » lycées. Au lendemain de la guerre, quelques directrices de collèges obtiennent le ruban rouge. Il ne semble pas qu'une directrice en activité ait accédé à la rosette, du moins avant 1930. Cependant, le dixième des directrices étudiées (33 sur 304) sont devenues chevaliers, proportion nettement plus élevée que celle des professeurs, seule autre catégorie à avoir accédé à ce rang, mais de manière encore plus tardive et exceptionnelle.

Cette position privilégiée a son revers : la fonction de directrice est l'emploi où ont eu lieu proportionnellement le plus de rétrogradations : 36 directrices sur 304 (11,8 %) ont dû quitter la tête d'un établissement pour rentrer dans le professorat ou même pour devenir institutrices dans les classes élémentaires. A part quelques cas personnels isolés, la cause principale de ces changements de fonctions est l'incapacité (19 cas au moins) qui peut se manifester sous diverses formes. Quelques directrices de cours secondaires ou de collèges n'ont pas été reconnues aptes à diriger le lycée qui vient prendre la place de leur établissement. Ou bien l'expérience montre que telle personne hautement qualifiée par ses diplômes pour être placée à la tête d'un lycée n'a pas le don de plaire aux familles et n'arrive pas à obtenir la « confiance » de son personnel — termes pudiques pour exprimer qu'elle sème la discorde dans l'établissement — ou bien ne sait pas se faire obéir. L'élimination des directrices de cours se fait sans difficultés, quand elles ne sont que déléguées : l'administration estime avoir assez fait lorsqu'elle leur offre une place d'institutrice dans un lycée [45]. Pour les chefs d'établissements plus importants, l'opération est plus délicate. On laisse la directrice faire ses preuves à la tête d'un autre établissement. C'est seulement dans le cas d'un nouvel échec qu'elle retourne dans le professorat. Aussi l'administration, au temps de Rabier, adopte-t-elle de façon systématique la délégation, puis la nomination « à titre provisoire » ; elle devient définitive en général au bout d'une ou deux années [46]. Cette

---

45. « En 1886, écrit le recteur de Toulouse au ministre à propos de Mlle Fluteau, alors que pour organiser l'enseignement secondaire des jeunes filles vous manquiez absolument de personnel, je l'appelai, sur la recommandation et la garantie du regretté M. Léon Moy, doyen de la Faculté des lettres de Lille, en qualité de chargée de cours aux cours secondaires de Castres. » En 1888, elle devient directrice, rendant aux cours la considération morale qu'ils avaient perdue. Elle n'est pas maintenue directrice du collège en 1894 parce qu'on réclame une certifiée. Le directrice est alors nommée institutrice au collège de Cahors, sans avoir nullement démérité dans ses fonctions antérieures (Lettre du 11 mai 1904, AN, F 17 22866).

46. Cette procédure est indépendante de la qualification. Tout au plus peut-on observer que les moins qualifiées peuvent voir la délégation s'éterniser. Ainsi une brevetée, recrutée comme directrice déléguée des cours d'Orange en 1902, obtient une nomination à titre provisoire en 1907, définitif en

dernière procédure ne constitue qu'une précaution de principe, en fait, puisqu'il n'est pas d'exemple, dans le personnel étudié, d'une nomination « provisoire » qui ait été rapportée, au contraire des délégations.

Au total, les directrices d'établissements apparaissent avec un relief particulier dans l'ensemble du personnel. Choisies avec tout le soin que permettaient les circonstances particulières de la fondation d'un enseignement nouveau et les influences politiques, il leur a fallu, pour se maintenir à la tête des établissements qui leur étaient confiés, une série de qualités humaines, intellectuelles, administratives. C'est un personnel remarquable qui s'est formé là, attaché à son œuvre, semble-t-il, moins par les avantages matériels que par l'orgueil de surmonter les difficultés et la foi dans l'œuvre d'éducation.

Les professeurs

> « Au moment où s'ouvraient les lycées de jeunes filles, écrit G. Compayré [1], alors qu'on n'avait pas encore un personnel féminin suffisamment nombreux, il fallait bien recourir à des professeurs hommes. Mais peu à peu le recrutement féminin a grandi. Chaque année l'Ecole normale supérieure de Sèvres a fourni un nouvel appoint : de sorte que, dans les lycées de province surtout, l'enseignement donné par des hommes est devenu une exception, et les classes sont généralement confiées à des agrégées ou à des certifiées ».

Dès le début, la politique du recrutement prévoyait à terme le remplacement complet des hommes par les femmes [2]. Les concours ont fourni même au-delà des besoins puisqu'en 1895 il est impossible de donner immédiatement un poste à toutes les certifiées et agrégées.

Sur les 1 005 professeurs femmes dont le dossier a été étudié, 433 sont pourvus de l'agrégation, 426 du certificat seul [3]. Les 146 autres sont

---

1909, alors que tout le monde s'entend pour reconnaître ses qualités de directrice (AN, F 17 23725). Après avoir été trente ans à la tête du même établissement, la directrice brevetée de Béthune est titularisée en 1910, après trois ans de délégation à la tête du collège (AN, F 17 22818, dossier Dégez).

---

1. *L'enseignement secondaire des jeunes filles...*, p. 77.

2. Ce qui constituait une économie, du moins au départ. En effet les hommes étaient ordinairement rémunérés à 250 F l'heure de cours. Or une chargée de cours de lycée ou professeur de collège débutant dans la 4e classe avec un traitement de 2 500 francs devait seize heures de cours et non pas dix.

3. Les résultats de la préparation à Sèvres se font sentir dans la proportion des agrégées : 280 sur 451, soit 62,4 %, et dans le faible nombre des Sévriennes restées sans diplôme (19). La prépondérance des lettres est partout affirmée : 366 certifiées de lettres contre 239, soit 60,5 % du total des deux disciplines ; 227 agrégées contre 143 de sciences, soit 61,3 % ; 268 Sévriennes littéraires contre 183 scientifiques, soit 59,4 %. Les linguistes ont la troisième place, presque comparable à celle des scientifiques, du moins au niveau du certificat : 222 certifiées de langues soit 27,5 % des certifiées. Les agrégées sont moins nombreuses : 63 soit 14,5 % des agrégées.

nantis d'un diplôme primaire ou d'un baccalauréat qui leur donne droit seulement à un poste de chargée de cours de collège, ou d'une licence (40 d'entre eux) qui leur donne les mêmes droits que les professeurs certifiés. Parmi les certifiées, 86 ont été admissibles à l'agrégation : nombreuses sont celles qui ont concouru plus d'une fois ; au reste la rareté des places mises au concours devient telle que 12 % des agrégées n'ont obtenu leur titre qu'après plusieurs concours[4]. D'autre part, il faut faire mention des certifiées qui n'enseignent pas dans les classes secondaires : deux agrégées même se trouvent dans ce cas, qui ont préféré enseigner dans des classes primaires de lycées parisiens plutôt que de s'éloigner de Paris. Même en ajoutant au total des certifiées et agrégées cette catégorie particulière et celle des directrices certifiées ou agrégées (193), c'est à peine la moitié du total du personnel qui a passé les concours de recrutement. La politique d'économies est responsable de cette situation, car les candidatures, avant les années 1910, continuent d'affluer.

Dès le début des années 1890, les certifiées et agrégées deviennent plus nombreuses que les postes à pourvoir. En 1896, le ministère dresse un tableau des demandes d'emploi non satisfaites[5] et complète par un tableau des emplois auxquels il a été possible d'appeler quelques-unes des candidates non placées. Les disponibilités sont sans rapport avec le nombre des candidates[6].

Malgré la croissance continue des effectifs, la politique d'économies est telle que la situation se prolonge plusieurs années : en fait jusqu'au nouveau départ de 1904, dû à la fermeture des couvents. Ainsi, en 1900, un professeur du collège d'Alais, certifié de lettres depuis huit ans, demande son changement pour Rouen où il va se marier ; on ne peut lui

---

4. De tels chiffres pourraient conduire à penser que le personnel enseignant était bien qualifié : en effet, mais il faut tenir compte aussi de la part variable prise par les maîtresses répétitrices dans l'enseignement ; la majorité d'entre elles n'étaient pas des candidates malheureuses aux concours et enseignaient donc munies du seul diplôme ou du brevet.

5. Il fait apparaître que : 3 agrégées et 7 certifiées de lettres ou de sciences n'occupent aucun poste ; 10 agrégées, 9 admissibles à l'agrégation et 31 certifiées, sans compter une licenciée, une bachelière et une brevetée occupent un poste autre que celui auquel leur grade leur permet de prétendre. La situation est plus grave chez les linguistes : 12 certifiées d'allemand, 47 certifiées d'anglais sont sans poste ; plus de quarante autres, agrégées ou certifiées, occupent un poste autre que celui où elles pourraient prétendre. S'étant livré à un « pointage très exact des véritables candidatures », le ministre estime que le nombre de celles-ci s'élève à 117. Mais il faut préciser que les demandes embrassent six années, qu'un certain nombre de postulantes se sont découragées et sont effectivement employées, mais dans le commerce ou les Postes. Enfin, « un grand nombre de postulantes » occupent déjà un poste inférieur à celui auquel leur grade leur permet de prétendre.

6. *RU*, t. I, 1896, p. 490-491 et t. II, p. 59-60. Sortie certifiée de Sèvres (sciences) en 1896, une future directrice de lycée de Paris, A. Caron, sollicite un poste, puis, « à défaut et en attendant », un poste de maîtresse primaire ou de maîtresse répétitrice dans un lycée de Paris ou de l'académie, pour pouvoir préparer l'agrégation. On lui répond que tous les postes de répétitrices de l'académie ont été donnés aux agrégées ou aux admissibles (10 octobre 1896). Les postes de maîtresse primaire sont réservés aux brevetées ou aux diplômées dont l'intention est d'y accomplir toute leur carrière. La postulante ne reçoit qu'en janvier 1897 un poste de répétitrice suppléante à Moulins. En 1898 et 1899, elle est suppléante à Versailles. Ce n'est qu'en 1901 qu'elle obtient le poste de professeur aux cours secondaires de Laval (AN, F 17 24350).

donner de poste dans aucun des lycées demandés : « Il n'est plus possible actuellement, répond le chef du quatrième bureau, Charlot, de placer toutes les agrégées des lettres dans les lycées, et certaines d'entre elles sont placées dans les collèges ou même chargées des fonctions de répétitrice » [7].

Comment expliquer dès lors, encore à une date tardive, le maintien de la présence masculine dans les établissements parisiens ? Il semble bien qu'il faille en rendre responsable l'idée reçue que le professorat masculin, dans les hautes classes, est supérieur, pour le niveau intellectuel, au professorat féminin. Aussi les lycées parisiens, bien qu'ils puissent avoir tout le personnel féminin nécessaire, ont-ils à honneur de garder des professeurs hommes, notamment pour la préparation du concours de Sèvres [8]. La généralisation du professorat féminin, partout ailleurs, a donc une signification double : elle est le signe que l'enseignement secondaire féminin arrive à se suffire à lui-même, mais, en même temps, elle témoigne de la résignation à occuper une place de second ordre. Le lycée de jeunes filles devient le gynécée qu'il n'était pas au moment de sa fondation.

Cependant, il serait faux de croire avec Compayré que l'Ecole de Sèvres a fourni l'essentiel du recrutement pour le corps enseignant. Sur l'ensemble des professeurs étudiés, les Sévriennes, 450 au total, représentent à peine le tiers, puisque 124 d'entre elles (27,5 %) ont terminé leur carrière comme directrices. En fait, elles ne constituent que 32,5 % des professeurs en fin de carrière. D'où viennent celles qui ne sont pas passées par l'Ecole ? Aux 30 % qui n'ont fait que des études primaires s'opposent les 40 % qui ont été formées par les lycées de jeunes filles ; celles qui ont subi successivement les deux formations, la plupart du temps des études primaires couronnées par un séjour d'un ou deux ans en sixième année, sont donc la minorité. Il ne semble pas que plus d'un cinquième soient issues de l'enseignement privé. La formation commune, du moins lorsque sont passées les années de recrutement improvisé, est bien la sixième année, suivie au lycée dans la grande majorité des cas, ou au collège Sévigné, le seul établissement non officiel où existe une préparation aux concours de recrutement.

La préparation au professorat dans les Facultés n'apparaît pas pour les professeurs plus que pour l'ensemble des fonctionnaires comme la filière normale : sur les 1 005 professeurs, 84 ont fréquenté une Faculté

---

7. 29 septembre 1900, AN, F 17 23496, dossier Roche.

8. En 1904, la directrice de Fénelon proteste en ces termes contre la nomination d'un professeur femme qu'elle estime peu : « J'ai des classes supérieures si dures et je vous demande pour arriver aux résultats que vous savez (9 sur 14 littéraires reçues) si peu de professorat masculin que je ne crois pas qu'il soit inéquitable de me donner de temps en temps un professeur femme que je désire » (AN, F 17 22448, dossier Huet). La position de la directrice de Fénelon n'est donc pas si éloignée de celle de Mathilde Salomon, directrice de Sévigné, qui préférait systématiquement les hommes pour l'enseignement dans les plus hautes classes.

des lettres, 34 seulement une Faculté des sciences. Les grades de l'enseignement supérieur sont donc rares [9], surtout en lettres, puisque le caractère particulier de l'enseignement féminin, dépourvu d'humanités classiques, interdit à la plupart l'accès à la Faculté. En revanche, les deux tiers des professeurs (659) ont leur brevet supérieur, 80 % sont titulaires d'un diplôme de l'enseignement primaire. C'est donc bien après la période de fondation où nécessairement la seule qualification, eu égard au faible nombre des bachelières, était primaire, que l'habitude s'est conservée, même chez celles qui se destinaient à l'enseignement secondaire, de passer le brevet supérieur, tellement plus utile que le diplôme en cas d'échec aux concours de recrutement. L'interpénétration avec l'enseignement primaire va plus loin ; près d'un cinquième des futurs professeurs a fait, brièvement sans doute, ses débuts dans cet ordre d'enseignement.

La grande majorité des professeurs est née après 1860 [10]. Plutôt que de recruter un personnel déjà âgé, la politique suivie fut de détourner de l'enseignement primaire les éléments les plus jeunes et les meilleurs, en attendant le moment prochain où l'enseignement nouveau sécréterait ses propres élites : de là la création hâtive des sixièmes années. A peine un établissement est-il de plein exercice qu'il cherche à se doter d'une sixième : celle de Montpellier fut ouverte dès 1883. L'extraordinaire jeunesse du personnel des débuts résulte de l'attitude adoptée. Aux premières directrices était demandée moins la compétence scientifique que l'expérience et le savoir-faire : elles furent, avec quelques professeurs de couture ou de musique, les seuls éléments relativement plus âgés des nouveaux établissements. Les premières élèves de l'enseignement eurent des professeurs de moins de vingt-cinq ans, dans leur grande majorité.

Les 450 Sévriennes (314 ont terminé leur carrière comme professeurs) méritent une attention particulière. En effet, dès le début de l'institution, elles en constituent en quelque sorte comme le noyau : on les représente comme une sorte d'aristocratie, l'élite des professeurs et des directrices. D'autre part, elles forment l'ensemble démographiquement le mieux connu. Du moins dans les premières années de l'institution, les Sévriennes représentent l'élément le plus jeune du corps enseignant. C'est bien cette jeunesse qui donne son visage aux premiers établissements :

---

9. Sur 1 001 professeurs, on compte : 29 bachelières ès lettres ; 37 bachelières ès sciences ; 39 licenciées ; 15 titulaires d'un diplôme d'études supérieures ; 7 docteurs ès sciences.

10. 86,4 %. Le pourcentage pour l'ensemble des fonctionnaires est de 83,5 %. Ce sont surtout les directrices (63,8 %) qui font baisser la moyenne.

Tranches de naissance	Sévriennes (sur 450)		Professeurs (sur 1 005 dont 314 Sévriennes)	
Avant 1840			4	
1840			26	(2,6 %)
1850-1859	25	(5,5 %)	112	(11,2 %)
1860-1869	215	(47,7 %)	387	(38,7 %)
1870-1879	170	(37,7 %)	328	(32,8 %)

Selon les diplômes, la situation des Sévriennes est à vrai dire très inégale. Alors que les élèves de l'Ecole forment à peine le tiers de l'ensemble des professeurs, elles constituent 64 % du total des agrégées, 36,5 % des directrices. L'origine géographique marque une très nette prédominance de la région parisienne au sens large, telle qu'elle a été définie. L'Est vient ensuite, puis la région lyonnaise et les Alpes [11]. La comparaison entre l'origine des Sévriennes et celle des professeurs révèle quelques différences : les régions sus-nommées sont moins bien représentées chez ces derniers, et il ne semble pas que ce soit entièrement le fait du hasard. L'une des raisons de cette disparité pourrait être de nature scolaire. Sont mieux représentées en effet, pour les Sévriennes, les régions les mieux placées sur la carte de la scolarisation, avant la création des lycées, et où les établissements secondaires officiels ont eu ensuite le moins de mal à se développer : l'une des fonctions de ces établissements est la préparation au concours de Sèvres. Un autre facteur d'explication de ces légères différences régionales pourrait être confessionnel. Les régions les mieux représentées comportent des minorités protestantes : le croisement de l'appartenance confessionnelle, bien que celle-ci ne soit connue que pour 12 % des fonctionnaires dans leur ensemble, avec le lieu de naissance vérifie bien la prépondérance de

11. Tableaux comparés de l'origine des professeurs et des Sévriennes :

	Professeurs	Sévriennes
Nord	8,1 %	8,4 %
Est	16,9	18,4
Ouest	8,6	7,1
Région parisienne	19,8	21,1
Centre	4,9	5,7
Sud-Ouest	12,6	12
Sud-Est	10,2	8,2
Région lyonnaise	11	13,1
Colonies	2,5	1
Etranger	4,6	2

l'Est et du Sud-Ouest, celui-ci pourtant mal partagé du point de vue de la scolarisation.

L'origine sociale des Sévriennes et des professeurs diffère-t-elle sensiblement de celle de l'ensemble des fonctionnaires ? Il existe des différences nettement plus importantes entre les secteurs d'activité des parents de Sévriennes et des parents de professeurs (Sévriennes comprises) qu'entre leurs situations respectives dans la hiérarchie socio-professionnelle. L'Université est moins représentée : pourtant, le fait que les professions de parents de Sévriennes, en général, soient mieux connues doit expliquer une partie de cette différence, la profession que les parents des fonctionnaires révèlent le plus volontiers étant justement l'enseignement public. En dehors de l'Université, la comparaison avec la hiérarchie éclaire quelque peu ces disparités : les catégories les plus élevées (1, 2, 3) sont plutôt moins bien représentées chez les Sévriennes et les professeurs que dans l'ensemble de la population étudiée. Mais c'est aussi le cas de la petite bourgeoisie [4]. Les différences se compensent dans la catégorie des orphelines [12].

Une première explication réside dans la différence de préparation et surtout de formation des Sévriennes et professeurs d'une part, des autres catégories de personnel d'autre part. Sans doute certains parents de la bourgeoisie, surtout à mesure que passent les années, ne répugnent-ils pas à voir leur fille se créer une situation honorable dans l'enseignement. Mais tout se passe comme s'ils ne voulaient pas lui faire faire dès son jeune âge des études relativement longues et poussées, qui supposent une sorte d'engagement à embrasser un métier, une carrière. Pourtant, la comparaison entre les fins de service par congé ou démission des professeurs d'une part, des répétitrices et surveillantes d'autre part, ne révèle qu'un écart modeste : 20,8 % [13] pour les premières, 22,2 % pour les secondes. Toutes les catégories auront donc le même destin : c'est la manière de le prévoir qui fait la différence entre les parents des diverses catégories.

Pour certains parents, la « voie royale » de Sèvres a sans doute suscité la défiance : les parents les plus aisés ont dû avoir de la répugnance à l'idée que leur fille devait rester trois ans à l'écart du monde dans un internat rigoureux, à l'âge même où elles pouvaient le mieux trouver un mari. La légende noire de Sèvres véhiculée par les publications conservatrices a pu jouer aussi son rôle. A les en croire, Sèvres exige un niveau intellectuel très élevé, on y dessèche les intelligences et les cœurs, les femmes qui en sortent sont perdues pour le

---

12. Celles qui précisément sont appelées à considérer l'enseignement comme un gagne-pain, et non seulement comme une situation d'attente du mariage. Pour le code socio-professionnel, voir p. 247.

13. 20,4 % pour les Sévriennes : l'engagement décennal, à l'usage, ne dissuade guère de quitter l'enseignement.

mariage[14]. Comme à Fontenay, bien que de manière plus insidieuse, on risque d'y perdre la foi. Ce sont seulement les parents les moins accessibles à de telles insinuations, ou qui n'ont pas les moyens matériels d'en tenir compte, qui souhaitent l'entrée à Sèvres pour leurs enfants. Au reste, Sèvres représente une étape supplémentaire dans la collaboration à l'œuvre de laïcité. Il est plausible qu'un certain nombre de parents, plus sensibles que d'autres au qu'en-dira-t-on ou plus attachés à leurs convictions, aient hésité à le franchir.

Le comportement matrimonial des professeurs diffère quelque peu de l'ensemble des fonctionnaires étudiés[15]. Sans doute les proportions de mariages sont-elles très voisines, encore que la différence du taux entre le mariage des Sévriennes et celui des professeurs fasse question[16]. C'est surtout dans la situation sociale du conjoint que se marque la différence entre les professeurs et le reste des fonctionnaires.

Hiérarchie du mari (pourcentage des hiérarchies connues)

	Ensemble	*Professeurs*	*Sévriennes*
1	2,6 ⌐17,6	3,5 ⌐26,4	3,1 ⌐31,6
2	15 ⌊	22,8 ⌊	28,4 ⌊
3	44,3	51,2	46,8
4	36,8	11,8	21,5
6	1,1	—	—

Les Sévriennes, on le voit, présentent une originalité marquée par rapport aux professeurs : meilleure représentation des catégories les plus élevées, la catégorie 3 étant moins importante, mais la « petite bourgeoisie » se trouvant renforcée et faisant des Sévriennes une catégorie moins dissemblable, à cet égard, des institutrices que les professeurs. La comparaison entre le secteur d'activité et le niveau social du mari fait apparaître le rôle que joue l'Université.

---

14. Une « vieille strophe », conservée par les « traditions » de Sèvres, probablement antérieure à 1914, tourne ce préjugé en dérision

« A Sèvres il y a une Ecole
Pour les femmes professeurs,
On y dessèche leur cœur.
On les rend à moitié folles,
Ell's ne trouv'nt pas de maris,
On leur croit bien trop d'esprit ».

(Cités s.d. par Le *cinquantenaire de l'Ecole de Sèvres, 1881-1931*, p. 398).

15. Aucun facteur ne peut être invoqué sinon les légères disparités sociales constatées et le fait que les Sévriennes se trouvent nanties d'une situation plus tôt que la moyenne des professeurs.

16. A la fin des services, 60,4 % des professeurs ne sont pas mariés, 56,8 % des Sévriennes, comme des autres fonctionnaires.

Professeurs : secteur d'activité et niveau social du mari

	0	1	2	3	4	5	6	7
1..	3,2 %	—	0,3 %	—	—	—	—	—
2..	17,5 %	0,6 %	1,9 %	1,9 %	0,6 %	—	—	—
3..	24,5 %	3,9 %	6,5 %	6,2 %	9,1 %	1,6 %	—	—
4..	5,2 %	0,3 %	7,1 %	4,5 %	2,2 %	0,6 %	—	—

Sévriennes : secteur d'activité et niveau social du mari

	0	1	2	3	4	5	6	7
1..	3,2 %	—	—	—	—	—	—	—
2..	21,7 %	—	3,2 %	2,5 %	—	—	—	—
3..	17,3 %	4,4 %	8,3 %	6,4 %	8,3 %	2,5 %	—	—
4..	3,8 %	—	7,6 %	4,4 %	2,5 %	—	—	—

De plus, la comparaison entre la position sociale du père et du mari montre dans quelle mesure la dernière correspond ou non à la première :

Professeurs : niveau social du père et du mari

Maris \ Pères	2	3	4	7
2.............	2,4 %	7,3 %	—	7,3 %
3.............	4,2 %	16,5 %	10,4 %	11,6 %
4.............	—	—	19 %	4,2 %
6.............	—	—	9,2 %	—

Ensemble des fonctionnaires : niveau social du père et du mari

Maris \ Pères	2	3	4	7
2.............	—	4,6 %	6,4 %	4,2 %
3.............	4,6 %	12,5 %	16,4 %	10,6 %
4.............	—	7,5 %	16,7 %	5,6 %
6.............	—	—	—	—

Bien que d'extraction un peu plus modeste, les Sévriennes qui se marient le font en moyenne « mieux » que leurs collègues professeurs. A la convergence entre la position sociale du père et celle du mari, s'oppose la montée vers la ou les catégories immédiatement supérieures, plus accentuée chez les Sévriennes que chez les autres. En même temps

Sévriennes : niveau social du père et du mari

Maris \ Pères	3	4	7
2	4,6 %	12,1 %	7,4 %
3	11,2	20,5	11,2
4	—	14	—

Ne sont retenues que les propositions assez importantes pour avoir encore une signification.

s'impose la constatation que ce sont surtout les Sévriennes d'origine petite-bourgeoise qui se marient le plus. En somme les mariages paraissent correspondre tantôt au rang propre de la femme dans l'enseignement, tantôt à son origine sociale définie par le métier de son père. Dans ce dernier cas, l'« étape » n'est franchie qu'à demi ou même pas du tout, la position sociale du mari restant en général prépondérante.

Le premier emploi des professeurs indique bien la part qu'a eue l'enseignement primaire dans les débuts, qu'il fût public ou privé.

Sur 1 005 professeurs, nature du premier emploi

Institutrice libre..	135
Institutrice publique...	74
Professeur d'Ecole normale	58
Légion d'honneur...	6
Enseignement secondaire des jeunes filles	657
Elève d'une école normale primaire	59
Autres...	16

En tout, 194 fonctionnaires, à peu près le cinquième des professeurs, originaires de l'enseignement primaire. La proportion s'élève à 42 % si l'on prend en compte les institutrices libres.

Les fins de carrières ne montrent pas une répartition des professeurs par régions qui soit bien différente de l'ensemble des fonctionnaires :

	Professeurs	Ensemble
Nord	9,7 %	13 %
Est..	6,7	6,4
Ouest..	10,4	11,9
Région parisienne..............................	29,5	27
Centre...	4,8	4,7
Sud-Ouest......................................	10,8	11,3
Sud-Est..	13,3	13,1
Région lyonnaise...............................	10,8	11,7

Dans l'un et dans l'autre cas, deux régions, l'Est et le Sud-Ouest, ont conservé moins de fonctionnaires qu'elles n'en ont fourni à l'enseignement secondaire féminin, au contraire des autres : cette redistribution va du reste à l'encontre de ceux qui avaient espéré dans un recrutement sur place. En outre, bien que « bénéficiaire », le Nord reçoit nettement moins de professeurs que de fonctionnaires d'autre nature, à l'inverse de la région parisienne [17]. 29,5 % des professeurs terminent leur carrière dans la « région parisienne » : 16 % à Paris même, soit plus de la moitié. Cette place de Paris à la fin de carrière n'est pas l'effet d'un recrutement local comme pour les autres catégories de personnel féminin :

	Catégorie d'entrée dans le professorat	Catégorie de sortie
Lycées de Paris...............	22 %	16 %
Lycées de province...........	20	28,5
Collèges	55,6	41,7
Chargée de cours de collège....	22	14,5

Aussi, le nombre d'affectations dans une seule carrière est-il en moyenne élevé.

	Ensemble	Professeurs
1...............	37,2 %	20,1 %
2...............	18,7	19,4
3...............	11,3	15,8
4...............	8,9	13,6
5...............	6,6	10,3
6...............	4,6	7,2
7...............	6,3	10,2

A l'immobilité relative du personnel d'enseignement primaire ou de surveillance, s'oppose la patiente ascension des professeurs, de poste en poste, vers ce Paris qu'atteindra seulement un cinquième d'entre eux.

---

17. Plus que le caractère peu attractif du Nord pour celles qui n'en sont pas originaires, il faut incriminer sans doute la multiplicité des établissements modestes où les postes peu nombreux joints à l'abondance de la clientèle amènent plus fréquemment à l'emploi de surveillantes dans les fonctions d'enseignement. A l'inverse, le meilleur pourcentage de professeurs dans la région parisienne exprime une réalité étroitement parisienne : les lycées de Paris, même sans tenir compte du fait que les professeurs y sont tous agrégés (48 % des agrégés terminent à Paris) ont en moyenne un corps enseignant beaucoup mieux qualifié que les petits établissements de province.

Ceux qui ont toutes leurs attaches dans une ville de province ne sont donc pas légion. La réalité est celle d'un corps enseignant déraciné, dont la véritable patrie se trouve à Paris, alors même qu'il n'en est nullement originaire.

Cette mobilité des professeurs est d'autant plus accentuée qu'elle n'est pas le fait de celles qui, sans titres de l'enseignement secondaire, occupent un emploi de professeur : ce sont les 143 chargées de cours de collège. Recrutées au hasard des conditions locales, le plus souvent, elles fournissent toute leur carrière au même endroit. Au début des établissements surtout, puis lors de la période d'économies qui suit 1895, il faut bien pourvoir à l'enseignement et à la surveillance par la délégation de brevetées. Comme elles ne sont pas titulaires d'un certificat, elles sont considérées comme bonnes à tout enseigner, telle cette déléguée à l'enseignement des sciences au collège d'Auxerre qui enseigne en fait, entre 1882 et 1885, les disciplines les plus variées [18]. Les titulaires même, dans les établissements qui ne leur offrent pas la possibilité d'un service complet dans leur discipline, se voient confier des enseignements très divers : des linguistes surtout dont on complète les seize heures avec des classes de lettres en première ou deuxième année.

On peut rapprocher de cette catégorie minoritaire, qui assure à peu de frais une partie de l'enseignement « secondaire » dans les petits établissements, les maîtresses d'enseignements dits « accessoires ». Il est peu de professeurs de ces disciplines qui aient reçu plus de deux affectations [19]. Pour ces disciplines, à défaut de personnes munies d'un certificat d'aptitude, le recteur pouvait nommer des déléguées [20]. De fait, ces enseignements furent confiés souvent à des personnes peu qualifiées, au hasard des ressources locales : on vit des délégations passer de mère à fille. La délégation, sauf incapacité flagrante, pouvait avoir une durée presque indéfinie [21]. Elle présentait, du moins pour l'administration, des avantages. Il était facile, comme pour l'enseignement élémentaire, de se défaire des maîtresses déléguées qui ne donnaient pas satisfaction ; d'autre part, on pourvoyait aux enseignements accessoires avec très peu d'argent : pour douze heures d'enseignement (seize pour la couture), quelle que fût l'ancienneté dans la maison, la rétribution était de 1 200

---

18. Son service pour 1884-1885 comprend, en première année, deux heures d'histoire, deux heures de géographie, deux heures d'arithmétique, quatre heures de lecture et récitation, deux heures d'écriture et trois de dessin ; vient s'y ajouter une heure de musique en troisième année (AN, F 17 23331, dossier Gérard).

19. 14,8 % des 108 professeurs de couture et de gymnastique ; 11,7 % des 136 professeurs de dessin et de chant ont reçu plus de deux affectations.

20. C'était également la procédure en usage lorsque le nombre des heures à pourvoir n'était pas suffisant pour justifier la création d'un poste. Sur 136 professeurs de dessin et de chant, 75 ont été d'abord pourvus d'une délégation, 110 ont été titularisés.

21. Professeur de chant au lycée de Toulouse après l'avoir été aux cours secondaires en 1882, Mme Assiot démissionne seulement en 1918 à l'âge de 77 ans. Un tel cas n'est pas isolé dans ces disciplines.

francs. Quelques professeurs de dessin et de solfège reçoivent, de longues années durant, une délégation partielle qui leur assure un revenu fixe de quelques centaines de francs et leur permet de garder une clientèle en ville. Le noyau de cette clientèle est d'ailleurs formé par les élèves du collège ou du lycée. La notion n'est donc pas encore éloignée du « professeur d'arts d'agrément » tel qu'il existait dans les anciens pensionnats de jeunes filles.

Au bout d'une vingtaine d'années, l'existence des certificats de dessin et de musique à deux degrés a fini par amener la constitution d'une hiérarchie comparable, par l'allure de la carrière, à celle des disciplines principales. Mais la comparaison n'est pas à l'avantage des disciplines accessoires : les professeurs de dessin ou de musique, qui subissent comme leurs collègues linguistes les mêmes épreuves que les hommes [22], n'arrivent qu'à un traitement dérisoire. Aussi, dès 1904, peut-on percevoir leur mécontentement [23], comme leur peu d'espoir d'être écoutés : « Malheureusement, écrit l'un deux, ce sont des femmes qui ne s'agitent pas, qui ne votent pas, qui ne peuvent décemment aller relancer M. le sénateur ou M. le député, ni invoquer les Droits de l'homme et du citoyen. Si encore elles pouvaient faire présenter leur requête par les répétiteurs [24] ! »

Les professeurs des disciplines accessoires, loin de pouvoir être assimilés à leurs collègues de lettres ou de sciences, présentent donc des similitudes de condition avec les surveillantes et les répétitrices. Cependant, leur faible nombre et la place quelque peu sacrifiée qu'ils occupent dans l'enseignement les empêchent de donner le ton. Ce sont les agrégées et les certifiées, les Sévriennes qui restent les porte-parole de l'enseignement secondaire des jeunes filles.

---

22. La concurrence est âpre et, cependant, les fonctions si mal rémunérées que l'âge moyen du recrutement des professeurs de dessin s'élève à 29 ans, entre 1905 et 1919 (AN, F 17 24047, dossier Cabaillot-Boyer). Ainsi peut s'éclairer le pourcentage particulièrement faible de mariages dans les disciplines accessoires ; ce sont des laissées pour compte qui, souvent, embrassent ces carrières, faute de mieux.

23. « Je prends, écrit le chroniqueur de *La Revue universitaire*, deux professeurs dans un lycée de jeunes filles ayant toutes deux 16 heures de services. L'une enseigne l'histoire et les lettres, elle va débuter à Paris à 3 500 francs. L'autre enseigne le dessin, elle débutera à 2 400 francs ... ». L'esprit de caste, ajoute-t-il, est fortifié par la « répartition par étages des différents objets des études. » Ce qu'il n'ajoute pas, c'est que parmi les disciplines accessoires, le dessin est encore mieux traité que la musique. (*RU*, t. I, 1904, p. 248).

24. *Ibid.*, p. 348, dans une lettre au chroniqueur de la Revue. Ce professeur fait observer qu'il serait facile de relever la condition matérielle de ses collègues qui ne sont alors que 280 pour toute la France : attitude caractéristique de l'époque où le fonctionnaire ne voit rien en dehors de sa catégorie propre. Cf. la déposition de l'inspecteur général Paul Colin, 13 décembre 1906, AN, F 17 12748.

Les institutrices et les surveillantes

Parmi les traits qui distinguent l'enseignement secondaire féminin de l'enseignement masculin, figure en bonne place le rôle donné aux maîtresses primaires mais aussi aux fonctionnaires venus de l'enseignement primaire et formés par lui [1]. En outre, malgré l'analogie apparente avec les répétiteurs, les maîtresses répétitrices revêtent plus d'importance que ceux-ci. En effet, ce sont elles qui assument, de concert avec la directrice, l'essentiel de l'œuvre d'éducation jugée nécessaire dans un établissement de jeunes filles ; de plus, elles participent de façon obligatoire à l'enseignement.

MAÎTRESSES PRIMAIRES

Les classes élémentaires dans les établissements de jeunes filles avaient été prévues à titre facultatif. Elles eurent cependant un rapide succès, car elles jouaient dans le recrutement des classes secondaires un rôle déterminant. Aussi les maîtresses de ces classes auraient-elles pu s'attendre à une sollicitude particulière de l'administration. En fait, leur désignation était laissée en partie au choix des directrices. Celles-ci étaient plus à même que l'administration centrale, pensait-on, de juger les qualités de tact, d'éducation, aussi nécessaires pour réussir dans la fonction que l'instruction proprement dite. Certains recteurs s'en sont également préoccupés. La qualification ne fut pas clairement établie dès le début :

> « Au début, écrit le recteur Perroud [2], quand il fallait avant tout donner aux familles des garanties morales et de bonne éducation, je me suis attaché surtout, dans mes présentations, aux qualités de cet ordre, en laissant au second plan les aptitudes professionnelles proprement dites. Il en résulte que, sur les huit maîtresses primaires actuelles du lycée de jeunes filles, trois seulement ont passé par l'enseignement primaire et en ont l'expérience, la forte préparation. C'est trop peu, à mon sens, pour organiser comme il convient l'enseignement des 250 élèves des classes primaires du lycée de Toulouse ».

Les instructions ministérielles, qui ont présidé, en effet, au recrutement des vingt-cinq premières années, présentaient quelque

---

1. Sur le total des fonctionnaires, 557, soit à peu près un quart, ont accompli des services dans l'enseignement primaire ; 17,3 % y ont exercé durant au moins deux ans, sans compter l'éventuel séjour dans une école normale. Cette proportion importante s'explique à la fois par le recrutement de maîtresses venues de l'enseignement primaire pour devenir institutrices dans les nouveaux établissements, et par les nécessités du début où le personnel ne pouvait venir que d'un enseignement déjà existant.

2. 8 février 1905, à propos de la nomination d'une maîtresse au lycée de Toulouse (F 17 24241, dossier Court).

contradiction. Aux termes de l'arrêté du 28 juillet 1884, les institutrices devaient être en possession d'un brevet primaire. L'enseignement qu'elles devaient dispenser était conçu, en principe, de manière spécifique, mais rien ne les différenciait, au départ, de leurs collègues de l'enseignement primaire. On s'en autorisa pour leur accorder un traitement initial de 1 600 francs dans les collèges, de 1 800 francs dans les lycées. Cependant, leurs fonctions étaient étroitement limitées à l'enseignement. Une circulaire ministérielle, en 1902, enjoignit aux chefs d'établissement de leur confier une part de la surveillance. Elles passèrent ainsi de 18 heures ou 20 heures environ de service à 20 ou 25 heures, sans augmentation de traitement. La pratique avait depuis longtemps précédé la circulaire, dans les collèges notamment, où l'arbitraire d'une directrice n'avait pratiquement pas de bornes[3]. Les limites entre l'enseignement élémentaire et la surveillance sont d'ailleurs moins précises qu'il n'y paraît, dans la mesure où l'une des filières de recrutement des maîtresses primaires est la surveillance. C'est l'ambition normale d'une surveillante de devenir maîtresse répétitrice, d'une répétitrice de devenir institutrice ou, si elle a réussi à passer le certificat ou l'agrégation, de devenir professeur. Les fonctions de surveillance, aux yeux de l'administration, ne sont que transitoires. L'accès au poste très convoité[4] de maîtresse primaire assure donc la promotion interne de fonctionnaires que rien souvent ne distingue dans la qualification : elles sont toutes brevetées ou diplômées.

A la différence des emplois de surveillantes, ceux d'institutrices sont en principe stables : sur 676 institutrices, 521 n'ont pas changé de catégorie tout au long de leur carrière[5].

---

3. Au collège d'Auxerre, en 1891, une maîtresse primaire se voit imposer en plus de ses 20 heures d'enseignement, la surveillance des études. Elle est ainsi astreinte à 39 h 1/2 de présence au collège (AN, F 17 23342).

4. Mlle Aguiard-Cordey, institutrice au lycée de Montauban, est à peine morte, en 1899, que sa succession est disputée par six candidates : cinq répétitrices ou surveillantes du lycée et la directrice des cours de Millau, inquiète de sa situation précaire. A la même époque, un recteur apporte cette simple conclusion à une campagne de calomnies qui s'est déclenchée contre une institutrice : « On voulait la place ».

5. Les échanges avec les autres catégories sont des plus limités :

Catégories d'entrée / Catégories de sortie	Adminis-tration	Economat	Annexes	Institutrices et surveillantes	Enseignement
Administration ..	—	—	—	21	4
Economat.......	—	—	—	3	—
Annexes	—	—	—	4	—
Institutrices et surveillantes	5	3	8	528	28
Enseignement....	4	—	—	58	6

Près de quarante ans durant, le recrutement s'est donc fait en bonne partie parmi les maîtresses de l'enseignement primaire : eu égard à la longueur des carrières, les effets devaient s'en faire sentir jusqu'à la seconde guerre mondiale. Quelles qu'aient été les prétentions et les visées du Conseil supérieur, on fit, dans les lycées de jeunes filles, de l'enseignement primaire. Aucun cours de pédagogie, possibilité de la loi qu'on aurait pu employer à cette fin, ne forma les maîtresses à leurs fonctions.

Les dossiers étudiés des maîtresses primaires de collège ou de lycée donnent l'image de bonnes institutrices, dans la plupart des cas, formées dans une importante proportion (40 %) par l'enseignement primaire [6], beaucoup plus attachées à leur pays d'origine que les professeurs [7]. De là cette tonalité que certaines d'entre elles donnent à l'établissement et que déplorent les inspecteurs généraux de passage : les accents locaux semblent avoir fleuri, du moins dans quelques collèges. Mais cet enracinement même est l'une des forces des maîtresses primaires : elles sont les principaux agents du recrutement et les administrateurs ne l'oublient jamais. C'est en fonction de la clientèle espérée que se font beaucoup de nominations. La maîtresse primaire est souvent originaire du département alors que la directrice ou les professeurs y sont étrangers [8] ; elle peut faire jouer ses relations, elle hérite parfois du crédit dont jouissait l'institution privée qui a précédé le lycée et dont elle attire les élèves. Les années passant, se fait la relève des générations, et les chefs d'établissement enregistrent avec une satisfaction attendrie le comportement des anciennes élèves du lycée qui viennent confier leurs enfants dès les petites classes à celles qui furent leurs propres institutrices [9]. La position morale de la maîtresse primaire est donc

---

6. Les services dans l'enseignement primaire se répartissent ainsi :

	Sur 676 institutrices		Sur 1 008 professeurs	
Moins de deux ans............	70	(10,6 %)	65	(6,4 %)
Deux à quatre ans	80	(11,8 %)	67	(6,6 %)
Cinq à neuf ans	60	(8,8 %)	34	(3,3 %)
Plus de dix ans..............	46	(6,8 %)	13	(1,2 %)

On le voit, le séjour dans l'enseignement primaire n'est pas l'apanage des institutrices, mais il se caractérise chez elles par une durée en général plus longue.

7. Le lieu de naissance et le lieu de premier poste coïncident beaucoup plus étroitement que chez ces dernières. Plus des deux tiers d'entre elles n'ont eu qu'une ou deux affectations, la plupart du temps dans leur région, au cours de leur carrière, alors que la proportion tombe à 40 % chez les professeurs.

8. L'inspecteur d'académie de la Marne se félicite de recruter une institutrice des écoles de Reims pour le lycée. Pour lui, l'objection qu'elle est déjà dans l'enseignement primaire sur place est levée par le fait qu'elle appartient à une « famille distinguée de Reims ».

9. Lorsqu'une maîtresse du collège Fénelon, à Lille, devient directrice de l'annexe Florian en 1904, la directrice en exprime son contentement : « Mlle Flamant ne peut être que bien accueillie par le personnel qui la connaît et la respecte depuis longtemps, plusieurs des maîtresses ayant été ses élèves. D'autre part, les jeunes mamans qui nous amènent leurs petites filles seront heureuses de les confier à une ancienne maîtresse restée leur amie » (AN, F 17 22163).

moins le résultat de ses diplômes, qui la plupart du temps ne lui permettraient pas de rivaliser avec les professeurs, que des circonstances locales, de l'importance accordée aux classes élémentaires pour l'avenir de l'établissement.

Tant que l'enseignement secondaire féminin vécut dans la hantise d'effectifs trop modestes, la désignation des institutrices primaires fut donc soumise à cette préoccupation. Aussi, l'absence de textes précis aidant, ne peut-on parler d'une politique du recrutement de ces maîtresses. Tout au plus des tendances peuvent-elles se dessiner qui aboutissent à l'existence, au sein des établissements de jeunes filles, de deux systèmes différents. Le premier consiste dans le choix de fonctionnaires déjà éprouvés par l'enseignement primaire si possible. Le second, mais il ne pouvait pas valoir pour l'ensemble des établissements, repose sur la désignation pour les fonctions d'institutrices de candidates uniquement formées par l'enseignement secondaire, et même nanties du certificat.

De fait, dans les lycées parisiens, presque toutes les institutrices sont certifiées ou admissibles au certificat ; il en est même d'agrégées. Ailleurs, la possession du certificat reste exceptionnelle. Mais que de situations intermédiaires ! Tantôt ce sont des candidates malheureuses aux concours qui, après quelques années passées dans le répétitorat, obtiennent enfin un poste d'institutrice primaire, tantôt c'est à des élèves d'écoles normales primaires à peine émoulues que, par nécessité, on a fait appel. Par le jeu des situations acquises dans les établissements féminins, l'enseignement des classes primaires est assuré par un ensemble de fonctionnaires dont l'examen révèle toute la diversité, voire l'hétérogénéité [10]. La largeur de vues, évoquée plus haut, des inspecteurs généraux se comprend alors : la réalité n'est pas encore conforme aux vœux exprimés dans les textes d'un enseignement élémentaire déjà pénétré d'« esprit secondaire ». C'est en 1913 seulement qu'un décret vient fixer les conditions de recrutement [11]. Désormais, les répétitrices de lycée, puis les répétitrices de collège, auront le pas sur les institutrices titulaires des écoles publiques, munies du brevet supérieur, pour obtenir un poste dans un collège. Une sorte de hiérarchie est instituée à l'intérieur même du corps des institutrices de l'enseignement secondaire féminin, sans que la préparation professionnelle soit mieux assurée

---

10. L'une des rares Sévriennes qui n'aient jamais réussi l'examen du certificat se retrouve institutrice au lycée de Limoges. « Sa culture, écrit l'inspecteur d'académie en 1930, est supérieure à celle de ses collègues » (AN, F 17 24739).

11. Comme le fait observer Compayré (*L'enseignement secondaire des jeunes filles...*, p. 78), l'arrêté du 28 juillet 1884, qui dispose que les maîtresses doivent justifier d'un brevet primaire, revient implicitement sur le décret du 13 septembre 1883 qui prévoyait des institutrices pourvues d'un baccalauréat, du diplôme de fin d'études *ou* du brevet supérieur.

qu'auparavant ; au contraire, puisqu'on se prive en partie du concours des institutrices formées par les écoles normales primaires.

Toutefois, la présence des certifiées dans les classes primaires des plus grands établissements peut alimenter la prétention d'y donner un enseignement en quelque sorte pré-secondaire. Ainsi procède-t-on à l'extension déguisée d'un enseignement secondaire dont l'expérience a démontré qu'il était trop court. A Paris du moins, un trait permet de distinguer l'institutrice du lycée de l'institutrice communale, toute qualification mise à part : les institutrices de lycée ne sont pas seules à dispenser l'enseignement dans leur classe. D'autre part, une fraction d'entre elles, à Paris, sont chargées de cours de langues. On leur confie non seulement l'initiation aux langues des élèves de classes élémentaires mais aussi l'enseignement dans les premières classes secondaires. La césure n'est donc pas nette entre les deux séries de classes. L'écart n'en est que plus flagrant avec les humbles établissements de province où exercent encore de longues années des maîtresses bien peu qualifiées : « Il y a actuellement des institutrices de lycée de filles qui ne possèdent que le brevet élémentaire », écrit Compayré en 1903 [12]. Les partisans de l'extension de l'enseignement secondaire féminin au détriment de son rival primaire n'ont pas disposé des moyens de leur politique.

Si les maîtresses primaires, dans certains établissements, se chargent de la moitié des élèves [13], elles représentent moins du tiers du corps enseignant des lycées et collèges en 1907 [14]. Les revendications que présente cette catégorie à la commission de 1907 ne sont pourtant pas directement relatives à des créations de postes [15]. Le rapport de Mme Armagnat devant la commission formule d'abord une requête d'ordre pédagogique : que les classes préparatoires conduisent réellement aux classes secondaires, ce qui suppose même programme, même emploi du temps et la fixation d'un maximum d'heures de service. Les institutrices réclament ensuite une augmentation de traitement d'ailleurs modique et l'octroi d'une indemnité spéciale aux institutrices certifiées. Le principe de cette indemnité ne fut pas adopté par le tableau des traitements de 1910 ; en revanche, l'augmentation fut plus substantielle que prévu.

---

12. *Ibid.*, p. 78.

13. Le rapport Armagnat évalue aux deux cinquièmes de la population scolaire totale le nombre des élèves des classes préparatoires (24 janvier 1907, AN, F 17 12748, commission extra-parlementaire).

14. Sur les 1 647 fonctionnaires que comptait alors l'enseignement secondaire féminin, elles étaient 355 : 95 dans les lycées, 167 dans les collèges et 93 dans les cours secondaires. Il est vrai qu'à cette date, on n'hésitait pas à leur confier des classes pléthoriques. Les professeurs et chargées de cours des lycées, collèges et cours secondaires étaient 746. Il faut ajouter à ce total les 165 maîtresses de chant, dessin, couture ou gymnastique, le reste étant constitué par les fonctionnaires préposés à l'administration et à la surveillance. (Chiffres donnés par la *RU* : « Les conséquences financières des vœux du personnel », t. I, 1907, p. 362-364).

15. On devait les juger d'autant moins possibles que le ministère s'était attaché naguère à des suppressions ; il est vrai alors que la situation était tout autre.

En 1884, lors de la discussion du règlement pour les lycées de jeunes filles au Conseil supérieur, la question des maîtresses répétitrices fut soulevée, comme l'avait déjà été, à diverses occasions, celle des répétiteurs des lycées de garçons, considérés comme les mal-aimés de l'enseignement secondaire. La création de répétitrices n'était-elle pas, selon l'expression d'un membre de la Section permanente, un « cadeau funeste » de l'enseignement masculin [16] ? Au vrai, la répétitrice était l'héritière en droite ligne de la sous-maîtresse des pensionnats de jeunes filles : « Un être à occupations multiples et à fonctions mal définies. Tantôt elle est seulement surveillante et garde les élèves, ce que dans les lycées on appellera une répétitrice, tantôt elle est maîtresse de classe et même professeur » (J. Crouzet, *Souvenirs d'une jeune fille bête*). Une discussion qui s'élève autour de la dénomination de ces fonctionnaires marque l'incertitude teintée de malaise qu'on entretient sur leurs attributions. Il semble même que certains aient songé à charger les agrégées de la surveillance en même temps que de l'enseignement [17]. Le Conseil crut relever la condition des répétitrices par l'indication qu'elles seraient toujours chargées d'un enseignement [18]. Nommées comme les institutrices primaires sur présentation de la directrice et proposition du recteur [19], elles devaient être pourvues du diplôme de fin d'études ou du brevet supérieur. Elles dirigeaient et surveillaient les élèves pendant le temps que celles-ci n'étaient pas avec leurs professeurs et pouvaient « remplacer les professeurs malades ou empêchés ». Si l'on tient compte de l'enseignement qui leur était obligatoirement confié, leur service pouvait être fort lourd et, de fait, leur rôle dans l'enseignement fut nettement plus important que celui des répétiteurs dans les établissements masculins. Aucun règlement ne fixait les heures de présence, aucun statut ne précisait leur condition : « On remarque, écrit *La Revue universitaire,* que, d'un lycée à l'autre, la durée du service est fort inégale, 40 heures par semaine ici, 35 par là, 28 ailleurs » [20].

---

16. AN, F 17 12966. Projet d'arrêté portant règlement pour les lycées de jeunes filles. Rapport d'Eugène Manuel, 23 juillet 1884.

17. E. Manuel argue que les agrégées ne pourraient pas être chargées de la surveillance, si elles sont mariées. Le purisme s'en mêle : G. Boissier juge que « maîtresses répétitrices » n'est pas français. Gréard le reconnaît, mais préfère ce terme consacré par l'usage à celui de « sous-maîtresses », titre « discrédité ». Le mot de « surveillantes » ne correspondrait pas à la fonction.

18. A la suggestion de Bréal, on ajouta l'article 28 : « Les professeurs titulaires ou déléguées, les maîtresses chargées de cours et les institutrices primaires peuvent, sur leur demande, être chargées en outre des fonctions de maîtresse répétitrice ». Bréal était soucieux de « relever le niveau de leur situation et d'éviter surtout que l'on ne tombât dans les abus signalés de tous temps dans les lycées de garçons ». Aucune demande de cette nature ne se produisit.

19. « Mais, dans la pratique, ces formalités sont le plus souvent négligées, et la nomination est faite par le ministre directement. »

20. T. I, 1897, p. 404. « Et pour le service des vacances, ajoute la Revue, même incertitude et même variété : ici la répétitrice en est presque entièrement déchargée ; ailleurs on la fait revenir quinze jours pour garder un établissement qui, pendant les vacances, n'a jamais une seule élève. » La Revue se contente de souhaiter « quelques règles générales » énoncées dans une circulaire.

L'administration voit dans cette situation imprécise le moyen de faire des économies : inutile de créer des postes là où les répétitrices peuvent assurer l'enseignement[21]. Les professeurs certifiés ou agrégés souffrent de cet abus à leur tour : des débouchés leur sont fermés et les répétitrices sont chargées gratuitement de ce qui donnerait lieu normalement à des heures supplémentaires rétribuées. Un questionnaire, publié en 1905 par une Sévrienne professeur à Montpellier, L. Bérard-Camourtères, dans une publication éphémère, *La femme universitaire,* se veut l'amorce d'une « campagne régulière » pour les répétitrices qui n'a d'ailleurs pas lieu. Quant aux surveillantes de collège, elles sont les véritables factotums de l'établissement. « Pendant cette période de création où l'organisation rudimentaire du personnel était si peu en rapport avec les exigences multiples d'une *maison d'éducation pour les jeunes filles,* écrit la directrice de Montauban en faisant allusion aux quatre premières années du collège, Mme Plantade cumulait les fonctions de surveillante répétitrice, de maîtresse de couture et d'écriture, de bibliothécaire, secondant la directrice dans l'organisation du service économique, la suppléant auprès des familles toutes les fois que les circonstances le voulaient[22]. »

Les créations de postes viennent soulager les pionnières et diversifier les tâches. Mais, quand, vers la fin du siècle, la politique d'économie se joint à la croissance du nombre des élèves pour rendre la tâche de toutes plus lourde, les surveillantes souffrent de la situation : elles sont là pour suppléer les absentes en plus de leur travail ordinaire et, logées dans l'établissement[23], constituent une catégorie particulièrement corvéable. Aucun adoucissement financier ne vient récompenser leurs services puisqu'avant 1904 elles ne sont même pas classées, et par suite ne reçoivent aucun avancement.

La situation des surveillantes d'internat est en général peu enviable[24].

---

21. Comme le note J. Crouzet en 1910, d'après un rapport de Mlle Rouff à la Fédération de Dijon : l'administration « a eu la tentation de les employer à la place des professeurs partout où cela a été possible » (*RU,* t. I, 1910, BESJF). A cette date, où les créations de postes n'ont pas suivi le développement de la clientèle des lycées, un tel procédé équivaut à fermer la porte des lycées aux jeunes professeurs agrégés qui doivent se contenter, au mieux, du traitement de professeurs de collège. En fait, ils préfèrent l'évasion vers l'enseignement libre.

22. AN, F 17 23041, notes de 1893, dossier Plantade. Pourvue du seul brevet élémentaire, ce fonctionnaire fut d'abord nommé « surveillante d'externat et maîtresse chargée des travaux à l'aiguille » au collège en 1882, puis surveillante audit collège en 1885. L'année suivante, elle devient sous-directrice de l'internat municipal.

23. Rien ne prescrivant le célibat aux répétitrices, un certain nombre se marièrent sans cesser d'exercer leurs fonctions. En compensation des prestations qu'elles perdaient en quittant leur chambre au lycée, elles recevaient une modique indemnité.

24. L'étude de cette catégorie est très malaisée. Les dossiers personnels n'ont pas été conservés aux Archives nationales. La présence de quelques dossiers de surveillantes d'internat, qui n'ont pas occupé ensuite d'autres fonctions dans l'enseignement secondaire féminin, ne peut s'expliquer que par le hasard : ils sont en général fort incomplets. Aucun chiffre, même approximatif, ne peut être avancé avec sûreté. Ce personnel ne figure pas dans les annuaires. Il n'existe pas de congé à proprement parler : c'est ce que répond l'administration à une ancienne élève du collège de Vitry qui a occupé durant trois ans l'emploi de surveillante d'internat (F 17 23451).

Elle résulte des scrupules des législateurs qui ont laissé les internats à l'initiative des municipalités. Les surveillantes d'internat peuvent donc être comparées au personnel des cours secondaires, du moins dans les premières années. Désignées par la municipalité, elles ne reçoivent qu'un agrément de l'administration universitaire. Aucune règle générale ne fixe leurs obligations non plus que leurs droits [25]. Tout au plus les traités de fondation précisent-ils le traitement minimum qui devra leur être accordé. Mais cette absence de réglementation ne porte pas à conséquence dans les premières années : les internats sont encore peu nombreux, le renouvellement des surveillantes est incessant. Au bout d'un délai très bref, en effet, un an, deux ou trois au plus, les jeunes filles recrutées dans cet emploi obtiennent facilement un emploi à l'externat dont les besoins s'accroissent ou bien s'en vont pour se marier. La position de maîtresse d'internat est considérée comme essentiellement transitoire.

Tout change lorsque la croissance soutenue de l'institution se ralentit, au bout de dix ou quinze ans. Certes, la porte du mariage reste toujours ouverte, mais les nominations à l'externat deviennent de plus en plus difficiles à obtenir. L'absence de tout statut des surveillantes d'internat devient alors un problème. Au reste, les postes sont donnés à de très jeunes débutantes qui les acceptent comme pis-aller en attendant leur établissement : au mieux le mariage, au pire une nomination de surveillante d'externat prometteuse d'une carrière stable dans l'enseignement officiel [26]. Sans doute les obligations de service sont-elles aussi lourdes que peu définies, sans doute la surveillante d'internat est-elle assujettie à une présence constante dans l'établissement, sous l'œil soupçonneux de la directrice, et pour une rémunération en général dérisoire. Mais la place de surveillante d'internat reste convoitée. C'est une issue pour une fille pauvre qui n'a pas obtenu de bourse ou qui a épuisé ses droits que d'être logée, nourrie et de recevoir un pécule, si minime soit-il. Dans les petites villes, le poste est l'un de ces « bénéfices » dont dispose la municipalité pour récompenser les fidèles, contenter les amis, caser les créatures [27].

La situation faite aux surveillantes d'internat apparaît pourtant pénible : elles sont chargées d'une mission délicate et, leur statut n'étant pas défini, « on leur fait faire toutes les courses et tous les métiers, y

---

25. Le code Wissemans, édition de 1914, ne contient aucun texte relatif aux surveillantes.

26. Le poste de surveillante d'internat, dans certaines villes de faculté, joue aussi le rôle de substitut d'une bourse de licence, voire d'agrégation.

27. En 1896, le receveur municipal de Valenciennes et sa femme meurent le même jour. La municipalité ne se désintéresse pas des cinq enfants dont trois n'ont pas fini leurs études. La fille aînée devient surveillante d'internat au collège et le reste six ans. La seconde rejoint sa sœur en 1898 et attend elle aussi une délégation à l'externat, obtenue seulement en 1904 (AN, F 17 24545 et 24839, dossiers J. et G. Tulou).

compris celui de bonne d'enfants »[28]. Le service ou la présence, selon les établissements, est fixé de seize à vingt-deux heures sur vingt-quatre. La surveillante doit s'acquitter des « corvées les plus fastidieuses » : c'est la surveillante des enfants au dortoir, au réfectoire ; ce sont les longues heures d'étude, la promenade, procession bi-hebdomadaire, parfois journalière au long des faubourgs les moins animés, aux heures les plus insolites[29] de peur des « mauvaises rencontres » redoutées par les chefs d'établissement, déplacement combien morne tant que les enfants n'ont pas atteint, avec la rase campagne, une relative liberté d'allures[30].

Ces tâches si ingrates réclament, comme le fait observer, en 1911, la directrice d'Auxerre[31], bien des qualités : il faut donner à la fillette, au dortoir, de « bonnes habitudes d'ordre matériel et moral », il faut déployer au réfectoire une « autorité douce, maternelle et clairvoyante », y faire preuve de « savoir-vivre ». Lors des études, la surveillante doit veiller à la fois à l'ordre matériel, à la tenue physique de l'enfant et à la bonne marche du travail. La récréation et la promenade sont des moments « très difficiles » car il faut « obtenir le goût de l'exercice physique » chez des enfants qui, par l'effet d'une éducation mal comprise ou d'une mode qui règne dans l'établissement, affectent de ne pas jouer. Or, « cette tâche, qui réclame une constante sollicitude, un dévouement de toutes les heures, une véritable distinction de l'esprit, du cœur et des manières, voilà celle que l'on rétribue 700 francs par an[32] et que l'on confie aux maîtresses les plus jeunes et les plus inexpérimentées ! ». C'est bien dans la triste condition des maîtresses d'internat que se manifeste le paradoxe où s'est enfermé l'Etat : il a voulu faire l'éducation autant que l'instruction des jeunes filles qui lui sont confiées mais s'est refusé, en déclinant toute participation à l'internat, les moyens d'assurer cette éducation.

Banc d'essai[33], pierre d'attente ou simple bourse d'études, le poste de

---

28. *RU*, t. I, 1925, p. 441, chronique du mois sur le plaidoyer de M. Roustan en faveur des surveillantes, lors de la discussion du budget au Sénat. « Elles ne peuvent même pas, ajoute le chroniqueur, travailler pour elles aux heures de loisir. Dans quelques lycées et dans certains collèges, on ne veut pas d'étudiantes ... »

29. En mai 1886, la direction du collège d'Abbeville sollicite l'autorisation de conduire chaque jour à la promenade les internes, de 6 h 1/2 à 7 heures du matin (AD, Nord, 2 T 920).

30. Les romans de Gabrielle Réval font une description à ce sujet bien proche des « correspondances » de jeunes maîtresses publiées par la Revue Camille Sée.

31. A. Ecolan, « Nos maîtresses d'internat », *RU*, t. II, 1911, p. 209-215. Mme Maisani ne pense pas différemment en 1926. En 1894, voici comment la directrice d'Oran juge l'une de ses maîtresses d'étude à l'internat : « La conduite est bonne, *mais pas toujours* de soin, les manières sont vulgaires. Très bonne personne, dévouée, mais sans autorité sur les élèves ». Au lecteur de conclure : « Rentrera dans les écoles primaires » (AN, F 17 23298).

32. C'est une moyenne. En 1923, J. Crouzet évalue ainsi la rémunération : « La nourriture et le lit du dortoir, auxquels on ajoute généralement, *mais pas toujours*, de maigres gages variant de 50 à 150 francs par mois ; ces gages sont rarement payés pendant les grandes vacances ».

33. L'idée est formulée en 1926 par la directrice du collège de Nevers, Mme Maisani, « Le personnel de surveillance dans les établissements féminins », *RU*, t. II, 1926, p. 224-229. Pour elle le stage à l'internat est « indispensable » à une jeune fille qui se destine à la carrière de répétitrice : « une maîtresse apprend à manier les élèves, à les connaître, à se faire obéir ».

surveillante d'internat remplit tant bien que mal toutes ces fonctions, mais sans garantie d'aucune sorte. Peu de professeurs de l'enseignement féminin, alors que toutes se trouvaient très proches de ces jeunes maîtresses dans la vie quotidienne du lycée, semblent s'en être préoccupées, sauf celles qui ont débuté ainsi [34]. Il faut attendre l'après-guerre et l'explosion des revendications de toutes les catégories de personnel, notamment celle des maîtres d'internat, pour que le sort des surveillantes d'internat soit enfin évoqué sérieusement [35] sans être amélioré d'ailleurs.

Avant cette époque, l'absence de réglementation précise pour le personnel de surveillance, manifeste dans le statut de 1884, amène les chefs d'établissement à interpréter les textes de manière très libre, au point d'employer des maîtresses nommées à l'externat pour des besognes d'internat, et des surveillantes d'internat pour des tâches d'enseignement. Le premier usage trouve sa justification, semble-t-il, dans le fait que les répétitrices ont le droit d'être logées dans l'établissement. A l'inverse, rien, sinon la nécessité, n'explique l'emploi des surveillantes d'internat pour des tâches d'enseignement :

> « Depuis six ans que je suis maîtresse surveillante, écrit L. Vochelle qui visiblement ne fait pas la différence entre les fonctions de surveillante d'internat et d'externat [36], j'ai toujours fait la classe. D'abord, au collège de La Fère, où j'avais, outre mon service d'internat, huit heures de cours par semaine, puis, à Valenciennes où je suis depuis trois ans, j'étais chargée l'an dernier, indépendamment de mon service de surveillance, de tout l'enseignement littéraire de 1re année ».

C'est en 1926 seulement que les répétitrices sont assimilées aux répétiteurs des lycées de garçons ; cessant d'être logées au lycée, elles acquièrent le droit de ne plus remplir aucun service d'internat [37], sauf rétribution supplémentaire.

---

34. C'est sans doute sous leur influence qu'en 1910 l'Amicale du lycée de Reims émet un vœu : considérant que beaucoup de maîtresses primaires et répétitrices ont dû accepter pour débuter un poste de surveillantes d'internat, cinq ans et plus, l'Amicale propose que les surveillantes d'internat soient admises à verser pour la retraite, avec effet rétroactif pour les anciennes surveillantes d'internat. Ce vœu souleva « une protestation unanime » de la part de la Fédération des professeurs de l'académie de Paris. On fit valoir que la prise en considération créerait un précédent : un problème analogue se posait pour les cours secondaires, et que les surveillantes d'internat n'étaient pas des fonctionnaires (*RU*, t. II, 1910, BESJF, p. 424-425).

35. En 1925, une séance spéciale du congrès des maîtres d'internat est consacrée à la question des surveillantes d'internat (*RU*, t. II, 1925, BESJF, p. 63). L'application d'un statut identique à celui des maîtres d'internat est réclamée.

36. Elle était surveillante d'internat à La Fère depuis 1892, puis déléguée à l'externat de Valenciennes. Sa lettre date vraisemblablement de 1898 : sa situation ne s'explique donc pas par l'improvisation du début (AN, F 17 24426).

37. Il s'agit essentiellement de la surveillance du repas de midi et de la récréation qui suit. La garde des élèves, éventuellement, durant les vacances, peut aussi faire partie du service de la répétitrice avant 1926.

346

En 1910, un premier « statut » pour le personnel de surveillance et d'enseignement élémentaire fut ébauché [38]. La hiérarchie entre surveillantes de collège, maîtresses répétitrices et institutrices existait auparavant par le seul effet des différences de traitement. Elle devenait plus stricte dans la mesure où étaient pris en compte, lors du recrutement des surveillantes de collège [39], les services rendus auparavant dans les internats, les services rendus comme déléguée chargée de cours ou comme surveillante de collège pour l'accès aux fonctions de répétitrice. Ces différentes fonctions devenaient autant d'échelons à gravir successivement. Le choix des institutrices était soumis à des règles moins strictes : visiblement, l'administration n'entendait pas se lier les mains en s'interdisant de recourir à son principal pourvoyeur, l'enseignement primaire. Mais l'essentiel demeure que le décret, pour la première fois, fixait le nombre d'heures hebdomadaires dues par les répétitrices [40], et surtout apparaissait comme le témoignage d'un changement d'état d'esprit. Le texte semblait être marqué « par un effort de collaboration entre l'administration et le personnel » [41]. Il résultait de la consultation non seulement du Conseil supérieur, mais aussi des amicales des lycées de jeunes filles et de la Fédération nationale des professeurs.

Ce n'était toutefois qu'un premier pas. Trois ans plus tard, était promulgué un nouveau décret sur le recrutement du personnel d'enseignement primaire et de surveillance. La grande place de ce personnel dans la vie des établissements était en quelque sorte reconnue par la disparition du vocable de surveillantes dans les collèges. Dans les lycées comme dans les collèges, le titre de maîtresses répétitrices s'imposait. Pour la première fois, le brevet supérieur ne figurait plus comme l'un des titres d'accès à ces fonctions. En revanche, de nouveaux titres à prendre en considération apparaissaient, comme la première partie du certificat ou le certificat de langues vivantes. Ils permettaient l'édification, là aussi, d'un système beaucoup plus élaboré [42]. La hiérarchie des situations se double d'une hiérarchisation des candi-

---

38. Décret du 21 juillet 1910.

39. Les maîtresses d'internat justifiant d'au moins deux ans de services sont mises en première ligne pour ces fonctions, à égalité avec les candidates admissibles à un certificat. Une circulaire du 25 février 1914 vient préciser qu'il s'agit des maîtresses d'internat dotées d'une nomination régulière et recevant une indemnité minimale de 600 francs.

40. Pour la première fois aussi, on établissait une équivalence entre les heures d'enseignement et celles de surveillance, à raison d'une pour deux.

41. *RU*, t. II, 1910, BESJF, p. 236-238.

42. Ainsi, en vertu de l'article 4, les répétitrices titulaires des lycées « sont choisies en première ligne soit parmi les personnes pourvues de la première partie du certificat d'aptitude à l'enseignement secondaire des jeunes filles ou d'un certificat d'aptitude à l'enseignement d'une langue vivante dans les lycées et collèges, soit parmi les répétitrices de collèges ; en seconde ligne, parmi les suppléantes munies du diplôme de fin d'études de l'enseignement secondaire des jeunes filles, ou du baccalauréat, proposées par un recteur et comptant au moins vingt mois de suppléances.

datures ; on y sent l'effort de prévoir tous les cas, de telle manière que les passe-droits deviennent pratiquement impossibles. La période du flou et de « l'arbitraire » paraît révolue, mais au prix d'une complication grandissante.

Cette sollicitude nouvelle pour un personnel humble et utile, indispensable même au bon fonctionnement des établissements, manifeste la préoccupation de définir des aptitudes professionnelles qui ne seraient pas garanties uniquement par l'enseignement primaire. Aussi, et bien que l'on ne dédaigne pas de faire appel à ce dernier, les décrets de 1910 et 1913 ne sont qu'une étape vers l'autonomie de l'enseignement secondaire féminin. Le terme de cette évolution, du moins pour ce qui regarde l'enseignement élémentaire, est marqué, en 1922, par la création d'un concours de recrutement, à l'imitation du système masculin : le certificat d'aptitude à l'enseignement dans les classes primaires des lycées et collèges de jeunes filles.

L'isolement

> « Un professeur homme arrivant dans une ville de province, déclare B. Leroux devant la commission extraparlementaire de 1907 [1], sait qu'il trouvera facilement une chambre meublée, un restaurant où il pourra prendre ses repas. Il n'en est pas de même pour la femme professeur. Elle sait combien l'opinion que l'on aura d'elle pèsera sur son avenir : il lui faut donc penser, avant toute raison d'économie, à chercher une famille honorable qui veuille bien la prendre en pension ou, si elle veut vivre seule, un appartement dans une maison bien habitée, située dans un quartier bien fréquenté ... »

Dans son *Journal* [2], Marguerite Aron décrit les difficultés qu'elle a rencontrées, jeune professeur nommé dans une petite ville de province, pour trouver un logement. Il faut prendre garde à tout, à la proximité de la caserne ou du mess des officiers et subir les exigences des logeurs qui ne sont pas, au reste, légion. Toutes les indications concordent pour montrer dans la question du logement l'une des principales difficultés du professeur débutant :

> « Le meilleur parti à prendre, écrit une Sévrienne en 1904, si on veut pouvoir conserver quelque indépendance, c'est de ne jamais vivre en garni, de louer un appartement vide, ou si nous pouvions vivre en bonne intelligence les unes avec les autres, d'avoir une petite maison où nous serions chez nous ... J'ai l'air bien pessimiste, mais j'ai été témoin et je

---

1. AN, F 17 12748.
2. M. Aron a débuté au lycée de Niort en 1897. *Le journal d'une Sévrienne* relate avec une discrétion voulue ses années de débutante.

me suis heurtée à des difficultés que je n'aurais jamais soupçonnées. Quant à la malveillance, elle est sans bornes comme l'inintelligence des indigènes »[3].

Aussi l'initiative de Mme Rudler, en 1902, paraît-elle logique, lorsqu'elle imagine de fonder un comité des amies de l'enseignement secondaire féminin dont les correspondantes se donneraient pour tâche d'accueillir les jeunes professeurs arrivant seuls dans une ville inconnue, de leur procurer un logement et un premier noyau de relations qui les arracherait à une totale solitude. « C'est un fait, écrit-elle à Louise Belugou le 27 mai 1902, que lorsqu'une jeune fille tombe dans un lycée, généralement à la rentrée, la directrice est surmenée de son côté, les collègues reviennent à peine de vacances et ignorent son arrivée. Elle erre toute seule à travers les rues d'une ville étrangère et ne trouve ni où se loger, ni à qui parler[4]. »

La directrice des cours de Cherbourg, elle-même non sévrienne, abonde dans son sens :

> « Et encore toute Sévrienne est-elle à peu près sûre de trouver là où le sort la jette quelque sœur de l'Ecole ... Mais les non-Sévriennes ... Et elles sont nombreuses parmi nous ... professeurs de langues vivantes, de dessin, de travaux manuels, une forte proportion de répétitrices et d'institutrices primaires ... Représentez-vous l'arrivée d'un professeur aux cours secondaires de Cherbourg. Depuis octobre dernier, elle y trouve une directrice et une maîtresse surveillante, étrangères toutes deux à la ville d'ailleurs. Comme autres ressources les neuf professeurs hommes du lycée qui viennent dans la maison, car il y en a encore neuf. Je me demande comment Mlle Souvay et les différents professeurs de sciences qui se sont succédé ici pendant dix ans, êtres absolument uniques de leur espèce à Cherbourg, y ont résisté. A présent, nous sommes deux ... »[5].

Mais si tout le monde s'accorde à reconnaître le mal, les avis sont partagés sur les remèdes à apporter : les comités proposés par Mme Rudler n'ont pas que des partisans. Sans doute entre-t-il dans les réticences une prudence extrême[6], le souci de ne pas froisser les

---

3. AEAES, lettre d'H. Daumain, probablement à J. Lochert, datée de Rochefort, le 15 juin 1904. Une dénonciation, à Vitry en 1886, donne une idée de la malveillance : l'inspecteur d'académie reçoit le 28 décembre une « plainte dirigée contre Mlle Pinard ... » L'auteur de la lettre accusait celle-ci d'habiter une pièce communiquant avec le logement d'un jeune homme. La directrice répond que c'est la vérité, mais que la logeuse avait fait croire à Mlle Pinard qu'elle ne logeait que des ménages. Avertie le 29 décembre, Mlle Pinard prend une chambre que la directrice lui offre au collège. Le recteur conclut à son « innocence », mais observe qu'elle a loué « avec précipitation » (AN, F 17 23039).

4. AEAES, lettre à L. Belugou, 27 mai 1902.

5. *Ibid.*, 26 juillet 1902 (Mlle Lafore).

6. Mme Rudler, au début de son entreprise, insistait sur la nécessité de cette prudence : « Il y a en effet, écrit-elle en avril 1902, des questions très graves à leur sujet (les correspondantes non Sévriennes), celle de l'honorabilité, et celle des influences, peut-être pas politiques, mais plutôt religieuses ... Il faut ... ne prendre que des personnes absolument recommandées par des amis sûrs ...

directrices, mais aussi une sorte de stoïcisme né de l'esprit de Sèvres. Aux rebuffades du monde, le jeune professeur peut répliquer par son isolement même : c'est dans ce sens que conclut le rapport de l'association des Sévriennes sur le projet de Mme Rudler :

> « On se demanderait avec raison à quoi doivent servir la solide instruction et les hautes leçons de moralité reçues à Sèvres si ce n'est à savoir être isolés à l'occasion et à concevoir sa vie avec une certaine austérité. Il a été dit de nous que nous étions des espèces de religieuses laïques. Pourquoi pas ? Pour beaucoup d'entre nous le renoncement à la vie est le même, mais n'avons-nous pas aussi notre maison-mère représentée par l'Ecole et par l'Association des anciennes élèves de Sèvres avec tout ce qu'elles évoquent de camaraderie et d'affection très simple et très dévouée … l'isolement n'est pas l'abandon. Même en dehors de Sèvres, on n'est pas abandonné quand on a une tâche quotidienne qui, tout en vous assurant un traitement régulier, vous met tous les jours en rapport avec des élèves et des collègues et par des principes sérieux de vie et de conduite écarte jusqu'à la pensée même de certaines tentations » [7].

Il n'est pas de texte plus révélateur de l'« esprit de Sèvres » tel qu'il a été façonné par Mme Jules Favre et son entourage protestant.

> « Un couvent laïque, autorisé … oui, c'est la vieille tradition ecclésiastique qui pèse encore sur nous. Elle voulait — dans son ascétisme originel — que l'éducation des enfants soit confiée à des hommes et à des femmes vivant à part du siècle et ignorant ses infirmités ; et maintenant encore, une jeune femme, institutrice ou professeur, qui sort seule, se promène, voyage, va au théâtre, s'habille bien, converse ouvertement avec des hommes, scandalise les convictions pédagogiques de la bourgeoisie française.
> Par soumission, par dévouement à leur tâche, par amour du repos, la plupart d'entre nous ont pris le parti de la prudence — qui fut parfois celui de la pruderie — et sont demeurées à quarante-cinq ans des ingénues surannées » [8].

Le modèle des maisons religieuses, qui a inspiré les fondateurs de l'Ecole, est ici consciemment suivi. A l'écart du monde, les Sévriennes n'en sont pas moins de leur époque et refusent d'être les annonciatrices de temps nouveaux par leur comportement personnel : il est révélateur à cet égard que, pour elles, le fait d'exercer une profession qui leur assure l'indépendance puisse coïncider avec le « renoncement à la vie », c'est-à-dire, dans leur esprit, au mariage et aux enfants. A la révolte, elles

---

Cela peut s'obtenir lentement et de proche en proche ». « Je me suis toujours félicitée pour ma part, écrit L. Belugou à J. Lochert, d'avoir en arrivant au Havre (ce qui était bien peu gracieux), refusé toute invitation, jusqu'à ce que j'aie pu juger par moi-même de la situation et m'être orientée dans les coteries inévitables, l'état des esprits, etc. » (*ibid.*, 8 mai 1902).

7. *Ibid.*, s.d., mais très probablement de 1902.

8. M. Aron, *Journal d'une Sévrienne*, p. 233.

préfèrent le comportement prêché par Epictète et, de nécessité, font vertu. Mais, partant, l'enseignement qu'elles dispensent, la manière dont elles conçoivent la direction de leurs établissements, risquent de se ressentir d'une telle attitude. C'est pourquoi beaucoup de lycées de jeunes filles n'ont eu aucune peine à ressembler aux couvents ; dans les uns comme dans les autres, la préparation à la vie de mère et d'épouse, telle que l'avait souhaitée Camille Sée, est paradoxalement assurée par des femmes qu'en majorité leur vocation ou leur destin ont dépourvues de cette expérience.

De telles réticences de la part des Sévriennes devaient entraîner, conjointement avec l'hostilité de la plupart des directrices, l'échec des comités Rudler. Au reste, la difficulté de trouver des correspondantes en dehors du corps enseignant illustrait l'isolement de fait des professeurs femmes qui ne pouvaient compter que sur leurs propres ressources [9]. Là où se trouvaient au moins deux Sévriennes, à une époque où elles représentaient encore un petit univers numériquement restreint, les comités étaient sans objet puisque la solidarité de l'Ecole avait encore toute sa force. Mais il semble que l'association se soit fait des illusions sur les relations qu'entretenaient entre elles les professeurs qui n'avaient pas d'autre titre à se fréquenter que celui de collègues ; que dire des élèves, alors que la prudence et les admonestations des directrices enjoignaient la plus stricte réserve à leur égard [10] ?

Il n'était donc guère de place pour la fragilité psychologique ou la faiblesse d'âme. Au total, peu de femmes professeurs se sont montrées inférieures à la situation qui leur était faite, quelle qu'en fût la dureté : les écarts de conduite sont rares, impitoyablement sanctionnés du reste [11] ;

---

9. Encore ne s'est-il trouvé que 23 correspondantes pour toute la France. Plus que l'indifférence, la timidité, la peur surtout de déplaire à une directrice, le sentiment général que rien ne pouvait se faire en dehors des chefs d'établissement ont découragé les bonnes volontés éventuelles.

10. Invité à exercer une influence morale sur les élèves, le professeur n'a pas le droit d'être familier avec elles. On craint même toute spontanéité. « Mes cours en cinquième année m'entraînant à des causeries directes avec mes grandes élèves, peu nombreuses, écrit Marguerite Aron, je leur avais prêté quelques livres... Nous en parlions ensuite à l'issue de la classe. Parfois deux ou trois élèves me suivaient ainsi dans la cour, me confiant leurs pensées inexpérimentées et curieuses, m'assaillant de questions, et m'ouvrant un peu plus avant leurs natures, jusqu'ici fermées ... Madame la Directrice craint qu'on ne s'effarouche, en certains milieux de la ville, de cette liberté familière. Elle a désiré me voir garder mes livres et m'abstenir de ces entretiens. » M. Aron justifie d'ailleurs cette prudence : « Si la *personne* du professeur masque aux élèves son *enseignement* même, le but est dépassé ; et la porte innocemment peut s'entrouvrir à toutes les malveillances d'une critique sournoise et timorée » (*loc. cit.*, p. 151).

11. Il n'est, sur l'ensemble du personnel étudié, que deux cas de grossesse illégitime officiellement repérés : le premier des professeurs fut immédiatement révoqué, le second eut la chance d'être âgé de 37 ans, Sévrienne, agrégée, professeur à Paris et d'avoir une directrice compréhensive qui garda le secret et plaida sa cause auprès de Rabier, en 1898. Grâce à un certificat médical de complaisance, l'intéressée fut mise en congé. Quatre ans durant, elle mena une « vie retirée, malheureuse et digne » dans son pays natal, avec une indemnité annuelle de 600 francs. Finalement on la réintégra, mais à Saint-Quentin où elle termina sa carrière. Les très rares écarts de conduite furent diversement sanctionnés, du déplacement à la révocation ou à la démission forcée. Ils sont trop peu nombreux pour que de ces quelques exemples, on puisse conclure que l'administration avait à cet égard une attitude arrêtée.

de même, les troubles mentaux sont peu fréquents [12], le chiffre des suicides très faible [13]. Restent l'ennui et la mélancolie qui semblent avoir été le lot de beaucoup de jeunes professeurs, passées les années 1890. Au fur et à mesure que s'estompent l'hostilité aux lycées et partant le sentiment d'une victoire à remporter à la fois sur l'opinion et sur soi-même, la province apparaît dénuée de ressources : « Je m'y suis saturée d'ennui », écrit un professeur au lycée du Mans en 1912. Peut-être cette culture, dans laquelle les Sévriennes voyaient en 1902 un remède contre l'ennui, révèle-t-elle alors ses insuffisances. Ont-elles toutes une culture profonde, ces écolières prolongées que le système clos des examens et concours envoie à l'autre bout de la France sans autre compagnie qu'elles-mêmes, à l'âge du romanesque ?

Aussi, très vite, Paris devient-il l'obsession de celles que des attaches de famille ne retiennent pas dans la province où elles ont été nommées. Paris est le sommet de la carrière, il représente à la fois, dans la profession, des avantages moraux et financiers. Mais sa séduction est d'un autre ordre : c'est le lieu des distractions — bibliothèques, théâtres, concerts, relations amicales — et c'est la liberté. C'est en somme le seul endroit où les professeurs femmes ne se sentent pas épiés par la malignité publique. Celles qui ne résident pas trop loin de Paris ont la tentation de prendre fréquemment le train : « Il est dangereux, écrit le recteur Margottet en 1900, de tolérer que certains professeurs de nos établissements de jeunes filles, situés à proximité de Paris, profitent de presque tous leurs instants de loisir pour se rendre dans cette ville » [14].

Adrien Dupuy est également sensible à cette habitude : « Un

---

12. Sur les 2 247 carrières étudiées, on peut en relever 39, soit 1,7 % qui ont été interrompues par des congés pour affections mentales. Il est vrai que n'entrent pas en compte les troubles du comportement qui, pour visibles qu'ils fussent, n'entraînaient pas pour autant la cessation de l'activité professionnelle.

13. Quatre pour l'ensemble des fonctionnaires. Il faut sans doute y ajouter quelques suicides maquillés en accidents ou en morts des suites de maladie ; beaucoup de dossiers sont muets sur les causes du décès ; ils ne peuvent l'être toutefois lorsque le décès survient dans la période des classes. Le roman des *Sévriennes* évoque le suicide d'un jeune professeur poussé à bout par la solitude et l'hostilité de la directrice, qui bride toute spontanéité et toute expression de la pensée vraie. Dans le roman, le suicide est camouflé par les soins des autorités académiques. C'est ce qui s'est passé dans la réalité. Ainsi, en 1887, un professeur se poignarde avec un couteau de poche dans sa chambre au lycée de Guéret. L'inspecteur énumère toutes les dispositions qu'il a prises pour étouffer le scandale et ajoute : « Dans le cas où la presse réactionnaire voudrait l'exploiter à son profit, ce dont je doute un peu, les docteurs, pour y couper court, déclareront que c'est à la suite d'un accès de fièvre chaude que Mlle G. a perdu la tête » (AN, F 17 22901). En 1900, un professeur d'Avignon se tue d'un coup de revolver. Selon l'inspecteur d'académie, Mlle P. était atteinte de la grippe et, dans un accès de délire dû à la fièvre, s'est saisie de l'arme sans savoir ce qu'elle faisait. Il « a craint un moment que le clergé ne voulût point participer aux obsèques, mais, en raison des circonstances spéciales où le décès s'est produit, l'archevêque d'Avignon a levé toute difficulté. La cérémonie ... s'est passée de la façon la plus convenable, mais on n'a pu arriver à cacher la façon tragique dont s'est produit le décès de Mlle P. » (*ibid.*, F 17 23459, recteur d'Aix, 2 février 1900).

14. AN, F 17 23372, dossier Julien. « Quoique l'administration n'ait pas le droit de les empêcher d'aller où elles veulent, lorsqu'elles n'ont pas classe, j'estime qu'il est nécessaire de les avertir officiellement que si elles persévéraient dans ces allées et venues continuelles, elles seraient envoyées d'office dans une résidence telle qu'en dehors des vacances tout voyage à Paris leur serait rendu matériellement impossible ».

professeur femme ne doit pas être sinon trop, du moins trop souvent dans le train » [15].

Avertissements et observations restent, semble-t-il, d'un faible poids auprès de l'attraction exercée par Paris. Les inconvénients de l'exil, pour les Parisiennes, ont paru assez forts pour que quelques professeurs, munis du certificat et même de l'agrégation, aient préféré les aléas de l'enseignement libre à la sûreté d'une carrière commencée trop loin de Paris. D'autres se sont résignées à n'occuper dans les lycées de Paris que des postes subalternes parce qu'elles n'ont pas pu ou voulu faire le stage en province obligatoire pour toutes [16] : telles sont les séductions de la capitale et l'horreur qu'inspire la province ; l'entretiennent complaisamment les récits des camarades qui s'y trouvent déjà.

C'est pourtant la grande majorité qui passe sa jeunesse en province, avec toutes les sujétions qu'une telle vie comporte. Cette vie de recluses, que les législateurs ont voulu voir régner à Sèvres, continue parfois de longues années après les diplômes. Les renseignements qu'envoient les directrices sur les professeurs de leur établissement sont éloquents à cet égard :

> « Mlle Rakowska, écrit la directrice de Grenoble en 1889, est une personne sérieuse, bien élevée, d'une tenue irréprochable. Vit avec sa mère.
>
> Mlle Bernheim doit peut-être à son éducation parisienne une plus grande liberté d'allures, mais sa moralité ne laisse rien à désirer. Habite seule un petit appartement garni ...
>
> Mlle Payrard ... remplit parfaitement ses fonctions ; sa tenue est excellente. Vit avec sa famille.
>
> Mlle Sirand ... Personne très sérieuse à laquelle on ne peut reprocher qu'un manque d'ordre sur sa personne. Habite le collège » [17].

Les intéressées ont toutes passé vingt-cinq ans. L'une d'entre elles en a même trente-six. Pourtant, de telles notes donnent l'impression que la directrice parle d'élèves prolongées, dont la conduite est surveillée. C'est qu'il y va de l'honneur du lycée. Le sentiment d'être épiées avec la suspicion la plus attentive donne aux directrices une très grande vigilance sur la tenue extérieure et la conduite. « Nous étions, écrit Berthe Israël-Wahl [18], assujetties à une surveillance étroite — qui ressemblait

---

15. *Ibid.,* F 17 24061, dossier Wurmser. (Celle-ci, professeur à Laon, va deux fois par semaine à Paris). Mais loin de proférer les menaces du recteur Margottet, A. Dupuy ne voit qu'un remède : appeler le professeur en question à Paris.

16. « En sortant de Sèvres, écrit un inspecteur général d'E. Culot, institutrice agrégée au lycée Fénelon, elle a tenu à rester à Paris ... Elle a préféré diriger une petite classe là où elle avait ses parents que de grandes élèves dans un établissement de province » (AN, F 17 24131, 1920).

17. AD, Isère, T 698, lettre de la directrice à l'inspecteur d'académie, 17 juin 1889.

18. *Le cinquantenaire de l'Ecole de Sèvres, 1881-1931,* « Mes débuts dans l'enseignement en 1888 », p. 383-390. Ces débuts se firent au lycée de Roanne, mais les souvenirs de M. Aron sur le lycée de Niort, postérieurs de quelques années, évoquent la même atmosphère de suspicion, accompagnée à Niort d'une malveillance qui n'existait pas au même degré à Roanne.

bien à de l'espionnage — et nous étions l'objet de rapports qui ressemblaient un peu trop à de la délation ».

La situation est la même à Roanne, à Niort, au Puy, sans parler des nombreuses petites sous-préfectures où s'est ouvert un collège. Aussi beaucoup de jeunes femmes professeurs se sont-elles fait accompagner de leur mère ou cherchent-elles à se rapprocher de leur sœur : professeurs, elles restent jeunes filles et assujetties, jusqu'à un âge indéterminé, aux servitudes que connaissent toutes les jeunes filles de leur génération [19]. Seul le mariage permet d'y échapper, ou les approches de la vieillesse [20].

Les considérations matérielles ont aussi leur rôle : en 1913, le père d'une jeune maîtresse répétitrice au collège de Toul sollicite la nomination de celle-ci à Cambrai où réside sa famille : le budget qu'il dresse montre l'impossibilité de la jeune fille, dans les conditions où elle est placée, de subvenir à ses propres besoins. Avec ses 125 francs par mois de débutante, elle doit payer sa chambre 35 francs par mois, ses repas pris dans une pension de famille lui reviennent à 50 francs par mois ; un aller-retour pour Cambrai lui coûte 36 francs, son père est donc obligé de lui venir en aide. Ce cas n'est pas isolé : les débutantes arrivent à peine à vivre quand elles n'ont pas les bénéfices de l'internat. La situation des suppléantes est peut-être encore plus précaire :

> « Je ne trouve dans mon cadre de suppléantes, écrit Gréard en 1896, personne qui soit disposé à accepter le service avec la rémunération réglementaire de 150 francs. Les frais du voyage d'une part, d'autre part ceux du séjour (logement et nourriture) atteignent presque le prix de la rémunération. En outre, l'hôtel meublé, le seul asile qu'elles puissent trouver pour un laps de temps aussi court, offre pour les jeunes filles de réels inconvénients » [21].

Cette précarité est-elle le lot des jeunes débutantes, des suppléantes, ces sacrifiées par tradition de l'enseignement ? Sans doute le montant du traitement de la plupart des professeurs, des directrices, semble-t-il, malgré son infériorité aux traitements masculins, les met à l'abri du besoin. De fait, un professeur agrégé, célibataire et sans charges arrivait à vivre facilement après dix ou vingt ans de carrière. Cette « facilité »,

---

19. Rappelons que pour la promenade, pour aller au théâtre, une jeune fille, jusqu'au début du siècle, doit être accompagnée.

20. Le mariage n'est pas toujours la garantie d'une indépendance définitive. Ainsi, même à la fin de la guerre, pour cette maîtresse primaire de 47 ans, à Rodez : « Veuve depuis deux ans, écrit le recteur en 1918, elle vit seule mais non pas hors du monde et ses habitudes d'indépendance ont pu surprendre quelques personnes à Rodez » (AN, F 17 24372, dossier Frère).

21. AN, F 17 23350. Il s'agit de remplacer, pendant un mois, un professeur au lycée de Reims. A la même date, un professeur de travaux à l'aiguille déclare que son traitement de 1 200 francs est insuffisant pour vivre au Havre. En 1912, l'inspecteur d'académie des Pyrénées-Orientales parle du « traitement de misère » que reçoit une chargée de cours de collège.

cependant, n'est pas la condition de la majorité. Tout d'abord parce que l'un des arguments qui justifient l'écart de traitement entre les hommes, réputés « chefs de famille », et les femmes, ne tient pas à l'expérience. Les veuves chargées d'enfants encore jeunes ne sont pas si nombreuses que les demoiselles ayant l'un de leurs parents, voire un ou plusieurs membres de leur famille à charge : 292 fonctionnaires, soit 12,9 % de l'ensemble, indiquent à un moment de leur carrière, en dehors des enfants que déclarent naturellement les femmes mariées, qu'ils ont des charges de famille[22].

Sans doute, dans une part des cas, s'agit-il de personnes qui jouissent de quelques rentes, d'une retraite même, sommes au demeurant fort modiques. Mais de quelles rentes peuvent bénéficier les filles de famille sans fortune ? Les sœurs sans profession, les vieilles tantes ou cousines à charge ne sont pas rares, les amies mêmes recueillies par le fonctionnaire. Aussi les réserves que cette dernière peut accumuler au long de sa carrière sont-elles la plupart du temps modiques voire inexistantes. Survienne la maladie, une liquidation de retraite qui tarde un peu, voici le ministère assiégé par les demandes de secours.

Cette précarité de fait de leur situation donne une force particulière aux liens entre les fonctionnaires. Celles qui ne peuvent avoir recours à leur famille prennent parfois un logement commun avec une amie. L'administration, consciente des difficultés que rencontrent les professeurs femmes, semble avoir rendu plus facile, dans plusieurs cas, cette cohabitation en donnant à deux amies ou à deux sœurs un poste dans le même établissement. L'âge et les infirmités venant, quelques professeurs ont trouvé là une planche de salut. Si la cohabitation répond autant à une nécessité économique, elle est l'expression aussi du désir de combler le vide d'une existence isolée.

Durant les premières décennies, il ne vient pas à l'esprit des fonctionnaires de l'enseignement féminin de se grouper d'une manière officielle pour remédier à cet isolement. Alors même qu'existent déjà les associations d'anciennes élèves des lycées et de l'Ecole de Sèvres, la notion d'une action commune, a fortiori celle d'un syndicat, n'est pas encore née. Soucieuse de rester avant tout un groupement amical, l'association de Sèvres, ouverte même à celles qui n'ont passé qu'une année à l'Ecole, se méfie de toute action corporative. Théoriquement associées, dès 1897, à la première Fédération des professeurs de lycée,

---

22. Parents à charge :

Père	22		Durant toute la carrière	167	(57,1 %)
Mère	154	(52,7 %)	Jusque vers l'âge de 50 ans	35	
Les deux	22		Jusque vers l'âge de 40 ans	28	
Autres	94	(32,2 %)			

Bien que la rubrique soit normalement prévue dans les notices individuelles, il est certain que tous les fonctionnaires n'ont pas parlé de ces charges ; le hasard de la correspondance les révèle quelquefois.

les femmes n'y viennent que peu à peu. En 1899, au troisième congrès, P. Malapert considère comme un succès la présence de vingt professeurs des lycées et collèges de jeunes filles, représentant « plus de cent » de leurs collègues. C'est à partir de 1905 seulement et de la réorganisation de la Fédération que les femmes affluent à celle-ci, comme dans les amicales locales qui commencent à grouper, ainsi à Rouen, au Havre, au Mans, en 1904, les professeurs des deux ordres d'enseignement secondaire.

Isolés dans leur corps professionnel, souvent dans leur vie privée, les professeurs et la directrice d'un établissement sont tenus cependant d'avoir des relations en ville, dans la mesure du possible. Relations qui, la plupart du temps, n'ont rien de spontané ni d'amical, et se trouvent enserrées dans un système de convenances soigneusement codifiées. Marguerite Aron, à son arrivée, apprend qu'elle doit choisir un « jour » où ses collègues viendront lui rendre visite. Au jour de l'an, il est impossible de se dérober à la tournée des vœux[23]. Il faut aller chez toutes les bourgeoises de la ville qui ont témoigné de l'intérêt à l'établissement. Dans la pratique, ce sont en général les épouses de notables municipaux ou de fonctionnaires qui siègent au bureau d'administration ou au comité de patronage :

> « Ma directrice m'avait dit : " Nous ne faisons pas de visites en corps, mais il est d'usage, après le nouvel an, d'aller voir la sous-préfète, les dames du maire, de l'inspecteur d'académie, du proviseur, etc. ". A quatre heures passées, après la fatigue du lycée, mettre à la hâte un chapeau neuf, des gants clairs, et, tête lasse, pieds gelés, s'en aller de porte en porte dans une vieille calèche mal jointe aux odeurs de moleskine, j'ai connu ce supplice étrange. Je me suis assise, gauche, en des salons rigides. J'ai entendu de vieilles dames loquaces se plaindre des bonnes, des lampes à pétrole et des " jeunes filles d'aujourd'hui " ... De ces échanges d'hommages et de compliments, nulle cordialité ne se dégageait »[24].

Ces mondanités officielles et républicaines connaissent parfois leur point culminant au bal annuel de la préfecture ; tel roman de Gabrielle Réval évoque cette cérémonie rituelle, mais aussi bien tel dossier d'une jeune fille qui y a été « remarquée » — entendons qu'elle ne s'y est pas « bien tenue » et s'est affichée avec quelque lieutenant de la garnison. Les rêveries romanesques de tant de jeunes provinciales sur le bal sont interdites à la femme professeur ; elle est là, en quelque sorte, en service commandé, elle représente le lycée.

---

23. Le maire d'Abbeville « a paru très formalisé de ce que plusieurs de ces dames se soient abstenues de lui faire la visite qu'il avait fixée pour leur plus grande commodité au 31 décembre et ne lui aient pas même envoyé leur carte » (Inspecteur d'académie de la Somme, 14 janvier 1885, AD, Nord, 2 T 920).

24. Marguerite Aron, *Journal d'une Sévrienne*, p. 145.

Cette manière de considérer les professeurs, dans les débuts de l'institution, comme des agents de recrutement, amène les chefs d'établissement parfois à se fonder sur des critères très étrangers à la pédagogie pour juger les professeurs. La « conduite irréprochable », la moralité qui « ne laisse rien à désirer », sont évidemment nécessaires. Presque tous les exemples, au reste fort rares, de révocations ou de démissions provoquées, touchent quelques jeunes personnes convaincues d'inconduite, même si le scandale n'en a pas résulté[25]. Mais il faut en outre de la « tenue » : « Il serait regrettable, écrit un inspecteur de dessin encore en 1914, que quelques mèches folles échappées à la coiffure de Mlle J. nuisent à la valeur de ses leçons, d'autant que je l'ai mise en garde contre certains reproches et qu'elle m'a promis de surveiller davantage, dorénavant, la correction de sa toilette »[26].

Pas plus que la toilette en effet, la coiffure n'est indifférente. Fénelon Gibon, en 1887, estime porter un coup à l'enseignement d'Etat en révélant qu'au lycée de Tournon des sous-maîtresses « portent en classe les cheveux dénoués »[27]. Lors de ses débuts à Roanne, Berthe Wahl, âgée de vingt et un ans, apprend qu'elle compromet la dignité de ses fonctions parce qu'elle relève ses cheveux à la Catogan au lieu de les nouer en chignon[28]. Le chignon est la règle, tout comme le collet monté et la robe stricte de couleur sombre ; beaucoup — était-ce par économie parce qu'une telle couleur convenait à toutes les circonstances ? — optaient pour le noir. On pourrait en conclure que, formées à la manière des religieuses, les professeurs femmes devaient garder l'apparence de religieuses dans le siècle. Pourtant, des restrictions se présentent à une telle interprétation : les valeurs qui conduisent à leur imposer en pratique une telle allure, un tel costume ne sont pas toutes de pure moralité. On trouve même désirable un certain raffinement dans la mise, du moins pour les professeurs de grands lycées[29]. Un mot revient souvent sous la plume des administrateurs : la « distinction ». Elle n'est pas souhaitée seulement chez les directrices. L'origine sociale d'une bonne partie des fonctionnaires, surtout dans les premières années où

---

25. La notion de « démission provoquée » demeure assez floue. En effet, le sentiment d'être surveillé par l'opinion publique et l'administration est tel que le fonctionnaire incriminé pour des motifs précis et avec de véritables preuves abandonne parfois ses fonctions de lui-même. Ainsi ce professeur de gymnastique qui exerce à Amiens depuis treize ans et à qui on découvre, probablement à la suite d'une lettre de dénonciation, une liaison à Paris, en 1900. Pourtant, selon l'inspecteur d'académie, sa conduite à Amiens « n'a jamais donné lieu à la moindre critique et ... ses relations avec ce monsieur ... étaient totalement inconnues » (AN, F 17 23372).

26. *Ibid.*, F 17 23608.

27. « Les lycées de jeunes filles en 1887 », *Le Correspondant,* avril-juin 1887, p. 1106.

28. *Le cinquantenaire de l'Ecole de Sèvres 1881-1931, loc. cit.* Son tailleur bleu marine et sa voilette de tulle blanc furent également critiqués : « Je dus, écrit-elle, encercler mon cou, me faire un chignon d'aïeule, et surtout allonger ma jupe et supprimer ma voilette qui, de loin, semblait, paraît-il, une couche de poudre ».

29. D'un professeur au lycée de Dijon, Foncin observe : « A plutôt l'air d'une nonne que d'un professeur de l'université » (F 17 23715).

aucune tradition n'avait encore imprimé sa marque sur elles, donnait des craintes sur leur aptitude à jouer leur rôle d'éducatrices de la bourgeoisie. Comment attirer celle-ci avec des professeurs qui manquent de manières, ne savent pas s'habiller, ni même parfois parler [30] ? Aussi la « distinction » qu'on apprécie chez les professeurs n'a-t-elle pas le plus souvent un caractère de « noblesse » ou même d'« élégance » [31], encore que cette qualité, lorsqu'elle existe, soit extrêmement appréciée à condition d'être discrète. Reste le « bon ton » : l'austérité de la mise est en somme le commun dénominateur qui permet de le trouver avec le moins possible de fausses notes, et des ressources matérielles dont on sait la modicité.

L'attitude politique

Il peut sembler paradoxal que les professeurs de l'enseignement féminin, les premières femmes à être entrées en nombre dans une carrière et non pas une profession manuelle n'aient pas fourni de cadres ni même de troupes au mouvement féministe. Conscient de cette absence, ce dernier, semble-t-il, a incriminé le système du recrutement et de l'enseignement [1]. La formation des futurs professeurs en vase clos, l'inexpérience de la vie qui en est la conséquence expliquent aisément une réserve qui s'observe aussi bien dans d'autres domaines que le féminisme. Dans la plupart des cas, il apparaît que l'administration n'a pas eu à intervenir de manière officieuse pour empêcher les professeurs de s'engager dans les luttes de la cité. La dépendance où restent souvent ceux-ci, après une formation à l'enseignement tôt achevée qui, la plupart des fois, n'a pas eu le temps de devenir un début de culture, n'est pas de nature à épanouir les fortes personnalités. Mais ce fait n'est pas déterminant. Il y eut, dès le début, des Sévriennes capables d'agir : les qualités qui faisaient les excellentes directrices étaient-elles si différentes de celles qui caractérisaient la féministe d'élite ? A l'inverse, il n'est pas évident que les professeurs non sévriennes, même les linguistes qui ont séjourné à l'étranger, aient constitué une pépinière de « femmes affranchies ». D'autres facteurs ont donc leur rôle : à la jeunesse et à

---

30. Le rôle de l'épreuve de diction dans les premiers concours reflète bien cette préoccupation.

31. Termes employés par Littré dans sa définition de la distinction.

---

1. Ainsi Yahne de Loc-Mor, dans *La Revue féministe*, 15 juillet 1896 : « Le féminisme dans les lycées de jeunes filles », p. 385-395. Le recrutement, selon elle, est à incriminer parce qu'il se fait par l'Ecole de Sèvres ; la préparation en sixième année, au sortir de la scolarité secondaire normale, ne porte que sur le programme. A l'Ecole, tout est orienté vers le succès aux examens. Les élèves en sortent professeurs sans connaître la vie. Ensuite, elles subissent la pression de la hiérarchie administrative ; elles ne continuent pas à travailler, et leur influence sur les élèves n'est pas ce qu'elle pourrait être. L'ennui les ronge. Le travail et l'action militante les guériraient pourtant de cet ennui.

l'inexpérience du professeur, lors de son entrée en fonctions, s'ajoute en premier lieu l'influence du milieu, au sens large du terme, où il est appelé à vivre.

Les dossiers personnels des professeurs ne contiennent à peu près aucune mise en garde, aucun rappel à la neutralité politique avant la guerre de 1914 : les sanctions pour activités militantes de divers ordres sont apparemment absentes. Il ne faudrait pas en conclure que les professeurs s'abstiennent totalement d'initiatives politiques ou féministes. Le silence de l'administration n'a sans doute pas été aussi complet que les dossiers tendraient à le faire croire. On sait le rôle des directrices auprès des professeurs : leur autorité a dû souvent agir en dehors de toute forme strictement administrative, par monitions orales. Au reste, le genre de vie de la province, la suspicion de tous les instants dont le professeur se sentait entouré devaient être la dissuasion la plus efficace.

La situation n'est pas exactement la même à Paris. Promu dans un lycée parisien, un professeur a généralement une longue expérience de l'enseignement derrière lui. Il n'a plus grand-chose à redouter de l'administration. Sa démarche, dans l'anonymat de la capitale, est beaucoup plus libre. Son âge et son expérience le rendent moins influençable. Au vrai, si le personnel parisien ne recèle pas foule de suffragettes, de féministes, encore moins de militantes politiques, il est plus riche en personnalités enfin indépendantes. Sans doute les virtualités d'une Marie Dugard [2], d'une Marguerite Aron existaient-elles avant leur nomination à Paris. C'est là cependant, si l'on en juge par la date de leurs publications respectives, qu'elles se sont révélées pleinement. S'il en est ainsi, pourquoi ne trouve-t-on guère, même à Paris, de féministe militante, du moins avant la première guerre mondiale ? Il faut sans doute chercher, au-delà des raisons avancées par les féministes elles-mêmes, une cause plus profonde. Mises à part la dépendance et l'inexpérience, en dehors de l'étouffant climat de la province, il demeure l'éducation morale que ces femmes ont reçue et qu'elles ont charge de transmettre. La morale kantienne a pu être leur salut dans la vie comprimée qui souvent a été la leur, mais en même temps sa logique les conduit à se consacrer entièrement à la tâche entreprise : faire l'éducation en même temps que l'instruction des jeunes filles, donner droit de cité à cette éducation. Tout ce qui infléchirait cette intention première, en atténuerait la portée, ne peut être considéré que comme nuisible [3]. L'éducation de la conscience, d'autre part, aboutit

---

2. Dont on trouvera un amusant portrait, assorti de celui de Marguerite Scott, dans Louise Weiss, *Mémoires d'une Européenne*, chap. IV.

3. A l'oncle d'une élève qui exprime le sentiment commun de la bourgeoisie : « Alors, vous leur soufflez le goût de la liberté, et vous rêvez de leur en donner le talent ? Vous en faites des féministes ? », M. Aron réplique : « Chacune d'elles a déjà presque toujours sa destinée toute tracée,

à la maîtrise de soi-même, mais n'implique pas pour autant une transformation de la société. La dispersion vers l'extérieur peut même apparaître comme un danger pour la profondeur de l'œuvre morale.

En outre, exposer aux critiques, par une activité bruyante, une institution déjà contestée au départ, ne constitue pas toujours un risque de la faire échouer, mais sûrement de l'appauvrir : serait transformé en œuvre de parti ce qui voulait revêtir un caractère opposé, tendu vers l'unanimité nationale. Cette unanimité, ceux qui ont contribué à l'œuvre scolaire de la République savaient ne pas pouvoir y atteindre, mais la grande majorité d'entre eux voulaient en sauvegarder les conditions. Il serait donc fort injuste d'attribuer à un manque de personnalité et, comme le font les féministes, à un manque de réflexion intellectuelle ce qui fut, chez les plus intelligentes des Sévriennes, abnégation. Ainsi, n'est-ce pas seulement pour des raisons extérieures et contingentes que les professeurs ont peu donné dans le féminisme. L'esprit même qui animait l'enseignement secondaire des jeunes filles en détournait. Par un retour logique, le féminisme a sans doute souffert dans l'opinion de n'être pas, comme ailleurs en Europe, conduit par les professeurs femmes[4] : il y a sans doute perdu en ordre et en pondération.

Pour les mêmes raisons, les professeurs femmes observent à l'égard de la politique une réserve analogue ; plus encore peut-être puisque la femme n'a pas le droit de suffrage et est donc censée ne pas prendre part aux luttes politiques. Il faut cependant interpréter, en ce domaine, les silences parfois curieux des dossiers[5]. Certains proviennent de l'inexpérience des chefs d'établissement qui, par un mélange d'ignorance et de savoir-faire, préféraient le silence, ou à tout le moins des conversations avec leurs administrés, qui ne laissaient pas de trace. Les directrices elles-mêmes ne pouvaient que rarement se targuer d'une absolue neutralité politique. Leur situation, dans une ville de province, les mettait en vedette. Le souci de l'internat municipal, qui les faisait dépendre du maire pour cette partie de leurs fonctions, les contraignait à suivre la politique locale, en essayant de ne pas s'y compromettre. Aussi les dossiers des chefs d'établissement abondent-ils en détails absents chez ceux des professeurs, surtout dans les années de fondation où aucune

---

que nous ne détournerons pas ... » L'interlocuteur conclut : « Vous n'aurez eu aucune action sur sa destinée extérieure, celle des événements ; mais vous en aurez une, peut-être, sur sa destinée *intérieure*, qui importe beaucoup davantage » (*Journal d'une Sévrienne*, p. 235-236).

4. Pourtant, au début du siècle, des institutrices et des professeurs d'enseignement primaire supérieur ont donné dans le mouvement.

5. Tout comme les notes sévères d'une directrice particulièrement inquiète de nature. Dans ce dernier cas, le recteur ou l'inspecteur général viennent rétablir une appréciation plus juste du fonctionnaire. Ainsi la directrice de Toulouse croit devoir écrire, en 1894, à propos de Caroline B. : « Il est à regretter qu'elle ait quelques idées subversives auxquelles elle est très attachée ». Aussitôt le recteur corrige : « Les idées subversives ... dont parle madame la directrice, sans intention malveillante assurément, sont uniquement, autant que j'en ai pu juger au dernier concours d'agrégation et au lycée, une manière un peu exaltée de sentir certaines choses ... ». La directrice ne maîtrise pas toujours le vocabulaire qui a trait à la sphère idéologique.

tradition ne s'est encore créée et où les municipalités affichent des prétentions auxquelles elles auront renoncé dix ou quinze ans plus tard. C'est donc moins la neutralité qu'on demande à une directrice que le tact qui lui permettra de faire un partage équitable entre ce qu'elle doit à l'Université et ce qu'elle peut donner à la municipalité. En principe, l'un de ses devoirs est de plaire aux autorités locales[6].

Toutefois, les directrices mariées peuvent poser un problème politique particulier. Sans doute l'émoi de voir une directrice mariée n'a-t-il guère survécu aux premières années[7], mais la prévention contre le mariage, quand il s'agit d'un chef d'établissement, n'a pas disparu. En effet, dans plusieurs cas, la directrice reste politiquement neutre, mais non son mari. Deux raisons peuvent l'expliquer : les hommes ne sont pas « d'emblée » à l'écart de la vie politique comme les femmes ; d'autre part, le conjoint, même s'il appartient aussi à l'Université, n'a pas nécessairement les qualités qui ont assuré la réussite professionnelle de son épouse. Si la municipalité de Moulins demande, en 1910, le départ de la directrice, c'est que le mari de celle-ci est candidat socialiste unifié aux élections : on veut s'en débarrasser. L'effet dans la ville a été désastreux, le recrutement s'est tari. Devenue timide, la directrice « n'agit plus »[8]. A Laon, en 1893, la femme d'un professeur du collège exerce tant bien que mal la direction des cours secondaires. Le maire n'en veut pas comme directrice du collège : elle est médiocre, mais, surtout, son mari « qui a pris parti dans les luttes qui divisent les républicains de Laon, s'est aliéné la fraction qui a triomphé aux dernières élections municipales »[9]. Dans le cas le plus grave, la directrice du collège d'Abbeville est envoyée en 1894 comme professeur au lycée de Montpellier. Dans tous les cas, l'administration n'a pas fait plus de distinction que l'opinion entre l'action du mari et celle de la femme.

Plus généralement, la manière dont les dossiers décrivent l'activité d'un professeur et la dissimulent à la fois peut être illustrée par le cas d'Henriette Wurmser. Longtemps après les faits qui ont entraîné au moins indirectement son départ du lycée de Saint-Quentin, elle évoque dans son livre, *Trois éducatrices modernes,* ses débuts : « Dans l'enthousiasme de ma jeunesse ... c'était en 1897 ou 1898, j'eus l'impudence — ou l'imprudence — avec quelques-uns de mes collègues du lycée de garçons, de fonder une université populaire, à laquelle je

---

6. Du moins si elles paraissent exprimer durablement les vœux de l'opinion publique. Ainsi Emilie B. réussit à Vendôme, où la municipalité en 1913 lui est « particulièrement favorable », selon l'inspecteur d'académie. Celui-ci s'empresse d'ajouter : « Mais la directrice ne devra pas trop se solidariser avec une municipalité très discutée et plutôt discordante » (F 17 23888).

7. Ce qui s'est produit au moins à Saumur. La municipalité prétendait interdire l'accès du collège au mari de la directrice.

8. F 17 22337.

9. F 17 22808, dossier Courtois-Neveux. L'administration s'en tire élégamment en retirant sa délégation à la femme et en nommant le mari principal de collège.

consacrai tous mes loisirs. Le scandale fut grand aux yeux d'une directrice timorée, de collègues bien-pensantes, voire même d'un inspecteur général peu libéral ... ».

Si le dossier personnel [10] fait état des réserves de l'administration devant ses voyages bi-hebdomadaires à Paris, de Foncin qui lui trouve une « mise bizarre, des cheveux ridiculement ébouriffés, des façons prétentieuses », rien n'a trait à l'université populaire. En revanche, le dossier de la directrice Huet [11] contient, daté de 1904, un rapport très complet de l'inspecteur Jules Gautier sur la situation du lycée de Saint-Quentin : l'essentiel porte sur la position où s'est mise la directrice. L'université populaire n'est pas oubliée : on ne fait pas grief à H. Wurmser de s'y consacrer, au reste les conférences durent depuis six ans, mais d'avoir « commis l'imprudence de présenter au public, sans le connaître, un conférencier belge qui a dit, paraît-il, sur le féminisme des choses lourdes qui ont scandalisé ». L'inspecteur affirme cependant qu'il n'a relevé aucun fait contre elle et a même été déçu par ses cours, « juste milieu très anodin ». C'est donc surtout d'avoir créé une coterie contre elle qu'on lui tient rigueur. J. Gautier conclut donc au nécessaire déplacement de cette « fille très intelligente, avisée, insinuante, mais dont la finesse n'a pas été jusqu'à comprendre qu'éducatrice de jeunes filles, elle devait s'abstenir de certaines libertés » [12].

Cet épisode est riche d'enseignements à plus d'un égard. Au flou des souvenirs personnels s'ajoute le caractère incomplet du dossier administratif. Dans le cas présent, la lacune peut s'expliquer par une raison matérielle très simple : au tout début du siècle, les rapports sont encore manuscrits et l'usage de la duplication n'est pas dans les mœurs. Mais, au-delà des difficultés de documentation, se révèle l'inconvénient d'une administration qui agit dans le secret puisque les notes ne sont pas communiquées aux intéressées. Ces dernières peuvent se plaindre de l'arbitraire, mais aussi les motifs qui conduisent à telle ou telle mesure risquent d'être méconnus : on serait tenté de mettre sur le compte de l'activité déployée à l'université populaire une mutation de fonctionnaire décidée pour un ensemble de raisons beaucoup plus complexe.

L'épisode révèle en même temps combien est illusoire le partage entre l'activité du fonctionnaire au sein de l'établissement, où il est astreint évidemment à la plus grande réserve, et en dehors de celui-ci. Les fonctionnaires semblent en avoir eu tellement conscience qu'il existe très peu de rappels à l'ordre pour des interventions jugées intempestives hors du lycée. Le cas d'une Juliette Decroix, professeur agrégée d'anglais au

---

10. F 17 24601.

11. F 17 22448.

12. Elle fut en effet envoyée, en 1904, au lycée d'Amiens. On lui donna le conseil oral de moins fréquenter les chemins de fer.

lycée de Rouen depuis 1897, apparaît donc relativement isolé. Professeur excellent, elle est notée, dès avant 1914, comme d'« idées très avancées » : ce n'est qu'en 1917 que l'inspecteur d'académie juge bon de le noter par écrit. Au lendemain de la guerre, deux comptes rendus paraissent dans les journaux locaux d'une réunion privée sur la SDN. Juliette Decroix y a pris une part active. La voici convoquée chez l'inspecteur d'académie :

> « J'ai fait observer à Mlle D. qu'elle eût mieux fait de ne rien dire du tout, qu'elle n'a rien à gagner à se mêler ainsi de politique, que ce n'est pas son affaire, qu'elle risque de faire tort à l'établissement auquel elle est attachée. Elle en a aussitôt convenu. J'ai profité de l'occasion pour lui rappeler qu'elle ne devait pas non plus, dans ses leçons au lycée, sortir de son rôle. Mlle D. est une pacifiste enragée, une féministe convaincue, une illuminée ; il lui arrive trop souvent de faire connaître sa pensée à ses élèves sur ces sujets brûlants, ce qui ne plaît guère aux familles ... ».

De tels exemples de fougue politique, assortis d'un sermon d'inspecteur, sont rares ; il est significatif que celui-ci soit postérieur à la guerre. Sans doute Juliette Decroix n'était-elle pas le seul professeur à exprimer ses opinions devant ses élèves ; mais si le professeur donnait satisfaction pour le reste — et l'exemple cité en est une preuve — parents et administrateurs supportaient apparemment avec patience les libertés du professeur.

Il est plus difficile d'évaluer le tort fait à la carrière en général par des opinions politiques ouvertement professées. Les interventions contre un avancement éventuel, si elles se sont produites, n'ont pas laissé de traces. Aucune allusion au comportement politique des professeurs, au reste, n'est antérieure à 1900 environ. Ce n'est vraisemblablement pas l'effet d'une négligence de l'administration : il faut donc en rendre responsable la réserve des professeurs et leur penchant pour d'autres formes d'action dans la cité. En effet, si celles qui s'intéressaient aux questions politiques n'étaient probablement pas légion, nombreuses furent celles dont le détour d'un dossier personnel révèle qu'elles ont animé des œuvres de charité ou d'entraide, très souvent en relation avec le lycée : preuve nouvelle qu'elles engageaient volontiers leur vie personnelle et leurs convictions au service des élèves et de leur éducation, au-delà de leur enseignement.

Les croyances

Bien que, dans la plupart des cas, le fonctionnaire ne fasse nullement état de sa confession, l'examen de l'ensemble des dossiers, surtout lorsqu'il s'agit des directrices, laisse l'impression d'une prépondérance des protestantes. Sans doute ne peut-il s'agir d'une prépondérance numérique : dans 86,7 % des cas, les dossiers restent incertains ou muets sur la religion du fonctionnaire. Il est probable que, dans la très grande majorité des cas, il s'agit de catholiques au moins de tradition. Mais, dans la minorité des dossiers — 295 fonctionnaires — pour laquelle on parvient à une certitude, les protestantes se taillent la plus large part[1]. L'une des raisons principales de cette relative publicité donnée à la confession protestante est que les candidates à une fonction, ou ceux qui les recommandent, ont le sentiment qu'une telle indication, loin de nuire à l'intéressée, peut l'aider dans sa carrière. De fait, il semble bien que la plupart des dossiers des protestantes, à la différence des catholiques, contiennent une référence à leur origine[2]. Les inspecteurs d'académie, apparemment sans aucune intention de blâme ou de louange, indiquent au passage la « protestante fervente »[3] et les candidates à un poste n'hésitent pas à révéler qu'elles sont filles de pasteur. Aussi les protestantes apparaissent-elles comme un groupe bien individualisé et relativement important alors que leur proportion, dans l'ensemble des fonctionnaires de l'enseignement féminin, ne représente vraisemblablement que 6 % à 10 %.

Encore qu'un tel chiffre soit nettement supérieur à la part des protestants dans la population française, il ne suffit pas à justifier la tonalité prise par l'enseignement féminin à son départ. L'esprit même de cet enseignement, la manière dont se conçoit l'enseignement de la morale, doivent beaucoup au protestantisme. Sans doute faut-il évoquer ici encore la figure de Mme Jules Favre : elle était trop respectueuse de la liberté d'autrui pour vouloir « former » la personnalité des jeunes Sévriennes ; son empreinte n'en est pas moins perceptible sur la plupart de celles qui sont passées par l'Ecole sous sa direction. L'« esprit de Sèvres », dont parlent Julie Lochert et Louise Belugou dans leur correspondance, est une réalité ; à cette droiture de la conscience, à cette liberté intérieure qui allaient bien au-delà des seules apparences, toutes,

---

1. Catholiques : 98, soit 33,2 % des confessions connues ; israélites : 50, soit 17 % (2 % de l'ensemble étudié) ; protestantes : 122, soit 41,3 % (5 % de l'ensemble étudié) ; libres-penseuses : 25, soit 8,4 % (moins de 1 % de l'ensemble).

2. Il est facile d'apporter des recoupements par le lieu de naissance, le profil de la carrière, le nom et la qualité des appuis ou des recommandations.

3. Il est beaucoup plus rare de les voir parler de « catholique fervente ». Dans le premier cas, il ne leur semble pas sortir de la laïcité, dans le second si. Il est également vrai qu'un inspecteur n'aura pas l'idée de signaler qu'un professeur est catholique, parce que c'est le cas de la plupart.

sans doute, quelle que fût leur croyance, pouvaient accéder. Il était cependant naturel que ses coreligionnaires fussent plus proches de Mme Jules Favre. Leur éducation, parfois plus indépendante que celle des jeunes catholiques [4], les préparait mieux à retirer le fruit de leur séjour à Sèvres. Rien, en tout cas, ne les dépaysait dans cette école. D'autre part, Sèvres devenait l'aboutissement presque obligé des études pour ces filles pauvres de pasteurs qui n'avaient pas les moyens de subvenir aux frais des études et se destinaient, faute de ressources, au célibat.

En 1889, le directeur de l'enseignement secondaire, Charles Zévort, cédait la place à Elie Rabier qui devait occuper ce poste jusqu'à l'automne de 1907. Durant dix-huit ans, c'est donc un protestant qui devait présider aux destinées de l'enseignement secondaire. Sans doute son appartenance religieuse ne l'amenait-elle pas à se départir de la réserve obligée dans l'administration ; mais, par le choix de telles personnalités, n'est-ce pas l'université elle-même qui semblait un peu se faire protestante ? L'accord de pensée entre la République des années 1880 et le monde protestant se manifestait en somme par la coïncidence de telles présences à la tête de l'enseignement secondaire et de l'école normale destinée à former l'essentiel du personnel. Un quart peut-être, un cinquième au moins des établissements se trouvaient placés sous la direction d'une protestante en 1895. Les idées pédagogiques mises en application étaient en grande partie celles qu'avait mises au point la Société pour l'étude des questions d'enseignement secondaire ; les protestants avaient eu une part éminente dans leur élaboration. Dans le domaine de l'enseignement secondaire des jeunes filles, les vingt années qui suivent la loi Camille Sée apparaissent comme une période où règne en quelque sorte l'esprit protestant, sans que la laïcité, bien au contraire, puisse en souffrir.

Les catholiques apportent évidemment plus de discrétion que les protestantes dans l'affirmation de leur appartenance. Il serait vain d'imaginer, dès les années 1880, une pression administrative telle qu'elle contraindrait les catholiques à dissimuler leur confession ; c'est pourtant

---

4. Les protestantes vont plus souvent faire un séjour à l'étranger que les catholiques :

	Angleterre	*Allemagne*	*Autres pays*
Catholiques	7	3	1
Israélites	1	7	—
Protestantes	21	7	3
Libres-penseuses	2	2	—

Il s'agit seulement des séjours dont les dossiers donnent la certitude. Le nombre en fut certainement plus élevé. Tel qu'il est, le relevé met cependant en relief la prédilection des protestantes pour les séjours en Angleterre, où les jeunes filles acquéraient une indépendance d'allures, et d'esprit parfois, inconnue en France.

ce qu'insinuait volontiers la presse cléricale. Il est beaucoup plus probable que les candidats négligeaient de préciser une qualité qui leur semblait aller de soi ; c'est l'affirmation même de cette qualité qui lui donnait une coloration politique.

Au reste, que les fonctionnaires soient catholiques ou protestants, on leur demande la plus grande discrétion dans leur enseignement. Les cas, d'ailleurs rares, de prosélytisme isolé catholique, protestant, voire libre-penseur ont été soigneusement relevés et ont donné lieu à des avertissements au moins de l'inspecteur d'académie [5]. Dans la hiérarchie dont relève le fonctionnaire, c'est bien l'inspecteur d'académie qui semble être préposé au maintien de la laïcité : le recteur apparaît plus lointain, plus libéral, sauf en cas de manquements graves ; la directrice est sans doute trop proche. De fait, les notes des inspecteurs d'académie sont plus riches que les autres en aperçus sur le comportement politique et religieux de leurs administrées.

Pour les dossiers, sans exception, où se trouve mis en cause le « cléricalisme » ou le manquement à la neutralité du fonctionnaire, l'administration ne prend jamais l'initiative. C'est toujours à la suite de plaintes ou d'accusations, parfois portées par une simple lettre anonyme, il est vrai, que l'on déclenche une enquête. L'enquête s'attache à établir avant tout les faits : il n'existe guère de place pour un procès de tendance [6]. Tout au plus les chefs du fonctionnaire témoignent-ils d'une rare connaissance des faits et gestes de leur personnel en dehors de l'établissement. Le petit nombre des administrés explique aisément l'efficacité de cette vigilance laïque.

Il convient de faire une place à part aux israélites. Pour parler d'elles, administrateurs et opinion ne font guère la distinction entre leur appartenance ethnique, supposée d'après leur nom, et ce qu'elles croient et pensent en réalité. « Nous avons déjà ici Mlle Wahl, *israélite*, une autre Mlle Wahl, *israélite*, demande à y venir, elle a deux licences. Mlle Bacharach, agrégée *israélite*, aspire à Lyon. Je n'ai aucun préjugé. Mais je vous prie de ne pas convertir le lycée de jeunes filles de Lyon en un institut mi-partie protestant, mi-partie israélite », écrit le recteur Charles

---

5. Ainsi de cette institutrice au collège de Cahors qui faisait dire le rosaire en classe, mais aussi bien de cette maîtresse de Marseille qui débordait de « zèle évangélique » ou de ce professeur convaincu d'avoir donné à commenter à ses élèves un texte « athée » de Jacques Cazotte.

6. L'économe du lycée de Tournon — les préoccupations à la fois religieuses et politiques ont une grande place dans cet établissement — est accusée de cléricalisme. On demande, au ministère, des renseignements au recteur : « J'ai l'honneur de vous informer, répond-il, que ce fonctionnaire a un neveu dans un établissement congréganiste de l'Isère. Ce n'est pas elle qui paie la pension de cet enfant mais une tante de Mlle S., grand-tante de l'enfant. M. l'inspecteur d'académie de Privas m'écrit : " Quant à la manifestation de son 'cléricalisme' qui serait cause du retrait d'un certain nombre d'élèves protestantes, je ne connais pas de fait nettement déterminé qui fonde cette imputation. Mlle S. paraît dévote, il est vrai ; peut-être encore s'agit-il de visites qu'elle fait en grand nombre " » (F 17 23093, dossier Sorrel, lettre du 17 février 1900).

au directeur en 1889[7]. Lucie Küss, la directrice du lycée de Besançon, se plaint dans le même moment au chef de bureau :

« J'ai appris qu'une agrégée, ancienne élève de Sèvres, mais israélite, demande ou a l'intention de demander un poste à Besançon ; je redouterais beaucoup, dans l'intérêt du lycée, la nomination d'une israélite. En effet, les préjugés contre les israélites sont très vivaces à Besançon ; on reproche beaucoup au lycée de jeunes filles d'être " peuplé de juives " et, bien que cette opinion soit très exagérée, et que le nombre de nos élèves israélites soit une petite minorité (une trentaine environ), je crois cependant qu'elle éloigne de nous un certain nombre d'élèves »[8].

Race et religion sont donc largement confondues, encore que le vocabulaire administratif puisse donner à croire que seule est en cause l'appartenance religieuse. De cette attitude vis-à-vis des israélites résultent deux conséquences : dans la mesure du possible, les bureaux tentent, par les nominations, de les disperser ; en outre, elles sont écartées en général des fonctions de direction. Des toutes premières générations, seule Hélène Magnus, Sévrienne de 1885, y accède : à partir de 1903, elle dirige le collège de La Fère, puis les lycées de Mâcon et du Mans. Agrégée en 1896, France Lion devient directrice, pour peu de temps du reste, en 1904. Enfin, Jeanne Ancel, tardivement agrégée en 1895, assure la transformation en collège des cours secondaires de Troyes, à la direction desquels elle a été nommée en 1903 ; elle sera directrice des lycées de Bourg et de Saint-Etienne. La convergence des trois dates de première nomination illustre la double mutation de l'enseignement secondaire féminin à cette date : l'augmentation des effectifs amène une plus grande mobilité, des exigences peut-être moins étroites dans le choix du personnel administratif ; mais surtout l'arrivée à l'âge de la maturité de cet enseignement, accompagnée de la radicalisation anticléricale, rend possible ce qui ne l'était pas quinze ans plus tôt.

Au reste, il s'agit d'exceptions, et l'appartenance au judaïsme est toujours ressentie comme un obstacle[9]. Il est vrai que nous avons

7. 16 août 1889, F 17 22930, dossier Lacharrière. De même au seul vu de son nom, le recteur de Nancy refuse M. Aron, en 1900, arguant de la situation difficile du lycée à sa fondation. Au lycée de Tournon, en 1900, la directrice estime que 3 israélites sur 9 professeurs, c'est trop pour le recrutement du lycée (F 17 23624, dossier Marx-Weill et F 17 24156, dossier Mauran).

8. 21 août 1889, F 17 23783, dossier Berthe Martin. En 1891, la directrice n'a pas changé d'avis : « Je n'aurais aucune objection à faire contre leurs personnes (celles de deux candidates israélites), si elles n'étaient israélites. Or le préjugé contre la race israélite est peut-être plus fort à Besançon que partout ailleurs » (F 17 23316, dossier Fourgerot).

9. En 1895, le recteur Charles juge sévèrement une israélite qui a demandé une direction : « Mlle B. n'est désignée ni par ses qualités physiques, ni par sa profession religieuse pour diriger un lycée ou un collège » (F 17 24034, dossier Wallich-Bacharach). « Elle est israélite, écrit Compayré de J. Ancel en 1902, mais ses qualités d'esprit et de caractère permettent d'espérer qu'elle réussirait comme directrice ».

surtout cité Besançon, Lyon, Tournon où existent des préventions contre les juifs ; d'autres régions ne semblent pas les avoir connues. D'un professeur qui fait toute sa carrière au lycée de Nice, l'inspecteur d'académie note avec satisfaction en 1899 : « Personne ne songe ici à prendre ombrage de sa qualité d'israélite pratiquante » [10]. D'autre part, les quelques professeurs israélites ne semblent pas avoir éprouvé de difficultés dans leur carrière. C'est donc pour des raisons toutes locales et d'opportunité que les israélites ont subi une discrimination : encore n'est-elle vraiment perceptible que dans les vingt premières années de l'institution.

Si d'être israélite constituait un léger handicap, l'appartenance au protestantisme, au contraire, semblait prédestiner aux fonctions élevées si l'on en juge par la proportion des directrices protestantes. Mais dans le cas des protestantes, les exigences locales ne perdent pas leurs droits. Dans les villes où la population protestante était importante, voire dominait, il était admis d'avance que cette clientèle serait acquise au lycée et en assurerait le succès. La tentation pouvait alors se présenter à l'administration de doter le lycée d'un personnel conforme aux vœux de la majorité en y nommant des maîtresses protestantes. Dans la réalité, il n'en a pas été ainsi. Le cas de Tournon, ville que se partagent les catholiques et les protestants, est caractéristique. La première directrice, Mélanie Bonthoux, est catholique, étrangère à la ville. Elle inaugure les cours en 1884 et se fait nommer à Chambéry en 1892. Ce sont des élus républicains, Loubet, Chalamet, Madier de Montjau, Bizarelle, qui ont demandé son maintien à la tête de l'établissement lors de la transformation en lycée, en 1885. Le même Chalamet, en 1892, exprime les regrets de son départ :

> « Elle avait su attirer dans son établissement, en nombre à peu près égal, des jeunes filles protestantes et catholiques. Il serait très important, pour maintenir la prospérité du lycée, que la directrice qui lui succédera fût, comme elle, catholique. Les familles protestantes ne s'empêcheront pas d'y envoyer leurs enfants, comme par le passé, tandis qu'une directrice protestante, quel que fût son mérite, éloignerait, par ce seul fait, toutes les jeunes filles catholiques.
>
> J'ai quelque honte, moi né protestant, de vous tenir ce langage, mais il faut tenir compte des préjugés du pays, et il s'agit de l'avenir de notre lycée de jeunes filles » [11].

---

10. F 17 24179, dossier Bernal.
11. Lettre au ministre, 12 août 1892, AN, F 17 22307, dossier Martellière. A la même date, le sénateur Saint-Prix, libre-penseur, fait la même requête : « Si nous voulons lutter contre les couvents de filles, il faut absolument ne pas fournir le prétexte à nos adversaires de dire que l'établissement a un caractère religieux » (ibid., F 17 22660, dossier Chollet). Ce qui montre l'évolution des esprits sur cette question, c'est que la protestante évincée en 1892 devient directrice de ce même lycée de Tournon en 1911, sans qu'il en résulte aucune difficulté.

La même préoccupation se manifeste dans le refus de faire du lycée de Montauban un bastion protestant. Les protestantes paient donc leur tribut à la neutralité. Lorsque leurs coreligionnaires l'emportent en nombre dans une ville, ils tendent toutefois à imposer leurs vues. Malgré les avis défavorables du recteur qui essaie de la dissuader, Louise Graverol, protestante originaire du Gard, devient, en 1887, directrice des cours secondaires de Nîmes parce qu'elle a de nombreux appuis : celui du maire, de Darboux qui est conseiller municipal en même temps que professeur, d'un sénateur et d'un député. Sortie de Sèvres depuis deux ans, elle reste trente-cinq ans à la tête de l'établissement devenu, en 1900, un collège et, en 1907, un lycée. Ses supérieurs ne songent plus à aucun moment à contester sa situation, renforcée par une incontestable réussite.

Son cas reste une exception. La plupart des directrices et des professeurs font carrière loin de leurs villes d'origine et à l'écart de leurs affinités religieuses. Au reste, si tant de protestantes ont réussi dans leurs fonctions de direction, n'est-ce pas parce que leur formation les rendait particulièrement aptes à faire le départ entre leurs convictions privées et ce qu'elles devaient à leurs fonctions ?

A l'intérieur d'une institution attaquée par les journaux se réclamant du catholicisme, quelle pouvait être l'attitude des catholiques ? A l'exception de l'académie de Clermont qui, jusque vers 1890, garde des formulaires précisant la religion de l'intéressé [12], aucun document, sinon les éventuels faire-part portant l'indication d'une cérémonie religieuse, le hasard de la correspondance, plus rarement encore les notes administratives, ne comporte en principe d'éclaircissement sur ce qui est considéré comme une affaire strictement privée. Sans doute la situation exceptionnelle de certaines villes comme Tournon ou Montauban ou Besançon, déjà beaucoup moins Montpellier où pourtant vit une forte minorité protestante, justifie-t-elle les précisions demandées par les municipalités ou les autorités académiques. Il est des cas, parfois tardifs, où l'on demande explicitement pour une direction une catholique, ainsi à Auch en 1899 [13], à Coutances en 1904 [14], mais ces démarches demeurent l'exception. Quant à la demande exactement inverse, elle ne s'est jamais produite, du moins de manière à laisser de traces. Même après la première guerre mondiale, le fait d'être catholique et de le

---

12. Celles, en petit nombre à vrai dire, qui ont eu à remplir ce formulaire l'ont toutes fait ; aucune n'a répondu : « libre-penseuse. »

13. « Il ne nous faut pas une protestante pour le moment ; dans ce milieu singulier du Gers, clérico-radical, cela éloignerait les familles » (recteur de Toulouse, 4 octobre 1899, F 17 23676).

14. Au moment de la création du collège, l'adjoint au maire fait observer que « pour ménager les transitions dans cette ville épiscopale, il serait prudent de confier cette direction à une maîtresse appartenant à la religion catholique, sans bien entendu qu'elle puisse subir aucune pernicieuse influence : jamais ! » (7 septembre 1904, F 17 22310).

montrer n'est pas critiqué, à condition que la population et les parents ne trouvent rien à y redire. Dans le cas contraire, on estime volontiers que le professeur ou la directrice sort de la réserve que lui imposent ses fonctions : un même fonctionnaire peut être taxé de cléricalisme dans un endroit et réussir pleinement dans un autre ; c'est le secret de certains changements qu'il ne faut pas confondre avec les mutations de caractère punitif [15]. Quelle que soit l'époque, on sait gré en général au fonctionnaire de sa discrétion. Il est en tout cas impossible de déceler une « persécution » des catholiques, tout au long des notes qui demeurent cependant secrètes, donc sont fort libres et ne se privent pas d'appréciations parfois dénuées d'égards sur la personne physique, les éventuelles vulgarités, les ridicules.

Il est donc possible de conclure que les autorités académiques, à part de très rares exceptions, n'ont pas donné dans la politique anticléricale : exigée des fonctionnaires, la réserve est également vraie pour leurs chefs. Contrairement aux insinuations de la droite, il n'y eut pas d'athéisme d'Etat : le cas des israélites mis à part, il serait difficile de citer un seul dossier de fonctionnaire véritablement lésé dans sa carrière en raison de ses convictions religieuses. Sans doute quelques dossiers gardent-ils la trace d'une critique des allures de « nonne laïque », ou de la dévotion exagérée, plus grave du « manque de franchise » qu'un inspecteur d'académie attribue un peu arbitrairement à une ancienne religieuse, mais, s'il y a disgrâce, c'est qu'à ces traits viennent s'en ajouter d'autres qui leur sont étrangers, comme l'incapacité professionnelle ou l'indolence.

Serait-ce à dire que le « combisme » est passé inaperçu ? Rien ne permet de distinguer une modification notable du comportement de la hiérarchie administrative ; en revanche, les campagnes de presse, les accusations de cléricalisme portées par les journaux ou par des lettres souvent anonymes apparaissent. C'est souvent une simple incidente des notes qui permet d'apprendre que le fonctionnaire est depuis longtemps l'objet d'accusations de cette nature. En somme, rien ne permet de soupçonner, du moins dans ce secteur particulier de l'Instruction publique, l'existence de « fiches » comme à la Guerre. Existeraient-elles que « l'esprit universitaire » qui anime les recteurs comme les inspecteurs généraux les priverait de tout effet. Il reste un seul cas, troublant, où le politique l'emporte certainement sur l'universitaire :

---

15. L'inspecteur général Compayré constate que la directrice du collège de Sedan, en 1907, ne réussit pas : « Dans un milieu d'opinions politiques très avancées, ses qualités de mesure, de dignité froide, lui ont fait du tort : on l'appelle la religieuse laïque ». Il conclut à son déplacement sans disgrâce. En 1922, la voici à Metz. Un inspecteur général en chante la louange : « Originaire d'une famille messine, catholique, pratiquante, elle est bien vue de la population ». On conclut donc à son maintien pour des raisons assez semblables à celles qui l'avaient fait déplacer 15 ans plus tôt. Il est vrai que le climat général a changé.

c'est celui de la direction de Sèvres. En 1896, la veuve d'Henri Marion a été nommée à la tête de l'Ecole en remplacement de Mme Jules Favre. Le dossier qui la concerne est d'une rare pauvreté : ce n'est pas une exception, puisque les notes régulières n'existent pas pour le personnel élevé, la plupart du temps. En 1906, Mme Marion quitte contre son gré et brusquement la direction de l'Ecole, sans autre nomination. Le peu que contient son dossier, outre une lettre pleine de dignité, laisse à penser que les tendances « cléricales » de la directrice avaient pu porter ombrage, sans qu'il soit possible de prouver qu'elles sont la raison première et principale de sa disgrâce [16].

Cependant, la période du radicalisme militant laisse l'impression très nette de marquer un tournant à la fois dans l'attitude des professeurs et de ceux qui sont chargés de les noter. Les années qui précèdent la guerre sont marquées par une sorte de libération du langage. Des mots relativement précis, comme « cléricalisme », « féminisme », « opinions conservatrices », apparaissent, encore bien modestement, dans les notations. Ils n'auront jamais toutefois la vigueur des polémiques de presse et des termes qu'emploient quelques institutrices pour se disculper, se plaindre ou accuser une collègue. C'est par celles-là que dans un monde feutré qui pratique la litote, le sous-entendu et, par-dessus tout, la discrétion, s'introduisent les échos des luttes et des agitations du dehors. Les femmes professeurs, quant à elles, sont de plain-pied avec le monde universitaire : elles en ont tout naturellement le langage. C'est par leur comportement, d'abord, qu'elles sortent de l'absolue neutralité des vingt premières années.

16. Postérieure de quatre années à son départ, une coupure de presse insérée dans le dossier indique qu'elle enseigne à l'Ecole normale catholique.

Quatrième partie

VERS L'IDENTIFICATION
A L'ENSEIGNEMENT MASCULIN

Passées les vingt premières années de son existence effective, c'est-à-dire vers 1904, l'enseignement secondaire des jeunes filles semble avoir atteint son équilibre et une sorte de maturité. C'est ce thème que développeront à l'envi les discours prononcés lors des cérémonies dites de son Jubilé, en 1907, alors que se multiplient déjà les signes d'une crise et d'une mutation décisives.

Assurément l'institution s'est affirmée, dans le sens voulu par le législateur. Elle est à même d'apporter aux jeunes filles une instruction en principe désintéressée de tout emploi professionnel, sinon l'enseignement ; elle se fait gloire d'y ajouter l'éducation ; en cela elle surpasse l'enseignement masculin. Aussi connaît-elle, au rebours de ce dernier, une croissance de ses effectifs pratiquement dépourvue de heurts, et constitue-t-elle, dans le cercle limité où elle s'est restreinte, une incontestable réussite pédagogique. Mieux, elle a commencé à désarmer quelques préventions dans le public. Pourtant, elle n'a pas pu convaincre ses ennemis les plus déterminés, même si son existence les a durablement désemparés. Victime d'autre part d'un recrutement qu'elle a subi plus que prévu et qui n'est pas celui pour lequel elle avait été conçue, elle n'est pas non plus préparée à affronter le changement des mœurs. En quelques années, une fraction toujours plus importante de ces classes moyennes qui lui confiaient leurs filles se met à rechercher des sanctions utiles aux études de celles-ci. Peu à peu, malgré le retard ou l'incohérence de l'opinion commune au regard des comportements individuels, se fait jour l'idée que la destination des filles n'est pas toujours et seulement le mariage. Quelles que soient les raisons d'un tel retournement des esprits, il est de fait que la nécessité pour les filles d'acquérir une situation personnelle apparaît de plus en plus claire.

Enfin, la réussite même de l'enseignement féminin est l'occasion d'une autre mise en cause, de la part de celles qui en furent les principaux artisans. Le personnel en effet s'avise à la même époque de sa condition précaire. Il ne peut plus vivre dans la lésine, l'isolement, le sacrifice. Membre de l'Université, il en partage de façon grandissante les inquiétudes, et prétend avoir une influence sur la nature de l'enseignement qu'il est appelé à dispenser. Il existe alors une relation constante, bien que toujours à retardement, entre le contenu de l'enseignement, les finalités qu'on lui assigne, d'une part, et, d'autre part, le sort des fonctionnaires affectés à cet enseignement, la place qu'ils entendent occuper dans la société et celle qu'on leur impose effectivement.

Aussi l'étude des mutations qui affectent l'enseignement secondaire féminin au début du 20e siècle doit-elle se faire sur plusieurs registres à la fois : l'évolution de l'esprit public, du Parlement, des parents d'élèves, des élèves elles-mêmes, s'accompagne d'une effervescence nouvelle parmi les professeurs de l'enseignement féminin. Trois périodes se succèdent. Au cours de la décennie qui précède la guerre, le problème d'un changement d'orientation et d'une amélioration du sort du personnel se pose en termes attestant une radicalisation grandissante. La guerre vient à la fois perturber et retarder le mouvement tout en accentuant la crise, au point qu'après un essai de réforme par voie réglementaire, le ministre Viviani provoque la réunion d'une commission extra-parlementaire, en 1917, sur le modème de la commission Ribot. La paix retrouvée, il faut cinq années, au reste suivies d'une longue période d'ajustement et d'adaptation, pour que l'action parfois contradictoire des divers groupes intéressés, jointe à la diffusion cette fois rapide d'une analyse nouvelle de la société inspirée par la guerre, aboutisse à l'assimilation de fait de l'enseignement féminin à l'enseignement masculin.

Chapitre VII

L'acheminement à la réforme Léon Bérard

Une crise de croissance

A bien des égards, la date de 1904-1905 constitue, non un tournant bien délimité dans l'histoire de l'enseignement secondaire féminin, mais le début d'une prise de conscience de plus en plus aiguë des questions à résoudre dans cet enseignement. Cette évolution s'accompagne d'initiatives de la part du personnel : celui-ci tend à devenir acteur des transformations qu'il juge nécessaires.

La rentrée de 1904 a été le sujet de grandes inquiétudes, la fermeture des maisons congréganistes avait mis les chefs d'établissement, pour la première fois peut-être, devant une situation vraiment imprévisible : les clients des couvents allaient-ils confier leurs filles à l'enseignement de l'Etat, et dans quelles proportions [1] ? Les structures de l'enseignement féminin ont été calculées au plus juste après les suppressions des postes des années 1896-1901 environ. Elles se montrent souvent inadaptées à la faveur nouvelle que cet enseignement rencontre après 1900. Il faut créer de nouveaux établissements, agrandir ceux qui existent. Ici et là, on pare au plus pressé en créant des cours secondaires, malgré l'inquiétude qu'en éprouve Camille Sée. Au vrai, les transformations en établissements définitifs ne se sont pas arrêtées, de sorte que la part des cours

---

1. Le fait n'a pas eu partout la même incidence. Pourtant, la statistique détaillée de l'accroissement de la population scolaire montre qu'il a eu lieu dans toutes les académies sans exception. L'accroissement total est de 16,4 % par rapport à l'année précédente, avec un passage de 24 612 élèves à 28 207, soit un gain de 4 045 élèves (*RU,* t. II, 1904, p. 438-439). Cependant, il s'agit d'un mouvement plus profond puisque la croissance continue alors que les maisons religieuses, sécularisées, rouvrent leurs portes.

EFFECTIFS DES ETABLISSEMENTS SECONDAIRES PUBLICS, GARCONS ET JEUNES FILLES, DE 1885 A 1931

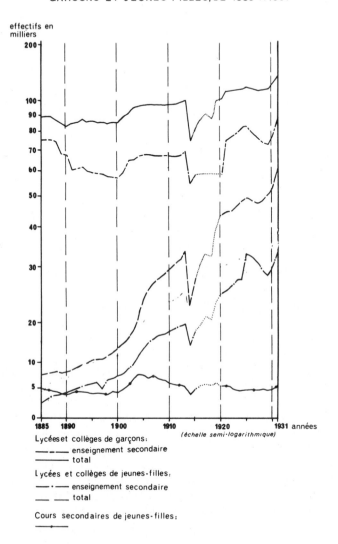

effectifs en milliers

Lycées et collèges de garçons:
enseignement secondaire
total

Lycées et collèges de jeunes-filles:
enseignement secondaire
total

Cours secondaires de jeunes-filles:

(échelle semi-logarithmique)

secondaires reste modeste et même tend à décroître à partir de 1908 [2]. Cette flambée de prospérité fait mine de se ralentir un peu entre 1906 et 1910 : quoi de plus propre aux examens de conscience, aux mises en accusation d'un enseignement demeuré tel qu'une loi et des règlements vieux de plus de vingt ans l'ont édifié, et fidèle, par nécessité, à des solutions d'une économie parfois sordide pour assurer l'enseignement ? On lui reproche de rester immobile dans un monde que l'on sent en mouvement ; éloignés de leurs débuts comme de leur retraite, les professeurs éprouvent une sorte de malaise, sont en proie au découragement. L'année 1904-1905 marque bien là aussi la rupture d'un équilibre. C'est à partir de ce moment, bien que la réalité évoquée soit sans doute plus ancienne, qu'il est question du « surmenage » du personnel féminin.

Sans aucun doute, il est des causes psychologiques au surmenage dont se plaignent les professeurs femmes : beaucoup d'entre elles, comme le fait observer Romain Rolland [3], doivent lutter dans la solitude, au sein d'une société souvent hostile. A la longue, sans qu'il se produise, la plupart du temps, de véritables drames, se fait ressentir la lassitude d'une telle situation. L'isolement est de moins en moins bien supporté, d'autant que les comparaisons avec le personnel masculin se multiplient. Elles sont toutes défavorables aux femmes : les traitements sont inférieurs, les emplois du temps plus lourds, les travaux de correction plus chargés. L'allégement de 1897 a sans doute permis de réduire les horaires des élèves, mais les réductions de postes, l'accroissement des effectifs à partir du début du siècle, la préparation parallèle des brevets, plus tard du baccalauréat, le gros effort de la

---

2. C'est à partir de cette date que la proportion des cours secondaires, dans l'effectif total de l'enseignement secondaire féminin, tombe au-dessous de 20 %.

3. « La vie de la femme qui doit vivre seule, lutter comme l'homme (et souvent contre l'homme) est quelque chose d'affreux, dans une société qui n'est pas faite à cette idée, et qui y est, en grande partie, hostile. Pourtant, ce n'est pas notre faute : quand une femme vit ainsi, ce n'est pas par caprice, c'est qu'elle y est forcée ; elle doit gagner son pain et apprendre à se passer de l'homme, puisqu'il ne veut pas d'elle quand elle est pauvre. Elle est condamnée à la solitude, sans en avoir aucun des bénéfices : car, chez nous, elle ne peut, comme l'homme, jouir de son indépendance, le plus innocemment, sans éveiller le scandale : tout lui est interdit. J'ai une petite amie professeur dans un lycée de province. Elle serait enfermée dans une geôle sans air qu'elle ne serait pas plus seule et plus étouffée. La bourgeoisie ferme ses portes à ces femmes qui s'efforcent de vivre en travaillant ; elle affiche pour elles un dédain soupçonneux ; la malveillance guette leurs moindres démarches. Leurs collègues du lycée de garçons les tiennent à l'écart, soit parce qu'ils ont peur des cancans de la ville, soit par hostilité secrète ou par sauvagerie, l'habitude du café, des conversations débraillées, la fatigue après le travail du jour, le dégoût par satiété des femmes intellectuelles. Elles-mêmes, elles ne peuvent plus se supporter, surtout si elles sont forcées de loger ensemble, au collège. La directrice est souvent la moins capable de comprendre les jeunes âmes affectueuses que découragent les premières années de ce métier aride et de cette solitude inhumaine : elle les laisse agoniser en secret, sans chercher à les aider, elle trouve qu'elles ont mauvais esprit, qu'elles sont des orgueilleuses. Nul ne s'intéresse à elles. Leur manque de fortune et de relations les empêche de se marier. La quantité de leurs heures de travail les empêche de se créer une vie intellectuelle qui les attache et les console. Quand une telle existence n'est pas soutenue par un sentiment religieux ou moral exceptionnel (je dirai même anormal, maladif, car il n'est pas naturel de se sacrifier totalement), c'est une mort vivante... » *Jean-Christophe, Les amies* (dernier volume), 1912.

préparation aux concours ont incontestablement aggravé les conditions de travail des professeurs.

Aussi le problème du maintien dans l'indivision des enseignements littéraire d'une part, scientifique de l'autre, n'est-il pas seulement pédagogique. La discussion sur ce point, qui s'engage dans *La Revue universitaire* en 1909 [4], montre que deux thèmes s'entrecroisent constamment : en premier lieu la question de pédagogie, elle-même subordonnée aux fins de l'enseignement féminin qui sont, on le sent, en train de se modifier au même moment ; en second lieu, l'intérêt des professeurs qui deviennent ou cherchent à devenir des « spécialistes » et qui tendent naturellement à réclamer l'enseignement le plus étroitement adapté à la formation qu'ils ont choisi de recevoir. L'ère de la pédagogie pure est close : celle du professeur et de son propre épanouissement intellectuel semble s'ouvrir.

Les intéressées elles-mêmes semblent n'avoir proposé comme remèdes au « surmenage féminin » que des palliatifs, les questions de fond : insuffisance des locaux, des crédits, des postes, sont longtemps sinon passées sous silence, du moins mises au second plan. La nature de ces quelques remèdes, dans leur insuffisance même, donne une indication sur la manière dont le personnel ressent son malaise : les directrices devraient autoriser à ne corriger qu'un très petit nombre de devoirs-types, les services devraient être réduits pour assurer une meilleure préparation, les professeurs devraient être spécialisés comme les hommes, les compositions trimestrielles être supprimées ou réduites, faisant place dans certains cas à des interrogations orales. Enfin, certaines souhaitent la possibilité de voyager, d'étudier en Faculté, de prendre de temps à autre un genre de congé sabbatique. Resté vingt ans replié sur lui-même, l'enseignement secondaire féminin commence à souffrir de son isolement. La comparaison avec autrui lui fait ressentir la médiocrité de sa condition ; il cherche visiblement à sortir des étroites limites où il avait été renfermé jusque-là. Le temps n'est plus de la tension héroïque, des vies toutes consumées au service de l'œuvre d'éducation : le dévouement peut être toujours aussi grand, mais il s'accompagne d'un besoin grandissant de justice.

Le personnel des lycées et collèges de jeunes filles aspirait peut-être moins, au reste, à une amélioration des conditions de travail, à une augmentation des traitements, pourtant bien nécessaire pour les plus

---

4. C'est Hélène Guénot, agrégée des lettres, qui remet en cause l'enseignement des lettres par un professeur unique dans un article intitulé : « L'enseignement de l'histoire dans les lycées de jeunes filles » (*RU*, t. I, 1909, p. 248-261). Pour elle, si l'enseignement de l'histoire n'aboutit pas à donner aux jeunes filles un solide enseignement civique et à « comprendre la société de leur temps », il faut en rendre responsables les professeurs qui en sont chargés, le libellé du programme, qui distingue les faits et la civilisation, ayant aussi sa part de responsabilité. Cette prise de position suscite des ripostes vigoureuses des adversaires de la scission (*RU*, t. II, 1909, p. 19-25), ou encore *ibid.*, p. 299-305, 361-362 et 1910, t. II, p. 168-170).

défavorisées, qu'à une réglementation qui vînt « codifier peu à peu les conditions d'accès aux fonctions de l'enseignement féminin », et « les mettre hors de l'atteinte des jeux du hasard ou du favoritisme » [5]. Il s'agissait en effet de lutter contre la concurrence de l'enseignement primaire à la fois par le contenu de l'enseignement, qui devait affirmer son caractère proprement secondaire, et par le recrutement du personnel, qu'on souhaitait « secondaire » lui aussi, alors que le brevet supérieur, jusqu'à 1910, suffisait pour accéder à toutes les fonctions autres que celles de professeur. Il est remarquable, à cet égard, qu'il ait fallu attendre trente ans pour que l'enseignement secondaire féminin vît sa spécificité reconnue et pût enfin se défendre contre l'emprise de l'enseignement primaire, au moment où les lycées de jeunes filles se remplissaient enfin de façon spectaculaire. Mais la reconnaissance de la valeur du diplôme de fin d'études arrivait bien tard : dans les années mêmes où son absence de sanctions lui créait un concurrent bientôt victorieux, le baccalauréat.

Ces années de l'inquiétude sont aussi celles d'un premier bilan et d'un bilan positif. Célébrées en 1907 avec quelque retard sur l'anniversaire des deux lois, les fêtes du vingt-cinquième anniversaire des lycées de jeunes filles et de l'Ecole de Sèvres montrent, par leur éclat, l'importance qu'on attache à l'institution et permettent de faire le bilan de sa réussite [6]. Elle est indéniable, puisque, après avoir végété, les

5. Lettre signée S.B. : « A propos d'un décret », *ESJF*, juin 1911, p. 241-245. L'auteur se félicite du décret du 30 mars sur le recrutement des directrices. En octobre 1910, M.A. (sans doute M. Aron) voit un grand progrès dans le décret du 21 juillet sur le recrutement des répétitrices, surveillantes et institutrices qui assurera, entre autres avantages, l'« unité de culture » entre tous les membres du personnel (*ESJF*, octobre 1910, p. 145-148).

6. Deux cérémonies officielles eurent lieu à Paris : l'une au Trocadéro, le 17 mai 1907, l'autre, le lendemain, à l'Ecole de Sèvres. La partie artistique de la fête du Trocadéro était constituée par des morceaux de concert, interprétés par des artistes de l'Opéra, l'orchestre et la chorale des lycées de jeunes filles, et par *Le dépit amoureux* de Molière, donné par la Comédie française. Elle était précédée des discours de Camille Sée, Ernest Lavisse, directeur de l'Ecole normale supérieure, et Aristide Briand, ministre de l'Instruction publique. A Sèvres, la matinée artistique venait après un banquet de 350 couverts où fut servi le menu que voici :

Langouste vénitienne sauce parisienne
Jambon d'York au Champagne
Zéphir bruxellois
aux petits pois sauce ivoire
Rôti
Chapons Périgord
Croustades Charvin truffées
Salade danoise
Glace « Sapho »
Fruits
Desserts

Vins :
Xérès, Saint-Julien et Graves
Margaux
Champagne Moët et Chandon

Plus intime que celle de la veille, la fête fut marquée par les discours de Mlles Belugou, directrice de l'Ecole, et Küss, directrice de l'Association des Sévriennes, ceux de Lemonnier, Darboux et Rabier, directeur de l'enseignement secondaire.

établissements attirent une clientèle qu'ils n'auraient pas osé espérer vingt ans plus tôt. La légère décrue observée ici et là n'a pas de quoi vraiment inquiéter : le solde, par rapport aux années 1895-1900, est largement positif. Les autorités accumulent donc les témoignages de satisfaction à l'égard des professeurs qui ont été les artisans de cette réussite : « Pour le personnel de l'enseignement secondaire des jeunes filles, qui, malgré tout son mérite et son dévouement, a parfois donné l'impression d'un défaut injustifié de confiance en soi, d'une retenue un peu timorée, ce sera la promesse qui délie et affirme à la fois, ce sera le soutien désiré des initiatives timides et des énergies contenues » [7].

Ce moment de relative satisfaction devant le chemin parcouru est situé en fait au début d'une période de mutations, qui finira par créer, vers 1910, une sorte de malaise. En 1913, on parlera de « crise », tandis que les effectifs croissent de manière considérable.

Le vingt-cinquième anniversaire coïncide aussi avec l'ouverture au monde extérieur. Le changement des mœurs aidant, le problème du recrutement s'étant beaucoup atténué, la réclusion conventuelle des futurs professeurs n'a plus la même raison d'être. A Sèvres, l'administration se préoccupe d'éveiller la curiosité des élèves envers le monde contemporain, la culture générale, les problèmes économiques et sociaux [8]. Durant l'année 1908-1909, Boutroux vient parler aux Sévriennes de la « Patrie et la religion », Madame Siegfried des maisons de repos du personnel enseignant, le fils de César Franck organise un concert des œuvres de son père. On prévoit quelques conférences de Maurice Bouchor pour développer chez les élèves le goût de la musique. L'année suivante, le cycle des conférences s'enrichit, avec la participation de Bouglé, de Brunschwicg, de Mme Avril de Sainte-Croix. A la même époque, des professeurs femmes ont l'occasion de découvrir l'étranger grâce aux bourses « Autour du monde » fondées par le financier philanthrope Albert Kahn [9] : même si le « tour du monde » se

---

Le 16 mai, Camille Sée reçut chez lui à dîner le ministre, plusieurs de ses collaborateurs, Edgar Zévort, Adolphe Brisson, la directrice de l'Ecole, l'état-major des anciennes élèves, Mlle Desprez et trois élèves de Sèvres. Le lendemain et le surlendemain, il invita à déjeuner ou à dîner toutes les directrices de lycée et un tiers environ des directrices de collège, en compagnie de plusieurs personnalités universitaires et de professeurs des lycées de jeunes filles qu'il connaissait personnellement (Le jubilé...). En province, le vingt-cinquième anniversaire des établissements a été souvent célébré avec pompe.

7. Le jubilé... p. 24, article signé A. (Marguerite Aron ?).

8. Dès l'année scolaire 1906-1907, Rabier demande qu'on fasse à l'Ecole des « conférences sur des sujets d'ordre général (choses d'art et questions sociales, par exemple) ». Prudemment, le conseil des professeurs vote trois conférences, pour ne pas surcharger les élèves ; les noms évoqués sont ceux d'Arthur Fontaine, Madame Jules Siegfried et Tiersot. Emile Picard propose en outre des visites de l'Observatoire, de l'Institut Pasteur, de différents laboratoires (AENS, loc. cit., 7 novembre 1907). C'est en 1909 que l'idée porte ses fruits : durant l'année 1908-1909, les Sévriennes scientifiques font plus de vingt excursions. Les littéraires ont visité des musées sous la conduite de Lemonnier. Brunschwicg les a emmenées à Port-Royal.

9. Ainsi, en 1909, la future directrice de Fénelon, Marie Elichabe, choisit-elle d'aller étudier durant six mois « L'éducation physique aux Etats-Unis ». Les considérations que lui inspire son voyage l'orientent durablement : « En Amérique, les élèves ne sont pas au collège pour se préparer à un travail intellectuel. Elles y apprennent la discipline personnelle et la coopération ... elles apprennent à

limite, pour les femmes, à la visite des pays anglo-saxons, scandinaves ou méditerranéens, il représente une totale innovation au regard des débuts de l'enseignement féminin [10].

Mais l'ouverture du monde universitaire féminin ne se traduit pas seulement par une aspiration à un niveau plus élevé des études, à une qualification plus grande dans les disciplines intellectuelles. L'immédiat avant-guerre connaît un développement parallèle de l'enseignement « pratique », au moins sous la forme d'expériences d'« enseignement ménager intégral » dans quelques établissements. Cette dernière forme d'enseignement qui était dans l'esprit du législateur lorsqu'il avait fait voter l'hygiène et l'économie domestique, était restée longtemps fort négligée ; la course aux brevets et diplômes, le manque de moyens matériels expliquait cette situation. La transformation après 1905-1910 est donc ambiguë. D'un côté, les jeunes filles entrent au lycée pour y faire des études « plus sérieuses », entendons que certaines d'entre elles commencent à se préparer au baccalauréat pour avoir la possibilité d'entrer dans l'enseignement supérieur. D'un autre côté, comme saisis d'inquiétude devant l'évolution qui commence à se dessiner et semble conduire, comme ce fut réellement le cas, vers l'assimilation à l'enseignement masculin, nombre d'éducateurs s'attachent à mieux marquer la spécificité de l'enseignement donné aux filles : on n'avait jamais tant parlé de l'enseignement ménager, rebaptisé parfois, à l'exemple des Anglais, *Home science* [11]. En 1908, paraissent, réunies en un volume [12], les huit conférences de puériculture faites à Lille sous le patronage du recteur Lyon, pour l'enseignement féminin : « L'occasion serait bonne, écrit P. Crouzet, de parler de la puériculture et de l'enseignement ménager dans les lycées de jeunes filles, de se demander ce que valent les inquiétudes de nos collègues femmes, qui craignent sous cette influence pratique une déviation de l'enseignement secondaire féminin [13] ». Il se produit en fait une tentative de retour aux sources, au rapport de Broca, au vœu de Camille Sée et Duvaux. Mais la situation ne se prête pas à une révision des programmes dans le sens d'une

---

déterminer d'avance leur devoir social ... N'est-ce pas l'idéal de la préparation à la vie civique ? » (cité dans la notice nécrologique de *Sévriennes d'hier et d'aujourd'hui*, 1964).

10. Il ne faudrait pas penser pour autant qu'un vent de liberté souffle sur tous les établissements féminins. L'inspecteur général de langues, Firmery, témoigne du contraire en 1907 : « Mlle B., ayant passé un long temps en Angleterre, a adopté les manières libres des misses anglaises. Elle ose se promener seule sur les remparts. Tout Langres est scandalisé et la directrice du collège vit dans l'attente terrifiée d'un incident fâcheux » (*AN*, F 17 24345).

11. Cf. *RU*, t. II, 1910, p. 422-423 où sous ce titre de « Home science » sont repris les thèmes d'un article de *La femme contemporaine*, sur un collège anglais d'agriculture pour jeunes filles du monde et le compte rendu par *Le Petit Temps* (3 juillet 1910) d'un congrès féminin sur la Home science tenu à Sherperd's Bush. J. Crouzet-Benaben, qui rappelle d'autre part le programme de King's College, à l'Université de Londres, conclut qu'il existe désormais « un véritable enseignement ménager supérieur ».

12. *Puériculture et hygiène infantile*, Paris, Alcan, 1908.

13. *RU*, t. I, 1909, p. 141-142.

préparation pratique à la vie du foyer. A la même époque, en effet, prennent force des critiques sur le caractère insuffisant du diplôme de fin d'études, et s'instaure, en plus de la préparation devenue presque traditionnelle aux brevets primaires, une préparation au baccalauréat. Il en résulte inévitablement une surcharge. D'autre part, aucune assemblée parlementaire ne se soucie de voter des crédits supplémentaires pour un enseignement ménager vraiment pratique. Aussi convient-il plutôt d'interpréter les développements sur la *Home science* comme un sursaut de nostalgie à l'égard d'une époque définitivement révolue.

En 1905, la Fédération nationale des professeurs de lycées se réorganise et prend un nouveau départ. Elle est constituée par les amicales des lycées masculins, mais aussi par les amicales du personnel enseignant des établissements féminins. En d'autres termes, le personnel féminin ne se scinde pas, comme les collègues masculins, en catégories distinctes. Signe, sans doute, du désir d'un personnel encore peu nombreux de rester uni, les tentatives du personnel d'un ou deux collèges féminins d'adhérer à la Fédération des collèges n'ont pas abouti. Répétitrices [14], maîtresses primaires et professeurs de collèges comprises, les amicales des lycées, collèges et cours secondaires entrent dans la Fédération. Pour la première fois, observe *Le Temps,* les femmes y sont nombreuses, un tiers environ de l'assistance. A partir de cette date, le personnel s'attache à une revendication qu'il estime être un préalable à toutes les autres : la représentation au Conseil supérieur et aux conseils académiques.

Antérieure à la Fédération et en dehors d'elle, l'Association des Sévriennes se considère comme le porte-parole le plus qualifié de l'enseignement féminin : les Sévriennes pensent très tôt qu'une transformation de la condition des femmes professeurs ne peut procéder que de leur représentation au Conseil supérieur. A une époque où n'existent pas encore les syndicats universitaires — la Fédération n'est qu'un groupe d'amicales — où l'enseignement secondaire semble fort éloigné d'une notion aussi subversive, la présence d'élues au Conseil supérieur paraît le moyen le plus propre à se faire entendre. Ainsi prendrait fin une anomalie. Aux yeux du personnel féminin, ses intérêts propres sont loin d'être seuls en cause : il faut régler la situation de l'enseignement lui-même, privé d'efficacité et de séduction par le système du diplôme. Il est donc rare que la revendication d'une délégation au Conseil supérieur ne soit pas, avant 1908 au moins, assortie de réclamations d'un caractère nettement pédagogique, relatives la plupart du temps aux sanctions à donner au diplôme : la correspondance du bureau des anciennes élèves de Sèvres en fait foi.

---

14. Admises dans la Fédération parce qu'à la différence de leurs homologues masculins, elles ont une part dans l'enseignement.

Signe d'un intérêt grandissant pour les questions féminines, *La Revue universitaire* ouvre une nouvelle rubrique en 1909 : le Bulletin de l'enseignement secondaire des jeunes filles, qui paraît dans chaque livraison. Confié à Jeanne Crouzet-Benaben, une Sévrienne qui, pour suivre son mari, Paul Crouzet[15], à Paris, a dû prendre un congé illimité, le Bulletin voudrait publier des « communications courtes et précises[16] ... de la part des directrices, professeurs, amicales ... ». Peut-être moins que ne l'avait espéré sa rédactrice, il fut l'occasion d'une correspondance avec les membres de l'enseignement secondaire féminin. Il constitue une petite revue dans la grande : écho du travail des amicales, il fait un compte rendu fidèle des enquêtes ou divers articles de la presse non pédagogique relatifs aux questions féminines. Il voulait être la tribune de l'enseignement secondaire des jeunes filles, il exprime surtout la pensée de son auteur qui se révèle en définitive favorable à l'assimilation, assez proche des positions prises par le ménage Suran — tous deux étaient professeurs à Marseille — et la Franco-ancienne. Le fait que Paul Crouzet, au moment décisif, se soit trouvé membre du cabinet de Léon Bérard, en prend tout son relief.

Cependant, le mouvement de regroupement des professeurs ne cesse de faire des progrès. A partir de 1910, ils ne se retrouvent pas seulement dans les amicales, mais aussi dans les associations de spécialistes qui naissent de façon presque simultanée[17]. Etant donné la structure à cette date de l'enseignement féminin, beaucoup plus littéraire que scientifique, mais dépourvu de philosophie, deux associations surtout attirent le personnel féminin : la Société des professeurs d'histoire et géographie et la Société des professeurs de français et de langues anciennes, où M. et Mme Suran usèrent de leur influence pour appuyer toutes les réformes tendant à l'assimilation.

La tendance à s'associer sur le plan national ne fut pas le fait des seuls membres de l'enseignement. Les associations d'anciennes élèves, dont la création, dans bien des cas, avait été provoquée par l'administration soucieuse d'assurer le recrutement, et dont la vitalité laissait à désirer, commencent à prendre leur autonomie. Une ancienne élève du collège de Chartres[18], Magdeleine Desprez, véritable dame

---

15. Normalien de la promotion 1892, agrégé des lettres, Paul Crouzet fit une double carrière de professeur et d'homme de lettres qu'il termina à Paris avant de devenir inspecteur général. Il prit sa retraite en 1940 et mourut en 1957.

16. *RU*, t. I, 1909, p. 276. En faisant concurrence, dans ses modestes dimensions (deux pages en moyenne) à La Revue Camille Sée, le Bulletin assurait la liaison de l'enseignement féminin avec le reste de l'Université.

17. Cf. l'article de P. Gerbod dans *Le Mouvement social* d'avril-juin 1966, p. 3-45 : « Associations et syndicalismes universitaires de 1828 à 1928 ».

18. Son père y avait été préfet. Cf. *Bulletin de l'UFAAE*, « In memoriam Magdeleine Desprez, 1874-1936 », n° spécial 1937, 24 p. Présidente de l'Union dès la fondation, elle lui consacra toute sa vie. Elle avait auparavant enseigné la morale aux écoles Elisa Lemonnier et organisé un patronage d'enfants. Elle patronna plus tard une œuvre d'adoption.

d'œuvres du monde laïque et républicain, voit dans l'isolement la cause de l'insuccès des associations. Avec l'appui de Léon Bourgeois, dont on retrouve le nom dans plusieurs comités de patronage de mutualités ou d'œuvres d'entraide féminine, elle fonde, en 1904, l'Union des associations d'anciennes élèves des lycées et collèges de jeunes filles [19].

L'Union se fixe pour « mission essentielle » de « rapprocher toutes les élèves des lycées dans un sentiment de solidarité universitaire actif et discret ». Au départ, ce sentiment veut s'exprimer dans les services d'information et de placement que l'Union pourra rendre à ses adhérentes. C'est considérer comme normale l'entrée des anciennes élèves dans la vie professionnelle active : bien qu'on lui en fît grief [20], l'Union se montra utile en ce domaine.

Les associations locales, du reste, le développement des établissements aidant, étendirent leur activité : l'association des anciennes élèves était un lieu de rencontre, une sorte de club féminin auxquelles s'adjoignaient diverses activités post-scolaires [21], comme des cours ménagers, des conférences ou l'institution d'une bibliothèque amicale. L'association avait ses œuvres parfois ou s'associait à celles du lycée. Ce sont les fêtes de l'association qui marquaient la vie de certains établissements : ventes de charité, concerts, bals même.

L'œuvre principale de l'Union de Mlle Desprez fut la fondation, au Quartier Latin, d'une Maison des lycéennes qui devait faciliter la poursuite de leurs études aux jeunes provinciales venues faire une sixième année à Paris. Au comité de fondation siégeaient deux anciennes élèves de lycée qui eurent un grand rôle dans l'enseignement féminin privé laïque : Berthe Milliard [22], directrice d'institution qui représenta longtemps cet enseignement au Conseil supérieur, tout comme Mlle Sance, successeur de Mathilde Salomon au collège Sévigné. Leur présence ne signifiait pas seulement la solidarité laïque au-delà de l'institution fondée sous l'égide de l'Etat ; elle témoignait de la nécessité

---

19. UFAAE des lycées et collèges de jeunes filles, « Assemblée générale, 1904, » Versailles, Imp. Pavillet, 1904, 28 p. L'allocution de M. Desprez évoque les projets de fédération, venus « de trois côtés à la fois » et « *s'ignorant les uns les autres* ». L'idée était en effet venue à l'association de Besançon et à celles de Lyon et Bordeaux.

20. Cf. l'article de présentation donné par Renée Weill, qui fut le bras droit de Magdeleine Desprez, avec le titre de secrétaire générale de l'Union, à *La Revue universitaire* : « On jugea ces services inutiles, parce que la majorité des anciennes élèves, leurs études terminées, rentrent chez elles, se marient et ne travaillent pas. On alla même jusqu'à dire qu'ils entraîneraient des conséquences fâcheuses, en laissant supposer au public que les lycées ne sont fréquentés que par des jeunes filles pauvres. On nous a accusées d'encourager ces jeunes filles, qui eussent été mieux à leur place dans une EPS ou dans une école professionnelle, à poursuivre des études qui ne leur serviraient pas » (*RU*, t. I, 1905, p. 114-119).

21. « Pour les jeunes filles qui, ayant achevé leurs études, veulent pourtant profiter de l'intervalle entre le lycée et le mariage pour achever leur culture » (Mme Crouzet, *RU*, t. II, 1913, p. 56-57, qui cite comme exemple la Minerva de Toulouse ou le comité de l'Alliance française à Perpignan).

22. Ancienne élève du lycée Molière, elle était agrégée mais n'avait pas voulu, ou pu, prendre un poste en province. Elle avait donc sollicité un congé et était devenue directrice d'une institution de jeunes filles avenue de la Grande-Armée. Elle était, selon Louise Weiss (*Mémoires d'une Européenne*), la « secrétaire et confidente » de Léon Bourgeois.

ressentie à l'extérieur de l'enseignement public plutôt qu'à l'intérieur de celui-ci d'assurer un avenir professionnel à cette « véritable classe nouvelle, très estimable et de plus en plus nombreuse, intermédiaire entre celle des femmes sans profession et celle des ouvrières : la classe des bourgeoises laborieuses »[23]. Au reste l'action des anciennes élèves se fait sentir au plan législatif, mais d'une manière occulte et parfois bien difficile à déterminer[24].

En cette époque de regroupements, celui des parents d'élèves apparaît tardif : c'est en 1914 que se constitue la première association parisienne, au lycée Fénelon. L'action des parents comme groupe de pression à l'échelle nationale, bien qu'ils n'aient pas de représentation au Conseil supérieur, commence à la même époque. Pourtant, individuellement, une fraction au moins des parents a exercé une forte influence en faveur d'une assimilation à l'enseignement masculin. Au premier abord, leurs raisons d'agir dans ce sens paraissent évidentes : l'enseignement secondaire féminin n'ouvrait pas d'autre débouché à ses élèves que l'entrée dans ses propres cadres. Certes, les diplômées avaient toujours la faculté de passer le brevet, qu'elles obtenaient facilement avec une préparation complémentaire, pour prétendre à un poste dans l'enseignement primaire ; mais elles pouvaient préparer ce brevet ailleurs à meilleur compte. Cette recherche d'un débouché professionnel se trouve toutefois en contradiction avec les fins avouées de l'enseignement secondaire auquel les parents avaient initialement confié leurs filles en connaissance de cause.

Les contemporains de cette mutation qui a poussé les parents, en très peu d'années, à réclamer le baccalauréat pour leurs filles, ont invoqué des « raisons économiques » pour l'expliquer : devant la difficulté grandissante de trouver un mari et une dot — l'une étant la condition de l'autre — les parents se seraient souciés, beaucoup plus que par le passé, d'assurer un métier à leur fille. La part de ces nouvelles conditions économiques est difficile à évaluer ; elles varient selon les villes et mêmes les établissements[25] ; elles ne sont certainement pas les seules à

---

23. Renée Weill, *RU*, t. I, 1905, p. 114-119. L'auteur qui refuse le vocable de « déclassées » pour désigner cette classe nouvelle, fait observer que grâce au nombre des boursières et des filles de fonctionnaires admises gratuitement, le nombre des intéressées est « assez grand ». Les fonctionnaires, observe-t-elle à l'intention de ceux qui estiment qu'il s'agit d'autant de jeunes filles qui auraient mieux leur place à l'école primaire supérieure, ont des « situations trop en vue pour pouvoir envoyer leurs filles à l'école primaire ». Or, elles sont souvent sans dot, donc doivent se faire un avenir. L'argumentation est classique pour dénoncer une vue hypocrite ou bien mal informée de la réalité.

24. Ainsi, le rapport Massé pour le budget de 1905 a été inspiré, pour la partie qui regarde l'enseignement féminin, par la femme du rapporteur, elle-même ancienne élève d'un lycée de jeunes filles : elle a communiqué à son mari des documents fournis par Mlle Desprez (AEAES, lettre de Louise Belugou à Julie Lochert, 21 décembre 1905).

25. « Le contraste entre l'atmosphère du lycée (Molière) et celle du collège Sévigné, écrit Louise Weiss qui fut successivement élève des deux établissements dans la décennie qui précède la guerre, était si violent que j'en tirai une leçon. Ici au Ranelagh, dans le calme des classes ensoleillées fréquentées par de jeunes bourgeoises sans préoccupations, une culture dédaigneuse de la sanction des concours pouvait se développer. Mais dans le poussiéreux bâtiment de la rue de Condé assailli par la horde des étudiantes

mettre en cause. En effet, avant l'engouement pour le baccalauréat qui se fait sentir vers 1906-1907, une fraction majoritaire des familles tenaient au brevet supérieur et en attendaient une profession éventuelle. L'orientation des jeunes filles des lycées vers le travail n'est donc pas une entière nouveauté, mais le phénomène est mieux perçu, parce qu'il commence à toucher la bourgeoisie des grandes villes et des milieux plus aisés. La « crise des examens » que subissent les lycées de jeunes filles est une conséquence de leur embourgeoisement.

Vers le baccalauréat

Dans l'aspiration nouvelle au baccalauréat, deux éléments ont joué le rôle non sans doute d'initiateurs, mais d'accélérateurs du mouvement. Ce sont l'évolution de l'enseignement privé et la réforme de l'enseignement secondaire votée en 1902. Cette dernière ne regardait pas les lycées et collèges de jeunes filles ; mais elle créa une nouvelle section du baccalauréat, la section latin-langues, dépourvue d'épreuves de grec et peu exigeante sur les sciences, qui eut bien vite la réputation d'être moins difficile que les autres. C'était, le latin mis à part, la plus compatible avec l'enseignement dispensé aux jeunes filles [1]. A partir de 1902, on pouvait donc concevoir aisément une préparation accélérée en latin qui permît à celles-ci de tenter l'épreuve avec succès. C'est alors que fut déterminante la décision prise dans l'enseignement privé de préparer les jeunes filles au baccalauréat, c'est-à-dire, pour la première fois depuis 1880, de ne pas se contenter d'imiter les lycées de jeunes filles.

En fait, l'orientation vers le baccalauréat est le fruit de deux démarches bien différentes, celle de l'enseignement privé laïque — ici se retrouve le rôle prépondérant de Mathilde Salomon, à la fois au collège Sévigné et au Conseil supérieur de l'Instruction publique — et celle de l'enseignement clérical. Après un long sommeil [2], l'échec de la tentative

---

sorties des lycées et qui essayaient de se suffire à elles-mêmes en dépit des préjugés d'une société hostile à la femme seule, on pouvait constater que l'enseignement de M. Camille Sée avait abouti à une impasse. L'éducation des filles ne pouvait en rester à une instruction sans but, en principe libérale, en réalité opposée aux conséquences de ce libéralisme, c'est-à-dire à l'exercice, par ses bénéficiaires, d'un métier » (*Mémoires d'une Européenne*, t. I, p. 141).

1. Avant 1902, toutefois, existait le baccalauréat moderne, sans latin. Mais il ne permettait pas d'entrer dans les Facultés des lettres, de droit et de médecine : tout compte fait, il n'était guère plus avantageux que le brevet supérieur et exerça peu d'attraction.

2. Pour des raisons polémiques, les apologistes catholiques de l'époque, à l'imitation d'ailleurs de Dupanloup, ont nié que l'enseignement clérical se soit laissé aller à la torpeur. Mais après le succès de Mme Daniélou, l'examen par les catholiques de la période antérieure devient sévère et recoupe les observations de Mère Marie du Sacré-Cœur. Une étude des archives des différentes congrégations permettrait sans doute de nuancer le tableau et de montrer que certaines congrégations au moins ont eu une politique particulière.

de réforme proposée par Mère Marie du Sacré-Cœur et la catastrophe que fut le combisme, la sécularisation même permet de nouvelles approches et explique le succès de Mme Daniélou.

La première initiative en date est celle de Mathilde Salomon. C'est en 1905 qu'elle institue dans son établissement une préparation au baccalauréat, avec un apprentissage accéléré du latin en deux ans. La question des examens pour l'enseignement secondaire libre, posée par l'institution du diplôme de fin d'études intérieur aux établissements de l'Etat, avait déjà été soulevée par Michel Bréal en 1885, mais était restée sans solution. Le collège Sévigné affichait au reste de l'indifférence pour les examens qui demeuraient par nécessité les brevets primaires[3]. La situation se prolongeait depuis vingt ans. En décidant de préparer ses élèves au baccalauréat, Mathilde Salomon demeurait fidèle à l'image que le collège Sévigné entendait donner de lui à la fondation : celle d'un établissement expérimental qui montrât la voie à suivre aux maisons de l'Etat, où l'initiative était nécessairement entravée et ralentie par l'échafaudage des lois et règlements. Elle administrait la preuve que deux ans de latin bien conduits[4] permettaient d'affronter l'examen avec succès. Elle montrait ainsi l'efficacité des dispositions de fortune qui furent adoptées peu après dans un nombre grandissant de lycées.

D'autre part, la directrice de Sévigné, au Conseil supérieur, ne cessa pas de s'opposer à la fraction qui croyait pouvoir résoudre la crise des sanctions de l'enseignement féminin en donnant quelques équivalences au diplôme. Par définition, l'enseignement libre aurait été tenu en dehors de ces équivalences puisqu'il ne délivrait pas le diplôme ; mais la position de Mathilde Salomon ne semble pas avoir été dictée par une telle question d'intérêt particulier et matériel. Mathilde Salomon avait le désir de ne pas rendre plus facile l'accès à l'enseignement supérieur, ne voulant pas le voir envahi par des médiocres. D'autre part, elle avait, très vif, le sentiment de la dignité féminine : donner l'équivalence au diplôme sous-entendait peut-être qu'on estimait les jeunes filles incapables de passer le baccalauréat. Quelles que fussent ses raisons, en s'opposant aux équivalences, Mathilde Salomon précipitait une évolution qui conduisait les jeunes filles à la préparation du baccalauréat.

Les lycées de jeunes filles n'avaient pas encore suivi l'exemple de Sévigné que l'enseignement confessionnel, lui, avait mis sur pied la

---

3. Il était bien entendu qu'une élève moyenne de Sévigné pouvait passer sans difficulté le brevet supérieur si elle le désirait. Au reste, les élèves des lycées ne se comportaient pas autrement.

4. Elle reconnaissait volontiers que les élèves ne savaient pas le latin pour autant, mais elle ajoutait en parlant des lycéens : « Et eux, le savent-ils ? ». Dans *La Revue de Paris*, du 1er juillet 1908, un an avant sa mort, elle présenta un premier bilan de l'expérience (« Baccalauréat et jeunes filles », p. 179-186). Sur dix-neuf élèves présentées en juillet 1907, dix-huit ont été reçues et toutes, sauf une, avec mention. On a ménagé leur santé : tous les cours principaux sont le matin, le latin a été commencé deux ans avant l'examen à raison de deux heures par semaine. Il est vrai que ces jeunes filles sont rompues aux langues, avec une leçon quotidienne d'allemand entre 7 et 12 ans, et l'étude de l'anglais commencée à 12 ans. Elles apprennent bien le latin à 14 ans, parce qu'elles sont des volontaires.

préparation des jeunes filles au baccalauréat. Il peut sembler paradoxal de voir une telle innovation survenir dans un milieu qui s'était montré particulièrement réfractaire au changement et qui n'avait pas su, vingt ans durant, donner de véritable réplique à l'enseignement des lycées et collèges de jeunes filles[5]. En fait, la réaction fut produite par la brutalité même des mesures combistes[6]. Pris au dépourvu par le succès des lycées et collèges qu'ils ont constamment sous-estimé et attribué trop souvent à l'appât des bourses ou remises de frais d'études, les catholiques, malgré les avertissements de certains d'entre eux[7], ont longtemps pensé dans leur majorité qu'il ne convenait pas de donner aux femmes une instruction trop poussée[8]. Les raisons avancées sont en partie politiques : l'instruction secondaire trop répandue parmi les femmes assurerait, en multipliant les « déclassées », l'avance de l'idée démocratique. Durant plus de vingt ans, les couvents ne font donc guère d'efforts pour rehausser le niveau de l'enseignement secondaire des filles[9]. La fermeture des établissements congréganistes par le gouvernement de Combes change immédiatement la situation au profit des établissements de l'Etat. Certes, la moitié des maisons peuvent rouvrir, une fois sécularisées ; l'enseignement confessionnel n'en est pas moins désorganisé. Il faut aussi tenir compte d'un « nouvel état des esprits, comme l'écrit Fénelon Gibon en 1920[10], d'une tendance à développer davantage l'instruction des jeunes filles ». Pour éviter que les parents, soucieux d'une instruction solide pour leurs filles, ne s'adressent aux établissements de l'Etat, il faut élever à tout prix le niveau d'instruction

---

5. Comme la Mère Marie du Sacré-Cœur en a fait l'expérience. La tentative (1895-1898) de cette religieuse qui voulait fonder une école normale supérieure pour les différentes congrégations enseignantes de filles a été retracée par la vicomtesse d'Adhémar, *Une religieuse réformatrice, la Mère Marie du Sacré-Cœur, de 1895 à 1901*. Cf. F. Mayeur, Communication dans *Les catholiques libéraux*, Actes du colloque de Grenoble.

6. Comme le fait observer l'évêque d'Arras, Mgr Julien, à la Semaine sociale de Nancy en 1927 : « La Providence s'est servie de la persécution comme d'un moyen court pour conduire les volontés où elles devaient aller contre leur propre gré » (*L'éducation de la femme dans le temps présent*, Arras, 1927, 19 p.).

7. Cf. les articles d'Etienne Lamy dans *Le Correspondant* : « Les femmes et le savoir », 201, (octobre-décembre 1900) p. 649, et dans *La Revue des deux mondes* : « La femme et l'enseignement de l'Etat », 1er avril 1901, p. 601-609, repris dans un recueil : *La femme de demain*. L'auteur y développe les mêmes arguments que Dupanloup en faveur d'une solide instruction féminine, pour une rechristianisation de la société.

8. La thèse de Louis Segondy, *L'enseignement secondaire libre dans l'Académie de Montpellier, 1854-1924*, l'établit pour la région de Montpellier : dans le journal manuscrit de l'Ecole du Sacré-Cœur, à Montpellier, Mgr de Cabrières, le 4 février 1899, soulevant l'idée d'écoles secondaires catholiques pour les jeunes filles, l'écarte : « Le rôle de la femme, dit-il, est plus modeste » (p. 50).

9. Certes, en 1895, le Sacré-Cœur crée une véritable école normale dans son noviciat de Conflans. Pourtant, les études en dehors de Paris semblent rester modestes (*ibid.*, p. 50).

10. Publié en 1920 par le vieux secrétaire de la Société générale d'éducation et d'enseignement, *L'enseignement secondaire féminin*, préfacé par Mgr de Cabrières, est en grande partie le reflet d'un état d'esprit antérieur à la guerre. « L'enseignement de l'Etat s'éleva d'un bond au-dessus du nôtre... reconnaît-il, et ses premiers succès entraînèrent une grave modification de l'opinion sur l'instruction des femmes... Quand (les religieuses) ouvrirent les yeux, elles étaient devancées d'une dizaine d'années par l'Etat » (p. 65). Il prétend néanmoins qu'en 1898, quelques élèves de l'enseignement catholique passaient le baccalauréat.

donné dans les maisons religieuses. Mais la trace de l'ancienne façon de penser n'a pas entièrement disparu : ce niveau d'instruction, semble-t-il, n'est pas tellement requis pour l'ensemble des jeunes filles que pour celles qui se consacreront à l'enseignement. De là vient que l'essentiel du renouveau, dans l'enseignement catholique féminin, se marque d'abord par la fondation d'écoles normales libres.

La première réaction dans cet ordre fut celle de l'Ecole normale catholique, ouverte en 1906 par Mlle Desrez [11], mais celle qui eut le plus de retentissement dans l'opinion demeure sans conteste la création de l'Ecole normale libre, fondée en 1908 par une agrégée de lettres, Madeleine Daniélou-Clamorgan [12]. Persuadée qu'on sauvera seulement les maisons dirigées par des femmes dotées des mêmes diplômes que les fonctionnaires de l'enseignement officiel, elle entreprend, en 1907, une campagne de conférences qui attirent, à Paris, plusieurs centaines d'auditeurs [13]. A l'Ecole normale libre installée à Neuilly, les jeunes filles pouvaient préparer les « examens supérieurs » qui leur permettraient de devenir professeurs sans danger pour leur foi, loin des « promiscuités » douteuses de la Faculté. Avec le collège Sainte-Marie, qui fut adjoint à l'Ecole normale, se trouvait constituée une véritable « Université libre de jeunes filles » [14], une véritable réplique à l'Ecole de Sèvres, comme

---

11. Cette institutrice libre était aidée dans sa tâche par l'abbé Guibert, supérieur du séminaire de l'Institut catholique, par Paul Griveau et le juriste H. Taudière. Un large comité de patronage réunissait de grands noms du monde catholique. A la fondation, Mme Daniélou était directrice des études. Installée six ans durant dans deux étroits appartements de la rue de Rennes, l'école se transporta dans un hôtel de la rue de Sèvres. Le but de cette école était double :
« 1. Former pour l'enseignement libre un personnel de choix, muni de tous les diplômes exigés des membres de l'enseignement officiel, et de plus très profondément religieux.
2. Offrir aux jeunes filles des classes élevées qui, de plus en plus, manifestent le goût des études supérieures, scientifiques, littéraires ou philosophiques, le moyen de poursuivre ces études en conservant et fortifiant leur foi qui pourrait être troublée par un enseignement neutre ou athée » (Fénelon Gibon, *L'enseignement secondaire féminin*, p. 75-76). De 1906 à 1912, les élèves de l'Ecole ont obtenu 155 baccalauréats 2e partie, 4 professorats des écoles normales, 16 certificats de l'enseignement secondaire des jeunes filles, 31 licences de lettres à la Sorbonne et 32 certificats de sciences. On compte parmi elles 22 directrices d'établissements libres et 18 fondatrices, notamment celles du collège d'Hulst et du cours Sainte-Clotilde.
12. Reçue première à l'agrégation des lettres en 1903, elle épouse peu après le journaliste Charles Daniélou, qui devient député du Finistère en 1910 et fait une carrière politique après 1919 dans le sillage de Briand. Venue à l'action dix ans plus tard que la Mère Marie du Sacré-Cœur, plus habile dans ses démarches, elle sait se ménager les appuis qui ont fait défaut à celle-ci. Non contente de fonder l'Ecole normale libre, Mme Daniélou crée le collège Sainte-Marie de Neuilly et une société de jeunes filles laïques vouées à l'enseignement chrétien.
13. Etienne Lamy, « Pour l'enseignement des jeunes filles », *Echo de Paris*, 1er mai 1908, avance ce chiffre. La formule proposée par Mme Daniélou est celle des cours, peu onéreuse et plus agréable aux familles que l'internat.
14. F. Gibon, *L'enseignement secondaire féminin*, p. 81. En 1920, il existait un collège Sainte-Marie aussi à Amiens. Les jeunes filles sorties de l'Ecole étaient devenues institutrices particulières, professeurs d'écoles normales diocésaines ; elles formaient surtout la presque totalité du personnel enseignant dans les deux collèges Sainte-Marie. L'administration de l'Ecole était confiée à une société anonyme présidée par le comte de Robien, vice-président de l'enseignement chrétien dans la Mayenne. Y figuraient Brunetière, François Coppée, Albert de Mun, Etienne Lamy, J. Delafosse. L'ensemble de l'Ecole et du Collège était placé sous le régime de la loi de 1875 (mais aux termes de cette même loi, il ne pouvait prétendre à l'appellation d'Université).

l'Institut catholique avait voulu en être une à l'enseignement supérieur de l'Université.

La fondation de l'Ecole normale catholique et de l'Ecole normale libre était bien dans la logique de la rivalité entre l'enseignement de l'Etat et l'enseignement catholique ; mais ici plus qu'auparavant peut se saisir l'ambiguïté de cette rivalité. De même que pour attirer les élèves de l'enseignement congréganiste, l'Etat, selon l'expression du P. Lescœur, s'est fait « maître de pension » et a assumé bien des traits de l'enseignement clérical, ce dernier, quand il veut organiser la réplique, ne peut imaginer rien de mieux que le système de l'Etat. Il est vrai qu'il y est contraint par le monopole de la collation des grades que s'est réservé l'Etat : aucun des efforts tentés pour remplacer les examens de celui-ci par des diplômes internes à l'enseignement catholique n'a connu le succès. Pourtant, l'originalité de la loi Camille Sée et l'excès de ses précautions contre les cléricaux qui ont amené le législateur à imaginer le diplôme, examen interne subi par les seules élèves de l'Etat, placent cette fois l'enseignement catholique et avec lui tout l'enseignement libre dans une position de force. Il peut donner aux familles ce que l'Etat, gêné par ses propres règlements, leur refuse encore : la préparation aux examens masculins, partant, la préparation à l'enseignement supérieur. D'imitateur, l'enseignement libre se fait initiateur. Au reste, il semble bien que les préoccupations proprement pédagogiques ont joué un rôle tout à fait secondaire en l'occurrence. C'est le souci de l'efficacité — peut-être aussi la mode s'en est-elle mêlée — qui fut déterminant.

Le nombre d'élèves des établissements tels que le collège Sévigné ou l'Ecole normale libre, même si l'on ajoute le collège Sainte-Marie, demeure restreint. Mais ils prêchent d'exemple, et beaucoup d'établissements libres, à Paris surtout, prospèrent en suivant leurs traces. « On compte, écrit Bernès dans *L'Enseignement secondaire,* en 1914 [15], et nous comptons complaisamment le nombre d'élèves que gagnent chaque année les lycées de jeunes filles ; mais qui a jamais compté les élèves qu'ils perdent, au bénéfice de concurrents mieux avisés, pour ne pas encore satisfaire à tous les besoins de leur temps ? ». Passée la période triomphale, vient le temps de l'examen de conscience. Le mouvement pour l'essentiel n'est que parisien : il n'affecte guère encore, dans les années qui précèdent 1914, la paisible existence des collèges de petites villes où l'on prépare le brevet. Les statistiques devraient donc être fort détaillées pour permettre de constater la mutation. Au vrai, il s'agit moins désormais du nombre que de la qualité des élèves : ici encore peut se mesurer l'importance du modèle offert par les établissements de Paris.

---

15. 15 avril, cité par *RU*, t. I, 1914, p. 428-429.

Avant même que les préparations privées ne se soient véritablement organisées avec assez de succès pour inquiéter l'enseignement officiel, les amis de l'enseignement secondaire féminin, conscients d'un péril possible, s'attachent à réclamer des sanctions utiles pour le diplôme de fin d'études, c'est-à-dire, dans la pratique, des équivalences avec d'autres diplômes appartenant aux deux ordres d'enseignement secondaire et primaire. Deux écoles bientôt s'affrontent : ceux qui se contenteraient d'une équivalence avec le brevet supérieur sont d'abord les plus nombreux [16] ; ils souhaitent voir les établissements féminins délivrés du souci d'une double préparation. Les Sévriennes, encore en 1905, font mine de se ranger parmi eux. D'autres, plus audacieux, commencent à estimer que le diplôme est assez sérieux pour soutenir la comparaison avec le baccalauréat ; moyennant quelques modifications, il pourrait, d'après eux, obtenir l'équivalence avec le baccalauréat sans latin institué par la réforme de 1902. Cette dernière attitude est celle d'un Paul Appell [17] qui, en 1904, soumet un vœu en ce sens au Conseil supérieur [18]. Visiblement prématuré eu égard à l'état des esprits, le vœu fut rejeté par la Section permanente qui argua que le diplôme n'était pas de force équivalente et que l'adoption du vœu abaisserait donc le niveau des études supérieures.

Les réflexions que suscite la notion d'équivalence montrent à quel point cet usage est mal reçu. Dans un système où tout repose sur le mérite acquis par le passage des examens ou des concours, l'équivalence apparaît comme un bénéfice octroyé [19] : la condescendance n'est pas loin et le titre ainsi acquis n'apparaît pas incontestable. C'est pourquoi les Sévriennes se refusent avec tant de constance à un examen qui donnerait

---

16. Et les plus influents. Le rapport au nom de la commission du budget de Maurice Faure pour 1902 demande, en s'appuyant, dit-il, sur les familles et la presse universitaire, l'assimilation du certificat de fin d'études secondaires au brevet élémentaire et celle du diplôme au brevet supérieur. La seule objection, celle des « études désintéressées », ne tient pas : « Si, en pratique, on appliquait strictement cette idée, elle aurait les conséquences les plus désastreuses sur le recrutement ... elle tendrait d'une part à enlever à ces établissements la clientèle de tous les parents peu fortunés qui tiennent à ce que leurs enfants trouvent plus tard une situation dans l'enseignement primaire. D'un autre côté, certaines familles aisées, mais prévoyantes ... se dirigeaient vers les pensionnats libres ... » (cité par *ESJF*, janvier 1902, p. 18-30). En 1903, le Conseil académique de Paris propose l'équivalence du certificat d'études secondaires et du brevet élémentaire (*RU*, t. II, 1903, p. 169). Les raisons d'une assimilation ne sont donc nullement théoriques.

17. Maître de conférences à l'Ecole de Sèvres de 1884 à 1920 : « Jamais professeur ne pourra donner à ses élèves plus grande impression de perfection » (E. Cotton, *Le cinquantenaire de l'Ecole de Sèvres, 1881-1931*, p. 217). Le mathématicien Paul Appell devint, à cette date, recteur de Paris.

18. Le 2 décembre 1904. Il demandait l'équivalence, la reconnaissance aux titulaires du diplôme du droit de s'inscrire en Faculté, et du droit d'ouvrir une école secondaire libre. Son attitude, qui procédait en partie du sérieux qu'il attribuait aux études des jeunes filles, mais aussi du mépris que lui inspirait, en sa qualité d'examinateur, le niveau du baccalauréat, était celle d'un autre professeur à l'Ecole de Sèvres, Lemonnier. « Lui qui examine les bacheliers les trouve si faibles, écrit Louise Belugou le 12 janvier 1905, qu'il juge que nous devons hardiment demander l'assimilation du diplôme » (AEAES, lettre à J. Lochert). Il craint surtout que le baccalauréat, devenu un but, n'en vienne à fausser l'enseignement secondaire féminin.

19. Quelques années durant, on semble s'être orienté vers les systèmes des dispenses, accordées cas par cas et non en vertu d'une équivalence normale et régulière.

par équivalence le droit d'entrer dans l'enseignement supérieur : les jeunes filles, pour que leur place n'y soit pas discutée, doivent passer le même baccalauréat que les garçons. Ainsi, le rejet des équivalences, bien conforme à la conception française de l'examen, porte-t-il en germe l'assimilation de l'enseignement féminin à l'enseignement masculin. L'identité des examens en effet suppose l'identité des études.

Les plus intransigeants désiraient, avec le maintien de la spécificité des études féminines, la reconnaissance du caractère véritablement secondaire de ces études. Il fallait, selon eux, revenir au véritable esprit de la loi, dénaturé par l'œuvre du Conseil supérieur. Camille Sée, gardien toujours vigilant de la loi, ne manquait pas, dans sa Revue, de faire observer qu'un retour à la loi telle qu'il l'avait voulue et telle en somme qu'elle avait été votée suffisait pour assurer une égalité, certes dans la différence, avec l'enseignement masculin. Il suffisait de donner aux études féminines la même durée qu'à l'enseignement masculin, de remettre en vigueur les matières telles que le droit usuel ou l'économie domestique, délaissées dans la pratique, pour donner aux jeunes filles un diplôme d'une valeur plus élevée, parfaitement comparable au baccalauréat. La solution, pour Camille Sée, consistait donc dans un baccalauréat féminin, gardant les principales caractéristiques du diplôme, notamment son caractère intérieur, ses sujets d'étude propres et sa prise en considération non seulement des épreuves, mais aussi de la scolarité antérieure, au terme d'études allongées et rénovées. L'idéal demeurait la spécificité féminine et le désintéressement des études.

Le rapport de Maurice Faure à la Chambre pour le budget de 1902 contenait cependant les germes de l'évolution ultérieure : il ne se contentait pas, en effet, de réclamer l'assimilation au brevet, il suggérait l'institution de cours facultatifs de latin et de grec à partir de la quatrième année qui permettraient aux jeunes filles de préparer le baccalauréat. Le vœu Dejean de La Bâtie [20] au Conseil supérieur essayait

---

20. Les attendus du Conseil supérieur sont révélateurs de son attitude conservatrice, tandis que sa décision, quelque peu contradictoire, amorce une évolution :
AN, F 17 12976 : « Vœu de Mme Dejean de La Bâtie et de M. Mangin, tendant à ce que, pour rendre possible aux jeunes filles qui le désirent l'accès des carrières pour lesquelles la connaissance du grec et du latin est indispensable, l'administration crée, à titre facultatif, dans quelques établissements, des cours de langue grecque et rétablisse ceux de langue latine qui existaient autrefois.
    La Section permanente,
Considérant que l'opinion émise par les signataires du vœu, à savoir « que l'enseignement secondaire des jeunes filles devrait comme celui des jeunes gens comprendre toutes les matières dont la connaissance est exigée dans tous les examens qui ouvrent les carrières où elles sont admises » aurait pour conséquence nécessaire, si elle était adoptée, l'assimilation à peu près intégrale de l'enseignement secondaire des jeunes filles à celui des jeunes gens au point de vue de la durée, des méthodes, des programmes, des examens ;
    Que si une telle opinion peut être soutenue, elle n'en est pas moins directement contraire à celle qui a présidé à l'institution de l'enseignement secondaire des jeunes filles ;
    Qu'en effet, le législateur de 1880 a voulu, sans doute, que cet enseignement fût animé du même esprit que celui des garçons, mais non pas qu'il visât les mêmes sanctions et fût, par suite, assujetti aux mêmes programmes, dirigé en vue des mêmes concours et examens extérieurs ;

de mettre cette suggestion en actes sans succès : l'enseignement secondaire masculin, comme l'enseignement primaire, apparaissait rétif à tout rapprochement. Moins de huit ans après, les timidités et les refus apparaissent bien dépassés par la situation comme par l'état de l'opinion : l'assimilation des études féminines aux études masculines est le but poursuivi ; la mener à bien n'est plus qu'une question de temps et d'argent.

Tout en rejetant le vœu Dejean de La Bâtie, le Conseil supérieur entrouvrait la porte au grec et au latin dans les établissements de jeunes filles en permettant l'institution de préparations facultatives à ces matières. Il fallut néanmoins plusieurs années pour les obtenir. Une telle lenteur provient d'une appréciation erronée du mouvement qui porte vers le baccalauréat : il est de bon ton dans les milieux universitaires, encore vers 1905-1906, d'affirmer que celui-ci n'intéresse qu'une « petite minorité »[21], que ce mouvement n'est qu'une mode, comme celle qui amenait naguère les jeunes filles de bonne famille à passer leur brevet, indice d'une éducation soignée[22], et que, comme toutes les modes, il passera. Il suffirait donc d'attendre. La réussite même de l'enseignement secondaire féminin plaide pour le statu quo : c'est l'attitude du Conseil supérieur et du directeur Rabier[23] qui se défend à la fois contre l'« impérialisme » de l'enseignement primaire et contre l'assimilation à l'enseignement secondaire masculin[24].

Que, dans son intention, la mission assignée à cet enseignement était de préparer les jeunes filles à remplir dignement dans la société actuelle et la famille, leur rôle de femme, de mère, d'épouse, mais non de les conduire vers telle ou telle carrière ou profession ...

Que si ... on entendait se contenter d'une préparation hâtive et superficielle aux dits baccalauréats, greffée, vers la fin des classes, sur un cours d'études français, on accepterait pour les jeunes filles un genre de préparation que le Conseil supérieur a constamment déclaré inacceptable pour les garçons comme contraire à l'idée même d'une véritable éducation secondaire.

Qu'ainsi l'adoption du vœu ... risque à la fois d'altérer profondément l'enseignement secondaire des jeunes filles et de constituer un dangereux précédent pour l'enseignement secondaire des jeunes gens ;

A émis l'avis que la proposition, en tant qu'elle vise l'institution dans les lycées et collèges de jeunes filles d'une préparation à certains baccalauréats et à certaines carrières déterminées, n'était pas susceptible d'être accueillie, mais que des cours de latin pourraient être créés à titre facultatif dans les quelques établissements où le nombre des demandes serait suffisant pour justifier cette création, cours pouvant servir ultérieurement de fondements à d'autres études, mais n'ayant, dans les établissements eux-mêmes, d'autre objet immédiat que de fournir aux élèves qui les suivraient un complément d'éducation ».

21. *ESJF*, décembre 1905, p. 249-260, citant le rapport Massé pour le budget de 1906.

22. Passer les brevets, « cela était " bien porté " il y a très peu de temps encore, écrit Mme Crouzet. Les demoiselles du Sacré-Cœur et des pensions aristocratiques n'y manquaient pas, elles y mettaient un certain snobisme dont commence à bénéficier à l'heure actuelle le baccalauréat, devenu à son tour un examen " chic " (*RU*, t. II, 1911, BESJF, p. 282-293). Le « snobisme » semble en effet avoir eu un rôle d'entraînement dans la course aux brevets et ensuite dans l'ambition de passer le baccalauréat.

23. AEAES, lettre de Rabier (à Lucie Küss ?), 11 février 1905 : l'enseignement secondaire des jeunes filles tel qu'il est, observe-t-il, « a réussi au-delà de toute espérance dans un milieu comme le nôtre ». Le transformer ne paraît pas nécessaire puisque en sa forme actuelle il rencontre tant d'adhésions.

24. Les deux sont liés dans son esprit : « Il craint que l'assimilation à la première partie du baccalauréat n'ouvre la porte aux revendications de l'enseignement primaire supérieur ... M. Rabier met si bas notre pauvre examen et si haut le Brevet qu'il n'a jamais vu passer certainement » (*ibid.*, lettre de Louise Belugou à Julie Lochert, 20 mars 1905). « Une fois assimilé à l'enseignement secondaire des

La prospérité apparente de l'enseignement secondaire féminin, les mérites évidents du diplôme, « la forme d'examen la plus proche d'un idéal de raison et de justice »[25], invitent en effet à ne pas sacrifier celui-ci à la légère. Bien mieux, Aristide Briand dépose un projet de loi en 1907 tendant à supprimer le baccalauréat traditionnel pour en faire une sorte de diplôme de fin d'études[26] en s'appuyant sur l'exemple des jeunes filles. Le projet ne peut aboutir parce qu'il poserait la question des sanctions de l'enseignement libre[27].

Dans le même temps, le diplôme féminin subit quelques modifications de forme, adoptées par le Conseil supérieur, qui tendent à le faire ressembler davantage au baccalauréat. Ces subtilités n'ont guère de résultats, semble-t-il, dans l'usage. Ce qui importe aux parents d'élèves, ce sont beaucoup moins les modalités de l'examen que les portes qu'il ouvre. Faute d'avoir pu s'entendre à temps sur les sanctions à donner au diplôme, administrateurs et universitaires ont prononcé sans le vouloir son arrêt de mort : il n'est pas sûr qu'à une époque où la vanité bourgeoise commençait à s'attacher, même pour les filles, à la conquête du baccalauréat, l'octroi tardif de l'équivalence avec le brevet supérieur aurait suffi à enrayer la décadence du diplôme.

En 1907, un épisode montre à la fois l'existence d'un malaise dans l'enseignement secondaire féminin et les limites de ce malaise. La Société pour l'étude des questions d'enseignement secondaire, dont le président Bernès, professeur à Lakanal, n'avait cessé de témoigner, au Conseil supérieur notamment, de son intérêt à l'enseignement secondaire féminin, lança un questionnaire sur une éventuelle réforme de celui-ci. Les réponses furent confiées à une commission dirigée par Berthe Leroux[28]. Cette dernière s'étant éloignée, Emma Flobert prit sa succession et rédigea le rapport de synthèse, publié l'année suivante[29]. Le petit nombre des réponses — 17 collectives, 27 individuelles — peut surprendre. Comparé à la masse des contributions à l'enquête de 1917, il permet de mesurer le chemin parcouru en dix ans. Les résolutions aussi,

---

garçons, commente-t-il lui-même (*ibid.*, lettre à Rabier), comment se pourrait-il que l'enseignement secondaire féminin, ayant demandé et obtenu l'assimilation à l'enseignement primaire ne se trouvât pas par là même assimiler celui-ci à l'enseignement secondaire des garçons ? C'est presque un axiome mathématique ! Les assemblées sont simplistes et l'enseignement primaire a d'ambitieux défenseurs au Parlement ».

25. Camille Sée, *ESJF*, avril 1905, p. 152-156.

26. Le chroniqueur de *La Revue universitaire* (t. II, 1907, p. 345) s'émeut de l'argumentation du réformateur, qui ne prend pas garde aux inconvénients du diplôme, examen intérieur, « morceau de papier sans valeur marchande ».

27. L'enseignement secondaire libre masculin, à la différence de celui des filles, a un statut, déterminé par la loi du 15 mars 1850.

28. Agrégée des lettres, Sévrienne de la promotion 1884, celle-ci était alors professeur au lycée Molière. Elle prit un congé en 1908 qui dura plusieurs années. Devenue directrice en 1915, elle mourut vers 1922.

29. Le questionnaire fut publié dans *L'Enseignement secondaire* du 15 juin 1907, « à la demande de plusieurs membres féminins de la Société », le rapport, dans *L'Enseignement secondaire* du 15 juin 1909, assorti du procès-verbal des résolutions adoptées par la commission.

étroitement inspirées par les réponses reçues, paraissent timides. La Société se prononce pour un allongement des études d'une année, mais uniquement par adjonction d'une sixième année, sans programme déterminé : le contenu varierait selon les besoins locaux. Elle ne juge pas désirable d'avancer d'un an l'entrée dans les études secondaires, et souhaite même un allégement des horaires des deux premières années. Le reste de ses vœux consiste en l'établissement d'un programme officiel pour les classes primaires, en des modifications de programme et d'horaires, dans le maintien de la distinction entre les cours facultatifs et des cours obligatoires, avec un système d'options [30]. Le questionnaire donnait aux lecteurs de *L'Enseignement secondaire* matière à réflexions en proposant une question « libre » : la timidité des réponses, là encore, montre que la crise des sanctions n'est pas encore mûre en 1907. Le diplôme n'est pas mis en question. Tout au plus « beaucoup de collègues » s'élèvent, par anticipation, contre un « baccalauréat de demoiselles ».

Quatre ou cinq ans à peine après les débats sur l'équivalence avec le brevet, la question de l'équivalence avec le baccalauréat paraît dépassée à la plupart des observateurs. L'évolution des Sévriennes est remarquable : critiquées en 1905 par Camille Sée pour avoir souhaité l'équivalence avec le brevet dans l'espoir d'être enfin débarrassées de celui-ci, elles en sont arrivées à la conviction qu'un diplôme remanié et équivalent à un baccalauréat ne suffirait pas à assurer aux jeunes filles l'entrée de l'enseignement supérieur à égalité avec les garçons. Il faut, au moins en seconde partie, un examen commun, faute de quoi l'aptitude des jeunes filles serait toujours contestée [31]. Dans la bataille des sanctions et des équivalences, deux dangers opposés se sont révélés : l'absorption par l'enseignement primaire supérieur, que l'argumentation du rapport Massé pour le budget de 1906 pourrait laisser prévoir [32], ou

---

30. Le mot n'est pas prononcé, mais la chose clairement définie : la Société voudrait au diplôme des interrogations obligatoires sur les matières facultatives choisies au début de l'année.

31. « Je crois, écrit Louise Belugou, qu'avant l'entrée dans les Facultés, il est absolument nécessaire que les jeunes filles aient pu prouver dans au moins un examen qu'on peut les traiter à égalité avec des jeunes gens — ou bien se refera pour elles ce régime d'exception qui, sous couleur de fausse sympathie et de pitié, leur est si défavorable et souvent si injuste » (AEAES, lettre à J. Lochert, 31 mars 1906).

32. *ESJF*, décembre 1905, art. cité. Le rapport constate que le diplôme permet seulement de se présenter à Sèvres, au certificat, à un poste de maîtresse répétitrice et ne voit un remède au manque de débouchés que par l'assimilation au brevet supérieur. Pour l'obtenir, il compare la quatrième année des lycées et la première année des écoles normales où les études sont « similaires sinon identiques ... Il n'y a pas deux manières d'enseigner la langue et la littérature française. Il n'y a pas une arithmétique primaire, une arithmétique secondaire, une histoire bonne pour les jeunes filles du monde et une histoire à l'usage des futures institutrices ».

L'équité veut donc l'assimilation, d'autant qu'il est normal, dans une « société démocratique », de rapprocher les ordres d'enseignement. Cette assimilation de l'enseignement secondaire féminin à celui des écoles primaires supérieures paraît criticable aux Sévriennes : « Toutes les directrices, écrit Louise Belugou, savent que les élèves de ces Ecoles, même munies du brevet élémentaire, ne peuvent suivre notre 4e année qu'avec peine, à moins d'être très douées. La culture générale n'est pas la même, la culture littéraire manque » AEAES, (lettre citée, 21 oct. 1905).

bien l'institution d'un « baccalauréat féminin », résultat d'une transformation du diplôme et ouvrant non sur les Facultés à égalité avec les garçons, mais sur des « Universités de jeunes filles »[33], nécessairement « désintéressées », mais inférieures en prestige aux Universités qui forment aux carrières.

L'exemple et la concurrence des établissements libres aidant, des préparations au baccalauréat commencent à être instituées, sur la proposition de Steeg, en 1908 ; encore la plupart des établissements demeurent-ils réfractaires. L'un des pionniers en la matière semble avoir été le lycée de Bordeaux[34], suivi par le lycée de Lille[35]. Partout où la préparation s'organise, les cours supplémentaires (de latin) sont rétribués par les élèves, les autres cours pouvant être intégrés dans l'emploi du temps régulier des professeurs attachés à l'établissement[36]. Les baccalauréats les plus préparés sont le baccalauréat sciences-langues, malgré la formation parfois trop faible en sciences, mais renforcée par des cours complémentaires, et, comme dans les établissements libres, le baccalauréat latin-langues. En 1913, il existe une préparation au baccalauréat dans tous les lycées de Paris et dans nombre d'établissements de province. Quelques pôles, comme Lyon du fait de la directrice, résistent sans trop de conviction : la guerre achève de faire entrer le baccalauréat féminin dans les mœurs.

La guerre et la commission extra-parlementaire de 1917

Le déclenchement de la guerre et sa durée ont eu des conséquences immédiates pour l'enseignement secondaire féminin. Ni les jeunes filles ni leurs professeurs ne faisaient évidemment l'objet d'aucune réquisition. Pourtant, le nombre des élèves diminua fortement à la rentrée de 1914.

---

33. *RU*, t. I, 1905, p. 342-343. Le chroniqueur estime qu'on a eu tort de supprimer la sixième année « qui était une initiation à l'enseignement supérieur » pour n'en faire qu'une préparation à Sèvres. « Il y a des familles, écrit-il, qui enverraient très volontiers une année de plus leurs filles au lycée si elles n'étaient retenues par la crainte de les voir astreintes à préparer le programme d'un concours ... ». Il faut favoriser, conclut-il, les « études désintéressées ».

34. En 1897 déjà, pour 10 diplômes, on comptait deux baccalauréats classiques et cinq modernes (AN, F 17 6828), huit baccalauréats en 1898, autant en 1899. L'inspecteur d'académie concluait sévèrement en 1898 que le lycée de Bordeaux, en organisant cette préparation, méconnaissait le but de l'enseignement secondaire féminin (*ibid.* 6829). Les cours d'Angoulême, faute de diplôme, avaient suivi la même voie (*ibid.* 6829, rapport au conseil académique de Poitiers, 1899). Mais ces deux cas restent à peu près isolés.

35. 22 élèves suivent les cours de latin en 1908, 47 en 1911. *Le Mercure de France* (avril 1911), *Le Bulletin de l'enseignement secondaire de l'Académie de Lille* (15 mai 1911), *La Revue universitaire* (t. II, 1911, p. 51-53) tirent les leçons de l'expérience.

36. Le latin pose un problème différent. La plupart des professeurs, en effet, ne sont pas à même de l'enseigner. Il faut donc faire venir un professeur de l'établissement de garçons voisin. La présence d'un professeur homme rehaussant le prestige de l'établissement, les directrices eurent recours à ce procédé même lorsqu'un de leurs professeurs pouvait assurer l'enseignement classique. Ainsi à Toulouse.

Tous les professeurs ne furent pas à leur poste, certaines s'étant trouvées dans les régions envahies pendant les vacances ou au contraire ne pouvant rejoindre leur établissement dans une ville aux mains de l'ennemi. D'autre part, beaucoup de lycées avaient été transformés en hôpitaux de campagne par les plans qui prévoyaient une guerre courte. Le lycée Victor-Duruy était devenu le siège de l'Etat-major de Galliéni. On réunissait les jeunes filles pour faire de la charpie, quelques professeurs cumulèrent leurs fonctions avec celles d'infirmières[1]. Au reste, dans le grand bouleversement, les candidates reçues aux concours de 1914 n'avaient pas reçu d'affectation. Le mouvement n'eut lieu qu'en février 1915. D'autre part, la mobilisation avait rendu vacants une grande quantité de postes dans les établissements de garçons.

Le conflit se prolongeant, il fallut s'organiser. L'Ecole de Sèvres, où était prévu un hôpital temporaire, se vit doter, sur les conseils de Paul Appell, d'un simple dispensaire et reprit son travail habituel le 6 décembre. Les directrices de lycées organisaient la cohabitation ou s'ingéniaient à trouver des locaux de rechange pour continuer les cours[2]. Mais la décision capitale fut d'envoyer de jeunes professeurs, frais émoulus des concours, remplacer les mobilisés dans les établissements de garçons[3]. Cette mesure, qui aurait fait sourire en temps de paix ou même aurait été jugée inconvenante et « inadaptée à nos mœurs de pays latin », était imposée par la nécessité. On fit à la fois l'expérience de la capacité des professeurs femmes devant un auditoire masculin et de la tolérance de celui-ci. Les parents en eurent de la reconnaissance pour celles qui venaient sauver la scolarité de leurs fils. Dès ce moment, et quelle que fût la discrimination administrative et financière dont les jeunes professeurs femmes étaient les victimes, un grand pas était franchi vers l'assimilation des deux corps enseignants, la preuve d'une valeur égale ayant été donnée sur le même terrain[4].

La guerre était venue interrompre un mouvement de réforme qui partait de tous les côtés à la fois : l'administration y était favorable, l'opinion y était acquise, les professeurs, les parents, les associations d'anciennes élèves également. Pourtant, s'il existait un accord pour

---

1. Les publications universitaires regorgent de détails là-dessus. « Les lettres des absentes, écrit l'ancienne directrice de Sèvres à son successeur en 1931, nous renseignaient sur leurs activités : infirmières, lingères, raccommodeuses, institutrices suppléant les mobilisés, employées dans les asiles de réfugiés, aux champs, à l'atelier maintenu en activité par une volonté féminine, ou simplement réduites à tricoter, elles s'ingéniaient à faire leur devoir » (*Le cinquantenaire de l'Ecole de Sèvres, 1881-1931*, p. 180).

2. L'une d'elle en fit jusque dans l'escalier de son appartement.

3. Sur les 16 littéraires de la promotion entrée à Sèvres en 1911, 11 furent employées dans des établissements de garçons (9 scientifiques sur 16). Sur les 16 littéraires de 1912, 6 et sur les 12 scientifiques, 10. Il s'agissait de premières affectations.

4. En même temps, ces jeunes femmes avaient l'occasion d'élargir leur champ de vision pédagogique. Cf. le livre de Jeanne Galzy (pseudonyme d'une Sévrienne) sur *La femme chez les garçons*.

dénoncer les « insuffisances » de l'enseignement secondaire des jeunes filles, les solutions proposées étaient diverses et incompatibles. L'administration, conservatrice par nature, faisait valoir les mérites de cet enseignement qui, depuis plus de quarante ans, n'avait cessé de se développer et de donner des satisfactions ; une partie des directrices et professeurs femmes, et beaucoup de professeurs hommes [5] tenaient à ce qu'ils considéraient comme une formule pédagogique particulièrement réussie, surtout en comparaison de l'enseignement masculin. Les parents n'étaient pas insensibles à de tels arguments. Aussi, même s'ils étaient acquis à l'idée d'apporter quelques changements à l'enseignement féminin, ne rêvaient-ils pas d'un bouleversement complet, encore moins d'une assimilation aux lycées de garçons. Dans l'autre camp se rangeaient ceux que frappait un système illogique et si peu en harmonie avec les besoins de la clientèle réelle, la situation de la société et la législation des autres pays d'Europe : parmi eux les féministes, même modérées comme Louise Cruppi ou Mme Jules Siegfried, les jeunes professeurs des lycées de jeunes filles et plus généralement toutes celles que leur expérience avait amenées à toucher du doigt la discrimination dont leur élèves étaient victimes à l'entrée de l'enseignement supérieur et à constater la nécessité, pour beaucoup d'entre elles, d'entrer dans une carrière. Quelques maîtres de conférences à Sèvres, parmi lesquels Paul Appell, leur apportaient leur appui.

Nombre de publications, universitaires ou destinées au grand public, comme *La Revue universitaire,* avec sa rubrique régulière consacrée à l'enseignement féminin, l'organe des parents d'élèves, *Famille et lycée,* mais aussi *Le Temps* ou *La Grande revue,* prennent parti et recommandent soit l'octroi au diplôme de sanctions nouvelles, avec ou sans allongement des études, soit la transformation du diplôme de telle sorte qu'il puisse devenir un nouveau baccalauréat, spécial aux jeunes filles. Plus timidement, l'idée se fait jour que les jeunes filles devraient faire les mêmes études que les garçons. Les Sévriennes, après leurs hésitations de 1905, sont convaincues que pour affronter l'enseignement supérieur, il faut que les jeunes filles subissent au moins une épreuve commune avec les garçons. Mais ce principe acquis, restent les discussions sur les modalités : allongera-t-on les études des jeunes filles, comment et de combien ? Dans quelles conditions le diplôme peut-il obtenir l'équivalence de la première partie du baccalauréat ? Faut-il au contraire le supprimer ? L'équivalence n'est-elle pas une charité

---

5. Ainsi le collaborateur du *Temps,* Hippolyte Parigot, M. et Mme Hubert Bourgin dans *La Revue politique et parlementaire,* septembre 1913, p. 570-581. En janvier 1917, dans cette même revue, Alphonse Darlu exprime encore son attachement au diplôme et à la conception qui guide l'enseignement féminin : « On ne demande à chaque matière qu'une occasion de former l'esprit et le goût des jeunes filles et même leur cœur ».

dédaigneuse qui empêcherait durablement les jeunes filles de faire concurrence aux garçons [6] ?

Tous ceux qui aspirent à une réforme se heurtent cependant à une difficulté : le contenu de l'enseignement secondaire ayant été fixé par une loi, il ne peut être modifié, en principe, que par une loi. La difficulté qu'on pressentait d'émouvoir sur cette question le Parlement a sans doute contribué à grossir le nombre des partisans des mesures de compromis dont le mérite était d'éviter une telle procédure. Par étapes rapides [7], en quatre ans, la Fédération des professeurs pose les conditions dans lesquelles pourrait être élaborée une réforme : allongement des études secondaires par l'adjonction d'une sixième année normale et par la transformation de la dernière année primaire en première année secondaire, et maintien du diplôme, doté de plus de poids par l'élargissement du jury. C'est en 1913 que Bernès obtient un vote de principe tendant à l'organisation d'une préparation au baccalauréat dans les établissements secondaires féminins [8]. L'année suivante, Suran fait adopter le vœu, avec une confortable majorité, qu'à côté de l'organisation ordinaire de l'enseignement des jeunes filles, on institue un cours d'études régulier et complet préparant au baccalauréat [9].

Le vœu de Suran ne mériterait pas de retenir l'attention plus que tout autre des nombreux avis pédagogiques émis au cours d'un long débat, s'il n'avait été pris comme cible par le directeur Coville [10] dans son exposé des motifs de 1916 et s'il ne préfigurait la solution à laquelle, dix ans plus tard, s'est arrêté Léon Bérard. Dans l'intervalle, pourtant, et malgré la guerre, les discussions au Conseil supérieur s'alimentent des vœux toujours renouvelés de Suran, jusqu'au moment, où, en 1916, le Conseil est saisi par le ministre Painlevé d'un projet de réorganisation de l'enseignement féminin.

---

6. C'est pourquoi le congrès de la Fédération des professeurs repousse l'institution du baccalauréat E (baccalauréat des jeunes filles) en 1913.

7. Retracées par Claire Suran-Mabire dans *La Revue universitaire*, t. II, 1916, « La réforme de l'enseignement secondaire féminin et les associations de professeurs », p. 203-217.

8. Sans doute, dans beaucoup de cas, cette préparation est-elle déjà instituée. Mais elle ne l'est pas dans les formes régulières et se fait au hasard des circonstances locales, à titre onéreux. Bernès fait voter le principe de cours gratuits et facultatifs de latin, de grec et de sciences.

9. *Bulletin de la Fédération*, juin 1914, p. 509. La question fut examinée le 18 avril. Au rapport Suran s'opposait le rapport d'un jeune professeur au lycée de Grenoble, Rachel Allard, qui témoignait de l'attachement des professeurs femmes au système ancien, malgré les critiques : pour elles, le diplôme était inadapté à la situation présente, mais la préparation au baccalauréat telle qu'elle existait dans les lycées de jeunes filles n'était qu'un « bachotage ». Il ne fallait pas se modeler sur l'enseignement masculin, mais allonger les études féminines à six ans, transformer le diplôme en examen public, scindé en deux sections (littéraire et scientifique) et placé à la fin de la cinquième année. A la fin de la sixième, les jeunes filles passeraient la deuxième partie du baccalauréat avec les garçons.

10. Ancien élève de l'Ecole des Chartes, devenu professeur d'histoire du Moyen Age à Lyon, il fut recteur à Clermont, puis inspecteur général, avant de succéder à Poincaré, en 1914, à la direction de l'enseignement secondaire. Il la quitta le 1er octobre 1917. Le projet de réorganisation de l'enseignement féminin devait dater de 1914, puisque Albert Sarraut avait déjà demandé à ses services de mettre cette réforme à l'étude.

Au contraire de toutes les solutions envisagées, le projet du directeur se présente comme une simple « adaptation », dans le respect de la loi, c'est-à-dire sans introduction du plan d'études des garçons, et sans création d'un nouveau baccalauréat. On allongerait à six ans le cours d'études, en le faisant commencer un an plus tôt. Le diplôme pourrait être accompagné de mentions (latin, sciences) que préparerait tout un éventail de cours par options en sixième année. L'obtention du diplôme avec mention latin ou sciences donnerait la dispense du baccalauréat première partie. Une septième année permettrait de préparer la seconde partie ; les jeunes filles qui ne rechercheraient pas le baccalauréat pourraient y compléter leur formation intellectuelle. On rattacherait également à la septième année les « cours pratiques », « vivement réclamés par les familles », qui assureraient le succès du diplôme sans mention puisque celles qui suivraient ces cours seraient assurées de débouchés à l'égal des bachelières. Suivaient un plan de remaniement des programmes et un projet de réorganisation du diplôme : s'il reste un examen intérieur, il n'a lieu que dans les établissements importants, l'élément étranger au lycée est augmenté dans le jury, l'oral devient public et, innovation d'avenir, chaque candidate présente un livret scolaire. Ainsi se trouveraient réunies les conditions permettant une dispense du baccalauréat première partie sans porter atteinte à ce dernier comme le craint la Fédération.

Malgré l'hostilité du *Temps,* qui exprimait la pensée de la Fédération, le Conseil supérieur adopta le projet Coville dans sa session de décembre 1916. Cependant, le 12 décembre 1916, l'Instruction publique changeait de mains. A peine installé, Viviani annonçait au Conseil supérieur [11] qu'il suivrait, pour « la satisfaction de tous les intérêts », la procédure employée en 1900 pour la réforme du baccalauréat, c'est-à-dire la réunion d'une commission d'enquête extraparlementaire. Le Parlement débattrait ensuite sur les conclusions précises fournies par la commission. Un tel revirement de la part du ministère, alors que le Conseil supérieur était acquis à la réforme proposée, apparaît dû à la pression exercée par les publications universitaires [12].

---

11. Discours de Viviani, Conseil supérieur, 2ᵉ session de 1916, cité par *Le Temps* du 21 décembre 1916 : « La question qui vous est soumise, dit notamment le ministre, est une des plus hautes ; elle n'est pas seulement une question universitaire ; elle est, comme beaucoup de questions universitaires, une question morale, une question sociale ... ; il s'agit, comme toutes les fois que sont remaniées les études, de la direction nouvelle que, sur la route de la vie, pourra prendre une partie de la jeunesse et de sa formation intellectuelle. C'est une question nationale, et je ne saurais agir, pour la régler, par simple décret ». Le fondement de la procédure annoncée est donc plus moral que juridique. On observera d'autre part qu'il n'est pas fait de référence à la qualité proprement « féminine » de cette « question universitaire ».

12. Comme le note le *Journal des collèges,* sous la plume d'E. Bonin et J. Clavière, février 1917. Le Bulletin de Mme Crouzet (*RU,* t. II, 1916, p. 389-397) appelle de ses vœux une telle consultation, comme *L'enseignement secondaire* et *Le Bulletin de la Fédération.*

Créée par le décret du 2 janvier 1917, la commission était nombreuse[13]. Elle avait pour objet d'« examiner les modifications à apporter à l'organisation des études et aux sanctions de l'enseignement secondaire des jeunes filles ». Son existence marquait pour la première fois la dépossession de l'administration en un domaine où celle-ci, même lorsqu'elle avait affecté de consulter le personnel, avait eu jusque-là les coudées plus franches qu'ailleurs, et où elle avait décidé à peu près seule, sous les yeux bienveillants du Conseil supérieur.

Un débat s'instaura, au sein de la commission comme dans le grand public[14], à partir d'un questionnaire diffusé par la commission. Regroupant ses questions autour de trois pôles principaux — l'organisation des études, le diplôme, le baccalauréat —, la commission invitait ceux qu'elle consultait à s'élever au-dessus des conditions exceptionnelles de l'heure pour donner une définition à l'enseignement féminin et lui assigner une destinée précise. A titre d'hypothèse, les solutions les plus audacieuses pour l'époque, c'est-à-dire l'identité absolue avec l'enseignement masculin et même la mixité ne sont pas écartées. Trois questions seulement étaient réservées au diplôme, qui orientaient nettement les réponses vers l'examen public et posaient le problème des sanctions. Les questions sur le baccalauréat se ressentaient du principal argument de ses adversaires qui peignaient les jeunes bachelières venant grossir la foule des candidats aux professions libérales. Aussi, sous l'influence des parents d'élèves à qui cette idée était chère, envisageait-on la possibilité d'« enseignements pratiques » ouvrant d'autres voies que le baccalauréat. Enfin, le changement éventuel de portée et de contenu de l'enseignement secondaire féminin invitait à examiner la formation des professeurs : y aurait-il ou non identification des concours de recrutement ? Les questions posées recevaient une complication supplémentaire, au reste, du fait qu'en filigrane se trouvait posée la question d'une réforme éventuelle de

---

13. La commission, qui avait pour secrétaire (et rapporteur final) l'inspecteur général Blutel, assisté des chefs de bureau Vigier et Wissemans, comprenait à la fois des parlementaires (les sénateurs Charles Dupuy, H. Bérenger, Las Cases, Lintilhac, Steeg, les députés Simyan, P. Beauregard, Léon Bérard, Dessoye, Charles Dumont, Pierre Dupuy, Ellen Prévot, Groussau, Landry, Paul Painlevé et Adrien Weber), des notabilités universitaires, le recteur Liard (remplacé à sa mort en décembre 1917 par Lucien Poincaré comme vice-président), les directeurs des enseignements supérieur, Lucien Poincaré, secondaire, C. Bellin nommé en décembre 1917, et primaire, Paul Lapie, les doyens des Facultés des sciences de Paris, Paul Appell, de droit et de médecine, deux inspecteurs généraux, Darlu et Bompard, des membres du corps enseignant, Fédel, professeur à Lakanal, président de la Fédération nationale des professeurs de lycée, Georgin, professeur à Henri IV, des directrices et professeurs de l'enseignement secondaire féminin, Mlles Amieux, directrice de Jules Ferry, et Caron, directrice du lycée de Bordeaux, Mlle Picot, professeur au lycée Victor-Duruy, Mme Suran-Mabire, professeur au lycée de Marseille et vice-présidente de la Fédération des professeurs de lycée. On y avait nommé également Camille Sée, conseiller d'Etat, en une sorte de reconnaissance du patronage moral qu'il n'avait cessé d'exercer sur sa fondation. Une mesure ultérieure adjoignit à la commission Mme Jules Siegfried, présidente du Conseil national des femmes françaises. *La Revue universitaire* regretta qu'il n'ait pas été fait place dans la commission aux associations de parents d'élèves (t. I, 1917, p. 139). Il n'était même pas question des associations d'anciennes élèves.

14. Ainsi le journal *La Vie féminine* lança une enquête sur la réforme.

l'enseignement secondaire masculin : convenait-il d'aller vers l'assimilation à un enseignement qui se trouvait en butte à de multiples critiques et dont on ignorait les destinées prochaines ?

La masse volumineuse des réponses qui ont été adressées à la commission [15] justifierait sans doute une étude particulière. Les attitudes n'ont pas toujours été cohérentes au fil des questions et les solutions recommandées ont divisé à l'infini le personnel comme les amis de l'enseignement secondaire féminin. Chacun semble avoir eu sa formule, avoir voulu apporter sa tonalité propre. Trois thèses principales se sont heurtées au long des travaux de la commission : celle de l'administration qui proposait comme document de travail les textes qu'elle avait déjà fait adopter par le Conseil supérieur et dont les parents d'élèves, comme la majorité du corps enseignant, n'étaient pas éloignés, celle de l'auteur de la loi, encore présent quarante ans après le dépôt de sa proposition [16], enfin la thèse assimilationniste qui s'est avérée minoritaire, mais groupait une partie des membres du corps enseignant féminin, appuyés par les associations d'anciennes élèves.

Camille Sée continuait de soutenir l'idée qui avait toujours été la sienne : les vices constatés dans l'enseignement féminin venaient surtout des atteintes portées par le Conseil supérieur à la loi. Il suffisait de revenir aux sources : l'enseignement secondaire des jeunes filles, doté d'une durée de sept ans, deviendrait véritablement secondaire, avec des programmes propres auxquels on pourrait adjoindre des cours facultatifs de latin et de philosophie. Au terme de cette scolarité enfin complète, Camille Sée admettait, à côté du diplôme qui en était le terme normal, la préparation au baccalauréat et rejetait toutes les demi-mesures qui aboutiraient à des équivalences.

Il est malaisé de dégager une ligne directrice des réponses adressées à la commission par le personnel féminin, administratif ou enseignant : en raison de leur nature disparate, le rapport sur celles-ci n'arrive pas clairement à distinguer la qualité des auteurs et le poids spécifique de tel ou tel. L'impression pourtant demeure d'un attachement à peu près général à l'enseignement féminin tel qu'il a existé jusque-là. Tout le monde s'entend pour trouver bons les résultats pédagogiques.

Les réponses apportent d'ailleurs, en plus des avis personnels des fonctionnaires, des éléments d'information. Sur la préparation au baccalauréat, plus de la moitié des établissements ont répondu, donnant

---

15. Le rapport de synthèse effectué par E. Blutel a été, semble-t-il, égaré à la Bibliothèque nationale. En revanche, la Revue Camille Sée a publié le rapport sur les réponses des membres de l'enseignement secondaire féminin, les réponses des parents d'élèves, les interventions de Camille Sée, et l'inventaire des résolutions prises par la commission. Les publications universitaires se sont elles aussi fait l'écho des travaux. Des articles comme celui de Louise Cruppi ou de Darlu sont également à verser au dossier.

16. Il mourut subitement deux jours après la séance de clôture de la commission, à laquelle il avait assisté.

une image assez semblable au « chaos » dont parle Coville. Partout les établissements essaient de s'en tirer avec les moyens du bord : les professeurs tentent de s'adapter aux nouveaux enseignements, notamment en mathématiques et même en philosophie, malgré l'évidente inadéquation de leur préparation. La valeur du diplôme est diversement appréciée. On estime qu'elle est réelle dans les grands établissements, au moins égale en français à celle du brevet supérieur et du baccalauréat. Avec la mention sciences, le diplôme égalerait le baccalauréat, le surpasserait peut-être en physique, mais son prestige est faible. L'une des réformes sur lesquelles on s'entend le mieux, c'est celle du diplôme. On souhaite lui enlever ce qui avait fait son excellence aux yeux du Conseil supérieur, c'est-à-dire son caractère intérieur : « La majorité désire que l'examen soit public »[17]. Au total, la plus grande partie des professeurs femmes, de façon absolue ou par le biais de la question des examens, se prononce pour la conservation de l'organisation à part et du caractère féminin de l'enseignement.

La question des concours de recrutement éveille des sentiments différents : le personnel intéressé est presque partagé alors en deux camps d'importance comparable[18]. C'est que l'exemple des langues vivantes prêche pour les concours communs ; le seul moyen sûr d'obtenir des services et des traitements comparables à ceux des hommes est de passer les mêmes concours pour obtenir les mêmes titres. Ce sont surtout les chefs d'établissements, semble-t-il, qui veulent le maintien du système existant, alors que le corps enseignant se trouve plus partagé entre son intérêt et ses convictions pédagogiques. Conceptions qui apparaissent bien différentes selon les professeurs : la variété la plus grande préside aux plans d'études.

Trait caractéristique des pédagogues français, l'unanimité semble se faire sur l'allégement des programmes que l'on trouve trop chargés, mais l'examen de détail révèle une tendance à l'alourdissement de chaque discipline prise en particulier. Les professeurs semblent avoir quelque peine à embrasser dans sa totalité la scolarité de leurs élèves. Le même paradoxe se révèle dans la définition qu'on donne de l'enseignement secondaire des jeunes filles tel qu'il devrait être de manière idéale — désintéressé, à l'usage des jeunes filles qui n'ont pas besoin de gagner leur vie — et l'enseignement des lycées et collèges féminins tel qu'il est : il recrute[19] dans la moyenne bourgeoisie et même dans les « milieux plus modestes où le travail est une loi ». Le divorce

---

17. *ESJF*, août 1917, p. 51-84.

18. Sur 161 réponses, 63 se déclarent pour des concours communs, 15 restent douteuses, et 84 « montrent une préférence marquée pour une formation et des concours particuliers ».

19. « En fait, disent les parents (cf. pages suivantes), la clientèle des lycées s'est recrutée, au début, surtout dans les milieux protestants et israélites et parmi les fonctionnaires. Plus tard, la clientèle a gagné d'autres milieux et s'est recrutée aussi dans la moyenne bourgeoisie catholique. »

est alors évident entre les buts affirmés et la destination réelle des élèves. Il est plus déconcertant encore de constater que cette destination n'a pas été précisée dans la plupart des réponses[20]. Sans doute prévoit-on les conséquences de la guerre, mais du moins les réponses des professeurs donnent à penser que l'évolution n'est pas jugée irréversible : la femme au travail n'aura qu'un temps. Au reste, pense-t-on, la guerre rendra nécessaire la présence de la femme chez elle, dans l'épanouissement des nombreuses maternités devenues nécessaires[21]. En 1917 encore, une bonne partie du public de l'enquête répond comme s'il ne soupçonnait pas les conséquences les plus évidentes de l'hécatombe : beaucoup des anciennes élèves de l'enseignement secondaire féminin étaient appelées à être des femmes seules. La pensée des professeurs s'inspire encore, en face d'une situation à tant d'égards inouïe, des leçons qu'ils ont reçues lors de leur propre formation.

La Fédération nationale des associations de parents d'élèves donnait quelques réponses qui, pour être collectives, se refusaient parfois à trancher dans un sens plutôt qu'un autre[22]. Pour la quasi-unanimité, les nouvelles conditions économiques et sociales exigeaient que la femme fût préparée à remplir des fonctions réservées aux hommes ; il fallait aussi pourvoir aux nécessités de la famille, notamment à la repopulation qui s'imposait après la guerre. L'enseignement qui convenait alors devait être désintéressé, mais pouvant aboutir aux carrières[23].

La Fédération des APE se montrait donc attachée à l'enseignement secondaire des jeunes filles tel qu'il existait, sauf aménagement de détail. Les auteurs de la réponse semblent avoir été en proie à deux exigences contradictoires : la première, de sauvegarder l'image traditionnelle de la mère au foyer, de la femme agréablement cultivée régnant sur son intérieur ; la seconde plus immédiate et répondant, croyait-on, à une série de cas particuliers et temporaires, celle de donner une profession aux jeunes filles. Cette nécessité établie, la hantise du prolétariat intellectuel amenait à réclamer, outre la préparation au baccalauréat dans les lycées de jeunes filles, l'institution de cours pratiques[24], selon la

---

20. Un seul document essaie d'établir une proportion : dans les dix années précédentes, 29 % des élèves d'un établissement ont recherché une situation à leur sortie ; elles seraient 51 % en 1917. Le rapport rejette cette proportion comme exceptionnellement élevée. D'après les parents d'élèves, une enquête de 1912 portant sur 20 établissements aurait révélé que les trois cinquièmes des jeunes filles nanties du diplôme étaient rentrées dans leur famille.

21. C'est également la position des associations de parents. Il est vrai que, légiférant pour l'avenir, on se plaçait dans la perspective de la paix, où les générations épargnées par la guerre auraient pour mission de repeupler la France.

22. *ESJF*, octobre 1917, p. 164-178. La réponse a été remise à la commission d'enquête le 12 mai 1917, et publiée d'abord dans *Famille et lycée*, bulletin officiel de la Fédération des associations de parents d'élèves des lycées et collèges, juin-août 1917.

23. On reconnaît ici l'ambiguïté qui a présidé aux réponses du corps enseignant.

24. Par exemple des cours de sténographie, de comptabilité commerciale, sur l'organisation des grandes banques, les lignes de compagnies de navigation, les lois économiques. La création de pareils cours aurait été à l'encontre de l'affirmation solennelle, par ces mêmes parents d'élèves, du caractère désintéressé de l'enseignement féminin.

formule de Coville, car les parents faisaient fond sur les carrières nouvelles qu'ils voyaient s'ouvrir dans le commerce, l'industrie ou les banques.

La santé des jeunes filles — la place qui lui était donnée dépendait-elle du rôle important des médecins dans les associations de parents d'élèves ? [25] — réclamait des aménagements de l'emploi du temps et un développement de l'éducation physique pour laquelle on demandait au moins une demi-heure par jour. Les années correspondant à la croissance devaient être allégées par l'allongement à six ans de la scolarité. Plusieurs associations joignaient à leur avis des plans d'études qui tendaient à renforcer les enseignements féminins, augmenter le nombre des cours facultatifs et assurer la préparation du baccalauréat avec quelques années seulement de latin. On estimait les préparations parallèles du diplôme et du baccalauréat parfaitement possibles. Résolument adversaires d'un baccalauréat spécial pour les jeunes filles et de toute équivalence, les parents d'élèves se rapprochaient par leur attitude des professeurs.

Le débat de 1917-1918 n'était donc pas un écho de celui qui avait amené, en 1880, au vote de la loi. Les points qui faisaient le plus difficulté en 1917, notamment l'accès des jeunes filles à l'enseignement supérieur, avaient à peine été abordés alors ou de façon caricaturale. C'est ce qu'observe Louise Cruppi, membre de l'Union française pour le suffrage des femmes, qui se fait le porte-parole des associations d'étudiantes, dans la *Revue* [26] : conçu dans le même esprit « livresque » que celui des garçons, l'enseignement des jeunes filles ne contient « rien de pratique et de spécifiquement féminin ». Cet enseignement ne mène qu'à l'enseignement [27] ou à un diplôme honorifique. Selon Mme Cruppi, les débats n'ont pas alors revêtu de caractère pratique parce qu'ils ont essentiellement porté sur la question religieuse. L'avenir est ailleurs : les femmes doivent aller vers les « travaux rémunérateurs ». Il est impossible aux yeux de l'auteur, contrairement à ce que demandent les parents d'élèves, d'adjoindre des cours professionnels, qui sont mieux dans l'esprit des établissements primaires supérieurs, à une éducation classique. Les lycéennes n'ont donc qu'à imiter les lycéens et passer le baccalauréat ; le système des « deux pyramides parallèles d'examens et

---

25. Le corps médical semble avoir joué dans l'ensemble un rôle conservateur en matière d'éducation féminine. Ainsi dans sa déposition, le professeur Widal, de l'Académie de médecine, ne voudrait pas du baccalauréat comme sanction normale des études : « Le développement du baccalauréat parmi les femmes serait très dangereux pour la repopulation » et de citer à l'appui l'exemple des femmes médecins : aucune n'est allée jusqu'à avoir trois enfants *(RU,* t. II, 1917, BESJF, p. 150).

26. 1er juillet 1917, reproduit par *ESJF,* octobre 1917, p. 147-159. L'article est également analysé par le Bulletin de Mme Crouzet dans *La Revue universitaire,* t. II, 1917, p. 210-214.

27. « Le lycée, écrit-elle, ne prépare qu'à l'enseignement : une moitié des femmes ne peut enseigner l'autre. Que feront-elles, les demoiselles pourvues d'une éducation élégante et inutile, si leurs familles ou leurs maris ne peuvent subvenir à leur existence ? »

de concours ... dont seules en Europe les femmes françaises sont victimes »[28] doit disparaître.

Peut-on accuser pour autant Mme Cruppi et les partisans de l'assimilation à l'enseignement masculin de vouloir la constitution d'un « mandarinat féminin » ?[29] Non, dans la mesure où, à côté de l'enseignement secondaire, Mme Cruppi demande une large instruction technique pour les filles : l'enseignement n'attirerait plus alors que les jeunes filles véritablement animées par une vocation. Dans le même camp se range une partie des associations de parents qui refusent un baccalauréat spécial, mais aussi un système d'équivalences entre le brevet et la première partie du baccalauréat. La position de ces dernières peut apparaître contradictoire avec les vœux d'une formation des jeunes filles, dans les lycées, à la vie familiale et à la vie pratique, sans que soit négligée l'éducation physique. Mais, comme le fait observer Mme Crouzet, « il semble bien que les associations se contentent de poser des desiderata, sans se préoccuper du lien ou de l'absence de lien de tous ces desiderata entre eux »[30].

Incohérences ou contradiction ne sont pas l'apanage des associations de parents. Les thèses antagonistes de Camille Sée et des partisans de l'assimilation mises à part, la masse du corps enseignant semble avoir hésité entre un passé auquel le rattachait déjà toute une tradition, et un avenir qu'il n'arrivait pas à imaginer[31].

Après avoir soumis sucessivement à la commission deux nouveaux projets, l'administration semble avoir, peut-être à la faveur du changement de directeur en octobre 1917[32], laissé l'initiative à la commission. Celle-ci constitua une sorte d'inventaire des résolutions adoptées, et formule les conclusions qui sont exposées dans le volumineux rapport de Blutel. « Les conclusions, écrit Paul Crouzet, en furent unanimes contre l'identité d'enseignement des filles et des

---

28. C'est l'une des rares allusions à l'étranger qu'on peut trouver dans les débats de 1917. La guerre explique en partie cet espèce de repliement sur la situation française. Le contraste n'est pas moins grand avec la réflexion pédagogique des années 1880.

29. Cf. l'article de G. Valran, professeur à la Faculté d'Aix, dans *Le Soir* du 22 juin 1917, intitulé « Les Mandarines », « Trop de bachelières, trop de fonctionnaires, c'est le mandarinat féminin ».

30. *Ibid.*, p. 214.

31. Les positions extrêmes semblent avoir été tenues, du côté de l'assimilation, par une Sévrienne de 1901, Marguerite Clément, professeur à Victor-Duruy et adepte fougueuse des thèses féministes en faveur de l'égalité des sexes, du côté du maintien de l'enseignement féminin, par Hélène Guénot, une autre Sévrienne, professeur au lycée Racine. Chacune avait exposé son point de vue notamment dans *La Française* (4 décembre 1915) et *La Revue universitaire* (t. II, 1916, p. 118-126 : « Contre l'identification des programmes masculins et des programmes féminins »). Elisabeth Butiaux, la future fondatrice de la Société des agrégées, professeur au lycée Fénelon, abondait dans le sens d'Hélène Guénot, tandis que Mlle Véroux, professeur à Jules Ferry et autre personnalité influente du monde de l'enseignement secondaire féminin, occupait une position en quelque sorte moyenne. On le voit, pour prendre la parole avec quelque autorité, il fallait être Sévrienne, agrégée, de préférence des lettres, et être au moins professeur dans un lycée de Paris. Mme Suran, professeur à Marseille, est l'une des rares exceptions.

32. Coville remplace Poincaré à la direction de l'enseignement supérieur et Bellin devient directeur de l'enseignement secondaire.

garçons, unanimes aussi pour un certain rapprochement, mais prévu sous une forme si compliquée que le projet de réforme, sorti des travaux de cette commission, resta mort-né »[33].

Les débats de cette commission, que trente ans plus tard Paul Crouzet, l'un des principaux auteurs de la réforme Léon Bérard, considère comme la « consultation la plus autorisée sur la formation de la jeune fille française », n'ont donc abouti à rien. La latitude qu'avait chacun de s'exprimer a permis sans doute une certaine détente au sein du corps enseignant. Mais la situation des jeunes filles était toujours aussi précaire. Durant la guerre, quelques grandes écoles, notamment Centrale, ouvrent leurs portes aux jeunes filles. C'est en 1916 que se crée l'école des Hautes études commerciales pour les jeunes filles, en 1917, l'Ecole des surintendantes d'usine. Les préparations au baccalauréat nécessaire pour entrer dans ces écoles n'existent pas dans tous les établissements féminins. Aussi, par tolérance, l'administration admet-elle des jeunes filles dans les classes terminales des lycées et collèges de garçons et dans les préparations aux grandes écoles. Tout le monde y trouve son compte, les candidates, bien sûr, qui ainsi ne sont pas forcées de recourir à l'internat féminin le plus proche, les chefs d'établissements aussi qui s'inquiétaient parfois d'effectifs insuffisants[34]. La mesure du Conseil supérieur qui, en 1917, interdit aux femmes l'accès des classes de mathématiques spéciales des lycées de garçons, paraît donc aller au rebours d'une évolution logique. En fait, selon le Conseil, la décision a été imposée par le nombre croissant de demandes d'autorisation à suivre les cours des garçons qui « tendait à créer une confusion ». Ce qu'on s'est mis à redouter, c'est moins la féminisation des établissements de garçons que l'institution d'une mixité naguère imprévue à laquelle personne, dans les milieux universitaires, n'est visiblement préparé[35].

La guerre pourtant fait mûrir les esprits en ce domaine ; les nécessités économiques agissent dans le même sens. En 1925, au Sénat, Mario Roustan demande « s'il ne serait pas possible, dans les villes qui ne peuvent s'offrir le luxe de deux collèges, d'ouvrir aux jeunes filles les portes des collèges de garçons, dont quelques-uns languissent et s'étiolent faute d'élèves. Ce serait un nouveau pas vers la co-instruction »[36]. La réponse négative de l'administration montre que celle-ci reste attachée à la conception traditionnelle et plus dispendieuse de

---

33. Paul Crouzet, *Bachelières ou jeunes filles ?*, p. 29.

34. Au lycée Ingres à Montauban, en 1913, deux jeunes filles viennent compléter l'effectif d'une classe de mathématiques élémentaires de huit élèves.

35. *ESJF*, avril 1918, p. 1-8 (Question du lieutenant-colonel Girod, 29 janvier 1918) : « C'est dans les établissements qui leur sont destinés, ajoute le Conseil, que les jeunes filles doivent trouver les facilités nécessaires pour la préparation au baccalauréat et aux grandes écoles ». Les études sur la coéducation américaine ou italienne, à la veille de 1914, n'arrivent pas à vaincre le scepticisme.

36. *RU*, t. I, 1925, p. 441, chronique du mois. Francisque Vial lui répond par la négative : ce serait décourager les municipalités qui voudraient fonder des cours secondaires.

deux enseignements entièrement séparés : ainsi s'explique la fortune tardive des cours secondaires qui naquirent encore dans la période d'entre les deux guerres. Installation de fortune, ils constituaient l'affirmation d'un principe traditionnel et la croyance implicite dans le retour d'un âge d'or universitaire qui verrait, avec l'arrivée de crédits nouveaux, une nouvelle vague de fondations. Chemin faisant, l'enseignement secondaire des jeunes filles avait été à peu près vidé de son contenu propre. Restait le principe d'une séparation des sexes ; il survivait aux principales circonstances qui l'avaient fait naître.

L'évolution de l'Ecole de Sèvres

Institution bien individualisée au cœur de l'institution, l'Ecole de Sèvres a suivi une évolution qui ne correspond pas exactement à celle de l'enseignement dont elle doit pourtant fournir les cadres. Deux influences contraires, en effet, s'y sont fait sentir à l'origine. La première, exercée par la direction de l'enseignement secondaire et le Conseil supérieur, affichait des ambitions volontairement limitées. Elle était représentée à l'Ecole par le vice-recteur Gréard, qui en fut le tuteur vingt ans durant. La seconde influence, qui tendait à un approfondissement des études, venait du corps enseignant de l'Ecole. Parce que, de façon croissante, il est composé de spécialistes qui chacun font autorité dans leur domaine, le corps enseignant, à Sèvres, désire protéger les élèves contre un système de concours et d'examens qui ne lui paraît pas satisfaisant, en même temps qu'il cherche à élever le niveau des études. Une fois reçues à l'Ecole, déjà fatiguées par un concours chaque année plus difficile à réussir, les Sévriennes doivent préparer deux autres concours. Le certificat en est devenu rapidement un, malgré son appellation d'examen. Vient ensuite l'agrégation, fin normale des études pour une Sévrienne, au bout de ses trois ans d'Ecole. Mais le succès est compromis par l'effort énorme qu'il a fallu fournir pour le certificat : l'absence de spécialisation rend accablante l'une et l'autre préparation. L'Etat organise en quelque sorte l'échec des candidates qu'il a lui-même préparées à grands frais. Chez les professeurs de Sèvres, à côté d'une critique du système qui reste discrète, naît l'idée qu'il faut diviser les agrégations. C'est la résistance de Gréard et du Conseil supérieur qui ajourne la réforme pendant plus de dix ans, jusqu'à l'arrêté du 31 juillet 1894.

Le certificat, cependant, reste tel qu'il a été créé en 1882. Au moment où l'enseignement secondaire féminin tout entier commence à éprouver une crise, les maîtres de Sèvres en profitent pour réclamer la réforme d'un examen dont ils n'ont jamais beaucoup approuvé les modalités. Dès 1908, Paul Appell propose de scinder le certificat de sciences en deux parties : la première serait constituée par le concours de l'Ecole, la seconde aurait un niveau plus élevé [1]. Le 16 janvier 1911, la directrice de l'Ecole envoie une lettre au directeur portant sur « deux réunions de professeurs ». L'échec au certificat, fait-elle remarquer, est à redouter pour toutes, même les meilleures [2], avec les conséquences déplorables qu'il entraîne. Sèvres est la seule école du gouvernement où la seconde année soit close par un concours. Le remède serait d'élever le niveau pour que Sèvres défie la concurrence ; il faudrait donc réformer les programmes, vieillis ou inadaptés [3], afin de faire du certificat un examen véritablement destiné aux sévriennes. Le décret du 3 août 1911 vient répondre aux souhaits de Paul Appell et de la directrice : désormais, le certificat sera obtenu au terme d'une double série d'épreuves. Les élèves classées en tête du premier concours seront Sévriennes ; celles qui sont classées à la suite seront pourvues du certificat première partie et prépareront la seconde partie, examen de capacité comportant des épreuves écrites, orales et pratiques. « A l'usage, note Anna Amieux [4], on s'aperçoit que le principal bénéfice pratique de la réforme est de pourvoir d'un premier titre les meilleures candidates non admises à l'Ecole ».

Examen ou concours, en une ou deux parties, le certificat demeure une série d'épreuves dont la préparation apparaît très dure et contraignante, non à cause du niveau assez modeste des connaissances requises, mais en raison de leur étendue encyclopédique. Il n'existe, comme par le passé, que deux sections, une littéraire et une scientifique [5]. De l'avis unanime, la licence demande incomparablement moins d'efforts et de temps de préparation que le certificat [6]. Aux yeux de Paul Appell, l'expérience montre que les certifiées font de bien meilleures professeurs que les licenciées, parce qu'à la différence de ces dernières, elles passent un examen professionnel. Aussi en vient-il à

---

1. AENS, deuxième cahier de procès-verbaux des réunions de professeurs, 16 janvier 1908.

2. *Ibid.* Les chiffres sont éloquents : sur 196 candidates au certificat de lettres en 1910, 16 étaient Sévriennes ; 32 candidates ont été reçues, dont 10 Sévriennes, 4 autres sont anciennes élèves de l'Ecole. La moyenne de la première qui ait échoué s'élève à 13,5 sur 20. En sciences, on enregistre moins d'échecs.

3. Le programme du certificat de sciences, qui date des origines de l'Ecole, n'a plus de rapport avec les études qui s'y font. Les élèves le passeraient volontiers avant leur entrée, mais une circulaire du 16 mai 1908 le leur interdit. En lettres, il n'existe aucune cohérence entre des épreuves et des programmes.

4. *Le cinquantenaire de l'Ecole de Sèvres 1881-1931*, p. 178.

5. Les contemporaines le décrivent en général, avant et après la réforme, comme une sorte de « super brevet supérieur ». La division en deux parties a eu pour conséquence de le rendre plus facile, surtout à celles qui avaient réussi à entrer à Sèvres. L'élimination des candidates à la seconde partie était faible en effet.

6. Les présidents de jurys d'agrégation féminine se plaignaient de la présence de licenciées parmi les candidates (la licence était considérée comme équivalente au certificat) : elles étaient loin, semble-t-il, de relever le niveau. (Cf. rapport de Gallouédec pour l'agrégation féminine, section histoire, concours de 1922. Les licenciées représentent alors plus de la moitié de l'effectif, *RU*, t. II, 1923, p. 8-18).

demander, en 1918, l'extension du certificat à tous les professeurs[7]. Il n'en fut rien.

Loin de suivre Paul Appell sur ce terrain, l'administration, qui commençait à faire usage, avant la guerre, de licenciées dans l'enseignement féminin en les munissant simplement d'une délégation, finit par se résoudre à les accepter comme professeurs de collèges à l'égal des certifiées, à l'imitation du personnel masculin qui n'avait jamais disposé d'autre grade pour enseigner dans les collèges de garçons. On aboutissait ainsi au double paradoxe d'une préparation plus malaisée pour une agrégation considérée comme de second ordre, qui donnait droit à une rémunération moins élevée, et de la mise sur un pied d'égalité de personnels de qualification manifestement inégale.

Des mesures provisoires, reconduites d'année en année, autorisaient, au lendemain de la guerre, les jeunes filles à se présenter aux agrégations de philosophie, de grammaire et de mathématiques : il était difficile de revenir en arrière de ce qui apparaissait pour ainsi dire acquis avant la guerre. Ainsi s'installait par le fait un système plus compliqué que logique, où deux routes divergentes s'ouvraient aux jeunes filles : l'une, par la Faculté, vers les agrégations masculines, l'autre, par le concours de Sèvres et le certificat, vers les agrégations féminines. L'évolution de l'enseignement secondaire féminin, qui promettait à courte échéance une identification totale à l'enseignement masculin, permit de faire un pas de plus. Huit jours avant le décret qui assurait l'assimilation des deux enseignements, un arrêté, le 17 mars 1924, rendit accessible aux femmes toutes les agrégations et tous les certificats réservés aux hommes, avec un classement unique. Là encore, ces mesures n'allaient pas sans contradiction : en 1926, une candidate reçue seconde dans la section des sciences rue d'Ulm n'obtient pas d'être classée, est inscrite comme surnuméraire et n'arrive pas à obtenir le titre d'élève externe de l'Ecole[8] dont elle suivra pourtant les cours. Aucune interdiction pourtant n'est signifiée aux candidates. Quarante jeunes filles, de 1926 à 1939, entrèrent ainsi à l'Ecole normale[9]. Il n'est que de comparer leur destin universitaire à celui de leurs contemporaines sévriennes pour saisir à quel point les deux Ecoles normales supérieures, entre les deux guerres, répondaient à des finalités différentes.

La question de l'agrégation féminine se trouvait liée au régime des études à l'Ecole de Sèvres, conçues comme une sorte d'enseignement

---

7. AENS, février 1918, 2ᵉ cahier de procès-verbaux. Son vœu ne sera exaucé que lors de la création en 1941 du certificat conçu par Carcopino à l'image du vieux certificat de langues vivantes ; ou mieux, par la fondation du CAPES en 1950. Gallouédec abonde dans son sens et ajoute qu'on devrait transformer le certificat en examen pour ne pas rejeter vers la licence les jeunes filles qui veulent enseigner.

8. M. Fauré et M. Schwab, « La Société des Agrégées », *L'Agrégation,* mai 1968, p. 555.

9. Classées en surnombre, mais avec mention de leur rang effectif.

supérieur féminin absolument indépendant de l'enseignement des Universités. Dès les débuts de l'Ecole, l'orientation était essentiellement pédagogique : il ne s'agissait pas initialement de former des jeunes filles à l'enseignement supérieur, mais d'en faire de bons professeurs, doués d'une méthode sûre pour guider leurs élèves. Dans la pratique, parce que, à l'Ecole, étaient venus comme maîtres de conférences quelques-uns des meilleurs maîtres de l'enseignement supérieur, l'enseignement de Sèvres atteignit vraiment un haut niveau [10]. A la veille de la guerre, on pouvait la décrire comme « un centre de culture étendue, et, par certains côtés, élevée et désintéressée » [11]. Pourtant, en sciences du moins, Appell précisait qu'une Sévrienne, encore que bien supérieure à une licenciée, ne pourrait être reçue à l'agrégation masculine.

L'Ecole, symboliquement, reste rattachée à l'enseignement secondaire alors qu'à la suite de la réforme de l'enseignement secondaire masculin, en 1902, l'Ecole normale a été rattachée à l'enseignement supérieur. Les élèves de Sèvres reçoivent tous leurs cours à l'Ecole même, tandis que les normaliens fréquentent la Sorbonne et suivent le cours habituel des études supérieures en remettant — c'est une innovation [12] — un mémoire de diplôme attestant un travail original au contact des sources. C'est là surtout que diffèrent les deux formations. Gustave Lanson se déclare, en 1918, satisfait de son enseignement à Sèvres : « La moyenne des explications de textes faites à Sèvres vaut la moyenne des explications faites à la Sorbonne ». A la suite d'un « enseignement original de haute culture française qui n'a pas la connaissance des langues anciennes à sa base [13] ... elles ne font pas plus de contresens que les hommes ». Mais il formule des critiques : les mêmes exercices scolaires y sont trop souvent repris, ce qui est « stérilisant ». D'autre part les Sévriennes ne font pas l'apprentissage du travail littéraire proprement dit : « Sèvres ne participe pas au travail scientifique collectif » [14].

La structure même des études littéraires à l'Ecole de Sèvres amenait une subordination des autres disciplines à la formation littéraire proprement dite. Jusqu'à l'année de l'agrégation, les études étaient commandées par le programme littéraire du certificat. Les « clartés de

---

10. « De son côté l'agrégation féminine a perdu peu à peu son caractère exclusif de pédagogie. Les Sévriennes apprennent pour leur plaisir, avec une grande liberté d'esprit, sans se préoccuper outre mesure de leurs futures élèves. Les leçons d'agrégation seront vite, par les professeurs de Sèvres et mes candidates, conçues comme si elles étaient destinées à des candidates au concours », Andrée Savajol-Carrère, « Historique de l'agrégation », L'Agrégation, mai 1968, p. 519.

11. AENS, rapport d'Anna Amieux, 25 mars 1920, procès-verbaux de réunion.

12. Le diplôme d'études supérieures d'histoire a été institué en 1896, le diplôme de lettres en 1906.

13. C'est son enseignement de Sèvres qui a servi de terrain d'expérience à F. Brunot pour écrire son livre ; La pensée et la langue, (Paris, 1re éd., 1922, 3e éd. Masson. 1926, XXXVI-982 p.)

14. AENS, réunion de février 1918. Entrée à Sèvres en 1909, Mme Schwab, qui a choisi l'histoire, reconnaît l'insuffisance d'une seule année de préparation, puisque le maintien du certificat en seconde année empêche toute spécialisation. Elle déplore l'absence d'un travail de mémoire ou de diplôme en seconde année comme chez les hommes (Le cinquantenaire de l'Ecole de Sèvres, 1881-1931, p. 267-268).

tout » qui avaient été l'idéal premier de l'enseignement féminin cédaient de plus en plus le pas aux nécessités des concours. L'enseignement d'un Paul Desjardins constitue, dans cet utilitarisme grandissant, une exception [15].

L'apparition des langues anciennes, à partir de 1920, n'améliora pas la situation. Les historiennes, avec une spécialisation insuffisante, étaient contraintes à rester de demi-littéraires [16]. D'autre part, et bien qu'il existât un enseignement philosophique à Sèvres, nulle ne songeait à se préparer à l'agrégation de philosophie qui n'existait que pour les hommes. C'est par son caractère en partie désintéressé, il est vrai, que l'enseignement philosophique a laissé de si bons souvenirs à ceux qui l'ont donné comme à celles qui l'ont suivi. En 1898, un vœu de Mathilde Salomon au Conseil supérieur avait demandé l'institution d'une préparation philosophique aux concours de recrutement des professeurs femmes. Le Conseil en avait écarté l'idée, mais l'enseignement de la philosophie, dépouillé de la logique et de la métaphysique, qui avait été fondé à Sèvres, d'abord confié au seul Joseph Fabre dont l'enthousiasme était plus grand que la rigueur, fut partagé entre Jacob, professeur de morale [17] et Lalande, professeur de psychologie qui évoquait avec nostalgie la profondeur et l'intérêt des conférences d'avant la guerre.

Les mutations dans l'enseignement scientifique ont été sans doute plus progressives. « De grands mathématiciens comme Darboux, écrit Mme Cotton, future directrice de l'Ecole, limitèrent délibérément leur enseignement aux mathématiques élémentaires ... Heureusement, le grand géomètre qu'était Darboux faisait de l'enseignement supérieur malgré lui ... » [18].

Mais Darboux comme Paul Appell et Tannery, et surtout Gernez, Van Tieghem et Perrier, disciples de Pasteur, ne désiraient pas amener les Sévriennes à un travail personnel : on leur donnait la connaissance des résultats, comme l'avait voulu Gréard. C'est à Mme Curie que Mme Cotton attribue le changement décisif : elle associa les élèves à des

---

15. Il vint durant un quart de siècle, de 1901 à 1926. Dans sa conférence devant les seules élèves de première année, qu'il avait choisies parce qu'elles étaient les seules à être délivrées du souci de l'examen, il se montra un extraordinaire éveilleur d'idées.

16. Comme l'observe J. Streicher, *Le cinquantenaire de l'Ecole de Sèvres, 1881-1931*, p. 267, la troisième année elle-même n'était pas entièrement spécialisée, puisque jusqu'en 1924 l'agrégation féminine d'histoire comporta des épreuves écrites de philosophie et de langues vivantes.

17. L'influence de celui-ci, qui enseigna de 1898 à sa mort en 1908, succéda, sans qu'il y prît garde, à celle de Mme Jules Favre, alors récemment disparue. « Ce Breton anticatholique était un saint » *(Le cinquantenaire de l'Ecole de Sèvres, 1881-1931*, « Cinquante années d'enseignement littéraire », p. 258). Ami de Jaurès, il s'attacha à la fois à rendre ses élèves sensibles à l'injustice et à les inviter à la mesure et au sens du possible. (Cf. ses *Lettres d'un philosophe*).

18. *Le cinquantenaire de l'Ecole de Sèvres, 1881-1931*, p. 217, « L'évolution de l'enseignement scientifique à l'Ecole de Sèvres ». Après avoir été répétitrice attachée à l'Ecole, Eugénie Cotton, née Feytis, fut directrice de l'Ecole de 1936 à 1940.

expériences très simples, elle réussit surtout à convaincre Darboux, puis Emile Picard, de la nécessité d'élever le niveau des études à l'Ecole [19]. Désormais, les Sévriennes firent du laboratoire [20]. C'est en 1907 que l'enseignement des sciences naturelles fut rénové de fond en comble par l'arrivée d'une série de spécialistes et la nomination d'une répétitrice spéciale [21]. La décennie qui suit la guerre est marquée par la continuation du mouvement d'approfondissement des études scientifiques. Vers 1930, les élèves sont préparées par la recherche « aux futurs diplômes d'études supérieures » [22]. Les littéraires rédigent un « mémoire » qui est lui aussi un acheminement au diplôme.

La formation des Sévriennes ne devait pas être uniquement intellectuelle. C'est la marque de cette école de ne jamais avoir perdu de vue, à cette époque, la fin première de sa fondation qui était en l'occurrence de former des professeurs de l'enseignement secondaire. En 1898, Mme Marion, sur les conseils de Gréard, avait décidé d'envoyer les élèves au lycée de jeunes filles de Versailles pour faire un stage pédagogique [23]. La formule du stage, qui avait lieu désormais dans plusieurs lycées de Paris, fut élargie en 1908. Pourtant, il ne s'agissait encore que d'une initiation pédagogique bien imparfaite. Au lendemain de l'armistice, Mlle Belugou, proche de la retraite, avait quitté la direction de l'Ecole pour solliciter l'honneur d'ouvrir le lycée de jeunes filles de Strasbourg. Elle fut remplacée par une ancienne élève de la maison, elle aussi, Anna Amieux, directrice de Jules Ferry [24]. Dès le 25 mars 1920, la nouvelle directrice envoyait un long rapport sur la situation de l'Ecole au directeur de l'enseignement secondaire, Bellin :

> « Aussi longtemps, écrivait-elle, que notre enseignement secondaire féminin a pu s'épanouir librement dans un milieu paisible et qui évoluait insensiblement, nos jeunes professeurs, s'appuyant sur les traditions et sur leurs propres souvenirs d'écolières, ont pu transmettre à leurs élèves, presque d'instinct, ce qu'elles-mêmes avaient reçu, et, grâce à leurs qualités personnelles, autant qu'à leur savoir, remplir à la satisfaction générale une tâche relativement aisée.
> Tout est changé. Le monde évolue de façon vertigineuse. L'éducatrice doit préparer l'enfant en vue d'un avenir incertain, mais probablement très différent du passé et du présent. Pour dominer sa tâche, plus ne lui suffit de posséder supérieurement la matière de son enseignement, elle a besoin d'une initiation sociale grâce à laquelle elle orientera cet

---

19. *Ibid.*, p. 219 et 220. Mme Curie enseigna la physique de 1900 à 1906.

20. L'installation électrique des laboratoires se fit en 1910, sur les plans de Paul Langevin, qui prit la succession de Mme Curie.

21. Mlle Philoche, devenue Mme Piédallu.

22. *Le cinquantenaire de l'Ecole de Sèvres, 1881-1931*, p. 224.

23. Elles devaient assister à quelques cours, et ensuite en faire elles-mêmes un.

24. C'est à son initiative que les élèves du lycée Jules Ferry offrirent, par souscription, le stylographe d'or massif avec lequel Clemenceau devait signer le traité de Versailles.

enseignement et d'une initiation pédagogique qui lui permettra de l'adapter et de le doser.

On a le droit d'imputer, partiellement au moins, à l'absence de cette double initiation, quelques-uns des griefs adressés aujourd'hui à nos établissements secondaires : absence de corrélation entre les diverses disciplines, surmenage, enseignement dépassant presque constamment le degré de maturité des élèves, et inadapté aux besoins de l'heure présente, part trop réduite faite à la culture physique. Les enfants souffrent, c'est un fait, les parents se lamentent ; les professeurs, mécontents des résultats obtenus, en arrivent à cette conclusion désastreuse que leur enseignement ne doit s'adresser qu'à une élite très réduite ! Tout ceci est la condamnation du système actuel » [25].

Tel était le préambule qui précédait la proposition capitale d'Anna Amieux : il fallait ajouter, à la formation intellectuelle des Sévriennes, une formation professionnelle ; le mieux était, selon elle, de créer, annexé à l'Ecole, un lycée à effectif réduit. Quant à la partie sociale, c'était un travail de longue haleine que de transformer l'Ecole en un centre de documentation destiné à la fois aux élèves et aux anciennes élèves [26]. Le lycée annexe fut aussitôt accordé et il ouvrit à la rentrée de 1920, dans les locaux mêmes de l'Ecole [27]. La scolarité à Sèvres n'en fut pas d'ailleurs profondément transformée : la présence des concours exigeait un stage bref. De 1920 à 1926, les stages eurent lieu au cours de la troisième année [28], et ne dépassèrent pas une période de huit à neuf semaines, de novembre à février. Comme le lycée comportait également des classes élémentaires et un jardin d'enfants, il devint, durant quelques années, un centre de préparation au nouveau Certificat d'aptitude à l'enseignement dans les classes enfantines et primaires des lycées et collèges de jeunes filles, créé en 1922.

L'Ecole de Sèvres s'était donc transformée, ou plutôt adaptée à des conditions d'après-guerre dont on ne connaissait pas encore tous les caractères. Le recrutement, durant la guerre, s'est effondré, non par manque de candidates, mais par manque de crédits pour entretenir beaucoup d'élèves. Un net effort est fait en 1919. L'Ecole atteint alors un effectif jamais vu [29] : aux 34 élèves proprement dites s'ajoutent deux

---

25. AENS, procès-verbal de la réunion du 25 mars 1920.

26. Cette tentative, qui n'eut guère de suite, malgré une donation en 1926, est à rapprocher de la fondation par Bouglé, rue d'Ulm, d'un centre de documentation économique et sociale. Mais aucune coordination n'était prévue.

27. Anna Amieux en était la directrice. Désormais, la correspondance administrative de l'école annexe et de l'Ecole normale supérieure furent confondues : devis, dossiers de boursières, demandes de congés, organisation des enseignements.

28. « La seconde, explique H. Guénot (*Le cinquantenaire de l'Ecole de Sèvres, 1881-1931*, p. 284), étant alors alourdie par la préparation du certificat (2e partie) et la première, trop éloignée du moment où les Sévriennes exerceraient. » Cependant, à la fin de la troisième année, il fallait passer l'agrégation. L'arrêté du 5 mars 1929 assujettit les Sévriennes au régime du stage d'agrégation, assez peu différent.

29. Cf. graphique du recrutement des élèves. C'est à partir de 1890 que le total, après s'être élevé à 40 dans les deux premières années, descend occasionnellement au-dessous de 20. Il est au plus bas en 1901, 1902, 1903 (15, 16 et 16). Il dépasse 30 entre 1906 et 1912, et redescend au plus bas en 1918 (15).

ÉLÈVES ADMISES A L'ÉCOLE DE SÈVRES DE 1881 A 1930

étrangères et six rentrantes. Toutes les candidates admises dans les limites d'âge à la première partie du certificat sont admises également. En tout, ce sont 63 élèves qui viennent animer ce qui apparaît désormais comme la vieille maison, avec les paysages devenus classiques du parc, des couloirs conventuels, du Pavillon Lulli et, après 1925, du jardin japonais offert par Albert Kahn.

Le ton, pourtant, n'est plus le même. Les formules respectueuses et le ton guindé, qui étaient de rigueur dans les « cahiers des traditions »[30] de l'époque de Mme Jules Favre, font place chez les élèves à une sorte de causticité tendue, où se distinguent à la fois la conscience, le désir de s'insérer dans une tradition et la préoccupation de n'être pas dupes : après la guerre rien n'est pareil[31].

---

30. Recueil où les élèves faisaient le récit de ces fêtes qui jalonnaient leur scolarité, en détaillaient toutes les circonstances, et recopiaient parfois leurs chansons, dont la production était fort abondante.

31. En envoyant au directeur le règlement de l'époque, le 22 février 1927, la directrice ajoute : les élèves continuent « d'être accessibles aux idées de discipline, d'ordre, de politesse et de bon sens. Quelques-unes se dressent " par principe " contre toute autorité. Elles entrent à l'Ecole " parce qu'elles sont trop pauvres pour s'offrir la vie d'étudiante de Faculté " ; elles n'entendent pas que l'Etat exerce sur elles un " chantage " en les soumettant à un règlement. Elles veulent être libres " comme les étudiantes " ; libres de quitter l'Ecole et d'y rentrer sans autorisation, en dehors des heures réglementaires, de n'assister qu'aux cours qui les intéressent (et elles déclarent que presque tous sont ennuyeux), libres de toute surveillance, de recevoir qui et quand elles veulent, de fumer (ce qui leur est formellement interdit), de voisiner le soir et de veiller bien au-delà de l'heure réglementaire, etc., etc. Les efforts faits pour vaincre leur résistance systématique sont stériles. Lorsqu'on essaye de leur montrer la nécessité de s'amender en vue de leur tâche prochaine, elles répondent que cela est périmé et qu'elles n'auront bientôt plus " comme les hommes " qu'à donner plus d'attention à leurs spécialités qu'à leurs élèves ». La directrice réclame des sanctions mais note par la suite : « Il n'a pas été répondu à cette lettre ni oralement ni par écrit » (AENS, cahier de correspondance, n° 29).

Depuis les origines, l'Ecole avait été placée en fait sous la tutelle du vice-recteur de l'Académie de Paris. Après le départ de Gréard, en 1902, son successeur, Liard, pria le directeur de l'enseignement secondaire, alors Lucien Poincaré, d'en prendre la charge et de devenir le président de la commission administrative : ce fut l'objet d'un arrêté en 1911. La situation de l'Ecole ne devient vraiment claire qu'en 1920 : le décret du 14 avril 1920 la place sous l'autorité directe du ministre. En toutes circonstances, c'est au directeur de l'enseignement secondaire que la directrice doit avoir recours. Cette décision, qui préjuge de celles qui seront prises au sujet de l'enseignement secondaire féminin, sanctionne d'une nouvelle manière la différence qu'on veut maintenir avec l'enseignement des garçons.

Malgré les témoignages de satisfaction que l'Ecole s'adressait à elle-même en 1931, lors des fêtes de son cinquantenaire, l'action de l'administration et celle de la directrice ont quelque peu modifié ce qui, aux yeux des anciennes, apparaissait comme la « tradition » de Sèvres. Dix ou vingt ans plus tôt, l'Ecole occupait le sommet de la pyramide constituée par l'enseignement secondaire féminin. Elle était le sanctuaire des « humanités modernes », avec tout ce que le mot d'« humanités » peut impliquer d'études désintéressées, et si l'on y préparait le certificat, celui-ci représentait une obligation à remplir, tout comme l'agrégation, mais pas le but premier des Sévriennes. Avant 1914, on se préoccupait peut-être plus de la formation scientifique et intellectuelle des Sévriennes que de leur avenir pédagogique. L'Ecole a été aussi victime des économies : « L'Ecole, déplore Catherine Schulhof en 1922[32], n'est plus guère autre chose qu'un lycée ... L'enseignement y est secondaire plutôt que supérieur (trop de sciences naturelles, réduction des enseignements mathématique et physique) ... »[33].

Quinze ans plus tard, son jugement reste tout aussi sévère sur l'Ecole des années 1920 : « On était en vase clos, ou, si vous préférez, dans une impasse. En outre, le niveau y avait beaucoup baissé. Pour des raisons d'économie, peu à peu, les professeurs d'enseignement supérieur avaient été remplacés par des professeurs d'enseignement secondaire, et les bonnes élèves dont les familles avaient des ressources se présentaient de moins en moins à Sèvres »[34].

Manifestation de la tendance nouvelle, la fondation de l'école

---

32. Sévrienne, Catherine Schulhof fut l'une des chevilles ouvrières de la Société des Agrégées dès sa formation. Elle la présida de 1932 à la fusion avec la Société des agrégés en 1948.

33. Citée par *RU*, t. II, 1922, p. 136. A la suite de ces observations développées devant l'assemblée générale des Agrégées, celles-ci votèrent une motion demandant que les cours à l'Ecole de Sèvres fussent confiés à des professeurs de l'enseignement supérieur.

34. « L'évolution de l'enseignement féminin », interview par Germaine Decaris publiée dans *La Française*, 16 janvier 1937.

d'application n'avait pas que des partisans[35]. En fait, deux conceptions, au lendemain de la guerre, s'affrontent toujours sur l'enseignement secondaire des jeunes filles : pour ou contre le maintien de la spécificité. La haute administration universitaire, à cette date, est loin d'être acquise à l'assimilation ; le personnel des directrices, à commencer par Anna Amieux, et une minorité de professeurs partagent ses sentiments. Telle attitude n'est pas pure réaction ; sans doute entre-t-il une part de nostalgie dans l'attachement manifesté pour le vieil enseignement secondaire des jeunes filles. Mais il est des raisons objectives : la réussite pédagogique d'un enseignement souple, libéral, bien adapté à celles auxquelles on le destinait, est incontestable. L'identification proposée n'a pas que des avantages. Elle va imposer aux jeunes filles l'enseignement masculin qui depuis 1902 n'a cessé d'être critiqué et doit lui-même subir une réforme. Il est donc normal que les responsables pédagogiques de l'enseignement féminin penchent pour le statu quo, tout en souhaitant des sanctions qui donneraient au diplôme quelque prestige en permettant aux diplômées de se faire une situation. En outre, chez certains du moins, la différence de nature entre les garçons et les filles apparaît primordiale : elle justifie des scolarités dissemblables[36], des matières d'enseignement différentes[37]. C'est sans doute parce que la réforme de l'enseignement secondaire des jeunes filles a été confiée pour partie à des administrateurs qui nourrissaient de tels sentiments que l'assimilation à l'enseignement masculin a présenté tant d'incohérences et tant de retards dans l'application.

35. Aucune critique ne semble s'être élevée officiellement, mais le texte de l'article indique que certaines Sévriennes s'inquiétaient d'une rupture possible avec la « tradition » de leur Ecole. Il faut sans doute tenir également compte du courant assimilationniste représenté par les Agrégées pour qui une fondation de cet ordre ne devait pas apparaître comme le premier pas vers l'assimilation à l'Ecole de la rue d'Ulm.

36. Même à Sèvres si l'on en croit Anna Amieux en 1935 : les projets de transfert de l'Ecole à Paris, avec une scolarité semblable à celle de la rue d'Ulm l'indignent : « Ces projets ne tiennent pas compte de cette vérité première, de cette lapalissade qu'une jeune fille de vingt ans est absolument différente d'un garçon de vingt ans ... On ne peut pas exiger d'une jeune fille le même travail que d'un garçon ... » (Interview par Philippe Soupault dans *Excelsior*, 10 juillet 1935).

37. C'était l'idée générale en 1907. Elle a encore des adeptes après 1924 : ainsi Marguerite Caron a-t-elle accepté au Conseil supérieur que les jeunes filles se préparent au même baccalauréat que les garçons avec des horaires nettement moindres en latin et en langues vivantes, pour des raisons d'économie certes, mais aussi sous le prétexte que les jeunes filles réussissent mieux dans ces matières. L'assimilation des programmes une fois acquise, certains en ont des remords, comme le mathématicien Emile Picard dans sa préface d'avril 1932 au livre du « Cinquantenaire » (p. 10) : « J'estime, écrit-il, qu'il faudrait revenir à un enseignement secondaire féminin d'un caractère désintéressé, ayant d'autre souci que le baccalauréat ... quelques carrières, longtemps réservées aux hommes, ne donnent plus maintenant pour les femmes les débouchés espérés ... Si j'avais quelque autorité en la matière, j'aimerais à voir renforcé ce qui concerne la couture ; elle a ses côtés géométrique et artistique. Oserais-je demander une addition pour l'art culinaire ? ».

La réforme de Léon Bérard

La commission de 1917 n'avait débouché sur aucune réforme d'ensemble. La complication de ses conclusions a été rendue responsable de cette situation. En fait, la raison essentielle réside dans le désaccord entre les parties prenantes et surtout dans l'évolution des rapports entre les forces en présence. De la loi jusqu'à la guerre, les décisions étaient venues d'en haut : le Conseil supérieur, le vice-recteur de Paris, l'administration centrale avaient donné son visage à l'enseignement des jeunes filles, sans rencontrer d'interlocuteurs, à proprement parler, dans un personnel jeune ou timide. Très longtemps, l'administration universitaire a dû croire que les directrices constituaient les seuls porte-parole qualifiés de l'enseignement féminin. La situation a commencé à se modifier avec la constitution de la Fédération et des sociétés de spécialistes qui prétendaient représenter à la fois les intérêts du personnel et rechercher le bien des élèves par une pédagogie et des sanctions qu'ils s'estimaient bien placés pour définir. Un pas de plus fut franchi avec la fondation de la Société des agrégées.

En 1914, s'était constituée, dans le vaste mouvement d'association universitaire qui marque cette époque, une Société des agrégés[1]. A aucun moment, cette Société n'a prévu d'admettre en son sein les agrégées de l'enseignement féminin. Les intérêts du personnel féminin se trouvaient donc aux mains de la seule Fédération des professeurs de lycée, puisque l'Association des Sévriennes préférait se maintenir sur le terrain de l'entraide amicale. Aussi la Fédération est-elle la force principale qui a représenté, à la commission de 1917, les vues assimilationnistes du personnel féminin[2]. Au lendemain de la guerre, quelques agrégées, parmi lesquelles Claire Suran-Mabire et Elisabeth Butiaux, qui avaient déjà eu l'occasion, à plusieurs reprises, de parler au nom de leurs collègues, imaginèrent de se regrouper à l'exemple des hommes, en une Société des agrégées[3]. La Société ne se donnait pas

1. Cf. *L'Agrégation,* numéro du cinquantenaire : « La Société des agrégés (1914-1918), les origines », par G. Bayet et H. Rouxeville, p. 531-550. La cause immédiate de la fondation semble bien avoir été la constitution, en 1913, de l'Association des chargés de cours qui faisait « campagne contre les " privilégiés " de l'agrégation ». Mais les agrégés prenaient soin de lier la défense de leurs intérêts particuliers à celle de l'enseignement secondaire tout entier : « Songez, écrivait le fondateur, V. Cope, qu'il ne s'agit pas seulement ici de vos avantages personnels. Il s'agit de savoir si l'enseignement secondaire français sera réduit ou non à n'être qu'un enseignement primaire supérieur » (cité p. 533). Ainsi se précise, dès l'origine, le caractère double des associations universitaires : au-delà de la défense de telle ou telle catégorie, il s'agit d'assurer le triomphe de telle ou telle vue pédagogique.

2. R. Thamin, « L'éducation des femmes après la guerre », *RDM,* 1er octobre 1919 et 1er novembre 1919, p. 512-532 et 13-160. La Fédération, note-t-il, « est une force et elle est contre (l'équivalence du baccalauréat) ... Ils (ses représentants) ont toujours fait bloc dans la commission extraparlementaire » (p. 142).

3. Au cours de la réunion constitutive, le 17 juillet 1920 au lycée Fénelon, qui groupait 39 participantes représentant 214 adhérentes, furent désignés un comité de 15 membres et un bureau de cinq membres que présidait Elisabeth Butiaux (*Agrégées,* 1er numéro, octobre 1920). Le premier jalon

pour premier rôle de défendre les intérêts des femmes agrégées, mais, plus largement, de « donner plus de forces aux revendications de l'enseignement féminin ». Désormais, les professeurs femmes disposaient d'un groupe représentatif propre : sa vie, d'abord ponctuée par les multiples démarches qui marquèrent l'évolution vers l'identification à l'enseignement masculin, fut bientôt rythmée par les audiences régulières du directeur de l'enseignement secondaire, Bellin, Thamin, puis, à l'automne de 1924, Francisque Vial, audiences assorties de visites au chef du cinquième bureau chargé du personnel de l'enseignement secondaire[4]. L'action de la Société des Agrégées eut un poids réel, non peut-être sur l'évolution générale de l'enseignement féminin, mais sur la manière dont se firent les principaux changements. Son caractère représentatif ne fut jamais mis en doute, et son action fut d'autant plus efficace qu'elle allait dans le même sens que celle de la Fédération : aussi bien les mêmes personnes, ainsi Claire Suran, pouvaient-elles siéger à la fois dans les instances de l'une ou l'autre organisation, sans compter les sociétés de spécialistes.

Les sociétés professionnelles, avec leurs bulletins qui constituaient autant de moyens pour agir sur l'opinion universitaire, moyens rendus plus efficaces par la grande presse qui leur faisait volontiers écho, n'étaient pas seules. La question de l'enseignement secondaire des jeunes filles était également chère, pour des raisons évidentes, aux organisations féministes. Dès juin 1913, le congrès international féminin à Paris s'était prononcé franchement pour l'identification. En 1921, le Conseil national des femmes françaises, dont le rapporteur de la section d'éducation était Magdeleine Desprez, demandait la préparation régulière au baccalauréat dans les lycées de jeunes filles avec une scolarité de sept années, de nouvelles sanctions pour le diplôme délivré au bout de six années, avec la possibilité d'une septième année pratique[5]. La reprise, après la guerre, d'activités internationales beaucoup plus intenses, donnait une nouvelle dimension au problème de l'enseignement féminin, par la comparaison avec les exemples étrangers. Le parallélisme avec l'Allemagne est remarquable. Les congrès internationaux de l'enseignement secondaire,

---

de la société avait été posé par Claire Suran en février 1920 au lycée de Marseille-Montgrand. Un premier appel parut en mars 1920 dans *Le Journal des lycées*. Le thème central de revendication était, au départ, l'égalité de service et de traitement entre agrégés et agrégées, vœu d'ailleurs adopté par le congrès de la Fédération. Cette égalité avait des adversaires, notamment à la Société des agrégés.

4. Une société des certifiées s'était également constituée. La Société des Agrégées ne disparut qu'en 1948, par fusion avec la Société des agrégés. Il exista, jusqu'en 1956, au sein de cette Société, une section des intérêts féminins.

5. *Agrégées*, novembre 1921, p. 18-20. Mais l'action des organisations féministes ne se confond à aucun moment avec l'action des professeurs : « Mlle Véroux a dit à Mlle Desprez ce qu'elle croit être l'expression de notre pensée à toutes : nous serons toujours reconnaissantes aux sociétés féministes de l'appui que leur action peut apporter à la nôtre, nous serons heureuses de nous tenir en rapport avec elles, mais il est de meilleure guerre qu'elles et nous suivions des voies parallèles et non pas conjuguées » *(ibid., p. 4).*

sans trancher de la question, en ont largement débattu[6]. En 1921, le cadre dans lequel avait encore travaillé la commission de 1917 apparaissait trop étroit.

En 1921, Jeanne P. Crouzet intitulait volontiers son Bulletin dans *La Revue universitaire* : « Vers l'identité » ou « Vers l'identification »... De fait, à tout observateur qui constatait le mouvement croissant des jeunes filles des lycées vers le baccalauréat, l'identification à l'enseignement masculin apparaissait comme la solution de beaucoup la plus logique. Mais les problèmes posés étaient si nombreux qu'ils ne pouvaient que retarder l'échéance. Comme celle des années 1880-1890, l'époque semble avoir été rétive à tout calcul de prévision : nulle part ne se trouve une évaluation du taux de renouvellement des professeurs ; très souvent le raisonnement semble prendre pour base le corps enseignant tel qu'il est à la veille de la réforme, avec toutes les difficultés que sa présence implique dans un enseignement réformé. On posait aussi parfois le problème juridique de la nécessité d'une loi. Rien de tel n'existait pour les garçons, pour qui il suffisait d'un décret, comme en 1902. Si l'on voulait une réforme, il fallait donc commencer par l'enseignement des garçons, dont la réforme était, estimait-on parfois, plus urgente et plus facile[7].

La préparation au baccalauréat devenait pourtant le but principal des lycées de jeunes filles. Mais, instituée à titre de tolérance, elle ne pouvait disposer des mêmes moyens que dans les établissements masculins. On ne faisait pas de grec. Les horaires étaient moindres. Partout on avait institué, dans les meilleurs cas, le « latin court », c'est-à-dire l'apprentissage en trois ans au lieu de six, avec un horaire bien inférieur à celui des garçons.

L'identification espérée par la majorité agissante du corps enseignant posait donc d'abord des problèmes financiers. L'enseignement féminin, moins chargé, avec des professeurs moins payés, coûtait moins cher. Les familles donnaient une rétribution supplémentaire pour les cours de latin là où ils étaient institués. Si les deux enseignements devenaient exactement parallèles, serait-il juste et concevable de maintenir une différence de traitement entre les hommes et les femmes, même si l'on maintenait pour ces dernières un système de concours spéciaux ? A

---

6. En 1912, s'était créé un Bureau international des fédérations du personnel de l'enseignement secondaire public qui comprenait seulement les Belges et les Français. Le congrès international de 1920 réunissait cinq nations européennes, celui de 1921 neuf. La question de l'identification des enseignements masculin et féminin fut l'objet d'une « discussion ardente et confuse » au congrès de 1922 (M. Hirsch, professeur d'histoire au lycée de Lille, « Le 4e congrès international de l'enseignement secondaire, Luxembourg, 1er-5 août 1922 », *RU*, t. I, 1923, p. 34-40).

7. Les partisans les plus déterminés de l'assimilation à l'enseignement masculin pensaient de la sorte : dans l'interview qu'il donne au *Temps* en novembre 1921 (cité par *RU*, t. II, 1921, p. 345), Paul Appell, qui se dit converti à l'identification des deux enseignements secondaires, précise : « Mais il va sans dire que l'unité d'enseignement implique la réforme des programmes de 1902 ... Sinon, ce ne serait pas un cadeau à faire à ces enfants ».

terme, l'identification des enseignements supposait l'identification des carrières des professeurs hommes et femmes. Une telle mesure devait aboutir à une augmentation des dépenses du personnel avec des créations de postes. L'administration n'y tenait guère : les agrégations féminines, avec leur définition plus étendue, donnaient beaucoup moins d'embarras pour les nominations. Cependant, même en cas de rapprochement seulement partiel des deux enseignements, il était de toute nécessité de donner aux jeunes filles des professeurs philosophes et latinistes. Aurait-on alors recours indéfiniment aux professeurs hommes, ou à un personnel peu qualifié de licenciées ? Ou bien permettrait-on aux femmes de passer les agrégations masculines ? Etait-il préférable de créer de nouvelles agrégations féminines ? Enfin, le personnel ainsi constitué supporterait-il indéfiniment une presque absence de statut et la non-représentation au Conseil supérieur comme aux conseils académiques ?

La question de l'unification posait donc, en réalité, une série de problèmes. Ceux-ci auraient été relativement faciles à résoudre, avec le temps, si l'administration, le Conseil supérieur et la totalité du corps enseignant avaient partagé les sentiments des agrégées. Au contraire, certains esprits éprouvaient une sorte de sentiment irraisonné qui leur faisait craindre toute altération du statut féminin dans la société[8], ou plus simplement toute atteinte à la « réussite » que constituait, dans l'ordre pédagogique, l'enseignement secondaire des jeunes filles. Dans la pratique, ces appréhensions n'aboutirent qu'à des demi-mesures, ainsi le vote du Conseil supérieur en 1924 sur l'âge d'entrée dans l'enseignement secondaire[9], qui arguait de la fragilité des jeunes filles à l'époque de la formation. L'opposition à l'assimilation, chez les professeurs hommes, ne doit pas non plus être sous-estimée : une forte minorité de la Fédération des professeurs de lycée se montra d'ailleurs hostile à l'identification des deux personnels[10].

---

8. C'était l'attitude de la Fédération des parents d'élèves qui, à la commission extraparlementaire, s'était prononcée pour un enseignement séparé « parce que les qualités physiques, intellectuelles et morales de la femme sont différentes de celles de l'homme et qu'elle a un rôle différent à remplir dans la société » (Famille et lycée, juin-août 1917, repris par RU, t. II, 1923, p. 345).

9. Sur un vœu du professeur Lépine, de la Faculté de médecine, qui représentait les hygiénistes, le Conseil émit le vœu que les jeunes filles entrent un an plus tard que les garçons dans l'enseignement secondaire : la sixième nouvelle aurait correspondu à l'ancienne première année secondaire. La Revue universitaire organisa aussitôt un référendum pour déterminer ce qui était le vœu réel des intéressés. L'enquête, qui reçut de la grande presse et des bulletins professionnels un accueil « bienveillant », reçut 83 réponses dont 45 collectives, dont G. Cayrou fit l'analyse (RU, t. I, 1924, p. 385-411). La majorité se montrait très vigoureusement hostile à l'amendement proposé par le Conseil supérieur.

10. Le congrès de la Fédération, en 1922, se prononça sur la question. Le vote fut net en faveur de l'égalité : 3 200 voix pour et 967 contre. Mais la minorité, représentée par l'Amicale du lycée de Toulon, exigea un référendum. L'enseignement féminin vota massivement pour l'assimilation sans conditions. Sur 1 914 votants masculins, 485 approuvèrent la thèse du Congrès, 160 s'abstinrent, 310 mirent la condition de l'égalité des titres comme préalable à l'égalité des droits, et 959 approuvèrent la thèse de l'Amicale de Toulon qui voyait dans l'égalité « danger social, injustice et inutilité » (RU, 1922, t. II, p. 213, BESJF). Certains professeurs femmes, qui ne se plaçaient pas du point de vue du personnel et de ses intérêts, mais du point de vue de la pédagogie, étaient également hostiles à

La réforme, qui aboutit à l'assimilation de fait des deux enseignements, en 1924, et qui porte le nom du ministre qui en fut l'initiateur, présente des caractères originaux. Tout d'abord elle n'est que la conséquence d'une autre réforme, celle de l'enseignement secondaire masculin. Ensuite, elle n'a pas été soumise aux instances qui devaient en connaître sous la forme d'un projet, mais par le biais d'un questionnaire. Le propos essentiel de Léon Bérard était la restauration, dans l'ensemble de l'enseignement secondaire, des humanités gréco-latines dont la place avait été amoindrie par la création, en 1902, de la section qui aboutissait au baccalauréat moderne. Dans les six questions du texte initial, il n'était pas fait mention de l'enseignement secondaire féminin : Léon Bérard, à ses débuts, ne semble pas s'y être intéressé personnellement. Son évolution sur ce point est pourtant rapide, dès la fin de 1921. L'influence de Paul Crouzet, qu'il avait désigné comme chargé de mission à son cabinet et qui représentait les vues de la Fédération et de la Société des Agrégées [11], a sans doute été déterminante. La pression des organisations professionnelles fit le reste. Le ministre posa alors une septième question au Conseil supérieur : dans le mouvement de réforme de l'enseignement secondaire masculin, l'enseignement féminin pouvait-il être laissé de côté, pouvait-il être conçu comme différent de l'enseignement masculin ? [12].

C'est devant l'assemblée générale d'une œuvre féminine privée, et non devant un groupement professionnel que le ministre, en février 1922, fait connaître publiquement sa pensée sur ce point de ses projets de réforme :

> « L'enseignement secondaire féminin, dit-il au cours de son allocution, ne correspond plus à la réalité des choses ; les jeunes filles ne peuvent se contenter du diplôme : le problème est maintenant résolu dans l'esprit de tous ceux qui ont eu à en connaître ; c'est une nécessité d'identifier les agrégations masculines et féminines : l'anomalie de la dualité n'a que trop duré. Il faut mettre dans notre enseignement secondaire de l'ordre, de la logique et de la symétrie » [13].

---

l'assimilation des deux enseignements. Ce sont eux qu'évoque, non sans exagération, le Dr Toulouse dans *La Dépêche* de Toulouse, 24 janvier 1922 : le mal, selon lui, est surtout dans la création d'un corps de professeurs de l'enseignement secondaire féminin qui, n'ayant pas reçu et ne pouvant pas donner l'enseignement classique des garçons, s'opposent naturellement à toute réforme sur ce point, car, il faut bien le dire, la résistance à l'évolution qui porte la femme à rechercher la même culture que l'homme a comme foyer central l'enseignement féminin actuel (cf. M. Bossavy, *RU*, t. I, 1923, p. 243-246, ou encore la position d'Hélène Guénot).

11. Sa femme n'a pas cessé, durant tout le temps qu'il exerça ses fonctions auprès de Léon Bérard, de rédiger le Bulletin de l'enseignement secondaire des jeunes filles dans *La Revue universitaire*, où elle continuait d'exposer des vues résolument assimilationnistes.

12. *Agrégées*, novembre 1921, p. 2-6.

13. Allocution prononcée le 18 février 1922 à la Fédération des œuvres de placement pour le travail féminin d'ordre intellectuel, présidée par Mme Cruppi, citée dans *RU*, t. I, 1922, BESJF, p. 219.

Dans une lettre aux présidents des commissions de l'enseignement du Sénat et de la Chambre, il expose son projet en exprimant la même idée : « Je compte adapter ensuite (cette réforme) à l'enseignement secondaire féminin, où, depuis plusieurs années déjà, les humanités sont l'objet d'une croissante faveur, enseignement pour lequel il n'existe aucune raison dirimante de maintenir un régime particulier » [14].

Désormais, se distinguent les lignes de force de l'évolution en cours : réforme des programmes des jeunes filles pour faire accéder celles-ci aux humanités, réforme des concours de recrutement et, partant, de tout le corps enseignant féminin. Les conséquences qui en découlent sont multiples : elles regardent les traitements, l'établissement des services, la délimitation des spécialités, la représentation dans les conseils universitaires. Enfin, il faut déterminer les mesures de transition, leur importance et leur étendue en durée, afin de ne pas effaroucher la clientèle devenue traditionnelle des lycées de jeunes filles, et de sauvegarder les droits du personnel recruté pour l'ancien ordre des choses.

Une difficulté naquit du caractère même de la réforme de l'enseignement secondaire masculin : le rétablissement des humanités rendait plus difficile l'assimilation de l'enseignement féminin. Les agrégées elles-mêmes avaient toujours présenté le vœu, en cas d'identification, du maintien d'une section d'enseignement moderne, sans latin. L'enseignement secondaire des jeunes filles, dans ce qu'il avait eu de plus original et de plus fécond, avait administré la preuve qu'une véritable culture « moderne » était possible. Léon Bérard l'empêchait de poursuivre dans la voie qui avait toujours été la sienne. La détermination du ministre jeta donc le trouble chez les professeurs femmes [15]. Les Agrégées se ressaisirent bientôt pour affirmer que l'identification était souhaitable, à n'importe quel prix. Elles se contentaient de signaler les points sur lesquels les deux enseignements devraient être différenciés : il fallait enseigner aux filles l'hygiène, la puériculture, la couture, une culture physique propre et un enseignement artistique.

---

14. *RU*, t. II, 1922, BESJF, p. 303. Le ministre adopte délibérément une position antiutilitariste en croyant ou affectant de croire que les jeunes filles se portent vers les humanités pour leur intérêt intellectuel plutôt que parce qu'elles leur assurent la sanction devenue nécessaire du baccalauréat. Si la décision du ministre paraît assurée, celle de ses services l'est moins : l'histoire de la réforme de l'enseignement féminin en 1924 est aussi celle de l'inertie de l'administration, hostile à la réforme (Paul Crouzet, *Bachelières et jeunes filles*, p. 34, évoque le long délai qui a séparé les votes du Conseil supérieur de la publication des textes, obtenue enfin du « loyalisme » de Thamin).

15. « Nous savons, écrit J. Crouzet (*RU*, t. II, 1921, p. 345) que plusieurs de nos collègues ne sont pas sans inquiétude ... Il est évident, nous ont écrit quelques-unes d'entre elles, que l'enseignement féminin peut, moins encore que l'enseignement masculin, souscrire à l'espèce de discrédit et de mort dont le ministre paraît vouloir frapper une section moderne à qui il refuse la sanction du baccalauréat ... »

Le 25 mars 1924, quelques jours avant son départ du ministère [16], fut enfin signé le décret de Léon Bérard qui, en abrogeant le décret Paul Bert du 14 mars 1882, constituait la réforme de l'enseignement secondaire féminin, préalablement approuvée par le Conseil supérieur dans sa session de janvier 1924 [17]. La difficulté de procéder par la voie parlementaire l'avait donc emporté, et l'enseignement féminin rejoignait le droit commun où les principales réformes pédagogiques s'accomplissaient par la voie réglementaire. Cette procédure imposait en partie le contenu du décret, qui respectait en apparence l'enseignement prévu par la loi du 20 décembre 1880. Dans son rapport, Léon Bérard se déclarait désireux de « répondre au double vœu des familles et de l'Université : d'une part, maintenir un enseignement secondaire féminin qui, depuis quarante ans, a fait ses preuves ; d'autre part, faciliter aux jeunes filles qui le désirent un enseignement identique à l'enseignement secondaire masculin ». Si la préparation au baccalauréat était instituée, elle était présentée comme une section facultative, appelée à rester la moins peuplée dans les établissements féminins : « Mon ambition, ajoutait le ministre, a été de rendre accessible, d'une part, à une élite d'enfants la culture classique, et d'offrir, d'autre part, à la grande majorité des jeunes filles de nos lycées, qui n'a en vue que la vie du foyer, l'éducation élevée que le législateur de 1880 lui avait destinée ».

Léon Bérard choisissait donc d'ignorer ce qui avait été l'humble réalité des lycées et collèges de jeunes filles durant tant d'années : la course aux brevets. La culture de la section « diplôme » se présentait comme aussi « désintéressée » que la culture classique de la section « baccalauréat » [18] était censée l'être. L'évolution alors en cours, que le

---

16. Un remaniement in extremis du ministère Poincaré amena le remplacement de Léon Bérard, le 4 avril, par Henry de Jouvenel.

17. « *Art. 1er.* L'enseignement secondaire des jeunes filles comprend six années d'études.

Art. 2. Le diplôme de fin d'études ... sera délivré après la dernière année du cours d'études, à la suite d'un examen dont les matières seront fixées par arrêté ministériel.

Art. 3. A côté de l'enseignement sanctionné par le diplôme, il est institué, dans les lycées et collèges un enseignement facultatif dont la sanction est le baccalauréat.

Art. 4. Les programmes de l'enseignement des garçons sont intégralement appliqués dans l'enseignement facultatif prévu par l'article 3 ... appliqués pour toutes les matières communes de l'enseignement sanctionné par le diplôme.

L'économie domestique, les travaux à l'aiguille et la musique font partie obligatoire de l'enseignement dans les lycées et collèges de jeunes filles ».

La suite du décret prévoyait un examen de passage chaque année, un certificat de quatrième année et fixait les premières mesures d'application.

18. « Les autres, disait Léon Bérard en parlant des élèves de la section diplôme, étudieront plus spécialement les matières d'enseignement proprement féminines, telles que l'économie ménagère, les travaux manuels féminins, la musique, et recevront, d'autre part, outre le diplôme, des compléments d'instruction tels que littératures anciennes, littératures étrangères, psychologie et morale » (rapport cité). Le ministre se plaçait donc volontairement sur le terrain traditionnel, pour une sorte de restauration des idées qui avaient présidé, anticléricalisme mis à part, au vote de la loi Camille Sée. Les agrégées elles-mêmes, pourtant déterminés partisans de l'assimilation à l'enseignement masculin et de la poursuite du baccalauréat, affirmaient leur désir de développer, dans les établissements de jeunes filles, les enseignements réputés « féminins », et répétaient qu'elles entendaient former surtout de bonnes mères de famille.

décret ne fit que précipiter, aboutissait en fait à la disparition du diplôme comme du brevet au profit du baccalauréat [19].

Le décret du 25 mars 1924 doit-il être pour autant considéré comme une sorte de subterfuge conçu pour abolir la loi de 1880 sans passer par le Parlement et pour assurer le triomphe de l'assimilation à l'enseignement masculin ? S'il faut en croire Paul Crouzet, qui fut l'un des principaux artisans du décret, ses auteurs semblent avoir nourri quelques illusions et cru que le replâtrage de la section diplôme, pour peu que ce dernier fût assorti de quelques sanctions, finirait par avoir raison de l'engouement pour le baccalauréat [20].

---

19. Quelques chiffres dans *Agrégées* de mars 1923, donnent une idée de la rapidité de cette évolution.

	Diplôme	Baccalauréat 1re partie	Baccalauréat 2e partie
Toulouse :			
1919...........................	11	25	31
1920...........................	5	16	15
1921...........................	11	21	21
1922...........................	5	32	20
Lyon :			
1919...........................	27	16	
1920...........................	18	15	
1921...........................	21	18	
1922...........................	18	30	

Deux élèves de Lyon ont eu à la fois le diplôme et le baccalauréat. Pourtant la directrice de cet établissement écrit (lettre du 2 décembre 1922) : « Je suis du petit nombre de celles qui défendent encore *l'esprit* de nos programmes du début de l'enseignement secondaire féminin et qui redoutent l'unification des enseignements masculin et féminin ... Je fais à Lyon tout ce qui dépend de moi pour maintenir les traditions et au lycée de Lyon le diplôme de fin d'études garde encore quelque prestige ».

Au lycée Fénelon, la proportion des diplômes est plus forte grâce sans doute à la clientèle aisée et « désintéressée » :

	Diplôme	Baccalauréat 1re partie	Baccalauréat 2e partie
1918...........................	36	36	1
1919...........................	32	38	12
1920...........................	34	45	8
1921...........................	36	44	9
1922...........................	33	46	12

La politique de la directrice consiste à faire passer à la fois le diplôme et le baccalauréat. Au lycée de Nice, cette pratique est très rare, aussi le nombre des baccalauréats 1re partie obtenus durant cette même période est-il le double de celui des diplômes : 63 contre 29. La situation est la même, à des degrés divers, au lycée de Bordeaux, à Nancy (11 diplômes de 1919 à 1922 compris contre 98 baccalauréats 1re ou 2e partie), à Victor-Duruy (24 diplômes contre 97 baccalauréats), à Jules-Ferry (34 diplômes de 1920 à 1922 contre 213 baccalauréats) (*Agrégées*, novembre 1922).

20. Paru en 1949, le livre de Paul Crouzet, *Bachelières ou jeunes filles*, est tout entier consacré à déplorer l'évolution de l'éducation féminine depuis 1924. Peu de temps après le décret du 25 mars, Paul Crouzet, dans une étude faite en commun avec Marguerite Caron, directrice de lycée, représentante nommée au Conseil supérieur, s'évertuait à dresser une liste des sanctions du diplôme pour montrer aux jeunes filles qu'elles n'avaient pas besoin du brevet ou du baccalauréat pour trouver un métier, en cas de besoin (*RU*, t. II, 1924, p. 10-15, « Esquisse d'une liste des sanctions du diplôme de l'enseignement secondaire des jeunes filles »). De son côté, durant la guerre, le bulletin de Mme Crouzet avait évoqué nombre de carrières ouvertes aux jeunes filles ou susceptibles de leur convenir.

Une telle attitude recélait des contradictions : comment pouvait-on affirmer dans le même mouvement que les jeunes filles devaient, en majorité, suivre un enseignement désintéressé et que le diplôme qui couronnait cet enseignement offrait des débouchés ? Les parents d'élèves ont eu un rôle dans cette confusion [21] et attestent en définitive du désarroi d'un opinion désarmée devant une mutation irréversible de la société, à laquelle rien ne l'avait préparée, car le mouvement nettement amorcé avant la guerre avait été mis, trop hâtivement, au compte d'une mode passagère. La sincérité des intéressés n'est donc pas à suspecter ; ce sont plutôt leurs facultés de prévision qui se sont trouvées en défaut.

Une identification imparfaite

Sept ans après le décret Léon Bérard, en 1931, l'enseignement secondaire des jeunes filles fêtait avec solennité son cinquantenaire. Assimilation à terme ne signifiait donc pas fusion : les établissements de jeunes filles, même avec des programmes identiques à ceux des garçons, continuèrent de mener une vie propre, avec un esprit qui leur était particulier, jusqu'à une période proche de la nôtre. Retracer ce que fut cette existence, après 1924, le recrutement des professeurs et des élèves, en quoi consistait et se manifestait cet esprit des lycées de jeunes filles serait l'objet d'un autre travail. Toutefois, parce que les intéressées elles-mêmes ont attaché une grande importance au processus d'assimilation avec l'enseignement masculin, parce que les vicissitudes rencontrées révèlent bien les deux courants de résistance et de mouvement qui partageaient le monde universitaire, il est de quelque utilité de noter, du moins dans le domaine administratif et réglementaire, les principales étapes de l'identification.

Celle-ci avait été décrétée dans des conditions bien peu favorables. Paradoxalement, après une attente longue de tant d'années, la mesure était bâclée en fin de législature et n'embrassait pas l'ensemble du problème puisqu'elle ne réglait que les programmes sans se soucier d'une transformation du recrutement des professeurs. Visiblement, le ministre avait voulu mettre ses successeurs, quels qu'ils fussent, devant un fait accompli ; compte tenu des résistances rencontrées au sein de l'administration, il avait fait ce qu'il avait pu. Peu de temps après, les élections législatives assuraient la victoire du Cartel des gauches dont les

---

21. Dans « Une requête de l'Association des parents d'élèves au sujet du diplôme de 5e année » (*RU*, t. I, 1923, BESJF, p. 255) J. Crouzet évoque la lettre écrite au ministre par les parents d'élèves en décembre 1922, où les parents demandent qu'on revienne aux caractéristiques de l'ancien diplôme, éloigné de tout but utilitaire, attestation de fin d'études plus qu'examen, mais en même temps réclament une « assurance prise sur l'avenir ». « Comment, écrit Mme Crouzet, le diplôme pourrait-il être " une assurance prise sur l'avenir " sans être recherché pour " un but utilitaire " ? ».

idées en matière d'enseignement secondaire étaient différentes de celles de Léon Bérard. Après une présence relativement longue rue de Grenelle, celui-ci cédait la place à Henry de Jouvenel, puis à François Albert[1] dont le premier soin fut de rétablir la section moderne de l'enseignement secondaire masculin, supprimée un an plus tôt. Dans le même temps, était nommé un nouveau directeur de l'enseignement secondaire, Francisque Vial, qui diffère de ses prédécesseurs moins par sa carrière antérieure de professeur de lettres devenu inspecteur général que par une orientation politique plus avancée et par une longévité administrative nettement supérieure à celle de ses prédécesseurs[2]. Maître de conférences avant la guerre à l'Ecole de Sèvres, il connaît les problèmes de l'enseignement féminin et s'attache à les résoudre en témoignant du souci de tenir compte sans doute de la consultation du Conseil supérieur, mais aussi de l'avis des organisations universitaires.

Cette procédure s'impose pour l'enseignement féminin d'autant que celui-ci n'est toujours pas représenté au Conseil supérieur et s'y exprime seulement par des moyens détournés[3]. La question de la représentation, au reste étroitement liée à celle du statut définitif du personnel, de ses émoluments, de ses droits, et celle de l'adaptation de l'enseignement au baccalauréat et à l'apprentissage de nouvelles disciplines, continuent à être débattues après 1924, alors qu'une troisième question, passée au second plan, semble-t-il, celle de la réforme ou même de la suppression des concours féminins, n'est abordée que partiellement et tarde à recevoir une solution.

Le problème des concours est pourtant essentiel. Le mouvement vers l'identification des programmes rend plus difficile de concevoir le maintien d'agrégations féminines différentes de celles des hommes[4]. Parmi les raisons qui mènent irrésistiblement à l'identification des concours, la directrice de Sèvres, en 1931, dénombre la difficulté de préparation du concours pour les non-Sévriennes, la facilité de la

---

1. Normalien, né en 1877, agrégé des lettres, il collabora à la presse radicale avant de devenir ministre du cartel. Lors de la chute du cabinet Herriot en 1925, il fut remplacé par Anatole de Monzie. Son nom reste attaché à la restauration de la 6ᵉ moderne dans les lycées.

2. Il resta directeur de l'enseignement secondaire de 1924 à 1936. Ses capacités d'administrateur et sa hauteur de vues sont évoquées notamment par l'inspecteur général Gendarme de Bévotte dans *Souvenirs d'un universitaire*, Paris, Perrin, 1938, 324 p.

3. Ses intérêts étaient représentés tantôt, comme on l'a vu, par les membres de l'enseignement libre féminin, Mathilde Salomon, Berthe Milliard, la fondatrice de l'Ecole des hautes études commerciales pour les jeunes filles, Mlle Sanua, tantôt par la directrice de Fontenay, Mme Dejean de La Bâtie, tantôt encore par des représentants masculins : Bernès, Suran ou Paul Appell qui enseignait à Sèvres.

4. Encore que ce maintien ait des partisans même après l'unification de 1925 : « A vrai dire, écrit Anna Amieux en 1931, on pourrait, même après le décret du 25 mars 1924, concevoir des programmes d'agrégations féminines différents de ceux des agrégations masculines, et permettant néanmoins aux professeurs femmes de dominer largement l'ensemble et les détails de leur tâche nouvelle ... Il existe, dans l'Université et en dehors d'elle, un certain nombre de personnes convaincues qu'il y a des aptitudes intellectuelles, des qualités et des défauts d'esprit propres à chaque sexe ... » (*Le cinquantenaire de l'Ecole de Sèvres, 1881-1931*, p. 197).

licence, le développement de l'enseignement libre qui dirige ses élèves vers les Facultés et les concours masculins, l'effort des Facultés pour attirer une clientèle féminine destinée à remplacer les hommes absents après la guerre[5], les revendications des professeurs femmes pour l'égalité, enfin « les efforts du féminisme et le besoin d'unification si répandu à notre époque ». Sur ce dernier point, si les positions du Conseil national des femmes et de l'Union française pour le suffrage des femmes ont été en effet toutes prises en faveur de l'unification, il serait hasardeux de leur donner un poids déterminant dans les décisions si souvent transitoires et partielles qui furent prises.

A l'inverse de toutes ces forces qui tendaient vers l'identification des concours, la résistance des institutions en place explique la lenteur de ce mouvement et, en définitive, son échec partiel. L'Ecole de Sèvres se trouvait au centre du système de recrutement. Or, si les études y avaient subi un changement dès le lendemain de la guerre, en 1920, ce changement avait eu lieu trop tôt, dans l'attente d'une réforme globale de l'enseignement secondaire féminin dont on devinait bien le sens mais dont on ignorait encore l'étendue et la portée. C'est ainsi que l'Ecole n'a pas d'abord évolué, comme il aurait été de prime abord logique, vers un rapprochement avec la rue d'Ulm ; elle a plutôt accentué son caractère d'institut pédagogique d'esprit surtout secondaire. Discrètement, sous le prétexte de rendre plus facile aux professeurs femmes l'accès du certificat, Sèvres s'est acquis, au moins à titre occasionnel, le monopole de la préparation à la seconde partie[6]. Le certificat lui-même, qui répond plus à l'idéal du professeur unique défini soixante ans plus tôt par Gréard qu'aux ambitions nouvelles de l'enseignement féminin et qui constitue un obstacle aux études en Faculté[7], n'est pas mis en question. Son maintien manifeste la tendance, moins voyante peut-être que les revendications des Agrégées, mais au moins aussi constante et forte de toutes les inerties ou craintes de l'avenir, au repliement de l'enseignement secondaire féminin sur ses traditions. Au reste, le certificat était là, il était commode pour ménager les transitions dans un enseignement qu'on ne voulait pas bouleverser ; il permettait à

---

5. « Il y avait, remarque Paul Crouzet en 1949, des avantages aussi pour l'enseignement supérieur ... Bien des budgets d'Université n'ont pu se soutenir ; bien des chaires n'ont pu se créer ou se maintenir que grâce à l'afflux des étudiantes. Par la même évolution féminine que la crise des petits collèges était résolue la crise des petites Facultés, et même une crise plus générale de l'enseignement supérieur, pour lequel ce fut toujours, dans certaines spécialités, une grave inquiétude que le manque possible d'élèves » (*Bachelières ou jeunes filles*, p. 47-48).

6. En 1919, Sèvres a admis comme élèves internes ou externes toutes les jeunes filles reçues à la première partie du certificat. Ensuite, plutôt que de donner des bourses dans les Facultés, on accorda une année de séjour à l'Ecole pour préparer la seconde partie du certificat.

7. Les connaissances exigées au certificat, écrit Busson, professeur au lycée Carnot, sont « si nombreuses, si variées, si spéciales ... qu'elles exigent un effort infiniment plus grand que la licence et qu'elles interdisent à peu près tout espoir d'un heureux résultat aux jeunes filles réduites à suivre les cours de quelque Université », *Bulletin de la Société des professeurs d'histoire et de géographie de l'enseignement public*, novembre 1921.

l'administration de pourvoir facilement en professeurs capables les établissements de moyenne importance. Ce sont les raisons pour lesquelles il survécut plus de vingt ans au type d'enseignement qui avait justifié sa création [8].

Quant à l'agrégation, elle connut des hésitations et des incohérences qui, pour certaines, ont duré jusqu'à nos jours [9]. Comme le certificat, le système initial des agrégations féminines demeurait. L'administration eut la tentation de le compléter pour assurer aux moindres frais la préparation des jeunes filles au baccalauréat. C'est ainsi qu'en janvier 1921, le Conseil supérieur fut invité à examiner la création d'une agrégation féminine de philosophie. L'utilité en fut immédiatement contestée [10] et le projet fut abandonné. Il fallait bien cependant adapter les agrégations féminines existantes à l'éventail nouveau des connaissances que devaient aborder les futures bachelières. Ce fut l'œuvre d'une série de mesures partielles d'abord, comme l'introduction de l'histoire de l'art à l'agrégation de lettres, section histoire, en 1921, puis d'une réforme plus ample menée par Edouard Herriot et Francisque Vial en 1927. Le but affirmé était l'identification graduelle des concours ouvrant l'enseignement féminin à ceux qui ouvraient l'enseignement masculin. Le terme du régime transitoire était même fixé à 1938.

La difficulté du certificat et de sa préparation, le caractère limité des concours auxquels il ouvrait avaient incité des jeunes filles de plus en plus nombreuses à choisir la voie de l'Université pour se préparer à l'agrégation de leur choix. Les premières Sévriennes qui se destinèrent à l'agrégation de philosophie se heurtèrent à des difficultés administratives qu'elles ne purent pas surmonter [11]. Aussi bien, comme le nombre des candidates à l'Ecole, celui des candidates au certificat, constituées à peu près uniquement par les Sévriennes et celles qui avaient obtenu en guise

---

8. La Société des agrégées, en 1927, demanda que la réforme des concours féminins, qui devait être débattue devant le Conseil supérieur, commençât par les examens du certificat. C'est Francisque Vial qui préféra commencer par les agrégations, estimant la procédure « plus pratique et plus rapide ». D. Parodi, « La réforme des agrégations féminines », *L'Enseignement public*, juin 1927, p. 504-511.

9. C'est en 1970, par exemple, que fut supprimée l'agrégation féminine d'histoire et géographie. C'est en 1976 qu'on a procédé à l'unification des jurys féminin et masculin de l'agrégation d'histoire.

10. Cf. *La Revue universitaire* en février 1921 : « Cette création est-elle bien nécessaire ?, écrivait le chroniqueur, ... Je crois que les femmes, si elles étaient consultées, ne seraient pas très favorables à ces examens spéciaux dont la nécessité n'est nullement démontrée. Est-ce que toutes les agrégées de langues vivantes ne subissent pas les mêmes épreuves que les hommes ? ». Un récent article de *L'Œuvre*, signé de « quelques agrégées », donnait l'exemple d'une jeune femme reçue à l'agrégation de philosophie alors qu'elle sevrait son bébé, et de deux jeunes filles reçues respectivement 1re et 3e à l'agrégation de mathématiques. Henri Bergson lui-même, selon *La Revue universitaire*, s'était « montré partisan d'une agrégation de philosophie unique ». Il demandait instamment qu'on « donnât aux jeunes filles pour professeurs des maîtresses ayant vraiment une culture philosophique et non pas seulement des préparatrices au baccalauréat » (*Revue du mois*).

11. Lalande avait conseillé à deux de ses élèves de première année, fortement attirées par la philosophie, de préparer « tout doucement » le certificat, en suivant des cours de philosophie à la Sorbonne en vue de l'agrégation. Il espérait sans doute fléchir l'administration en la mettant devant le fait accompli. Mais la directrice en référa immédiatement au directeur de l'enseignement secondaire qui refusa d'admettre cette entorse au règlement (AENS, Cahier de correspondance n° 32, 10 novembre 1931), mais promit l'instauration d'une section de philosophie en 1932.

de bourse l'autorisation de suivre les cours de l'Ecole comme élèves externes, tend-il à diminuer. Le régime transitoire était donc de plus en plus doublé par le recrutement de jeunes filles préparées par les Universités, titulaires de la licence ou même d'une agrégation masculine [12].

Léon Bérard avait cru résoudre la question en décidant, par un arrêté du 17 mars 1924, que tous les concours et certificats masculins seraient désormais accessibles aux femmes, avec un classement unique. Il semble que cette mesure soit en partie restée lettre morte puisque les Sévriennes n'avaient toujours pas le droit de se présenter aux agrégations masculines : c'est en 1927 seulement que, la réforme des agrégations féminines aidant, elles purent se présenter à l'agrégation de sciences naturelles. L'assimilation prévue en 1938 n'eut pas réellement lieu. La guerre survenant, elle fut ajournée indéfiniment. Les hasards de l'histoire et le poids des traditions universitaires aboutissaient donc à trois types d'agrégations masculines ; les agrégations qui, dès l'origine de l'enseignement féminin, avaient été ouvertes aux femmes comme aux hommes, en langues vivantes, les agrégations qui, un temps, furent ouvertes aux femmes et leur furent fermées en 1938 sous le prétexte qu'elles avaient une correspondance parmi les agrégations féminines — ce fut le cas de l'agrégation de lettres et de l'agrégation d'histoire —, enfin les agrégations d'abord masculines qui, maintenant encore, servent de concours de recrutement commun aux hommes et aux femmes, comme l'agrégation de philosophie [13].

Pourquoi le processus d'identification des concours a-t-il été ralenti comme à plaisir ? Pourquoi même a-t-on enregistré dans ce domaine des retours en arrière, puisque l'accès de certains concours d'agrégation qui avaient été ouverts aux femmes leur a été ensuite interdit ? Jusqu'à 1926, où l'égalité des traitements entre professeurs hommes et femmes fut acquise, les agrégations féminines étant considérées de ce point de vue comme équivalentes aux agrégations masculines, les préoccupations financières ont eu sans doute un rôle : l'administration craignait l'augmentation des dépenses, et les associations masculines, les Agrégés notamment, redoutaient ouvertement une assimilation qui leur semblait le prélude à une dangereuse concurrence et à la dépréciation possible de leur propre situation.

---

12. Dès les origines, les agrégations de langues vivantes avaient attiré les jeunes filles puisqu'il n'existait pas d'autre titre. En 1924, sur 31 agrégés de langues vivantes, on compte 13 femmes.

13. Le régime auquel étaient soumises naguère encore les historiennes illustre ces incohérences : au début du siècle, les jeunes filles qui se sentaient la vocation de l'histoire devaient passer l'agrégation féminine des lettres, section histoire. En 1924, l'arrêté de Léon Bérard permit à celles qui avaient suivi la voie de l'enseignement en Faculté de passer l'agrégation d'histoire masculine. La réforme des agrégations féminines en 1938 leur enleva cette possibilité : elles durent toutes passer l'agrégation d'histoire et de géographie (femmes). La création, au lendemain de la guerre, d'une agrégation de géographie, commune aux deux sexes, ne changea rien aux situations acquises.

Les raisons psychologiques qui s'opposaient à l'assimilation des concours sont plus nombreuses et plus complexes : elles ont souvent accompagné les motifs d'intérêt ou se sont substituées à eux. Dans les polémiques sur la question, les adversaires de l'assimilation avaient coutume d'affirmer que les concours masculins étaient trop durs pour les femmes, que leur santé, donc l'avenir de la famille et de la race, étaient en péril. Il ne fait pas de doute que, la crise des années 1930 venant, la crainte de la concurrence féminine s'est faite plus forte et a exercé une influence au moins inconsciente sur ceux — quelle que fût leur appartenance politique du reste — qui avaient la charge de l'enseignement secondaire féminin. Rien pourtant ne rend compte de l'absence d'harmonie entre les divers types d'agrégation, et de l'absence de coordination entre les programmes des différents concours qui interdisaient à la plupart des jeunes filles de se préparer au certificat ou à l'agrégation en Faculté [14], sinon l'esprit d'indépendance des différents jurys et l'absence d'une vue d'ensemble, qui aurait permis une réforme enfin globale et cohérente des concours de recrutement.

Le destin de l'Ecole de Sèvres fut à l'image de ces hésitations. La mise à l'étude d'un déménagement de l'Ecole vers Paris était annoncée de temps à autre. Elle rencontrait l'opposition à peine feutrée de la directrice, attachée à la notion d'un enseignement adapté à la nature « féminine » et à l'œuvre pédagogique qu'elle avait entreprise, inséparable de l'école d'application [15]. C'est l'une des caractéristiques de cette première partie du 20e siècle que l'opposition, déjà perceptible au temps de Gréard, mais nettement accentuée après la guerre, entre le niveau scientifique des concours de recrutement et leur valeur pédagogique, comme si demander à la fois l'un et l'autre aux jeunes filles eût été excessif et qu'introduire des épreuves de caractère nettement professionnel eût été exclure des exigences scientifiques que l'on trouvait normales chez les garçons.

Ministre en 1936, Jean Zay nomma la première directrice de Sèvres qui ne fût pas une directrice de lycée. C'était Mme Cotton, docteur ès sciences et donc habilitée à diriger un établissement d'enseignement supérieur. Désormais, l'Ecole fut considérée comme telle, homologue de la rue d'Ulm. Une telle transformation supposait chez les Sévriennes l'assiduité aux cours de la Sorbonne, qu'elles ne suivraient plus par

---

14. Les jeunes filles avaient en principe le droit de s'y préparer à leurs concours propres, comme l'atteste l'institution de bourses d'agrégation.

15. Le ministre Mario Roustan s'étant déclaré, devant le Conseil supérieur en 1935, favorable à une assimilation de l'Ecole de Sèvres à celle de la rue d'Ulm, la directrice s'y déclare opposée : « A Sèvres, nous ne cherchons qu'à former des professeurs. N'oubliez pas que les carrières sont de plus en plus difficiles à trouver pour les femmes. A Sèvres, nous voulons former des éducatrices qui ont besoin de leur santé, de leur énergie, de toutes leurs forces intactes et non pas des savants qui peuvent vivre à l'écart sans avoir de contact avec des classes nombreuses » (Interview d'*Excelsior* citée plus haut).

tolérance comme jusque-là [16], mais comme la filière normale de leurs études : un pas définitif dans cette direction fut franchi en 1938, lorsque le diplôme d'études supérieures devint obligatoire pour toutes les agrégations. Mais le système des concours étant toujours le même, l'identification ne pouvait être que limitée. L'éloignement géographique de l'Ecole de Sèvres, regardé comme considérable dans le Paris d'alors, constituait un obstacle de plus. Toujours remis, le transfert de l'Ecole devint urgent : aucune décision de fond n'ayant été prise lors de la déclaration de guerre en 1939, l'Ecole fut logée dans le Foyer américain réquisitionné. Ainsi commença, de locaux d'attente en locaux provisoires, une existence itinérante qui n'est sans doute pas encore terminée.

Pour le personnel, la plus tangible des marques d'égalité avec l'enseignement masculin était l'égalité des traitements. Celle-ci fut assez facilement acquise, grâce à l'action des Agrégées qui, déjà peu nombreuses, tinrent à ne pas se scinder en titulaires des agrégations masculines et titulaires des agrégations féminines, grâce aussi à la bienveillance de l'administration sur ce point. Il fallut toutefois, et pour la première fois, une grève du baccalauréat pour obtenir le vote du Parlement sur les nouvelles grilles de traitement. L'admission des professeurs femmes dans les jurys de baccalauréat en 1928, l'ouverture du concours général aux jeunes filles en 1930 étaient le signe des progrès de l'identification. Pourtant, la lutte fut beaucoup plus longue pour l'égalité des maxima de service qui seule assurait l'égalité des traitements et pour la représentation au Conseil supérieur. C'est en 1931 que l'égalité des maxima fut acquise et que le Parlement vota la loi qui prévoyait l'élection au Conseil supérieur de cinq agrégées, en décembre 1933 seulement que la loi fut définitivement acquise par le vote du Sénat [17].

La réforme de Léon Bérard ne réussit pas à enrayer ni même à ralentir le mouvement de désaffection pour le diplôme de fin d'études. Si Paul Crouzet avait songé à dresser une liste des sanctions, son pouvoir n'avait pas été jusqu'à allonger cette liste par de nouvelles équivalences. Comme par le passé, le diplôme n'ouvrait guère que l'accès à l'enseignement secondaire des jeunes filles. Encore n'était-il plus, comme par le passé, la voie royale pour y parvenir, puisque le baccalauréat permettait mieux encore que le brevet supérieur de s'en passer. Son déclin, encore plus rapide après 1924, aboutit à une

---

16. Les élèves étaient autorisées à passer la licence dans la mesure où ce travail supplémentaire n'entravait pas la préparation au certificat.

17. L'inégalité demeurait encore, dans les Conseils universitaires, entre les hommes et les femmes. Elle ne disparut qu'en 1946, avec la création à côté du Conseil supérieur, des conseils d'enseignement pour tous les ordres (M. Fauré et M. Schwab, *L'Agrégation*, numéro du cinquantenaire, p. 558).

disparition presque totale à la veille de la guerre [18], alors qu'il n'a jamais été officiellement aboli. Le brevet supérieur n'en a pas profité pour connaître un regain de faveur dans les établissements féminins, bien au contraire. La réforme du brevet lui-même et la croissance relative des écoles primaires supérieures féminines font concurrence aux établissements de jeunes filles qui, après le gonflement des lendemains de la guerre, voient parfois leurs effectifs stagner : bien des parents d'élèves, jusque-là, avaient demandé aux lycées de jeunes filles des débouchés beaucoup plus modestes que ceux qu'ils prétendaient offrir.

Mais les lycées ont-ils toujours, dans la période entre les deux guerres, les moyens de cette prétention ? La question de la « coéducation », c'est-à-dire, dans le langage de l'époque, l'ouverture d'un même établissement aux élèves des deux sexes, apparaît une solution aux difficultés d'argent et de personnel que la réforme a fait naître. A la veille de la réforme, une circulaire [19] autorise les jeunes filles à suivre les classes de préparation au baccalauréat des lycées de garçons quand cette préparation n'est pas prévue dans les établissements scolaires féminins de leur lieu de résidence. Est-ce la voie ouverte, au-delà de l'identification des enseignements, à leur fusion ? L'expérience suscite des réflexions [20], mais on se récrie bientôt : elle sera limitée, entourée de beaucoup de précautions pour ne heurter personne et surtout ne pas porter préjudice aux établissements féminins en les décapitant et en décourageant les communes désireuses d'ouvrir des cours secondaires [21].

L'enseignement secondaire féminin gardait donc son organisation particulière : les expériences de co-instruction ne pouvaient être que limitées et temporaires et, de fait, elles ne s'étendirent guère [22]. La raison

---

18. Cf. G. Coirault, *Les cinquante premières années de l'enseignement secondaire féminin, 1880-1930,* et par exemple le témoignage (AD, Savoie, Tac 82) de l'inspecteur d'académie de la Savoie en 1930 : pour 155 candidates au baccalauréat des huit établissements de l'Académie de Grenoble, il reste 26 candidates au diplôme, présentées par quatre établissements seulement.

19. BAMIP, 1er janvier 1924.

20. Positives dans le cas de Mendousse, le futur auteur de la *Psychologie de l'adolescente,* alors professeur de philosophie au lycée d'Auch, dans *Le Relèvement social,* 1924 ; négatives dans le cas de la sous-directrice pour les jeunes filles du collège mixte de Sarrebrück (*RU,* t. II, 1925, p. 418 : « Classes mixtes et coéducation dans l'enseignement secondaire ») qui conclut à l'absence obligée d'« éducation » chez les jeunes filles ainsi instruites.

21. Circulaire du 10 août 1926, *RU,* t. II, 1926, BESJF, p. 438-439 et p. 445-446 —. Textes et documents. C'est dans cet esprit qu'Edouard Herriot et Francisque Vial répondent à Mario Roustan qui, lors de la discussion du budget au Sénat, en 1925, a demandé s'il ne serait pas possible, « dans les villes qui ne peuvent s'offrir le luxe de deux collèges, d'ouvrir aux jeunes filles les portes des collèges de garçons, dont quelques-uns languissent et s'étiolent faute d'élèves ». L'année suivante, l'autorisation est étendue à toutes les classes, mais seulement pour les collèges de moins de 150 élèves. Si le nombre des filles atteint 50, il faut immédiatement créer des cours secondaires. Il faut une majorité des 3/4 au conseil municipal pour que la demande puisse être reçue. En outre, le ministre se réserve de révoquer l'autorisation au cas où s'élèveraient des difficultés.

22. Il est un point où les professeurs de lycées de jeunes filles ne purent obtenir autant que leurs collègues masculins, celui des préparations aux grandes écoles. Dans nombre de lycées de province, les préparations — « cagnes » et « taupes » — restèrent mixtes, et au seul bénéfice des lycées de garçons.

d'un tel maintien n'était pas toute de convenance, puisque les discussions relatives à la co-instruction avaient montré que les complications que certains affectaient de redouter n'étaient pas si fréquentes, et que les avantages pouvaient être au moins équivalents aux inconvénients. Mais, en outre, l'enseignement féminin tenait à préserver, dans l'identification même à l'enseignement des garçons, quelques enseignements spécifiques et réputés féminins, au premier rang desquels les travaux manuels féminins, c'est-à-dire la couture. Ces enseignements étaient en somme tout ce qui subsistait de l'esprit de la loi Camille Sée, mais ils ne furent pas gardés seulement par formalisme ou en guise de dédommagement aux adversaires de l'identification[23]. Ils étaient le témoignage d'une volonté de se relier au passé dans la définition de la femme française essentiellement destinée au foyer, ils témoignaient aussi de la croyance dans la valeur éducative des établissements féminins, puisqu'on affectait ainsi de continuer à former la jeune fille aussi bien pour la vie domestique que pour la science ou la vie professionnelle. Les lycées de garçons n'avaient jamais nourri cette prétention. N'était-ce pas, une fois de plus, affirmer l'« égalité dans la différence » ?

Par-delà les cours de couture, humble témoin d'un enseignement spécifique aux jeunes filles, tout un faisceau d'habitudes pédagogiques, psychologiques ou administratives a contribué à maintenir longtemps dans les établissements féminins une atmosphère particulière. Cet esprit propre marque une véritable continuité entre les élèves des premières années et celles qui leur ont succédé à un demi-siècle de distance. Les lycées de jeunes filles, sans doute, ne sont plus pareils, dans les années 30, à des couvents. Mais l'air qu'on y respire n'est pas tout à fait semblable à celui du monde extérieur. Bien dirigé, un lycée féminin a toujours l'ambition d'être une maison d'éducation, en même temps qu'un lieu de préparation aux examens. La directrice, qui n'est pas secondée par un censeur, apparaît à la fois plus proche des élèves que beaucoup de proviseurs et investie d'un pouvoir plus efficace, parce qu'il s'étend aussi aux détails. Institution pédagogique bien individualisée, l'enseignement secondaire féminin a tendance à orienter ses meilleures élèves vers l'enseignement : se refermer sur soi-même peut représenter une tentation qui n'est pas toujours évitée.

D'autre part, — est-ce l'effet d'un héritage lié aux contingences historiques ou d'un penchant inhérent à la nature féminine ? — le lycée de jeunes filles marque une préférence pour les études littéraires. Comme par le passé, les lettres occupent le sommet de la hiérarchie intime des lycées de jeunes filles, d'autant plus aisément que les carrières

---

23. La preuve en est que, dans les horaires qui auraient dû en principe être identiques à ceux des garçons, les représentantes de l'enseignement féminin consentirent à faire des réductions afin de laisser la place à ces enseignements « féminins ».

d'ingénieurs ne s'ouvrent pas aux jeunes filles autant qu'on aurait pu le supposer. Mais les lettres en honneur, ce sont les lettres classiques et non plus les lettres modernes : le temps des « humanités modernes » fondées sur l'apprentissage des langues est bien révolu. Comme chez les garçons, la section moderne, sauf accident, est réservée aux élèves reconnues inaptes à l'étude du latin et du grec. Là aussi, s'opère l'orientation par l'échec.

A la préparation aux brevets a succédé la préparation aux baccalauréats. Il ne semble pas que le « bachot » ait été moins âprement désiré que chez les garçons. A chaque distribution de prix, on énumère après le palmarès le nombre d'élèves reçues à l'examen, les mentions obtenues. C'est la seule concession, avec les encouragements ou félicitations du conseil de discipline, si tardivement introduit, faite à l'esprit d'émulation des élèves. Il n'en a pas besoin pour se soutenir : peu importe la fréquente absence de solennité des distributions de prix, de goûter de la Saint-Charlemagne, la rareté des sanctions telles que les « colles » en vigueur dans les établissements masculins. Les rivalités entre camarades, les éloges discrets et parcimonieusement distribués des professeurs, les fréquentes et minutieuses corrections, tant d'autres motivations suffisent largement.

Il n'est pas sûr que l'intention originellement affichée des lycées de jeunes filles ait été entièrement respectée au cours de la transformation en vue du baccalauréat : orientés vers la même fin que les lycées de garçons, les lycées de jeunes filles ont dû présenter en définitive plus de ressemblances de fond avec eux que de différences de forme. Exécutée pour les établissements féminins, une étude semblable à celle de V. Isambert-Jamati [24] sur les discours de distribution de prix ne donnerait peut-être pas un résultat fort dissemblable, mais, miroir des intentions plus que des réalités, elle refléterait l'absence d'unité d'un corps professoral divisé entre son regret d'un passé idéal où, les brevets primaires oubliés, on exalterait le « désintéressement » de la culture féminine acquise autrefois dans les lycées, et l'exaltation d'un présent conquérant de l'« égalité » avec les hommes. Il faudrait d'ailleurs évaluer le poids de l'ancien personnel dans l'histoire des lycées de jeunes filles après 1924. Durant de longues années encore, les règles strictes de la retraite maintinrent en place un personnel recruté bien antérieurement à la réforme, dans de tout autres habitudes mentales et intellectuelles que les jeunes professeurs. Comment, à partir de ce personnel ancien, les traditions se sont-elles maintenues, et aussi les mauvaises habitudes ? A quel rythme la transformation des structures s'est-elle étendue à la vie quotidienne des établissements par le renouvellement des personnes ?

---

24. *Crises de la société, crises de l'enseignement,* fondée sur l'analyse des discours de distribution de prix des lycées de garçons de 1865 à 1965.

L'identité des études, l'égalité de principe ont-elles donné aux jeunes filles l'égalité des chances avec les garçons dans les différentes carrières ? Les unes après les autres, à la suite de la révolution opérée dans les lycées de jeunes filles et parfois un peu antérieurement, toutes les professions libérales ont été ouvertes aux femmes. Dès lors les pionnières de l'assimilation des deux enseignements secondaires avaient loisir de déclarer leur but atteint et même dépassé. Elles ne se dissimulaient pas, pourtant, les inégalités de fait qui demeuraient là où ne jouaient plus des règles objectives [25]. Autant de questions qui pourraient constituer le départ d'une autre histoire.

---

25. M. Fauré et M. Schwab, *L'Agrégation*, p. 559.

CONCLUSION

Au terme d'une analyse qui, par souci de préciser une évolution chronologique ou de rendre compte de la diversité d'une institution, a parfois mêlé des domaines différents, la réflexion doit revenir sur trois aspects privilégiés de cette étude en s'attachant tour à tour aux plans administratif, pédagogique et social.

A peine centenaire, la réalité de l'enseignement secondaire des jeunes filles paraît maintenant bien lointaine. Pourtant, les personnes nées au début de ce siècle ont pu voir à l'œuvre des contemporains de la fondation. A une si brève distance, la mémoire collective et même individuelle ne peut être trop infidèle. C'est à elle qu'il faut faire appel pour évoquer une dernière fois ces ombres que le temps n'a pas encore décolorées. Voici, après les longues nattes et les sarraus noirs des premières élèves, les blouses roses, écrues ou bleu-ciel de leurs nombreuses descendantes des années trente. Rassemblées symboliquement autour de l'originale figure de Camille Sée, de la petite pèlerine de Mme Jules Favre, voici la troupe des Sévriennes des premières promotions, « en robes surannées ». Elles essaimèrent à travers la France et vieillirent dans l'emploi de professeurs ou de directrices, majestueuses avant l'âge, souvent solitaires, parfois sans joie. Mais leur carrière, si austère qu'elle fût, n'a pas été monotone. Avant leur retraite, la plupart ont pu voir les établissements à demi-vides de leur jeunesse se remplir et même s'agrandir. Elles ont suivi le mouvement qui a mené les élèves à se préparer au baccalauréat. Songeant aux épreuves et peut-être aux dédains passés, elles ont maintes fois encouragé ce mouvement. Les moins oublieuses des débuts ont dû être conscientes d'une révolution dont elles étaient à la fois les témoins et les acteurs. Elles ne rêvaient point, pourtant, d'un destin d'amazone : les lycées de jeunes filles n'ont pas cessé de voir dans le mariage et la maternité la fin normale et heureuse des élèves. Cependant, les fonctionnaires de la première

439

génération ont pu contempler la Terre promise de l'égalité avec les hommes ; elles n'ont pas toujours eu l'amertume d'en voir les pièges et les ambiguïtés.

A côté de ces relatives privilégiées, comment ne pas faire une place aux institutrices, aux répétitrices qui n'ont pu entrer dans l'institution par la grande porte des concours ? Demeurées dans une position subalterne, elles ont contribué pourtant, pour une large part, à donner leur vrai visage aux établissements. Quelques insuffisances ou ridicules ne sauraient éclipser tant de dévouements obscurs. C'est une leçon en effet de ces feuillets sans vie où se résume ordinairement tout ce qu'on peut savoir de quarante années d'exercice : une continuité s'en dégage qui donne son unité et sa dignité à la carrière la plus modeste et la plus dépourvue de faits notables. Toutes, c'est probable, n'avaient pas pleinement conscience de collaborer à une œuvre de grande ampleur sociale et pédagogique, beaucoup n'étaient venues là que pour trouver un gagne-pain, mais pour le plus grand nombre elles eurent un sens large et élevé de leurs obligations professionnelles. Aussi, personnage sans figure mais présent sous une forme ou sous une autre à l'esprit de toutes, l'Etat est-il un premier rôle de cette histoire.

Rémunérés par l'Etat, les fonctionnaires ont, surtout dans les vingt premières années de l'enseignement secondaire féminin, un sens très fort du service public. L'autorité de l'Etat se manifeste par une administration plus proche de l'administré que celle à laquelle sont habitués nos contemporains. Celle-ci est tributaire, comme il est naturel, des crédits qui lui sont alloués et qui, après les généreuses dotations de premier établissement, sont vite devenues dérisoires. Conscient de cette situation, le personnel s'ingénie souvent à rendre plus facile la tâche des administrateurs dont il comprend les difficultés. Mais ces derniers ne sont pas la seule force dans l'Etat : la courte histoire de l'enseignement féminin montre à la fois l'âge d'or et le déclin de l'administration universitaire. A une très grande latitude d'action du directeur de l'enseignement secondaire, rendue plus facile par la place que certains administrateurs, tels Gréard, ont occupée au sein du Conseil supérieur, succède une restriction progressive de son influence, liée à l'essor des associations de professeurs après 1905, à une plus grande sensibilité aux manifestations de l'opinion dans le domaine universitaire. Les réformes de 1924 et 1925 sont d'initiative ministérielle, alors que les projets mis au point par l'administration dans les années précédentes ont été écartés ; au contraire, la loi de 1880, due il est vrai à un parlementaire, était devenue dans son interprétation et son application l'œuvre du directeur et du vice-recteur de Paris.

Au reste, que le pouvoir en matière pédagogique soit surtout exercé par l'administration ou le ministre, l'Etat n'a guère abusé du prestige dont il jouissait. Les fondations d'établissements, les premières nominations le montrent respectueux des collectivités locales, ses partenaires. Il est fort attentif aux sentiments de l'opinion publique, soucieux de ne pas la brusquer, de la séduire pour la conquérir. La centralisation, si elle se traduit par des programmes, sinon des horaires uniformes, ne se montre donc pas envahissante ; elle commet peu d'excès. La structure particulière de l'enseignement des jeunes filles, où l'Etat n'avait pas voulu prendre la responsabilité des internats et les avait laissés aux municipalités, en est partiellement cause : les lycées de jeunes filles, au prix de quelques incohérences, ont vécu sous le régime de l'entente obligée avec les autorités locales. Ils n'ont pas dû cesser de tenir compte de l'opinion, qu'elle s'exprime par la presse ou, plus tard, par les associations de parents.

Cependant, la pratique administrative dans le domaine de l'enseignement secondaire féminin invite à se dépouiller d'éventuelles illusions. Créé de toutes pièces par une loi, apparemment dépourvu d'exemples et de précédents, l'enseignement secondaire des jeunes filles n'a jamais été une construction harmonieuse. Tous ceux qui ont eu à en connaître, législateurs ou administrateurs, ont produit un système qui devait à la fois au passé, au modèle masculin, aux modes et aux préjugés de l'époque où il a été conçu. Ce système n'avait même pas le mérite d'être complet : qui examine l'enseignement secondaire féminin en 1924, à la veille de sa transformation, s'aperçoit qu'il est le produit d'une lente sédimentation de textes et d'usages qui s'enchevêtrent plus qu'ils ne s'accordent et qui montrent que la réglementation, de plus en plus compliquée, a voulu répondre au plus pressé, plutôt que de s'inspirer d'une sereine vue d'ensemble. Cette faiblesse est surtout visible dans tout ce qui regarde la situation du personnel. Mais l'enseignement proprement dit a perdu peu à peu ses chances de survivre, parce qu'il n'a pas voulu résoudre la question des examens et parce qu'il a opposé une structure trop rigide au changement lorsque celui-ci, par l'évolution des mœurs, est devenu nécessaire aux yeux de tous. Ainsi, l'administration universitaire apparaît-elle plus préoccupée d'excellence pédagogique que d'efficacité pratique, comme si elle était préposée au maintien d'un idéal placé au-dessus des lois et de l'état des esprits, alors pourtant que la réalité ainsi défendue est née des tâtonnements de l'expérience.

La loi de 1880 marque pour les filles le passage d'une forme d'enseignement originale, souple et peu contraignante, les cours secondaires, à une forme bien plus ancienne, en honneur dans les lycées de garçons. Malgré les allégements d'horaires, la scolarité des lycées de jeunes filles exprimait la prétention nouvelle d'exercer une influence sur la presque totalité du temps disponible de l'élève, le désir de former son intelligence autant que de lui faire acquérir un certain nombre de savoirs. A cet égard, l'enseignement secondaire des jeunes filles est bien conforme à l'esprit des années 1880, confiant dans le pouvoir social et moral de l'instruction dispensée par la République. C'est à ce titre, beaucoup plus que par les péripéties de sa création, qu'il mérite en définitive de figurer dans l'œuvre scolaire de Jules Ferry.

Rien ne fut négligé, en 1882, pour faire au nouvel enseignement l'application des méthodes les plus en vogue, tout en évitant aux jeunes filles les efforts qu'on jugeait préjudiciables à leur santé et au rôle qu'elles devaient, pensait-on, remplir par la suite. Ainsi les filles avaient-elles reçu le bénéfice de la réflexion menée par les fondateurs du collège Sévigné. Les deux règles d'action, pour ceux-ci, avaient été à la fois le bon sens, appuyé sur une connaissance plus attentive de l'enfance que celle qui avait présidé au règlement des lycées de garçons, et les limitations que l'usage imposait à un enseignement féminin : essentiellement littéraire, cet enseignement ne devait pas comporter d'humanités classiques. Une telle lacune, considérée par beaucoup de bons esprits comme sans remède, au point qu'on assimila souvent l'enseignement secondaire féminin à l'enseignement primaire supérieur, était devenue une force. Les « humanités modernes » avaient réussi au point de prouver, dans l'enseignement des filles, qu'une véritable culture secondaire, c'est-à-dire « à longue portée », pouvait exister, fondée sur l'étude des langues et des littératures françaises aussi bien qu'étrangères.

Mieux encore, le thème de la culture désintéressée, si souvent négligée dans les établissements masculins au profit de la préparation au baccalauréat, reprenait vigueur grâce aux jeunes filles, théoriquement libres d'un tel souci. Enfin, l'Etat, « maître de pension », pouvait paraître atteindre le sommet de ses ambitions éducatives, puisqu'il se flattait de joindre l'éducation à l'instruction.

La faiblesse d'un système d'examens, qui répondait à tous les critères pédagogiques les plus sourcilleux, mais pas aux exigences « utilitaires » de la clientèle, se montra en définitive fatale. Elle a entraîné de regrettables conséquences sur le plan de l'esprit et des méthodes d'enseignement. En effet, l'apport des méthodes féminines aurait sans doute été salutaire au vieil enseignement des lycées de garçons, alors tellement critiqué. Cet apport n'a pas eu lieu, en raison des circonstances où s'est faite l'assimilation à l'enseignement masculin : plus que d'une fusion harmonieuse préparée à loisir, il s'est agi d'une capitulation sans conditions. Ainsi se manifestait cette réalité que l'enseignement secondaire français, en dépit de toutes les prétentions affichées, et sous la pression des familles au moins autant que du fait des professeurs, ne se proposait pas comme fin première la formation des esprits, mais la réussite au baccalauréat.

Cette perte d'identité de l'enseignement secondaire féminin, quarante ans après sa fondation officielle, invite à méditer sur la difficulté d'adapter durablement un système éducatif à l'état de la société et des mœurs, et sur les inconvénients de mettre sous forme de loi, comme le fit Camille Sée, des conceptions pédagogiques et sociales précises. Camille Sée, en 1880, représentait l'avant-garde en matière d'éducation des filles. La preuve en est dans la nature même du vote qu'il obtint : indifférent au contenu réel de l'enseignement des filles que la majorité aurait sans doute désiré plus léger, le vote fut acquis uniquement pour des raisons politiques et anticléricales. Une autre preuve est fournie par le travail du Conseil supérieur qui s'ingénia à gauchir et rapetisser la nouveauté qui lui était proposée. Pourtant, il ne fallut pas trente ans pour qu'on parlât de crise de l'enseignement secondaire féminin. Le décret de 1924 fut, si pures qu'aient été les intentions de ses auteurs à l'égard de l'enseignement prévu par la loi, un subterfuge pour tourner celle-ci, devenue gênante et retardatrice. L'adéquation de la loi aux mœurs fut donc brève.

La loi Camille Sée ne fut jamais abolie, mais, vidée de l'essentiel, elle tomba rapidement en désuétude. A la veille de la seconde guerre mondiale, elle était à peu près oubliée et les élèves qu'en désespoir de cause on plaçait dans la section « diplôme » étaient devenues une rareté. Cependant, l'existence même de la loi, la personnalité de ceux qui l'ont votée ou combattue ont servi en quelque sorte de révélateurs des idées, des passions, des forces qui se manifestent dans la société française du siècle dernier. La loi n'aurait pas pu se voter sans l'hostilité de l'Eglise qui en a fait une affaire de parti ; de même l'histoire de l'institution ne saurait se concevoir sans évoquer la constante rivalité avec l'Eglise. Bien des traits de l'enseignement féminin officiel sont empruntés au modèle clérical, voire monastique, tant il est vrai que la République, si elle a conçu une autre philosophie, n'a pas imaginé une autre morale et un autre statut social pour les femmes que ceux qu'inspirait l'Eglise. L'évolution de l'enseignement secondaire des jeunes filles est sans doute due à une évolution des habitudes de la bourgeoisie française, elle est également liée au revirement des catholiques qui, après une longue période de passivité, ont décidé de combattre l'institution de l'Etat avec ses propres armes. L'initiative change donc parfois de camp, sans qu'il soit possible de conclure à une victoire définitive de l'un ou de l'autre. Malgré l'Eglise qui en avait acquis le monopole, l'Etat a réussi à s'imposer dans le domaine de l'instruction secondaire des filles, mais jamais il n'arrive à obtenir une situation vraiment privilégiée : en 1924, la proportion des jeunes filles élevées dans des établissements confessionnels est toujours plus forte que celle des jeunes gens. Il est probable que l'enseignement féminin n'y était pas toujours, loin de là, de niveau secondaire. Le rôle de l'Etat a donc sans nul doute été déterminant pour l'élévation générale des études féminines. Entre l'Eglise et l'Etat, la place de l'enseignement privé laïque reste des plus modestes. Elle peut revêtir une grande importance dans les moments de crise : le rôle du collège Sévigné en 1880 comme en 1908, la concurrence des pensions parisiennes dans les années qui précèdent 1914 ont hâté la genèse ou la transformation de l'enseignement des filles.

Le débat sur l'adoption de la loi et les nombreuses discussions sur son éventuel amendement ont porté sur la place publique un grand débat social : quel était le rôle réservé à la femme dans la société française ? Les débats de 1880 ont révélé, au-delà de profondes divergences philosophiques ou religieuses, une entente à peu près générale des hommes politiques, des pédagogues, des universitaires qui ont eu à en connaître sur l'image de la femme, pierre angulaire du foyer, épouse et mère de famille. Au vrai, la femme seule, contrainte de travailler pour vivre, n'avait pas été prévue dans l'épure. La loi Camille Sée eut pourtant comme conséquence inattendue de l'y faire entrer. Puisque le corps professoral — ainsi en avait-on décidé — devait être composé autant que possible de femmes, une carrière nouvelle s'ouvrait à laquelle avait vainement aspiré « la femme pauvre du 19e siècle ». Le recrutement social des élèves, qui ne fut pas celui qu'on avait prévu, fit le reste. Les enfants de la petite et de la moyenne bourgeoisie pour qui le mariage, sans dot, demeurait hypothétique, recherchèrent les examens, non les « diplômes » désintéressés qui avaient été créés, mais les examens qui permettaient d'accéder aux diverses professions. La préparation des brevets primaires suffit longtemps ; elle ne gêna guère l'enseignement secondaire féminin. Au contraire, l'accès des jeunes filles au baccalauréat, après 1908, rendit nécessaires les transformations décisives qui eurent lieu au bout d'une quinzaine d'années de crise. La quête du baccalauréat n'était pas le résultat d'une ambition intellectuelle : elle manifestait l'« usure » du brevet supérieur et le désir nouveau d'entrer dans les carrières libérales, à égalité avec les hommes.

A l'heure où se défaisaient les certitudes qui avaient animé les législateurs de 1880, la même unanimité qui avait existé quarante ans plus tôt sur le rôle assigné à la femme ne se retrouve pas. Aux modernistes, eux-mêmes parfois bien partagés, s'opposent les nostalgiques du vieil enseignement secondaire féminin, garantie de la tranquillité familiale et sociale. Paradoxe de la loi Camille Sée : elle a été à la fois une tentative, couronnée de succès durant près de trente ans, de fixer pour les jeunes bourgeoises aisées un idéal de vie et de culture tout domestique et désintéressé, et la chance, pour les jeunes filles pauvres, d'accéder à une situation indépendante et sûre. L'enseignement secondaire des jeunes filles ne pouvait guère survivre à cette contradiction. Il est allé rejoindre, dans le musée imaginaire de la pédagogie, les demoiselles de Saint-Cyr et la princesse de Salente. Mais il a laissé après lui, des années encore après sa disparition, des structures, un personnel, un esprit et peut-être, dans l'opinion publique, de tenaces habitudes de pensée.

Annexe I

Bordereau des données repérées
dans les dossiers personnels

Origines	Nom Date de naissance, tranche, lieu Profession du père, de la mère Nombre de frères et de sœurs Parents dans l'enseignement, à charge Père notable politique Etrangères
Etat-civil	Début des services, cours des services, fin des services Premier mariage : date, profession du mari Deuxième mariage : date, profession du mari Nombre d'enfants
Etudes	Privées ou publiques, primaires ou secondaires Leçons particulières, 6e année Etudes en faculté, études classiques, Fontenay Etudes à l'étranger, lieu, durée Lieu de fin d'études, date
Sèvres	Promotion, section, nombre de concours Sortie, une année à Sèvres
Qualification	Diplômes primaires, autres, certificat, section, date Agrégation, section, date, admissibilités Age au diplôme le plus élevé, années de service alors Diplômes de l'enseignement supérieur
Carrière	Année du premier emploi, nature, enseignement Ire Date de l'entrée dans le secondaire, délégation Lieu de premier poste, date de titularisation Catégorie d'entrée, de sortie Nombre de changements de catégorie Nombres d'affectations en tant que titulaire Carrière à Paris, activités extraprofessionnelles

Fonctions	Enseignement élémentaire et surveillance, entrée, sortie Administration, entrée, sortie Economat, entrée, sortie Enseignements annexes, entrée, sortie Enseignement proprement dit, entrée, sortie Date d'entrée dans la fonction la plus importante Lieu de fin de carrière
Avancement Distinctions	Durée avant officier d'académie, avant officier de l'Instruction publique Transformation d'établissement Durée d'arrivée à la 3e classe (avant 1903) Distinction la plus élevée
Ruptures de carrières	Mutations, écarts de conduite, interruptions Rétrogradation Autres sanctions Congés, nature, durée Longues maladies
Renseignements divers	Problèmes disciplinaires Délégation en établissement masculin Fin de services, cause, date Confession Appui politique Durée de services, primaires, secondaires, total Décès, cause, date, circonstances Appréciation globale des supérieurs

Annexe II

Table des abrévations

AD :   Archives départementales
AEAES : Archives des élèves et anciennes élèves de Sèvres
AENS :   Archives de l'Ecole normale de Sèvres
AN :   Archives nationales
BAMIP : Bulletin administratif du Ministère de l'instruction publique
BESJF : Bulletin de l'enseignement secondaire des jeunes filles, rubrique de *La*
             Revue universitaire
BSGEE : Bulletin de la Société générale d'éducation et d'enseignement
CSIP :   Conseil supérieur de l'Instruction publique
ESJF :   L'Enseignement secondaire des jeunes filles, communément appelé
             Revue Camille Sée
NDP :   *Nouveau dictionnaire de pédagogie* dirigé par Ferdinand Buisson
REF :   Revue de l'enseignement des femmes
RESES : Revue de l'enseignement secondaire et de l'enseignement supérieur
RDM :   Revue des deux mondes
RHMC : Revue d'histoire moderne et contemporaine
RIE :   Revue internationale de l'enseignement
RU :   Revue universitaire
SEQES :Société pour l'étude des questions d'enseignement secondaire
UFAAE :Union française des associations d'anciennes élèves des lycées et
             collèges de jeunes filles
UFSF :   Union française pour le suffrage féminin

Annexe III

Sources

SOURCES MANUSCRITES

I. Archives nationales. Série F 17

L'essentiel de la documentation manuscrite est représenté par la série F 17 des Archives nationales. La totalité des liasses communicables qui regardaient l'enseignement secondaire des jeunes filles a été dépouillée. Plutôt que de relever, au fil de l'*Etat sommaire*[1] de cette série, les cotes intéressantes, nous préférons les regrouper en un ordre autant que possible logique ou chronologique.

1. COURS SECONDAIRES SOUS VICTOR DURUY

8753. *Enseignement secondaire des jeunes filles, 1867-1868. Désordres dans les lycées, 1870.* Les papiers du cabinet du ministre relatifs aux cours comprennent notamment les synthèses établies par Lavisse sur la question.
8754 à 8756. *Dossiers classés par académies (1867-1868).*

2. COURS SECONDAIRES A PARTIR DE 1879

8757 à 8770. *Dossiers classés par académies (1879-1886)*
8757 et 8758. *Aix-Alger*
8759. *Besançon-Bordeaux*

---

1. L'*Etat sommaire* a adopté les principes de rangement en usage au ministère à l'époque du versement. Aussi, le plus souvent, l'enseignement secondaire des jeunes filles y est-il mis à part. Chaque fois qu'il est question dans cet inventaire d'« enseignement secondaire », de « lycées » ou de « collèges », sans autre précision, il s'agit exclusivement de réalités masculines.
   Les indications soulignées sont celles de l'*Etat sommaire*, des *Précisions sur l'état sommaire*, ou encore du *Supplément*. Le détail des cartons et liasses de 8753 à 8814 est donné dans les *Précisions*.

8760 et 8761. *Caen-Chambéry*
8762. *Clermont-Dijon*
8763 et 8764. *Douai*
8765 et 8766. *Lyon-Nancy*
8767. *Paris*
8768. *Poitiers*
8769. *Rennes*
8770. *Toulouse*

8771 à 8778. *Cours secondaires de jeunes filles transformés ou supprimés de 1881 à 1886* (Villes par ordre alphabétique).

8783. *Cours de jeunes filles, subvention et ordonnancement 1882-1883.*

3. LYCÉES ET COLLÈGES DE JEUNES FILLES

8784. *Prolongations d'études, vacances, doublement des classes, 1896,* bourses, dispenses, 1885-1896.

14185. *Créations de lycées 1880-1897. Statistiques 1881-1905.*
Cette liasse très riche comprend, outre la correspondance relative à des projets de fondation, divers tableaux statistiques, notamment celui des professions ou situations sociales des parents d'élèves, dressé par académies et par département, pour 1899, le nombre d'élèves par établissement de 1892 à 1901, l'origine des élèves nouveaux à la rentrée de 1904.

6869. *Documents statistiques 1854-1899,* reproduit le même tableau.

14187. *Collège communal du Mans, 1902-1908.*

8779. *Etat sanitaire du collège d'Auxerre en 1883 ; relevés des séances des bureaux d'administration des lycées* (simples jetons de présence).

8780. *Litige entre l'Etat et la ville de Vitry-le-François au sujet du traitement de Mlles Mercadier et Tellier, directrice et surveillante de l'internat au collège, 1885-1887.*
L'essentiel se trouve ailleurs, dans les trois liasses de rapports aux conseils académiques de 1880 à 1900, 6827 à 6829, qui contiennent quelques rapports relatifs aux premières années et tous ceux relatifs aux années 1897 à 1900, et dans les dossiers personnels des fonctionnaires, surtout ceux des chefs d'établissements.

4. SCOLARITÉ

7480. *Bourses de l'enseignement secondaire des jeunes filles, 1883-1891.* Promotions de bourses entre 1886 et 1898. Décrets, avec date de naissance, profession du père, nombre d'enfants et affectation des boursières nationales de 1885 à 1890.

7484 à 7487. *Boursiers et boursières, tableaux d'honneur.*

14188. *Bourses, examens, listes, 1885-1890* (affectations par établissement).

8800 à 8804. *Diplôme de fin d'études secondaires des jeunes filles, 1893-1894.*

8804 à 8808. *idem, 1895.*

14165. *Admission des jeunes filles dans les établissements de garçons. 1917-1939.*

5. PERSONNEL

— *Ecole normale de Sèvres*

Ont été conservés surtout les documents relatifs aux concours d'admission :

8808 à 8811. *Ecole normale de Sèvres, concours d'admission de 1881, 1882, 1883, 1884.*

14189 à 14193. *Concours d'admission à l'Ecole normale de sèvres, dossiers des candidatures et procès-verbaux du concours, 1882-1899.*

En fait, les archives, très complètes pour les deux premiers concours, s'appauvrissent rapidement. La totalité des documents pour un seul concours est éparse sur plusieurs liasses.

Ainsi pour le concours de 1881 :

8808. Procès-verbaux, sujets, notes, analyse des candidatures et des résultats (origine géographique et répartition par âge des candidates).

14189. Résultats, répartition géographique des admissibles.

14195. Quelques dossiers de candidature.

8812 à 8813. *Concours d'admission de 1888 à 1896*, renseignements incomplets.

8814. *Aménagement, paiement aux entrepreneurs,* tous les détails matériels relatifs à la fondation.

14187. *Ecole normale supérieure de Sèvres, 1882-1888,* pièces diverses.

— *Concours de recrutement*

13745 et 13746. *Bourses d'agrégation 1893-1905.*

8785 à 8799. *Certificat d'aptitude à l'enseignement secondaire des jeunes filles, agrégation dudit enseignement, 1883-1896.*

14194. *Certificat d'aptitude : compositions des candidates, 1882.* (Il s'agit des copies des seules ajournées).

14195 à 14199. *Agrégation et certificat d'aptitude.* Organisation, procès-verbaux, dossiers, admissibilités, 1883-1891. Quelques dossiers du concours de Sèvres.

14200. *Agrégation, copies des candidates, 1892.*

14201 à 14205. *Agrégation et certificat d'aptitude ; procès-verbaux, admissibles, 1894-1898.*

14195 et 8785 sont surtout à retenir. Relatifs à l'organisation du certificat de l'agrégation, ils donnent des « renseignements confidentiels » sur les candidates reçues aux premiers concours, et l'original des rapports de concours.

Lycées et collèges de jeunes filles. Etats de traitements et de présence :

8781 et 8782. *Etats de traitements et de présence 1886-1888.*
8783. *Idem, 1888-1890.*

— *Dossiers personnels*

Compte tenu des limites qui nous avaient été imposées pour la consultation des dossiers — la date de la retraite devait être antérieure à 1935 — près de 3 000 dossiers ont été examinés. Ils représentent la totalité des femmes qui ont été employées dans les premières années de l'enseignement secondaire des jeunes filles, soit de 1880 à 1900. Viennent s'y ajouter, pour environ 13 % de l'ensemble, les dossiers plus récents, pour la date de naissance, de celles qui ont pris une retraite prématurée ou dont la carrière s'est terminée, pour quelque cause que ce soit, avant l'âge de la retraite. Un certain nombre de dossiers présentaient une durée de carrière trop brève ou des renseignements trop lacunaires pour pouvoir être retenus dans un calcul d'ensemble. Ce sont en définitive *2 247* dossiers qui ont fait l'objet de calculs par la méthode informatique [2].

Ces dossiers sont inclus dans des liasses cotées de 21961 à 26405 et réparties comme il suit d'après l'*Etat sommaire (supplément)* :

21895 à 22712. Retraités de 1902 à 1923.

22713 à 23126. Retraités avant 1917.

26402 à 26413. Enseignement féminin du premier et du second degré.

23173 à 23552. Tous ordres d'enseignement : retraités entre 1880 et 1930. Les dossiers n'ayant pas d'autre classement que l'ordre alphabétique à l'intérieur de chaque versement, il a fallu procéder à un repérage dans le fichier conservé dans les magasins des Archives.

Par-delà les renseignements qu'ils donnent sur le personnel lui-même, ces dossiers constituent une source de premier ordre pour recréer la vie des établissements.

12748. *Travaux de la commission extraparlementaire chargée de coordonner les traitements des personnels enseignants et les règles les régissant, 1906-1907.*

F 17 *3372 (Registres). *Enseignement secondaire des jeunes filles. Tableaux d'ancienneté et du personnel.*

6. ENSEIGNEMENT LIBRE

2680. « *Idées sur l'instruction* » de Mlle Caubet-Darius, *maîtresse de pension à Paris,* 1869.

14186. *Cours et écoles libres laïques, 1869-1890 :* Cours de la Sorbonne 1881-1882, école Sévigné, école Monceau...

8780. Subvention à l'établissement Liénard, devenu Savoye-Harel, 1880-1883.

7. TRAVAUX DU CONSEIL SUPÉRIEUR DE L'INSTRUCTION PUBLIQUE

— *Conseil supérieur*

12963 (juillet-décembre 1881) à 12979 (1904), notamment 12964 (juillet 1882). Projets d'arrêté relatifs à l'examen d'entrée dans les lycées et collèges de jeunes filles, au certificat d'études de troisième année, au diplôme de fin d'études. Programmes de l'enseignement secondaire dans les lycées et collèges de jeunes filles.

*3199 à *3211. *Procès-verbaux du Conseil supérieur de l'Instruction publique, 1873-1899* (Registres). Ces registres sont la reproduction des liasses précédentes, mais s'arrêtent en 1899 : *3201. 10 janvier 1881-25 juillet 1882 ; *3211. 10 juillet 1897-11 janvier 1899.

---

2. Cf. p. 445.

— *Section permanente*

*3212 à *3221. Procès-verbaux de la section permanente du Conseil supérieur, 1880-1899. (Registres) : *3212. 14 mai 1880-14 juin 1882 ; *3220. 24 juillet 1896-17 décembre 1897.

Comme pour les séances du Conseil supérieur, ils sont la reproduction de *12980 à 12989.* 1882-1902, avec un décalage de dates :

12980. 11 janvier 1882-21 décembre 1883 : programmes de l'enseignement secondaire des jeunes filles et diplôme de fin d'études.

12981. Projet d'arrêté portant règlement pour les lycées de jeunes filles.

12985. 4 juillet 1894, réforme de l'agrégation et du certificat.

12987. Révision de 1897.

Mais pas plus dans les liasses que dans les registres ne se trouve trace des travaux de commissions.

II. Archives nationales. Autres séries

1. AJ 16. ACADÉMIE DE PARIS

Constituée par quelques archives de l'Académie de Paris, elle peut fournir un complément sur l'enseignement privé sous le Second Empire, sur les cours Duruy et les débuts de l'Ecole de Sèvres :

III 515. Enseignement secondaire des filles, 1867-1883.
Ecole normale de Sèvres, 1883.

2. C (VERSEMENTS DE LA CHAMBRE, 1932)

Une seule cote à retenir, mais capitale :

C 3279. *Session 1878. Loi du 21 décembre 1880, dossier n° 1379. Proposition de loi sur l'enseignement des jeunes filles présentée par M. Camille Sée. Procès-verbaux (registre) de la commission.*

— *Dossier n° 1380. Proposition de loi sur l'enseignement secondaire des filles présentée par M. Paul Bert.*

— *Dossier n° 1381. Proposition Camille Sée modifiée par le Sénat.*

— *Dossier n° 1386. Proposition de loi ayant pour objet la fondation par l'Etat d'une Ecole normale destinée à préparer des professeurs femmes pour les écoles secondaires de jeunes filles, présentée par M. Camille Sée. Loi du 26 juillet 1881.*

3. CC (VERSEMENTS DU SÉNAT)

Il n'a pas été trouvé trace d'une série correspondante dans les versements du Sénat.

III. Archives départementales

Les archives départementales conservent, dans certains cas, des fonds provenant soit des rectorats, soit des inspections académiques, soit encore des préfectures, soit, plus rarement, des établissements eux-mêmes. Lorsque le versement a été effectué, l'inventaire ne l'a pas nécessairement suivi. La situation est donc très inégale selon les départements et les académies. Il a été procédé au dépouillement de quelques fonds départementaux. Ils permettent — tout en ajoutant quelques nuances et en apportant d'utiles précisions — de vérifier que rien, dans les documents locaux ou régionaux, ne vient apporter de modification sérieuse à l'image de l'institution telle que la restituent les autres sources.

1. AD GIRONDE

127 T. *Lycées et collèges de jeunes filles. Travail du personnel. Tableaux récapitulatifs (1880-1890) (Gironde, Lot-et-Garonne).*

188 T. *Lycées de jeunes filles. Création. Etudes et discipline, 1883-1895.*

241 T. 1) *Discussions sur la création des cours secondaires de jeunes filles dans l'Académie de Bordeaux.* 2) *Cours secondaires de jeunes filles en général, 1867-1870.* 3) *Idem, 1879-1883.* 4) *Cours secondaires de jeunes filles. Généralités, 1884-1891.* 5) *Cours secondaires de jeunes filles. Personnel, 1883-1893.*

243 T. *Cours secondaires de jeunes filles de Périgueux, 1867-1890.*

Cours secondaires de jeunes filles de Bergerac, 1880-1885.

242 T. *Cours secondaires de jeunes filles de Bordeaux, 1867-1873, 1879-1883.*

Autres cours secondaires de l'Académie, 1867-1886. (Les archives rectorales pour les dates ultérieures n'ont pas été versées.)

2. AD ISÈRE

3 T 12. *Lycées de jeunes filles, renseignements divers, comptabilité, 1882-1925.*

3 T 25. *Lycées de jeunes filles. Personnel.*

T 65 et T 139. *Collège de jeunes filles de Grenoble, 1881-1884.*

T 121 et T 121 bis. *Lycée de jeunes filles de Tournon.*

T 698 (Inspection académique). *Collège de jeunes filles à Grenoble, 1881-1889.*

T 631 et T 632 *(idem). Rapports sur la situation de l'enseignement secondaire, 1886-1898.*

T 697. *Enseignement secondaire des jeunes filles, 1867-1868.* (Dépourvu d'intérêt dans la mesure où aucun cours ne put s'ouvrir dans l'Académie.)

3. AD NORD (il existe seulement, pour ce fonds important, un récolement).

T Rectorat 915-919. *Cours secondaires : Aisne, Ardennes, Nord, Pas-de-Calais, Roubaix : 1879-1890.*

Idem 920-939. Collèges ou lycées de jeunes filles d'Abbeville, Amiens, Armentières, Cambrai, Charleville, La Fère, Lille, St-Quentin, Valenciennes, 1879-1900.

Rapports mensuels 1900-1914 en cours de classement.

4. AD SAVOIE

11 T I. *Lycées, collèges, petits séminaires, enseignement secondaire des jeunes filles... 1860-1892.*

T ac 81. *Cours de jeunes filles de Chambéry, règlement correspondance administrative, budgets.*

T ac 74. *Lycée de jeunes filles de Chambéry : création, construction, correspondance administrative (1882-1911).*

T ac 76. *Lycée de jeunes filles de Chambéry : dossiers individuels de professeurs et de fonctionnaires (1880-1928).*

T ac 82. *Enseignement secondaire : rapports annuels (1921-1946).*

11 T 5. *Lycée de jeunes filles de Chambéry. Epidémie 1929. Désignation de médecins (1934-1935).*

5. AD SEINE-MARITIME (enseignement)

La sous-section I T a fait l'objet d'un projet de classement. On peut y relever :

IIA 1. *Statistiques, 1880-1905 ; 1909-1913 ; 1914-1915.*

11A 5. *Lycée de jeunes filles de Rouen, 1882-1900.*
Lycée de jeunes filles du Havre, 1914.

II T :
11B 1. *Enseignement secondaire. Lycée de jeunes filles du Havre, 1883-1890.*
11B 2. *Idem., 1888-1900.*
11B 3. *Cours secondaires de Dieppe, 1915 ;*
Cours secondaires de Fécamp, 1915.

1 TP 1000 et suivants (*Fonds des archives scolaires de la préfecture*) :
1 TP 1002. *Rapports de l'inspecteur d'académie 1901-1913.*
1 TP 1094. *Coéducation 1901-1938.*
Des investigations approfondies devraient permettre de retrouver la trace des travaux du Conseil académique (1884-1892) et des rapports sur l'enseignement secondaire (1850-1892, et 1895-1916), introuvables à l'emplacement 3C2 que leur assigne le projet de classement.

IV. Autres archives

La recherche de papiers privés a été infructueuse. Les papiers Camille Sée ont été conservés par sa famille jusqu'en mars 1944, date à laquelle les Allemands ont tout détruit. Il reste quelques traces de la correspondance avec H. Carnot, Jules Ferry, Fustel de Coulanges, grâce aux fac-similés publiés dans le livre du Cinquantenaire de Sèvres ou dans le *Jubilé* de 1907[3].
Ni les papiers Duruy (114 AP aux Archives nationales), ni les papiers Lavisse

---

3. Cf. Bibliographie.

(Bibliothèque nationale, NAF 25 166 à 25 172) ne contiennent d'éléments intéressants relatifs à l'enseignement féminin : le meilleur de la correspondance personnelle de Lavisse et Duruy sur ce sujet est resté dans les dossiers conservés en F 17.

Deux documents ont été retenus dans la correspondance de Jules Favre : Note de Geneviève Favre, B. N. MSS. NAF 24108 et lettre à Ernest Picard, *ibid.* 24370.

En revanche, sans présenter de sources très riches, l'histoire de l'Ecole de Sèvres dispose de deux fonds : les archives de l'Association des anciennes élèves et les archives de l'Ecole.

1. ECOLE DE SÈVRES (non classées)

Procès-verbaux des réunions des professeurs : 1882-1885 ; 1906-1918 ; 1920.

Registres de correspondance administrative à partir de 1906.

Deux grands *« cahiers des traditions »* rédigés par les élèves elles-mêmes : donnent les détails matériels sur les fêtes organisées par celles-ci et sont un reflet de leur état d'esprit.

Pièces relatives à la retraite des sévriennes (extraits du *Journal officiel*).

Fiches médicales d'époques diverses.

Cahiers de résultats de concours.

« Devoirs de sévriennes » : trois cahiers reliés de devoirs rédigés par la promotion de 1901 (H. Guénot) et corrigés (par les maîtresses répétitrices.)

2. ASSOCIATION DES ANCIENNES ÉLÈVES

Documents relatifs à la disposition législative — loi de finances du 13 avril 1898, article 48 — aux termes de laquelle les années passées à partir de l'âge de 20 ans en qualité d'élève à l'Ecole normale supérieure de Sèvres seront comprises dans le compte des années de service lors de la liquidation de la pension de retraite.

Lettre de J. Colani, 1900, sur les *Sévriennes.*

Documents et correspondance relatifs aux *Amis de l'enseignement féminin, 1902-1904.*

Documents et correspondance sur la représentation de l'enseignement secondaire des jeunes filles au Conseil supérieur, 1900-1906 et sur les sanctions du Diplôme.

Compte rendu du Conseil de l'Association, avril 1909, entrevues avec le directeur sur la représentation au Conseil supérieur, le diplôme et le relèvement des promotions.

Dossier sur la non-insertion d'un article de Marguerite Dubois hostile à la collaboration masculine et féminine dans les associations de professeurs. 1905.

Maisons familiales de repos de l'enseignement féminin, 1913.

Tract de la Société des agrégées décidant l'abstention aux fêtes du cinquantenaire (1931).

Enfin, le cahier du conseil de discipline du *lycée de jeunes filles de Lyon* (actuellement lycée Edouard-Herriot) et des documents relatifs au jubilé de Mme Desparmet-Ruello constituent, en dehors des pièces comptables toutes conservées, toutes les archives de cet établissement.

SOURCES IMPRIMÉES

1. ANNUAIRES ET DICTIONNAIRES

Les manuels et dictionnaires de caractère général ne figurent pas ici.

Annuaire de l'Instruction publique, Paris, Delalain, 1851-1913.

Annuaire de l'alliance des maisons d'éducation chrétienne, Tours, Mame, 1900.

Annuaire général de l'Université et de l'enseignement français publié par l'*Information universitaire*, 1929-1932.

Buisson (Ferdinand), *Dictionnaire de pédagogie et d'instruction primaire*, Paris, Hachette, 1882-1887, deux parties en cinq volumes et deux suppléments. *Nouveau dictionnaire de pédagogie et d'instruction primaire*, Paris, Hachette, 1911, deux volumes.

Tableau du personnel enseignant des lycées et collèges de jeunes filles, Paris, Imprimerie nationale, 1920, 124 p. 1921, LXVIII-128 p., 1922, LXXI-124 p.

Ce tableau a commencé à paraître en 1892, mais antérieurement aux dates indiquées ci-dessus, il est introuvable. Il faut donc se reporter à Camille Sée : *Lycées et collèges de jeunes filles* (cf. *infra*), notamment les éditions de 1896 et de 1900.

2. TEXTES LÉGISLATIFS ET RÉGLEMENTAIRES. DOCUMENTS OFFICIELS

Circulaires et instructions officielles relatives à l'Instruction publique. Ministère de S. Exc. M. Duruy. Années 1863-1869. Paris, typ. Delalain, 1870, 716 p.

Chambre des députés. Deuxième législature. Session de 1879. (Annexe au P.V. de la séance du 27 mai 1879) : *Rapport au nom de la commission nommée pour l'examen de la proposition de loi de M. Camille Sée sur l'enseignement secondaire des jeunes filles*, par M. Camille Sée, député, Versailles, Cerf et fils, imprimeurs de la Chambre des députés, 1879, 380 p.

Proposition de loi de M. Camille Sée sur l'enseignement secondaire des jeunes filles : *Discours prononcé par M. Camille Sée, rapporteur de la commission. Séance du 19 janvier 1880,* Paris, librairie des publications législatives Wittersheim, 1880, 39 p.

Le rapport de Camille Sée et le discours du 19 janvier 1880, ainsi que l'intégralité des débats parlementaires relatifs à la loi du 21 décembre 1880, sont reproduits dans :

L. Bauzon, *La loi Camille Sée*, Paris, Hetzel, 1881, 405 p.

L'essentiel des débats, ainsi que les rapports et discours relatifs à la loi du 26 juillet 1881 (fondation de l'Ecole normale de Sèvres), est également publié dans :

Les lycées et collèges de jeunes filles. Document, rapports et discours à la Chambre des députés et au Sénat. Décrets, arrêtés, circulaires, etc. Tableau du personnel des lycées et collèges par odre d'ancienneté... Préface et avant-propos par M. Camille Sée, Paris, Cerf, 1884, 580 p. La 7e et dernière édition, pour l'exposition de 1900, était considérablement enrichie : XLI-1285 p. L'ouvrage a constitué, jusqu'à la publication du livre de Compayré et du code de Wissemans, le seul manuel officiel de l'enseignement féminin ; il demeure une source irremplaçable.

Statistique de l'enseignement secondaire en 1887, Ministère de l'Instruction publique, Paris, 1889, 2 vol. in folio (2ᵉ partie : Statistique de l'enseignement secondaire des jeunes filles).

A. Villemot, *Etude sur l'organisation, le fonctionnement et les progrès de l'enseignement secondaire des jeunes filles en France, de 1879 à 1887,* Paris, P. Dupont, 1887, 184 p.

A. Villemot, *Exposition universelle de 1889. Enseignement secondaire. Documents, publications et ouvrages récents relatifs à l'éducation des femmes et à l'enseignement secondaire des jeunes filles,* Paris, P. Dupont, 1889, 99 p. ; 1ʳᵉ partie, Documents officiels français... programmes et prospectus de quelques établissements étrangers ; 2ᵉ partie, Ouvrages publiés récemment en France et dans quelques pays voisins au sujet de l'éducation des filles et de l'enseignement secondaire des jeunes filles ; 3ᵉ partie, *Revue de l'enseignement secondaire des jeunes filles,* autres revues ; 4ᵉ partie, La société pour l'étude des questions d'enseignement secondaire.

G. Compayré, *L'Enseignement secondaire des jeunes filles. Législation. Organisation.* Paris, P. Dupont, 2ᵉ édition, 1907 (Extrait du Répertoire du droit administratif), 145 p.

A. Wissemans, *Code de l'enseignement secondaire,* I, Lycées et collèges de garçons. II, Lycées et collèges de jeunes filles, Paris, Hachette, 3ᵉ édition, 1914, 604 p. (La première édition à comprendre une partie (p. 440-533) réservée aux établissements féminins).

L. Cros, R. Devèze, *Manuel de législation scolaire,* Paris, Mizeret, Rinqueberck et Rouvière, 1946, 2 vol. (textes en vigueur au 1ᵉʳ octobre 1945).

3. PROGRAMMES

Plan d'études et programme de l'enseignement secondaire des jeunes filles, Paris, Delalain, 1885, 64 p.

Manuel officiel de l'enseignement de la gymnastique dans les écoles primaires et secondaires de jeunes filles, Paris, Imprimerie nationale et Maison Hachette, 1887, 174 p.

Enseignement secondaire des jeunes filles. Documents et plans d'études, Paris, Hachette, 1918, 111 p.

(Cet opuscule reproduit, outre les programmes en vigueur, la loi, les décrets organiques, le rapport de Marion au Conseil supérieur (date de juillet 1882 alors qu'il remonte en réalité à décembre 1881) et le rapport Bernès de juillet 1897.

4. COLLECTIONS DE REVUES. REVUES SPÉCIALISÉES DANS LES PROBLÈMES D'ENSEIGNEMENT

N'ont été retenues ici que les revues qui ont fait l'objet d'un dépouillement systématique. La date de disparition ne figure que dans la mesure où elle est survenue dans la période de dépouillement.

Bulletin administratif du Ministère de l'Instruction publique, Imprimerie nationale, 1850-1932.

Bulletin de la Ligue française de l'enseignement, 1881-1905.

Bulletin de la Société générale d'éducation et d'enseignement, publication irrégulière à partir de 1879. A partir de 1881, paraît comme supplément au *Contemporain,* cinq numéros par an.

Chronique Jeanne d'Arc et Revue Fénelon réunies, 1894-1898.

L'Echo de la Sorbonne, n° 1, 6 octobre 1868, « Moniteur de l'enseignement secondaire des jeunes filles », publie les mardi, jeudi et samedi de chaque semaine deux leçons rédigées conformément aux programmes des cours de la Sorbonne. Par une Société de littérateurs et de savants. 1868-1872.

L'enseignement public, voir *Revue pédagogique.*

L'Enseignement secondaire, voir *Société pour l'étude des questions d'enseignement secondaire.*

L'Enseignement secondaire des jeunes filles, revue mensuelle dirigée par Camille Sée, juillet 1882-janvier 1919, continuée par son fils Pierre Sée jusqu'en 1927, reprise alors par la librairie Delalain sous le titre de *Revue de l'enseignement secondaire des jeunes filles,* bimensuelle puis mensuelle, octobre 1927-1939.

Famille et lycée, Bulletin trimestriel de la Fédération des Associations de parents d'élèves des lycées et collèges, fondé en 1906. Il n'existe pas à la Bibliothèque nationale de numéros antérieurs à 1914.

L'instruction des jeunes filles. Revue générale des examens et des concours. Bimensuelle, Bordeaux, 1887-1888. (Réputée « hors d'usage » à la Bibliothèque nationale. Il s'agissait d'un recueil de sujets, de résultats et de rapports de concours.)

Revue de l'enseignement secondaire et de l'enseignement supérieur, Paris, Dupont, Bruxelles, Lebègue, bimensuelle, 1884-1894.

Revue Fénelon, organe des conférences destinées aux dames et de l'éducation des jeunes filles, 1886-1894 (I à IX), absorbé par la *Chronique Jeanne d'Arc,* (1894-1898).

Revue internationale de l'enseignement, publiée par la Société de l'enseignement supérieur, mensuel, 1881.

Revue pédagogique, mensuelle, 1878-1882, nouvelle série 1882-1926, devenue en 1927 *l'Enseignement public.* Il s'agit essentiellement dans cette Revue de l'enseignement primaire.

Revue universitaire, mensuelle, n° 1, 15 janvier 1892.

Société pour l'étude des questions d'enseignement secondaire. Fondée en janvier 1880, elle fait paraître en 1880 et 1881 le *Bulletin de la société pour l'étude des questions d'enseignement secondaire,* 2 vol. Belin. Elle cesse ensuite d'avoir un organe spécial et publie le compte rendu de ses travaux dans le *Bulletin pédagogique d'enseignement secondaire,* 1882-1883, puis *L'Université,* de 1884 à 1890. Après 1890 elle publie *L'Enseignement secondaire.*

5. PUBLICATIONS DE CARACTÈRE CORPORATIF

Les Agrégées, Bulletin trimestriel de la Société des agrégées de l'enseignement secondaire public. 1er numéro, octobre 1920, paraît jusqu'à la fusion de la Société, en 1948, avec la Société des agrégés.

Bulletin de la Société des professeurs de français et de langues anciennes.

Bulletin de la Société des professeurs d'histoire et de géographie.

Bulletin de la Fédération nationale des professeurs de lycée et du personnel de l'enseignement secondaire féminin.

Bulletin de l'Association des élèves de Sèvres, mensuel, Paris, « rédigé par les sociétaires ». Fondé en 1886.

La Femme universitaire, supplément bimensuel de *La Femme nouvelle et la jeune Française,* revue bimensuelle illustrée, 1904-1906.

6. PUBLICATIONS NON SPÉCIALISÉES

Les quelques titres qui figurent ici ont été retenus en raison de la fréquence ou de l'importance des articles qu'ils ont consacrés à l'enseignement féminin et aux problèmes qui s'y rattachent. Ils ne constituent pas une liste exhaustive :

Bulletin des Françaises diplômées des universités, 1934, 1936 (lac.)
Le Correspondant.
La Grande revue.
La Philosophie positive, revue 1867-1883 (I-XXXI).
La Quinzaine, 1894-1907.
Revue de Paris.
Revue des deux mondes.
Revue féministe, octobre 1895-avril 1897.
Revue occidentale, 1878-1914.
Revue politique et littéraire (Revue bleue).
Revue politique et parlementaire.
Revue scientifique (Revue rose).

Annexe IV

Bibliographie

Le champ de cette bibliographie a été volontairement limité au sujet abordé dans la thèse. C'est ainsi que la condition de la femme et le féminisme n'y sont abordés que s'il existe un rapport direct avec l'enseignement féminin.

Quelques articles particulièrement importants sont indiqués : ils ne dispensent pas de se reporter à des collections complètes de revues telles que *L'Enseignement secondaire des jeunes filles, La Revue internationale de l'enseignement, La Revue universitaire, La Revue des deux mondes*.

D'autre part, la rubrique des études de caractère général ne comporte que les livres ou articles évoquant l'enseignement secondaire des filles ou permettant d'éclairer son histoire ; on n'y a pas retenu les ouvrages sur l'histoire générale de la période étudiée.

Sauf indication contraire, les ouvrages cités sont tous conservés à la Bibliothèque nationale, à celle de la Sorbonne ou à l'INRDP. Pour la période postérieure à 1900, certains ouvrages sont aisément accessibles à la bibliothèque féministe Marguerite Durand (mairie du Vᵉ arrondissement de Paris).

I. La femme et l'éducation des femmes

1. AVANT 1880

Sur la polémique des cours secondaires institués par Duruy :

Dupanloup (Mgr), *M. Duruy et l'éducation des filles. Lettre de Mgr l'évêque d'Orléans à un de ses collègues*, Paris, Douniol, 1867, 29 p.

Dupanloup (Mgr), *Seconde lettre de Mgr l'évêque d'Orléans sur M. Duruy et l'éducation des filles*, Paris, Douniol, 1867, 32 p.

Dupanloup (Mgr), *La femme chrétienne et française, Dernière réponse à M. Duruy et à ses défenseurs*, Paris, Douniol, 1868, 159 p.

Amiel (I.), *Réponse à Mgr Dupanloup sur l'instruction secondaire des jeunes filles*, Paris, Durand & Pédone Lauriel, 1868, 72 p.

Sauvestre (C.), *Sur les genoux de l'Eglise,* Paris, Dentu, 1868, 139 p. Six réimpressions en 1868 et 1869.

Seigneur (G.), *La femme et la science* (extrait du *Croisé),* Paris, Dubuisson, 1869, 16 p.

1870-1880, une période de réflexion :

Bréal (M.), *Quelques mots sur l'instruction publique en France,* Paris, Hachette, 1872, 410 p.
Réédité sept fois jusqu'en 1885, ce livre, qui dénonce, entre autres méfaits des lycées, le système de l'internat, a exercé son influence sur le libellé définitif de la loi de 1880.

Champagny (Cte de), *Mgr Dupanloup : lettres sur l'éducation des filles,* Paris, J. Gervais, 1879, 14 p. (extrait du *Correspondant).*
Montre comment, dix ans après la querelle des cours Duruy, les catholiques estiment avoir progressé dans la voie de l'éducation féminine.

Gasparin (Cte de), *Les réclamations des femmes,* Paris, Michel Lévy, 1872, 76 p.
Appuyé sur l'Ecriture, reconnaît l'injustice de la condition faite aux femmes, leur refuse les droits politiques mais affirme leur droit à l'instruction, au travail.

Gatti de Gamond (I.), *Cours d'éducation et d'instruction pour les jeunes filles,* 1re année, Paris, A. Ghio, 1878, 34 p.
Par la fondatrice de l'enseignement secondaire féminin en Belgique.

Henrion, inspecteur primaire à Epernay, *Le monde des jeunes filles,* Paris, 1876, 212 p.
Présente ses leçons de sciences aux jeunes filles sous forme de causeries. Approbation du cardinal Donnet.

Renan (E.), *La réforme intellectuelle et morale,* Paris, 1871, réédité récemment, Plon, collection 10/18.
Développe, entre autres, le thème de la femme indispensable à la civilisation.

2. PÉRIODE DE 1880 A 1904

Pour décrire l'état d'esprit universitaire et la situation au moment de la loi, la référence essentielle demeure le mémoire largement historiographique de Gréard, présenté au Conseil académique de Paris dans la séance du 27 juin 1882 :

Gréard (O.), *L'enseignement secondaire des filles,* Paris, Delalain, 1re éd., 1882, 134 p. A cette édition, il convient de préférer la 3e, à cause de la richesse de ses documents annexes, Paris, Delalain, 3e éd. 1883, 153 p. et CXXXI p. (documents).
Ce mémoire a été ensuite inclus dans l'ouvrage en quatre volumes : *Education et instruction,* paru en 1887.

Collège Sévigné (Notice sur le), Versailles, Cerf, 1900, 19 p.

Dadolle (Abbé P.), professeur aux Facultés catholiques de Lyon, *L'éducation intellectuelle de la femme chrétienne,* conférence, Lyon, Vitte, Paris, Vic et Amat, 1888, 87 p.
L'un des rares adeptes, parmi les cléricaux, de la haute éducation des femmes prônée par Dupanloup.

Drouard (C.), *Les écoles de filles, féminisme et éducation,* Paris, Belin, 1904, 228 p.

Dugard (M.), *De l'éducation moderne des jeunes filles,* Paris, Colin, 1900, 88 p.
La résistance des classes dirigeantes à l'éducation que donne l'Université aux jeunes filles n'est pas conforme au « véritable christianisme ». Marie Dugard est une fervente de la pensée d'Emerson, comme Mme Jules Favre.

L'enseignement chez les Ursulines en Franche-Comté, 1595-1882, Lons-le-Saunier, 1882.

Faguet (E.), « La femme devant la science », feuilleton du *Journal des Débats,* 12 décembre 1895.

Fouillée (A.), « Psychologie des sexes », *RDM,* 15 septembre 1893, p. 397-429.
Montre sur quelles théories biologiques se fonde alors la discrimination intellectuelle entre les sexes.

Gibon (F.), secrétaire de la Société générale d'éducation et d'enseignement, « Les lycées de filles en 1887 », *Correspondant,* 25 juin 1887, p. 1106-1126, 10 juillet 1887, p. 142-160.

Grauls (E.), directrice de l'Ecole normale agréée des Sœurs de l'Enfance de Jésus à Hasselt, *Traité complet de l'éducation des filles* ou Manuel de pédagogie de l'institutrice, Bruxelles, Société belge de librairie ; Paris, Société générale de librairie catholique, 1886, XXIX-413 p.

Herbelot (A. d'), *Les lycées de filles, ce qu'ils valent, ce qu'ils coûtent,* Paris, Lamulle et Poisson, 1892, 36 p.

Hippeau (C.), « Mémoire sur l'éducation des femmes », publié en partie par l'ESJF, juillet-décembre 1884, p. 225-234.
Œuvre posthume d'un vieux pionnier des cours Duruy.

Janet (P.), « L'éducation des femmes », *RDM,* 1er septembre 1883, p. 48-85.

Laguerre (Mme O.), *L'enseignement dans la famille.* Cours complet d'études pour les jeunes filles. Programmes détaillés (préparation spéciale aux examens). Indication de livres classiques, conseils pédagogiques. A l'usage des mères de famille, des institutrices et des jeunes filles qui travaillent seules à compléter leur instruction. 3 volumes : I, Enseignement préparatoire et enseignement élémentaire... II, Enseignement des jeunes filles de 12 à 16 ans. Préparation au brevet élémentaire. III, Enseignement supérieur pour les jeunes filles de 16 à 18 ans. Préparation au brevet supérieur. Enseignement complémentaire. Paris, Firmin Didot, 1888, XIX-306 p., 1891, XIX-360 p., 1894, V-413 p.
Un manuel d'enseignement par correspondance, propre à illustrer la survie du genre, au moment où lycées et écoles primaires supérieures commencent à préparer les jeunes filles au brevet supérieur.

Lamy (E.), *La femme de demain,* Paris, Londres, Dent, s.d., 205 p. Réunion de trois études parues les deux premières dans *le Correspondant* en 1900, la troisième en 1901 dans la *RDM* (1er avril 1901, p. 601-629) sous le titre : « Les femmes et l'enseignement de l'Etat ».
Exprime une pensée catholique modérée dans la lignée de Dupanloup.

Laveleye (E. de), « L'instruction supérieure pour les femmes », extrait de *La Revue de Belgique,* novembre 1882, Bruxelles, Merzbach et Falk, 19 p.

Lavisse (E.), « Brevets et jeunes filles », *Revue de Paris,* novembre-décembre 1895, p. 192-224.
Contre la religion des brevets et ses fâcheuses conséquences.

Lebressan (L.), pseudonyme du P. Lescoeur, *L'Etat mère de famille et l'éducation laïque des jeunes filles,* Paris, Téqui, 1903, XXIV-156 p.
Contre l'internat.

Legouvé (E.), *Une éducation de jeune fille. Une première leçon d'histoire de France,* Paris, Hetzel, s.d. (1881), 36 p.
Montre les limites étroites que Legouvé, dans des entretiens simples et familiers, entendait ne pas dépasser.

Lescoeur (R.P.), directeur du groupe de l'enseignement secondaire de la Société générale d'éducation et d'enseignement, *L'enseignement secondaire des filles,* Paris, Hachette, 1883, 24 p. (extrait du *Bulletin* de la Société).

Loc-Mor (Y. de), « Le féminisme dans les lycées de jeunes filles », *Revue féministe,* 15 juillet 1896.

Macé (Dr), *Place à la femme, surtout dans l'enseignement secondaire,* Paris, A. Charles, 1898, 143 p.

Marion (H.), *Psychologie de la femme,* Paris, Colin, 1900, 307 p.

Marion (H.), *Etudes de psychologie féminine. L'éducation des jeunes filles,* Paris, Colin, 1902, X-380 p. (Edition posthume du cours suivi à la Sorbonne par toutes les candidates aux concours féminins).

Pensées inédites sur l'instruction de la femme et les lycées de jeunes filles, Paris, Léopold Cerf, 1889, 14 p. (Album grand format contenant en fac-similé l'opinion des amis de Camille Sée sur l'enseignement des jeunes filles).

Regnault (Mgr), évêque de Chartres, *Lettres à un ecclésiastique de son diocèse sur les écoles, les projets d'instruction pour les jeunes filles, les libres-penseurs, le cléricalisme,* Paris, Poussielgue, 1881.

Rochard (Dr J.), « L'éducation des filles », *RDM,* 1er février 1888, p. 644-680.

Salembier (L.), *Lettres sur les examens de jeunes filles,* Lille, Bergès, 1884, 90 p.

Salembier (L.), *Notions de psychologie à l'usage des jeunes filles,* Paris, Poussielgue, 1890, IV-226 p.

Simon (J. et Dr G.), *La femme du XXe siècle,* Paris, Calmann-Lévy, 19e éd., 1892, 410 p.

Talmeyr (M.), « Les femmes qui enseignent », *RDM,* 1er juin 1897, p. 633.

Valbert (G.), pseudonyme de V. Cherbuliez, « L'enseignement des jeunes filles en France, à propos d'un livre allemand », *RDM,* 1er janvier 1886.

Vernes (M.), Société pour l'étude des questions d'enseignement secondaire. *Rapport général sur les travaux du groupe de l'enseignement des jeunes filles.* Programmes d'un lycée de jeunes filles, Paris, Belin, 1881, 112 p.

3. LE RÉVEIL DE L'ENSEIGNEMENT CONFESSIONNEL

Adhémar (Vicomtesse d'), *Nouvelle éducation de la femme dans les classes cultivées,* Paris, Perrin, 1896.
Pour une école normale du préceptorat féminin.

Fonsegrive (G.), « L'enseignement féminin », *La Quinzaine,* 16 août 1898.

Herbelot (A. d'), *La question des religieuses enseignantes,* Paris, Société générale d'éducation et d'enseignement, 1898, 12 p. (tiré à part du *Bulletin).*

Marie du Sacré-Cœur (Mme) pseudonyme de Mme Laroche, religieuse de la congrégation de Notre-Dame, *La formation catholique de la femme contemporaine,* Paris, Rondelet, 1899, XXVII-303 p.

Marie du Sacré-Cœur (Mme), *Les religieuses enseignantes et les nécessités de l'apostolat,* 5ᵉ éd., Paris, Rondelet, 1899, CXXXIV-389 p.
Pour une école normale des religieuses enseignantes.

Pautonnier (A.), *Enseignement social. L'éducation des filles et la formation des religieuses enseignantes* (extrait de *La Revue du clergé français,* 13 juin 1898, 7 p.).

Spalding (Mgr), *L'éducation supérieure des femmes,* traduit de l'anglais par l'abbé F. Klein, Paris, Bloud et Barral, 1900, 63 p.

Stuart (J.E.), supérieure générale du Sacré-Cœur, *L'éducation des jeunes filles catholiques,* Paris, Perrin, 1914, 271 p.

Un ouvrage très bien documenté fait le bilan de ce réveil :
Gibon (F.), *L'enseignement secondaire féminin,* Paris, Société générale d'éducation et d'enseignement, 1920, 220 p.

4. APRÈS 1904, L'ÉVOLUTION DE L'ENSEIGNEMENT OFFICIEL

L'évocation des quelques titres qui suivent ne saurait dispenser d'un recours à la presse, fort riche surtout pour la période de 1910 à 1918.

Angot (E.), « Un peu de féminisme », *Correspondant,* 10 septembre 1909, p. 951-971.
Les jeunes filles catholiques, sitôt pourvues d'une fonction, sont obligées d'abandonner toute pratique religieuse.

Azambuja (G. d'), *La jeune fille et l'évolution moderne,* Paris, Bloud, 1905, 62 p.

Bazouin (A.), « Les problèmes actuels de l'enseignement secondaire féminin », *La Grande revue,* pages libres, 25 octobre 1910, p. 777-797.

Compayré (G.), « Ce qui différencie l'éducation des filles de celle des garçons », conférence à l'Ecole des Mères, *ESJF,* septembre 1909, p. 97-111.

Crouzet (J.-P., née Benaben), « Le surmenage féminin », *RU,* t. I, 1910, p. 414-425.

Gayraud (A.), *Les jeunes filles d'aujourd'hui* (enquête de *L'Opinion*) Paris, Oudin, 1914, 286 p.

Heymans (G.), professeur à l'Université de Groningue, *La psychologie des femmes,* traduit par R. Le Senne, Paris, Alcan, 1925, XL-315 p.

Lanessan (J.-L. de), *L'éducation de la femme moderne,* Paris, Alcan, 1908, 304 p.

« Normalienne, taupine ou bachelière ? », *Fémina,* 1ᵉʳ mars 1911, numéro spécial.

Salomon (M.), « Baccalauréat et jeunes filles », *Revue de Paris,* 1ᵉʳ juillet 1908, p. 179-186.

Sertillanges (A.D., le P.), *Féminisme et christianisme,* Paris, Lecoffre, 1908, 3ᵉ éd., 1919, 343 p.
Série de conférences. La dernière est consacrée à « l'instruction féminine ».

Après l'assimilation de l'enseignement secondaire féminin à l'enseignement des garçons, la littérature sur le sujet se fait plus rare. Trois titres importants toutefois :
Albaret (A.), *L'enseignement public et privé,* Paris, Spes, 1927, 168 p.

Crouzet (P.), *Bachelières ou jeunes filles ?,* Paris, Toulouse, Privat-Didier, 1949, 326 p.

Daniélou (M.), *Livre de sagesse des filles de France,* Paris, Bloud & Gay, 1942, 244 p.

5. LES CARRIÈRES FÉMININES

Chauvin (J.), *Les professions accessibles aux femmes, en droit romain et en droit français, évolution historique de la position économique de la femme dans la société,* thèse pour le doctorat en droit soutenue le 2 juillet 1892 à Paris, Paris, A. Giard et Brière, 1892, 302 p. Paru sous le titre : *Etude historique sur les professions accessibles aux femmes, influence du sémitisme sur l'évolution de la position économique de la femme dans la société.*
Thèse de la première femme-avocat qui fut chargée de l'enseignement du droit usuel dans les lycées de jeunes filles de Paris.

Gausseron (B.-H.), *Que faire de nos filles ?,* Paris, Librairie illustrée, 1888, 331 p.

Paquet-Mille (Mme), *Nouveau guide pratique des jeunes filles dans le choix d'une profession,* Paris, Lecène et Oudin, 1891, XIV-358 p.

Réval (G.), *L'avenir de nos filles,* Paris, Hatier, 1904, 303 p.
Ce dernier livre est plutôt une série d'interviews de femmes ayant embrassé une profession libérale et ayant réussi, tandis que l'ouvrage de Mme Paquet-Mille se présente comme une nomenclature de toutes les professions possibles et des conditions d'accès.

On peut mesurer le chemin parcouru en lisant :

Bonnefoy (A.), *Place aux femmes ! Les carrières féminines administratives et libérales,* Paris, Fayard, s.d. (1914), 383 p.

6. L'ENSEIGNEMENT SECONDAIRE FÉMININ À L'ÉTRANGER

L'accès des femmes à l'éducation, XVe conférence internationale de l'Instruction publique convoquée par l'UNESCO et le BIE, Genève, UNESCO, 1952, 232 p.

Arato (A.), *L'enseignement secondaire des jeunes filles en Europe,* Bruxelles, Office de publicité, 1934, 312 p.
Nomenclature de tous les systèmes d'éducation alors en usage dans tous les Etats européens.

Blum (E.), *Aperçu général sur l'enseignement secondaire des jeunes filles en Allemagne,* extrait de la *Revue de l'enseignement secondaire et de l'enseignement supérieur,* Paris, Paul Dupont, 1889, 219 p.

L'éducation dans le monde, t. III, *L'enseignement du second degré, France,* Paris, UNESCO, 1963, p. 653-674 (texte établi par le Ministère de l'éducation nationale).
Ce résumé contient une erreur : il attribue à la loi du 21 décembre 1880 la création de l'enseignement secondaire moderne.

Gatti de Gamond (I.), I, *Education, féminisme,* II, *Question sociale, morale et philosophie.* Bruxelles, H. Lamertin, Paris, V. Giard et Brière, 1907 (édité par les soins d'H. Denis et d'E. Hins).
Fille de la fouriériste Zoé Gatti de Gamond, I. Gatti est la fondatrice de l'enseignement secondaire féminin en Belgique. Ces deux volumes, avec

introduction biographique, rendent compte de son action éducative et de sa conversion au socialisme, dans la dernière partie de sa vie.

Hippeau (C.), *L'instruction publique aux Etats-Unis*, Paris, Didier, 1870, VIII-447 p., réédité en 1872 et 1878.

Kamm (J.), *Hope deffered, Girls' education in English history*, Londres Methuen & Co., 1965, 324 p.

Ladreyt (M.C.), *L'instruction publique en France et dans les écoles américaines*, Paris, Hetzel, 1883, 378 p.

Sallwürk (E. de), *Fénelon und die Literatur der weiblichen Bildung in Frankreich, von Cl. Fleury bis Fr. Necker de Saussure*, Langensalza, Beyer, 1886, IX-422 p.
S'inspire essentiellement de Gréard et Rousselot.

Sée (Camille), *L'enseignement secondaire des jeunes filles en Belgique*, L. Cerf, 1889, 48 p. (extrait de l'*ESJF*, 15 février 1889).

Trasenster (Recteur L.), *L'instruction supérieure de la femme*, Verviers, Gilon, 1884, 104 p.
Discours à deux séances de rentrée de l'Université de Liège.

Wychgram (Dr B.), *Das weibliche Unterrichtswesen in Frankreich*, 1885, traduit par E. Esparcel : *L'instruction publique des filles en France*, Paris, Delagrave, 1889, XII-250 p.

II. Morale et pédagogie dans l'enseignement secondaire féminin

Quatre titres indiquent bien la doctrine officielle dans l'enseignement de la morale au lendemain de la loi :

Boutroux (E.), *Questions de morale et d'éducation*, conférences faites à l'Ecole normale de Fontenay, Paris, Delagrave, 1895, XXIII-116 p.

Coignet (C.), « Instruction secondaire des jeunes filles. De l'enseignement de la morale. Plan, méthode et esprit de cet enseignement », *Revue bleue*, 19 avril 1879, 24 juillet 1880.

Lyon (G.), *La philosophie et l'éducation*, conférences faites à l'Ecole normale de Fontenay, Paris, Delagrave et Hachette, s.d., 62 p.

Marion (H.), *Devoirs et droits de l'homme*, Paris, H.E. Martin, 1880, 144 p.

Les manuels suivants illustrent diverses tendances :

Coignet (C.), *La morale dans l'éducation*, Paris, Delagrave, 1883, 288P:; 2e éd. (La première a paru sous le titre : *Cours de morale à l'usage des écoles laïques*).

Favre (Mme Jules), *Montaigne moraliste et pédagogue*, Paris, Fischbacher, 1887, 341 p.

Favre (Mme Jules), *La morale de Socrate*, Paris, Alcan, 1888, 328 p.

Favre (Mme Jules), *La morale des stoïciens*, Paris, Alcan, 1888, 382 p.

Favre (Mme Jules), *La morale de Cicéron*, Paris, Fischbacher, 1891, 407 p.

Favre (Mme Jules), *La morale de Plutarque*, Paris, Henry Paulin, 1909, XCVI-354 p.

Juranville (C.), *Manuel d'éducation morale et d'instruction civique à l'usage des jeunes filles,* Paris, A. Boyer, 1883, 312 p.

Massy (Mme Henriette : Paul Bert), *Notions d'éducation civique à l'usage des jeunes filles,* Paris, Picard-Bernheim, 1884, 204 p.

Salomon (M.), *A nos jeunes filles. Lectures et leçons familières de morale, d'après le programme des écoles primaires supérieures de jeunes filles,* Paris, L. Cerf, 1896, VIII-144 p.

Madame Jules Favre a été imitée par plusieurs professeurs de l'enseignement secondaire féminin, telle L. Troufleau (une « grande » directrice du lycée de Brest), qui se sont en général contentées de publier des morceaux choisis de moralistes.

A part le manuel officiel de gymnastique à l'usage des jeunes filles, peu de livres s'intéressent à l'éducation physique, même au sens le plus large. Il faut citer comme une rareté l'opuscule ci-dessous, écrit à des fins publicitaires sous la Monarchie de Juillet :

Masson de la Malmaison (Mlle), *Aperçu sur l'éducation physique des jeunes demoiselles,* Paris, Imp. de Plassan, 1831, 15 p.
Plaidoyer pour la gymnastique, par la directrice d'un des seuls établissements d'éducation physique pour demoiselles à Paris.

Plus de trente ans s'écoulent entre les deux publications suivantes :

Fonssagrives (J.B., Pr.), *L'éducation physique des jeunes filles ou Avis aux mères sur l'art de diriger leur santé et leur développement,* Paris, Hachette, 1869, XII-327 p.

Moll-Weiss (A.), *Les mères de demain,* Paris, Vigot, 1902, XI-144 p.

Bien que présents dans le livre d'A. Bebel sur la femme, les mots d'« éducation sexuelle » ne sont jamais prononcés ouvertement avant l'article de :

Bourgin (Mme H.), « L'éducation sexuelle », *RU,* t. II, 1922, p. 273-280.

Le sujet a été traité dans un opuscule de l'économiste :

Passy (F.), *Entre mère et fille,* Paris, Fischbacher, 1907, 84 p.

A défaut de manuels propres pour les différentes disciplines, du moins dans les vingt-cinq premières années, les professeurs des établissements féminins ont largement débattu de la pédagogie à employer, notamment dans *L'enseignement secondaire des jeunes filles,* ainsi :

Desparmet-Ruello (Mme J.), directrice du lycée de Lyon, *Les programmes de sciences dans les lycées de jeunes filles. Réponse à M. Camille Sée,* Paris, 1884, 6 p.

Ou bien :

Guénot (H.), « L'enseignement de l'histoire dans les lycées de jeunes filles », *RU,* t. I, 1909, p. 248-261.
La pensée de la directrice du collège Sévigné sur un élément essentiel de sa pédagogie :

Salomon (M.), *De la part des femmes dans la propagation des langues vivantes,* conférence, Paris, Hôtel des Sociétés savantes, 1894, 7 p.

Enfin, un livre tardif, mais unique sur le sujet :

Wiblé (A.), *Le latin et l'éducation des jeunes filles,* Paris, Imp. Je Sers, 1931, 236 p. (Thèse de lettres, Genève).

III. Discours

Carnot (H.), *Discours sur l'enseignement des filles, prononcé au Corps législatif dans la séance du 19 mai 1864,* Paris, Pagnerre, 1864, 14 p.

Dupuy (A.), Inspecteur général, lycée de jeunes filles de Reims. *Discours,* prononcé à la distribution des prix, Reims, 1895, 8 p.

Ferry (J.), « La liberté d'enseignement », discours de M. Jules Ferry à l'Association philotechnique, 2 juillet 1882, au Trocadéro, *RIE,* juillet-décembre 1882, p. 100-104.

Ferry (J.), « Discours sur l'égalité d'éducation », 10 avril 1870, Salle Molière, extrait de *Discours et opinions,* Paris, 1893, t. I, p. 287-288.

Foncin (P.), *Discours d'inauguration des cours secondaires de jeunes filles,* Abbeville, Caudron, 1880, 10 p.

Gasquet (Recteur), « Discours prononcé par M. Gasquet, recteur de l'Académie de Nancy, à l'inauguration du lycée Jeanne d'Arc », *RU,* t. I, 1901, p. 516-519.

Goujon (M.), principal du collège des garçons. Ville de Vitry-le-François. *Discours prononcé à la distribution des prix du collège de jeunes filles,* Vitry, 1887, 13 p.

Gréard (O.), Spuller (E.), *Inauguration du lycée Racine, 19 octobre 1887,* discours prononcés par le vice-recteur et le ministre, Paris, 1887, 14 p.

Hippeau (C.), *Association pour l'enseignement secondaire des jeunes filles,* discours prononcé en 1869, Paris, 1869, 20 p.

Levasseur (E.), *Association pour l'enseignement secondaire des jeunes filles,* de 1883-1884 à 1910-1911. Allocution de M. E. L..., membre de l'Institut, président de l'Association... Paris, Imprimerie nationale, de 1883 à 1910.

Médecin (A.), Lycée de jeunes filles de Nice. Distribution des prix faite aux élèves du lycée sous la présidence de M. A. M..., adjoint au maire de Nice. *Discours de M. Médecin,* Nice, Imp. Berna-Barral, 1890, 18 p.

Sée (Camille), Ligue française de l'enseignement. « Discours prononcé lors de la cérémonie commémorative du trentenaire du vote des lois sur l'enseignement secondaire des jeunes filles et du trentenaire de la fondation des colonies scolaires de vacances », *RIE,* 63, 1912, p. 39-45.

Simon (J.), (Introduction historique par), *L'instruction populaire en France.* Débats parlementaires par MM. Carnot, Havin, et Jules Simon, députés au Corps législatif, Paris, Bibliothèque libérale, Degorce-Cadot, 1869, 257 p.

Zeller (Recteur), *Discours sur le lycée de jeunes filles de Chambéry,* prononcé à la distribution des prix des cours secondaires, le 28 juillet 1892, Chambéry, 1892, 17 p. (AD, Savoie, T ᵃᶜ 74).

En règle générale, il convient de se reporter, pour 1867-1868, aux archives nationales en F 17 8753 à 8755, ensuite aux revues universitaires, notamment *L'Enseignement secondaire des jeunes filles, La Revue pédagogique, La Revue universitaire,* et *La Revue internationale de l'enseignement* qui ont publié, outre des textes classiques sur l'éducation des femmes comme le Mémoire de Condorcet, un nombre élevé de discours qui viennent compléter la collection réunie dans *Lycées et collèges de jeunes filles, 25 ans de discours,* et *Le cinquantenaire* (cf. *infra*).

IV. Classiques de l'éducation. Ouvrages critiques et publications de textes

CONDORCET

Buisson (F.), *Condorcet*, Paris, F. Alcan, 1929, 137 p.

FÉNELON

De l'éducation des filles, texte revu et annoté par P. Feuilleret, professeur agrégé au lycée de Bordeaux, professeur de littérature à l'Association universitaire de Bordeaux pour l'enseignement secondaire des jeunes filles, Paris, Garnier, 1883, XVI-169 p.

Traité de l'éducation des filles, publié avec une introduction et des notes par P. Rousselot, ancien professeur agrégé de philosophie, inspecteur d'académie, Paris, Delagrave, 1883, IX-160 p.

Education des filles de Fénelon, précédée d'une introduction par O. Gréard, membre de l'Institut, vice-recteur de l'académie de Paris, Paris, Librairie des bibliophiles, 1885, LXXXIII-155 p.

Compayré (G.), *De l'éducation des filles*, par Fénelon, Paris, Picard et Kaan, 1887, XXX-298 p.

Compayré (G.), *Fénelon et l'éducation attrayante*, Paris, Delaplane, 1911, 105 p.

Janet (P.), *Fénelon*, Paris, 1892, 206 p.

JACOTOT

Perez (B.), *Jacotot et sa méthode d'émancipation intellectuelle*, Paris, G. Baillière, 1883, III-210 p.

MADAME DE MAINTENON

Conseils et instructions, Paris, 1857, 2 volumes.

Correspondance générale et *Lettres sur l'éducation des filles*, Paris, édité par T. Lavallée, 1854. *Extraits* de ses *Lettres, avis, entretiens, conversations et proverbes*.

Sur l'éducation, précédés d'une introduction par O. Gréard, membre de l'Institut, vice-recteur de l'Académie de Paris, Paris, Hachette, 1884, LXIV-286 p.

Mme de Maintenon. Education et morale. Choix de lettres. Entretiens et instructions, introduction par F. Cadet, inspecteur général, Paris, Delagrave, 1884, LI-255 p.

Mme de Maintenon institutrice. Extraits de ses lettres, avis, entretiens, conversations et proverbes sur l'éducation avec introduction, appendice, notes et éclaircissements par E. Faguet, Paris, H. Oudin, 1885, XLIX-186 p.

Mme de Maintenon dans le monde et à Saint-Cyr, extraits, par P. Jacquinet, recteur à Nancy, Paris, Belin, 1888, LXXXVII-511 p.

Mme de Maintenon éducatrice, par Mme Daniélou, Paris, Bloud & Gay, 1946, 223 p.

Sée (Camille), *L'Université et Mme de Maintenon*, Paris, L. Cerf, 1894, 185 p. (recueil d'articles parus dans l'*ESJF*).

Vernes (M.), *A propos de Mme de Maintenon*, Versailles,. Cerf, 1894, 23 p. (tiré à part de l'*ESJF*).

Chevallier (P.), Grosperrin (B.), *L'enseignement français de la Révolution à nos jours*, t. II, *Documents*, Paris, La Haye, Mouton, 1971, 485 p.
Recueil commode ; la loi Camille Sée ne s'y trouve pas, à la différence de l'arrêté du 28 juillet 1884.

Compayré (G.), *Histoire critique des doctrines de l'éducation en France depuis le XVIe siècle*, Paris, Hachette, 1885, 5e éd., 2 vol., 460 et 437 p.

Gréard (O.), *L'éducation des femmes par les femmes. Etudes et portraits* (Fénelon, Mme de Maintenon, Mme de Lambert, J.-J. Rousseau, Mme d'Epinay, Mme Necker, Mme Roland), Paris, Hachette, 1886, 360 p.
L'auteur, délibérément, s'efface derrière ses modèles.

Palmero (édité par J.), *Histoire des institutions et des doctrines pédagogiques par les textes*, Paris, Sudel, 1951, 448 p.

Rousselot (P.), *La pédagogie féminine*, Paris, Delagrave, 1881, 238 p. (3e éd. 1904).

Rousselot (P.), *Madame Guizot et ses doctrines d'éducation*, Versailles, Aubert, 1887, 72 p.
(Inspecteur d'académie au temps de Duruy, Rousselot a, comme Gréard, l'expérience des cours secondaires de jeunes filles).

V. Souvenirs, témoignages et ouvrages commémoratifs

Agoult (Comtesse d' alias Daniel Stern), *Mes souvenirs, 1806-1833*, Paris, Calmann-Lévy, 1877.

Les origines de l'Assomption. Souvenirs de famille, Tours, Mame, 1898, t. I 503 p., t. II 512 p., t. III 502 p., t. IV 498 p.
La fondation d'une grande congrégation vouée à l'enseignement des jeunes filles de la bonne société et l'évocation de la fondatrice, Eugénie Milleret.

Bonnardot (J.), *Un lycée de jeunes filles dans un vieil hôtel parisien* (le lycée Lamartine), Paris, éd. du Lycée Lamartine, 1933, 136 p.
L'essentiel de l'ouvrage est consacré à l'historique des locaux avant leur affectation présente. (De même, les 109 premières pages du *Cinquantenaire* de Sèvres sont consacrées à l'histoire de la manufacture de porcelaine).

En règle générale, il existe des prospectus des lycées et collèges de jeunes filles, peu après leur fondation, destinés à attirer la clientèle. Ils décrivent le plus souvent les locaux, exposent le cours des études, donnent la liste du personnel enseignant et la nomenclature du trousseau avec les conditions de l'internat. Ils sont conservés dans les archives départementales, au hasard des liasses consacrées à l'enseignement secondaire féminin. Leur importance varie d'une à une vingtaine de pages. En revanche, les monographies éventuelles consacrées à des établissements sont pratiquement introuvables à Paris.

Crouzet-Benaben (J., Mme P.), « Monographie d'une éducation masculine de femme » (communication faite à la commission extraparlementaire de

l'enseignement secondaire féminin, 17 mars 1917, publiée à la demande de la commission), *RU,* t. I, 1917, p. 331-340.
Souvenirs de jeunesse de J. Benaben ; conclut à l'assimilation, pour les études de fond, entre études masculines et féminines.

Crouzet-Benaben (J., Mme P.), *Souvenirs d'une jeune fille bête,* souvenirs autobiographiques d'une des premières agrégées de France (avant-propos du Dr J.-P. Crouzet), Paris, Debresse, 1971, 677 p.
Posthume ; quelques souvenirs sur Sèvres et le collège Sévigné.

Duruy (Victor), *Notes et souvenirs, 1811-1894,* Paris, Hachette, 1901, t. I, 292 p., t. II, 313 p.

Gendarme de Bévotte (G.), *Souvenirs d'un universitaire,* Paris, Perrin, 1938, 324 p.

Mourier (Adolphe), *Notes et souvenirs d'un universitaire 1827-1889,* Orléans, Imp. G. Jacob, 1889, VIII-559 p.

Pécaut (J.-F.), *Quinze ans d'éducation,* notes écrites au jour le jour (par F. Pécaut), Paris, Delagrave, 1902, XXIII-407 p.

Simon (J.), *Le soir de ma journée,* Paris, Flammarion, 1901, 479 p.
Permet de mieux connaître la personnalité d'un des meilleurs amis de Camille Sée, représentatif de l'Université modérée des années 1880, dont l'opinion a compté au moment du vote et de l'application de la loi.

Plus révélateur sur les idées de Francisque Vial que le titre ne le laisserait croire :

Vial (F.), *Trois siècles d'enseignement secondaire,* Paris, Delagrave, 1936, 287 p.

Weiss (L.), *Mémoires d'une Européenne,* 4 vol., t. I, Paris, Payot, 1968, 316 p.
Le tome I, chapitre IV, évoque la jeunesse de l'auteur au lycée Molière et au collège Sévigné, les figures de Marie Dugard, Berthe Leroux et Marguerite Scott, professeurs au lycée Molière.

Le vingt-cinquième anniversaire de l'enseignement secondaire des jeunes filles a été l'objet d'une commémoration solennelle. Les discours prononcés à cette occasion, ainsi que divers documents ont été réunis dans :

« L'enseignement secondaire des jeunes filles en France », 25e anniversaire, 1880-1907, Paris, *Revue de l'enfant,* 1907, 52 p.

Le jubilé des lycées et collèges de jeunes filles et de l'Ecole normale de Sèvres, Paris, Alcan, 1911, 125 p.

25e anniversaire de la création du lycée de jeunes filles de Grenoble, 1882-1907, Grenoble, 1907, 18 p.

Bulletin trimestriel de l'Association des élèves de Sèvres, décembre 1908, p. 140-218, numéro spécial.

Enfin, à l'occasion de ce 25e anniversaire, un choix de discours a été publié :

Lycées et collèges de jeunes filles, 25 ans de discours, Paris, L. Cerf, 1907, 347 p.

Appartient aussi à la littérature commémorative, mais plus volumineux et plus élaboré, l'ensemble d'études et de souvenirs réuni pour le cinquantenaire de Sèvres :

Le cinquantenaire de l'Ecole de Sèvres, 1881-1931, Paris, Printory, 1932, XXXII-460 p.

L'Ecole de Sèvres semble avoir été le sujet privilégié d'une pléïade d'auteurs, à mi-chemin entre la fiction romanesque et le témoignage autobiographique. C'est pourquoi il convient de ranger dans cette rubrique, à côté du livre du *Cinquantenaire* et du *Jubilé* :

Aron (M.), *Journal d'une Sévrienne*, Paris, Alcan, 1912, XI-239 p.
Le texte a d'abord été publié, à partir du début de 1902, dans la *Revue Camille Sée*. L'auteur, Sévrienne qui finit sa carrière comme professeur de lycée à Paris et comme conférencière, fut aussi une collaboratrice de la revue dominicaine la *Vie intellectuelle*, après une « retentissante » conversion au catholicisme.

Galzy (J.), *Jeunes filles en serre chaude*, Paris, Gallimard, 1934, 287 p.

Roman à scandale, parce que le décor de Sèvres sert à une trouble intrigue amoureuse, tout comme dans le roman à clefs d'une sévrienne :

Réval (G.), *Les Sévriennes*, Paris, Ollendorff, 1900, VIII-308 p.
L'auteur donne de ce scandale une interprétation quelque peu ambitieuse dans ses souvenirs :

Réval (G.) (pseudonyme de Gabrielle Logerot), *La grande parade des Sévriennes*, Paris, Les Œuvres libres, Arthème Fayard, mars 1933, p. 287-379.

et a exploité son succès dans deux autres romans :

Réval (G.), *Un lycée de jeunes filles*, Paris, Ollendorf, 1901, XI-340 p.

Réval (G.), *Lycéennes*, Paris, Ollendorf, 1902, 309 p.
Le premier livre évoque la vie d'un jeune professeur dans un lycée de province, le second la dure condition des jeunes filles qui se préparent aux concours de l'enseignement féminin : ce sont des tableaux de mœurs volontairement noircis.

D'un auteur déjà cité :

Galzy (J.) (pseudonyme de J. Baraduc), *La femme chez les garçons*, Paris, Rieder et Cie, 1921 (rééd. 1924, 251 p.).
L'expérience des femmes professeurs qui, durant la première guerre mondiale, reçurent une affectation dans des établissements masculins.

VI. Biographies

L'univers de l'enseignement féminin, en dehors de l'enseignement confessionnel, n'a pas beaucoup tenté les biographes. Il faut donc se reporter aux notices nécrologiques, souvent longues mais dépourvues de détails concrets, du Bulletin des anciennes élèves de Sèvres, ou aux dossiers personnels des professeurs et directrices. Il existe cependant une biographie de trois directrices :

Wurmser-Degouy (H.), *Trois éducatrices modernes*, Vendôme-Paris, PUF, 1934, 151 p.
Consacrée à Léonie Allégret, Marguerite Caron et Anna Amieux. Le portrait de cette dernière, exécuté de son vivant, ne peut avoir la même précision que les deux premiers ;

et un livre essentiel sur un univers mal connu :

Sanua (L.), *Figures féminines, 1909-1939,* Paris, Beaufils, 1946, 106 p.
La fondatrice de l'HECJF évoque à bâtons rompus, sous forme de lettres

écrites à Mme de Brimont, les principales figures féminines de son temps : M. Salomon, Mme Siegfried, L. Cruppi, M. Desprez, A. Fanta, A. Amieux, B. Milliard... Les « billets » sont suivis de courtes notices biographiques.

Une monographie sur une pionnière :

MATHILDE SALOMON

Lévêque (M.), ancienne élève du collège Sévigné, *Mathilde Salomon, directrice du collège Sévigné, membre du Conseil supérieur de l'Instruction publique, chevalier de la Légion d'honneur, 1837-1909*, Saint-Germain lès Corbeil, Imp. Leroy, 42 p. (s.d. : 1909 ?).
(L'unique exemplaire facilement accessible à Paris est conservé à la bibliothèque de l'INRDP).

Aux origines de l'enseignement secondaire officiel, ne se trouvent que des biographies masculines :

PAUL BERT

Dubreuil (L.), *Paul Bert*, Paris, Alcan, 1935, 287 p.

VICTOR DURUY

Rohr (J.), *Victor Duruy, ministre de Napoléon III*, Paris, Librairie générale de droit et de jurisprudence, 1967, 215 p. (Thèse de droit).
Lavisse (E.), *Un ministre, Victor Duruy*, tiré à part de *La Revue de Paris*, 15 janvier 1895-15 mars 1895.

JULES FAVRE

Reclus (M.), *Jules Favre, 1809-1880. Essai de biographie historique et morale*, Paris, Hachette, 1912, 572 p.
La fin du livre évoque la personnalité et l'influence sur son mari de Mme Jules Favre.

JULES FERRY

Reclus (M.), *Jules Ferry*, Paris, Flammarion, 1947, 433 p.
Legrand (L.), *L'influence du positivisme dans l'œuvre scolaire de Jules Ferry. Les origines de la laïcité*, Paris, Marcel Rivière, 1961, 256 p.

O. GRÉARD

Il est regrettable que la personnalité du vice-recteur n'ait pas tenté un auteur de biographie. On peut se reporter toutefois aux nombreux articles des revues universitaires relatifs à sa retraite ou à sa mort, survenue peu après, à :
Levasseur (E.), *Octave Gréard*, Versailles, Cerf (s.d. : 1904 ?), 43 p.
Levasseur (E.), *Discours prononcés à l'inauguration du monument élevé à la mémoire d'Octave Gréard*, à Paris, 11 juillet 1909 (avec les discours d'H. Poincaré et L. Liard), Paris, Firmin-Didot, 1909, 24 p.
Bourgain (P.), (L'auteur est une sévrienne) *Octave Gréard, un moraliste éducateur*, Paris, Hachette, 1907, préface de Léon Bourgeois.

L'action de Gréard y est quelque peu amplifiée. Deux articles la réduisent à de plus modestes proportions :

Croiset (M.), *RIE,* 15 octobre 1907.

Pagès (R.), *ESJF,* novembre 1907, p. 207-217.

E. LEGOUVÉ

Aron (M.), « M. Legouvé. Notes d'une Sévrienne », *Revue bleue,* 15 et 22 février 1913, p. 213-216 et 239-242.

Legouvé (E.), *Dernier travail, derniers souvenirs,* Paris, Hetzel, 1898, 350 p.

Bien qu'il ne s'agisse pas de l'enseignement secondaire des jeunes filles, l'esprit de Fontenay se rapproche par tant de points de celui qui a régné à l'Ecole de Sèvres à ses débuts qu'il convient de citer :

FÉLIX PÉCAUT

Compayré (G.), *Félix Pécaut et l'éducation de la conscience,* Paris, Paul Delaplane, 1904, 123 p.

CAMILLE SÉE

L'essentiel des souvenirs sur lui ont été rassemblés dans le numéro spécial de l'*ESJF,* 25 janvier 1919, 37 p., et dans M. Aron, *Le cinquantenaire de l'Ecole de Sèvres, 1881-1931,* p. 323-330.

Les titres se font ensuite plus rares, en dehors des notices nécrologiques publiées par les revues universitaires :

M. DESPREZ

« In Memoriam Magdeleine Desprez », *Bulletin de l'Union française des Associations d'anciennes élèves des lycées et collèges de jeunes filles,* 1937, 24 p., bulletin spécial.

MARIE DU SACRÉ-CŒUR (MÈRE)

Adhémar (Vicomtesse d'), *Une religieuse réformatrice, la Mère Marie du Sacré-Cœur de 1895 à 1901,* Paris, Bloud, 440 p., s.d. (1909).

JEAN ZAY

Ruby (M.), *La vie et l'œuvre de Jean Zay,* Paris, Chez l'auteur, 1969, 509 p. (Thèse de 3ᵉ cycle).
Utilise, p. 276-277, le témoignage de Mme Cotton.

VII. Etudes de caractère général

1. ÉTUDES HISTORIQUES

Cahour (J.), *Les écoles et pensionnats privés au XIXᵉ siècle,* Laval, Imp. Goupil, 1924, 39 p.
En fait, l'histoire de l'enseignement privé dans la ville de Laval.

Les catholiques libéraux au XIXe siècle, actes du colloque international d'histoire religieuse de Grenoble des 30 septembre, 3 octobre 1971. Avant-propos de Jacques Gadille, Grenoble, PUG, 1974, 595 p. pour les contributions de : Leclerc (J.), « La spiritualité des catholiques libéraux », p. 367-429. Mayeur (F.), « Les catholiques libéraux et l'éducation des femmes », p. 421-440.

Caperan (L.), *Histoire contemporaine de la laïcité française,* t. II, *La révolution scolaire,* Paris, Marcel Rivière, 1960, 290 p.

Coirault (G.), *Les cinquante premières années de l'enseignement secondaire féminin, 1880-1930,* Tours, Imp. Arrault, 1940, 138 p. (Thèse complémentaire pour le doctorat ès lettres, Faculté des lettres de l'Université de Poitiers).
Etude surtout administrative d'après des archives de l'Académie de Poitiers.

Crouzaz-Cretet (L. de), « La Société générale d'éducation et d'enseignement », *Correspondant,* 150, janvier-mars 1888.
Bon historique des origines et du développement de la Société.

Compayré (G.), *Histoire de la pédagogie,* Paris, Delaplane, 1889, 492 p.

Delarbre (J.), *La Légion d'honneur ; histoire, organisation, administration,* Paris, L. Baudoin, 1887, 361 p.
Un développement est consacré aux Maisons d'éducation.

Durkheim (E.), *L'évolution pédagogique en France,* Paris, PUF, 1re éd. 1938, 2e éd. 1969, 403 p.

Duveau (G.), *La pensée ouvrière sur l'éducation,* Paris, Domat-Montchrestien, 1947, 343 p.

Encyclopédie française, sous la direction de C. Bouglé, t. XV, *Education et instruction,* IIIe partie, « Problèmes politiques et sociaux », section B. Privilège et culture pour tous, chapitre III, 1) L'égalité des sexes devant l'instruction (M. Elichabe) (15° 46, 13 à 16) ; 2) En France. L'enseignement secondaire unique (Rose Celli) (15° 48, 1) ; 3) La coéducation des sexes (Marcelle Pardé) (15° 48, 2 et 3).

Falcucci (C.), *L'humanisme dans l'enseignement secondaire en France au XIXe siècle,* Toulouse, Privat, 1939, XVI-667 p.

Fourmestraux (E.), *Les maisons d'éducation de la Légion d'honneur,* Paris, P. Dupont, 1886, 212 p.

Gerbod (P.), *La condition universitaire en France au XIXe siècle,* Paris, PUF, 1965, 720 p. (Thèse principale pour le doctorat ès lettres).
Le professeur dans la société française jusqu'à Jules Ferry.

Gerbod (P.), « Associations et syndicalismes universitaires de 1828 à 1928 », *Le Mouvement social,* avril-juin 1966, p. 3-45.

Gontard (M.), *L'enseignement primaire en France de la Révolution à la loi Guizot,* Paris, les Belles Lettres, 1959, X-578 p. (Thèse principale pour le doctorat ès lettres).
La législation à laquelle fut soumis tout l'enseignement des filles au moins jusqu'à 1880.

Grimal (P.), directeur de l'*Histoire mondiale de la femme,* nouvelle librairie de France, 4 volumes. Vol. 4, *Sociétés modernes et contemporaines,* 585 p. L. II, *La femme au XIXe siècle,* ch. I, « La femme en France au XIXe siècle », par N. Bothorel et M.-F. Laurent, p. 101, 162 ; L. III, *La femme au XXe siècle,* ch. I, « L'émancipation juridique de la femme en France et dans le monde », par M. de Juglart, p. 293-346.

Isambert-Jamati (V.), *Crises de la société, crise de l'enseignement, Sociologie de l'enseignement secondaire français,* Paris, PUF, 1970, 400 p. (Thèse pour le doctorat ès lettres).
Analyse des thèmes traités par les discours de distribution de prix sur les buts de l'enseignement secondaire de 1860 à 1964, à partir d'une chronologie volontairement « neutre ». Il s'agit des seuls lycées de garçons.

Maurain (J.), *La politique ecclésiastique du Second Empire de 1852 à 1869,* Paris, Alcan, 1930, 989 p.
Une analyse de la polémique relative aux cours Duruy.

Ozouf (M.), *L'école, l'Eglise et la République,* Paris, A. Colin, 1963, 304 p., coll. Kiosque.

Les Palmes académiques, 1808-1905. Historique. Description, par un officier de l'Instruction publique, Paris, Schleicher frères, 1906, 31 p.

Piobetta (J.-B.), *Le baccalauréat,* Paris, Baillière, 1937, 1040 p.

Ponteil (F.), *Histoire de l'enseignement, 1789-1965,* Paris, Sirey, 1966, 454 p.
Le passage relatif à l'enseignement secondaire féminin est directement inspiré de la thèse de G. Coirault.

Prost (A.), *L'enseignement en France, 1800-1967,* Paris, A. Colin, 1968, 524 p., coll. U.

Rambaud (A.), *Histoire de la civilisation contemporaine en France,* Paris, A. Colin, 1888, VIII-750 p.
Les passages consacrés aux femmes portent essentiellement sur les arts et lettres, ou sur la législation de l'enseignement élémentaire. La loi de 1880 est juste évoquée p. 587.

Rousselot (P.), *Histoire de l'éducation des femmes en France,* Paris, Didier, 1883, 2 vol. 443 et 447 p.

La scolarisation en France depuis un siècle, colloque tenu à Grenoble, en mai 1968, Paris, La Haye, Mouton, 1974, XVI-204 p.
Utile par ses précisions chiffrées, notamment la contribution de J. Maillet : « L'évolution des effectifs de l'enseignement secondaire de 1809 à 1961 », p. 115-162, qui permet la comparaison avec l'enseignement masculin.

Segondy (L.), *L'enseignement secondaire libre dans l'Académie de Montpellier, 1854-1924,* Centre d'histoire contemporaine du Languedoc méditerranéen-Roussillon, Université Paul Valéry, Montpellier III, 1974, 476 p. dactyl. Thèse pour le doctorat de 3ᵉ cycle.
Remarquable étude d'après des documents encore inexploités.

Snyders (G.), *La pédagogie en France aux XVIIᵉ et XVIIIᵉ siècles,* Paris, PUF, 1965, 454 p. (Thèse pour le doctorat ès lettres).
Tend à montrer, dans un court chapitre (p. 160-170), au-delà des différences entre l'éducation des garçons et celle des filles, que Fénelon et Mme de Maintenon ont retenu pour celles-ci des traits caractéristiques du collège traditionnel.

Vincent (G.), « Les professeurs de l'enseignement secondaire dans la société de la Belle Epoque », *RHMC,* janvier-mars 1966, p. 49-86.
Enquête sur plus d'un millier de dossiers de liquidation de pension de professeurs nés entre 1850 et 1890 et non encore versés aux Archives. Le fait notamment que les trois ordres d'enseignement — primaire, secondaire, supérieur — soient mêlés, que la distinction n'ait pas été opérée entre les hommes et les femmes sauf dans quelques analyses, n'autorise pas des conclusions définitives.

Vincent (G.), « Les professeurs du second degré au début du XXe siècle », essai sur la mobilité sociale et la mobilité géographique », *Le Mouvement social*, avril-juin 1966, p. 47-73.

Vincent (G.), *Les professeurs du second degré. Contribution à l'étude du corps enseignant*, Paris, Presses de la Fondation nationale des sciences politiques, 1967, 326 p.
Etude de « mentalité » contemporaine, à partir des réponses de professeurs parisiens à un questionnaire.

Weill (G.), *Histoire de l'enseignement secondaire en France (1802-1920)*, Paris, Payot, 1921, 225 p.

Zeldin (T.), *France 1848-1945*, vol. I, *Ambition, love and politics*, Oxford, The Clarendon Press, 1974, 823 p.

Zévort (E.), *Histoire de la IIIe République*, t. III, *La présidence de Jules Grévy*, Paris, Alcan, 1898, 546 p.
Entreprise par le recteur de Caen, fils de Charles Zévort, cette histoire, étroitement politique, consacre un développement nourri au vote de la loi.

2. ÉTUDES SOCIALES OU PÉDAGOGIQUES

Abensour (L.), *Histoire générale du féminisme. Des origines à nos jours*, Paris, Delagrave, 1921, 327 p.

Beaussire (E.), *La liberté de l'enseignement et l'Université*, Paris, Hachette, 1884, 360 p.

Bebel (A.), *La femme et le socialisme, dans le passé, le présent et l'avenir*, Stuttgart, 1883, 373 p, traduit en 1891.

Bigot (C.), *Questions d'enseignement secondaire*, Paris, Hachette, 1886, XV-315 p.
Recueil d'articles parus les années immédiatement précédentes dans différentes revues. Le chapitre XIII est consacré à l'enseignement secondaire des jeunes filles.

Cahen (G.), « Les associations de fonctionnaires », *Revue bleue*, 3, 17 juin ; 8, 22 juillet ; 5, 26 août 1905.

Compayré (G.), *Etudes sur l'enseignement et l'éducation* (Recueil d'articles et de comptes rendus), Paris, Hachette, 1891, 332 p.

Compayré (G.), *L'éducation intellectuelle et morale*, Paris, Delaplane, 1908, X-456 p.

Cucheval-Clarigny (A.), *L'instruction publique en France*, Paris, Hachette, 1883, 202 p.

Dietz (H.), *Les études classiques sans latin. Essai pédagogique*, Paris, L. Cerf, 1886, 51 p.

Ferneuil (T.), *La réforme de l'enseignement public en France*, Paris, Hachette, 1881, 338 p.
Le livre II, chapitre X, traite de l'enseignement secondaire des jeunes filles.

Frary (R.), *La question du latin*, Paris, L. Cerf, 1885, 323 p.

Hippeau (C.), *L'instruction et l'éducation considérées dans leur rapport avec le bien-être social et le perfectionnement de l'esprit humain*, Paris, Delalain, 1885, 348 p.
Ouvrage posthume qui tire surtout son intérêt d'avoir été écrit par le fondateur des cours Duruy à Paris (rive droite).

Keller (E.), *Les congrégations religieuses en France, leurs œuvres et leurs services,* par E.B., (précédé d'une introduction d') Paris, Poussielgue, 1880, LIV-736 p.

Michel (H.), *Notes sur l'enseignement secondaire,* Paris, Hachette, 1902, XVII-307 p.
Recueil des articles du collaborateur du *Temps* qui exprime une pensée universitaire libérale et modérée, proche des vues du Conseil supérieur.

Recueil des monographies pédagogiques publiées à l'occasion de l'exposition universelle de 1889, Paris, Imp. nationale, 1889, 6 vol. ; cf. notamment dans le vol. I (616 p.) essentiellement consacré à l'enseignement primaire, le « Mouvement des idées pédagogiques en France depuis 1870 » par H. Marion, p. 3-90.

Simon (J.), *L'école,* Paris, Lacroix, Verboeckhoven et Cie, 1865, 431 p. 11ᵉ éd. 1886, XXVII-455 p.
La 2ᵉ partie est consacrée à l'éducation des filles sous le Second Empire.

Vacherot (E.), *La démocratie,* Paris, F. Chamerot, 1860, XXXII-400 p.

INDEX

des noms de personne et des établissements

Le prénom n'a été porté que dans les cas d'homonymes.

Brest (lycée) : 162, 179, 189, 190, 197, 236.
Brétignère : 208.
Briand : 308, 381, 391, 396.
Brissaud : 121, 122, 130.
Brisson (Adolphe) : 29, 31, 32, 169, 382.
Brive : 165.
Broca : 12, 34, 49, 50, 54, 60, 63, 71, 72, 383.
Broglie (duc de) : 51, 58-61, 82.
Brulant : 303.
Brunaud : 321, 322.
Brunetière : 391.
Brunot (Ferdinand) : 413.
Brunschwicg : 382.
Bruston : 212.
Buchner : 63.
Buffet : 51.
Buisson : 97, 129, 134, 145, 183, 185, 186, 272.
Busson : 430.
Butiaux : 300, 408, 420.

Cabaillot-Boyer : 336.
Cabrières (de) : 19, 390.
Caen (collège, puis lycée) : 162, 176, 197, 232.
Cahors (collège, puis lycée) : 162, 165, 184, 315, 322, 324, 366.
Caillet : 5.
Cambrai (cours, puis collège Fénélon) : 154, 156, 162, 165, 166, 202, 319.
Campan (Mme) : 180.
Capéran : 54.
Carcassonne (collège) : 164.
Carcopino : 412.
Carnot (lycée) : 430.
Carnot (Hippolyte) : 3, 12, 23, 37, 48, 62, 108, 205, 206.
Caron (Anna) : 221, 326.
Caron (Marguerite) : 206, 317, 403, 419, 427.
Carpentras (collège, puis EPS) : 162, 173.
Casse : 21.
Castelsarrasin (EPS) : 173.
Castres (cours, puis collège) : 154, 162, 165, 171, 324.
Catherine de Russie : 63.
Cayrou : 423.
Cazotte : 366.

Cerf : 28.
Chalamet (Mlle) : 91.
Chalamet (A.) : 29, 31, 35, 53, 91, 97, 212, 368.
Chalon (collège) : 162, 183.
Châlons (cours) : 156.
Chambéry (cours, puis lycée) : 150, 162, 315, 319, 368.
Chantavoine : 122, 130, 161.
Charlemagne : 56.
Charles (recteur) : 153, 257, 317, 366, 367.
Charleville (cours, puis lycée) : 147, 162, 166, 190, 202, 236, 266, 318.
Charlot : 306, 327.
Charpentier : 212.
Chartres (collège, puis lycée) : 162, 167, 198, 314.
Châteauroux (collège) : 164.
Chauveau : 107.
Chavée : 59.
Chauvin (Jeanne) : 222.
Chazal : 65.
Cherbourg (cours, puis lycée) : 168, 349.
Chesnelong : 55-57, 60, 70.
Chollet-Duret : 199, 368.
Chrysale : 32.
Cicéron : 210.
Clavière : 402.
Clemenceau : 415.
Clément (Marguerite) : 408.
Clerc : 232.
Clermond-Ferrand (cours, puis lycée) : 162, 195, 197, 314.
Coignet : 91-93, 180.
Coirault : 435.
Colani : 209.
Colas : 317.
Colin (Paul) : 336.
Collet : 320.
Combes (Edgar) : 308.
Compayré : 90, 91, 100, 144, 145, 156, 159, 162, 164, 168, 204, 212, 222, 279, 283, 311, 313, 321, 325, 327, 340, 341, 367, 370.
Comte (Auguste) : 18, 23, 206.
Comte (pasteur) : 308.
Condorcet : 13, 63, 202.
Constantine (collège, puis lycée) : 162, 165.
Cope : 420.
Coppée : 391.
Corone-Comte : 199, 200.

Ce livre a été
composé, imprimé et broché
par l'Imprimerie Chirat
42540 Saint-Just-la-Pendue
en mai 1977
Dépôt légal N° 11926